Métodos cuantitativos para los negocios

UNDÉCIMA EDICIÓN

Métodos cuantitativos para los negocios

UNDÉCIMA EDICIÓN

BARRY RENDER

Profesor Distinguido Charles Harwood de Ciencias de la Administración
Graduate School of Business, Rollins College

RALPH M. STAIR, JR.

Profesor de Ciencias de la Información y la Administración
Florida State University

MICHAEL E. HANNA

Profesor de Ciencias de la Decisión
University of Houston-Clear Lake

Traducción:
Marcia Aída González Osuna
Traductora especialista en Métodos numéricos

Revisión técnica:
Ignacio García Juárez
María de Guadalupe Arroyo Santisteban
Iren Castillo Saldaña
Vinicio Pérez Fonseca
José Cruz Ramos Báez
Academia de Matemáticas
Escuela de Ciencias Económicas y Empresariales (ECEE)
Universidad Panamericana

Carlos Héctor Lacavex Eguiarte
Universidad Regiomontana

Datos de catalogación bibliográfica

RENDER, BARRY

**Métodos cuantitativos para los negocios.
Undécima edición**

PEARSON EDUCACIÓN, México, 2012

ISBN: 978-607-32-1264-9
Área: Matemáticas

Formato: 21 × 27 cm   Páginas: 672

Authorized translation from the English language edition, entitled *QUANTITATIVE ANALYSIS FOR MANAGEMENT 11th Edition*, by *BARRY RENDER, RALPH STAIR and MICHAEL HANNA*, published by Pearson Education, Inc., publishing as Prentice Hall, Copyright © 2012. All rights reserved.
ISBN 9780132149112

Traducción autorizada de la edición en idioma inglés, titulada *QUANTITATIVE ANALYSIS FOR MANAGEMENT 11ª* edición por *BARRY RENDER, RALPH STAIR y MICHAEL HANNA* publicada por Pearson Education, Inc., publicada como Prentice Hall, Copyright © 2012. Todos los derechos reservados.

Esta edición en español es la única autorizada.

Edición en español
Dirección general:
Dirección Educación Superior: Mario Contreras
Editora: Gabriela López Ballesteros
                                 e-mail: gabriela.lopezballesteros@pearson.com
Editor de desarrollo: Felipe Hernández Carrasco
Supervisor de Producción: José D. Hernández Garduño
Diagramación: focageditorial
Gerencia Editorial Educación Superior Latinoamérica: Marisa de Anta

UNDÉCIMA EDICIÓN, 2012

D.R. © 2012 por Pearson Educación de México, S.A. de C.V.
          Atlacomulco 500-5o. piso
          Col. Industrial Atoto
          53519, Naucalpan de Juárez, Estado de México

Cámara Nacional de la Industria Editorial Mexicana. Reg. núm. 1031.

ISBN VERSIÓN IMPRESA: 978-607-32-1264-9   Esta obra se terminó de imprimir en febrero de 2013
ISBN VERSIÓN E-BOOK: 978-607-32-1265-6   en los talleres de Litográfica Ingramex, S.A. de C.V.
ISBN E-CHAPTER: 978-607-32-1266-3   Centeno 162-1, Col. Granjas Esmeralda,
                                                 C.P. 09810, México, D.F.
Impreso en México. *Printed in Mexico.*
1 2 3 4 5 6 7 8 9 0 - 15 14 13 12

A mi esposa y a mis hijos – BR
A Lila y a Leslie – RMS
A Susan, a Meckey y a Katie – MEH

Barry Render es Profesor Emérito, como Profesor Distinguido Charles Harwood de ciencias de la administración en Roy E. Crummer Graduate School of Business de Rollins College en Winter Park, Florida. Tiene maestría en investigación de operaciones y doctorado en análisis cuantitativo por la University of Cincinnati. Antes, enseñó en George Washington University, Univesity of New Orleans, Boston University y George Mason University, donde tuvo la distinción de Mason Foundation Professorship en ciencias de la decisión y fue jefe del departamento de ciencias de la decisión. El Dr. Render también ha trabajado en la industria aeroespacial para General Electric, McDonnell Douglas y la NASA.

Es coautor de 10 libros de texto publicados por Prentice Hall, que incluyen *Managerial Decision Modeling with Spreadsheets, Operations Management, Principles of Operations Management, Service Management, Introduction to Management Science* y *Cases and Readings in Management Science*. Los más de 100 artículos del Dr. Render sobre una variedad de temas de administración han aparecido en *Decision Sciences, Production and Operations Management, Interfaces, Information and Management, Journal of Management Information Systems, Socio-Economic Planning Sciences, IIE Solutions and Operations Management Review*, entre otras publicaciones.

Entre los honores recibidos por el Dr. Render está la AACSB Fellow; fue nombrado Senior Fullbright Scholar en 1982 y de nuevo en 1993. Dos veces fue vicepresidente del Decision Science Intitute Southeast Region, y sirvió como editor revisor de software para *Decision Line* de 1989 a 1995. También ha sido editor de números especiales de Administración de Operaciones del *New York Times* de 1996 a 2001. De 1984 1993, el Dr. Render fue presidente de Management Service Associates of Virginia, Inc., cuyos clientes tecnológicos incluyeron al FBI; la Marina estadounidense, Fairfax County, Virginia, y C&P Telephone.

El Dr. Render ha impartido cursos de administración de operaciones en la maestría de Rollin's College, así como en programas de maestría para ejecutivos. Recibió el Premio Welsh de la universidad como profesor líder y fue premiado en 1996 por la Roosvelt University con el Premio St. Claire Drake for Outstanding Scholarship. En 2005, el Dr. Render recibió el Premio Rollins College MBA Student por el mejor curso general y en 2009 fue nombrado profesor del año por los estudiantes de tiempo completo de la maestría en administración.

Ralph Stair es Profesor Emérito en la Florida State University. Obtuvo su licenciatura en ingeniería química en Purdue University y una maestría en administración en Tulane University. Con la guía de Ken Ramsing y Alan Eliason, recibió un doctorado en administración de operaciones en University of Oregon. Ha enseñado en la University of Oregon, la University of Washington, la University of New Orleans y la Florida State University.

Dio clases dos veces en el programa Florida State University's Study Abroad en Londres. Al pasar los años, su enseñanza se ha concentrado en las áreas de sistemas de información, investigación de operaciones y administración de operaciones.

El Dr. Stair es miembro de varias organizaciones académicas, que incluyen Decision Sciences Institute e INFORMS; participa con regularidad en reuniones nacionales. Ha publicado innumerables artículos y libros entre los que destacan *Managerial Decision Modeling with Spreadsheets, Introduction to Management Science, Cases and Readings in Management Science, Production and Operations Management: A Self-Correction Approach, Fundamentals of Information Systems, Principles of Information Systems, Introduction to Information Systems, Computers in Today's World, Principles of Data Processing, Learning to Live with Computers, Programming in BASIC, Essentials of BASIC Programming, Essentials of FORTRAN Programming* y *Essentials of COBOL Programming*. El Dr. Stair divide su tiempo entre Florida y Colorado. Disfruta esquiar, ciclismo, remo en kayac y otras actividades al aire libre.

Michael E. Hanna es profesor de ciencias de la decisión en la University of Houston-Clear Lake (UHCL). Tiene licenciatura en economía, maestría en matemáticas y doctorado en investigación de operaciones por la Texas Tech University. Durante más de 25 años ha impartido cursos de estadística, ciencias administrativas, pronósticos y otros métodos cuantitativos. Su dedicación a la enseñanza se ha reconocido con el Premio a la Enseñanza Beta Alpha Psi en 1995 y el Premio Outstanding Educator en 2006 otorgado por Southwest Decision Sciences Institute (SWDSI).

El Dr. Hanna es autor de libros de texto de ciencias administrativas y métodos cualitativos, ha publicado diversos artículos e informes profesionales; colaboró con el Comité Editorial Asesor de *Computers and Operations Research.* In 1996 UHCL Chapter of Beta Gamma Sigma le otorgó el Premio Outstanding Scholar.

El Dr. Hanna es una persona muy activa en el Decision Sciences Institute; también ha colaborado en el Innovative Education Committee, el Regional Advisory Committee y el Nominating Committee. Ha participado en dos equipos del consejo directivo de Decision Sciences Institute (DSI) y como vicepresidente del DSI por elección regional. En SWDSI ha tenido varios puestos, que incluyen el de presidente; recibió el Premio SWDSI Distinguished Service en 1997. Por su servicio profesional general y a la universidad, recibió el Premio UHCL President's Distinguished Service en 2001.

CONTENIDO BREVE

CONTENIDO

PREFACIO

DESCRIPCIÓN GENERAL

La undécima edición de *Métodos cuantitativos para los negocios* continúa ofreciendo a los estudiantes de licenciatura y posgrado una base sólida para los métodos cuantitativos y las ciencias de la administración. Gracias a los comentarios y sugerencias que nos hicieron usuarios y revisores de este libro durante los últimos treinta años, pudimos hacer aún mejor esta excelente edición.

Continuamos haciendo hincapié en la construcción de modelos y las aplicaciones por computadora, con la finalidad de ayudar a los usuarios en la comprensión de la forma en que las técnicas presentadas en este libro se usan actualmente en las situaciones reales de negocios. En cada capítulo se presentan problemas administrativos para brindar la motivación en el aprendizaje de las técnicas que son de utilidad al resolver tales problemas. Después, se presentan los modelos matemáticos con todas las suposiciones necesarias, de una manera sencilla y concisa. Las técnicas se aplican a problemas típicos, con todos los detalles completos. Hemos encontrado que este método de presentación es muy efectivo y los estudiantes aprecian este enfoque. Si los cálculos matemáticos para alguna técnica son detallados, los detalles matemáticos se presentan de forma que el profesor pueda omitir con facilidad tales secciones, sin interrumpir el flujo del material. El uso de software permite que el profesor se dedique al problema de aplicación y pase menos tiempo en los detalles matemáticos de los algoritmos. Se proporciona la salida o los resultados de la computadora para muchos ejemplos.

El único prerrequisito matemático para este libro de texto es álgebra. Un capítulo sobre probabilidad y otro sobre análisis de regresión proporcionan el material introductorio de los temas. Usamos notación, terminología y ecuaciones estándar en toda la obra. Se dan explicaciones verbales cuidadosas para la notación matemática y las ecuaciones utilizadas.

LO NUEVO EN ESTA EDICIÓN

- Se incorporó Excel 2010 en todos los capítulos.
- Los análisis de la distribución de Poisson y la distribución exponencial se cambiaron al capítulo 2, con el resto del material estadístico de apoyo que se usa en el libro.
- El contenido del algoritmo símplex se cambió del libro al módulo 7 en la página Web que acompaña al libro.
- Hay 11 secciones nuevas de AC en acción, 4 recuadros nuevos de Modelado en el mundo real y más de 40 problemas inéditos.
- Se da menos importancia al enfoque algorítmico para resolver problemas de los modelos de transporte y asignación.
- Se da más importancia al modelado y menos a los métodos manuales de solución.

CARACTERÍSTICAS ESPECIALES

Muchas características fueron populares en las ediciones anteriores del libro y se actualizaron y ampliaron en esta edición. Incluyen lo siguiente:

- Los recuadros de *Modelado en el mundo real* demuestran la aplicación del enfoque de análisis cuantitativo para cada técnica estudiada en el libro. Se agregaron varios recuadros nuevos.
- Las secciones de *Procedimiento* resumen las técnicas cuantitativas más complejas con la presentación de una serie de pasos de fácil comprensión.
- Las *notas al margen* destacan los temas importantes en el libro.
- Los recuadros de *Historia* se refieren a casos interesantes relacionados con el desarrollo de las técnicas y las personas que las originaron.
- Las secciones de *AC en acción* ilustran cómo se ha utilizado el análisis cuantitativo en organizaciones reales para resolver problemas. Se agregaron 11 secciones nuevas de estas.
- Los *problemas resueltos* incluidos al final de cada capítulo sirven como modelos cuando los estudiantes resuelven sus propios problemas de tarea.
- Las *preguntas para análisis* se presentan al final de cada capítulo para probar su comprensión de los conceptos y las definiciones tratados en el capítulo.
- Los *problemas* incluidos en cada capítulo son aplicaciones orientadas para evaluar la habilidad del estudiante en la solución de problemas tipo examen. Se muestra su nivel de dificultad: introductorio (un punto), moderado (dos puntos) y desafiante (tres puntos). Se agregaron más de 40 problemas nuevos.
- Los *problemas de tarea en Internet* ofrecen problemas adicionales para los estudiantes y están disponibles en el sitio Web que acompaña al libro.
- Las *autoevaluaciones* permiten que los estudiantes prueben su conocimiento de los términos y conceptos importantes en la preparación de sus exámenes.
- Los *Estudios de caso* al final de cada capítulo presentan aplicaciones administrativas adicionales que son desafiantes.
- Los *glosarios* al final de cada capítulo definen los términos importantes.
- Las *ecuaciones clave* al final de cada capítulo listan las ecuaciones presentadas.
- La *bibliografía de fin del capítulo* da una selección actualizada de los libros y artículos más avanzados.
- El *software POM-QM para Windows* usa todas las capacidades de Windows para resolver problemas de análisis cuantitativo.
- *Excel QM* y *Excel 2010* se utilizan para resolver problemas en todo el libro.
- Los archivos de datos con hojas de cálculo de Excel y de POM-QM para Windows contienen todos los ejemplos del libro y están disponibles para que los estudiantes los descarguen de la página Web del libro. Los profesores pueden descargarlos junto con archivos adicionales con las soluciones por computadora para los problemas relevantes de final de capítulo, desde la página Web del centro de recursos para profesores.
- Los *módulos en línea* proporcionan cobertura adicional de temas de análisis cuantitativo.
- El sitio Web que acompaña al libro, en www.pearsonenespañol.com/render, incluye los módulos en línea, problemas y casos adicionales, así como otros materiales para casi cualquier capítulo.

CAMBIOS SIGNIFICATIVOS EN LA UNDÉCIMA EDICIÓN

En la undécima edición incorporamos el uso de Excel 2010 en todos los capítulos. Mientras que la información relativa a Excel 2007 también se incluye en los apéndices adecuados, se usan ampliamente las ventanas desplegadas y las fórmulas de Excel 2010. También se dan las soluciones para la mayoría de los ejemplos. El complemento Excel QM se usa con Excel 2010 para presentar al estudiante los métodos más actualizados disponibles.

Se da una importancia aún mayor al modelado, en tanto que el algoritmo símplex se cambió del libro a un módulo en línea. Los modelos de programación lineal se presentan con los problemas de transporte, trasbordo y asignación, los cuales tienen un enfoque de redes y sirven para realizar un análisis coherente y consistente de estos tipos importantes de problemas. También se incluyen modelos de programación lineal para algunos otros modelos de redes. Unos cuantos algoritmos con fines especiales todavía están disponibles en el libro; no obstante, sería fácil omitirlos sin pérdida de continuidad cuando el profesor elija esa opción.

Además del uso de Excel 2010, en todo el libro se usan nuevas ventanas desplegables y se examinan los cambios en el software. Se han hecho otras modificaciones a casi todos los capítulos. A continuación veremos un resumen de ellas.

Capítulo 1 *Introducción al análisis cuantitativo*. Se agregaron secciones nuevas de AC en acción y aplicaciones de Administración en el mundo real. Se agregó un problema nuevo.

Capítulo 2 *Conceptos de probabilidad y aplicaciones*. Se modificó la presentación de variables aleatorias discretas. Se incorporó la regla empírica y se modificó el análisis de la distribución normal. Se ampliaron las presentaciones de las distribuciones exponencial y de Poisson, que son importantes en el capítulo sobre líneas de espera. Se agregaron tres problemas nuevos.

Capítulo 3 *Análisis de decisiones*. Se modificó la presentación del criterio del valor esperado. Se incluye un análisis del uso de los criterios de decisión para problemas de maximización y minimización. Se incluyó una hoja de cálculo de Excel 2010 para los cálculos con el teorema de Bayes. Se agregó un cuadro de AC en acción y seis problemas nuevos.

Capítulo 4 *Modelos de regresión*. La regresión se menciona al estudiar la elaboración del modelo. Se agregaron dos problemas nuevos. Asimismo, se modificaron otros problemas de final de capítulo.

Capítulo 5 *Pronósticos*. La presentación del suavizamiento exponencial con tendencia se modificó. Se agregaron tres problemas y un caso nuevos.

Capítulo 6 *Modelos de control de inventarios*. Se modificó de manera significativa el uso del inventario de seguridad, con la presentación de tres situaciones diferentes que requieren un inventario de seguridad. Se incorporó el análisis de la posición del inventario. Se agregaron un nuevo recuadro de AC en acción, cinco problemas y dos problemas resueltos nuevos.

Capítulo 7 *Modelos de programación lineal: métodos gráficos y por computadora*. Se amplió el estudio de la interpretación de los resultados por computadora, el uso de variables de holgura y excedente, así como la presentación de restricciones precisas. La utilización de Solver en Excel 2010 tiene modificaciones significativas respecto a Excel 2007 y el uso del nuevo Solver se presenta con claridad. Se agregaron dos problemas y otros se modificaron.

Capítulo 8 *Aplicaciones de programación lineal*. Se modificó el problema de la mezcla de producción. Para mejorar el enfoque sobre la elaboración de modelos, se amplió el estudio del desarrollo de modelos para varios ejemplos. Se agregaron un cuadro de AC en acción y dos problemas de fin de capítulo nuevos.

Capítulo 9 *Modelos de transporte y asignación*. Se hicieron cambios importantes en este capítulo, ya que se dio menos importancia al enfoque algorítmico de solución de estos problemas. Se incluyen una representación de redes y el modelo de programación lineal para cada tipo de problema. El problema de trasbordo se presenta como una extensión del problema de transporte. Se incluyen los algoritmos básicos de transporte y asignación, aunque están al final del capítulo y podrían omitirse sin alterar el flujo. Se agregaron dos cuadros de AC en acción, una situación de administración en el mundo real y 11 problemas de final de capítulo nuevos.

Capítulo 10 *Programación entera, programación por metas y programación no lineal*. Se da más importancia al modelado y menos a los métodos manuales de solución. Se agregaron un recuadro de aplicación de la Administración en el mundo real, un problema resuelto y tres problemas nuevos.

Capítulo 11 *Modelos de redes*. Se agregaron formulaciones de programación lineal para los problemas de flujo máximo y de la ruta más corta. Se conservaron los algoritmos para resolver tales problemas de redes, pero es sencillo omitirlos sin pérdida de continuidad. Se agregaron seis problemas de final de capítulo nuevos.

Capítulo 12 *Administración de proyectos*. Se agregaron ventanas desplegables de la aplicación del software Excel QM. Se añadió un problema nuevo.

Capítulo 13 *Modelos de teoría de colas y de líneas de espera*. El análisis de las distribuciones de Poisson y exponencial se movió al capítulo 2, con el resto del material de antecedentes de estadística en el libro. Se agregaron dos cuadros de AC en acción y dos problemas de final de capítulo.

Capítulo 14 *Modelado con simulación*. El uso de Excel 2010 es un cambio importante en este capítulo.

Capítulo 15 *Análisis de Markov*. Se agregó una aplicación de administración en el mundo real.

Capítulo 16 *Control estadístico de la calidad*. Se agregó una sección nueva de AC en acción. El capítulo sobre el método símplex se convirtió en un módulo que ahora está disponible en la página Web que acompaña al libro con los otros módulos. Los profesores que deseen cubrir este material pueden solicitar a sus alumnos que descarguen el análisis completo.

MÓDULOS EN LÍNEA

Con la finalidad de aligerar el material, siete temas están contenidos en módulos disponibles en el sitio Web que acompaña al libro.

1. Proceso analítico de jerarquías (*Analytic Hierarchy Process*)
2. Programación dinámica (*Dynamic Programming*)
3. Teoría de decisiones y la distribución normal (*Decision Theory and the Normal Distribution*)
4. Teoría de juegos (*Game Theory*)
5. Herramientas matemáticas: matrices y determinantes (*Mathematical Tools: Matrices and Determinants*)
6. Optimización basada en cálculo (*Calculus-Based Optimization*)
7. Programación lineal: El método símplex (*Linear Programming: The Simplex Method*)

SOFTWARE

Excel 2010 Se proporcionan instrucciones y ventanas desplegables para utilizar Excel 2010 en todo el libro. El análisis de las diferencias entre Excel 2010 y Excel 2007 se presenta cuando es relevante. Las instrucciones para activar los complementos Solver y las herramientas de análisis se proporcionan en el apéndice para ambas versiones, Excel 2010 y Excel 2007. El uso de Excel es más frecuente en esta edición del libro que en las anteriores.

Excel QM El complemento de Excel QM, que está disponible en el sitio Web del libro, hace que Excel sea más sencillo. Los estudiantes con experiencia limitada en Excel pueden usarlo y aprender acerca de las fórmulas que proporciona de manera automática Excel QM. Este software es útil en muchos capítulos.

POM-QM para Windows Este software, desarrollado por el profesor Howard Weiss, está disponible para los estudiantes en el sitio Web del libro. Es muy amigable y se ha convertido en una herramienta digital muy popular para los usuarios de este libro. Contiene módulos para los tipos de problemas más importantes incluidos en el libro.

SITIO DE INTERNET QUE ACOMPAÑA AL LIBRO

El sitio Web del libro, localizado en www.pearsonenespañol.com/render, contiene una amplia gama de materiales en inglés para ayudar al estudiante a dominar el material de este curso. Contiene:

Módulos Hay siete módulos con material adicional que el profesor puede elegir como parte del curso. Los estudiantes pueden descargar esos módulos desde el sitio Web.

Autoevaluaciones Se dispone para cada capítulo de preguntas de opción múltiple, falso o verdadero, llenar el espacio y para análisis, con la finalidad de ayudar al estudiante a que se evalúe a sí mismo sobre el material cubierto en el capítulo.

Archivos de los ejemplos en Excel, Excel QM y POM-QM para Windows El estudiante puede descargar los archivos que se usaron como ejemplos en el libro; esto le ayudará a familiarizarse con el software, así como a comprender la entrada y las fórmulas necesarias para trabajar los ejemplos.

Problemas de tarea en Internet Además de los problemas de final de capítulo en el libro, se cuenta con problemas adicionales que los profesores pueden asignar. Están disponibles para descarga en el sitio Web del libro.

Estudios de caso en Internet Se dispone de casos de estudio adicionales para casi todos los capítulos.

POM-QM para Windows Desarrollado por Howard Weiss, este amigable software sirve para resolver la mayoría de los problemas del libro.

Excel QM Este complemento de Excel creará de manera automática hojas de trabajo para la solución de problemas. Esto es muy útil para los profesores que elijan usar Excel en sus clases, pero que tengan estudiantes con experiencia limitada en el programa. Los estudiantes aprenderán examinando las fórmulas que se crearon, y observando los datos de entrada que se generan automáticamente al usar el complemento Solver de programación lineal.

RECURSOS PARA EL PROFESOR

- *Centro de recursos para el profesor.* Este centro contiene los archivos electrónicos del banco de pruebas, diapositivas de PowerPoint, manual de soluciones y archivos de datos, tanto de Excel como de POM-QM para Windows, de todos los ejemplos y problemas de final de capítulo relevantes (www.pearsonenespañol.com/render).

- *Registro e ingreso.* En www.pearsonhighered/irc, los profesores tienen acceso a una variedad de recursos para imprimir, medios didácticos y presentaciones, que están disponibles con este libro en formato digital descargable. Para casi todos los textos, los recursos están disponibles también para plataformas de administración de cursos como Blackboard, WebCT y Course Compass.

- *¿Necesita ayuda?* Nuestro equipo de apoyo técnico dedicado está listo para atender a los profesores que tengan preguntas acerca de los complementos digitales que acompañan a este libro. Visite http://247.prenhall.com/ para encontrar las respuestas a las preguntas frecuentes. Los complementos están disponibles para los profesores que adopten el libro. Las descripciones detalladas se incluyen en el Centro de recursos del profesor.

Manual de soluciones El manual de soluciones para el profesor, actualizado por los autores, está disponible para los que adoptan el libro impreso y como descarga del Centro de recursos del profesor. Las soluciones a todos los problemas de tarea en Internet y los estudios de caso en Internet también se incluyen en el manual.

Archivo de reactivos para examen Este archivo actualizado está disponible para los profesores que adopten el libro como descarga del Centro de recursos para el profesor.

TestGen El paquete computarizado TestGen permite a los docentes personalizar, guardar y generar pruebas para el aula de clase. El programa de exámenes permite a los profesores editar, agregar o eliminar preguntas del banco de exámenes; editar las gráficas existentes y crear nuevas; analizar los resultados de los exámenes y organizar una base de datos de exámenes y resultados de los estudiantes. Este software tiene una extensa flexibilidad y facilidad de uso. Ofrece muchas opciones para organizar y desplegar los exámenes, al igual que funciones de búsqueda y clasificación. El software y los bancos de exámenes se pueden descargar de www.perasonenespañol.com/render.

RECONOCIMIENTOS

Agradecemos a los usuarios de las ediciones anteriores y a los revisores que brindaron sugerencias e ideas invaluables para esta edición. Su retroalimentación es valiosa para nuestros esfuerzos de mejora continua. El éxito duradero de *Métodos cuantitativos para los negocios* es un resultado directo de la retroalimentación del profesor y el estudiante, lo cual en realidad es apreciable.

Los autores están en deuda con muchas personas cuyas contribuciones a este proyecto han sido ampliamente significativas. Agradecemos en especial a los profesores F. Bruce Simmons III, Khala Chand Sealm, Victor E. Sower, Michael Ballot, Curtis P. McLaughlin y Zbigniew H. Przanyski, por sus contribuciones a los excelentes casos incluidos en esta edición. Gracias especiales también a Trevor Hale por su enorme ayuda con las viñetas de Modelado en el mundo real y las aplicaciones de AC en acción, al igual que por servir como caja de resonancia para muchas ideas, cuyos resultados fueron mejoras considerables para esta edición.

Damos las gracias a Howard Weiss por suministrar Excel QM y POM-QM para Windows, dos de los software más sobresalientes en el área de los métodos cuantitativos. También queremos agradecer a los revisores que ayudaron a que este fuera uno de los libros de texto de mayor uso en el campo del análisis cuantitativo:

Stephen Achtenhagen, *San Jose University*
M. Jill Austin, *Middle Tennessee State University*
Raju Balakrishnan, *Clemson University*
Hooshang Beheshti, *Radford University*
Bruce K. Blaylock, *Radford University*
Rodney L. Carlson, *Tennessee Technological University*
Edward Chu, *California State University, Dominguez Hills*
John Cozzolino, *Pace University–Pleasantville*
Shad Dowlatshahi, *University of Wisconsin, Platteville*
Ike Ehie, Southeast *Missouri State University*
Sean Eom, *Southeast Missouri State University*
Ephrem Eyob, *Virginia State University*
Mira Ezvan, *Lindenwood University*
Wade Ferguson, *Western Kentucky University*
Robert Fiore, *Springfield College*
Frank G. Forst, *Loyola University of Chicago*
Ed Gillenwater, *University of Mississippi*
Stephen H. Goodman, *University of Central Florida*
Irwin Greenberg, *George Mason University*
Trevor S. Hale, *University of Houston–Downtown*
Nicholas G. Hall, *Ohio State University*
Robert R. Hill, *University of Houston–Clear Lake*
Gordon Jacox, *Weber State University*
Bharat Jain, *Towson State University*
Vassilios Karavas, *University of Massachusetts–Amherst*
Darlene R. Lanier, *Louisiana State University*
Kenneth D. Lawrence, *New Jersey Institute of Technology*
Jooh Lee, *Rowan College*
Richard D. Legault, *University of Massachusetts–Dartmouth*
Douglas Lonnstrom, *Siena College*
Daniel McNamara, *University of St. Thomas*
Robert C. Meyers, *University of Louisiana*
Peter Miller, *University of Windsor*
Ralph Miller, *California State Polytechnic University*

Shahriar Mostashari, *Campbell University*
David Murphy, *Boston College*
Robert Myers, *University of Louisville*
Barin Nag, *Towson State University*
Nizam S. Najd, *Oklahoma State University*
Harvey Nye, *Central State University*
Alan D. Olinsky, *Bryant College*
Savas Ozatalay, *Widener University*
Young Park, California *University of Pennsylvania*
Cy Peebles, *Eastern Kentucky University*
Yusheng Peng, *Brooklyn College*
Dane K. Peterson,
Southwest Missouri State University
Sanjeev Phukan, *Bemidji State University*
Ranga Ramasesh, *Texas Christian University*
William Rife, *West Virginia University*
Bonnie Robeson, *Johns Hopkins University*
Grover Rodich, *Portland State University*
L. Wayne Shell, *Nicholls State University*
Richard Slovacek, *North Central College*
John Swearingen, *Bryant College*
F. S. Tanaka, *Slippery Rock State University*
Jack Taylor, *Portland State University*
Madeline Thimmes, *Utah State University*
M. Keith Thomas, *Olivet College*
Andrew Tiger, *Southeastern Oklahoma State University*
Chris Vertullo, *Marist College*
James Vigen, *California State University, Bakersfield*
William Webster, *The University of Texas at San Antonio*
Larry Weinstein, *Eastern Kentucky University*
Fred E. Williams, *University of Michigan-Flint*
Mela Wyeth, *Charleston Southern University*

Estamos muy agradecidos con todas las personas de Pearson-Prentice Hall que trabajaron tan duro para hacer de este libro un éxito y que incluyen a Chuck Synovec, nuestro editor; Judy Leale, editora senior de administración; Mary Kate Murray, gerente de proyecto, y Jason Calcano, asistente editorial. También agradecemos a Jen Carley, nuestro gerente de proyecto en PreMediaGlobal Book Services. Apreciamos mucho el trabajo de Annie Puciloski por la corrección de errores en el libro y el manual de soluciones. ¡Muchas gracias a todos!

Barry Render
brender@rollins.edu

Ralph Stair

Michael Hanna
281-283-3201 (teléfono)
281-226-7304 (fax)
hanna@uhcl.edu

AGRADECIMIENTOS

Pearson agradece a los profesores usuarios de esta obra y a los centros de estudio por su apoyo y retroalimentación, elementos fundamentales para esta nueva edición de *Métodos cuantitativos para los negocios*.

COLOMBIA

Universidad de La Salle
Facultad de Administración de Empresas
José Gregorio Medina
José Manuel Fuquen

Universidad EAN
Coordinación de Gestión de Operaciones
Johanna Mildred Méndez

Universidad Nacional de Colombia
Facultad de Administración de Empresas
Guillermo Ospina

Universidad Santo Tomás de Aquino
Facultad de Administración de Empresas – Distancia
Alexander Rozo
Carlos Parra

COSTA RICA

Universidad de Costa Rica
Escuela de Administración de Negocios
Enrique León Parra
Fernando Sánchez González

MÉXICO

DISTRITO FEDERAL

Universidad Anáhuac del Norte
William Henry De Lano Frier

Universidad Anáhuac del Sur
José Antonio Bohon Devars
Sandra Aviña Plata

Universidad Nacional Autónoma de México
Facultad de Contaduría y Administración
Antonio Castro Martínez
Mario Alfonso Toledano Castillo
Yolanda Moreno Camilli

Facultad de Química
Héctor López Hernández
Miguel Muñoz Hernández

Universidad Tecnológica de Querétaro
Procesos Industriales
José Luis Ramírez Mendoza
Ingeniaría Industrial
Juan López Mendoza

ESTADO DE MÉXICO

Instituto Tecnológico y de Estudios Superiores de Monterrey, Campus Toluca
Departamento Académico de Administración
Escuela de Negocios y Ciencias Sociales
Reyna Karina Rosas Contreras

Instituto Tecnológico de Tlalnepantla
Jorge Aguirre Gutiérrez
Ricardo García Hernández
Silvia Santiago Cruz

JALISCO

Instituto Tecnológico y de Estudios Superiores de Occidente
Departamento de Procesos Tecnológicos Industriales
Sylvia Vázquez Rodríguez

Universidad de Guadalajara
Centro Universitario de Ciencias Económico Administrativas (CUCEA)
Salvador Sandoval Bravo

Universidad del Valle de Atemajac
Departamento de Administración y Economía
Leopoldo Cárdenas González

Universidad del Valle de México, Campus Guadalajara Sur
Departamento de Ingeniería Industrial
Porfirio Pérez Cisneros

xxvi AGRADECIMIENTOS

NUEVO LEÓN

Instituto Tecnológico y de Estudios Superiores de Monterrey, Campus Monterrey
Departamento de Ingeniería Industrial y de Sistemas
Leopoldo Cárdenas Barrón
Departamento de Mercadotecnia y Negocios Internacionales
Fernando Gómez
Gerardo Treviño Garza
María Armandina Rodarte R.
Samuel Rodríguez

Universidad Autónoma de Nuevo León
Facultad de Ciencias Químicas
Escuela de Graduados en Administración e Ingeniería Industrial (EGAII)
Argelia Vargas Moreno
Sergio Gerardo Elizondo Arroyave

Universidad de Monterrey
Departamento Académico de Ingeniería
Bernardo Villarreal Celestino
Leopoldo Delgado Garza

Universidad Regiomontana
Facultad de Ciencias Económicas y Administrativas (FACCEA)
Posgrado de Negocios
Gerardo Montes Sifuentes
Facultad de Ingeniería y Arquitectura (FACIYA)
Departamento de Ingeniería Industrial y de Sistemas
Rogelio Escamilla López

PUEBLA

Instituto Tecnológico de Estudios Superiores de Monterrey, Campus Puebla
Departamento Académico de Administración
Escuela de Negocios y Ciencias Sociales
Jorge Alberto González Mendivil
Miguel Guadalupe Díaz Sánchez

Instituto Tecnológico de Puebla
Departamento Ingeniería Industrial
Escuela de Ingeniería
Alfonso Serrano Gálvez

Universidad De Las Américas Puebla
Departamento de Turismo
Escuela de Negocios y Economía
Alfonso Rocha Herrera

Universidad Popular Autónoma del Estado de Puebla
Departamento Administración
Escuela de Negocios
Claudia Malcón Cervera

SINALOA

Instituto Tecnológico de Estudios Superiores de Monterrey, Campus Sinaloa
Centro de Agrobionegocios
José Benigno Valdez Torres

TAMAULIPAS

Universidad Autónoma de Tamaulipas
Escuela de Posgrado
Oscar Flores Rosales
Unidad Académica Multidisciplinaria Reynosa Rodhe
José Guadalupe Rivera Martínez

YUCATÁN

Universidad Anáhuac Mayab
Facultad de Economía y Negocios
Departamento de Negocios
Eric José Esquivel Cortés
Escuela de Ingeniería Civil
Carlos Andrés Wabi Peniche

Universidad Autónoma de Yucatán
Facultad de Contaduría y Administración
Alonso Vargas Rosado
Pedro Pablo Canto Leal

CAPÍTULO 1

Introducción al análisis cuantitativo

1.1 Introducción

Durante miles de años, los seres humanos han utilizado las herramientas matemáticas para resolver problemas; sin embargo, el estudio formal y la aplicación de las técnicas cuantitativas a la toma de decisiones prácticas es en gran medida un producto del siglo xx. Las técnicas que estudiaremos en este libro se aplican con éxito a una gama de problemas complejos cada vez más amplia en negocios, gobierno, cuidado de la salud, educación y muchas otras áreas. Muchas de tales aplicaciones exitosas se estudian a lo largo de esta obra.

Sin embargo, no es suficiente saber tan solo la parte matemática del funcionamiento de una técnica cuantitativa específica; también se debe estar familiarizado con las limitaciones, las suposiciones y la aplicabilidad particular de la técnica. El uso exitoso de las técnicas cuantitativas suele dar como resultado una solución oportuna, precisa, flexible, económica, confiable y fácil de entender y utilizar.

En este y otros capítulos, se incluyen cuadros de AC (análisis cuantitativo) en acción que presentan historias de éxito de las aplicaciones de la ciencia administrativa. Muestran la forma en que las organizaciones han empleado técnicas cuantitativas para tomar mejores decisiones, operar con mayor eficiencia y generar más ganancias. Taco Bell reportó un ahorro de más de 150 millones de dólares con mejores pronósticos de la demanda y mejor programación de su fuerza laboral. La cadena de televisión NBC aumentó su ingreso publicitario en más de $200 millones entre 1996 y 2000 con la aplicación de un modelo para ayudar a desarrollar los planes de ventas para los anunciantes. Continental Airlines ahorró más de $40 millones anuales usando modelos matemáticos para la rápida recuperación de los problemas por retrasos ocasionados por el clima y otros factores. Estas son solamente unas cuantas de muchas organizaciones que se presentan en los cuadros de AC en Acción a lo largo de todo el libro.

Para consultar otros ejemplos de cómo las compañías utilizan el análisis cuantitativo o los métodos de investigación de operaciones para operar mejor y con mayor eficiencia, visite el sitio web www.scienceofbetter.org. Las historias de éxito presentadas ahí están clasificadas por industria, área funcional y beneficios. Asimismo, ilustran cómo la investigación de operaciones es realmente la "ciencia para mejorar".

1.2 ¿Qué es el análisis cuantitativo?

El análisis cuantitativo utiliza un enfoque científico para la toma de decisiones.

El **análisis cuantitativo** es el enfoque científico de la toma de decisiones administrativa. El capricho, las emociones y la adivinación no forman parte del enfoque del análisis cuantitativo. Este enfoque comienza con datos. Al igual que con la materia prima para una fábrica, los datos se manipulan o se procesan para convertirlos en información para quienes toman decisiones. Este proceso y manipulación de los datos convertidos en información significativa son la esencia del análisis cuantitativo. Las computadoras han jugado un papel decisivo en el uso creciente del análisis cuantitativo.

Al resolver un problema, los gerentes deben considerar factores tanto cualitativos como cuantitativos. Por ejemplo, podríamos considerar varias alternativas de inversión distintas que incluyan certificados de depósito bancario, inversiones en el mercado de valores y una inversión en bienes raíces. Podemos usar análisis cuantitativo para determinar cuánto valdría nuestra inversión en el futuro, si depositamos en un banco a una tasa de interés dada por cierto número de años. El análisis cualitativo también sirve para calcular razones financieras de los estados de resultados en varias compañías cuyas acciones se estén considerando. Algunas compañías de bienes raíces han desarrollado programas de cómputo que utilizan análisis cuantitativo para examinar flujos de efectivo y tasas de rendimiento para las inversiones en propiedades.

Deben tomarse en cuenta factores tanto cualitativos como cuantitativos.

Además del análisis cuantitativo, deberían considerarse factores *cualitativos*. El clima, la legislación estatal y federal, los nuevos desarrollos tecnológicos, los resultados de una elección y otros son factores que quizá sean difíciles de cuantificar.

Debido a la importancia de los factores cualitativos, el papel del análisis cuantitativo en el proceso de toma de decisiones podría variar. Cuando no haya factores cualitativos, y cuando el problema, el modelo y los datos de entrada permanezcan iguales, los resultados del análisis cuantitativo pueden *automatizar* el proceso de toma de decisiones. Por ejemplo, algunas compañías usan modelos cuantitativos de inventarios para determinar de manera automática *cuándo* ordenar materiales adicionales. No obstante, en la mayoría de los casos, el análisis cuantitativo será una *ayuda* para el proceso de toma de decisiones. Los resultados del análisis cuantitativo se combinarán con otra información (cualitativa) en la toma de decisiones.

El análisis cuantitativo ha existido desde el inicio de la historia escrita, pero fue Frederick W. Taylor —a principios del siglo xx—, el pionero en aplicar los principios del método científico a la administración. Durante la Segunda Guerra Mundial se desarrollaron muchas técnicas científicas y cuantitativas nuevas para ayudar a la milicia. Los nuevos desarrollos tuvieron tanto éxito que después de la guerra muchas compañías comenzaron a usar técnicas similares en la toma de decisiones administrativas y en la planeación. En la actualidad, muchas organizaciones contratan a personal o a consultores en investigación de operaciones o en ciencias administrativas, con la finalidad de aplicar los principios de la administración científica a problemas y oportunidades. En este libro se usan los términos **ciencia administrativa**, *investigación de operaciones* y *análisis cuantitativo* de manera indistinta.

El origen de muchas de las técnicas estudiadas en esta obra se remonta a individuos y organizaciones que han aplicado los principios de la administración científica desarrollados originalmente por Taylor. Se exponen en las secciones *Historia* distribuidas a lo largo del libro.

1.3 Enfoque del análisis cuantitativo

Definir el problema puede ser el paso más importante.

Hay que concentrarse tan solo en unos cuantos problemas.

FIGURA 1.1

Enfoque del análisis cuantitativo

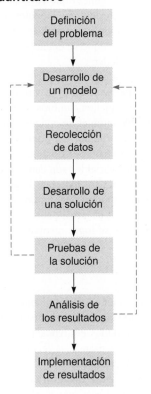

Los tipos de modelos son físico, a escala, esquemático y matemático.

El enfoque del análisis cuantitativo consiste en definir un problema, desarrollar un modelo, obtener los datos de entrada, desarrollar una solución, probar la solución, analizar los resultados e implementarlos (véase la figura 1.1). No es necesario que un paso termine por completo antes de comenzar el siguiente; en la mayoría de los casos, uno o más de dichos pasos se modificarán en alguna medida antes de implementar los resultados finales. Esto ocasionará que cambien todos los pasos subsecuentes. Algunas veces, las pruebas de la solución podrían dejar ver que el modelo o los datos de entrada no son correctos, lo cual significaría que todos los pasos siguientes en la definición del problema deberían modificarse.

Definición del problema

El primer paso en el enfoque cuantitativo es desarrollar un enunciado claro y conciso acerca del **problema**. Este enunciado dará dirección y significado a los siguientes pasos.

En muchos casos, definir el problema es el paso más importante y más difícil. Es esencial ir más allá de los síntomas del problema e identificar las causas reales. Un problema puede relacionarse con otros problemas; resolver un problema sin tomar en cuenta los otros haría que toda la situación empeore. Por consiguiente, es importante analizar de qué manera la solución de un problema afecta otros problemas o la situación en general.

Es probable que una organización enfrente varios problemas. Sin embargo, es frecuente que un grupo de análisis cuantitativo no sea capaz de manejar todos los problemas de una organización al mismo tiempo. Entonces, suele ser necesario concentrarse tan solo en unos cuantos problemas. Para muchas compañías, ello significa seleccionar aquellos problemas cuya solución dará el mayor incremento en sus ganancias o la mayor reducción en sus costos. Debe destacarse la importancia de seleccionar los problemas adecuados para resolverlos. La experiencia ha demostrado que una mala definición del problema es una razón primordial para el fracaso de los grupos de ciencias administrativas o de investigación de operaciones en el buen servicio a sus organizaciones.

Cuando resulta difícil cuantificar un problema, quizá sea necesario desarrollar objetivos *específicos medibles*. Un problema podría ser el mal servicio en un hospital. Entonces, los objetivos serían aumentar el número de camas, reducir el número promedio de días de estancia de un paciente en el hospital, incrementar la razón doctor-paciente, etcétera. No obstante, al usar los objetivos debe tenerse en mente el problema real. Es importante evitar la obtención de objetivos específicos medibles que tal vez no resuelvan el problema.

Desarrollo de un modelo

Una vez seleccionado el problema que se va a analizar, el siguiente paso consiste en desarrollar un **modelo**. Dicho en forma sencilla, un modelo es una representación (casi siempre matemática) de una situación.

Aun cuando fuera de manera inconsciente, usted ha empleado modelos la mayoría de su vida. Quizás haya desarrollado modelos acerca del comportamiento de los individuos. Su modelo podría ser que la amistad se basa en la reciprocidad: un intercambio de favores. Si necesita un favor como un modesto préstamo, su modelo sugeriría que lo pida a un buen amigo.

Por supuesto, existen muchos otros tipos de modelos. En ocasiones los arquitectos elaboran un *modelo físico* del edificio que van a construir. Los ingenieros desarrollan *modelos a escala* de plantas

EN ACCIÓN La investigación de operaciones y los derrames de petróleo

Los investigadores de operaciones y los científicos de las decisiones investigaron la respuesta frente a los derrames de petróleo y las estrategias para remediar las consecuencias, mucho antes del desastre en 2010 por el derrame de British Petroleum en el Golfo de México. Surgió un sistema de clasificación de cuatro fases para la investigación de la respuesta al desastre: mitigación, preparación, respuesta y recuperación. *Mitigación* significa reducir la probabilidad de que ocurra un desastre e implementar estrategias robustas y a futuro para reducir los efectos de un desastre que sí ocurre. *Preparación* es cualquier esfuerzo de organización que sucede antes de un desastre (*a priori*). *Respuesta* es la localización, asignación y coordinación global de recursos y procedimientos durante el desastre, dirigidos a la preservación de la vida y la propiedad. *Recuperación* es el conjunto de acciones tomadas para minimizar los efectos a largo plazo de un desastre en particular, una vez que se estabiliza la situación inmediata.

Muchas herramientas cuantitativas han ayudado en las áreas de análisis de riesgo, seguros, preparación logística y gestión de suministros, planeación de evacuación y desarrollo de sistemas de comunicación. La investigación reciente ha demostrado que mientras se han logrado avances y se han hecho descubrimientos importantes, todavía se necesita mucha investigación. Sin duda, cada una de las cuatro áreas de respuesta al desastre puede beneficiarse de investigaciones adicionales, pero la recuperación parecería la preocupación fundamental y quizá la más prometedora para la investigación futura.

Fuente: Basada en N. Altay y W. Green. "OR/MS Research in Disaster Operations Management", *European Journal of Operational Research* 175, 1 (2006): 475-493.

químicas, llamadas plantas piloto. Un *modelo esquemático* es una imagen, un dibujo o una gráfica de la realidad. Automóviles, podadoras de césped, engranajes, ventiladores, máquinas de escribir y muchos otros dispositivos tienen modelos esquemáticos (dibujos e imágenes) que revelan su funcionamiento. Lo que diferencia el análisis cuantitativo de otras técnicas es que los modelos que se usan son matemáticos. Un **modelo matemático** es un conjunto de relaciones matemáticas. Casi siempre, estas relaciones se expresan como ecuaciones y desigualdades, ya que se encuentran en un modelo de hoja de cálculo que suma, saca promedios o desviaciones estándar.

Aunque existe una flexibilidad considerable en el desarrollo de modelos, gran parte de los modelos presentados en este libro contienen una o más variables y parámetros. Una **variable**, como su nombre indica, es una cantidad medible que puede variar o está sujeta a cambios. Las variables pueden ser *controlables* o *incontrolables*. Una variable controlable también se conoce como *variable de decisión*. Un ejemplo sería cuántos artículos de inventario ordenar. Un **parámetro** es una cantidad medible que es inherente al problema. El costo de colocar una orden de más artículos de inventario es un ejemplo de parámetro. En casi todos los casos, las variables son cantidades desconocidas, mientras que los parámetros sí se conocen. Todos los modelos deberían desarrollarse con cuidado. Deben poderse resolver, ser realistas y fáciles de comprender y modificar; también tiene que ser factible obtener los **datos de entrada** requeridos. El desarrollador del modelo debe tener cuidado de incluir el grado adecuado de detalle para que se logre resolver y sea realista.

Obtención de los datos de entrada

Una vez desarrollado un modelo, debemos obtener los datos que se usarán en él (*datos de entrada*). La obtención de datos precisos para el modelo es fundamental; aun cuando el modelo sea una representación perfecta de la realidad, los datos inadecuados llevarán a resultados equivocados. Esta situación se conoce como *entra basura, sale basura*. Para un problema más grande, la recolección de datos precisos sería uno de los pasos más difíciles al realizar un análisis cuantitativo.

"Entra basura, sale basura" significa que los datos inadecuados darán resultados equivocados.

Hay varias fuentes que son útiles para recolectar datos. En algunos casos, los informes y los documentos de la compañía se utilizan para tal fin. Otra fuente son las entrevistas con empleados u otros individuos relacionadas con la empresa. Estos individuos a veces suministran información excelente, y su experiencia y criterio pueden ser invaluables. Un supervisor de producción, por ejemplo, tal vez sea capaz de decirle con mucha mayor exactitud el tiempo que toma producir un artículo específico. El muestreo y la medición directa son otra fuente de datos para el modelo. Quizá necesite saber cuántas libras de materia prima se usan para fabricar un nuevo producto fotoquímico. Esta información se obtendría en la planta y, de hecho, midiendo con básculas la cantidad de materia prima que se utiliza. En otros casos, los procedimientos estadísticos de muestreo se utilizan para tal fin.

Desarrollo de una solución

El desarrollo de una solución implica la manipulación del modelo para llegar a la mejor solución (óptima) del problema. En algunos casos, esto requiere resolver una ecuación para lograr la mejor decisión. En otros casos, se podría usar el método de *ensayo y error*, intentando varios enfoques y eligiendo aquel que resulte en la mejor decisión. Para ciertos problemas, tal vez usted quiera tratar todos los valores posibles de las variables del modelo para llegar a la mejor decisión. Esto se conoce como *numeración completa*. Este libro también muestra cómo resolver problemas muy difíciles y complejos repitiendo unos cuantos pasos sencillos hasta que se encuentra la mejor solución. Una serie de pasos o procedimientos que se repiten se llama **algoritmo**, en honor a Algorismus, un matemático árabe de siglo IX.

Los datos de entrada y el modelo determinan la exactitud de la solución.

La precisión de una solución depende de la precisión de los datos de entrada y del modelo. Si los datos de entrada son precisos tan solo con dos cifras significativas, entonces los resultados pueden tener una precisión de únicamente dos cifras significativas. Por ejemplo, el resultado de dividir 2.6 entre 1.4 debe ser 1.9, no 1.857142857.

Prueba de la solución

Antes de analizar e implementar una solución, es necesario probarla cabalmente. Como la solución depende de los datos de entrada y el modelo, ambos requieren pruebas.

Antes de analizar los resultados se prueban los datos y el modelo.

Probar los datos de entrada y el modelo incluye determinar la exactitud y la integridad de los datos usados por el modelo. Los datos no exactos llevarán a una solución imprecisa. Existen varias maneras de probar los datos de entrada. Un método para hacerlo consiste en recolectar datos adicionales de una fuente diferente. Si los datos originales se recolectaron empleando entrevistas, quizás algunos otros se pueden reunir con medición directa o muestreo. Los datos adicionales se compararían con los originales y, luego, se usarían pruebas estadísticas para determinar si hay diferencias entre ambos. Cuando haya diferencias significativas, se requerirá más esfuerzo para obtener datos de entrada precisos. Si la exactitud es buena pero los resultados son incongruentes con el problema, tal vez el modelo no sea adecuado. El modelo se puede verificar para asegurarse de que sea lógico y represente la situación real.

Aunque muchas de las técnicas cuantitativas estudiadas en esta obra se han computarizado, tal vez usted deba resolver varios problemas a mano. Para ayudar a detectar errores tanto lógicos como de cálculo, debería verificar los resultados asegurándose de que sean congruentes con la estructura del problema. Por ejemplo, (1.96) (301.7) es cercano a (2) (300) que es igual a 600. Si sus cálculos son significativamente diferentes de 600, es seguro que haya cometido un error.

Análisis de resultados y análisis de sensibilidad

El análisis de resultados comienza con la determinación de las implicaciones de la solución. En la mayoría de los casos, una solución a un problema causará un tipo de acción o cambio en la forma en que opera una organización. Las implicaciones de tales acciones o cambios deben determinarse y analizarse antes de implementar los resultados.

El análisis de sensibilidad determina cómo cambian las soluciones con un modelo o datos de entrada diferentes.

Puesto que un modelo es tan solo una aproximación de la realidad, la sensibilidad de la solución a los cambios en el modelo y los datos de entrada forma una parte muy importante del análisis de resultados. Este tipo de análisis se denomina **análisis de sensibilidad** o *análisis posóptimo*. Determina cuánto cambiará la solución si hay cambios en el modelo o en los datos de entrada. Cuando la solución es sensible a los cambios en los datos de entrada y las especificaciones del modelo, se deberían realizar más pruebas para asegurarse de que los datos y el modelo sean precisos y válidos. Si el modelo o los datos tienen errores, la solución podría estar mal, y se tendrían pérdidas financieras o ganancias reducidas.

Nunca es suficiente el énfasis en la importancia del análisis de sensibilidad. Como los datos de entrada no siempre son precisos o las suposiciones del modelo quizá no sean totalmente adecuadas, el análisis de sensibilidad se puede convertir en una parte importante del enfoque del análisis cuantitativo. Casi todos los capítulos del libro cubren el uso del análisis de sensibilidad como parte de la toma de decisiones y el proceso de solución de problemas.

Implementación de resultados

El paso final es *implementar* los resultados. Es el proceso de incorporar la solución a la compañía y suele ser más difícil de lo que se imagina. Incluso si la solución es óptima y dará ganancias adicionales de millones de dólares, si los gerentes se oponen a la nueva solución, todos los efectos del análisis dejan de tener valor. La experiencia ha demostrado que un gran número de equipos de análi-

MODELADO EN EL MUNDO REAL

El ferrocarril utiliza modelos de optimización para ahorrar millones

Definición del problema

Desarrollo de un modelo

Recolección de datos

Desarrollo de una solución

Pruebas de la solución

Análisis de los resultados

Implementación de resultados

Definición del problema

CSX Transportation, Inc., tiene 35,000 empleados e ingresos anuales de $11 mil millones. Ofrece servicios de carga por tren a 23 estados del este del río Mississippi, así como a partes de Canadá. CSX recibe órdenes de entrega y debe enviar carros de ferrocarril (vagones) vacíos al lugar de los clientes. Mover estos vagones significa cientos de miles de millas de carros vacíos todos los días. Si las asignaciones de vagones a los clientes no se realizan bien, surgen problemas por exceso de costos, desgaste de los sistemas y congestión en las vías y las estaciones.

Desarrollo de un modelo

Con la finalidad de brindar un sistema más eficiente de programación, CSX pasó 2 años y gastó $5 millones en el desarrollo de su sistema de "planeación dinámica de carros de ferrocarril" (DCP, por *dynamic car-planning*). Este modelo minimiza los costos, incluyendo la distancia recorrida por los carros, el manejo de los costos en las estaciones, el tiempo de viaje de los vagones, y los costos por llegar temprano o tarde. Hace esto al tiempo que llena las órdenes, asegurando que se asigne el tipo de carro adecuado para el trabajo y llevándolo a su destino en el tiempo permitido.

Recolección de datos

Para desarrollar el modelo, la compañía usó datos históricos para las pruebas. Al correr el modelo, el DCP usa tres fuentes externas de información sobre las órdenes de carros por parte de los clientes, los carros disponibles del tipo requerido y los estándares de tiempo de tránsito. Asimismo, dos fuentes internas suministran información acerca de las prioridades y las preferencias de los clientes, y de los parámetros de costos.

Desarrollo de una solución

Este modelo toma alrededor de 1 minuto en cargar, pero tan solo 10 segundos en dar una respuesta. Como la oferta y la demanda están en constante cambio, el modelo se corre aproximadamente cada 15 minutos, lo cual permite que la decisión final se tome hasta que sea absolutamente necesario.

Pruebas de la solución

El modelo se validó y verificó con los datos existentes. Se encontró que las soluciones obtenidas con el DCP eran muy buenas comparadas con las tareas realizadas sin DCP.

Análisis de los resultados

Desde la implementación del DCP en 1997, se han ahorrado más de $51 millones anuales. Debido a la mayor eficiencia, se estimó que CSX evitó gastar $1.4 miles de millones en la compra de 18,000 carros de ferrocarril adicionales que se habrían necesitado sin la DCP. Otros beneficios incluyen menor congestionamiento en los patios de servicio y en las vías, que eran preocupaciones importantes. Mayor eficiencia significa que es posible enviar más carga por ferrocarril en vez de por camión, lo cual representa beneficios públicos significativos. Estos beneficios incluyen menor contaminación y reducción en gases de efecto invernadero, mayor seguridad en las carreteras y menores costos de mantenimiento en las mismas.

Implementación de resultados

Tanto la alta gerencia que apoyó la DCP como los expertos clave en la distribución de carros de ferrocarril que ayudaron al nuevo enfoque fueron instrumentales para lograr la aceptación del sistema nuevo y vencer los problemas durante la implementación. La descripción del trabajo de los distribuidores de vagones cambió de despachadores de carros de ferrocarril a técnicos de costos, quienes son responsables de asegurar que la información de costos que se alimenta al DCP sea precisa, así como de administrar cualquier excepción que deba realizarse. Se les dio una extensa capacitación sobre el funcionamiento de la DCP para que comprendieran y aceptaran mejor el nuevo sistema. Debido al éxito de la DCP, otras compañías ferroviarias han implementado sistemas similares y han logrado beneficios parecidos. CSX continúa mejorando la DCP para hacerla aún más amigable con el cliente y mejorar los pronósticos de las órdenes de vagones.

Fuente: Basada en M. F. Gorman, *et al.* "CSX Railway Uses OR to Cash in on Optimized Equipment Distribution", *Interfaces* 40, 1 (enero-febrero, 2010): 5-16.

sis cuantitativo han fallado en sus esfuerzos porque no implementaron una solución óptima de manera adecuada.

Una vez que se implementa la solución, debería vigilarse de cerca. Con el tiempo, surgen diversos cambios que necesitan modificaciones a la solución original. Una economía cambiante, la demanda fluctuante y las mejoras al modelo solicitadas por los gerentes y tomadores de decisiones son tan solo unos cuantos ejemplos de cambios que quizá requieran que se modifique el análisis.

Enfoque del análisis cuantitativo y modelado en el mundo real

El enfoque del análisis cuantitativo se utiliza ampliamente en el mundo real. Estos pasos, vistos por primera vez en la figura 1.1 y descritos en esta sección, son los bloques de construcción de cualquier aplicación exitosa del análisis cuantitativo. Como se vio en el primer cuadro de *Modelado en el mundo real*, los pasos del análisis cuantitativo se pueden usar para ayudar a una compañía grande como CSX a planear sus necesidades críticas de programación presentes y futuras. A lo largo del libro, usted verá cómo se siguen los pasos del análisis cuantitativo para ayudar a países y a compañías de todos tamaños a ahorrar millones de dólares, planear el futuro, aumentar sus ingresos y ofrecer productos y servicios de más alta calidad. En cada capítulo los cuadros de *Modelado en el mundo real* le mostrarán el poder y la importancia del análisis cuantitativo para la solución de problemas reales en organizaciones reales. Sin embargo, usar los pasos del análisis cuantitativo no garantiza el éxito, pues también deberían aplicarse con cuidado.

1.4   Cómo desarrollar un modelo de análisis cuantitativo

El desarrollo de un modelo es una parte importante del enfoque de análisis cuantitativo. Veamos cómo utilizar el siguiente modelo matemático, que representa la ganancia:

$$\text{Ganancia} = \text{ingresos} - \text{gastos}$$

Los gastos incluyen los costos fijos y variables.

En muchos casos, podemos expresar los ingresos como precio por unidad multiplicado por el número de unidades vendidas. Los gastos con frecuencia se determinan sumando los costos fijos y los costos variables. El costo variable suele expresarse como costo variable por unidad multiplicado por el número de unidades. Por consiguiente, podemos también expresar la ganancia con el siguiente modelo matemático:

$\text{Ganancia} = \text{ingreso} - (\text{costo fijo} + \text{costo variable})$

$\text{Ganancia} = (\text{precio de venta por unidad})(\text{número de unidades vendidas})$
$\qquad\qquad - [\text{costo fijo} + (\text{costo variable por unidad})(\text{número de unidades vendidas})]$

$\text{Ganancia} = sX - [\,f + vX\,]$

$\text{Ganancia} = sX - f + vX$ $\qquad\qquad\qquad\qquad\qquad\qquad$ (1-1)

donde:

$s = $ precio de venta por unidad

$f = $ costo fijo

$v = $ costo variable por unidad

$X = $ número de unidades vendidas

Los parámetros en este modelo son f, v y s, ya que son datos de entrada inherentes al modelo. El número de unidades vendidas (X) es la variable de decisión que interesa.

EJEMPLO: RELOJERÍA FINA DE PRITCHETT   Se usará el taller de reparación de relojes de Bill Pritchett como ejemplo para demostrar el uso de los modelos matemáticos. La compañía de Bill, Relojería Fina de Pritchett, compra, vende y repara relojes antiguos y sus partes. Bill vende resortes reconstruidos a un precio de $10 por unidad. El costo fijo del equipo para construir los resortes es de $1,000. El costo variable por unidad es de $5 por el material del resorte. En este ejemplo,

$$s = 100$$
$$f = 1,000$$
$$v = 5$$

El número de resortes vendidas es X y nuestro modelo de ganancia se convierte en

$$\text{Ganancia} = \$10X - \$1,000 - \$5X$$

Si las ventas son de 0, Bill tiene una pérdida de $1,000. Si vende 1,000 unidades, obtendrá una ganancia de $4,000 ($4,000 = ($10)(1,000) − $1,000 − ($5)(1,000)). Vea si puede determinar la ganancia para otros valores de unidades vendidas.

El PE tiene un valor de $0 de ganancia.

Además de los modelos de ganancia mostrados aquí, quienes toman decisiones a menudo se interesan en el **punto de equilibrio** (PE), que es el número de unidades vendidas que da como resultado una ganancia de $0. Se establece la ganancia igual a $0 y se resuelve para X, el número de unidades del punto de equilibrio:

$$0 = sX - f - \nu X$$

Esto también se escribe como

$$0 = (s - \nu)X - f$$

Al despejar X, se tiene

$$f = (s - \nu)X$$

$$X = \frac{f}{s - \nu}$$

Esta cantidad (X) que da una ganancia de cero es el PE, para el cual ahora se tiene el siguiente modelo:

$$PE = \frac{Costo\ fijo}{(Precio\ de\ venta\ por\ unidad) - (Costo\ variable\ por\ unidad)}$$

$$PE = \frac{f}{s - \nu} \tag{1-2}$$

Para el ejemplo de Relojería Fina de Pritchett, el PE se calcula como:

$$PE = \$1,000/(\$10 - \$5) = 200\ \text{unidades, o resortes, en el punto de equilibrio}$$

Ventajas del modelado matemático

Existen varias ventajas al usar modelos matemáticos:

1. Los modelos pueden representar la realidad con precisión. Si se formula de manera adecuada, un modelo podría ser preciso en extremo. Un modelo válido es preciso y representa correctamente el problema o sistema que se investiga. El modelo de ganancia en el ejemplo es exacto y válido para muchos problemas de negocios.
2. Los modelos ayudan a quien toma decisiones a formular problemas. En el modelo de la ganancia, por ejemplo, un tomador de decisiones determina los factores importantes o qué contribuye a los ingresos y a los gastos, como ventas, rendimientos, gastos de venta, costos de producción, costos de transporte, etcétera.
3. Los modelos brindan conocimiento e información. Por ejemplo, al usar el modelo de la ganancia de la sección anterior, se observa qué impacto tienen los cambios en ingresos y en gastos sobre las ganancias. Como se analizó en la sección anterior, el estudio del impacto de los cambios en un modelo, como un modelo de ganancias, se denomina análisis de sensibilidad.
4. Los modelos podrían ahorrar tiempo y dinero en la toma de decisiones y en la solución de problemas. Es usual que tome menos tiempo, esfuerzo y gasto analizar un modelo. Un modelo de ganancias sirve para analizar la influencia de una nueva campaña de marketing sobre la ganancia, los ingresos y los gastos. En la mayoría de los casos, es más rápido y menos costoso usar modelos que, de hecho, intentar una nueva campaña de marketing en un negocio real estableciendo y observando los resultados.
5. Un modelo quizá sea la única forma de resolver oportunamente algunos problemas grandes o complejos. Una compañía grande, por ejemplo, fabricaría literalmente miles de tamaños de tuercas, tornillos y sujetadores. Tal vez la compañía desee obtener las mayores ganancias posibles dadas sus restricciones de manufactura. Un modelo matemático sería el único medio para determinar las mayores ganancias que podría lograr la compañía en tales circunstancias.
6. Un modelo sirve para comunicar problemas y soluciones a otros. Una analista de decisiones comparte su trabajo con otros analistas de decisiones. Las soluciones de un modelo matemático pueden entregarse a los gerentes y a los ejecutivos para ayudarlos a tomar las decisiones finales.

Modelos matemáticos clasificados según el riesgo

Algunos modelos matemáticos, como los modelos de ganancias o de punto de equilibrio que se presentaron, no implican riesgo o azar. Se supone que se conocen con total certeza todos los valores utilizados en el modelo. Estos se llaman **modelos determinísticos**. Una compañía quizá busque minimizar

Determinístico significa con certidumbre completa.

los costos de manufactura y mantener cierto nivel de calidad. Si se conocen todos estos valores con certidumbre, el modelo es determinístico.

Otros modelos incluyen el riesgo o el azar. Por ejemplo, el mercado de un nuevo producto puede ser "bueno" con posibilidad de 60% (una probabilidad de 0.6) o "no bueno" con posibilidad de 40% (una probabilidad de 0.4). Los modelos que incluyen el riesgo o las posibilidades, con frecuencia medidos como valores de probabilidad, se llaman **modelos probabilísticos**. En este libro investigaremos modelos tanto determinísticos como probabilísticos.

1.5   Papel de las computadoras y los modelos de hojas de cálculo en el análisis cuantitativo

Desarrollar una solución, probarla y analizar los resultados son pasos importantes en el enfoque del análisis cuantitativo. Como usaremos modelos matemáticos, estos pasos requieren cálculos matemáticos. Por fortuna, se cuenta con la computadora para facilitar estos pasos. Dos programas que permiten resolver muchos de los problemas encontrados en este libro se proporcionan en el sitio Web que acompaña a este libro:

1. **POM-QM** para Windows es un sistema de apoyo para las decisiones fácil de usar, desarrollado para utilizarse en cursos de administración de la producción/operaciones (POM) y de métodos cuantitativos o administración cuantitativa (QM). POM para Windows y QM para Windows en su origen eran paquetes de software separados para cada tipo de curso. Ahora están combinados en un programa llamado POM-QM para Windows. Como se ve en el programa 1.1 es posible desplegar todos los módulos, tan solo los módulos de POM o únicamente los de QM. Las imágenes mostradas en este libro típicamente mostrarán los módulos de QM, ya que por lo general se hará referencia a QM para Windows. El apéndice E al final de este libro y muchos de los apéndices de final de capítulo ofrecen mayor información acerca de QM para Windows.

2. **Excel QM**, que también se puede usar para resolver muchos problemas estudiados en este libro, trabaja de forma automática dentro de las hojas de cálculo de Excel. El programa incluso vuelve más fácil el uso de las hojas de cálculo, pues ofrece menús personalizados y procedimientos de solución para guiar al usuario en cada paso. En Excel 2007, el menú principal se encuentra en la pestaña de Add-Ins (Complementos), como se indica en el programa 1.2. El apéndice F contiene más detalles de cómo instalar este complemento en Excel 2010 y Excel 2007. Para resolver el problema del punto de equilibrio presentado en la sección 1.4, las características de Excel QM se ilustran en los programas 1.3A y 1.3B.

PROGRAMA 1.1

Menú principal de modelos cuantitativos en QM para Windows

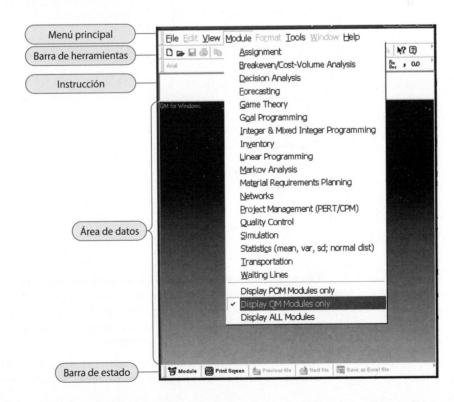

PROGRAMA 1.2

Menú principal de modelos cuantitativos en Excel QM para Excel 2010

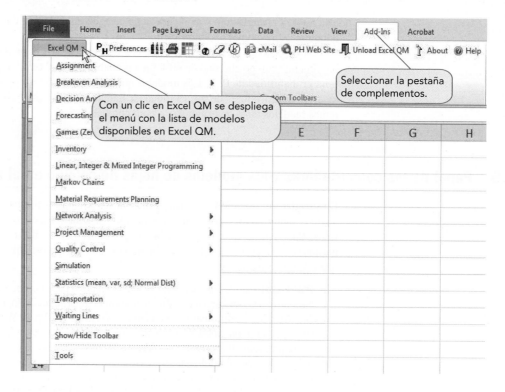

PROGRAMA 1.3A

Selección de análisis de punto de equilibrio en Excel QM

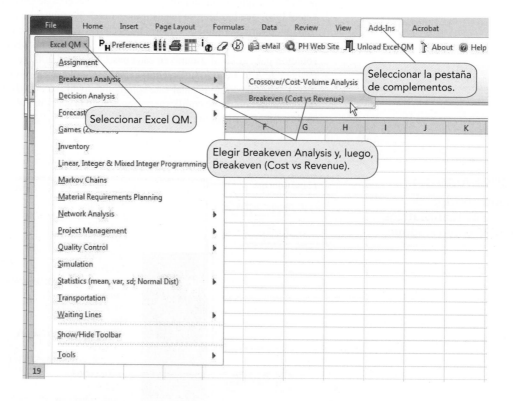

Los programas complementarios hacen que Excel, que ya es una herramienta admirable para el modelado, sea aún más poderosa para la solución de problemas de análisis cuantitativo. Excel QM y los archivos de Excel usados en los ejemplos a lo largo del libro también se incluyen en el sitio Web que acompaña este libro. Hay otras dos características poderosas integradas de Excel que facilitan la resolución de problemas de análisis cuantitativo:

1. **Solver.** Es una técnica de optimización que maximiza o minimiza una cantidad dado un conjunto de limitaciones o restricciones. Usaremos Solver en el libro para resolver

PROGRAMA 1.3B

Análisis de punto de equilibrio en Excel QM

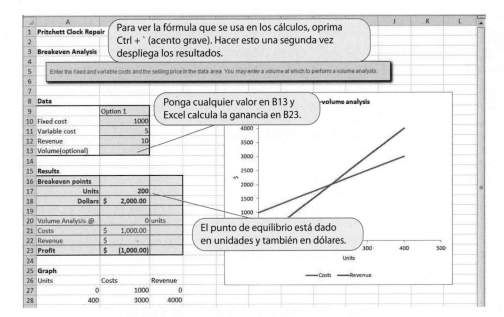

problemas de optimización. Se describe con detalle en el capítulo 7 y se utiliza en los capítulos 7 a 12.

2. Goal Seek (**Buscar objetivo**). Esta característica de Excel permite especificar una meta (definir celda) y cuál variable (cambiar celda) desea que Excel modifique para lograr la meta deseada. Bill Prithett, por ejemplo, quiere determinar cuántos resortes debe vender para tener una ganancia de $175. El programa 1.4 muestra cómo se utiliza Goal Seek para realizar los cálculos necesarios.

PROGRAMA 1.4

Uso de Goal Seek en el problema del punto de equilibrio para lograr una ganancia especificada

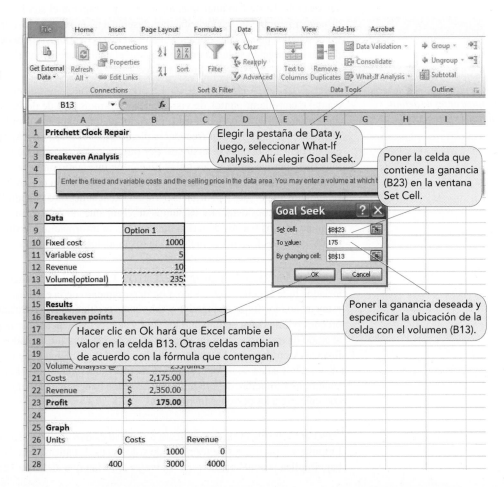

En 1997, los Piratas de Pittsburgh contrataron a Ross Ohlendorf por su pelota recta que viajaba a 95 mph. No sabían que Ross tenía habilidades de investigación de operaciones también merecedoras del reconocimiento nacional. Ross Ohlendorf se graduó de Princeton University con un promedio de 3.8 (lo máximo es 4.0) en investigación de operaciones e ingeniería financiera.

Sin duda, después de la temporada de béisbol de 2009, cuando Ross solicitó una práctica de ocho semanas sin pago en el Departamento de Agricultura de Estados Unidos, no necesitó explicar mucho a su jefe, porque el secretario de agricultura en ese momento, Tom Vilsack, había nacido y crecido en Pittsburgh y era un ávido aficionado de los Piratas. Ross pasó dos meses del descanso entre temporadas utilizando sus antecedentes académicos en investigación de operaciones, para ayudar a rastrear la migración de enfermedades en el ganado, un tema que interesaba sobremanera a Ross, ya que su familia posee un rancho ganadero en Texas. Además, cuando ABC News preguntó a Ross acerca de su experiencia de práctica sin remuneración, respondió: "Esta ha sido, diría yo, el periodo entre temporadas más emocionante que haya vivido".

1.6   Problemas posibles del enfoque del análisis cuantitativo

Hemos presentado el análisis cuantitativo como un medio lógico y sistemático de enfrentar problemas de toma de decisiones. Aun cuando estos pasos se sigan con cuidado, existen muchas dificultades que podrían dañar las posibilidades de implementar las soluciones a los problemas en el mundo real. Veremos qué sucede durante cada uno de los pasos.

Definición del problema

Un punto de vista de quienes toman decisiones es que se sientan en su escritorio todo el día, esperando hasta que surja un problema, y se paren y ataquen el problema hasta que lo resuelvan. Una vez resuelto, se sientan nuevamente, se relajan y esperan el siguiente gran problema. En los mundos de negocios, gobierno y educación, por desgracia no es sencillo identificar los problemas. Existen cuatro obstáculos potenciales que enfrenta el análisis cuantitativo para definir un problema. Como ejemplo, en esta sección se usará una aplicación: el análisis de inventarios.

Todos los puntos de vista deberían considerarse antes de definir formalmente el problema.

PUNTOS DE VISTA EN CONFLICTO   La primera dificultad es que el analista cuantitativo con frecuencia debe considerar puntos de vista opuestos al momento de definir el problema. Hay por lo menos dos formas en que los gerentes, por ejemplo, manejan los problemas de inventario. Los administradores financieros con frecuencia piensan que el inventario es muy alto, pues representa dinero que no tienen para otras inversiones. Por otro lado, los gerentes de ventas sienten que el inventario es muy bajo, porque quizá necesitarían niveles de inventario altos para satisfacer una orden inesperada. Si el analista toma una de estas posiciones como definición del problema, en esencia, aceptan la percepción de un gerente y podrían esperar resistencia del otro cuando lleguen a la "solución". Por ello es importante considerar ambos puntos de vista, antes de comenzar a atender el problema. Los modelos matemáticos buenos deberían incluir toda la información pertinente. Como veremos en el capítulo 6, estos dos factores se incluyen en los modelos de inventarios.

IMPACTO SOBRE OTROS DEPARTAMENTOS   La siguiente dificultad es que los problemas no existen aislados ni le conciernen tan solo a un departamento de la empresa. El inventario tiene una relación estrecha con los flujos de efectivo y diferentes problemas de producción. Un cambio en la política de órdenes podría dañar seriamente los flujos de efectivo y perturbar la programación de la producción al grado de que los ahorros en inventario quedarían más que anulados por un incremento en costos de finanzas y producción. Entonces, la definición del problema tiene que ser tan amplia como sea posible e incluir datos de todos los departamentos relacionados con la posible solución. Cuando se encuentra una solución, deberían identificarse los beneficios para todas las áreas de la organización y comunicarse a las personas involucradas.

SUPOSICIONES INICIALES   La tercera dificultad es que los individuos suelen mostrar una tendencia a formular los problemas en términos de soluciones. La afirmación de que el inventario es demasiado bajo implica la solución de que los niveles tendrían que elevarse. El analista cuantitativo que inicia

Una solución óptima para el problema equivocado deja el problema real sin resolver.

con esta suposición sin duda descubrirá que el inventario debería incrementarse. Desde el punto de vista de la implementación, una "buena" solución para el problema *correcto* es mucho mejor que la solución óptima del problema *equivocado*. Si un problema se define en términos de una solución deseada, el analista tendría que preguntar por qué se desea esta solución. Al averiguar más, el verdadero problema saldrá a la superficie y se podrá definir de manera adecuada.

SOLUCIÓN OBSOLETA Incluso con las mejores definiciones de problemas, existe un cuarto riesgo. Es posible que el problema cambie mientras se está desarrollando el modelo. En nuestro entorno de negocios que cambia con rapidez, no es raro que los problemas aparezcan o desaparezcan de un día para otro. El analista que presenta una solución a un problema que ya no existe no esperaría recibir crédito por brindar ayuda oportuna. Sin embargo, uno de los beneficios de los modelos matemáticos es que una vez que se desarrolla el modelo original, se puede utilizar una y otra vez cuando surgen problemas similares. Esto permite obtener una solución con facilidad y a tiempo.

Desarrollo de un modelo

AJUSTES DE LOS MODELOS DEL LIBRO DE TEXTO Un problema al desarrollar modelos cuantitativos es que la percepción que tiene el gerente acerca de un problema no siempre se ajustará al enfoque de los libros. La mayoría de los modelos de inventarios incluyen la minimización de los costos totales por mantener inventario y ordenar. Algunos gerentes consideran dichos costos como poco importantes; en cambio, ven el problema en términos de flujo de efectivo, rotación de personal y nivel de satisfacción del cliente. Los resultados de un modelo basado en costos de mantener inventario y de ordenar tal vez no sean aceptables para esos gerentes. Por lo tanto, el analista debe tener un conocimiento completo del modelo y no simplemente usar la computadora como "caja negra", donde los datos son la entrada y los resultados se obtienen sin comprender el proceso. El analista que entiende el proceso explicará al gerente la manera en que el modelo considera estos otros factores cuando se estiman diferentes tipos de costos de inventario. Si los otros factores son también importantes, el analista puede tomarlos en cuenta y usar análisis de sensibilidad y su buen juicio, para modificar la solución computacional antes de implementarla.

COMPRENSIÓN DEL MODELO La segunda preocupación importante se refiere al intercambio entre la complejidad del modelo y la facilidad para entenderlo. Los gerentes simplemente se rehúsan a utilizar los resultados de un modelo que no entienden. No obstante, los problemas complejos requieren modelos complejos. Un intercambio es simplificar las suposiciones con la finalidad de obtener un modelo que la gerencia comprenda mejor. El modelo pierde algo de su realidad pero gana algo de aceptación.

Una suposición que facilita el modelado de los inventarios es que la demanda se conozca y sea constante, lo cual quiere decir que no se necesitan distribuciones de probabilidad y que es posible elaborar modelos sencillos de fácil comprensión. Sin embargo, la demanda rara vez se conoce y es constante, de manera que al modelo le falta algo de realidad. La introducción de distribuciones de probabilidad brinda más realismo pero quizás ubique la comprensión más allá de cualquiera, menos de los gerentes versados en matemáticas. Un enfoque es que el analista comience con el modelo sencillo y se asegure de que se entienda cabalmente. Después, poco a poco se introducen modelos más complejos, conforme los gerentes tengan más confianza en el nuevo enfoque. Explicar el impacto de los modelos más avanzados (como mantener unidades adicionales llamadas inventario de seguridad) sin entrar en los detalles matemáticos suele ser muy útil. Los gerentes pueden comprender este concepto e identificarse con él, aun cuando no entiendan por completo las matemáticas específicas usadas para determinar la cantidad adecuada de inventario de seguridad.

Recolección de datos

Reunir los datos que se usarán en el enfoque cuantitativo para resolver problemas con frecuencia no resulta una tarea sencilla. En un estudio reciente, la quinta parte de todas las empresas tuvieron dificultad para lograr acceso a los datos.

La obtención de datos de entrada precisos puede volverse una tarea ardua.

USO DE DATOS CONTABLES Un problema es que la mayoría de los datos generados en una empresa vienen de los reportes básicos de contabilidad. El departamento de contabilidad recolecta sus datos de inventarios, por ejemplo, en términos de flujos de efectivo y rotación. No obstante, el analista que enfrenta un problema de inventarios necesita recolectar datos de costos de mantener inventario y costos por ordenar. Si solicitan esos datos, tal vez se asombre cuando descubran que nunca se recabaron datos de esos costos específicos.

El profesor Gene Woolsey cuenta la historia de un joven analista que enviaron a contabilidad a solicitar "los costos diarios de mantener en inventario por pieza de la parte 23456/AZ". El contador le preguntó si quería la cifra de primero en entrar, primero en salir, la cifra de último en entrar primero en salir, la cifra del menor costo o del costo de mercado, o la cifra de "cómo lo hacemos". El joven respondió que el modelo de inventario requería tan solo un número. El contador del siguiente escritorio señaló: "Caray, Joe, dale al muchacho un número". Y le dieron un número y se marchó.

VALIDEZ DE LOS DATOS La carencia de "datos buenos y limpios" significa que cualesquiera que sean los datos disponibles, casi siempre hay que extraerlos y manipularlos (le llamamos "manoseo") antes de usarlos en un modelo. Por desgracia, la validez de los resultados de un modelo no es mejor que la validez de los datos que entren en él. No podemos culpar a los gerentes por oponer resistencia a los resultados "científicos" de un modelo, cuando ellos saben que se usaron datos cuestionables como insumo. Así se resalta la importancia de que el analista entienda otras funciones del negocio para que encuentre y evalúe datos buenos. También se hace hincapié en la importancia del análisis de sensibilidad, que sirve para determinar el impacto de cambios menores en los datos de entrada. Algunas soluciones son muy robustas y no cambiarían en absoluto si se modificaran ciertos datos de entrada.

Desarrollo de una solución

Matemáticas difíciles de entender y una respuesta podrían ser un problema en el desarrollo de una solución.

MATEMÁTICAS DIFÍCILES DE ENTENDER La primera preocupación al desarrollar soluciones es que aunque los modelos matemáticos sean complejos y poderosos, tal vez no los entiendan por completo. Las soluciones avanzadas a los problemas pueden tener fallas en la lógica o en los datos. El aura de las matemáticas a menudo hace que los gerentes permanezcan en silencio cuando deberían opinar. El conocido investigador de operaciones C. W. Churchman advierte que "dado que en las matemáticas son una disciplina tan respetada en los últimos años, tiende a aturdir al confiado y lo hace creer que quien piensa de manera elaborada piensa bien".[1]

UNA SOLA RESPUESTA ES LIMITANTE El segundo problema es que los modelos cuantitativos suelen dar tan solo una respuesta a un problema. Casi todos los gerentes quieren tener una *gama* de opciones y no quedarse en una posición de tómalo o déjalo. Una estrategia más adecuada es que el analista presente varias alternativas, indicando el efecto de que cada solución tendría sobre la función meta. Esto daría a los administradores opciones e información sobre cuánto costará desviarse de la solución óptima, a la vez que permite que los problemas se vean desde una perspectiva más amplia, ya que se pueden considerar factores no cuantitativos.

Pruebas de la solución

Los resultados del análisis cuantitativo con frecuencia toman la forma de predicciones sobre cómo funcionarán las cosas en el futuro, si se realizan ciertos cambios ahora. Para tener una idea previa de qué tan bien funcionará la solución en realidad, los gerentes suelen preguntar qué tan buena consideran la solución. El problema es que los modelos complejos tienden a dar soluciones que no son intuitivamente obvias. Los administradores con frecuencia rechazan tales soluciones. El analista tiene entonces la oportunidad de trabajar todo el modelo y las suposiciones con el gerente, en un esfuerzo por convencerlo de la validez de los resultados. En el proceso de convencimiento, el analista tendrá que revisar cada suposición que quedó en el modelo. Si hay errores, podrían revelarse durante esta revisión. Además, el gerente estará revisando con ojo crítico todo lo que entró al modelo y, si queda convencido de que el modelo es válido, hay una gran posibilidad de que la solución también sea válida.

Deberían revisarse las suposiciones.

Análisis de los resultados

Una vez probada una solución, los resultados deben analizarse en términos de cómo afectarán a la organización en su conjunto. Tiene que estar consciente de que incluso los cambios pequeños en las organizaciones suelen ser difíciles de realizar. Si los resultados indican grandes cambios en la política organizacional, el analista puede esperar resistencia. Al analizar los resultados, debería comprobar quién debe cambiar y cuánto, si las personas que deben cambiar estarán mejor o peor, y quién tiene el poder de dirigir el cambio.

---

[1] C. W. Churchman. "Relativity Models in the Social Sciences", *Interfaces* 4, 1 (noviembre, 1973).

EN ACCIÓN — PLATO ayuda a los Juegos Olímpicos de 2004 en Atenas

Los Juegos Olímpicos de 2004 se llevaron a cabo en Atenas, Grecia, durante 16 días. Más de 2,000 atletas compitieron en 300 eventos de 28 deportes. Las competencias se realizaron en 36 lugares (estadios, centros deportivos, etcétera) y se vendieron 3.6 millones de boletos a personas que verían esos eventos. Además, 2,500 miembros de los comités internacionales y 22,000 periodistas estuvieron presentes en estos juegos. Los televidentes pasaron más de 34 mil millones de horas viendo las competencias deportivas. Los Juegos Olímpicos de 2004 fueron el evento deportivo más grande en la historia del mundo hasta ese momento.

Además de los escenarios deportivos, debieron considerar otras sedes que no eran de competencias, como el aeropuerto y la villa Olímpica. Una olimpiada exitosa requiere una planeación enorme para el sistema de transporte que manejará los millones de espectadores. Fueron necesarios tres años de trabajo y planeación para los 16 días de olimpiadas.

El Comité Organizador de los Juegos Olímpicos en Atenas (COJOA) tuvo que planear, diseñar y coordinar los sistemas entregados por contratistas externos. El personal del COJOA sería más adelante responsable por administrar los esfuerzos de voluntarios y por remunerar al personal durante las operaciones de los juegos. Para lograr que la Olimpiada de Atenas funcionara con eficiencia y eficacia, se inició el proyecto de optimización técnica avanzada de la logística del proceso (PLATO, Process Logistics Advanced Technical Optimization). Se utilizaron técnicas innovadoras de la ciencia administrativa, ingeniería de sistemas y tecnología de la información, con la finalidad de cambiar la planeación, el diseño y la operación de los escenarios.

Los objetivos del PLATO eran: **1.** facilitar la transformación organizacional efectiva, **2.** ayudar a planear y administrar los recursos de manera efectiva en costos, y **3.** documentar las lecciones aprendidas para beneficiar a comités olímpicos futuros. El proyecto del PLATO desarrolló modelos de negocios para los diferentes escenarios, creó modelos de simulación que permitieron la generación de escenarios del tipo "qué pasa si", desarrolló software para ayudar a la creación y el manejo de estos modelos, e ideó los pasos del proceso para la capacitación el personal del COJOA en el uso de tales modelos. Se desarrollaron soluciones genéricas para que este conocimiento y enfoque estuvieran disponibles para otros usuarios.

El COJOA recibió el crédito de reducir el costo de las Olimpiadas de 2004 en más de $69 millones. Quizás aún más importante es el hecho de que los juegos de Atenas fueron considerados por todo el mundo un éxito sin precedentes. Se espera que el incremento subsecuente en el turismo dé un beneficio económico a Grecia durante muchos años en el futuro.

Fuente: Basada en D. A. Beis, *et al.* "PLATO Helps Athens Win Gold: Olympic Games Knowledge Modeling for Organizational Change and Resource Management", *Interfaces* 36, 1 (enero-febrero, 2006): 26-42.

1.7   Implementación: no es tan solo el paso final

Acabamos de presentar algunos de los múltiples problemas que pueden afectar la aceptación final del enfoque del análisis cuantitativo y el uso de sus modelos. Debería quedar claro que ahora la implementación no es solo otro paso que tiene lugar cuando termina el proceso de modelado. Cada uno de estos pasos afecta significativamente la posibilidad de implementar los resultados de un estudio cuantitativo.

Falta de compromiso y resistencia al cambio

Aunque muchas decisiones de negocios se toman siguiendo la intuición, con base en una corazonada y por la experiencia, hay cada vez más situaciones donde los modelos cuantitativos podrían ayudar. Sin embargo, algunos gerentes temen que el uso de un proceso de análisis formal reducirá su poder de tomar decisiones. Otros temen que pueda exponer como inadecuadas algunas decisiones intuitivas anteriores. Otros más únicamente se sienten incómodos porque tienen que invertir sus patrones de pensamiento con una toma de decisiones más formal. Estos gerentes con frecuencia presentan argumentos contra el uso de los métodos cuantitativos.

A muchos gerentes orientados hacia la acción no les agrada el proceso de toma de decisiones formal y largo, y prefieren que las cosas se hagan con rapidez. Optan por las técnicas "rápidas y sucias" que traigan resultados inmediatos. Una vez que los gerentes ven algunos resultados rápidos que tienen un rendimiento sustancial, queda listo el escenario para convencerlos de que el análisis cuantitativo es una herramienta que los beneficia.

El apoyo gerencial y la participación del usuario son importantes.

Sabemos desde hace algún tiempo que el apoyo de la gerencia y la participación del usuario son cruciales para que tenga éxito la implementación de proyectos de análisis cuantitativos. Un estudio en Suecia encontró que tan solo 40% de los proyectos sugeridos por analistas cuantitativos llegan a implementarse, pero se implementan 70% de los proyectos cuantitativos iniciado por los usuarios y casi 98% de los proyectos sugeridos por la alta gerencia.

Falta de compromiso de los analistas cuantitativos

Así como puede culparse a las actitudes de los gerentes por algunos problemas de implementación, las actitudes de los analistas son culpables de otros. Cuando el analista no forma una parte integral del departamento que enfrenta los cambios, algunas veces tiende a tratar la actividad de modelado como un fin en sí mismo. Esto es, el analista acepta el problema como lo establece el gerente y construye un modelo para resolver únicamente ese problema. Cuando calcula los resultados, los entrega al gerente y considera el trabajo terminado. El analista que no está interesado en ver si los resultados ayudaron a la decisión final, no está preocupado por la implementación.

Una implementación exitosa requiere que el analista no *diga* a los usuarios qué hacer, sino que trabaje con ellos y tome en cuenta sus sentimientos. Un artículo en la revista *Operations Research* describe un sistema de control de inventarios que calculaba los puntos de reorden y las cantidades a ordenar; sin embargo, en vez de insistir en que se ordenaran las cantidades calculadas por computadora, se instaló un control manual. El control manual se usaba con bastante frecuencia cuando el sistema recién se instaló. No obstante, gradualmente, conforme los usuarios se daban cuenta de que las cifras calculadas estaban correctas casi todo el tiempo, dejaron que las cifras del sistema se quedaran. Con el tiempo, el control manual se usaba solamente en circunstancias especiales. Es un buen ejemplo de cómo una buena relación ayuda a la implementación del modelo.

Resumen

El análisis cuantitativo es un enfoque científico para la toma de decisiones. El enfoque del análisis cuantitativo incluye definición del problema, desarrollo de un modelo, recolección de datos, desarrollo de una solución, pruebas de la solución, análisis de resultados e implementación de los resultados. Sin embargo, al usar el enfoque cuantitativo, pueden surgir problemas potenciales, que incluyen puntos de vista en conflicto, la influencia de los modelos de análisis cuantitativo sobre otros departamentos, suposiciones iniciales, soluciones obsoletas, ajuste de modelos de los libros, entendimiento del modelo, recolección de datos de entrada buenos, las matemáticas difíciles, la obtención de una sola respuesta, las pruebas de la solución y el análisis de resultados. Al usar el enfoque del análisis cuantitativo, la implementación no es el paso final. Pueden enfrentarse una falta de compromiso y una resistencia al cambio.

Glosario

Algoritmo   Conjunto de operaciones matemáticas y lógicas realizadas en una secuencia específica.

Análisis cuantitativo o ciencia administrativa   Enfoque científico que utiliza técnicas cuantitativas como herramienta en la toma de decisiones.

Análisis de sensibilidad   Proceso que involucra determinar qué tan sensible es una solución a cambios en la formulación de un problema.

Datos de entrada   Datos que se utilizan en un modelo para llegar a la solución final.

Modelo   Representación de la realidad o de una situación de la vida real.

Modelo determinístico   Modelo donde todos los valores usados se conocen con certidumbre completa.

Modelo estocástico   Otro nombre para modelo probabilístico.

Modelo matemático   Modelo que usa ecuaciones matemáticas y afirmaciones que representan las relaciones dentro del modelo.

Modelo probabilístico   Modelo donde todos los valores que se utilizan no se conocen con certidumbre, sino más bien incluyen cierta posibilidad o riesgo de ocurrir, con frecuencia medido como un valor de probabilidad.

Parámetro   Cantidad de entrada medible que es inherente al problema.

Problema   Un enunciado que debe venir de un gerente y que indica un problema a resolver, o bien, un objetivo o una meta a lograr.

Punto de equilibrio   Cantidad de ventas cuyo resultado es una ganancia de cero.

Variable   Cantidad medible que está sujeta a cambios.

Ecuaciones clave

(1-1)   Ganancia $= sX - f - vX$

donde

s = precio de venta por unidad
f = costo fijo
v = costo variable por unidad
X = número de unidades

Ecuación para determinar la ganancia en función del precio de venta por unidad, los costos fijos, los costos variables y el número de unidades vendidas.

(1-2) $\text{PE} = \dfrac{f}{s - v}$

Ecuación para determinar el punto de equilibrio (PE) en unidades en función del precio de venta por unidad (s), los costos fijos (f) y los costos variables (v).

Autoevaluación

- Antes de resolver la autoevaluación, consulte los objetivos de aprendizaje al inicio del capítulo, las notas al margen y el glosario al final del capítulo.
- Utilice la solución al final del libro para corregir sus respuestas.
- Estudie de nuevo las páginas que corresponden a cualquier pregunta cuya respuesta sea incorrecta o el material con el que se sienta inseguro.

1. Al analizar un problema, usted por lo general debería estudiar
   a) los aspectos cualitativos.
   b) los aspectos cuantitativos.
   c) tanto a) como b).
   d) ni a) ni b).
2. El análisis cuantitativo es
   a) un enfoque lógico para la toma de decisiones.
   b) un enfoque racional para la toma de decisiones.
   c) un enfoque científico para la toma de decisiones.
   d) todo lo anterior.
3. Frederick Winslow Taylor
   a) fue un investigador militar durante la Segunda Guerra Mundial.
   b) fue el pionero en los principios de la administración científica.
   c) desarrolló el uso del algoritmo para el AC.
   d) todo lo anterior.
4. Una entrada para un modelo (como el costo variable por unidad o el costo fijo) es un ejemplo de
   a) una variable de decisión.
   b) un parámetro.
   c) un algoritmo.
   d) una variable estocástica.
5. El punto donde el ingreso total es igual al costo total (es decir, cero ganancia) se llama
   a) solución de ganancia cero.
   b) solución de ganancia óptima.
   c) punto de equilibrio.
   d) solución de costo fijo.
6. El análisis cuantitativo en general se asocia con el uso de
   a) modelos esquemáticos.
   b) modelos físicos.
   c) modelos matemáticos.
   d) modelos a escala.
7. ¿Con qué paso del análisis cuantitativo casi siempre se asocia el análisis de sensibilidad?
   a) definición del problema
   b) recolección de datos
   c) implementación de resultados
   d) análisis de resultados
8. Un modelo determinístico es aquel para el que
   a) hay cierta incertidumbre acerca de los parámetros usados en el modelo.
   b) hay un resultado medible.
   c) todos los parámetros del modelo se conocen con total certidumbre.
   d) no existe software disponible.
9. El término *algoritmo*
   a) se debe a Algorismus.
   b) se debe a un matemático árabe del siglo IX.
   c) describe una serie de pasos o procedimientos que se repiten.
   d) todo lo anterior.
10. Un análisis para determinar cuánto cambiaría una solución si se modifican el modelo o los datos de entrada se llama
    a) análisis de sensibilidad o posóptimo.
    b) análisis esquemático o icónico.
    c) condicionamiento futurama.
    d) tanto b) como c).
11. Las variables de decisión son
    a) controlables.
    b) incontrolables.
    c) parámetros.
    d) valores numéricos constantes asociados con cualquier problema complejo.
12. _____ es el enfoque científico para la toma de decisiones administrativa.
13. _____ es el primer paso en un análisis cuantitativo.
14. _____ es una imagen, un dibujo o una gráfica de la realidad.
15. Una serie de pasos que se repiten hasta encontrar una solución se llama _____.

Preguntas y problemas para análisis

Preguntas para análisis

1-1 ¿Cuál es la diferencia entre análisis cuantitativo y análisis cualitativo? Dé varios ejemplos.

1-2 Defina *análisis cuantitativo*. ¿Cuáles son algunas organizaciones que apoyan el uso del enfoque científico?

1-3 ¿Qué es el proceso del análisis cuantitativo? Dé varios ejemplos de este proceso.

1-4 Dé una descripción breve de la historia del análisis cuantitativo. ¿Qué le ocurrió al desarrollo del análisis cuantitativo durante la Segunda Guerra Mundial?

1-5 Mencione algunos ejemplos de los diferentes tipos de modelos. ¿Qué es un modelo matemático? Desarrolle dos ejemplos de modelos matemáticos.

1-6 Numere algunas fuentes de datos de entrada.

1-7 ¿Qué es la implementación y por qué es importante?

1-8   Describa el uso del análisis de sensibilidad y posóptimo en el análisis de resultados.

1-9   Los gerentes aseguran siempre que los analistas cuantitativos les hablan en una jerga que no suena como su idioma. Liste cuatro términos que quizá no entienda el gerente. Luego, explique en términos que no sean técnicos el significado de cada uno.

1-10   ¿Por qué piensa usted que muchos analistas cuantitativos no quieren participar en el proceso de implementación? ¿Qué se podría hacer para cambiar esa actitud?

1-11   ¿Debería la gente que va a utilizar los resultados de un nuevo modelo cuantitativo involucrarse en los aspectos técnicos del procedimiento de solución del problema?

1-12   C. W. Churchman dijo una vez que "las matemáticas [...] tienden a aturdir al confiado para hacerlo creer que quien piensa de manera elaborada piensa bien". ¿Cree que los mejores modelos del AC son los más elaborados y complejos matemáticamente? ¿Por qué?

1-13   ¿Qué es el punto de equilibrio? ¿Qué parámetros se necesitan para calcularlo?

Problemas

1-14   Gina Fox ha iniciado su propia compañía, Foxy Shirts, que fabrica camisetas impresas para ocasiones especiales. Como está comenzando a operar, renta el equipo a un taller de impresiones local cuando es necesario. El costo de usar el equipo es de $350. Los materiales usados en una camiseta cuestan $8 y Gina puede venderlas en $15 cada una.

a) Si Gina vende 20 camisetas, ¿cuál será su ingreso total? ¿Cuál será su costo variable total?

b) ¿Cuántas camisetas debe vender Gina para alcanzar el punto de equilibrio? ¿Cuál es el ingreso total en este caso?

1-15   Ray Bond vende decoraciones artesanales para jardín en ferias de la región. El costo variable para hacerlas es $20 por cada una y las vende a $50. El costo de rentar un kiosco en la feria es $150. ¿Cuántas decoraciones debe vender Ray para quedar en el punto de equilibrio?

1-16   Ray Bond, del problema 1-15, intenta encontrar un nuevo proveedor para reducir su costo variable de producción a $15 por unidad. Si pudiera reducir este costo, ¿cuál sería su punto de equilibrio?

1-17   Katherine D'Ann planea financiar su educación universitaria vendiendo programas en los juegos de futbol para la universidad del estado. Existe un costo fijo de $400 por imprimir los programas y el costo variable es de $3. También hay una cuota de $1,000 que se paga a la universidad por el derecho a vender estos programas. Si Katherine logra vender los programas a $5 cada uno, ¿cuántos tendría que vender para alcanzar el punto de equilibrio?

1-18   Katherine D'Ann, del problema 1-17, está preocupada de que las ventas se caigan porque el equipo está en una racha perdedora y la asistencia a los juegos ha disminuido. De hecho, piensa que venderá tan solo 500 programas el siguiente juego. Si fuera posible elevar el precio de venta del programa y de todas formas vender 500, ¿cuál deberá ser el precio para que Katherine quede en el punto de equilibrio con la venta de 500 programas?

1-19   Farris Billiard Supply vende todo tipo de equipo para billar y quiere fabricar su propia marca de tacos. Mysti Farris, la gerente de producción, está investigando la producción de un taco de billar estándar que debería ser muy popular. Después de analizar los costos, Mysti determina que el costo de materiales y mano de obra por cada taco es de $25 y el costo fijo que debe cubrir es de $2,400 por semana. Con un precio de venta de $40 cada uno, ¿cuántos tacos debe vender para alcanzar el punto de equilibrio? ¿Cuál sería el ingreso total necesario para este punto de equilibrio?

1-20   Mysti Farris (problema 1-19) piensa subir el precio de venta por cada taco a $50 en vez de $40. Si hace esto y los costos no cambian, ¿cuál sería el nuevo punto de equilibrio? ¿Cuál sería el ingreso total para esta cantidad?

1-21   Mysti Farris (problema 1-19) cree que hay una alta probabilidad de vender 120 tacos de billar, si el precio de venta establecido es adecuado. ¿Qué precio de venta hará que el punto de equilibrio sea de 120?

1-22   Golden Age Retirement Planers se especializa en brindar asesoría financiera para lograr una jubilación cómoda. La compañía ofrece seminarios sobre el importante tema de la planeación del retiro. Por un seminario típico, la renta de espacio en un hotel es de $1,000 y el costo de publicidad e imprevistos es cerca de $10,000 por seminario. El costo de los materiales y regalos especiales por cada asistente es de $60 por persona que asiste. La compañía cobra $250 por persona para asistir al seminario, ya que así parecería competitiva frente a otras empresas en el mismo ramo. ¿Cuántas personas deben asistir a cada seminario para que Golden Age alcance el punto de equilibrio?

1-23   Un par de estudiantes emprendedores de administración de la Universidad Estatal decidieron llevar su educación a la práctica desarrollando una compañía de clases particulares para estudiantes de administración. Aunque se ofrece asesoría privada, determinaron que las clases en grupos grandes de estadística antes de exámenes tendrían más beneficios. Los estudiantes rentaron un espacio cerca del campus en $300 por 3 horas. Desarrollaron material para entregar (incluyendo gráficas en color) basado en exámenes anteriores que cuestan $5 cada uno. Se paga $25 por hora al asesor, es decir, $75 por cada sesión de tutoría.

a) Si se cobra a los estudiantes $20 por asistir a la sesión, ¿cuántos estudiantes deben inscribirse para que la compañía alcance el punto de equilibrio?

b) Está disponible un espacio un poco más pequeño en $200 por 3 horas. La compañía está considerando esta posibilidad. ¿Cómo afectaría esto el punto de equilibrio?

Nota: Ⓠ significa que el problema se resuelve con QM para Windows; ✖ indica que el problema se resuelve con Excel QM y ✖Ⓠ quiere decir que el problema se resuelve con QM para Windows y/o con Excel QM.

Estudio de caso

Alimentos y bebidas en juegos de futbol de Southwestern University

Southwestern University (SWU), una universidad grande del estado en Stephenville, Texas, 30 millas al sur de la zona metropolitana de Dallas/Fort Worth, inscribe a cerca de 20,000 estudiantes. La escuela es la fuerza dominante en la pequeña ciudad, con más estudiantes durante el otoño y la primavera que residentes permanentes.

Una potencia futbolera desde hace mucho tiempo, SWU es miembro de la conferencia de los Once Grandes y suele estar entre las 20 primeras universidades. Para reforzar sus posibilidades de lograr la elusiva y deseada clasificación de primero en la lista, en 2010 contrató al legendario Bo Pitterno como entrenador en jefe. Aunque el número uno siguió fuera del alcance, aumentó la asistencia a los cinco juegos en casa de los sábados cada año. Antes de la llegada de Pitterno, la asistencia promediaba generalmente entre 25,000 y 29,000. Las ventas de boletos por temporada subieron en 10,000 tan solo con el anuncio del nuevo entrenador. ¡Stephenville y SWU estaban listos para llegar a su época dorada!

Con el incremento en la asistencia vino más fama, la necesidad de un estadio más grande y más quejas sobre los asientos, el estacionamiento, las largas filas y los precios de concesión de los kioscos. El presidente de la universidad, el doctor Marty Starr, estaba preocupado no solo por el costo de expandir el estadio existente frente a la posibilidad de construir uno nuevo, sino también por las actividades auxiliares. Quería estar seguro de que tales actividades de apoyo generaran el ingreso adecuado para que fueran autosuficientes. En consecuencia, quería que estacionamientos, programas de los juegos y servicios de alimentos, todos, se manejaran como centros lucrativos. En una junta reciente para discutir el nuevo estadio, Starr dijo al gerente del estadio, Hank Maddux, que desarrollara una gráfica de punto de equilibrio y los datos relacionados para cada uno de los centros. Le dio instrucciones de tener el informe de punto de equilibrio para el área de servicio de alimentos para la siguiente junta. Después de discutir con otros gerentes de instalaciones y sus subalternos, Maddux desarrolló la siguiente tabla que muestra los precios de venta sugeridos, los costos variables estimados y el porcentaje de ingresos por artículo. También incluye una estimación del porcentaje de los ingresos totales que se esperarían por cada artículo con base en datos históricos.

Los costos fijos de Maddux son interesantes. Estimó que la porción prorrateada del costo del estadio sería la siguiente: salarios para servicios de alimentos, $100,000 ($20,000 por cada cinco juegos en casa); 2,400 pies cuadrados de espacio en el estadio a $2 por pie cuadrado por juego; y seis personas por kiosco

ARTÍCULO	PRECIO DE VENTA/ UNIDAD	COSTO VARIABLE/ UNIDAD	PORCENTAJE DE INGRESOS
Bebida gaseosa	$1.50	$0.75	25%
Café	2.00	0.50	25%
Hot dog	2.00	0.80	20%
Hamburguesa	2.50	1.00	20%
Botanas (tentempiés) varia(o)s	1.00	0.40	10%

en cada uno de los seis kioscos por 5 horas a $7 la hora. Estos costos fijos se asignarán de manera proporcional a cada uno de los productos, con base en los porcentajes señalados en la tabla. Por ejemplo, se espera que el ingreso por bebidas gaseosas cubra 25% de los costos fijos totales.

Maddux quiere estar seguro de que tiene varias cosas para el presidente Starr: **1.** los costos fijos totales que deben cubrirse en cada juego; **2.** la parte de los costos fijos asignada a cada artículo; **3.** cuáles serían sus ventas unitarias en el punto de equilibrio para cada artículo, es decir, qué ventas de gaseosas, café, hot dogs y hamburguesas se necesitan para cubrir la porción de los costos fijos asignada a cada artículo; **4.** cuál sería la venta en dólares para cada uno en este punto de equilibrio, y **5.** estimaciones realistas de las ventas por empleado para una asistencia de 60,000 y de 35,000. (En otras palabras, desea saber cuántos dólares gasta cada empleado en alimentos para su punto de equilibrio proyectado de ventas en el presente, y si la asistencia crece a 60,000). Piensa que este último trozo de información será útil para entender qué tan realistas son las suposiciones de su modelo y esta información se podría comparar con cifras similares de temporadas anteriores.

Pregunta para análisis

1. Prepare un informe breve con los aspectos anotados, de manera que esté listo para el doctor Starr en la siguiente junta.

Adaptado de J. Heizer y B. Render. *Operations Management*, 6a. ed. Upper Saddle River, NJ: Prentice Hall, 2000, pp. 274-275.

Bibliografía

Ackoff. R. L. *Scientific Method: Optimizing Applied Research Decisions.* Nueva York: John Wiley & Sons, 1962.

Beam, Carrie. "ASP, the Art and Science of Practice: How I Started an OR/MS Consulting Practice with a Laptop, a Phone, and a PhD", *Interfaces* 34 (julio-agosto, 2004): 265-271.

Board, John, Charles Sutcliffe y William T. Ziemba. "Applying Operations Research Techniques to Financial Markets", *Interfaces* 33 (marzo-abril, 2003): 12-24.

Churchman, C. W. "Relativity Models in the Social Sciences", *Interfaces* 4, 1 (noviembre, 1973).

Churchman, C. W. *The Systems Approach.* Nueva York: Delacort Press, 1968.

Dutta, Goutam. "Lessons for Success in OR/MS Practice Gained from Experiences in Indian and U.S. Steel Plants", *Interfaces* 30, 5 (septiembre-octubre, 2000): 23-30.

Eom, Sean B. y Eyong B. Kim. "A Survey of Decision Support System Applications (1995-2001)", *Journal of the Operational Research Society* 57, 11 (2006): 1264-1278.

Horowitz, Ira. "Aggregating Expert Ratings Using Preference-Neutral Weights: The Case of the College Football Pollis", *Interfaces* 34 (julio-agosto, 2004): 314-320.

Keskinocak, Pinar y Sridhar Tayur. "Quantitative Analysis for Internet-Enabled Supply Chains", *Interfaces* 31, 2 (marzo-abril, 2001): 70-89.

Laval, Claude, Marc Feyhl y Steve Kakouros. "Hewlett-Packard Combined OR and Expert Knowledge to Design Its Supply Chains", *Interfaces* 35 (mayo-junio, 2005): 238-247.

Pidd, Michael. "Just Modeling Through: A Rough Guide to Modeling", *Interfaces* 29, 2 (marzo-abril, 1999): 118-132.

Saaty, T. L. "Reflections and Projections on Creativity in Operations Research and Management Science: A Pressing Need for a Shifting Paradigm", *Operations Research* 46, 1 (1998): 9-16.

Salveson, Melvin. "The Institute of Management Science: A Prehistory and Commentary", *Interfaces* 27, 3 (mayo-junio, 1997): 74-85.

Wright, P. Daniel, Matthew J. Liberatore, y Robert L. Nydick. "A Survey of Operations Research Models and Applications in Homeland Security", *Interfaces* 36 (noviembre-diciembre, 2006): 514-529.

CAPÍTULO **2**

Conceptos de probabilidad y aplicaciones

2.1 Introducción

La vida sería más sencilla si supiéramos sin lugar a dudas qué va a ocurrir en el futuro. El resultado de cualquier decisión dependería tan sólo de qué tan lógica y racional fuera la decisión. Si usted perdiera dinero en el mercado de valores, sería porque no consideró toda la información o porque no tomó una decisión lógica. Si queda atrapado en la lluvia, sería porque simplemente olvidó su paraguas. Siempre podría evitar construir una planta que resulte muy grande, invertir en una compañía que pierda dinero, quedar sin suministros o perder la cosecha por mal clima. No habría cuestiones como una inversión de riesgo. La vida sería más sencilla, pero aburrida.

Fue hasta el siglo XVI que los individuos comenzaron a cuantificar los riesgos y a aplicar el concepto a situaciones cotidianas. En la actualidad, la idea de riesgo o probabilidad forma parte de nuestras vidas. "La posibilidad de lluvia en Omaha hoy es de 40%". "Para este sábado, los Seminoles de Florida State University son favoritos 2 a 1 sobre los Tigres de Louisiana State University". "Existe una posibilidad de 50-50 de que el mes próximo el mercado de valores alcance la marca más alta de todos los tiempos."

Una probabilidad es una expresión numérica acerca de la posibilidad de que ocurra un evento.

Una ***probabilidad*** *es una expresión numérica de la posibilidad de que ocurra un evento.* En este capítulo se examinan los conceptos, las definiciones y las relaciones básicos de probabilidad, así como las distribuciones de probabilidad que son útiles para resolver muchos problemas de análisis cuantitativo. La tabla 2.1 lista algunos de los temas cubiertos en este libro, que se apoyan en la teoría de probabilidad. Se observa que el estudio del análisis cuantitativo sería bastante difícil sin ella.

2.2 Conceptos fundamentales

Hay dos reglas básicas respecto a las matemáticas de probabilidades:

Con frecuencia las personas usan mal las dos reglas básicas de la probabilidad cuando utilizan afirmaciones como: "Estoy 110% seguro de que vamos a ganar el juego".

1. La probabilidad, P, de ocurrencia de cualquier evento o estado de la naturaleza es mayor que o igual a 0 y menor que o igual a 1. Es decir,

$$0 \leq P(\text{evento}) \leq 1 \tag{2-1}$$

Una probabilidad de 0 indica que se espera que un evento nunca ocurra. Una probabilidad de 1 significa que se espera que un evento ocurra siempre.

2. La suma de las probabilidades simples de todos los resultados posibles de una actividad debe ser igual a 1. Ambos conceptos se ilustran en el ejemplo 1.

TABLA 2.1

Capítulos de este libro donde se utiliza probabilidad

CAPÍTULO	TÍTULO
3	Análisis de decisiones
4	Modelos de regresión
5	Pronósticos
6	Modelos de control de inventarios
12	Administración de proyectos
13	Modelos de teoría de colas y de líneas de espera
14	Modelado con simulación
15	Análisis de Markov
16	Control estadístico de la calidad
Módulo 3	Teoría de decisiones y distribución normal
Módulo 4	Teoría de juegos

EJEMPLO 1: DOS REGLAS DE PROBABILIDAD La demanda de una pintura blanca de látex en Diversey Paint and Supply siempre ha sido de 0, 1, 2, 3 o 4 galones por día (no hay otros resultados posibles y cuando ocurre alguno de ellos ningún otro ocurre). Durante los últimos 200 días laborales, el propietario observa las siguientes frecuencias de demanda.

CANTIDAD DEMANDADA (GALONES)	NÚMERO DE DÍAS
0	40
1	80
2	50
3	20
4	10
	Total 200

Si la distribución en el pasado es un buen indicador de las ventas futuras, podemos encontrar las probabilidades de que ocurra cada resultado posible en el futuro, convirtiendo los datos en porcentajes del total:

CANTIDAD DEMANDADA	PROBABILIDAD
0	0.20 (=40/200)
1	0.40 (=80/200)
2	0.25 (=50/200)
3	0.10 (=20/200)
4	0.05 (=10/200)
	Total 1.00(=200/200)

Entonces, la probabilidad de que las ventas sean 2 galones de pintura en un día dado es P(2 galones) = 0.25 = 25%. La probabilidad de cualquier nivel de ventas debe ser mayor que o igual a 0, y menor que o igual a 1. Como 0, 1, 2, 3 y 4 galones abarcan todos los eventos o resultados posibles, la suma de sus probabilidades debe ser igual a 1.

Tipos de probabilidad

Existen dos maneras diferentes de determinar la probabilidad: el **enfoque objetivo** y el **enfoque subjetivo**.

PROBABILIDAD OBJETIVA El ejemplo 1 ofrece una ilustración de la evaluación de la probabilidad objetiva. La probabilidad de cualquier nivel de demanda de pintura es la *frecuencia relativa* de ocurrencia de esa demanda en un número grande de observaciones (200 días, en este caso). En general,

$$P(\text{evento}) = \frac{\text{Número de ocurrencias del evento}}{\text{Número total de ensayos o resultados}}$$

La probabilidad objetiva también puede establecerse usando lo que se llama el **método lógico** o **clásico**. Sin realizar una serie de ensayos, muchas veces podemos determinar de manera lógica cuáles deberían ser las probabilidades de varios eventos. Por ejemplo, la probabilidad de lanzar una vez al aire una moneda y obtener cara es:

$$P(\text{cara}) = \frac{1}{2} \longleftarrow \textit{Número de formas de obtener cara}$$
$$\longleftarrow \textit{Número de resultados posibles (cara o cruz)}$$

Asimismo, la probabilidad de sacar una espada (pica) de un mazo de 52 cartas se establece con la lógica como

$$P(\text{espada}) = \frac{13}{52} \longleftarrow \textit{Número de oportunidades de sacar una espada}$$
$$\longleftarrow \textit{Número de resultados posibles}$$
$$= {}^1\!/_4 = 0.25 = 25\%$$

PROBABILIDAD SUBJETIVA Cuando la lógica y la historia pasada no son adecuadas, los valores de las probabilidades se pueden estimar de manera *subjetiva*. La exactitud de las probabilidades subjetivas depende de la experiencia y el buen juicio de quien realiza las estimaciones. Diversos valores de probabilidad no se logran determinar a menos que se emplee el enfoque subjetivo. ¿Cuál es la probabilidad de que el precio de la gasolina sea más de $4 en los próximos años? ¿Cuál es la probabilidad de que nuestra economía enfrente una depresión severa en 2015? ¿Cuál es la probabilidad de que usted sea presidente de una corporación importante dentro de 20 años?

¿De dónde vienen las probabilidades? Algunas veces son subjetivas y se basan en las experiencias personales. Otras veces son objetivas y se basan en las observaciones lógicas, como el lanzamiento de un dado. A menudo las probabilidades se derivan de datos históricos.

Existen varios métodos para la evaluación subjetiva de las probabilidades. Las encuestas de opinión sirven para ayudar a determinar probabilidades subjetivas para los resultados posibles en elecciones y los candidatos políticos potenciales. En algunos casos, se aprovechan la experiencia y el buen juicio para asignar valores subjetivos de probabilidad. Un gerente de producción, por ejemplo, podría creer que la probabilidad de fabricar un producto nuevo sin un solo defecto es de 0.85. Con el método Delphi, se reúne un panel de expertos para hacer sus predicciones del futuro. Este enfoque se estudia en el capítulo 5.

2.3 Eventos mutuamente excluyentes y colectivamente exhaustivos

Se dice que los eventos son **mutuamente excluyentes** si solo uno de ellos puede ocurrir en un ensayo cualquiera. Se llaman **colectivamente exhaustivos** si la lista de resultados incluye todos los resultados posibles. Muchas experiencias cotidianas involucran eventos que tienen ambas propiedades. Por ejemplo, al lanzar una moneda, los resultados posibles son cara o cruz. Como no pueden ocurrir ambos a la vez en un lanzamiento, los resultados cara o cruz son mutuamente excluyentes. Como obtener cara y obtener cruz representan todos los resultados posibles, también son colectivamente exhaustivos.

EJEMPLO 2: LANZAMIENTO DE UN DADO Lanzar un dado es un experimento sencillo que tiene seis resultados posibles, numerados en la siguiente tabla y cada uno con su probabilidad correspondiente:

RESULTADO DEL LANZAMIENTO	PROBABILIDAD
1	⅙
2	⅙
3	⅙
4	⅙
5	⅙
6	⅙
	Total 1

MODELADO EN EL MUNDO REAL

**Trasplantes de hígado
en Estados Unidos**

Definición
del problema

Desarrollo
de un modelo

Recolección
de datos

Desarrollo de
una solución

Pruebas de
la solución

Análisis de
los resultados

Implementación
de resultados

Definición del problema

La escasez de hígados para trasplantes ha llegado a niveles alarmantes en Estados Unidos; 1,131 individuos murieron en 1997 esperando un trasplante. Con tan sólo 4,000 donaciones de este órgano por año, hay más de 10,000 pacientes en la lista de espera y se agregan 8,000 cada año. Existe la necesidad de desarrollar un modelo para evaluar las políticas de asignación de los hígados a enfermos terminales que los necesitan.

Desarrollo de un modelo

Doctores, ingenieros, investigadores y científicos trabajaron junto con los consultores de Pritsker Corp. en el proceso de crear el modelo de asignación de hígados, llamado ULAM. Una de las tareas del modelo consiste en evaluar si hay que colocar en la lista a receptores potenciales a nivel nacional o a nivel regional.

Recolección de datos

Se disponía de información histórica de UNOS (United Network for Organ Sharing), de 1990 a 1995. Los datos se almacenaron en el ULAM. El proceso de probabilidad de Poisson describe la llegada de donadores a 63 centros de manejo de órganos y la llegada de pacientes a los 106 centros de trasplante de hígado.

Desarrollo de una solución

ULAM proporciona la probabilidad de aceptar un hígado, donde la probabilidad es una función del estado clínico de los pacientes, del centro de trasplantes y de la calidad del órgano ofrecido. ULAM también modela la probabilidad diaria de que un paciente cambie de un estado crítico a otro.

Prueba de la solución

Las pruebas incluyeron una comparación del resultado arrojados por el modelo con los resultados reales durante el periodo de 1992 a 1994. Los resultados del modelo eran suficientemente cercanos a los reales, por lo que el ULAM se declaró válido.

Análisis de los resultados

ULAM se usó para comparar más de 100 políticas de asignación de hígado y luego, se actualizó en 1998, con datos más recientes, para su presentación en el Congreso.

Implementación de resultados

Con base en los resultados proyectados, el comité UNOS votó 18 a 0 para implementar una política de asignación basada en listas de espera regionales, no nacionales. Se espera que esta decisión salve 2,414 vidas en un periodo de 8 años.

Fuente: Basada en A. A. B. Pritsker. "Life and Death Decisions", *OR/MS Today* (agosto de 1998): 22-28.

Estos eventos son mutuamente excluyentes (en cualquier lanzamiento solo puede ocurrir uno de seis eventos) y también son colectivamente exhaustivos (uno de ellos debe ocurrir, pues el total de sus probabilidades es 1).

EJEMPLO 3: SACAR UNA CARTA Le piden a usted que saque una carta de un mazo de 52 cartas. Usando la evaluación lógica de las probabilidades, es fácil establecer algunas relaciones, como

$$P(\text{sacar un } 7) = {}^{4}\!/_{52} = {}^{1}\!/_{13}$$
$$P(\text{sacar un corazón}) = {}^{13}\!/_{52} = {}^{1}\!/_{4}$$

También vemos que estos eventos (sacar un 7 y sacar un corazón) *no* son mutuamente excluyentes, ya que se puede sacar un 7 de corazones. *Tampoco* son colectivamente exhaustivos pues hay otras cartas en la mazo, además del 7 y los corazones.

También puede probar su comprensión de estos conceptos examinando los siguientes casos:

Esta tabla es muy útil para comprender la diferencia entre mutuamente excluyente y colectivamente exhaustivo.

EXTRACCIÓN	¿ES MUTUAMENTE EXCLUYENTE?	¿ES COLECTIVAMENTE EXHAUSTIVO?
1. Extraer una espada y un trébol	Sí	No
2. Sacar una carta con rostro y una con número	Sí	Sí
3. Extraer un as y un 3	Sí	No
4. Sacar una con trébol y una sin trébol	Sí	Sí
5. Extraer un 5 y un diamante	No	No
6. Extraer una carta roja y un diamante	No	No

Suma de eventos mutuamente excluyentes

A menudo nos interesa saber si ocurrirá un evento *o* un segundo evento, lo cual se conoce como la *unión* de dos eventos. Cuando los dos eventos son mutuamente excluyentes, la ley de la suma es simplemente:

$$P(\text{evento } A \text{ o evento } B) = P(\text{evento } A) + P(\text{evento } B)$$

o, de manera más breve,

$$P(A \text{ o } B) = P(A) + P(B) \tag{2-2}$$

Por ejemplo, acabamos de ver que los eventos de sacar una espada o sacar un trébol de un mazo de cartas son mutuamente excluyentes. Como $P(\text{espada}) = {}^{13}\!/_{52}$ y $P(\text{trébol}) = {}^{13}\!/_{52}$, la probabilidad de sacar una espada o un trébol es

$$P(\text{espada o trébol}) = P(\text{espada}) + P(\text{trébol})$$
$$= {}^{13}\!/_{52} + {}^{13}\!/_{52}$$
$$= {}^{26}\!/_{52} = {}^{1}\!/_{2} = 0.50 = 50\%$$

El *diagrama de Venn* en la figura 2.1 describe la probabilidad de ocurrencia de eventos mutuamente excluyentes.

FIGURA 2.1

Ley de la suma para eventos mutuamente excluyentes

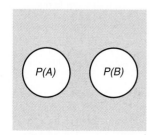

$P(A \text{ o } B) = P(A) + P(B)$

Ley de la suma para eventos que no son mutuamente excluyentes

Cuando dos eventos no son mutuamente excluyentes, la ecuación 2-2 debe modificarse para tomar en cuenta el conteo doble. La ecuación correcta reduce la probabilidad porque se restan las posibilidades de que ambos eventos ocurran al mismo tiempo:

$$P(\text{evento } A \text{ o evento } B) = P(\text{evento } A) + P(\text{evento } B)$$
$$-P(\text{ocurrencia de ambos, evento } A \text{ y evento } B)$$

Esto se expresa en forma abreviada como

$$P(A \text{ o } B) = P(A) + P(B) - P(A \text{ y } B) \tag{2-3}$$

La figura 2.2 ilustra este concepto que resta la probabilidad de los resultados que son comunes a ambos eventos. Cuando los eventos son mutuamente excluyentes, el área de traslape, llamada *intersección*, es 0, como se indica en la figura 2.1.

FIGURA 2.2

Ley de la suma para eventos que no son mutuamente excluyentes

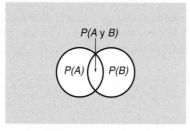

$P(A \text{ o } B) = P(A) + P(B) - P(A \text{ y } B)$

La fórmula para sumar eventos que no son mutuamente excluyentes es
$P(A \, o \, B) = P(A) + P(B) - P(A \, y \, B)$. *¿Comprende por qué se resta $P(A \, y \, B)$?*

Considere los eventos de sacar un 5 y sacar un diamante de un mazo de cartas. Estos eventos no son mutuamente excluyentes, de manera que debe aplicarse la ecuación 2-3 para calcular la probabilidad de extraer un 5 o un diamante:

$$P(\text{cinco } o \text{ diamante}) = P(\text{cinco}) + P(\text{diamante}) - P(\text{cinco } y \text{ diamante})$$
$$= \frac{4}{52} + \frac{13}{52} - \frac{1}{52}$$
$$= \frac{16}{52} = \frac{4}{13}$$

2.4   Eventos estadísticamente independientes

Los eventos pueden ser **independientes** o **dependientes**. Cuando son *independientes*, la ocurrencia de un evento no tiene efecto sobre la probabilidad de ocurrencia de otro evento. Examinemos cuatro conjuntos de eventos para determinar cuáles son independientes:

1. *a)* Su educación ⎤ *Eventos dependientes*
   b) Su nivel de ingresos ⎦ ¿Puede explicar por qué?

2. *a)* Sacar un jack (sota) de corazones de un mazo completo de 52 cartas ⎤ *Eventos independientes*
   b) Sacar un jack de tréboles de un mazo completo de 52 cartas ⎦

3. *a)* Los Cachorros de Chicago ganan la Liga Nacional ⎤ *Eventos dependientes*
   b) Los Cachorros de Chicago ganan la Serie Mundial ⎦

4. *a)* Nieve en Santiago, Chile ⎤ *Eventos independientes*
   b) Lluvia en Tel Aviv, Israel ⎦

Los tres tipos de probabilidad bajo independencia y dependencia estadística son **1.** marginal, **2.** conjunta y **3.** condicional. Cuando los eventos son independientes, es muy sencillo calcular los tres tipos, como se verá.

Una probabilidad marginal es la probabilidad de que ocurra un evento.

Una *probabilidad marginal* (o *simple*) es tan solo la probabilidad de que ocurra un evento. Por ejemplo, si lanzamos un dado, la probabilidad marginal de obtener 2 es $P(\text{dado es un } 2) = \frac{1}{6} = 0.166$. Como cada lanzamiento es un evento independiente (es decir, lo que obtenemos en el primer lanzamiento no tiene absolutamente ningún efecto en lanzamientos subsecuentes), la probabilidad marginal de cada resultado posible es $\frac{1}{6}$.

Una probabilidad conjunta es el producto de las probabilidades marginales.

La **probabilidad conjunta** de que ocurran dos o más eventos independientes es el producto de sus probabilidades marginales o simples, lo cual se escribe como

$$P(AB) = P(A) \times P(B) \tag{2-4}$$

donde

$P(AB)$ = probabilidad conjunta de que los eventos A y B ocurran juntos, o uno después del otro

$P(A)$ = probabilidad marginal del evento A

$P(B)$ = probabilidad marginal del evento B

Por ejemplo, con un dado la probabilidad de lanzar un 6 la primera vez y un 2 la segunda vez es

$$P(6 \text{ primero y } 2 \text{ luego})$$
$$= P(\text{lanzar un } 6) \times P(\text{lanzar un } 2)$$
$$= \frac{1}{6} \times \frac{1}{6} = \frac{1}{36}$$
$$= 0.028$$

Una probabilidad condicional es la probabilidad de que ocurra un evento dado que ocurrió otro evento.

El tercer tipo, la **probabilidad condicional**, se expresa como $P(B|A)$, o la "probabilidad del evento B, dado que ocurrió el evento A". De manera similar, $P(A|B)$ quiere decir la "probabilidad condicional del evento A, dado que sucedió el evento B". Como los eventos son independientes, la ocurrencia de uno no afecta el resultado del otro, $P(A|B) = P(A)$ y $P(B|A) = P(B)$.

EJEMPLO 4: PROBABILIDADES CUANDO LOS EVENTOS SON INDEPENDIENTES Un cesto contiene 3 pelotas negras (B) y 7 pelotas verdes (G). Sacamos una pelota del cesto la regresamos y sacamos una segunda pelota. Determinamos la probabilidad de que ocurra cada uno de los siguientes eventos:

1. Se extrae una pelota negra la primera vez:

$$P(B) = 0.30 \quad \textit{(Esta es una probabilidad marginal).}$$

2. Se sacan dos pelotas verdes:

$$P(GG) = P(G) \times P(G) = (0.7)(0.7) = 0.49$$

(Esta es una probabilidad conjunta para dos eventos independientes).

3. Se extrae una pelota negra la segunda vez, si la primera fue verde:

$$P(B|G) = P(B) = 0.30 \quad \textit{(Esta es una probabilidad condicional pero igual a la marginal,}$$
$$\textit{porque las dos extracciones son eventos independientes).}$$

4. Una pelota verde la segunda vez, si la primera fue verde:

$$P(G|G) = P(G) = 0.70 \quad \textit{(Esta es una probabilidad condicional como en el evento 3.)}$$

2.5 Eventos estadísticamente dependientes

Cuando los eventos son estadísticamente dependientes, la ocurrencia de un evento afecta la probabilidad de que otro evento ocurra. Las probabilidades marginal, condicional y conjunta existen con la dependencia al igual que con la independencia, pero la forma de las dos últimas cambia.

Una **probabilidad marginal** se calcula exactamente igual que para eventos independientes. De nuevo, la probabilidad marginal de que ocurra el evento A se denota por $P(A)$.

Calcular una **probabilidad condicional** con dependencia es un poco más complicado que bajo independencia. La fórmula para la probabilidad condicional de A, dado que sucede el evento B, se establece como

$$P(A|B) = \frac{P(AB)}{P(B)} \tag{2-5}$$

De la ecuación 2-5, la fórmula para la probabilidad conjunta es

$$P(AB) = P(A|B)P(B) \tag{2-6}$$

EJEMPLO 5: PROBABILIDADES CUANDO LOS EVENTOS SON DEPENDIENTES Suponga que tenemos una urna que contiene 10 pelotas de la siguiente descripción:

4 son blancas (W) y con letra (L)

2 son blancas (W) y con número (N)

3 son amarillas (Y) y con letra (L)

1 es amarilla (Y) y con número (N)

Se extrae una pelota al azar de la urna y es amarilla. Entonces, ¿cuál es la probabilidad de que esta pelota tenga letra? (Véase la figura 2.3).

Como hay 10 pelotas, tan solo se tabula una serie de probabilidades:

$$P(WL) = {}^4\!/_{10} = 0.4 \qquad P(YL) = {}^3\!/_{10} = 0.3$$

$$P(WN) = {}^2\!/_{10} = 0.2 \qquad P(YN) = {}^1\!/_{10} = 0.1$$

$$P(W) = {}^6\!/_{10} = 0.6, \quad \text{o} \quad P(W) = P(WL) + P(WN) = 0.4 + 0.2 = 0.6$$

$$P(L) = {}^7\!/_{10} = 0.7, \quad \text{o} \quad P(L) = P(WL) + P(YL) = 0.4 + 0.3 = 0.7$$

$$P(Y) = {}^4\!/_{10} = 0.4, \quad \text{o} \quad P(Y) = P(YL) + P(YN) = 0.3 + 0.1 = 0.4$$

$$P(N) = {}^3\!/_{10} = 0.3, \quad \text{o} \quad P(N) = P(WN) + P(YN) = 0.2 + 0.1 = 0.3$$

FIGURA 2.3

Eventos dependientes del ejemplo 5

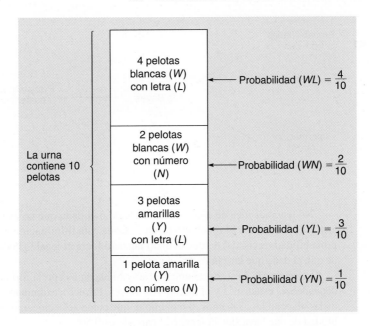

Ahora calculamos la probabilidad condicional de que la pelota extraída tenga letra, dado que es amarilla:

$$P(L|Y) = \frac{P(YL)}{P(Y)} = \frac{0.3}{0.4} = 0.75$$

Esta ecuación muestra que dividimos la probabilidad de pelotas *amarillas* y *con letra* (3 de 10) entre la probabilidad de pelotas amarillas (4 de 10). Existe una probabilidad de 0.75 de que la pelota amarilla extraída tenga letra.

Se utiliza la fórmula de probabilidad conjunta para verificar que $P(YL) = 0.3$, que se obtuvo por inspección en el ejemplo 5, multiplicando $P(L|Y)$ por $P(Y)$:

$$P(YL) = P(L|Y) \times P(Y) = (0.75)(0.4) = 0.3$$

EJEMPLO 6: PROBABILIDAD CONJUNTA CUANDO LOS EVENTOS SON DEPENDIENTES Su corredor de bolsa le informa que si el mercado de valores llega al nivel de 12,500 puntos para enero, hay una probabilidad de 70% de que Tubeless Electronics suba de valor. Sus propios sentimientos le dicen que hay tan solo una probabilidad de 40% de que el promedio del mercado llegue a 12,500 puntos para enero. ¿Puede calcular la probabilidad de que ocurran *ambos*: que el mercado de valores llegue a 12,500 puntos *y* se incremente el precio de Tubeless Electronics?

Sea M el evento de que el mercado de valores llegue a 12,500, y sea T el evento de que Tubeless aumente su valor. Entonces,

$$P(MT) = P(T|M) \times P(M) = (0.70)(0.40) = 0.28$$

Así, existe solamente 28% de posibilidad de que *ambos* eventos ocurran.

2.6 Probabilidades revisadas aplicando el teorema de Bayes

El teorema de Bayes se emplea para incluir información adicional cuando esté disponible y ayuda a crear *probabilidades posteriores* o revisadas. Esto significa que podemos tomar datos nuevos o recientes y luego revisar y mejorar nuestras estimaciones de probabilidades anteriores para un evento (véase la figura 2.4). Consideremos el siguiente ejemplo.

EJEMPLO 7: PROBABILIDADES POSTERIORES Un vaso contiene dos dados idénticos en apariencia. Sin embargo, uno es legal (no está cargado) y el otro no es legal (sí está cargado). La probabilidad de obtener un 3 en el dado legal es $\frac{1}{6}$. La probabilidad de obtener el mismo número en el dado cargado es 0.60.

FIGURA 2.4

Uso del proceso de Bayes

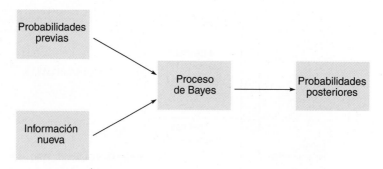

No tenemos idea de cuál es el dado legal o el dado que no es legal, pero seleccionamos uno al azar y lo lanzamos. El resultado es un 3. Dada esta información adicional, ¿podemos encontrar la probabilidad (revisada) de que el dado lanzado fuera el legal? ¿Podemos determinar la probabilidad de que el dado que lanzamos era el cargado?

La respuesta a estas preguntas es sí, y lo hacemos con la fórmula de probabilidad conjunta con dependencia estadística y el teorema de Bayes. Primero, examinamos la información y las probabilidades disponibles. Sabemos, por ejemplo, que como seleccionamos aleatoriamente el dado, la probabilidad de que haya sido el legal o el cargado es 0.50:

$$P(\text{legal}) = 0.50 \quad P(\text{cargado}) = 0.50$$

También sabemos que

$$P(3|\text{legal}) = 0.166 \quad P(3|\text{cargado}) = 0.60$$

Ahora calculamos las probabilidades conjuntas $P(3$ y legal$)$ y $P(3$ y cargado$)$ con la fórmula $P(AB) = P(A|B) \times P(B)$:

$$P(3 \text{ y legal}) = P(3|\text{legal}) \times P(\text{legal})$$
$$= (0.166)(0.50) = 0.083$$

$$P(3 \text{ y cargado}) = P(3|\text{cargado}) \times P(\text{cargado})$$
$$= (0.60)(0.50) = 0.300$$

Un 3 puede ocurrir en combinación con el estado "dado legal" o en combinación con el estado "dado cargado". La suma de sus probabilidades da la probabilidad incondicional o marginal de un 3 en el lanzamiento; a saber, $P(3) = 0.083 + 0.300 = 0.383$.

Si ocurre un 3 y si no sabemos de cuál dado se obtuvo, la probabilidad de que haya sido del dado legal es

$$P(\text{legal}|3) = \frac{P(\text{legal y }3)}{P(3)} = \frac{0.083}{0.383} = 0.22$$

La probabilidad de que el dado lanzado fuera el cargado es

$$P(\text{cargado}|3) = \frac{P(\text{cargado y }3)}{P(3)} = \frac{0.300}{0.383} = 0.78$$

Estas dos probabilidades condicionales se llaman **probabilidades revisadas** o **posteriores** para el siguiente lanzamiento del dado.

Antes de lanzar el dado en el ejemplo anterior, lo mejor que podríamos decir era que había una oportunidad de 50-50 de que el dado fuera legal (0.50 de probabilidad) y 50-50 de que fuera el cargado. No obstante, después de un lanzamiento del dado, podemos revisar nuestras estimaciones de **probabilidades previas**. La nueva estimación posterior es que se tiene una probabilidad de 0.78 de que el dado lanzado sea el cargado y solamente una probabilidad de 0.22 de que no lo fuera.

A menudo ayuda usar una tabla al realizar los cálculos asociados con el teorema de Bayes. La tabla 2.2 indica su distribución general, y la tabla 2.3 la de este ejemplo específico.

TABLA 2.2

Forma tabular de los cálculos de Bayes dado que ocurrió el evento B

ESTADO DE NATURALEZA	$P(B$ | ESTADO DE NATURALEZA$)$	PROBABILIDAD PREVIA	PROBABILIDAD CONJUNTA	PROBABILIDAD POSTERIOR
A	$P(B\|A)$	$\times P(A)$	$= P(B$ y $A)$	$P(B$ y $A)/P(B) = P(A\|B)$
A'	$P(B\|A')$	$\times P(A')$	$= P(B$ y $A')$	$P(B$ y $A')/P(B) = P(A'\|B)$
			$P(B)$	

TABLA 2.3

Cálculos de Bayes dado que se obtiene un 3 en el ejemplo 7

ESTADO DE NATURALEZA	$P(3$ | ESTADO DE NATURALEZA$)$	PROBABILIDAD PREVIA	PROBABILIDAD CONJUNTA	PROBABILIDAD POSTERIOR
Dado legal	0.166	$\times 0.5$	$= 0.083$	$0.083/0.383 = 0.22$
Dado cargado	0.600	$\times 0.5$	$= 0.300$	$0.300/0.383 = 0.78$
			$P(3) = 0.383$	

Forma general del teorema de Bayes

Otra manera de calcular las probabilidades revisadas es con el teorema de Bayes.

Las probabilidades revisadas también se calculan de manera más directa usando la forma general del **teorema de Bayes**:

$$P(A|B) = \frac{P(B|A)P(A)}{P(B|A)P(A) + P(B|A')P(A')} \tag{2-7}$$

donde

$A' = $ el complemento del evento A;
por ejemplo, si A es el evento "dado legal", entonces, A' es "dado cargado"

Originalmente vimos en la ecuación (2-5) que la probabilidad condicional del evento A, dado el evento B, es

$$P(A|B) = \frac{P(AB)}{P(B)}$$

Un ministro presbiteriano, Thomas Bayes (1702-1761), hizo el desarrollo que llevó a este teorema.

Thomas Bayes derivó su teorema a partir de esto. El apéndice 2.1 muestra los pasos matemáticos que llevaron a la ecuación 2-7. Ahora regresemos al ejemplo 7.

Aunque quizá no sea evidente a primera vista, usamos esta ecuación básica para calcular las probabilidades revisadas. Por ejemplo, si queremos la probabilidad de que se haya lanzado el dado legal, dado que se obtuvo un 3 en el primer lanzamiento, es decir, P(dado legal|salió 3), hacemos que

evento "dado legal" sustituya a A en la ecuación 2-7

evento "dado cargado" sustituya a A' en la ecuación 2-7

evento "salió 3" sustituya a B en la ecuación 2-7

Se reescribe la ecuación 2-7 y se resuelve como sigue:

$$P(\text{dado legal}|\text{salió 3})$$

$$= \frac{P(3|\text{legal})P(\text{legal})}{P(3|\text{legal})P(\text{legal}) + P(3|\text{cargado})P(\text{cargado})}$$

$$= \frac{(0.166)(0.50)}{(0.166)(0.50) + (0.60)(0.50)}$$

$$= \frac{0.083}{0.383} = 0.22$$

Esta es la misma respuesta que la calculada en el ejemplo 7. ¿Puede usar este enfoque alternativo para demostrar que P(dado cargado|salió 3) = 0.78? Cualquier método es perfectamente aceptable, pero cuando consideremos probabilidades revisadas otra vez en el capítulo 3, veremos que aplicar la ecuación 2-7 o el enfoque tabular es más sencillo. En el capítulo 3 se usa una hoja de cálculo de Excel para el método tabular.

2.7 Revisiones de probabilidades ulteriores

Aunque una revisión de las probabilidades previas suele brindar estimaciones útiles acerca de probabilidades posteriores, puede obtenerse información adicional al realizar el experimento una segunda vez. Si vale la pena financieramente, un tomador de decisiones decidiría hacer incluso varias revisiones más.

EJEMPLO 8: SEGUNDA REVISIÓN DE PROBABILIDADES Regresando al ejemplo 7, ahora intentamos obtener más información acerca de las probabilidades posteriores, en cuanto a si el dado lanzado era legal o estaba cargado. Para hacerlo, lanzamos el dado una segunda vez. De nuevo, obtenemos un 3. ¿Cuáles son las probabilidades revisadas de nuevo?

Para responder la pregunta, procedemos como antes, con tan solo una excepción. Las probabilidades $P(\text{legal}) = 0.50$ y $P(\text{cargado}) = 0.50$ siguen iguales, pero ahora debemos calcular $P(3,3 \mid \text{legal})$ $= (0.166)(0.166) = 0.027$ y $P(3,3 \mid \text{cargado}) = (0.6)(0.6) = 0.36$. Con estas probabilidades conjuntas de dos veces obtener un 3 en lanzamientos sucesivos, dados los dos tipos de dado, revisamos las probabilidades:

$$P(3, 3 \text{ y legal}) = P(3, 3 \mid \text{legal}) \times P(\text{legal})$$
$$= (0.027)(0.5) = 0.013$$

$$P(3, 3 \text{ y cargado}) = P(3, 3 \mid \text{cargado}) \times P(\text{cargado})$$
$$= (0.36)(0.5) = 0.18$$

Así, la probabilidad de lanzar dos veces un 3, una probabilidad marginal, es $0.013 + 0.18 = 0.193$, la suma de las dos probabilidades conjuntas:

$$P(\text{legal} \mid 3, 3) = \frac{P(3, 3 \text{ y legal})}{P(3, 3)}$$
$$= \frac{0.013}{0.193} = 0.067$$

$$P(\text{cargado} \mid 3, 3) = \frac{P(3, 3 \text{ y cargado})}{P(3, 3)}$$
$$= \frac{0.18}{0.193} = 0.933$$

EN ACCIÓN Seguridad en vuelo y análisis de probabilidad

Dados los terribles acontecimientos del 11 de septiembre de 2001 y el uso de aviones comerciales como armas de destrucción masiva, la seguridad en las líneas aéreas se ha vuelto un asunto internacional todavía más importante. ¿Cómo reducir el impacto del terrorismo en la seguridad en el aire? ¿Qué puede hacerse para que el viaje aéreo sea más seguro en general? Una respuesta es evaluar los diferentes programas de seguridad en el aire y utilizar la teoría de probabilidades en el análisis de costos de estos programas.

Determinar la seguridad de las líneas aéreas es cuestión de aplicar los conceptos del análisis objetivo de la probabilidad. La posibilidad de morir en un vuelo nacional es cercana a 1 en 5 millones. Esto es una probabilidad aproximada de 0.0000002. Otra medida es el número de muertes por pasajero-milla volada. El número es cerca de 1 pasajero por mil millones de pasajeros-millas voladas, o una probabilidad aproximada de 0.000000001. Sin duda, volar es más seguro que muchas otras formas de transporte, incluyendo manejar. En un fin de semana típico, más personas mueren en accidentes automovilísticos que en un desastre aéreo.

Analizar las nuevas medidas de seguridad en las aerolíneas incluye costos y la probabilidad subjetiva de que se salvarán vidas. Un experto en líneas aéreas propuso varias medidas nuevas de seguridad. Cuando se toman en cuenta los costos implicados y la

probabilidad de salvar vidas, el resultado es un costo de alrededor de mil millones de dólares por cada vida salvada en promedio. Usar análisis de probabilidad ayudará a determinar cuál programa de seguridad dará como resultado el mayor beneficio y tales programas se pueden extender.

Además, algunos aspectos de seguridad no son totalmente certeros. Por ejemplo, un dispositivo de análisis térmico de neutrones para detectar explosivos en aeropuertos tiene una probabilidad de 0.15 de dar una falsa alarma, con el resultado de altos costos de inspección y retrasos significativos en los vuelos. Esto indicaría que el dinero debería gastarse en desarrollar equipos más confiables para detectar explosivos. El resultado sería un viaje aéreo más seguro y con menos retrasos innecesarios.

Sin duda, el uso del análisis de probabilidad para determinar y mejorar la seguridad en los vuelos es indispensable. Muchos expertos en transporte esperan que los mismos modelos de probabilidad rigurosos que se utilizan en la industria aérea algún día se apliquen al sistema mucho más mortífero de carreteras y conductores que circulan por ellas.

Fuentes: Basada en Robert Machol. "Flying Scared", *OR/MS Today* (octubre, 1997): 32-37; y Arnold Barnett. "The Worst Day Ever", *OR/MS Today* (diciembre, 2001): 28-31.

¿Qué logró este segundo lanzamiento? Antes de lanzar el dado la primera vez, únicamente sabemos que hay una probabilidad de 0.50 de que fuera legal o estuviera cargado. Cuando se lanzó el primer dado en el ejemplo 7, pudimos revisar estas probabilidades:

$$\text{probabilidad de un dado legal} = 0.22$$
$$\text{probabilidad de un dado cargado} = 0.78$$

Ahora, después del segundo lanzamiento en el ejemplo 8, nuestras revisiones refinadas nos indican que

$$\text{probabilidad de un dado legal} = 0.067$$
$$\text{probabilidad de un dado cargado} = 0.933$$

Este tipo de información suele ser muy valiosa en la toma de decisiones empresariales.

2.8 Variables aleatorias

Acabamos de examinar varias formas de asignar valores de probabilidad a los resultados de un experimento. Ahora usaremos esa información de probabilidad para calcular el resultado esperado, la varianza y la desviación estándar del experimento, lo cual ayuda a tomar las mejores decisiones entre diferentes alternativas.

Una **variable aleatoria** asigna un número real a cada resultado o evento posible de un experimento. Por lo general, se representa con la letra X o Y. Cuando el resultado en sí es una cantidad numérica o cuantitativa, los resultados pueden ser la variable aleatoria. Por ejemplo, considere las ventas de un refrigerador en una tienda de electrodomésticos (línea blanca). El número de refrigeradores vendidos en un día dado sería la variable aleatoria. Si se utiliza X para representar esta variable aleatoria, podemos expresar esta relación como:

$$X = \text{número de refrigeradores vendidos durante el día}$$

En general, siempre que el experimento tenga resultados cuantificables, se sugiere definir estos resultados cuantitativos como la variable aleatoria. La tabla 2.4 presenta algunos ejemplos.

Cuando el resultado en sí no es numérico ni cuantitativo, es necesario definir una variable aleatoria que asocie cada resultado con un número real único. Se dan varios ejemplos en la tabla 2.5.

Hay dos tipos de variables aleatorias; *variables aleatorias discretas* y *variables aleatorias continuas*. El desarrollo de las distribuciones de probabilidad y los cálculos basados en estas distribuciones depende del tipo de variable aleatoria.

Trate de desarrollar algunos otros ejemplos de variables aleatorias discretas para asegurarse de que entendió este concepto.

Una variable aleatoria será una **variable aleatoria discreta** si se puede suponer tan solo un conjunto finito o limitado de valores. ¿Cuáles de las variables aleatorias de la tabla 2.4 son variables aleatorias discretas? En la tabla 2.4 observamos que poner a la venta 50 árboles de Navidad, inspeccionar 600 artículos y enviar 5,000 cartas son ejemplos de variables aleatorias discretas. Cada una de estas variables aleatorias puede tener solamente un conjunto finito o limitado de valores. El número de árboles de Navidad vendidos, por ejemplo, tan sólo pueden ser números enteros de 0 a 50. Hay 51 valores que puede tomar la variable aleatoria en este ejemplo.

TABLA 2.4 Ejemplos de variables aleatorias

EXPERIMENTO	RESULTADO	VARIABLE ALEATORIA	RANGO DE LAS VARIABLES ALEATORIAS
Ofrecer en venta 50 árboles de Navidad	Número de árboles de Navidad vendidos	X = número de árboles de Navidad vendidos	$0, 1, 2, \ldots, 50$
Inspeccionar 600 artículos	Número de artículos aceptables	Y = número de artículos aceptables	$0, 1, 2, \ldots, 600$
Enviar 5,000 cartas de ofertas	Número de personas que responden a las cartas	Z = número de personas que responden a las cartas	$0, 1, 2, \ldots, 5,000$
Construir un edificio de apartamentos	Porcentaje del edificio terminado a los 4 meses.	R = porcentaje del edificio terminado a los 4 meses	$0 \leq R \leq 100$
Probar la vida útil de una bombilla eléctrica (minutos)	Tiempo que dura la bombilla hasta 80,000 minutos	S = tiempo en que se funde la bombilla	$0 \leq S \leq 80,000$

TABLA 2.5
Variables aleatorias para resultados que son no numéricos

EXPERIMENTO	RESULTADO	RANGO DE LAS VARIABLES ALEATORIAS	VARIABLES ALEATORIAS
Estudiantes que responden un cuestionario	Completamente de acuerdo (CA) De acuerdo (A) Neutral (N) En desacuerdo (ED) Completamente en desacuerdo (CD)	$X = \begin{cases} 5 \text{ si CA} \\ 4 \text{ si A} \\ 3 \text{ si N} \\ 2 \text{ si ED} \\ 1 \text{ si CD} \end{cases}$	1, 2, 3, 4, 5
Inspección de una máquina	Defectuosa No defectuosa	$Y = \begin{cases} 0 \text{ si es defectuosa} \\ 1 \text{ si es no defectuosa} \end{cases}$	0, 1
Consumidores que responden cuánto les gusta un producto	Mucho Regular Poco	$Z = \begin{cases} 3 \text{ si mucho} \\ 2 \text{ si regular} \\ 1 \text{ si poco} \end{cases}$	1, 2, 3

Una **variable aleatoria continua** es una variable aleatoria que tiene un conjunto infinito o ilimitado de valores. ¿Hay algún ejemplo de variable aleatoria continua en las tablas 2.4 o 2.5? Al observar la tabla 2.4, vemos que probar la vida de una bombilla eléctrica es un experimento que puede describirse con una variable aleatoria continua. En este caso, la variable aleatoria, S, es el tiempo que tarda en fundirse a la bombilla. Puede durar 3,206 minutos, 6,500.7 minutos, 251.726 minutos o cualquier otro valor entre 0 y 80,000 minutos. En la mayoría de los casos, el rango de una variable aleatoria continua se establece como: valor inferior $\leq S \leq$ valor superior, como $0 \leq S \leq 80,000$. La variable aleatoria R en la tabla 2.4 también es continua. ¿Puede usted explicar por qué?

2.9 Distribuciones de probabilidad

Antes se estudiaron los valores de probabilidad de un evento. Ahora exploraremos las propiedades de las **distribuciones de probabilidad**. Veremos la manera en que las distribuciones más conocidas, como la distribución de probabilidad normal, de Poisson, binomial y exponencial, ayudan a ahorrar tiempo y esfuerzo. Como una variable aleatoria puede ser *discreta* o *continua*, consideraremos los dos tipos por separado.

Distribución de probabilidad de una variable aleatoria discreta

Cuando tenemos una *variable aleatoria discreta*, existe un valor de probabilidad asignado a cada evento. Estos valores deben estar entre 0 y 1, y todos deben sumar 1. Veamos un ejemplo.

Los 100 estudiantes en la clase de estadística de Pat Shannon acaban de terminar un examen de matemáticas que se aplica el primer día de clases. El examen consiste en cinco problemas de álgebra muy difíciles. La calificación del examen es el número de respuestas correctas, de manera que en teoría las calificaciones pueden tener valores entre 0 y 5. Sin embargo, nadie en la clase recibe calificación de 0, por lo que las calificaciones van de 1 a 5. La variable aleatoria X se define como la calificación del examen y las calificaciones se resumen en la tabla 2.6. Esta distribución de probabilidad discreta se desarrolló usando el enfoque de frecuencia relativa presentado anteriormente.

TABLA 2.6
Distribución de probabilidad para las calificaciones del examen

VARIABLE ALEATORIA CALIFICACIÓN (X)	NÚMERO	PROBABILIDAD $P(X)$
5	10	$0.1 = 10/100$
4	20	$0.2 = 20/100$
3	30	$0.3 = 30/100$
2	30	$0.3 = 30/100$
1	10	$0.1 = 10/100$
	Total 100	$1.0 = 100/100$

La distribución cumple las tres reglas requeridas para todas las distribuciones de probabilidad: **1.** los eventos son mutuamente excluyentes y colectivamente exhaustivos, **2.** los valores de probabilidad individuales están entre 0 y 1 inclusive, y **3.** el total de los valores de probabilidad suma 1.

Aunque listar la distribución de probabilidad como se hizo en la tabla 2.6 es adecuado, quizá sea difícil tener una idea de las características de la distribución. Para vencer este obstáculo, los valores de probabilidad con frecuencia se presentan en forma gráfica. La gráfica de la distribución de la tabla 2.6 se presenta en la figura 2.5.

La gráfica de esta distribución de probabilidad nos da una idea de su forma y ayuda a identificar la tendencia central de la distribución, llamada media o **valor esperado** y la variabilidad o dispersión de la distribución, llamada **varianza**.

Valor esperado de una distribución de probabilidad discreta

El valor esperado de una distribución discreta es un promedio ponderado de los valores de la variable aleatoria.

Una vez establecida la distribución de probabilidad, la primera característica que suele ser de interés es la *tendencia central* de la distribución. El valor esperado es una medida de tendencia central, que se calcula como el promedio ponderado de los valores de la variable aleatoria:

$$E(X) = \sum_{i=1}^{n} X_i P(X_i)$$

$$= X_1 P(X_1) + X_2 P(X_2) + \cdots + X_n P(X_n) \tag{2-8}$$

donde:

$$X_i = \text{valores posibles de la variable aleatoria}$$
$$P(X_i) = \text{probabilidad de cada valor posible de la variable aleatoria}$$
$$\sum_{i=1}^{n} = \text{signo de sumatoria que indica que sumamos los } n \text{ valores posibles}$$
$$E(X) = \text{valor esperado o media de la variable aleatoria}$$

El valor esperado o la media de cualquier distribución de probabilidad discreta se calcula multiplicando cada valor posible de la variable aleatoria, X_i, por la probabilidad, $P(X_i)$, de que ocurra el resultado y sumando, $\sum$, los resultados. Ahora se muestra cómo calcular el valor esperado para las calificaciones del examen:

$$E(X) = \sum_{i=1}^{5} X_i P(X_i)$$

$$= X_1 P(X_1) + X_2 P(X_2) + X_3 P(X_3) + X_4 P(X_4) + X_5 P(X_5)$$

$$= (5)(0.1) + (4)(0.2) + (3)(0.3) + (2)(0.3) + (1)(0.1)$$

$$= 2.9$$

El valor esperado de 2.9 es la media de las calificaciones del examen.

FIGURA 2.5

Distribución de probabilidad para la clase del Dr. Shannon

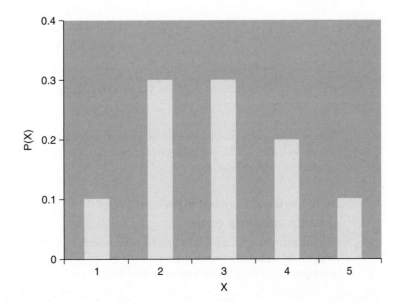

Varianza de una distribución de probabilidad discreta

Además de la tendencia central de una distribución de probabilidad, muchas personas están interesadas en la variabilidad o la dispersión de la distribución. Si la variabilidad es baja, es mucho más probable que el resultado de un experimento sea cercano al promedio o valor esperado. Por otro lado, si la variabilidad de la distribución es alta, lo cual significa que la probabilidad está dispersa por los diferentes valores de la variable aleatoria, hay una posibilidad menor de que el resultado del experimento sea cercano al valor esperado.

Una distribución de probabilidad con frecuencia se describe por su media y su varianza. Incluso si la mayoría de los hombres en la clase (o en Estados Unidos) tienen alturas entre 5 pies 6 pulgadas y 6 pies 2 pulgadas, todavía existe una pequeña probabilidad de que haya valores atípicos.

La *varianza* de una distribución de probabilidad es un número que revela la dispersión general de los datos o dispersión de la distribución. Para una distribución de probabilidad discreta, se calcula mediante la siguiente ecuación:

$$\sigma^2 = \text{varianza} = \sum_{i=1}^{n} [X_i - E(X)]^2 P(X_i) \tag{2-9}$$

donde:

$$X_i = \text{valores posibles de la variable aleatoria}$$
$$E(X) = \text{valor esperado de la variable aleatoria}$$
$$[X_i - E(X)] = \text{diferencia entre cada valor de la variable aleatoria}$$
$$\text{y el valor esperado}$$
$$P(X_i) = \text{probabilidad de cada valor posible de la variable aleatoria}$$

Para calcular la varianza, cada valor de la variable aleatoria se resta del valor esperado, la diferencia se eleva al cuadrado y se multiplica por la probabilidad de ocurrencia de ese valor. Luego, se suman los resultados para obtener la varianza. Veamos cómo funciona este procedimiento para las calificaciones del examen del Dr. Shannon:

$$\text{varianza} = \sum_{i=1}^{5} [X_i - E(X)]^2 P(X_i)$$

$$\begin{aligned}
\text{varianza} &= (5 - 2.9)^2(0.1) + (4 - 2.9)^2(0.2) + (3 - 2.9)^2(0.3) + (2 - 2.9)^2(0.3) \\
&\quad + (1 - 2.9)^2(0.1) \\
&= (2.1)^2(0.1) + (1.1)^2(0.2) + (0.1)^2(0.3) + (-0.9)^2(0.3) + (-1.9)^2(0.1) \\
&= 0.441 + 0.242 + 0.003 + 0.243 + 0.361 \\
&= 1.29
\end{aligned}$$

Una medida de dispersión relacionada es la **desviación estándar**. Esta cantidad también se utiliza en muchos cálculos referentes a distribuciones de probabilidad. La desviación estándar es tan solo la raíz cuadrada de la varianza:

$$\sigma = \sqrt{\text{Varianza}} = \sqrt{\sigma^2} \tag{2-10}$$

donde:

$$\sqrt{\ } = \text{raíz cuadrada}$$
$$\sigma = \text{desviación estándar}$$

La desviación estándar para la variable aleatoria X del ejemplo es:

$$\begin{aligned}
\sigma &= \sqrt{\text{Varianza}} \\
&= \sqrt{1.29} = 1.14
\end{aligned}$$

Es fácil realizar estos cálculos en Excel. El programa 2.1A muestra las entradas y las fórmulas en Excel para calcular media, varianza y desviación estándar para este ejemplo. El programa 2.1B indica los resultados de este ejemplo.

Distribución de probabilidad para una variable aleatoria continua

Existen muchos ejemplos de *variables aleatorias continuas*. El tiempo que lleva terminar un proyecto, el número de onzas en un barril de mantequilla, las temperaturas altas durante un día dado, la longitud exacta de un tipo dado de madera y el peso de un vagón de ferrocarril con carbón son

PROGRAMA 2.1A

Fórmulas en una hoja de Excel para el ejemplo del Dr. Shannon

	A	B	C	D
1	X	P(X)	XP(X)	$(X - E(X))^2 P(X)$
2	5	0.1	=A2*B2	=(A2-$C$7)^2*B2
3	4	0.2	=A3*B3	=(A3-$C$7)^2*B3
4	3	0.3	=A4*B4	=(A4-$C$7)^2*B4
5	2	0.3	=A5*B5	=(A5-$C$7)^2*B5
6	1	0.1	=A6*B6	=(A6-$C$7)^2*B6
7		E(X) = ΣXP(X) =	=SUM(C2:C6)	=SUM(D2:D6)
8				=SQRT(D7)

PROGRAMA 2.1B

Resultados de Excel para el ejemplo del Dr. Shannon

	A	B	C	D	E	F
1	X	P(X)	XP(X)	$(X - E(X))^2 P(X)$		
2	5	0.1	0.5	0.441		
3	4	0.2	0.8	0.242		
4	3	0.3	0.9	0.003		
5	2	0.3	0.6	0.243		
6	1	0.1	0.1	0.361		
7		E(X) = ΣXP(X) =	2.9	1.290	= Variance	
8				1.136	= Standard deviation	

ejemplos de variables aleatorias continuas. Como las variables aleatorias pueden tomar un número infinito de valores, deben modificarse las reglas de probabilidad fundamentales para variables aleatorias continuas.

Igual que con las distribuciones de probabilidad discretas, la suma de los valores de probabilidad debe ser igual a 1. Sin embargo, como hay un número infinito de valores de la variable aleatoria, la probabilidad de cada valor debe ser 0. Si los valores de probabilidad para los valores de la variable aleatoria fueran mayores que cero, la suma sería infinitamente grande.

Para una distribución de probabilidad continua, existe una función matemática continua que describe la distribución de probabilidad. Esta función se llama **función de densidad de probabilidad** o simplemente **función de probabilidad**. En general, se representa con $f(X)$. Cuando se trabaja con distribuciones de probabilidad continuas, se grafica la función de probabilidad y el área bajo la curva representa la probabilidad. Entonces, para encontrar cualquier probabilidad, simplemente calculamos el área bajo la curva asociada con el intervalo de interés.

Una función de densidad de probabilidad, f(X), es una forma matemática de describir la distribución de probabilidad.

Veremos el bosquejo de una función de densidad de una muestra en la figura 2.6. Esta curva representa la función de densidad de probabilidad del peso de una pieza específica elaborada por una máquina. El peso varía de 5.06 a 5.30 gramos, donde los pesos alrededor de 5.18 gramos son los más probables. El área sombreada representa la probabilidad de que el peso esté entre 5.22 y 5.26 gramos.

Si queremos conocer la probabilidad de que una pieza pese exactamente 5.1300000 gramos, por ejemplo, tendríamos que calcular el área de una línea de ancho 0. Desde luego, esto sería 0, cuyo resultado parecería extraño, pero si insistimos en suficientes lugares decimales de exactitud, encontramos que el peso será diferente de 5.1300000 gramos *exactamente*, aunque la diferencia sea muy pequeña.

FIGURA 2.6

Ejemplo de la función de densidad de una muestra

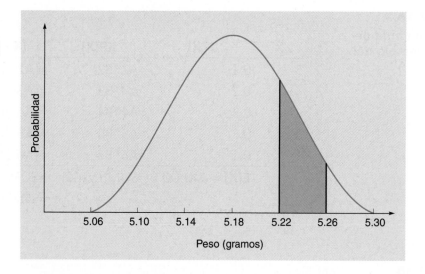

Esto es importante porque parece que, para cualquier distribución continua, la probabilidad no cambia si se agrega un solo punto al intervalo de valores que se considera. En la figura 2.6 esto significa que las siguientes probabilidades son exactamente iguales:

$$P(5.22 < X < 5.26) = P(5.22 < X \leq 5.26) = P(5.22 \leq X < 5.26)$$
$$= P(5.22 \leq X \leq 5.26)$$

La inclusión o exclusión de cualquier punto extremo (5.22 o 5.26) no tiene influencia sobre la probabilidad.

En esta sección examinamos las características fundamentales y las propiedades de las distribuciones de probabilidad en general. En las siguientes tres secciones se presentarán tres distribuciones continuas importantes —la distribución normal, la distribución F y la distribución exponencial—, así como dos distribuciones discretas —la distribución de Poisson y la distribución binomial.

2.10   La distribución binomial

Muchos experimentos de negocios se pueden caracterizar por un **proceso Bernoulli**. La probabilidad de obtener resultados específicos en un proceso Bernoulli se describe con la distribución de probabilidad binomial. Para que un proceso se considere Bernoulli, un experimento debe tener las siguientes características:

1. Cada ensayo en un proceso Bernoulli tiene solo dos posibles resultados. Estos típicamente se llaman éxito y fracaso, aunque en algunos ejemplos pueden ser sí o no, cara o cruz, pasa o no pasa, defectuoso o aceptable, etcétera.
2. La probabilidad no cambia de un ensayo al siguiente.
3. Los ensayos son estadísticamente independientes.
4. El número de ensayos es un entero positivo.

Un ejemplo común es el proceso de lanzar una moneda.

La **distribución binomial** se utiliza para encontrar la probabilidad de un número específico de éxitos en n ensayos de un proceso Bernoulli. Para determinar esta probabilidad, es necesario conocer lo siguiente:

$$n = \text{número de ensayos}$$

$$p = \text{la probabilidad de éxito en un solo ensayo}$$

Sean:

$$r = \text{el número de éxitos}$$

$$q = 1 - p = \text{probabilidad de fracaso}$$

TABLA 2.7

Distribución de probabilidad binomial para n = 5 y p = 0.50

NÚMERO DE CARAS (r)	PROBABILIDAD $= \dfrac{5!}{r!(5-r)!}(0.5)^r (0.5)^{5-r}$
0	$0.03125 = \dfrac{5!}{0!(5-0)!}(0.5)^0 (0.5)^{5-0}$
1	$0.15625 = \dfrac{5!}{1!(5-1)!}(0.5)^1 (0.5)^{5-1}$
2	$0.31250 = \dfrac{5!}{2!(5-2)!}(0.5)^2 (0.5)^{5-2}$
3	$0.31250 = \dfrac{5!}{3!(5-3)!}(0.5)^3 (0.5)^{5-3}$
4	$0.15625 = \dfrac{5!}{4!(5-4)!}(0.5)^4 (0.5)^{5-4}$
5	$0.03125 = \dfrac{5!}{5!(5-5)!}(0.5)^5 (0.5)^{5-5}$

La fórmula binomial es:

$$\text{Probabilidad de } r \text{ éxitos en } n \text{ ensayos} = \frac{n!}{r!(n-r)!} p^r q^{n-r} \tag{2-11}$$

El símbolo ! significa factorial, y $n! = n(n-1)(n-)\ldots(1)$. Por ejemplo,

$$4! = (4)(3)(2)(1) = 24$$

Asimismo, $1! = 1$, y $0! = 1$ por definición.

Solución de problemas con la fórmula binomial

Un ejemplo común de una distribución binomial es lanzar una moneda y contar el número de caras. Por ejemplo, si queremos encontrar la probabilidad de 4 caras en 5 lanzamientos de una moneda,

$$n = 5, r = 4, p = 0.5, \quad \text{y} \quad q = 1 - 0.5 = 0.5$$

Entonces:

$$P(4 \text{ éxitos en 5 ensayos}) = \frac{5!}{4!(5-4)!} 0.5^4 0.5^{5-4}$$

$$= \frac{5(4)(3)(2)(1)}{4(3)(2)(1)(1!)} (0.0625)(0.5) = 0.15625$$

Así, la probabilidad de 4 caras en 5 lanzamientos de una moneda es de 0.15625 o aproximadamente 16%.

Si utilizamos la ecuación 2-11, también es posible encontrar la distribución de probabilidad completa (todos los valores posibles de r y las probabilidades correspondientes) para un experimento binomial. La distribución de probabilidad para el número de caras en 5 lanzamientos de una moneda se muestra en la tabla 2.7 y su gráfica en la figura 2.7.

FIGURA 2.7

Distribución de probabilidad binomial para n = 5 y p = 0.50

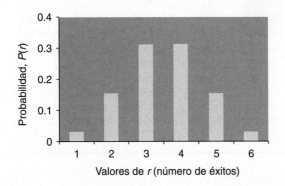

Solución de problemas con tablas binomiales

MSA Electronics está experimentando con la manufactura de un nuevo tipo de transistor que es muy difícil de producir en masa con un nivel de calidad aceptable. Cada hora un supervisor toma una muestra al azar de 5 transistores producidos en la línea de ensamble. Se considera que la probabilidad de que un transistor esté defectuoso es de 0.15. MSA quiere conocer la probabilidad de encontrar 3, 4 o 5 defectuosos si el porcentaje de defectos real es de 15%.

Para este problema, $n = 5$, $p = 0.15$ y $r = 3$, 4 o 5. Aunque podíamos usar la fórmula para cada uno de estos valores, es más sencillo usar las tablas binomiales para ello. El apéndice B contiene una tabla binomial para una amplia gama de valores de n, r y p. Una parte de este apéndice se muestra en la tabla 2.8. Para encontrar tales probabilidades, vemos en la sección de $n = 5$ y encontramos la columna de $p = 0.15$. En la fila donde $r = 3$, vemos 0.0244. Entonces, $P(r = 3) = 0.0244$. De manera similar, $P(r = 4) = 0.0022$ y $P(r = 5) = 0.0001$. Al sumar las tres probabilidades, tenemos la probabilidad de que el número de defectuosos sea de 3 o más:

$$P(3 \text{ defectuosos o más}) = P(3) + P(4) + P(5)$$
$$= 0.0244 + 0.0022 + 0.0001 = 0.0267$$

El valor esperado (o media) y la varianza de una variable aleatoria binomial se determina con facilidad:

$$\text{Valor esperado (media)} = np \qquad (2\text{-}12)$$
$$\text{Varianza} = np(1 - p) \qquad (2\text{-}13)$$

TABLA 2.8   Una tabla de la distribución binomial

		\multicolumn{10}{c}{P}								
n	r	0.05	0.10	0.15	0.20	0.25	0.30	0.35	0.40	0.45	0.50
1	0	0.9500	0.9000	0.8500	0.8000	0.7500	0.7000	0.6500	0.6000	0.5500	0.5000
	1	0.0500	0.1000	0.1500	0.2000	0.2500	0.3000	0.3500	0.4000	0.4500	0.5000
2	0	0.9025	0.8100	0.7225	0.6400	0.5625	0.4900	0.4225	0.3600	0.3025	0.2500
	1	0.0950	0.1800	0.2500	0.3200	0.3750	0.4200	0.4550	0.4800	0.4950	0.5000
	2	0.0025	0.0100	0.0225	0.0400	0.0625	0.0900	0.1225	0.1600	0.2025	0.2500
3	0	0.8574	0.7290	0.6141	0.5120	0.4219	0.3430	0.2746	0.2160	0.1664	0.1250
	1	0.1354	0.2430	0.3251	0.3840	0.4219	0.4410	0.4436	0.4320	0.4084	0.3750
	2	0.0071	0.0270	0.0574	0.0960	0.1406	0.1890	0.2389	0.2880	0.3341	0.3750
	3	0.0001	0.0010	0.0034	0.0080	0.0156	0.0270	0.0429	0.0640	0.0911	0.1250
4	0	0.8145	0.6561	0.5220	0.4096	0.3164	0.2401	0.1785	0.1296	0.0915	0.0625
	1	0.1715	0.2916	0.3685	0.4096	0.4219	0.4116	0.3845	0.3456	0.2995	0.2500
	2	0.0135	0.0486	0.0975	0.1536	0.2109	0.2646	0.3105	0.3456	0.3675	0.3750
	3	0.0005	0.0036	0.0115	0.0256	0.0469	0.0756	0.1115	0.1536	0.2005	0.2500
	4	0.0000	0.0001	0.0005	0.0016	0.0039	0.0081	0.0150	0.0256	0.0410	0.0625
5	0	0.7738	0.5905	0.4437	0.3277	0.2373	0.1681	0.1160	0.0778	0.0503	0.0313
	1	0.2036	0.3281	0.3915	0.4096	0.3955	0.3602	0.3124	0.2592	0.2059	0.1563
	2	0.0214	0.0729	0.1382	0.2048	0.2637	0.3087	0.3364	0.3456	0.3369	0.3125
	3	0.0011	0.0081	0.0244	0.0512	0.0879	0.1323	0.1811	0.2304	0.2757	0.3125
	4	0.0000	0.0005	0.0022	0.0064	0.0146	0.0284	0.0488	0.0768	0.1128	0.1563
	5	0.0000	0.0000	0.0001	0.0003	0.0010	0.0024	0.0053	0.0102	0.0185	0.0313
6	0	0.7351	0.5314	0.3771	0.2621	0.1780	0.1176	0.0754	0.0467	0.0277	0.0156
	1	0.2321	0.3543	0.3993	0.3932	0.3560	0.3025	0.2437	0.1866	0.1359	0.0938
	2	0.0305	0.0984	0.1762	0.2458	0.2966	0.3241	0.3280	0.3110	0.2780	0.2344
	3	0.0021	0.0146	0.0415	0.0819	0.1318	0.1852	0.2355	0.2765	0.3032	0.3125
	4	0.0001	0.0012	0.0055	0.0154	0.0330	0.0595	0.0951	0.1382	0.1861	0.2344
	5	0.0000	0.0001	0.0004	0.0015	0.0044	0.0102	0.0205	0.0369	0.0609	0.0938
	6	0.0000	0.0000	0.0000	0.0001	0.0002	0.0007	0.0018	0.0041	0.0083	0.0156

El valor esperado y la varianza para el ejemplo de MSA Electronics se calculan como:

$$\text{Valor esperado} = np = 5(0.15) = 0.75$$

$$\text{Varianza} = np(1 - p) = 5(0.15)(0.85) = 0.6375$$

Los programas 2.2A y 2.2B ilustran cómo se usa Excel para las probabilidades binomiales.

PROGRAMA 2.2A

Función para probabilidades binomiales en una hoja de Excel 2010

	A		
1	**The Binomial D**		
2	X = random variable f		
3	n=	5	number of t
4	p=	0.5	probability of a succes
5	r=	4	specific number of successes
6			
7	Cumulative probabilit	P(X ≤ r) =	=BINOM.DIST(B5,B3,B4,TRUE)
8	Probability of exactly	P(X = r) =	=BINOM.DIST(B5,B3,B4,FALSE)

El uso de referencias de celda elimina la necesidad de reescribir la fórmula, si se cambia un parámetro, p o r.

La función BINOM.DIST (r,n,p,TRUE) regresa la probabilidad acumulada.

PROGRAMA 2.2B

Resultados de Excel para el ejemplo binomial

	A	B	C
1	**The Binomial Distribution**		
2	X = random variable for number of successes		
3	n=	5	number of trials
4	p=	0.5	probability of a succes
5	r=	4	specific number of successes
6			
7	Cumulative probability	P(X ≤ r) =	0.96875
8	Probability of exactly r successes	P(X = r) =	0.15625

2.11 La distribución normal

La distribución normal afecta un gran número de procesos en nuestras vidas (por ejemplo, llenado de cajas de cereal con 32 onzas de hojuelas de maíz). Cada distribución normal depende de la media y la desviación estándar.

Una de las distribuciones de probabilidades continuas más populares y útiles es la **distribución normal**. La función de densidad de probabilidad de esta distribución está dada por la fórmula, que es un tanto compleja,

$$f(X) = \frac{1}{\sigma\sqrt{2\pi}} e^{\frac{-(x-\mu)^2}{2\sigma^2}} \tag{2-14}$$

La distribución normal queda especificada por completo cuando se conocen los valores de la media, μ, y la desviación estándar, σ. La figura 2.8 presenta varias distribuciones normales con la misma desviación estándar y diferentes medias. Como se observa, los diferentes valores de μ mueven el promedio o centro de la distribución normal. La forma general de la distribución es la misma. Por otro lado, cuando varía la desviación estándar, la curva normal se aplana o se hace más pronunciada, lo cual se ilustra en la figura 2.9.

Cuando la desviación estándar, σ, se hace pequeña, la distribución normal se vuelve más pronunciada. Cuando la desviación estándar es más grande, la distribución normal tiene la tendencia a aplanarse o volverse más ancha.

FIGURA 2.8
Distribución normal con
diferentes valores de μ

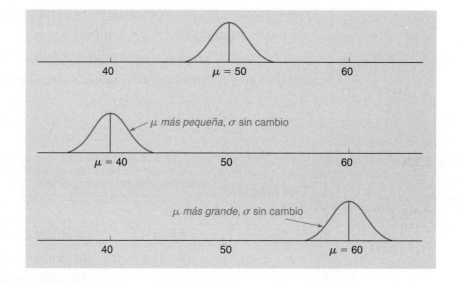

EN ACCIÓN   Evaluaciones de probabilidad de los campeones de curling

Las probabilidades sirven todos los días en las actividades deportivas. En muchos eventos, se hacen preguntas acerca de estrategias que deben responderse para brindar la mayor oportunidad de ganar el juego. En el béisbol, ¿se debería dejar avanzar intencionalmente a cierto bateador en situaciones clave al final de juego? En futbol americano, ¿debería el equipo intentar una conversión de dos puntos después de un touchdown? En futbol soccer, ¿debería un tiro penal dirigirse directamente hacia el guardameta? En *curling*, en la última ronda, o "end" del juego, ¿es mejor estar atrás un punto y tener el martillo, o es mejor estar adelante un punto y no tener el martillo? Se hace un intento para responder la última pregunta.

En el juego de *curling*, una piedra de granito, la "roca", se desliza sobre un corredor de hielo de 14 pies de ancho por 146 pies de largo. Cuatro jugadores de cada equipo toman turnos alternados para deslizar la roca, tratando de que quede lo más cerca posible del centro de un círculo llamado "casa" o "diana". El equipo con la roca más cercana a esta gana puntos. El equipo que está atrás al término de una ronda o end tiene la ventaja en el siguiente *end*

por ser el último que desliza la roca. Se dice que este equipo "tiene el martillo". Se hizo una encuesta entre un grupo de expertos en *curling*, que incluyó a varios campeones mundiales. En ella, cerca de 58% de los que respondieron preferían tener el martillo y estar un punto abajo al llegar al último *end*. Tan solo cerca de 42% prefirió estar arriba y no tener el martillo.

También se recolectaron datos de 1985 a 1997 en el Campeonato Varonil Canadiense de Curling (también conocido como el *Brier*). Con base en los resultados de este periodo, es mejor estar adelante por un punto y no tener el martillo al final del noveno *end*, en vez de estar atrás por uno y tener el martillo, como muchos individuos prefieren. Esto difirió de los resultados de la encuesta. Parece que los campeones del mundo y otros expertos prefieren tener más control de su destino y el martillo, aun cuando los ponga en una posición peor.

Fuente: Basada en Keith A. Willoughby y Kent J. Kostuk. "Preferred Scenarios in the Sport of Curling", *Interfaces* 34, 2 (marzo-abril, 2004): 117-122.

Área bajo la curva normal

Debido a que la distribución normal es simétrica, su punto medio (y más alto) está en la media. Entonces, los valores en el eje *X* se miden en términos de cuántas desviaciones estándar están separados de la media. Como recordará del estudio anterior de distribuciones de probabilidad, el área bajo la curva (en una distribución continua) describe la probabilidad de que una variable aleatoria tenga un valor en un intervalo específico. Cuando se trata de la distribución uniforme, es sencillo calcular el área entre dos puntos *a* y *b*. La distribución normal requiere cálculos matemáticos que están más allá del alcance de este libro, pero se dispone de tablas que dan las áreas o las probabilidades.

Uso de la tabla normal estándar

Al encontrar probabilidades para la distribución normal, es mejor dibujar la curva normal y sombrear el área que corresponde a la probabilidad que se busca. Luego, se emplea la tabla de distribución normal para encontrar las probabilidades siguiendo los dos pasos que se indican a continuación.

Paso 1. Convertir la distribución normal en lo que llamamos *distribución normal estándar*. Una distribución normal estándar tiene media 0 y desviación estándar igual a 1. Todas las tablas normales

FIGURA 2.9

Distribución normal con valores diferentes de σ

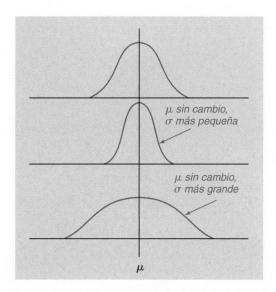

se establecen para manejar variables con $\mu = 0$ y $\sigma = 1$. Sin una distribución normal estándar, se necesitaría una tabla diferente para cada par de valores de μ y σ. Llamamos Z a la nueva variable aleatoria estándar. El valor para Z en cualquier distribución normal se calcula con la ecuación:

$$Z = \frac{X - \mu}{\sigma} \tag{2-15}$$

donde

$$X = \text{valor de la variable aleatoria que se busca medir}$$
$$\mu = \text{media de la distribución}$$
$$\sigma = \text{desviación estándar de la distribución}$$
$$Z = \text{número de desviaciones estándar entre } X \text{ y la media } \mu$$

Por ejemplo, si $\mu = 100$, $\sigma = 15$, y nos interesa encontrar la probabilidad de que la variable aleatoria X sea menor que 130, queremos $P(X < 130)$:

$$Z = \frac{X - \mu}{\sigma} = \frac{130 - 100}{15}$$

$$= \frac{30}{15} = 2 \text{ desviaciones estándar}$$

Esto significa que el punto X está a 2.0 desviaciones estándar a la derecha de la media, como se indica en la figura 2.10.

Paso 2. Buscar la probabilidad en la tabla de áreas de la curva normal. La tabla 2.9 que también aparece en el apéndice A, es la tabla de áreas para la distribución normal estándar. Se establece para proporcionar el área bajo la curva a la izquierda de cualquier valor especificado de Z.

Ahora veamos cómo se utiliza la tabla 2.9. La columna de la izquierda numera los valores de Z donde el segundo lugar decimal de Z aparece en la primera fila. Por ejemplo, para el valor de $Z = 2.00$ que se acaba de calcular, encuentre 2.0 en la columna de la izquierda y 0.00 en la primera fila. En el cuerpo de la tabla, encontramos que el área buscada es 0.97725 o 97.7%. Entonces,

$$P(X < 130) = P(Z < 2.00) = 97.7\%$$

Esto sugiere que si la puntuación media del CI es de 100 con una desviación estándar de 15 puntos, la probabilidad de que el CI de una persona seleccionada al azar sea menor que 130 es de 97.7%. Esta también es la probabilidad de que el CI sea menor que o igual a 130. Para encontrar la probabilidad de que el CI sea mayor que 130, simplemente observamos que se trata del complemento del evento anterior y el área total bajo la curva (la probabilidad total) es 1. Así,

$$P(X > 130) = 1 - P(X \leq 130) = 1 - P(Z \leq 2) = 1 - 0.97725 = 0.02275$$

FIGURA 2.10

Distribución normal que muestra la relación entre los valores de *Z* y los valores de *X*

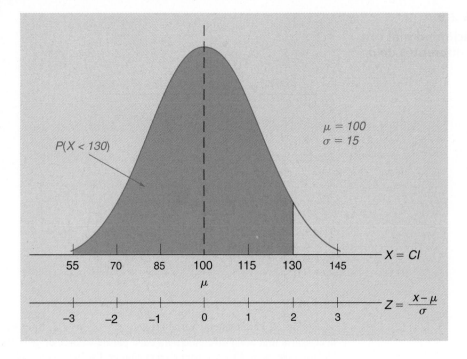

Para que esté seguro de que entiende el concepto de simetría en la tabla 2.9, intente encontrar la probabilidad de que X sea menor que 85, $P(X < 85)$. Observe que la tabla normal estándar muestra únicamente valores positivos de Z.

Mientras que la tabla 2.9 no da valores negativos de *Z*, la simetría de la distribución normal se utiliza para encontrar probabilidades asociadas con valores negativos de *Z*. Por ejemplo, $P(Z < -2) = P(Z > 2)$.

Para sentirnos cómodos con el uso de la tabla de probabilidad normal estándar, debemos trabajar unos cuantos ejemplos más. Ahora usaremos la compañía Hynes Construction como caso.

Ejemplo de la compañía Hynes Construction

La compañía Hynes Construction construye básicamente edificios de tres apartamentos y cuatro apartamentos para inversionistas y se piensa que el tiempo total de construcción en días sigue una distribución normal. El tiempo medio para construir un edificio de tres apartamentos es de 100 días y la desviación estándar es de 20 días. Recientemente, el presidente de Hynes Construction firmó un contrato para terminar un edificio de tres apartamentos en 125 días. Si falla en la entrega en los 125 días tendría que pagar una multa severa como penalización. ¿Cuál es la probabilidad de que Hynes no incumpla con su contrato de construcción? La distribución normal para la construcción de los edificios de tres apartamentos se muestra en la figura 2.11.

Para calcular esta probabilidad, necesitamos encontrar el área sombreada bajo la curva. Comenzamos por calcular *Z* para este problema

$$Z = \frac{X - \mu}{\sigma}$$

$$= \frac{125 - 100}{20}$$

$$= \frac{25}{20} = 1.25$$

Al buscar en la tabla 2.9 el valor de *Z* de 1.25, encontramos el área bajo la curva de 0.89435. (Hacemos esto buscando 1.2 en la columna de la izquierda de la tabla y, luego, moviéndonos por la fila hacia la columna de 0.05 para encontrar el valor *Z* = 1.25.) Por lo tanto, la probabilidad de no incumplir con el contrato es de 0.89435, es decir, una posibilidad cercana al 89%.

Ahora veamos el problema de Hynes desde otra perspectiva. Si la empresa termina el edificio de tres apartamentos en 75 días o menos, obtendrá un bono de $5,000. ¿Cuál es la probabilidad de que Hynes reciba el bono?

TABLA 2.9 Función de distribución normal estandarizada

Z	0.00	0.01	0.02	0.03	0.04	0.05	0.06	0.07	0.08	0.09
				ÁREA BAJO LA CURVA NORMAL						
0.0	.50000	.50399	.50798	.51197	.51595	.51994	.52392	.52790	.53188	.53586
0.1	.53983	.54380	.54776	.55172	.55567	.55962	.56356	.56749	.57142	.57535
0.2	.57926	.58317	.58706	.59095	.59483	.59871	.60257	.60642	.61026	.61409
0.3	.61791	.62172	.62552	.62930	.63307	.63683	.64058	.64431	.64803	.65173
0.4	.65542	.65910	.66276	.66640	.67003	.67364	.67724	.68082	.68439	.68793
0.5	.69146	.69497	.69847	.70194	.70540	.70884	.71226	.71566	.71904	.72240
0.6	.72575	.72907	.73237	.73536	.73891	.74215	.74537	.74857	.75175	.75490
0.7	.75804	.76115	.76424	.76730	.77035	.77337	.77637	.77935	.78230	.78524
0.8	.78814	.79103	.79389	.79673	.79955	.80234	.80511	.80785	.81057	.81327
0.9	.81594	.81859	.82121	.82381	.82639	.82894	.83147	.83398	.83646	.83891
1.0	.84134	.84375	.84614	.84849	.85083	.85314	.85543	.85769	.85993	.86214
1.1	.86433	.86650	.86864	.87076	.87286	.87493	.87698	.87900	.88100	.88298
1.2	.88493	.88686	.88877	.89065	.89251	.89435	.89617	.89796	.89973	.90147
1.3	.90320	.90490	.90658	.90824	.90988	.91149	.91309	.91466	.91621	.91774
1.4	.91924	.92073	.92220	.92364	.92507	.92647	.92785	.92922	.93056	.93189
1.5	.93319	.93448	.93574	.93699	.93822	.93943	.94062	.94179	.94295	.94408
1.6	.94520	.94630	.94738	.94845	.94950	.95053	.95154	.95254	.95352	.95449
1.7	.95543	.95637	.95728	.95818	.95907	.95994	.96080	.96164	.96246	.96327
1.8	.96407	.96485	.96562	.96638	.96712	.96784	.96856	.96926	.96995	.97062
1.9	.97128	.97193	.97257	.97320	.97381	.97441	.97500	.97558	.97615	.97670
2.0	.97725	.97784	.97831	.97882	.97932	.97982	.98030	.98077	.98124	.98169
2.1	.98214	.98257	.98300	.98341	.98382	.98422	.98461	.98500	.98537	.98574
2.2	.98610	.98645	.98679	.98713	.98745	.98778	.98809	.98840	.98870	.98899
2.3	.98928	.98956	.98983	.99010	.99036	.99061	.99086	.99111	.99134	.99158
2.4	.99180	.99202	.99224	.99245	.99266	.99286	.99305	.99324	.99343	.99361
2.5	.99379	.99396	.99413	.99430	.99446	.99461	.99477	.99492	.99506	.99520
2.6	.99534	.99547	.99560	.99573	.99585	.99598	.99609	.99621	.99632	.99643
2.7	.99653	.99664	.99674	.99683	.99693	.99702	.99711	.99720	.99728	.99736
2.8	.99744	.99752	.99760	.99767	.99774	.99781	.99788	.99795	.99801	.99807
2.9	.99813	.99819	.99825	.99831	.99836	.99841	.99846	.99851	.99856	.99861
3.0	.99865	.99869	.99874	.99878	.99882	.99886	.99889	.99893	.99896	.99900
3.1	.99903	.99906	.99910	.99913	.99916	.99918	.99921	.99924	.99926	.99929
3.2	.99931	.99934	.99936	.99938	.99940	.99942	.99944	.99946	.99948	.99950
3.3	.99952	.99953	.99955	.99957	.99958	.99960	.99961	.99962	.99964	.99965
3.4	.99966	.99968	.99969	.99970	.99971	.99972	.99973	.99974	.99975	.99976
3.5	.99977	.99978	.99978	.99979	.99980	.99981	.99981	.99982	.99983	.99983
3.6	.99984	.99985	.99985	.99986	.99986	.99987	.99987	.99988	.99988	.99989
3.7	.99989	.99990	.99990	.99990	.99991	.99991	.99992	.99992	.99992	.99992
3.8	.99993	.99993	.99993	.99994	.99994	.99994	.99994	.99995	.99995	.99995
3.9	.99995	.99995	.99996	.99996	.99996	.99996	.99996	.99996	.99997	.99997

Fuente: Richard I. Levin y Charles A. Kirkpatrick. *Quantitative Approaches to Management,* 4a. ed. Copyright © 1978, 1975, 1971, 1965 de McGraw-Hill, Inc. Usado con autorización de McGraw-Hill Book Company.

FIGURA 2.11

Distribución normal para Hynes Construction

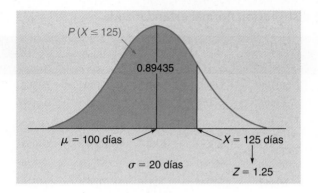

La figura 2.12 ilustra la probabilidad que buscamos con el área sombreada. El primer paso es de nueva cuenta calcular el valor de Z:

$$Z = \frac{X - \mu}{\sigma}$$

$$= \frac{75 - 100}{20}$$

$$= \frac{-25}{20} = -1.25$$

Este valor de Z indica que 75 días está a -1.25 desviaciones estándar a la izquierda de la media. Sin embargo, la tabla normal estándar está estructurada para manejar tan solo valores de Z positivos. Para resolver este problema, observamos que la curva es simétrica. La probabilidad de que Haynes termine en *75 días o menos es equivalente* a la probabilidad de que *termine en más de 125 días*. Hace un momento (en la figura 2.11) encontramos la probabilidad de que Haynes termine en menos de 125 días. Ese valor es de 0.89435. De manera que la probabilidad de que le lleve más de 125 días es

$$P(X > 125) = 1.0 - P(X \leq 125)$$
$$= 1.0 - 0.89435 = 0.10565$$

Así, la probabilidad de que termine la construcción del edificio de tres apartamentos en 75 días o menos es de 0.10565, o aproximadamente 11%.

Un ejemplo final: ¿cuál es la probabilidad de que la construcción del edificio de tres apartamentos tome entre 110 y 125 días? Vemos en la figura 2.13 que

$$P(110 < X < 125) = P(X \leq 125) - P(X < 110)$$

Es decir, el área sombreada en la gráfica se calcula con la probabilidad de terminar la construcción en 125 días o menos, *menos* la probabilidad de terminar en 110 días o menos.

FIGURA 2.12

Probabilidad de que Haynes reciba el bono por terminar en 75 días o menos

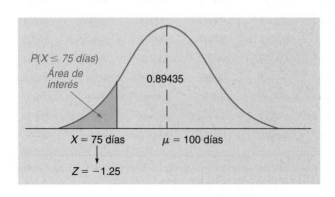

FIGURA 2.13

Probabilidad de que Hynes termine entre 110 y 125 días

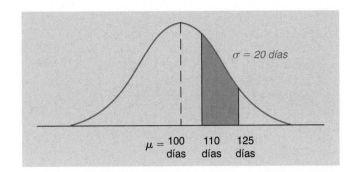

Recuerde que $P(X \leq 125$ días$)$ es igual a 0.89435. Para encontrar $P(X < 110$ días$)$, seguimos los dos pasos desarrollados antes:

1.
$$Z = \frac{X - \mu}{\sigma} = \frac{110 - 100}{20} = \frac{10}{20}$$
$$= 0.5 \text{ desviaciones estándar}$$

2. De la tabla 2.9, el área para $Z = 0.50$ es de 0.69146. De modo que la probabilidad de terminar el edificio de tres apartamentos en menos de 110 días es de 0.69146. Por último,

$$P(110 \leq X \leq 125) = 0.89435 - 0.69146 = 0.20289$$

La probabilidad de que tome entre 110 y 125 es aproximadamente de 20%.

PROGRAMA 2.3A

Función de la distribución normal para el ejemplo en una hoja de Excel 2010

	A	B
1	**Normal distribution - X is a**	
2	with mean, μ, and standar	
3	μ =	100
4	σ =	20
5	x =	75
6	P(X ≤ x) =	=NORM.DIST(B5,B3,B4,TRUE)
7	P(X > x) =	=1-B6

PROGRAMA 2.3B

Resultados de Excel para el ejemplo de la distribución normal

	A	B	C	D
1	**Normal distribution - X is a normal random variable**			
2	with mean, μ, and standard deviation, σ.			
3	μ =	100		
4	σ =	20		
5	x =	75		
6	P(X ≤ x) =	0.10565		
7	P(X > x) =	0.89435		

FIGURA 2.14
Probabilidades aproximadas con la regla empírica

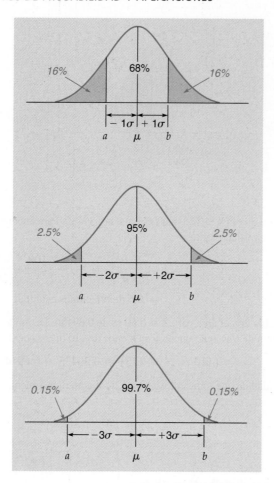

La figura 2.14 es muy importante y usted debería entender el significado de áreas simétricas de ±1, 2 y 3 desviaciones estándar.

Los gerentes con frecuencia hablan de intervalos de confianza de 95% y 99% que, de manera burda, se refieren a gráficas de ± 2 y 3 desviaciones estándar.

Regla empírica

Mientras que las tablas de la distribución normal suelen dar probabilidades precisas, muchas situaciones requieren menos precisión. La regla empírica se derivó de la distribución normal y una manera sencilla de recordar cierta información básica acerca de la distribución normal. La regla empírica establece que para una distribución normal

aproximadamente 68% de los valores estarán dentro de 1 desviación estándar de la media

aproximadamente 95% de los valores estarán dentro de 2 desviaciones estándar de la media

casi todos (cerca de 99.7%) los valores estarán dentro de 3 desviaciones estándar de la media

La figura 2.14 ilustra la regla empírica. El área del punto *a* al punto *b* en el primer dibujo representa la probabilidad, aproximadamente de 68%, de que la variable aleatoria esté dentro de una desviación estándar de la media. El segundo dibujo ilustra la probabilidad, aproximadamente de 95%, de que la variable aleatoria esté dentro de 2 desviaciones estándar de la media. El último dibujo ilustra la probabilidad, cerca de 99.7% (casi todos), de que los valores de la variable aleatoria estén dentro de 3 desviaciones estándar de la media.

2.12 La distribución *F*

La **distribución *F*** es una distribución de probabilidad continua útil en las pruebas de hipótesis acerca de las varianzas. La distribución *F* se utiliza en el capítulo 4 cuando se prueban los modelos de regresión por significancia. La figura 2.15 presenta una gráfica de la distribución *F*. Igual que con la gráfica de cualquier distribución continua, el área bajo la curva representa la probabilidad. Observe que para un valor grande de *F*, la probabilidad es muy pequeña.

FIGURA 2.15
Distribución *F*

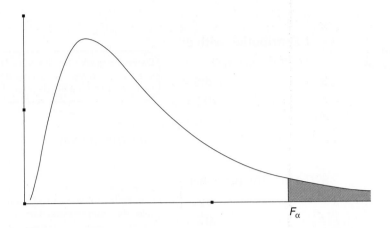

F_α

El estadístico *F* es la razón de dos varianzas muestrales de distribuciones normales independientes. Cada distribución *F* tiene asociados dos conjuntos de grados de libertad (df). Uno de los grados de libertad se asocia con el numerador de la razón; y el otro, con el denominador de la razón. Los grados de libertad se basan en los tamaños de las muestras usadas para calcular el numerador y el denominador.

El apéndice D incluye valores de *F* asociados con la cola superior de la distribución para ciertas probabilidades (denotadas con α) y los grados de libertad para el numerador (df_1) y los grados de libertad para el denominador (df_2).

Para encontrar el valor de *F* que está asociado con una probabilidad en particular y los grados de libertad, nos remitimos al apéndice D. Se usará la siguiente notación:

$$df_1 = \text{grados de libertad para el numerador}$$
$$df_2 = \text{grados de libertad para el denominador}$$

Considere el siguiente ejemplo:

$$df_1 = 5$$
$$df_2 = 6$$
$$\alpha = 0.05$$

Del apéndice D,

$$F_{\alpha,\, df1,\, df2} = F_{0.05,\, 5,\, 6} = 4.39$$

lo cual significa

$$P(F > 4.39) = 0.05$$

La probabilidad es muy baja (tan solo 5%) de que el valor de *F* exceda 4.39. Existen 95% de probabilidades de que no exceda 4.39. Esto se ilustra en la figura 2.16. El apéndice D también incluye los valores de *F* asociados con $\alpha = 0.01$. Los programas 2.4A y 2.4B ilustran las funciones de Excel para la distribución *F*.

FIGURA 2.16

Valor de *F* para probabilidad de 0.05 con 5 y 6 grados de libertad

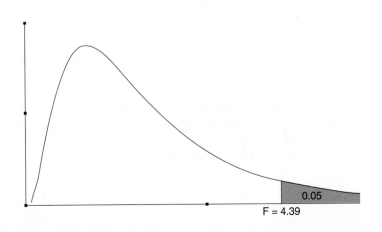

0.05

F = 4.39

PROGRAMA 2.4A

Funciones para la distribución *F* en una hoja de cálculo de Excel 2010

	A	B
1	**F Distribution with df**	
2	To find F given α	
3	df1 = 5	
4	df2 = 6	
5	α = 0.05	
6	F-value = =F.INV.RT(B5,B3,B4)	
7		
8	To find the probability	
9	df1 = 5	
10	df2 = 6	
11	*f* = 4.2	
12	P(F > f) = =F.DIST.RT(B11,B9,B10)	

> Dados los grados de libertad y la probabilidad α = 0.05, esto regresa el valor de *F* correspondiente a 5% del área de la cola derecha.

> Esto da la probabilidad a la derecha del valor de *F* que se especifica.

PROGRAMA 2.4B

Resultados de Excel para la distribución *F*

	A	B	C	D	E
1	**F Distribution with df1 and df2 degrees of freedom**				
2	To find F given α				
3	df1 =	5			
4	df2 =	6			
5	α =	0.05			
6	F-value =	4.39			
7					
8	To find the probability to the right of a calculated value, *f*				
9	df1 =	5			
10	df2 =	6			
11	*f* =	4.2			
12	P(F > f) =	0.0548			

2.13   La distribución exponencial

La *distribución exponencial,* también llamada **distribución exponencial negativa,** se utiliza para calcular problemas de líneas de espera. Esta distribución con frecuencia describe el tiempo requerido para atender a un cliente. La distribución exponencial es una distribución continua. Su función de probabilidad está dada por

$$f(X) = \mu e^{-\mu x} \tag{2-16}$$

donde

X = variable aleatoria (tiempos de servicio)

μ = número promedio de unidades que puede manejar la estación de servicio en un periodo específico

e = 2.718 (la base del logaritmo natural)

FIGURA 2.17
Distribución exponencial

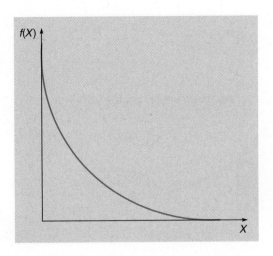

La forma general de la distribución exponencial se ilustra en la figura 2.17. Se puede demostrar que su valor esperado y varianza son

$$\text{Valor esperado} = \frac{1}{\mu} = \text{tiempo de servicio promedio} \tag{2-17}$$

$$\text{Varianza} = \frac{1}{\mu^2} \tag{2-18}$$

Al igual que con otras distribuciones continuas, las probabilidades se encuentran determinando el área bajo la curva. Para la distribución normal, encontramos el área usando una tabla de probabilidades. Para la distribución exponencial, las probabilidades se determinan usando la tecla exponente en una calculadora con la fórmula siguiente. La probabilidad de que el tiempo requerido (*X*), distribuido exponencialmente, para atender a un cliente sea menor o igual que el tiempo *t* está dada por la fórmula

$$P(X \leq t) = 1 - e^{-\mu t} \tag{2-19}$$

El tiempo utilizado en la descripción de μ determina las unidades para el tiempo *t*. Por ejemplo, si μ es el número promedio atendido por hora, el tiempo *t* debe darse en horas. Si μ es el número promedio atendido por minuto, el tiempo *t* debe darse en minutos.

Ejemplo de Arnold's Moffler

El taller Arnold's Muffler instala silenciadores en automóviles y camiones pequeños. El mecánico puede instalar silenciadores nuevos a una tasa aproximada de tres por hora y este tiempo de servicio sigue una distribución exponencial. ¿Cuál es la probabilidad de que el tiempo para instalar un silenciador nuevo sea de $^1/_2$ hora o menos? Con la ecuación 2-19,

$$X = \text{tiempo de servicio con distribución exponencial}$$

$$\mu = \text{número promedio que se puede atender por periodo} = 3 \text{ por hora}$$

$$t = {}^1/_2 \text{ hora} = 0.5 \text{ hora}$$

$$P(X \leq 0.5) = 1 - e^{-3(0.5)} = 1 - e^{-1.5} = 1 - 0.2231 = 0.7769$$

La figura 2.18 muestra que el área bajo la curva de 0 a 0.5 es de 0.7769. Entonces, hay una probabilidad cercana a 78% de que el tiempo no sea mayor que 0.5 horas, y de 22% de que el tiempo sea más largo. De manera similar, determinamos la probabilidad de que el tiempo de servicio no sea mayor que 1/3 de hora o 2/3 de hora, como sigue:

$$P\left(X \leq \frac{1}{3}\right) = 1 - e^{-3\left(\frac{1}{3}\right)} = 1 - e^{-1} = 1 - 0.3679 = 0.6321$$

$$P\left(X \leq \frac{2}{3}\right) = 1 - e^{-3\left(\frac{2}{3}\right)} = 1 - e^{-2} = 1 - 0.1353 = 0.8647$$

FIGURA 2.18

Probabilidad de que el mecánico instale un silenciador en 0.5 horas

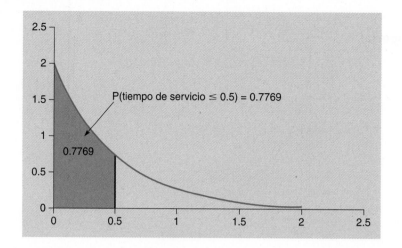

P(tiempo de servicio ≤ 0.5) = 0.7769

0.7769

Mientras que la ecuación 2-19 da la probabilidad de que el tiempo (X) sea menor o igual que un valor dado de t, la probabilidad de que el tiempo sea mayor que un valor dado de t se encuentra observando que estos dos eventos son complementarios. Por ejemplo, para encontrar la probabilidad de que el mecánico del taller Arnold's Muffler tarde más de 0.5 horas, tenemos

$$P(X > 0.5) = 1 - P(X \leq 0.5) = 1 - 0.7769 = 0.2231$$

Los programas 2.5A y 2.5B ilustran cómo una función en Excel puede encontrar probabilidades exponenciales.

PROGRAMA 2.5A

Función para la distribución exponencial en una hoja de cálculo de Excel

	A	B	C
1	**Exponential distrib**		
2	Average number	3	per hour
3	t =	0.5	hours
4	P(X ≤ t) =	=EXPON.DIST(B3,B2,TRUE)	
5	P(X > t) =	=1-B4	
6			
7			

PROGRAMA 2.5B

Resultados de Excel para la distribución exponencial

	A	B	C
1	**Exponential distribution - the random variable (X) is time**		
2	Average number per time period = μ =	3	per hour
3	t =	0.5000	hours
4	P(X ≤ t) =	0.7769	
5	P(X > t) =	0.2231	

2.14   La distribución de Poisson

La distribución de probabilidad de Poisson se usa en muchos modelos de líneas de espera para representar patrones de llegada.

Una **distribución de probabilidad discreta** importante es la **distribución de Poisson**.[1] La examinamos porque tiene un rol fundamental para complementar la distribución exponencial en la teoría de líneas de espera en el capítulo 13. La distribución describe situaciones donde los clientes llegan de manera independiente durante cierto intervalo de tiempo y el número de llegadas depende de la

---

[1]Esta distribución, derivada por Simeon Denis Poisson en 1837, se pronuncia "Poason".

longitud del intervalo de tiempo. Los ejemplos incluyen pacientes que llegan a una clínica de salud, clientes que llegan a la ventanilla de un banco, la llegada de pasajeros a un aeropuerto y las llamadas telefónicas que pasan a través de una central.

La fórmula de la distribución de Poisson es

$$P(X) = \frac{\lambda^x e^{-\lambda}}{X!} \qquad \textbf{(2-20)}$$

donde

$P(X)$ = probabilidad de que haya exactamente X llegadas u ocurrencias

λ = número promedio de llegadas por unidad de tiempo (tasa media de llegadas), se pronuncia "lamda"

e = 2.718, base del logaritmo natural

X = número de ocurrencias (0, 1, 2, . . .)

La media y la varianza de la distribución de Poisson son iguales y se calculan simplemente como

$$\text{Valor esperado} = \lambda \qquad \textbf{(2-21)}$$

$$\text{Varianza} = \lambda \qquad \textbf{(2-22)}$$

Con ayuda de la tabla en el apéndice C, es fácil encontrar los valores de $e^{-\lambda}$ y podemos usarlos en la fórmula para calcular las probabilidades. Por ejemplo, si $\lambda = 2$, en el apéndice C vemos que $e^{-2} = 0.1353$. Las probabilidades de Poisson de que X sea 0, 1 y 2 cuando $\lambda = 2$ son:

$$P(X) = \frac{e^{-\lambda} \lambda^x}{X!}$$

$$P(0) = \frac{e^{-2} 2^0}{0!} = \frac{(0.1353)1}{1} = 0.1353 \approx 14\%$$

$$P(1) = \frac{e^{-2} 2^1}{1!} = \frac{e^{-2} 2}{1} = \frac{0.1353(2)}{1} = 0.2706 \approx 27\%$$

$$P(2) = \frac{e^{-2} 2^2}{2!} = \frac{e^{-2} 4}{2(1)} = \frac{0.1353(4)}{2} = 0.2706 \approx 27\%$$

Estas probabilidades, al igual que otras para $\lambda = 2$ y $\lambda = 4$, se muestran en la figura 2.19. Observe que la posibilidad de que lleguen 9 clientes o más en un periodo dado son prácticamente nulas. Los programas 2.6A y 2.6B ilustran cómo utilizar Excel para encontrar las probabilidades de Poisson.

Debería notarse que las distribuciones exponencial y de Poisson están relacionadas. Si el número de ocurrencias por periodo sigue una distribución de Poisson, entonces, el tiempo entre ocurrencias sigue una distribución exponencial. Por ejemplo, si el número de llamadas telefónicas que llegan a un centro de servicio a clientes sigue una distribución de Poisson con media de 10 llamadas por hora, el tiempo entre cada llamada será exponencial con tiempo medio entre llamadas de $^1/_{10}$ horas (6 minutos).

FIGURA 2.19
Distribuciones de Poisson muestra con $\lambda = 2$ y $\lambda = 4$

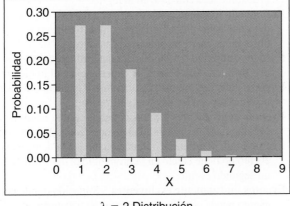

$\lambda = 2$ Distribución

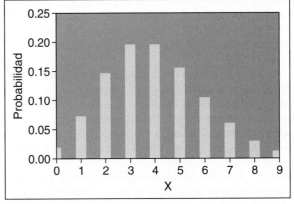

$\lambda = 4$ Distribución

PROGRAMA 2.6A

Funciones para la distribución de Poisson en una hoja de cálculo de Excel 2010

	A	B	C
1	**Poisson d**		
2	$\lambda =$	2	per hour
3	X	P(X)	P(X $\leq$ x)
4	0	=POISSON.DIST(A4,$B$2,FALSE)	=POISSON.DIST(A4,$B$2,TRUE)
5	1	=POISSON.DIST(A5,$B$2,FALSE)	=POISSON.DIST(A5,$B$2,TRUE)
6	2	=POISSON.DIST(A6,$B$2,FALSE)	=POISSON.DIST(A6,$B$2,TRUE)

PROGRAMA 2.6B

Resultados de Excel para la distribución de Poisson

	A	B	C	D	E	F
1	**Poisson distribution - X is the number of occurrences per time period**					
2	$\lambda =$	2	per hour			
3	X	P(X)	P(X $\leq$ x)			
4	0	0.1353	0.1353			
5	1	0.2707	0.4060			
6	2	0.2707	0.6767			

Resumen

Este capítulo presenta los conceptos fundamentales de probabilidad y de las distribuciones de probabilidad. Los valores de probabilidad se obtienen tanto objetiva como subjetivamente. Un solo valor de probabilidad debe estar entre 0 y 1, y la suma de todos los valores de probabilidad para todos los resultados posibles debe ser igual a 1. Además, los valores de probabilidad y los eventos pueden tener varias propiedades, como ser eventos mutuamente excluyentes, colectivamente exhaustivos, estadísticamente independientes y estadísticamente dependientes. Las reglas para calcular los valores de probabilidad dependen de dichas propiedades fundamentales. También es posible revisar los valores de probabilidad cuando se dispone de nueva información. Esto se hace mediante el teorema de Bayes.

También se cubrieron los temas de variables aleatorias, distribuciones de probabilidad discretas (como de Poisson y binomial), y distribuciones de probabilidad continuas (como normal, F y exponencial). Una distribución de probabilidad es cualquier función de probabilidad que tiene un conjunto de eventos colectivamente exhaustivos y mutuamente excluyentes. Todas las distribuciones de probabilidad siguen las reglas de probabilidad básica mencionadas.

Los temas estudiados aquí serán muy importantes en muchos capítulos por venir. Los conceptos básicos de probabilidad y de distribuciones se utilizan para teoría de decisiones, control de inventarios, análisis de Markov, administración de proyectos, simulación y control estadístico de la calidad.

Glosario

Desviación estándar   Raíz cuadrada de la varianza.

Distribución binomial   Distribución discreta que describe el número de éxitos en ensayos independientes de un proceso de Bernoulli.

Distribución de Poisson   Distribución de probabilidad discreta usada en la teoría de filas de espera.

Distribución de probabilidad   Conjunto de todos los valores posibles de una variable aleatoria y sus probabilidades asociadas.

Distribución de probabilidad continua   Distribución de probabilidad de una variable aleatoria continua.

Distribución de probabilidad discreta   Distribución de probabilidad de una variable aleatoria discreta.

Distribución exponencial negativa   Distribución de probabilidad continua que describe el tiempo entre las llegadas de clientes a una fila de espera.

Distribución F   Distribución de probabilidad continua que es la razón de las varianzas de muestras de dos distribuciones normales independientes.

Distribución normal   Distribución continua con forma de campana que es una función de dos parámetros, la media y la desviación estándar de la distribución.

Enfoque clásico o lógico   Manera objetiva de evaluar las probabilidades con base en la lógica.

Enfoque de frecuencia relativa   Una manera objetiva de determinar las probabilidades con base en las frecuencias observadas en cierto número de ensayos.

Enfoque subjetivo   Método para determinar los valores de pro-babilidad con base en la experiencia o el juicio propios.

Eventos colectivamente exhaustivos   Colección de todos los resultados posibles de un experimento.

Eventos dependientes   Situación en la cual la ocurrencia de un evento afecta la probabilidad de ocurrencia de otro evento.

Eventos independientes   Situación en que la ocurrencia de un evento no tiene efecto en la probabilidad de ocurrencia de un segundo evento.

Eventos mutuamente excluyentes   Situación donde tan solo un evento puede ocurrir en un ensayo o un experimento dado.

Función de densidad de probabilidad   Función matemática que describe una distribución de probabilidad continua. Se representa mediante $f(X)$.

Probabilidad   Declaración acerca de la posibilidad de que ocurra un evento. Se expresa como un valor numérico entre 0 y 1, inclusive.

Probabilidad condicional   Probabilidad de que ocurra un evento dado que otro tuvo lugar.

Probabilidad conjunta   Probabilidad de eventos que ocurren juntos (o uno después de otro).

Probabilidad marginal   Probabilidad simple de la ocurrencia de un evento.

Probabilidad previa   Valor de probabilidad determinado antes de obtener información nueva o adicional. Algunas veces se llama estimación de probabilidad a priori.

Probabilidades posteriores o revisadas   Valor de probabilidad que resulta de información nueva o adicional y las probabilidades previas.

Proceso de Bernoulli   Proceso con dos resultados posibles, en cada serie de ensayos independientes, donde no cambian las probabilidades de los resultados.

Teorema de Bayes   Fórmula que sirve para revisar probabilidades con base en nueva información.

Valor esperado   Promedio (ponderado) en una distribución de probabilidad.

Variable aleatoria   Variable que asigna un número a cada evento posible de un experimento.

Variable aleatoria continua   Variable aleatoria que puede tomar un conjunto de valores infinito o ilimitado.

Variable aleatoria discreta   Variable aleatoria que tan solo puede tomar un conjunto de valores finito o limitado.

Varianza   Medida de dispersión de la distribución de probabilidad.

Ecuaciones clave

(2-1) $0 \leq P(\text{evento}) \leq 1$
Declaración básica de probabilidad.

(2-2) $P(A \text{ o } B) = P(A) + P(B)$
Ley de la suma para eventos mutuamente excluyentes.

(2-3) $P(A \text{ o } B) = P(A) + P(B) - P(A \text{ y } B)$
Ley de la suma para eventos que no son mutuamente excluyentes.

(2-4) $P(AB) = P(A)P(B)$
Probabilidad conjunta para eventos independientes.

(2-5) $P(A|B) = \dfrac{P(AB)}{p(B)}$
Probabilidad condicional.

(2-6) $P(AB) = P(A|B)P(B)$
Probabilidad conjunta para eventos dependientes.

(2-7) $P(A|B) = \dfrac{P(B|A)P(A)}{P(B|A)P(A) + P(B|A')P(A')}$
Forma general del teorema de Bayes.

(2-8) $E(X) = \sum\limits_{i=1}^{n} X_i P(X_i)$
Ecuación para calcular el valor esperado (media) de una distribución de probabilidad discreta.

(2-9) $\sigma^2 = \text{Varianza} = \sum\limits_{i=1}^{n} [X_i - E(X)]^2 P(X_i)$
Ecuación para calcular la varianza de una distribución de probabilidad discreta.

(2-10) $\sigma = \sqrt{\text{varianza}} = \sqrt{\sigma^2}$
Ecuación para calcular la desviación estándar de la varianza.

(2-11) Probabilidad de r éxitos en n ensayos $= \dfrac{n!}{r!(n-r)!} p^r q^{n-r}$

Fórmula para calcular las probabilidades de una distribución de probabilidad binomial.

(2-12) Valor esperado (media) $= np$
Valor esperado de la distribución binomial.

(2-13) Varianza $= np(1 - p)$
Varianza de la distribución binomial.

(2-14) $f(X) = \dfrac{1}{\sigma\sqrt{2\pi}} e^{\frac{-(x-\mu)^2}{2\sigma^2}}$
Función de densidad para la distribución de probabilidad normal.

(2-15) $Z = \dfrac{X - \mu}{\sigma}$
Ecuación para calcular el número de desviaciones estándar, Z, a las que está el punto X de la media μ.

(2-16) $f(X) = \mu e^{-\mu x}$
Distribución exponencial.

(2-17) Valor esperado $= \dfrac{1}{\mu}$
Valor esperado de una distribución exponencial.

(2-18) Varianza $= \dfrac{1}{\mu^2}$
Varianza de la distribución exponencial.

(2-19) $P(X \leq t) = 1 - e^{-\mu t}$
Fórmula para encontrar la probabilidad de que una variable aleatoria exponencial (X) sea menor o igual que el tiempo t.

(2-20) $P(X) = \dfrac{\lambda^x e^{-\lambda}}{X!}$
Distribución de Poisson.

(2-21) Valor esperado $= \lambda$
Media de una distribución de Poisson.

(2-22) Varianza $= \lambda$
Varianza de la distribución de Poisson.

Problemas resueltos

Problema resuelto 2-1

En los últimos 30 días, Roger's Rural Roundup ha vendido 8, 9, 10 u 11 billetes de lotería. Nunca vendió menos de 8 ni más de 11. Suponiendo que el pasado es similar al futuro, determine la probabilidad para el número de billetes vendidos, si las ventas fueran de 8 billetes en 10 días, 9 billetes en 12 días, 10 billetes en 6 días y 11 billetes en 2 días.

Solución

VENTAS	NÚM. DE DÍAS	PROBABILIDAD
8	10	0.333
9	12	0.400
10	6	0.200
11	2	0.067
Total	30	1.000

Problema resuelto 2-2

Una clase tiene 30 estudiantes. Diez son mujeres (F) y ciudadanas estadounidenses (U); 12 son hombres (M) y ciudadanos estadounidenses; 6 son mujeres que no son ciudadanas estadounidenses (N); 2 son hombres que no son ciudadanos estadounidenses.

Se selecciona un nombre al azar de la lista de la clase y es mujer. ¿Cuál es la probabilidad de que la estudiante sea ciudadana estadounidense?

Solución

$$P(\text{FU}) = {}^{10}\!/_{30} = 0.333$$
$$P(\text{FN}) = {}^{6}\!/_{30} = 0.200$$
$$P(\text{MU}) = {}^{12}\!/_{30} = 0.400$$
$$P(\text{MN}) = {}^{2}\!/_{30} = 0.067$$
$$P(\text{F}) = P(\text{FU}) + P(\text{FN}) = 0.333 + 0.200 = 0.533$$
$$P(\text{M}) = P(\text{MU}) + P(\text{MN}) = 0.400 + 0.067 = 0.467$$
$$P(\text{U}) = P(\text{FU}) + P(\text{MU}) = 0.333 + 0.400 = 0.733$$
$$P(\text{N}) = P(\text{FN}) + P(\text{MN}) = 0.200 + 0.067 = 0.267$$
$$P(\text{U}|\text{F}) = \frac{P(\text{FU})}{P(\text{F})} = \frac{0.333}{0.533} = 0.625$$

Problema resuelto 2-3

Su profesor le dice que si puede obtener 85 o más en su examen, tendrá 90% de posibilidades de alcanzar una A en el curso. Usted piensa que su posibilidad es tan solo de 50% de obtener 85 o más. Encuentre la probabilidad de *ambos*, que su calificación sea de 85 o más *y* que obtenga A en el curso.

Solución

$$P(\text{A y } 85) = P(A|85) \times P(85) = (0.90)(0.50)$$
$$= 45\%$$

Problema resuelto 2-4

Se preguntó a los estudiantes de una clase de estadística si creían que todos los exámenes en lunes después de un juego de futbol americano donde se gana al rival acérrimo deberían posponerse automáticamente. Los resultados fueron:

Fuertemente de acuerdo	40
De acuerdo	30
Neutral	20
En desacuerdo	10
Fuertemente en desacuerdo	0
	100

Transformamos esto en una calificación numérica, usando la siguiente escala para la variable aleatoria, para encontrar la distribución de probabilidades para los resultados:

Fuertemente de acuerdo	5
De acuerdo	4
Neutral	3
En desacuerdo	2
Fuertemente en desacuerdo	1

Solución

RESULTADO	PROBABILIDAD, $P(X)$
Fuertemente de acuerdo (5)	$0.4 = 40/100$
De acuerdo (4)	$0.3 = 30/100$
Neutral (3)	$0.2 = 20/100$
En desacuerdo (2)	$0.1 = 10/100$
Fuertemente en desacuerdo (1)	$0.0 = 0/100$
Total	$1.0 = 100/100$

Problema resuelto 2-5

Para el problema resuelto 2-4, sea X la calificación numérica. Calcule el valor esperado de X.

Solución

$$E(X) = \sum_{i=1}^{5} X_i P(X_i) = X_1 P(X_1) + X_2 P(X_2)$$
$$+ X_3 P(X_3) + X_4 P(X_4) + X_5 P(X_5)$$
$$= 5(0.4) + 4(0.3) + 3(0.2) + 2(0.1) + 1(0)$$
$$= 4.0$$

Problema resuelto 2-6

Calcule la varianza y la desviación estándar para la variable aleatoria X en los problemas resueltos 2-4 y 2-5.

Solución

$$\text{Varianza} = \sum_{i=1}^{5} (x_i - E(x))^2 P(x_i)$$
$$= (5-4)^2(0.4) + (4-4)^2(0.3) + (3-4)^2(0.2) + (2-4)^2(0.1) + (1-4)^2(0.0)$$
$$= (1)^2(0.4) + (0)^2(0.3) + (-1)^2(0.2) + (-2)^2(0.1) + (-3)^2(0.0)$$
$$= 0.4 + 0.0 + 0.2 + 0.4 + 0.0 = 1.0$$

La desviación estándar es

$$\sigma = \sqrt{\text{Varianza}} = \sqrt{1} = 1$$

Problema resuelto 2-7

Una candidata a un puesto de elección asegura que 60% de los electores votarán por ella. Si se toma una muestra de 5 electores registrados, ¿cuál es la probabilidad de que exactamente 3 digan que está en favor de esta candidata?

Solución

Utilizamos la distribución binomial con $n = 5$, $p = 0.6$ y $r = 3$:

$$P(\text{exactamente 3 éxitos en 5 ensayos}) = \frac{n!}{r!(n-r)!}p^r q^{n-r} = \frac{5!}{3!(5-3)!}(0.6)^3(0.4)^{5-3} = 0.3456$$

Problema resuelto 2-8

Se puede decir que la longitud de las barras que salen de una nueva máquina cortadora se aproxima a una distribución normal con media de 10 pulgadas y desviación estándar de 0.2 pulgadas. Encuentre la probabilidad de que una barra seleccionada al azar tenga una longitud

a) menor que 10.0 pulgadas
b) entre 10.0 y 10.4 pulgadas
c) entre 10.0 y 10.1 pulgadas
d) entre 10.1 y 10.4 pulgadas
e) entre 9.6 y 9.9 pulgadas
f) entre 9.9 y 10.4 pulgadas
g) entre 9.886 y 10.406 pulgadas

Solución

Primero calcule la distribución normal estándar, el valor de Z:

$$Z = \frac{X - \mu}{\sigma}$$

Después encuentre el área bajo la curva para el valor de Z dado usando la tabla de la distribución normal estándar.

a) $P(X < 10.0) = 0.50000$
b) $P(10.0 < X < 10.4) = 0.97725 - 0.50000 = 0.47725$
c) $P(10.0 < X < 10.1) = 0.69146 - 0.50000 = 0.19146$
d) $P(10.1 < X < 10.4) = 0.97725 - 0.69146 = 0.28579$
e) $P(9.6 < X < 9.9) = 0.97725 - 0.69146 = 0.28579$
f) $P(9.9 < X < 10.4) = 0.19146 + 0.47725 = 0.66871$
g) $P(9.886 < X < 10.406) = 0.47882 + 0.21566 = 0.69448$

Autoevaluación

- Antes de resolver la autoevaluación, consulte los objetivos de aprendizaje al inicio del capítulo, las notas al margen y el glosario al final del capítulo.
- Utilice las soluciones al final del libro para corregir sus respuestas.
- Estudie de nuevo las páginas que corresponden a cualquier pregunta cuya respuesta sea incorrecta o al material con el que se sienta inseguro.

1. Si tan solo puede ocurrir un evento en cualquier ensayo, entonces se dice que los eventos son
   a) independientes.
   b) exhaustivos.
   c) mutuamente excluyentes.
   d) continuos.

2. Las nuevas probabilidades que se encontraron con el teorema de Bayes se denominan
   a) probabilidades previas.
   b) probabilidades posteriores.
   c) probabilidades bayesianas.
   d) probabilidades conjuntas.

3. Una medida de tendencia central es
   a) el valor esperado.
   b) la varianza.
   c) la desviación estándar.
   d) todo lo anterior.

4. Para calcular la varianza se necesita conocer
   a) los valores posibles de la variable.
   b) el valor esperado de la variable.
   c) la probabilidad de cada valor posible de la variable.
   d) todo lo anterior.

5. La raíz cuadrada de la varianza es
   a) el valor esperado.
   b) la desviación estándar.
   c) el área bajo la curva.
   d) todo lo anterior.

6. ¿Cuál de los siguientes es un ejemplo de distribución discreta?
   a) la distribución normal.
   b) la distribución exponencial.
   c) la distribución de Poisson.
   d) la distribución Z.

7. El área total bajo la curva de cualquier distribución continua debe ser igual a
   a) 1.
   b) 0.
   c) 0.5.
   d) ninguno de los anteriores.

8. Las probabilidades de todos los valores posibles de una variable aleatoria discreta
   a) pueden ser mayores que 1.
   b) pueden ser negativas en algunas ocasiones.
   c) deben sumar 1.
   d) están representadas por el área bajo la curva.

9. En una distribución normal estándar, la media es igual a
   a) 1.
   b) 0.
   c) la varianza.
   d) la desviación estándar.

10. La probabilidad de dos o más eventos independientes que ocurren es
    a) la probabilidad marginal.
    b) la probabilidad simple.
    c) la probabilidad condicional.
    d) la probabilidad conjunta.
    e) todo lo anterior.

11. En la distribución normal, 95.45% de la población está dentro de
    a) 1 desviación estándar de la media.
    b) 2 desviación estándar de la media.
    c) 3 desviación estándar de la media.
    d) 4 desviación estándar de la media.

12. Si una distribución normal tiene media de 200 y desviación estándar de 10, ¿99.7% de la población cae dentro de qué intervalo de valores?
    a) 170–230
    b) 180–220
    c) 190–210
    d) 175–225
    e) 170–220

13. Si dos eventos son mutuamente excluyentes, entonces, la probabilidad de la intersección de estos dos eventos es igual a
    a) 0.
    b) 0.5.
    c) 1.0.
    d) no puede determinarse sin más información.

14. Si $P(A) = 0.4$, $P(B) = 0.5$ y $P(A \text{ y } B) = 0.2$, entonces, $P(A|B) =$
    a) 0.80.
    b) 0.50.
    c) 0.10
    d) 0.40.
    e) ninguno de los anteriores

15. Si $P(A) = 0.4$, $P(B) = 0.5$ y $P(A \text{ y } B) = 0.2$, entonces, $P(A \text{ o } B) =$
    a) 0.7.
    b) 0.9.
    c) 1.1.
    d) 0.2.
    e) ninguno de los anteriores.

Preguntas y problemas para análisis

Preguntas para análisis

2-1 ¿Cuáles son las dos leyes de probabilidad básicas?

2-2 ¿Qué significa eventos mutuamente excluyentes? ¿Qué quiere decir colectivamente exhaustivos? Dé un ejemplo de cada uno.

2-3 Describa los diferentes enfoques usados para determinar valores de probabilidad.

2-4 ¿Por qué la probabilidad de la intersección de dos eventos se resta de la suma de las probabilidades de los dos eventos?

2-5 ¿Cuál es la diferencia entre eventos dependientes y eventos independientes?

2-6 ¿Qué es el teorema de Bayes y cuándo se puede usar?

2-7 Describa las características de un proceso de Bernoulli. ¿Cómo se asocia un proceso de Bernoulli con la distribución binomial?

2-8 ¿Qué es una variable aleatoria? ¿Cuáles son los diferentes tipos de variables aleatorias?

2-9 ¿Cuál es la diferencia entre una distribución de probabilidad discreta y una distribución de probabilidad continua? Dé sus propios ejemplos de cada una.

2-10 ¿Qué es el valor esperado y qué mide? ¿Cómo se calcula para una distribución de probabilidad discreta?

2-11 ¿Qué es la varianza y qué mide? ¿Cómo se calcula para una distribución de probabilidad discreta?

2-12 Mencione tres procesos de negocios que se puedan describir mediante una distribución normal.

2-13 Después de evaluar la respuesta de los estudiantes a una pregunta acerca de un caso usado en clase, el profesor elaboró la siguiente distribución de probabilidad. ¿Qué tipo de distribución de probabilidad es?

RESPUESTA	VARIABLE ALEATORIA, X	PROBABILIDAD
Excelente	5	0.05
Buena	4	0.25
Promedio	3	0.40
Regular	2	0.15
Mala	1	0.15

Problemas

• 2-14 Un estudiante que cursa la asignatura de Ciencias Administrativas 301 en East Haven University recibirá una de las cinco calificaciones posibles para el curso:

A, B, C, D o F. La distribución de las calificaciones en los últimos dos años es la siguiente:

CALIFICACIÓN	NÚMERO DE ESTUDIANTES
A	80
B	75
C	90
D	30
F	25
	Total 300

Si esta distribución histórica es un buen indicador de las calificaciones futuras, ¿cuál es la probabilidad de que un estudiante obtenga C en el curso?

• 2-15 Un dólar de plata se lanza dos veces. Calcule la probabilidad de que ocurra cada uno de los siguientes eventos:

a) una cara en el primer lanzamiento

b) una cruz en el segundo lanzamiento dado que el primero fue cara

c) dos cruces

d) una cruz en el primero y una cara en el segundo

e) una cruz en el primero y una cara en el segundo, o una cara en el primero y una cruz en el segundo

f) al menos una cara en los dos lanzamientos

• 2-16 Una urna contiene 8 fichas rojas, 10 verdes y 2 blancas. Se extrae una ficha y se reemplaza y, después, se extrae una segunda ficha. ¿Cuál es la probabilidad de sacar

a) una ficha blanca la primera vez?

b) una ficha blanca la primera vez y una ficha roja la segunda vez?

c) dos fichas verdes?

d) una ficha roja la segunda vez, dado que se extrajo una ficha blanca la primera vez?

• 2-17 Evertight, un fabricante líder de clavos de calidad, produce clavos de 1, 2, 3, 4 y 5 pulgadas para diferentes usos. En el proceso de producción, si hay un exceso de clavos o los clavos tiene un pequeño defecto, se colocan en un contenedor común. Ayer, se colocaron en el contenedor 651 clavos de 1 pulgada, 243 de 2 pulgadas, 41 de 3 pulgadas, 451 de 4 pulgadas y 333 de 5 pulgadas.

a) ¿Cuál es la probabilidad de introducir la mano al contenedor y extraer un clavo de 4 pulgadas?

b) ¿Cuál es la probabilidad de obtener un clavo de 5 pulgadas?

c) Si una aplicación en particular requiere un clavo de 3 pulgadas o más corto, ¿cuál es la probabilidad de obtener un clavo que satisfaga el requerimiento de la aplicación?

: 2-18 El año pasado, en la compañía Northern Manufacturing, 200 personas se resfriaron durante el año; 155 personas que no hacen ejercicio tuvieron resfriado y el

Nota: ☋ significa que el problema se resuelve con QM para Windows, ✘ indica que el problema se resuelve con Excel QM y ☋ quiere decir que el problema se resuelve con QM para Windows o con Excel QM.

resto de las personas con resfriado están en un programa de ejercicio semanal. La mitad de los 1,000 empleados realizan algún tipo de ejercicio.

a) ¿Cuál es la probabilidad de que un empleado se resfríe el próximo año?

b) Dado que un empleado interviene en un programa de ejercicio, ¿cuál es la probabilidad de que él o ella se resfríe el próximo año?

c) ¿Cuál es la probabilidad de que un empleado que no hace ejercicio se resfríe el próximo año?

d) ¿Son eventos independientes hacer ejercicio y resfriarse? Explique su respuesta.

: 2-19   Los Reyes de Springfield, un equipo profesional de básquetbol, ha ganado 12 de sus últimos 20 juegos y se espera que continúe ganando a la misma tasa porcentual. El gerente de boletaje del equipo está ansioso por atraer a una gran multitud al juego de mañana; no obstante, piensa que ello depende de qué tan bien jueguen esta noche los Reyes contra los Cometas de Galveston. Cree que la probabilidad de reunir a una gran multitud debería ser de 0.90 si el equipo gana hoy. ¿Cuál es la probabilidad de que el equipo gane esta noche y que haya una gran multitud en el juego de mañana?

: 2-20   David Mashley es profesor en dos cursos de estadística en licenciatura en Kansas College. La clase de Estadística 201 consiste en 7 alumnos de segundo año y 3 de tercer año. El curso más avanzado de Estadística 301 tiene 2 estudiantes de segundo año y ocho de tercero. Como ejemplo de una técnica de muestreo de negocios, el profesor Mashley selecciona al azar, de las tarjetas de registro de Estadística 201, la tarjeta de un estudiante y luego la regresa. Si ese estudiante es de segundo año, Mashley saca otra del mismo grupo; si no, extrae una tarjeta al azar del grupo 301. ¿Son estas extracciones de tarjeta eventos independientes? ¿Cuál es la probabilidad de que

a) salga un estudiante de tercer año la primera vez?

b) salga un estudiante de tercer año la segunda vez, dado que primero salió uno de segundo año?

c) salga un estudiante de tercer año la segunda vez, dado que primero salió uno de tercer año?

d) salga un estudiante de segundo año las dos veces?

e) salga un estudiante de tercer año las dos veces?

f) salgan un estudiante de segundo año y uno de tercer año en las dos muestras, sin importar el orden?

: 2-21   El oasis de Abu Ilan, en el centro del desierto de Negev, tiene una población de 20 hombres de la tribu beduina y 20 hombres de la tribu farime. El Kamin, un oasis cercano, tiene una población de 32 hombres beduinos y 8 hombres farimes. Un soldado israelita perdido, y accidentalmente separado de su unidad, camina por el desierto y llega a la orilla de uno de los oasis. No tiene idea de cuál oasis encontró, pero el primer individuo que ve a la distancia es un beduino. ¿Cuál es la probabilidad de que haya llegado a Abu Ilan? ¿Cuál es la probabilidad de que esté en El Kamin?

: 2-22   El soldado israelita perdido mencionado en el problema 2-21 decide descansar unos minutos antes de en-

trar en el oasis que acaba de encontrar. Cierra sus ojos, dormita durante 15 minutos, se despierta y camina al centro del oasis. La primera persona que ve esta vez es también un beduino. ¿Cuál es la probabilidad posterior de que esté en El Kamin?

: 2-23   Ace Machine Works estima que la probabilidad de que su torno esté bien ajustado es de 0.8. Cuando está bien ajustado, hay una probabilidad de 0.9 de que las piezas producidas pasen la inspección. Si el torno está fuera de ajuste, sin embargo, la probabilidad de que la pieza producida sea buena es de solo 0.2. Se elige una pieza al azar, se inspecciona y se encuentra que es aceptable. En este punto, ¿cuál es la probabilidad posterior de que el torno esté bien ajustado?

: 2-24   La Liga de Softbol Boston South Fifth Street consiste en tres equipos: equipo 1, Mama's Boys, equipo 2, Killers; y equipo 3, Machos. Cada equipo juega con los otros tan solo una vez durante la temporada. El registro de resultados de los últimos 5 años es el siguiente:

GANADOR	(1)	(2)	(3)
Mama's Boys (1)	X	3	4
The Killers (2)	2	X	1
The Machos (3)	1	4	X

Cada fila representa el número de victorias en los últimos 5 años. Mama's Boys vencieron 3 veces a los Killers, 4 veces a los Machos, etcétera. Para el año próximo:

a) ¿Cuál es la probabilidad de que los Killers ganen todos los juegos?

b) ¿Cuál es la probabilidad de que los Machos ganen al menos un juego?

c) ¿Cuál es la probabilidad de que los Mama's Boys ganen exactamente un juego?

d) ¿Cuál es la probabilidad de que los Killers ganen menos de dos juegos?

: 2-25   El calendario de juegos de los Killers para el próximo año es el siguiente (remítase al problema 2-24):

Juego 1: Machos
Juego 2: Mama's Boys

a) ¿Cuál es la probabilidad de que los Killers ganen su primer juego?

b) ¿Cuál es la probabilidad de que los Killers ganen su último juego?

c) ¿Cuál es la probabilidad de que los Killers alcancen su punto de equilibrio: que ganen exactamente un juego?

d) ¿Cuál es la probabilidad de que los Killers ganen todos los juegos?

e) ¿Cuál es la probabilidad de que los Killers pierdan todos los juegos?

f) ¿Le gustaría a usted ser el entrenador de los Killers?

: 2-26   El equipo de Northside Rifle tiene dos tiradores, Dick y Sally. Dick hace una diana 90% de las veces; y Sally 95% de las veces.

a) ¿Cuál es la probabilidad de que Dick o Sally, o ambos, hagan una diana si cada uno tira una vez?

b) ¿Cuál es la probabilidad de que Dick y Sally hagan ambos una diana?

c) ¿Hizo alguna suposición para responder a las preguntas anteriores? Si su respuesta es sí, ¿cree que se justifica(n) la(s) suposición(es)?

2-27 En una muestra de 1,000 que representa una encuesta a toda la población, 650 personas eran de Laketown y el resto eran de River City. De la muestra, 19 personas tenían algún tipo de cáncer. De estas personas, 13 eran de Laketown.

a) ¿Son independientes los eventos de vivir en Laketown y tener algún tipo de cáncer?

b) ¿En cuál ciudad preferiría vivir, suponiendo que su objetivo principal es evitar tener cáncer?

2-28 Calcule la probabilidad de que "el dado esté cargado, si obtuvo un 3", como se indica en ejemplo 7; esta vez use la forma general del teorema de Bayes de la ecuación 2-7.

2-29 ¿Cuáles de las siguientes son distribuciones de probabilidad? ¿Por qué?

a)

VARIABLE ALEATORIA X	PROBABILIDAD
2	0.1
−1	0.2
0	0.3
1	0.25
2	0.15

b)

VARIABLE ALEATORIA Y	PROBABILIDAD
1	1.1
1.5	0.2
2	0.3
2.5	0.25
3	−1.25

c)

VARIABLE ALEATORIA Z	PROBABILIDAD
1	0.1
2	0.2
3	0.3
4	0.4
5	0.0

2-30 Harrington Health Food almacena 5 panes de caja de Neutro Bread. La distribución de probabilidad de la venta de este pan se proporciona en la siguiente tabla. ¿Cuántos panes vende Harrington en promedio?

NÚMERO DE PANES VENDIDOS	PROBABILIDAD
0	0.05
1	0.15
2	0.20
3	0.25
4	0.20
5	0.15

2-31 ¿Cuáles son el valor esperado y la varianza de la siguiente distribución de probabilidad?

VARIABLE ALEATORIA X	PROBABILIDAD
1	0.05
2	0.05
3	0.10
4	0.10
5	0.15
6	0.15
7	0.25
8	0.15

2-32 Se tienen 10 preguntas de falso-verdadero en un examen. Un estudiante se siente mal preparado para ese examen y contesta las preguntas adivinando al azar cada una de ellas.

a) ¿Cuál es la probabilidad de que el estudiante tenga exactamente 7 aciertos?

b) ¿Cuál es la probabilidad de que el estudiante tenga exactamente 8 aciertos?

c) ¿Cuál es la probabilidad de que el estudiante tenga exactamente 9 aciertos?

d) ¿Cuál es la probabilidad de que el estudiante tenga exactamente 10 aciertos?

e) ¿Cuál es la probabilidad de que el estudiante tenga más de 6 aciertos?

2-33 Gary Schwartz es el vendedor estrella de su compañía. Los registros indican que logra una venta en 70% de sus visitas. Si ve a cuatro clientes potenciales, ¿cuál es la probabilidad de que logre exactamente 3 ventas? ¿Cuál es la probabilidad de que logre exactamente 4 ventas?

2-34 Si 10% de todos los lectores de disco producidos en una línea de ensamble están defectuosos, ¿cuál es la probabilidad de que haya exactamente un lector defectuoso en una muestra aleatoria de 5 lectores? ¿Cuál es la probabilidad de que no haya defectuosos en una muestra aleatoria de 5?

2-35 Trowbridge Manufacturing produce estuches para computadoras personales y otros equipos electrónicos. El inspector de control de calidad de esta compañía cree que un proceso en particular está fuera de control.

En general, tan solo 5% de todos los estuches se consideran defectuosos debido a decoloraciones. Si se toma una muestra de 6 de esos estuches, ¿cuál es la probabilidad de que haya 0 defectuosos si el proceso funciona correctamente? ¿Cuál es la probabilidad de que haya exactamente 1 estuche defectuoso?

✖ ⦂ 2-36 En referencia al ejemplo de Trowbridge Manufacturing del problema 2-35, el proceso de inspección de control de la calidad es seleccionar 6 artículos, y si hay 0 o 1 estuches defectuosos en el grupo de 6, se dice que el proceso está bajo control. Si el número de defectuosos es mayor que 1, el proceso está fuera de control. Suponga que la proporción real de artículos defectuosos es de 0.15. ¿Cuál es la probabilidad de que haya 0 o 1 defectuosos en una muestra de 6, si la proporción real de defectuosos es de 0.15?

✖ ⦂ 2-37 Un horno industrial utilizado para curar núcleos de arena en una fábrica de bloques de motor para automóviles pequeños puede mantener temperaturas más o menos constantes. El rango de temperatura del horno sigue una distribución normal con media de 450 °F y una desviación estándar de 25 °F. Leslie Larsen, presidenta de la fábrica, está preocupada por el alto número de núcleos defectuosos que se han producido en los últimos meses. Si el horno se calienta a más de 475 °F, el núcleo sale defectuoso. ¿Cuál es la probabilidad de que el horno ocasione un núcleo defectuoso? ¿Cuál es la probabilidad de que la temperatura del horno esté entre 460° y 470 °F?

✖ ⦂ 2-38 Steve Goodman, supervisor de producción en la compañía Florida Gold Fruit, estima que la venta promedio de naranjas es de 4,700 y la desviación estándar es de 500 naranjas. Las ventas siguen una distribución normal.
a) ¿Cuál es la probabilidad de que las ventas sean mayores de 5,500 naranjas?
b) ¿Cuál es la probabilidad de que las ventas sean mayores de 4,500 naranjas?
c) ¿Cuál es la probabilidad de que las ventas sean menores de 4,900 naranjas?
d) ¿Cuál es la probabilidad de que las ventas sean menores de 4,300 naranjas?

✖ ⦂ 2-39 Susan Williams ha sido gerente de producción de Medical Suppliers, Inc., durante los últimos 17 años. Medical Suppliers es un fabricante de vendajes y cabestrillos. Durante los últimos 5 años, la demanda de vendajes ha sido bastante constante. En promedio, las ventas aproximadas han sido de 87,000 paquetes de vendajes. Susan tiene razón para creer que la distribución de los vendajes se comporta como una curva normal, con desviación estándar de 4,000 paquetes. ¿Cuál es la probabilidad de que las ventas sean menores de 81,000 paquetes?

⦂ 2-40 Armstrong Faber fabrica un lápiz estándar del número 2 llamado Ultra-Lite. Desde que Chuck Armstrong fundó Armstrong Faber, las ventas han crecido de manera estable. Con el incremento en el precio de productos de madera, Chuck se ha visto forzado a aumentar el precio de los lápices Ultra-Lite. Como resultado, la demanda del Ultra-Lite se ha mantenido bastante estable durante los últimos 6 años. En promedio, Armstrong Faber ha vendido 457,000 lápices cada año. Más aún, 90% de las veces las ventas han estado entre 454,000 y 460,000 lápices. Se espera que las ventas sigan una distribución normal con media de 457,000 lápices. Estime la desviación estándar de la distribución. (*Sugerencia:* trabaje hacia atrás en la tabla de la distribución normal para determinar Z. Después aplique la ecuación 2-15.)

⦂ 2-41 El tiempo para terminar un proyecto de construcción tiene distribución normal con media de 60 semanas y desviación estándar de 4 semanas.
a) ¿Cuál es la probabilidad de que el proyecto termine en 62 semanas o menos?
b) ¿Cuál es la probabilidad de que el proyecto termine en 66 semanas o menos?
c) ¿Cuál es la probabilidad de que el proyecto tome más de 65 semanas?

⦂ 2-42 Un nuevo sistema de cómputo integrado se va a instalar alrededor del mundo para una corporación importante. Se solicitan presupuestos para el proyecto y el contrato se dará a una de las licitaciones. Como parte de la propuesta del proyecto, los licitadores deben especificar cuánto tiempo les llevará. Habrá una multa significativa por terminar retrasados. Un contratista potencial determina que el tiempo promedio para terminar el proyecto es de 40 semanas con una desviación estándar de 5 semanas. Se supone que el tiempo requerido para terminar este proyecto tiene distribución normal.
a) Si la fecha de entrega del proyecto se establece en 40 semanas, ¿cuál es la probabilidad de que el contratista tenga que pagar la multa (es decir, que el proyecto no se termine oportunamente)?
b) Si la fecha de entrega del proyecto se establece en 43 semanas, ¿cuál es la probabilidad de que el contratista tenga que pagar la multa (es decir, que el proyecto no se termine oportunamente)?
c) Si el licitador desea establecer la fecha de entrega en la propuesta, de manera que haya una posibilidad tan solo de 5% de terminar retrasados (y, en consecuencia, una probabilidad de solo 5% de tener que pagar la multa), ¿qué fecha de entrega se debería establecer?

⦂ 2-43 Los pacientes llegan a la sala de urgencias del hospital Costa Valley a un promedio de 5 por día. La demanda de tratamiento en la sala de urgencias en el hospital sigue una distribución de Poisson.
a) Use el apéndice C para calcular la probabilidad de que haya exactamente 0, 1, 2, 3, 4 y 5 llegadas por día.
b) ¿Cuál es la suma de estas probabilidades y por qué el número es menor que 1?

⦂ 2-44 Use los datos del problema 2-43 para determinar la probabilidad de más de 3 visitas para atención en la sala de urgencias durante cualquier día.

⦂ 2-45 Los automóviles son enviados al taller Carla's Muffler para trabajos de reparación a una tasa de 3 por hora, siguiendo una distribución exponencial.
a) ¿Cuál es el tiempo esperado entre llegadas?
b) ¿Cuál es la varianza del tiempo entre llegadas?

2-46 Después de un encuentro profesional de atletismo, debe usarse una prueba específica para detectar la presencia de esteroides. Si hay esteroides, la prueba lo indicará con precisión del 95% de las veces. Sin embargo, si no hay esteroides la prueba lo indicará 90% de las veces (de manera que 10% de las veces es incorrecta y predice la presencia de esteroides). Con base en datos históricos, se cree que 2% de los atletas usan esteroides. Esta prueba se realiza a un atleta y resulta positiva. ¿Cuál es la probabilidad de que esta persona realmente use esteroides?

2-47 Se contrata a Market Researchers, Inc., para realizar un estudio que determine si el mercado para un nuevo producto será bueno o malo. En estudios similares realizados en el pasado, siempre que el mercado era en realidad bueno, el estudio de investigación de mercado indicó que sería bueno 85% de las veces. Por otro lado, cuando el mercado era en realidad malo, el estudio predijo incorrectamente que sería bueno 20% de las veces. Antes de realizar el estudio, se cree que hay una posibilidad de 70% de que el mercado sea bueno. Cuando Market Researchers realiza un estudio para este producto, los resultados predicen que el mercado será bueno. Dados los resultados de este estudio, ¿cuál es la probabilidad de que el mercado sea en realidad bueno?

2-48 Policy Pollsters es una empresa de investigación de mercados que se especializa en encuestas políticas. Los registros indican que en elecciones pasadas, cuando se eligió a un candidato, Policy Pollsters había predicho con precisión esto 80% de las veces y estuvieron equivocados 20% de las veces. Los registros también muestran los candidatos que perdieron. Policy Pollsters predijo con exactitud que perderían 90% de las veces, y se equivocaron tan solo 10% de las veces. Antes de tomar la encuesta, existe una posibilidad de 50% de ganar la elección. Si Policy Pollsters predice que un candidato ganará la elección, ¿cuál es la probabilidad de que el candidato gane realmente? Si Policy Pollsters predice que un candidato perderá la elección, ¿cuál es la probabilidad de que el candidato pierda realmente?

2-49 Burger City es una cadena grande de restaurantes de comida rápida que se especializa en hamburguesas gourmet. Ahora se utiliza un modelo matemático para predecir el éxito de un nuevo restaurante según la localización y la información demográfica para esa área. En el pasado, 70% de todos los restaurantes que se abrieron tuvieron éxito. El modelo matemático se ha probado en restaurantes existentes para determinar su efectividad. Para los restaurantes que tuvieron éxito, 90% de las veces el modelo lo predijo; mientras que 10% de las veces predijo un fracaso. Para los restaurantes que no tuvieron éxito, cuando se aplicó el modelo matemático 20% de las veces predijo de modo equivocado que sería exitoso, en tanto que 80% de las veces fue correcto y predijo que no tendría éxito. Si el modelo se usa en un nuevo restaurante y predice que

el restaurante tendrá éxito, ¿cuál es la probabilidad de que en realidad sea exitoso?

2-50 Un prestamista intentó incrementar su negocio anunciando una hipoteca de alto riesgo. Esta hipoteca está diseñada para clientes con una calificación de crédito baja y la tasa de interés es más alta para compensar el riesgo adicional. Durante el año pasado, 20% de estas hipotecas resultaron en embargo, ya que los clientes no pagaron sus préstamos. Se ha desarrollado un nuevo sistema de selección para determinar si se aprueban a los clientes para los préstamos riesgosos. Cuando se aplicó el sistema a una solicitud de crédito, el sistema la clasifica como "aprobado para préstamo", o bien, "rechazado para préstamo". Cuando el nuevo sistema se aplicó a clientes recientes que no pagaron sus préstamos, 90% de estos clientes se clasificaron como "rechazado". Cuando el mismo sistema se aplicó a clientes recientes que pagaron sus préstamos, clasificó a 70% de estos clientes como "aprobado".

 a) Si un cliente paga su préstamo, ¿cuál es la probabilidad de que el sistema lo hubiera clasificado en la categoría de solicitante rechazado?

 b) Si el sistema lo clasificó en la categoría de rechazado, ¿cuál es la probabilidad de que el cliente pagará su préstamo?

2-51 Use la tabla F en el apéndice D para encontrar el valor de F para el 5% superior de la distribución F con

 a) $df_1 = 5, df_2 = 10$
 b) $df_1 = 8, df_2 = 7$
 c) $df_1 = 3, df_2 = 5$
 d) $df_1 = 10, df_2 = 4$

2-52 Use la tabla F en el apéndice D para encontrar el valor de F para el 1% superior de la distribución F con

 a) $df_1 = 15, df_2 = 6$
 b) $df_1 = 12, df_2 = 8$
 c) $df_1 = 3, df_2 = 5$
 d) $df_1 = 9, df_2 = 7$

2-53 Para cada uno de los siguientes valores de F, determine si la probabilidad indicada es mayor o menor que 5%:

 a) $P(F_{3,4} > 6.8)$
 b) $P(F_{7,3} > 3.6)$
 c) $P(F_{20,20} > 2.6)$
 d) $P(F_{7,5} > 5.1)$
 e) $P(F_{7,5} < 5.1)$

2-54 Para cada uno de los siguientes valores de F, determine si la probabilidad indicada es mayor o menor que 1%:

 a) $P(F_{5,4} > 14)$
 b) $P(F_{6,3} > 30)$
 c) $P(F_{10,12} > 4.2)$
 d) $P(F_{2,3} > 35)$
 e) $P(F_{2,3} < 35)$

2-55 Nite Time Inn tiene un número telefónico sin costo para que los clientes llamen en cualquier momento para hacer una reservación. Una llamada típica toma alrededor de 4 minutos y el tiempo requerido sigue una distribución exponencial. Encuentre la probabilidad de que

a) una llamada tome 3 minutos o menos
b) una llamada tome 4 minutos o menos
c) una llamada tome 5 minutos o menos
d) una llamada tome más de 5 minutos

 2-56 Durante las horas de trabajo normales en la costa este, las llamadas sin costo al número de reservaciones de Nite Time Inn llegan a una tasa de 5 por minuto. Se ha determinado que el número de llamadas por minuto puede describirse mediante la distribución de Poisson. Encuentre la probabilidad de que en el siguiente minuto, el número de llamadas entrantes sea

a) exactamente de 5
b) exactamente de 4

c) exactamente de 3
d) exactamente de 6
e) menor que 2

2-57 En el ejemplo de Arnold's Muffler para la distribución exponencial en este capítulo, la tasa promedio de servicio dada es de 3 por hora, y los tiempos se expresaron en horas. Convierta la tasa promedio de servicio a números por minuto y convierta los tiempos a minutos. Encuentre la probabilidad de que el tiempo de servicio sea menor que 1/2 hora, 1/3 de hora y 2/3 de hora. Compare estas probabilidades con las encontradas en el ejemplo.

Problemas de tarea en Internet

Vea en nuestra página de Internet, en **www.pearsonenespañol.com/render**, los problemas adicionales de tarea, problemas 2-58 a 2-65.

Estudio de caso

WTVX

WTVX, canal 6, se encuentra en Eugene, Oregon, sede del equipo de futbol americano de la University of Oregon. La estación pertenece a George Wilcox, un ex jugador del equipo, y es operada por él mismo. Aunque hay otras estaciones de televisión en Eugene, WTVX es la única que tiene un reportero del clima que es miembro de la American Meteorological Society (AMS). Cada noche se presentaba a Joe Hummel como la única persona en el reporte del clima que es miembro de la AMS. Esto era idea de George y creía que así daba a su estación el sello de calidad y ayudaba con su participación de mercado.

Además de ser miembro de la AMS, Joe también es la persona más popular en cualquiera de los programas locales nuevos. Joe siempre trata de encontrar maneras innovadoras de crear interés en el clima y esto suele ser difícil, sobre todo durante los meses de invierno, cuando el clima parece ser el mismo durante largos periodos de tiempo. El pronóstico de Joe para el próximo mes, por ejemplo, es que habrá 70% de posibilidades de lluvia *todos* los días, y que lo que ocurra un día (lluvia o sol) no depende de ningún modo de lo que ocurra el día anterior.

Una de las características más conocidas de Joe en el reporte del clima es que invita a hacer preguntas durante la transmisión en vivo. Las preguntas se hacen por teléfono y Joe las responde en el momento. Una vez un niño de 10 años preguntó qué ocasiona la neblina y Joe hizo un excelente trabajo al describir algunas de las diferentes causas.

En ocasiones, no obstante, Joe comete errores. Por ejemplo, una estudiante de preparatoria le preguntó que cuál era la posibilidad de tener 15 días de lluvia el siguiente mes (30 días). Joe hizo un cálculo rápido: (70%) × (15 días/30 días) = (70%)(1/2) = 35%. Joe se dio cuenta rápidamente lo que se sentía equivocarse en una ciudad universitaria. Recibió más de 50 llamadas de científicos, matemáticos y profesores para decirle que había cometido un error grave al calcular las posibilidades de tener 15 días de lluvia durante los siguientes 30 días. Aunque Joe no entendía todas las fórmulas que le mencionaban los profesores, estaba decidido a encontrar la respuesta adecuada y hacer la corrección en una transmisión futura.

Preguntas para análisis

1. ¿Cuáles son las posibilidades de tener 15 días de lluvia durante los siguientes 30 días?
2. ¿Qué piensa de las suposiciones de Joe respecto al clima para los siguientes 30 días?

Bibliografía

Berenson, Mark, David Levine y Timothy Krehbiel. *Basic Business Statistics,* 10a. ed. Upper Saddle River, NJ: Prentice Hall, 2006.

Campbell, S. *Flaws and Fallacies in Statistical Thinking.* Upper Saddle River, NJ: Prentice Hall, 1974.

Feller, W. *An Introduction to Probability Theory and Its Applications,* vols. 1 y 2. Nueva York: John Wiley & Sons, 1957 y 1968.

Groebner, David, Patrick Shannon, Phillip Fry y Kent Smith. *Business Statistics,* 8a. ed. Upper Saddle River, NJ: Prentice Hall, 2011.

Hanke, J. E., A. G. Reitsch y D. W. Wichern. *Business Forecasting,* 9a. ed. Upper Saddle River, NJ: Prentice Hall, 2008.

Huff, D. *How to Lie with Statistics.* Nueva York: W. W. Norton & Company, Inc., 1954.

Newbold, Paul, William Carlson y Betty Thorne. *Statistics for Business and Economics,* 6a. ed., Upper Saddle River, NJ: Prentice Hall, 2007.

Apéndice 2.1 Derivación del teorema de Bayes

Sabemos que las fórmulas son correctas:

$$P(A|B) = \frac{P(AB)}{P(B)} \tag{1}$$

$$P(B|A) = \frac{P(AB)}{P(A)}$$

$$\left[\text{que se pueden reescribir como } P(AB) = P(B|A)P(A)\right] \text{ y} \tag{2}$$

$$P(B|A') = \frac{P(A'B)}{P(A')}$$

$$\left[\text{que se puede reescribir como } P(A'B) = P(B|A')P(A')\right]. \tag{3}$$

Más aún, por definición, sabemos que

$$P(B) = P(AB) + P(A'B)$$

$$= P(B|A)P(A) + P(B|A')P(A') \tag{4}$$

$$\underset{\textbf{de (2)}}{\longleftarrow} \qquad \underset{\textbf{de (3)}}{\longrightarrow}$$

Al sustituir las ecuaciones 2 y 4 en la ecuación 1,

$$P(A|B) = \frac{P(AB)}{P(B)} \qquad \text{de (2)}$$

$$= \frac{P(B|A)P(A)}{\underbrace{P(B|A)P(A) + P(B|A')P(A')}} \tag{5}$$

$$\underset{\textbf{de (4)}}{\longrightarrow}$$

Esta es la forma general del teorema de Bayes, mostrada como la ecuación 2-7 en este capítulo.

Apéndice 2.2 Estadística básica con Excel

Funciones estadísticas

Muchas funciones de estadística están disponibles en Excel 2010 y en versiones anteriores. Para ver la lista completa de funciones disponibles, de la pestaña de fórmulas en Excel 2010 o 2007, seleccione *fx* (Insert function) y, luego, Statistical, como se indica en el programa 2.7. Despliegue la lista para ver todas las funciones disponibles. Los nombres de algunas de ellas cambian un poco de Excel 2007 a Excel 2010. Por ejemplo, la función para obtener una probabilidad con la distribución normal era NORMDIST en Excel 2007, mientras que la misma función en Excel 2010 es NORM.DIST (se agregó un punto entre NORM y DIST).

PROGRAMA 2.7

Acceso a las funciones de estadística en Excel 2010

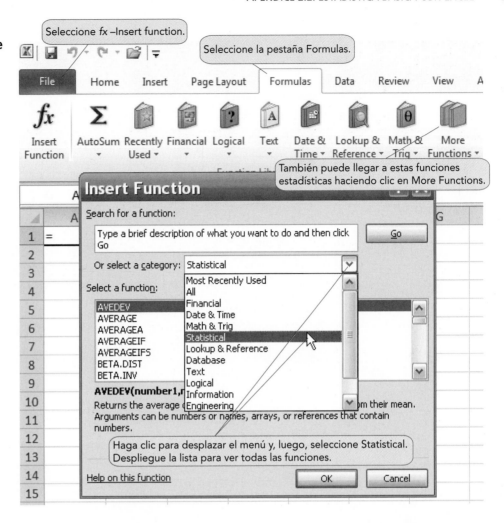

Resumen de información

Se dispone de otros procedimientos estadísticos en el Analysis ToolPak, que es un complemento que viene con Excel. Este complemento proporciona un resumen de estadística descriptiva y realiza otros procedimientos estadísticos como regresión, que se estudia en el capítulo 4. Véase en el apéndice F al final del libro los detalles para activar ese complemento.

CAPÍTULO 3

Análisis de decisiones

Al terminar de estudiar este capítulo, el alumno será capaz de:

1. Listar los pasos del proceso de toma de decisiones.
2. Describir los tipos de situaciones para la toma de decisiones.
3. Tomar decisiones con incertidumbre.
4. Usar valores de probabilidad para tomar decisiones con riesgo.

5. Desarrollar árboles de decisiones precisos y útiles.
6. Revisar estimaciones de probabilidad usando análisis bayesiano.
7. Usar la computadora para resolver problemas básicos de toma de decisiones.
8. Entender la importancia y el uso de la teoría de la utilidad en la toma de decisiones.

CONTENIDO DEL CAPÍTULO

3.1 Introducción
3.2 Los seis pasos en la toma de decisiones
3.3 Tipos de entorno para la toma de decisiones
3.4 Toma de decisiones con incertidumbre
3.5 Toma de decisiones con riesgo

3.6 Árboles de decisiones
3.7 Cómo se estiman los valores de probabilidad en el análisis bayesiano
3.8 Teoría de la utilidad

Resumen • Glosario • Ecuaciones clave • Problemas resueltos • Autoevaluación • Preguntas y problemas para análisis • Problemas de tarea en Internet • Estudio de caso: inicio de la corporación Right • Estudio de caso: Blake Electronics • Estudios caso en Internet • Bibliografía

Apéndice 3.1 Modelos de decisiones con QM para Windows
Apéndice 3.2 Árboles de decisiones con QM para Windows

3.1 Introducción

La teoría de decisiones es una manera analítica y sistemática de enfrentar los problemas.

Una buena decisión se basa en la lógica.

En gran medida, el éxito o el fracaso que experimenta un ser humano en la vida dependen de las decisiones que tome. La persona que dirigió el malogrado proyecto del transbordador *Challenger* ya no trabaja en la NASA. El individuo que diseñó el exitoso Mustang se convirtió en presidente de Ford. ¿Por qué y cómo tomaron sus decisiones estas personas? En general, ¿qué implica tomar buenas decisiones? Una decisión puede marcar la diferencia entre una carrera de éxitos y una no exitosa. La **teoría de las decisiones** es un enfoque analítico y sistemático para el estudio de la toma de decisiones. En este capítulo, presentamos los modelos matemáticos útiles para ayudar a los gerentes a tomar las mejores decisiones posibles.

¿Qué marca la diferencia entre las buenas y las malas decisiones? Una buena decisión es aquella que se basa en la lógica, considera todos los datos disponibles y las alternativas posibles, y aplica el enfoque cuantitativo que se vaya a describir. En ocasiones, una buena decisión tiene un resultado inesperado o desfavorable. No obstante, si se realiza de manera adecuada, *todavía* sería una buena decisión. Una mala decisión no está basada en la lógica, no utiliza toda la información disponible, no considera todas las alternativas ni emplea las técnicas cuantitativas adecuadas. Si alguien toma una mala decisión, pero es afortunado y ocurre un resultado favorable, *de igual forma*, tomó una mala decisión. Aunque algunas veces buenas decisiones lleven a malos resultados, a largo plazo, el uso de la teoría de las decisiones tendrá resultados exitosos.

3.2 Los seis pasos en la toma de decisiones

Ya sea que usted esté decidiendo cortarse el cabello hoy, construir una planta de varios millones de dólares o comprar una cámara digital nueva, los pasos para tomar una buena decisión son en esencia los mismos:

Seis pasos en la toma de decisiones

1. Definir con claridad el problema que enfrenta.
2. Hacer una lista de las alternativas posibles.
3. Identificar los resultados posibles o los estados de naturaleza.
4. Numerar los pagos (típicamente las ganancias) de cada combinación de alternativas y resultados.
5. Elegir uno de los modelos matemáticos de la teoría de las decisiones.
6. Aplicar el modelo y tomar la decisión.

Usamos el caso de la compañía Thompson Lumber para ilustrar estos pasos de la teoría de las decisiones. John Thompson es el fundador y presidente de la compañía Thompson Lumber, una empresa rentable localizada en Portland, Oregon.

El primer paso consiste en definir el problema.

Paso 1. El problema que identifica John Thompson es si expandir su línea de productos fabricando y comercializando un nuevo producto: casetas de almacenamiento para patios.

El segundo paso de Thompson consiste en generar las alternativas que estén disponibles. En la teoría de las decisiones, una **alternativa** se define como un curso de acción o una estrategia que puede elegir el tomador de decisiones.

El segundo paso es listar las alternativas

Paso 2. John decide que sus alternativas son construir **1.** una nueva planta grande para fabricar las casetas, **2.** una planta pequeña, o bien, **3.** ninguna planta (es decir, tiene la opción de no desarrollar la nueva línea del producto).

Uno de los errores más grande que cometen quienes toman decisiones es omitir alternativas importantes. Aunque una alternativa en particular parezca inadecuada o de escaso valor, quizá resulte ser la mejor opción.

El siguiente paso incluye identificar los resultados posibles de las diferentes alternativas. Un error común es olvidarse de algunos de los resultados posibles. Los tomadores de decisiones optimistas suelen ignorar los malos resultados, en tanto que los pesimistas podrían soslayar los resultados favorables. Si usted no considera todas las posibilidades, no tomará una decisión lógica y los resultados podrían ser indeseables. Si no piensa que puede ocurrir lo peor, tal vez diseñe otro automóvil Edsel y pierda millones. En la teoría de las decisiones, esos resultados sobre los que el tomador de decisiones tiene escaso o ningún control se llaman **estados de naturaleza**.

TABLA 3.1

Tabla de decisiones con valores condicionales para Thompson Lumber

	ESTADO DE NATURALEZA	
ALTERNATIVA	**MERCADO FAVORABLE** ($)	**MERCADO DESFAVORABLE** ($)
Construir una planta grande	200,000	–180,000
Construir una planta pequeña	100,000	–20,000
No hacer nada	0	0

Nota: Es importante incluir todas las alternativas, como "no hacer nada".

El tercer paso consiste en identificar los resultados posibles.

Paso 3. Thompson determina que hay solamente dos resultados posibles: el mercado para las casetas de almacenamiento podría ser favorable, lo cual significa que existe una demanda alta para el producto, o bien, ser desfavorable, es decir, que haya poca demanda para las casetas.

Una vez identificadas las alternativas y los estados de naturaleza, el siguiente paso es expresar los pagos resultantes de cada combinación posible de alternativas y resultados. En la teoría de las decisiones, estos pagos reciben el nombre de **valores condicionales**. Desde luego, no todas las decisiones deben basarse tan solo en dinero, ya que es aceptable cualquier medio apropiado de medir los beneficios.

El cuarto paso consiste en listar los pagos.

Durante el cuarto paso, quien toma las decisiones puede construir la tabla de decisiones o de pagos.

Paso 4. Como Thompson desea maximizar sus utilidades, puede usar la *ganancia* para evaluar cada consecuencia.

John Thompson ya evaluó la ganancia potencial asociada con los diferentes resultados. Con un mercado favorable, piensa que la instalación grande daría una ganancia neta de $200,000 a su empresa. Aquí, $200,000 es un *valor condicional* porque el hecho de que Thompson reciba el dinero está condicionado, tanto a que construya una fábrica grande como a tener un buen mercado. Si el mercado es desfavorable, el valor condicional sería una pérdida neta de $180,000. Una planta pequeña daría una ganancia neta de $100,000 en un mercado favorable, aunque habría una pérdida neta de $20,000 si el mercado fuera desfavorable. Por último, no hacer nada daría como resultado $0 de ganancia en cualquier mercado. La forma más sencilla de presentar estos valores es construyendo una **tabla de decisiones**, algunas veces llamada **tabla de pagos**. La tabla de decisiones para los valores condicionales de Thompson se presenta en la tabla 3.1. Todas las alternativas se colocan en la columna izquierda de la tabla, y todos los resultados posibles o estados de naturaleza se colocan en la primera fila. El cuerpo de la tabla contiene los pagos reales.

Los dos últimos pasos son elegir y aplicar el modelo de la teoría de las decisiones.

Pasos 5 y 6. Los dos últimos pasos son seleccionar un modelo de la teoría de las decisiones y aplicarlo a los datos para ayudar a tomar la decisión. Seleccionar el modelo depende del entorno donde está operando y de la cantidad de riesgo e incertidumbre que implica.

3.3 Tipos de entorno para la toma de decisiones

Los tipos de decisiones que toma la gente dependen de cuánto conocimiento o información tengan acerca de la situación. Hay tres entornos para la toma de decisiones:

- Toma de decisiones con certidumbre
- Toma de decisiones con incertidumbre
- Toma de decisiones con riesgo

TIPO 1: TOMA DE DECISIONES CON CERTIDUMBRE En el entorno de **toma de decisiones con certidumbre**, quienes toman las decisiones conocen con certeza la consecuencia de cada alternativa u opción de decisión. Naturalmente, elegirán la alternativa que maximice su bienestar o que dé el mejor resultado. Por ejemplo, digamos que usted tiene $1,000 para invertir durante 1 año. Una alternativa es abrir una cuenta de ahorros que paga 6% de interés y otra es invertir en un bono del Tesoro que paga 10% de interés. Si ambas inversiones son seguras y están garantizadas, existe la certidumbre de que el bono del Tesoro pagará un rendimiento mayor. El rendimiento después de un año será de $100 en intereses.

Las probabilidades no se conocen.

TIPO 2: TOMA DE DECISIONES CON INCERTIDUMBRE En la **toma de decisiones con incertidumbre**, existen varios resultados posibles para cada alternativa y el tomador de decisiones no conoce las probabilidades de los diferentes resultados. Como ejemplo, no se conoce la probabilidad de que un demócrata sea presidente de Estados Unidos dentro de 25 años. Algunas veces es imposible evaluar la probabilidad de éxito de un nuevo proyecto o producto. Los criterios de decisión con incertidumbre se explican en la sección 3.4.

Se conocen las probabilidades.

TIPO 3: TOMA DE DECISIONES CON RIESGO En la **toma de decisiones con riesgo**, hay varios resultados posibles para cada alternativa y el tomador de decisiones conoce la probabilidad de ocurrencia de cada resultado. Sabemos, por ejemplo, que cuando se juega cartas con un mazo estándar, la probabilidad de que nos llegue un trébol es de 0.25. La probabilidad de obtener 5 al lanzar un dado es de 1/6. En la toma de decisiones con riesgo, quien toma las decisiones suele intentar maximizar su bienestar esperado. Los modelos de la teoría de las decisiones para problemas de negocios en este entorno casi siempre usan dos criterios equivalentes: maximizar el valor monetario esperado y minimizar la pérdida esperada.

Veamos ahora cómo la toma de decisiones con certidumbre (entorno tipo 1) afectaría a John Thompson. Suponemos que John sabe exactamente qué pasará en el futuro. Si resulta que sabe con seguridad que el mercado para las casetas de almacenamiento será favorable, ¿qué debería hacer? Observe de nuevo los valores condicionales de Thompson Lumber en la tabla 3.1. Como el mercado es favorable, debería construir una planta grande, la cual tiene la ganancia más alta: $200,000.

Pocos gerentes son tan afortunados como para tener información completa y conocimiento acerca de los estados de naturaleza que se consideran. La toma de decisiones con incertidumbre, que se estudia a continuación, es una situación más complicada. Podemos encontrar que dos personas diferentes con perspectivas distintas pueden elegir de manera adecuada dos alternativas diferentes.

3.4 Toma de decisiones con incertidumbre

Los datos de probabilidades no están disponibles.

Cuando existen varios estados de naturaleza y un gerente *no puede* evaluar la probabilidad del resultado con confianza, o cuando prácticamente no se dispone de datos de probabilidad, el entorno se llama toma de decisiones con incertidumbre. Hay varios criterios para tomar decisiones en estas condiciones. Las que se cubren en esta sección son las siguientes:

1. Optimista (maximax)
2. Pesimista (maximin)
3. Criterio de realismo (Hurwicz)
4. Probabilidades iguales (Laplace)
5. Arrepentimiento minimax

Los primeros cuatro criterios se calculan directamente de la tabla de decisiones (de pagos), en tanto que el criterio arrepentimiento minimax requiere el uso de la tabla de la pérdida esperada.

La presentación de los criterios para la toma de decisiones con incertidumbre (y también para la toma de decisiones con riesgo) se basa en la suposición de que el pago es algo donde son mejores los mayores valores y son deseables los valores altos. Para pagos como ganancias, ventas totales, rendimiento total sobre la inversión e interés ganado, la mejor decisión sería una cuyo resultado fuera algún tipo de pago máximo. Sin embargo, existen situaciones donde menores pagos (como costos) son mejores y estos pagos se minimizarían en vez de maximizarse. El enunciado del criterio de decisión se modificaría un poco para tales problemas de minimización. Se verá cada uno de los cinco modelos y se aplicará al ejemplo de Thompson Lumber.

Optimista

Maximax es un enfoque optimista.

A utilizar el criterio **optimista**, se considera el mejor pago (máximo) para cada alternativa, y se elige la alternativa con el mejor (máximo) de ellos. El criterio optimista recibe el nombre de **maximax**. En la tabla 3.2 vemos que la opción optimista de Thompson es la primera alternativa, "construir una planta grande". Al usar este criterio, puede lograrse el pago más alto de todos ($200,000 en este ejemplo), mientras que si se elige cualquier otra alternativa sería imposible lograr este pago tan alto.

TABLA 3.2

Decisión maximax de Thompson

	ESTADO DE NATURALEZA		
ALTERNATIVA	MERCADO FAVORABLE ($)	MERCADO DESFAVORABLE ($)	MÁXIMO DE LA FILA ($)
Construir una planta grande	200,000	−180,000	200,000 ← Maximax
Construir una planta pequeña	100,000	−20,000	100,000
No hacer nada	0	0	0

Al usar el criterio optimista para minimizar problemas donde son mejores los pagos menores (como costos), usted vería el mejor pago (mínimo) de cada alternativa y elegiría aquella con la mejor (mínimo) de ellas.

Pesimista

Maximin es un enfoque pesimista.

Al utilizar el criterio *pesimista*, se considera el peor pago (mínimo) de cada alternativa y se elige la que tiene el mejor (máximo) de ellas. Por consiguiente, el criterio pesimista en ocasiones se llama criterio **maximin**. Este criterio garantiza que el pago será al menos el valor maximin (el mejor de los peores valores). Elegir otra alternativa quizá permitiría que hubiera un peor pago (más bajo).

La elección maximin de Thompson, "no hacer nada", se muestra en la tabla 3.3. Esta decisión se asocia con el máximo de los números mínimos en cada fila o alternativa.

Al usar el criterio pesimista para problemas de minimización donde los menores pagos (como costos) son mejores, se busca el peor pago (máximo) para cada alternativa y se elige la que tiene el mejor (mínimo) de ellos.

Ambos criterios, maximax y maximin consideran tan solo un pago extremo para cada alternativa, mientras que se ignoran los otros pagos. El siguiente criterio toma en cuenta ambos extremos.

Criterio de realismo (criterio de Hurwicz)

El criterio de realismo usa el enfoque del promedio ponderado.

Con frecuencia llamado **promedio ponderado**, el **criterio de realismo** (**criterio de Hurwicz**) es un compromiso entre una decisión optimista y una pesimista. Para comenzar, se selecciona un **coeficiente de realismo**, α; esto mide el nivel de optimismo del tomador de decisiones. El valor de este coeficiente está entre 0 y 1. Cuando α es 1, quien toma las decisiones está 100% optimista acerca del futuro. Cuando α es 0, quien toma las decisiones es 100% pesimista acerca del futuro. La ventaja de este enfoque es que permite al tomador de decisiones manejar sentimientos personales acerca del optimismo y pesimismo relativos. El promedio ponderado se calcula como:

$$\text{Promedio ponderado} = \alpha \, (\text{mejor fila}) + (1 - \alpha)(\text{peor fila})$$

Para problemas de maximización, el mejor pago para una alternativa es el valor más alto, y el peor pago es el valor más bajo. Observe que cuando $\alpha = 1$, este criterio es el mismo que el optimista y

TABLA 3.3

Decisión maximin de Thompson

	ESTADO DE NATURALEZA		
ALTERNATIVA	MERCADO FAVORABLE ($)	MERCADO DESFAVORABLE ($)	MÍNIMO DE LA FILA ($)
Construir una planta grande	200,000	−180,000	−180,000
Construir una planta pequeña	100,000	−20,000	−20,000
No hacer nada	0	0	0 ← Maximin

TABLA 3.4
Decisión con el
criterio de realismo
de Thompson

| | ESTADO DE NATURALEZA | | |
ALTERNATIVA	MERCADO FAVORABLE ($)	MERCADO DESFAVORABLE ($)	CRITERIO DE REALISMO O PROMEDIO PONDERADO ($\alpha = 0.8$) $
Construir una planta grande	200,000	−180,000	(124,000) ← Realismo
Construir una planta pequeña	100,000	−20,000	76,000
No hacer nada	0	0	0

cuando $\alpha = 0$ este criterio es el mismo que el pesimista. Su valor se calcula para cada alternativa, y la alternativa con el mayor promedio ponderado es la elección.

Si suponemos que John Thompson establece su coeficiente de realismo, α, en 0.80, la mejor decisión sería construir una planta grande. Como se observa en la tabla 3.4, esta alternativa tiene el mayor promedio ponderado: $124,000 = (0.80)($200,00) + (0.20)(−$180,000)$.

Al usar el criterio de realismo para problemas de minimización, el mejor pago para una alternativa será la más baja en la fila y la peor sería la más alta en la fila. Se elige la alternativa con el menor promedio ponderado.

Debido a que tan solo hay dos estados de naturaleza en el ejemplo de Thompson Lumber, únicamente están presentes dos pagos para cada alternativa y ambos se consideran. Sin embargo, si hay más de dos estados de naturaleza, este criterio ignora todos los pagos, excepto el mejor y el peor. El siguiente criterio toma en cuenta todos los pagos posibles de cada decisión.

Probabilidades iguales (Laplace)

El criterio de probabilidades iguales usa el resultado promedio.

Un criterio que usa todos los pagos para cada alternativa es el criterio de decisión de **probabilidades iguales**, también llamado **de Laplace**. Ahora debe encontrarse el pago promedio para cada alternativa y se elegirá la alternativa con el mejor promedio o el más alto. El enfoque de probabilidades iguales supone que todas las probabilidades de ocurrencia para los estados de naturaleza son las mismas y con ello cada **estado de naturaleza** tiene probabilidades iguales.

La opción de probabilidades iguales para Thompon Lumber es la segunda alternativa, "construir una planta pequeña", cuya estrategia, mostrada en la tabla 3.5, es la que tiene el máximo pago promedio.

Al utilizar el criterio de probabilidades iguales para problemas de minimización, los cálculos son exactamente los mismos, pero la mejor alternativa es la que tiene el menor pago promedio.

Arrepentimiento minimax

El criterio de arrepentimiento minimax se basa en la pérdida de oportunidad.

El siguiente criterio de decisión que se estudiará se basa en la **pérdida de oportunidad** o el **arrepentimiento**. La pérdida de la oportunidad se refiere a la diferencia entre la ganancia o el pago óptimo por un estado de naturaleza dado y el pago real recibido por una decisión específica. En otras palabras, es la pérdida por no elegir la mejor alternativa en un estado de naturaleza dado.

CA EN ACCIÓN
Ford usa la teoría de las decisiones para elegir proveedores de refacciones

Ford Motor Company fabrica cerca de 5 millones de automóviles y camiones al año y emplea a más de 200,000 trabajadores en aproximadamente 100 instalaciones alrededor del mundo. Una compañía tan grande con frecuencia necesita tomar grandes decisiones sobre proveedores con fechas de entrega rigurosas.

Esta era la situación cuando los investigadores del MIT hicieron equipo con la gerencia de Ford y desarrollaron una herramienta de selección de proveedores impulsada por los datos. Este programa de cómputo ayuda en la toma de decisiones, aplicando algunos criterios de toma de decisiones presentados en este capítulo. Se

pidió a los tomadores de decisiones en Ford que proporcionaran datos de sus proveedores (costos de refacciones, distancias, tiempos de entrega, confiabilidad del proveedor, etcétera) al igual que el tipo de criterios de decisión que querían usar. Una vez ingresados los datos, el modelo da el mejor conjunto de proveedores para cumplir una necesidad específica. El resultado es un sistema que actualmente ahorra a Ford Motor Company más de $40 millones anuales.

Fuente: Basada en E. Klampfl, Y. Fradkin, C. McDaniel y M. Wolcott. "Ford Uses OR to Make Urgent Sourcing Decisions in a Distressed Supplier Environment". *Interfaces* 39, 5 (2009): 428-442.

TABLA 3.5

Decisiones con
probabilidades iguales
de Thompson

	ESTADO DE NATURALEZA		
ALTERNATIVA	MERCADO FAVORABLE ($)	MERCADO DESFAVORABLE ($)	PROMEDIO DE LA FILA ($)
Construir una planta grande	200,000	–180,000	10,000
Construir una planta pequeña	100,000	–20,000	40,000 ← Probabilidades iguales
No hacer nada	0	0	0

El primer paso es crear la tabla de la pérdida de oportunidad determinando las pérdidas por no elegir la mejor alternativa para cada estado de naturaleza. La pérdida de oportunidad para cualquier estado de naturaleza, o cualquier columna, se calcula restando cada pago en la columna del *mejor* pago en la misma columna. Para un mercado favorable, el mejor pago es de $200,000, como resultado de la primera alternativa, "construir una planta grande". Si se elige la segunda alternativa, se obtiene una ganancia de $100,000 en un mercado favorable y esto se compara con el mejor pago de $200,000. Así, la pérdida de oportunidad es 200,000 − 100,000 = 100,000. De manera similar, si se elige "no hacer nada" la pérdida de oportunidad es 200,000 − 0 = 200,000.

Para un mercado desfavorable, el mejor pago es $0 como resultado de la tercera alternativa, "no hacer nada", de manera que 0 es la pérdida de oportunidad. Las pérdidas de oportunidades para las otras alternativas se encuentran restando los pagos de este mejor pago ($0) en este estado de naturaleza, como se indica en la tabla 3.6. La tabla de la pérdida de oportunidad para Thompson se muestra en la tabla 3.7.

Si usamos la tabla de la pérdida de oportunidad (arrepentimiento), el criterio de **arrepentimiento minimax** encuentra la alternativa que *mini*miza la pérdida de oportunidad *máx*ima dentro de cada alternativa. Primero se encuentra la máxima (peor) pérdida de oportunidad para cada alternativa. Luego, entre estos valores máximos, se elige la alternativa con el número mínimo (mejor). Al hacerlo, se garantiza que la pérdida de oportunidad que ocurre en realidad no sea mayor que este valor minimax. En la tabla 3.8 se observa que la elección de arrepentimiento minimax es la segunda alternativa, "construir una planta pequeña" y así se minimiza la pérdida de oportunidad máxima.

Al calcular la pérdida de oportunidad para problemas de minimización como los que incluyen costos, el mejor pago o el mejor costo (más bajo) en una columna se resta de cada pago en esa columna. Una vez elaborada la tabla de la pérdida de oportunidad, se aplica el criterio de arrepentimiento minimax de la misma manera descrita. Se encuentra la pérdida de oportunidad máxima para cada alternativa y se selecciona aquella que tiene el mínimo de estos máximos. Al igual que en los problemas de maximización, el costo de oportunidad nunca puede ser negativo.

Hemos considerado varios criterios de toma de decisiones para utilizarlos cuando las probabilidades de los estados de naturaleza no se conocen y no se pueden estimar. Ahora veremos qué hacer si se dispone de estas probabilidades.

TABLA 3.6

Determinación de las pérdidas de
oportunidad para Thompson Lumber

ESTADO DE NATURALEZA	
MERCADO FAVORABLE ($)	MERCADO DESFAVORABLE ($)
200,000 – 200,000	0 – (–180,000)
200,000 – 100,000	0 – (–20,000)
200,000 – 0	0 – 0

TABLA 3.7

Tabla de la pérdida de oportunidad para Thompson Lumber

	ESTADO DE NATURALEZA	
ALTERNATIVA	MERCADO FAVORABLE ($)	MERCADO DESFAVORABLE ($)
Construir una planta grande	0	180,000
Construir una planta pequeña	100,000	20,000
No hacer nada	200,000	0

TABLA 3.8

Decisión minimax de Thompson usando la pérdida de oportunidad

	ESTADO DE NATURALEZA		
ALTERNATIVA	MERCADO FAVORABLE ($)	MERCADO DESFAVORABLE ($)	MÁXIMO DE LA FILA($)
Construir una planta grande	0	180,000	180,000
Construir una planta pequeña	100,000	20,000	(100,000) ← Minimax
No hacer nada	200,000	0	200,000

3.5 Toma de decisiones con riesgo

La toma de decisiones con riesgo es una situación de decisión donde pueden ocurrir varios estados de naturaleza posibles y se conocen las probabilidades de que sucedan. En esta sección consideramos uno de los métodos más populares para la toma de decisiones con riesgo: seleccionar la alternativa con el mayor valor monetario esperado (o simplemente valor esperado). También se utilizan las probabilidades con la tabla de la pérdida de oportunidad para minimizar la pérdida de oportunidad esperada.

Valor monetario esperado

Dada una tabla de decisiones con valores condicionales (pagos) que son valores monetarios y las probabilidades evaluadas para todos los estados de naturaleza, es posible determinar el **valor monetario esperado** (VME) para cada alternativa. El *valor esperado* o *valor medio* es el valor promedio a largo plazo de esa decisión. El VME para una alternativa es tan solo la suma de los pagos posibles de la alternativa, cada uno ponderado por la probabilidad de que ese pago ocurra.

El VME es la suma ponderada de los pagos posibles para cada alternativa.

Esto también se expresa simplemente como el valor esperado de X o $E(X)$, que se estudió en la sección 2.9 del capítulo 2.

$$\text{VME(alternativo)} = \Sigma X_i P(X_i) \tag{3-1}$$

donde:

X_i = pago para el estado de naturaleza i

$P(X_i)$ = probabilidad de lograr el pago X_i (es decir, probabilidad del estado de naturaleza i)

Σ = símbolo de sumatoria

Si esta suma se expande, se convierte en

VME (alternativo)

= (pago en el primer estado de naturaleza) × (probabilidad del primer estado de naturaleza)

+ (pago en el segundo estado de naturaleza) × (probabilidad del segundo estado de naturaleza)

+ ... + (pago en el último estado de naturaleza) × (probabilidad del último estado de naturaleza)

Se elige entonces la alternativa con el máximo VME.

Suponga que John Thompson piensa ahora que la probabilidad de un mercado favorable es exactamente la misma que la probabilidad de un mercado desfavorable: es decir, cada estado de naturaleza tiene una probabilidad de 0.50. ¿Qué alternativa daría el mayor valor monetario esperado? Para determinarla, John expande la tabla de decisiones, como se indica en la tabla 3.9. Sus cálculos son los siguientes:

VME (planta grande) = ($200,000)(0.50) + (−$180,000)(0.50) = $10,000

VME (planta pequeña) = ($100,000)(0.50) + (−$20,000)(0.50) = $40,000

VME (no hacer nada) = ($0)(0.50) + ($0)(0.50) = $0

El valor esperado más grande ($40,000) es el resultado de la segunda alternativa, "construir una planta pequeña". Así, Thompson debería proceder con el proyecto y hacer una planta pequeña para

TABLA 3.9

Tabla de decisiones con probabilidades y VME para Thompson Lumber

| | ESTADO DE NATURALEZA | | |
ALTERNATIVA	MERCADO FAVORABLE ($)	MERCADO DESFAVORABLE ($)	VME ($)
Construir una planta grande	200,000	−180,000	10,000
Construir una planta pequeña	100,000	−20,000	40,000
No hacer nada	0	0	0
Probabilidades	0.50	0.50	

fabricar las casetas de almacenamiento. Los VME para la planta grande y no hacer nada son de $10,000 y $0, respectivamente.

Cuando se emplea el criterio del valor monetario esperado en problemas de minimización, los cálculos son los mismos, pero se selecciona la alternativa con el menor VME.

Valor esperado de la información perfecta

Scientific Marketing, Inc., una empresa que propone ayudar a John a tomar decisiones sobre si construir una planta para fabricar las casetas de almacenamiento, se acercó a John Thompson. Scientific Marketing asegura que su análisis técnico indicará a John con certidumbre si el mercado es favorable para su producto propuesto. En otras palabras, cambiará su entorno de una toma de decisiones con riesgo en uno de toma de decisiones con certidumbre. Esta información ayudaría a evitar que John cometa un error muy costoso. Scientific Marketing cobrará a Thompson $65,000 por la información. ¿Qué recomendaría usted a John? ¿Debería contratar a la empresa para hacer el estudio de mercado? Incluso si la información del estudio fuera perfectamente exacta, ¿valdría $65,000? ¿Cuánto valdría? Aunque es difícil contestar algunas de estas preguntas, determinar el valor de tal *información perfecta* sería muy útil. Obtener una cota superior sobre lo que debería estar dispuesto a gastar en información como la que vende Scientific Marketing. En esta sección se investigan dos términos relacionados: el **valor esperado de la información perfecta** (**VEIP**) y el **valor esperado con información perfecta** (**VECIP**). Las técnicas ayudarían a John a tomar su decisión acerca de contratar a la empresa de investigación de mercados.

El VEIP coloca una cota superior sobre cuánto hay que pagar por la información.

El valor esperado *con* información perfecta es el rendimiento promedio o esperado, a largo plazo, si tenemos información perfecta antes de tomar una decisión. Para calcular este valor, elegimos la mejor alternativa para cada estado de naturaleza y multiplicamos su pago por la probabilidad de ocurrencia de ese estado de naturaleza.

$$\text{VECIP} = \Sigma(\text{mejor pago en el estado de naturaleza } i)(\text{probabilidad del estado de naturaleza } i) \quad (3\text{-}2)$$

Si expandimos esto, se convierte en

VECIP= (mejor pago en el primer estado de naturaleza) $\times$ (probabilidad del primer estado de naturaleza)

+ (mejor pago en el segundo estado de naturaleza) $\times$ (probabilidad del segundo estado de naturaleza)

+ ... + (mejor pago en el último estado de naturaleza) $\times$ (probabilidad del último estado de naturaleza)

El valor esperado *de* la información perfecta, VEIP, es el valor esperado *con* información perfecta, menos el valor esperado *sin* información perfecta (es decir, el VME mejor o máximo). Entonces, el VEIP es la mejora en el VME que resulta al tener información perfecta.

$$\text{VEIP} = \text{VECIP} - \text{el mejor VME} \quad (3\text{-}3)$$

El VEIP es el valor esperado con información perfecta menos el máximo VME.

Remitiéndonos a la tabla 3.9, Thompson puede calcular el máximo que pagaría por información, es decir, el valor esperado de la información perfecta o VEIP. El proceso consta de tres etapas. Primero, se encuentra la mejor retribución en cada estado de naturaleza. Si la información perfecta indica que el mercado será favorable, construirá la planta grande y la ganancia será de $200,000. Si la información perfecta indica que el mercado será desfavorable, se elige la alternativa "no hacer nada", y la ganancia será de $0. Estos valores se muestran en la fila "con información perfecta" de la tabla 3.10. Segundo, se calcula el valor esperado *con* información perfecta. Luego, usando este resultado, se calcula el VEIP.

TABLA 3.10
Tabla de decisiones
con información
perfecta

	ESTADO DE NATURALEZA		
ALTERNATIVA	**MERCADO FAVORABLE ($)**	**MERCADO DESFAVORABLE ($)**	**VME ($)**
Construir una planta grande	200,000	−180,000	10,000
Construir una planta pequeña	100,000	−20,000	40,000
No hacer nada	0	0	0
Con información perfecta	200,000	0	(100,000) ← VECIP
Probabilidades	0.50	0.50	

El valor esperado con información perfecta es:

$$\text{VECIP} = (\$200{,}000)(0.50) + (\$0)(0.50) = \$100{,}000$$

Por ello, si tuviéramos información perfecta, el pago promediaría $100,000.

El VME máximo sin información adicional es de $40,000 (de la tabla 3.9). Por lo tanto, el incremento en el VME es:

$$
\begin{aligned}
\text{VEIP} &= \text{VECIP} - \text{VME máximo} \\
&= \$100{,}000 - \$40{,}000 \\
&= \$60{,}000
\end{aligned}
$$

Así, lo *más* que Thompson estaría dispuesto a pagar por información perfecta son $60,000. Desde luego, esto se basa de nuevo en la suposición de que la probabilidad de cada estado de naturaleza es de 0.50.

Este VEIP también nos indica que lo más que pagaríamos por cualquier información (perfecta o imperfecta) son $60,000. En una sección posterior veremos cómo dar un valor a la información imperfecta o a la información de una muestra.

Para encontrar el VEIP en problemas de minimización, el enfoque es similar. Se encuentra el mejor pago en cada estado de naturaleza, pero ahora es el menor pago de ese estado de naturaleza, en vez del mayor. El VECIP se calcula con estos valores más bajos y se compara con el mejor (menor) VME sin información perfecta. El VEIP es la mejora que resulta, y es el mejor VME – VECIP.

Pérdida de oportunidad esperada

La POE es el costo de no elegir la mejor solución.

Un enfoque alternativo para maximizar el VME es minimizar la *pérdida de oportunidad esperada* (POE). Primero se construye una tabla de pérdida de oportunidad. Luego, se calcula la POE para cada alternativa, multiplicando la pérdida de oportunidad por la probabilidad y sumando los resultados. En la tabla 3.7 se presenta la pérdida de oportunidad para el ejemplo de Thompson Lumber. Si usamos estas pérdidas de oportunidad, calculamos el POE de cada alternativa multiplicando por la probabilidad de cada estado de naturaleza por el valor adecuado de la pérdida de oportunidad, y sumamos los resultados:

$$
\begin{aligned}
\text{POE(construir una planta grande)} &= (0.5)(\$0) + (0.5)(\$180{,}000) \\
&= \$90{,}000
\end{aligned}
$$

$$
\begin{aligned}
\text{POE(construir una planta pequeña)} &= (0.5)(\$100{,}000) + (0.5)(\$20{,}000) \\
&= \$60{,}000
\end{aligned}
$$

$$
\begin{aligned}
\text{POE(no hacer nada)} &= (0.5)(\$200{,}000) + (0.5)(\$0) \\
&= \$100{,}000
\end{aligned}
$$

La tabla 3.11 da estos resultados. Usando la POE mínima como criterio de decisión, la segunda alternativa "construir una planta pequeña" sería la mejor decisión.

La POE siempre dará como resultado la misma decisión que el máximo VME.

Es importante observar que la mínima POE siempre dará como resultado la misma decisión que el VME máximo y que el VEIP siempre será igual que la mínima POE. Si nos referimos al caso Thompson, usamos la tabla de pagos para calcular el VEIP en $60,000. Observe que este es la POE mínima que acabamos de calcular.

TABLA 3.11
Tabla de la POE para
Thompson Lumber

ALTERNATIVA	ESTADO DE NATURALEZA		POE
	MERCADO FAVORABLE ($)	MERCADO DESFAVORABLE ($)	
Construir una planta grande	0	180,000	90,000
Construir una planta pequeña	100,000	20,000	60,000
No hacer nada	200,000	0	100,000
Probabilidades	0.50	0.50	

Análisis de sensibilidad

El análisis de sensibilidad investiga la forma en que cambiaría nuestra decisión si los datos de entrada fueran diferentes.

En las secciones anteriores determinamos que la mejor decisión (con probabilidades conocidas) para Thompson Lumber era construir la planta pequeña, con un valor esperado de $40,000. Esta conclusión depende de los valores de las consecuencias económicas y de dos valores de probabilidad para un mercado favorable y desfavorable. El *análisis de sensibilidad* investiga de qué modo cambiaría nuestra decisión dado un cambio en los datos del problema. En esta sección, investigamos la influencia que tendría un cambio en los valores de probabilidad sobre la decisión que enfrenta Thompson Lumber. Primero, definimos la siguiente variable:

$$P = \text{probabilidad de un mercado favorable}$$

Como únicamente hay dos estados de naturaleza, la probabilidad de un mercado desfavorable debe ser $1 - P$.

Podemos ahora expresar los VME en términos de P, como se indica en las siguientes ecuaciones. Una gráfica de estos valores del VME se ilustra en la figura 3.1.

$$\begin{aligned} \text{VME (planta grande)} &= \$200{,}000P - \$180{,}000(1 - P) \\ &= \$200{,}000P - \$180{,}000 + 180{,}000P \\ &= \$380{,}000P - \$180{,}000 \end{aligned}$$

$$\begin{aligned} \text{VME (planta pequeña)} &= \$100{,}000P - \$20{,}000(1 - P) \\ &= \$100{,}000P - \$20{,}000 + 20{,}000P \\ &= \$120{,}000P - \$20{,}000 \end{aligned}$$

$$\text{VME (no hacer nada)} = \$0P + \$0(1 - P) = \$0$$

Como se observa en la figura 3.1, la mejor decisión es no hacer nada mientras P esté entre 0 y la probabilidad asociada con el punto 1, donde el VME por no hacer nada es igual al VME de la planta pequeña. Cuando P está entre las probabilidades de los puntos 1 y 2, la mejor decisión es construir la planta pequeña. El punto 2 es donde el VME para la planta pequeña es igual al VME para la planta

FIGURA 3.1
Análisis de sensibilidad

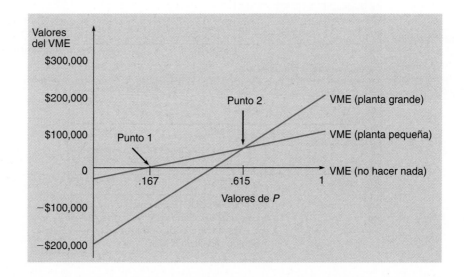

grande. Cuando P es mayor que la probabilidad para el punto 2, la mejor decisión es construir la planta grande. Desde luego, esto es lo que se esperaría cuando P aumente. El valor de P en los puntos 1 y 2 se calcula como sigue:

Punto 1: VME (no hacer nada) = VME (planta pequeña)

$$0 = \$120,000P - \$20,000 \quad P = \frac{20,000}{120,000} = 0.167$$

Punto 2: VME (planta pequeña) = VME (planta grande)

$$\$120,000P - \$20,000 = \$380,000P - \$180,000$$

$$260,000P = 160,000 \quad P = \frac{160,000}{260,000} = 0.615$$

Los resultados de este análisis de sensibilidad se presentan en la siguiente tabla:

MEJOR ALTERNATIVA	RANGO DE VALORES DE P
No hacer nada	Menor que 0.167
Construir una planta pequeña	0.167 a 0.615
Construir una planta grande	Mayor que 0.615

Uso de Excel QM para resolver problemas de teoría de decisiones

Excel QM sirve para resolver una variedad de problemas de la teoría de las decisiones estudiados en este capítulo. Los programas 3.1A y 3.1B muestran el uso de Excel QM para resolver el caso Thompson Lumber. El programa 3.1A proporciona las fórmulas necesarias para calcular VME, maximin, maximax y otras medidas. El programa 3.1B son los resultados de estas fórmulas.

PROGRAMA 3.1A

Datos de entrada para el problema de Thompson Lumber usando Excel QM

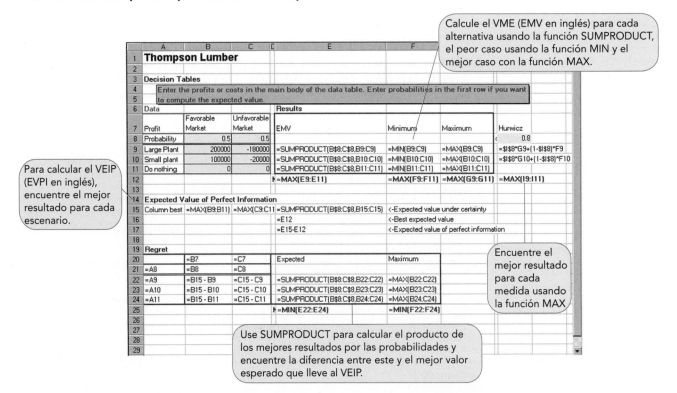

PROGRAMA 3.1B

Resultados para el problema de Thompson Lumber usando Excel QM

	A	B	C	D	E	F	G	H	I	J	K
1	**Thompson Lumber**										
2											
3	**Decision Tables**										
4	Enter the profits or costs in the main body of the data table. Enter probabilities in the										
5	first row if you want to compute the expected value.										
6	Data				Results						
7	Profit	Favorable Market	Unfavorable Market		EMV	Minimum	Maximum		Hurwicz		
8	Probability	0.5	0.5					coefficient	0.8		
9	Large Plant	200000	-180000		10000	-180000	200000		124000		
10	Small plant	100000	-20000		40000	-20000	100000		76000		
11	Do nothing	0	0		0	0	0				
12				Maximum	40000	0	200000		124000		
13											
14	**Expected Value of Perfect Information**										
15	Column best	200000	0		100000	<-Expected value under certainty					
16					40000	<-Best expected value					
17					60000	<-Expected value of perfect information					
18											
19	**Regret**										
20		Favorable M	Unfavorable Market		Expected	Maximum					
21	Probability	0.5	0.5								
22	Large Plant	0	180000		90000	180000					
23	Small plant	100000	20000		60000	100000					
24	Do nothing	200000	0		100000	200000					
25				Minimum	60000	100000					

3.6 Árboles de decisiones

Cualquier problema que se pueda presentar en una tabla de decisiones también se puede ilustrar con una gráfica denominada **árbol de decisiones**. Todos los árboles de decisiones son similares en cuanto a que contienen *puntos de decisión* o **nodos de decisión** y *puntos de estados de naturaleza* o **nodos de estado de naturaleza**:

- Un nodo de decisión es aquel donde se puede elegir una entre varias alternativas
- Un nodo de estado de naturaleza indica de los estados de naturaleza que pueden ocurrir

Al dibujar un árbol, comenzamos por la izquierda y nos movemos hacia la derecha. Así, el árbol presenta decisiones y resultados en orden secuencial. Las líneas o ramas que salen de los cuadros (nodos de decisión) representan alternativas; en tanto que las ramas que salen de los círculos representan estados de naturaleza. La figura 3.2 da el árbol de decisiones básico para el ejemplo de Thompson Lumber. Primero, John decide entre construir una planta grande, una pequeña o ninguna. Después, una vez que toma esta decisión, ocurren los posibles estados de naturaleza o resultados (mercado favorable o desfavorable). El siguiente paso es colocar los pagos y las probabilidades en el árbol y comenzar el análisis.

El análisis de problemas con árboles de decisiones incluye cinco pasos:

Cinco pasos para el análisis del árbol de decisiones

1. Definir el problema.
2. Estructurar o dibujar un árbol de decisiones.
3. Asignar probabilidades a cada estado de naturaleza.
4. Estimar los pagos para cada combinación posible de alternativas y estados de naturaleza.
5. Resolver el problema comparando los valores monetarios esperados (VME) para cada nodo de estado de naturaleza. Esto se hace trabajando hacia atrás, es decir, comenzando en la derecha del árbol y trabajando hacia atrás a los nodos de decisión a la izquierda. Además, en cada nodo de decisión, se selecciona la alternativa con el mejor VME.

El árbol de decisiones final con los pagos y las probabilidades para la situación de decisión de John Thompson se muestra en la figura 3.3. Observe que los pagos se colocan a la derecha de cada rama del árbol. Las probabilidades se muestran entre paréntesis al lado de cada estado de naturaleza. Comenzando con los pagos a la derecha de la figura, se calculan los VME para cada estado de naturaleza y, luego, se colocan al lado de sus respectivos nodos. El VME del primer nodo es

FIGURA 3.2

Árbol de decisiones de Thompson

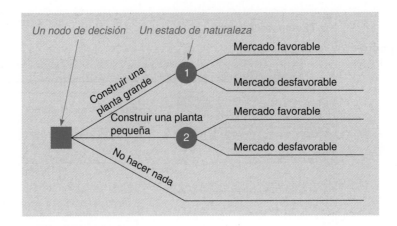

de $10,000. Esto representa la rama desde el nodo de decisión de construir una planta grande. El VME para el nodo 2, construir una planta pequeña, es de $40,000. No construir o no hacer nada, desde luego, tiene un pago de $0. Debería elegirse la rama que sale el nodo de decisión que lleva al nodo del estado de naturaleza con el mayor VME. En el caso Thompson, tendría que construirse una planta pequeña.

UNA DECISIÓN MÁS COMPLEJA PARA THOMPSON LUMBER: INFORMACIÓN MUESTRAL Cuando es necesario tomar **decisiones secuenciales**, los árboles de decisiones son una herramienta mucho más poderosa que las tablas de decisiones. Digamos que John Thompson tiene que tomar dos decisiones, con la segunda decisión dependiente del resultado de la primera. Antes de decidir acerca de la construcción de la nueva planta, John tiene la opción de realizar su propio estudio de investigación de mercados a un costo de $10,000. La información de su estudio puede ayudarle a decidir si construir una planta grande, una pequeña o ninguna. John reconoce que ese estudio de mercado no le proporcionará la información *perfecta*, aunque podría ayudarlo bastante de todas formas.

Deben considerarse todos los resultados y todas las alternativas.

El nuevo árbol de decisiones de John se representa en la figura 3.4. Observemos con cuidado este árbol más complejo. Note que incluye *todos los resultados y las alternativas posibles* en su secuencia lógica. Esta es una de las fortalezas de usar árboles de decisiones al tomar decisiones. El usuario está forzado a examinar todos los resultados posibles, incluyendo los desfavorables. También está forzado a tomar decisiones de manera lógica y secuencial.

Al examinar el árbol, vemos que el primer punto de decisión de Thompson es realizar el estudio de mercado de $10,000. Si elige no hacerlo (parte inferior del árbol), puede ya sea construir una planta grande, una pequeña o ninguna. Este es el segundo punto de decisión de John. El mercado será favorable (probabilidad de 0.50) o desfavorable (también probabilidad de 0.50) si construye. Los pagos para cada una de las consecuencias posibles se listan en el lado derecho. De hecho, la parte inferior del árbol de John es *idéntica* al árbol de decisión más sencillo que se ilustra en la figura 3.3. ¿Por qué?

FIGURA 3.3

Árbol de decisiones para Thompson Lumber completo y resuelto

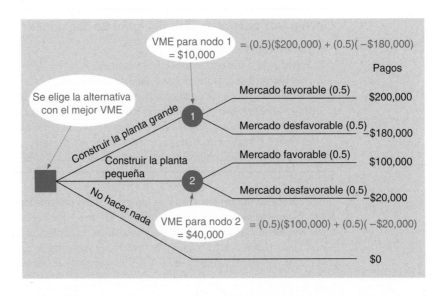

FIGURA 3.4

Árbol de decisión más grande con pagos y probabilidades para Thompson Lumber

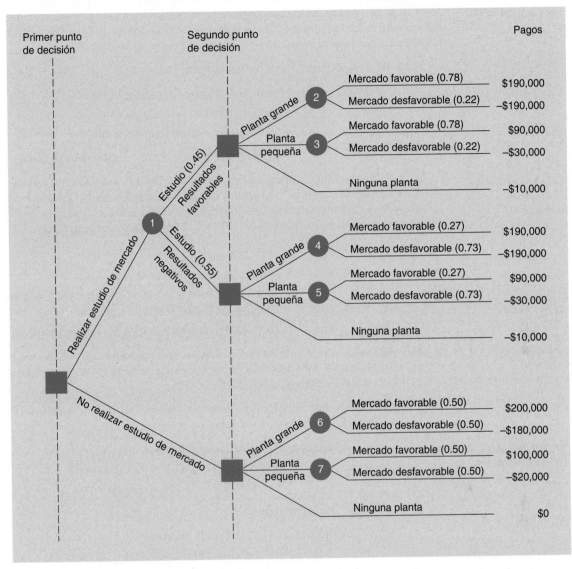

La parte superior de la figura 3.4 refleja la decisión de realizar el estudio de mercado. El nodo 1 del estado de naturaleza tiene dos ramas. Hay 45% de posibilidades de que el estudio indique un mercado favorable para las casetas de almacenamiento. También vemos que la probabilidad de que el estudio resulte negativo es de 0.55. La derivación de esta probabilidad se analizará en la siguiente sección.

La mayoría de las probabilidades son probabilidades condicionales.

El resto de las probabilidades que se muestran entre paréntesis en la figura 3.4 son todas **probabilidades condicionales** o **probabilidades posteriores** (estas probabilidades también se analizarán en la siguiente sección). Por ejemplo, 0.78 es la probabilidad de un mercado favorable para las casetas dado un resultado favorable en el estudio. Desde luego, se esperaría encontrar una alta probabilidad de un mercado favorable, pues la investigación indicó que el mercado era bueno; sin embargo, no olvide que existe la posibilidad de que el estudio de $10,000 de John no proporcione información perfecta o ni siquiera confiable. Cualquier estudio de mercado está sujeto a error. En este caso, existe 22% de posibilidades de que el mercado para las casetas sea desfavorable dado que los resultados del estudio son positivos.

Observamos que hay 27% de posibilidades de que el mercado de las casetas sea favorable dado que el estudio de John resulte negativo. La probabilidad es mucho mayor, 0.73, de que el mercado sea de hecho desfavorable dado que el estudio era negativo.

El costo del estudio tiene que restarse de los pagos originales.

Por último, cuando vemos la columna de pagos en la figura 3.4, notamos que $10,000, el costo del estudio de mercado, debería restarse de cada una de las 10 ramas superiores del árbol. Así, una planta grande con un mercado favorable generalmente daría una ganancia neta de $200,000; pero

Comenzamos por calcular el VME de cada rama.

como se realizó el estudio de mercado, esta cifra se reduce en $10,000, quedando en $190,000. El caso desfavorable, la pérdida de $180,000 aumentaría a una pérdida mayor de $190,000. De manera similar, realizar el estudio y no construir una planta ahora da como resultado un pago de –$10,000.

Con todas las probabilidades y pagos especificados, calculamos el VME en cada nodo del estado de naturaleza. Comenzamos por el final o por el lado derecho del árbol de decisiones, y trabajamos hacia atrás hasta el origen. Al terminar, se conocerán las mejores decisiones.

1. Dado un resultado favorable en el estudio de mercado,

$$\text{VME (nodo 2)} = \text{VME (planta grande} \mid \text{estudio positivo)}$$
$$= (0.78)(\$190,000) + (0.22)(-\$190,000) = \$106,400$$
$$\text{VME (nodo 3)} = \text{VME (planta pequeña} \mid \text{estudio positivo)}$$
$$= (0.78)(\$90,000) + (0.22)(-\$30,000) = \$63,600$$

Primero se hacen los cálculos del VME para los resultados favorables del estudio.

El VME de no construir la planta en este caso es de –$10,000. Así, cuando el estudio resulta favorable, debería construirse una planta grande. Note que llevamos el valor esperado de esta decisión ($106,400) al nodo de decisión para indicar que, si los resultados del estudio son positivos, nuestro valor esperado será de $106,400. Esto se muestra en la figura 3.5.

2. Dado un resultado negativo del estudio,

$$\text{VME (nodo 4)} = \text{VME (planta grande} \mid \text{estudio negativo)}$$
$$= (0.27)(\$190,000) + (0.73)(-\$190,000) = -\$87,400$$
$$\text{VME (nodo 5)} = \text{VME (planta pequeña} \mid \text{estudio negativo)}$$
$$= (0.27)(\$90,000) + (0.73)(-\$30,000) = \$2,400$$

Los cálculos del VME para resultados del estudio desfavorables se realizan después.

El VME de ninguna planta es de nuevo –$10,000 para esta rama. Así, dado un resultado negativo del estudio, John debería construir una planta pequeña con un valor esperado de $2,400 y esta cifra se indica en el nodo de decisión.

3. Continuando en la parte superior del árbol y moviéndonos hacia atrás, calculamos el valor esperado de realizar un estudio de mercado:

$$\text{VME (nodo 1)} = \text{VME (realizar estudio)}$$
$$= (0.45)(\$106,400) + (0.55)(\$2,400)$$
$$= \$47,880 + \$1,320 = \$49,200$$

Continuamos trabajando hacia atrás hasta el origen, calculando los VME.

4. Si *no* se realiza el estudio de mercado,

$$\text{VME (nodo 6)} = \text{VME (planta grande)}$$
$$= (0.50)(\$200,000) + (0.50)(-\$180,000)$$
$$= \$10,000$$
$$\text{VME (nodo 7)} = \text{VME (planta pequeña)}$$
$$= (0.50)(\$100,000) + (0.50)(-\$20,000)$$
$$= \$40,000$$

El VME de ninguna planta es de $0.

Entonces, construir una planta pequeña es la mejor elección, dado que el estudio de mercado no se realiza, como se vio antes.

5. Nos movemos hacia atrás al primer nodo de decisión y elegimos la mejor alternativa. El valor monetario esperado de realizar el estudio es de $49,200 contra un VME de $40,000 cuando no se realiza el estudio, de manera que la mejor opción es *buscar* información de marketing. Si el estudio resulta favorable, John debería construir una planta grande; pero si resulta negativo, debería construir una planta pequeña.

En la figura 3.5, estos valores esperados se colocan en el árbol de decisiones. Observe que en el árbol un par de diagonales / / que cruzan una rama de decisiones indican que se deja de considerar una alternativa específica. Esto se debe a que su VME es más bajo que el VME para la mejor alternativa. Después de resolver varios problemas del árbol de decisiones, es posible que encuentre más sencillo hacer todos los cálculos en el diagrama de árbol.

FIGURA 3.5

Árbol de decisiones para Thompson que muestra los VME

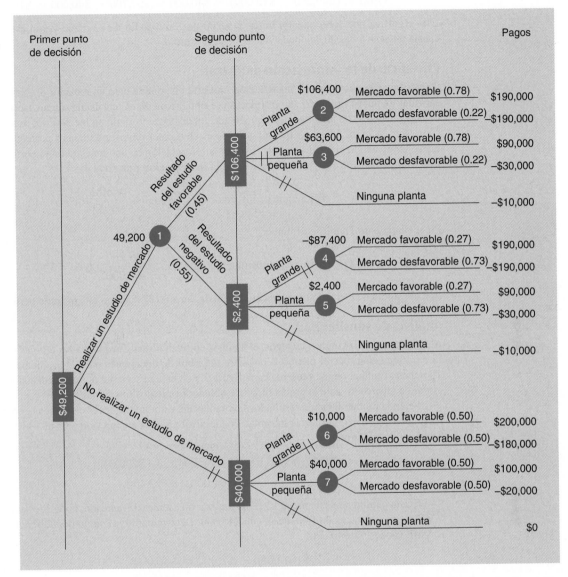

VALOR ESPERADO DE LA INFORMACIÓN MUESTRAL Con el estudio de mercado que intenta realizar, John Thompson sabe que su mejor decisión será construir una planta grande si el estudio es favorable, o bien, una planta pequeña si el estudio resulta negativo. No obstante, John también se da cuenta de que investigar el mercado no es gratis. Le gustaría saber cuál es el valor real de hacer un estudio. Una forma de medir el valor de la información de mercado es calcular el **valor esperado de la información muestral** (VEIM), que es el incremento en el valor esperado como resultado de la información muestral.

El valor esperado *con* información muestral (VE con IM) se encuentra a partir del árbol de decisiones y el costo de la información muestral se agrega a este, pues se restó de todas los pagos antes de calcular el VE con IM. Ahora, el valor esperado *sin* información muestral (VE sin IM) se resta de esto para determinar el valor de la información de la muestra.

El VEIM mide el valor de la información muestral.

$$\text{VEIM} = (\text{VE con IM} + \text{costo}) - (\text{VE sin IM}) \tag{3-4}$$

donde:

VEIM = valor esperado de la información muestral

VE con IM = valor esperado con información muestral

VE sin IM = valor esperado sin información muestral

En el caso de John, su VME sería $59,000 *si* no hubiera restado el costo de $10,000 del estudio en cada pago. (¿Comprende a que se debe esto? Si no, sume $10,000 a cada pago, como en el problema original de Thompson y recalcule el VME de realizar el estudio de mercado). En la rama inferior de la figura 3.5, vemos que el VME de *no* reunir la información de una muestra es de $40,000. Así,

$$\text{VEIM} = (\$49,200 + \$10,000) - \$40,000 = \$59,200 - \$40,000 = \$19,200$$

Esto significa que John pagaría hasta $19,200 por un estudio de mercado y aún así ganar. Como cuesta tan solo $10,000, sin duda vale la pena el estudio.

Eficiencia de la información muestral

Quizás haya muchos tipos de información muestral disponible para un tomador de decisiones. Al desarrollar un nuevo producto, la información se obtiene mediante encuestas, de un grupo de enfoque, con otras técnicas de investigación de mercados o, de hecho, usando un mercado de prueba para saber cómo será la venta. Mientras que ninguna de estas fuentes de información es perfecta, pueden evaluarse comparando el VEIM con el VEIP. Si la información de una muestra fuera perfecta, entonces, la eficiencia sería de 100%. La **eficiencia de la información muestral** es:

$$\text{Eficiencia de información muestral} = \frac{\text{VEIM}}{\text{VEIM}}100\% \tag{3-5}$$

En el ejemplo de Thompson Lumber,

$$\text{Eficiencia de la información muestral} = \frac{19,200}{60,000}100\% = 32\%$$

Así, el estudio de mercado tiene una eficiencia de tan solo 32% como información perfecta.

Análisis de sensibilidad

Al igual que con las tablas de pagos, el análisis de sensibilidad se aplica a los árboles de decisiones. El enfoque general es el mismo. Considere un árbol de decisiones para el problema extendido de Thompson Lumber que se presenta en la figura 3.5. ¿Qué tan sensible es nuestra decisión (realizar un estudio de mercado) ante la probabilidad de obtener resultados favorables?

Sea p la probabilidad de resultados favorables del estudio. Entonces $(1 - p)$ es la probabilidad de resultados negativos. Dada esta información, desarrollamos una expresión para el VME de realizar el estudio, que es el nodo 1:

$$\text{VME(nodo 1)} = (\$106,400)p + (\$2,400)(1 - p)$$
$$= \$104,000p + \$2,400$$

Existe indiferencia cuando el VME de realizar un estudio de mercado, nodo 1, es el mismo que el VME de no realizar el estudio, que es de $40,000. Determinamos el punto de indiferencia igualando el VME (nodo 1) a $40,000:

$$\$104,000p + \$2,400 = \$40,000$$
$$\$104,000p = \$37,600$$
$$p = \frac{\$37,600}{\$104,000} = 0.36$$

Siempre que la probabilidad de resultados favorables del estudio, p, sea mayor que 0.36, nuestra decisión no cambiará. Cuando p sea menor que 0.36, nuestra decisión será no realizar el estudio.

También se puede hacer un análisis de sensibilidad para otros parámetros del problema. Por ejemplo, ver qué tan sensible es nuestra decisión ante la probabilidad de un mercado favorable, dado que los resultados del estudio son favorables. En este punto, la probabilidad es de 0.78. Si este valor sube, la planta grande se vuelve más atractiva. En tal caso, nuestra decisión no cambiaría. ¿Qué ocurre si la probabilidad baja? El análisis se vuelve más complejo. Cuando baja la probabilidad de un mercado favorable dado un resultado favorable del estudio, la planta pequeña parecería más atractiva. En algún punto, la planta pequeña dará un mayor VME (dados resultados favorables del estudio) que la planta grande. No obstante, esto no concluye nuestro análisis. Si la probabilidad de un mercado favorable dados resultados favorables del estudio sigue bajando, habrá un punto donde no realizar el estudio, con un VME de $40,000, será mejor que sí realizarlo. Dejamos los cálculos al lector. Es importante observar que el análisis de sensibilidad debería considerar *todas* las consecuencias posibles.

3.7 Cómo se estiman los valores de probabilidad en el análisis bayesiano

El teorema de Bayes permite a los tomadores de decisiones revisar los valores de probabilidad.

Existen muchas maneras de obtener datos de probabilidades para un problema como el de Thompson. Los números (como 0.78, 0.22, 0.27, 0.73 en la figura 3.4) pueden ser evaluados por un gerente con experiencia e intuición. También es posible derivar de datos históricos o calcularlos a partir de otros datos disponibles mediante el teorema de Bayes. La ventaja del teorema de Bayes es que incorpora tanto las estimaciones iniciales de las probabilidades como información acerca de la precisión de la fuente de información (como un estudio de mercado).

El enfoque del teorema de Bayes reconoce que un tomador de decisiones no sabe con certidumbre qué estado de naturaleza ocurrirá. Permite al gerente revisar su evaluación inicial de las probabilidades con base en información nueva. Las probabilidades revisadas se llaman **probabilidades posteriores**. (Antes de continuar, tal vez quiera repasar el teorema de Bayes en el capítulo 2).

Cálculo de las probabilidades revisadas

En el caso de Thompson Lumber resuelto en la sección 3.6, hicimos la suposición de que se conocían las siguientes cuatro probabilidades condicionales:

$$P(\text{mercado favorable (MF)} \mid \text{resultado positivo del estudio}) = 0.78$$

$$P(\text{mercado desfavorable (MD)} \mid \text{resultado positivo del estudio}) = 0.22$$

$$P(\text{mercado favorable (MF)} \mid \text{resultado negativo del estudio}) = 0.27$$

$$P(\text{mercado desfavorable (MD)} \mid \text{resultado negativo del estudio}) = 0.73$$

Ahora veremos cómo John Thompson pudo derivar estos valores con el teorema de Bayes. Por la discusión con los especialistas en estudios de mercado en la universidad de su ciudad, John sabe que los estudios especiales como el de él resultarán positivos (es decir, predecirán un mercado favorable) o negativos (es decir, predecirán un mercado desfavorable). Los expertos han dicho a John que, estadísticamente, de todos los nuevos productos con un *mercado favorable* (MF), los estudios de mercado eran positivos y predijeron el éxito correctamente 70% de las veces, y 30% de las veces los estudios predijeron falsamente resultados negativos, o *mercado desfavorable* (MD). Por otro lado, cuando en realidad había un mercado desfavorable para un nuevo producto, 80% de los estudios predijeron correctamente resultados negativos. Los estudios dieron una predicción incorrecta de resultados positivos el restante 20% de las veces. Estas probabilidades condicionales se resumen en la tabla 3.12. Son una indicación de la precisión del estudio que John piensa realizar.

Recuerde que sin información del estudio de mercado, las mejores estimaciones de John de un mercado favorable y un mercado desfavorable son

$$P(\text{MF}) = 0.50$$
$$P(\text{MD}) = 0.50$$

Estas se conocen como *probabilidades previas*.

Ahora estamos listos para calcular las probabilidades revisadas o posteriores de Thompson. Las probabilidades deseadas son el inverso de las probabilidades de la tabla 3.12. Necesitamos la probabilidad de un mercado favorable o desfavorable dado un resultado positivo o negativo del estudio de mercado. La forma general del teorema de Bayes presentada en el capítulo 2 es:

$$P(A|B) = \frac{P(B|A)P(A)}{P(B|A)P(A) + P(B|A')P(A')} \tag{3-6}$$

TABLA 3.12

Confiabilidad del estudio de mercado para predecir estados de naturaleza

RESULTADO DEL ESTUDIO	ESTADO DE NATURALEZA	
	MERCADO FAVORABLE (MF)	MERCADO DESFAVORABLE (MD)
Positivo (predice mercado favorable para el producto)	$P(\text{estudio positivo} \mid \text{MF}) = 0.70$	$P(\text{estudio positivo} \mid \text{MD}) = 0.20$
Negativo (predice mercado desfavorable para el producto)	$P(\text{estudio negativo} \mid \text{MF}) = 0.30$	$P(\text{estudio negativo} \mid \text{MD}) = 0.80$

donde:

$$A, B = \text{cualesquier dos eventos}$$
$$A' = \text{complemento de } A$$

Podemos decir que A representa un mercado favorable y B representa un estudio de mercado positivo. Entonces, sustituyendo los números adecuados en esta ecuación, obtenemos las probabilidades condicionales, dado que el estudio de mercado es positivo:

$$P(\text{MF}|\text{estudio positivo}) = \frac{P(\text{estudio positivo}|\text{MF})P(\text{MF})}{P(\text{estudio positivo}|\text{MF})P(\text{MF}) + P(\text{estudio positivo}|\text{MD})P(\text{MD})}$$

$$= \frac{(0.70)(0.50)}{(0.70)(0.50) + (0.20)(0.50)} = \frac{0.35}{0.45} = 0.78$$

$$P(\text{MD}|\text{estudio positivo}) = \frac{P(\text{estudio positivo}|\text{MD})P(\text{MD})}{P(\text{estudio positivo}|\text{MD})P(\text{MD}) + P(\text{estudio positivo}|\text{MF})P(\text{MF})}$$

$$= \frac{(0.20)(0.50)}{(0.20)(0.50) + (0.70)(0.50)} = \frac{0.10}{0.45} = 0.22$$

Observe que el denominador (0.45) en estos cálculos es la probabilidad de un estudio positivo. Un método alternativo para estos cálculos consiste en usar una tabla de probabilidades como la tabla 3.13.

Las probabilidades condicionales, dado que el estudio de mercado es negativo, son:

$$P(\text{MF}|\text{estudio negativo}) = \frac{P(\text{estudio negativo}|\text{MF})P(\text{MF})}{P(\text{estudio negativo}|\text{MF})P(\text{MF}) + P(\text{estudio negativo}|\text{MD})P(\text{MD})}$$

$$= \frac{(0.30)(0.50)}{(0.30)(0.50) + (0.80)(0.50)} = \frac{0.15}{0.55} = 0.27$$

$$P(\text{MD}|\text{estudio negativo}) = \frac{P(\text{estudio negativo}|\text{MD})P(\text{MD})}{P(\text{estudio negativo}|\text{MD})P(\text{MD}) + P(\text{estudio negativo}|\text{MF})P(\text{MF})}$$

$$= \frac{(0.80)(0.50)}{(0.80)(0.50) + (0.30)(0.50)} = \frac{0.40}{0.55} = 0.73$$

Advierta que el denominador (0.55) en estos cálculos es la probabilidad de un estudio negativo. Estos cálculos dado un estudio negativo también podrían realizarse en una tabla, como la tabla 3.14.

Los cálculos mostrados en las tablas 3.13 y 3.14 se realizan en una hoja de cálculo de Excel. El programa 3.2A muestra las fórmulas usadas en Excel, y el programa 3.2B presenta la salida final para este ejemplo.

Las nuevas probabilidades brindan información valiosa.

Las probabilidades posteriores ahora dan a John estimaciones para cada estado de naturaleza, si los resultados del estudio son positivos o negativos. Como sabe, la **probabilidad previa** de John para el éxito sin un estudio de mercado era de solo 0.50. Ahora está consciente de que la probabilidad de éxito para comercializar casetas de almacenamiento será de 0.78, si los resultados de su estudio son

TABLA 3.13 Probabilidades revisadas dado un estudio positivo

ESTADO DE NATURALEZA	PROBABILIDAD CONDICIONAL P (ESTUDIO POSITIVO| ESTADO DE NAT.)	PROBABILIDAD PREVIA	PROBABILIDAD CONJUNTA	PROBABILIDADES POSTERIORES P(ESTADO DE NAT. | ESTUDIO POSITIVO)
MF	0.70	×0.50	= 0.35	0.35/0.45 = 0.78
MD	0.20	×0.50	= 0.10	0.10/0.45 = 0.22
		P(estudio positivo) = 0.45		1.00

TABLA 3.14 **Probabilidades revisadas dado un estudio negativo**

ESTADO DE NATURALEZA	PROBABILIDAD CONDICIONAL P(ESTUDIO NEGATIVO| ESTADO DE NAT.)	PROBABILIDAD PREVIA	PROBABILIDAD CONJUNTA	PROBABILIDADES POSTERIORES
				P(ESTADO DE NAT.| ESTUDIO NEGATIVO)
MF	0.30	×0.50	= 0.15	0.15/0.55 = 0.27
MD	0.80	×0.50	= 0.40	0.40/0.55 = 0.73
		P(estudio negativo) =	0.55	1.00

PROGRAMA 3.2A

Fórmulas usadas para los cálculos de Bayes con Excel

PROGRAMA 3.2B

Resultados de los cálculos de Bayes con Excel

positivos. Sus posibilidades de éxito bajan a 27% cuando el estudio es negativo. Se trata de información valiosa para la gerencia, como vimos antes en el análisis del árbol de decisiones.

Problema potencial en el uso de los resultados de un estudio

En muchos problemas de toma de decisiones, los resultados de estudios o los estudios piloto se hacen antes de tomar una decisión real (como construir una nueva planta o tomar un curso de acción específico). Como se ha analizado en esta sección, el análisis de Bayes sirve para ayudar a determinar las probabilidades condicionales correctas que se necesitan para resolver este tipo de problemas de teoría de las decisiones. Al calcular las probabilidades condicionales, debemos tener datos acerca de los estudios y su exactitud. Si se toma una decisión de construir una planta o de realizar alguna otra acción, podemos determinar la exactitud de nuestros estudios. Por desgracia, no siempre podemos obtener datos acerca de esas situaciones en que la decisión fue no construir una planta o no seguir algún otro curso de acción. Por lo tanto, algunas veces cuando usamos resultados de estudios, estamos basando nuestras probabilidades tan solo en esos casos donde, de hecho, se tomó la decisión de construir una planta o seguir algún curso de acción. Esto significa que, en algunas situaciones, la información de la **probabilidad condicional** quizá no sea tan precisa como quisiéramos. Aun así, calcular las probabilidades condicionales ayuda a refinar el proceso de toma de decisiones y, en general, a tomar mejores decisiones.

3.8   Teoría de la utilidad

Nos hemos centrado en el criterio del VME para tomar decisiones con riesgo. Sin embargo, existen ocasiones en las cuales los individuos toman decisiones que parecerían incongruentes con el criterio del VME. Cuando alguien compra un seguro, la cantidad de la prima es mayor que el pago esperado de la compañía de seguros, porque la prima incluye el pago esperado, el costo general y la ganancia de la compañía de seguros. Una persona involucrada en una demanda legal quizás elija pactar fuera de la corte en vez de ir a juicio aun cuando el valor esperado de ir a juicio sea mayor que el arreglo propuesto. Un individuo compra billetes de lotería aun cuando el rendimiento esperado sea negativo. Los juegos de casino de todo tipo tienen rendimiento esperado negativo para el jugador, pero millones de personas los juegan. Un hombre de negocios puede descartar una decisión potencial porque llevaría a la quiebra a la empresa si las cosas salen mal, aunque el rendimiento esperado de esta decisión sea mejor que todas las otras alternativas.

El valor general del resultado de una decisión se llama utilidad.

¿Por qué las personas toman decisiones que no maximizan su VME? Lo hacen porque el valor monetario no siempre es un indicador válido del valor general del resultado de la decisión. El valor general de un resultado específico se llama **utilidad**, y las personas racionales toman decisiones que maximizan la utilidad esperada. Aunque algunas veces el valor monetario es un buen indicador de la utilidad, otras no lo es. Esto es cierto sobre todo cuando algunos de los valores implican un pago enormemente grande o una pérdida significativa en extremo. Por ejemplo, suponga que tiene la suerte de tener un billete de lotería. Dentro de cinco minutos, puede lanzarse una moneda y si cae cruz, ganaría $5 millones. Si sale cara, no ganaría nada. Hace tan solo un momento, una persona adinerada le ofreció $2 millones por su billete. Supongamos que no tiene duda respeto a la validez de la oferta. La persona le dará un cheque certificado por la cantidad completa y usted está absolutamente seguro de que el cheque será bueno.

La figura 3.6 presenta un árbol de decisiones para esta situación. El VME de rechazar la oferta indica que debería quedarse con su billete, pero ¿qué va a hacer? Piense, $2 millones *seguros* en vez de una posibilidad de 50% de obtener nada. Suponga que usted es lo suficientemente codicioso para quedarse con el billete y luego pierde. ¿Cómo lo explicaría a sus amigos? ¿No hubieran sido suficientes $2 millones para gozar comodidades por un rato?

FIGURA 3.6

Su árbol de decisiones para el billete de lotería

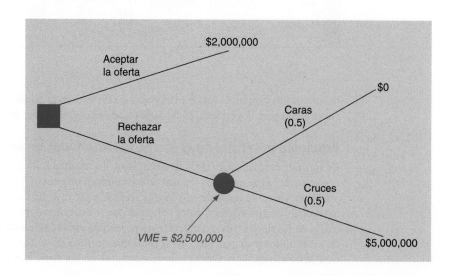

El VME no siempre es el mejor enfoque.

La mayoría de la gente optaría por vender el billete por los $2 millones. Tal vez, casi todos nosotros estaríamos dispuestos a pactar por mucho menos. Qué tanto bajaríamos, desde luego, es asunto de las preferencias personales. Las personas tienen sentimientos diferentes acerca de buscar o evitar el riesgo. Usar tan solo el VME no siempre es una buena manera de tomar esta clase de decisiones.

Una forma de incorporar sus propias actitudes hacia el riesgo es mediante la **teoría de la utilidad**. En la siguiente sección exploraremos primero cómo medir la utilidad y, luego, cómo usar la medida de la utilidad en la toma de decisiones.

Medición de la utilidad y construcción de una curva de la utilidad

La evaluación de la utilidad asigna al peor resultado una utilidad de 0 y al mejor resultado una utilidad de 1.

El primer paso al usar la teoría de la utilidad es asignar los valores de la utilidad a cada valor monetario en una situación específica. Es conveniente comenzar la **evaluación de la utilidad** asignando al peor resultado una utilidad de 0 y al mejor resultado una utilidad de 1. Aunque se pueden usar cualesquiera valores siempre que la utilidad para el mejor resultado sea mayor que la utilidad para el peor resultado, usar 0 y 1 tiene algunos beneficios. Como elegimos usar 0 y 1, todos los demás resultados tendrán un valor de la utilidad entre 0 y 1. Al determinar las utilidades de todos los resultados, diferentes del mejor y el peor, se considera un **juego estándar**, que se muestra en la figura 3.7.

En la figura 3.7, p es la probabilidad de obtener el mejor resultado y $(1 - p)$ es la probabilidad de obtener el peor resultado. Evaluar la utilidad de cualquier otro resultado implica determinar la probabilidad (p), que lo hace indiferente entre la alternativa 1, que es el juego entre el mejor y el peor resultado, y la alternativa 2, que es obtener con seguridad el otro resultado. Cuando hay indiferencia entre las alternativas 1 y 2, las utilidades esperadas para esas dos alternativas deben ser iguales. Esta relación se muestra como

Cuando se es indiferente, las utilidades esperadas son iguales.

Utilidad esperada de alternativa 2 = utilidad esperada de alternativa 1

$$\text{Utilidad de otro resultado} = (p) \text{ (utilidad del } \textit{mejor} \text{ resultado, que es 1)} \tag{3-7}$$
$$+ (1 - p) \text{ (utilidad del } \textit{peor} \text{ resultado, que es 0)}$$

$$\text{Utilidad de otro resultado} = (p)(1) + (1 - p)(0) = p$$

Ahora todo lo que tiene que hacer es determinar el valor de la probabilidad (p) que lo hace indiferente entre las alternativas 1 y 2. Al establecer la probabilidad, debería estar consciente de que la evaluación de la utilidad es completamente subjetiva. Es un valor establecido por el tomador de decisiones que no se puede medir en una escala objetiva. Veamos un ejemplo.

Jane Dickson quiere construir una curva de la utilidad que revele su preferencia por el dinero entre $0 y $10,000. Una **curva de la utilidad** es una gráfica que presenta los valores de la utilidad contra el valor monetario. Ella puede invertir su dinero en una cuenta de ahorros bancaria, o bien, invertir el mismo dinero en la compra de bienes raíces.

Una vez determinados los valores de la utilidad se puede construir una curva de la utilidad.

Si invierte el dinero en el banco, en tres años Jane tendría $5,000. Si lo invierte en bienes raíces, después de tres años podría no tener nada o $10,000. Pero Jane es muy conservadora. A menos que tenga una posibilidad de 80% de obtener $10,000 en la compra de bienes raíces, preferiría tener su dinero en el banco, donde está seguro. Lo que acaba de hacer Jane es evaluar su utilidad para $5,000. Cuando tiene una posibilidad de 80% (esto significa que p es 0.8) de obtener $10,000, Jane es indiferente entre poner su dinero en bienes raíces o en el banco. Entonces, la utilidad de Jane para $5,000 es igual a 0.8, que es la misma que el valor de p. Esta evaluación de la utilidad se ilustra en la figura 3.8.

FIGURA 3.7

Juego estándar para la evaluación de la utilidad

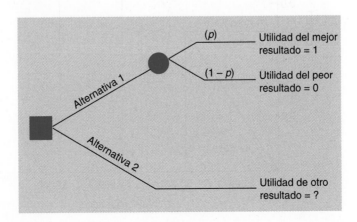

FIGURA 3.8
Utilidad de $5,000

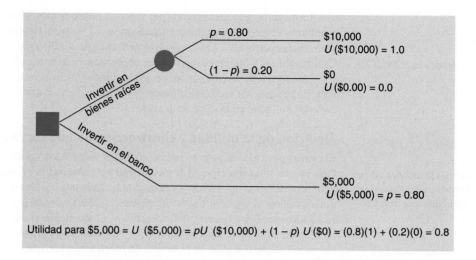

Utilidad para $5,000 = U ($5,000) = pU ($10,000) + (1 − p) U ($0) = (0.8)(1) + (0.2)(0) = 0.8

Otros valores de la utilidad se evalúan del mismo modo. Por ejemplo, ¿cuál es la utilidad de Jane para $7,000? ¿Qué valor de p haría que Jane sea indiferente entre $7,000 y la alternativa que daría como resultado $10,000 o $0? Para Jane, debe ser una posibilidad de 90% obtener $10,000. De otra manera, preferiría los $7,000 seguros. Entonces, su utilidad para $7,000 es de 0.90. La utilidad de Jane para $3,000 se puede determinar de la misma manera. Si hubiera una oportunidad de 50% de obtener los $10,000, Jane sería indiferente entre tener $3,000 seguros y tomar el riesgo de $10,000 o nada. Por consiguiente, la utilidad de $3,000 para Jane es de 0.5. Desde luego, este proceso puede continuar hasta que Jane haya evaluado la utilidad para todos los valores monetarios que desee. No obstante, estas evaluaciones son suficientes para tener una idea de los sentimientos de Jane hacia el riesgo. De hecho, se pueden graficar estos puntos en una curva de la utilidad, como en la figura 3.9, donde los puntos de la utilidad evaluados, $3,000, $5,000 y $7,000, se muestran con puntos, y el resto de la curva se infiere a partir de ellos.

La curva de la utilidad de Jane es típica de alguien **adverso al riesgo**. Quien evita el riesgo es un tomador de decisiones que obtiene menos utilidad o placer de un riego mayor, y suele evitar situaciones que impliquen pérdidas significativas. Cuando el valor monetario crece en su curva de la utilidad, la utilidad aumenta a una tasa más lenta.

FIGURA 3.9

Curva de la utilidad para Jane Dickson

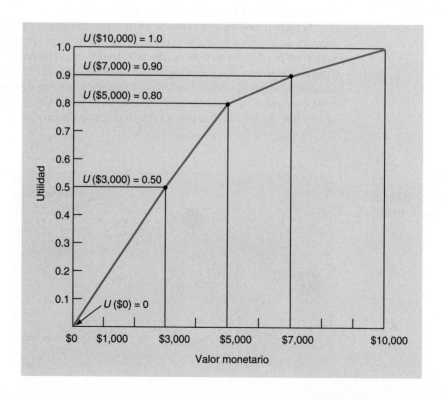

FIGURA 3.10
Preferencias respecto al riesgo

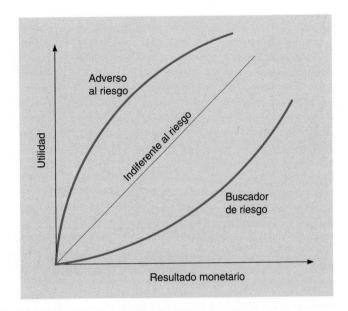

La forma de la curva de la utilidad de una persona depende de muchos factores.

La figura 3.10 ilustra que una persona que **busca el riesgo** tiene una curva de la utilidad con la forma opuesta. Este tomador de decisiones obtiene más utilidad de un riesgo mayor y un pago potencial más alto. Cuando el valor monetario aumenta en su curva de la utilidad, la utilidad aumenta a una tasa creciente. Un individuo que es *indiferente* al riesgo tiene una curva de la utilidad en línea recta. La forma de la curva de la utilidad de una persona depende de la decisión específica que se está considerando, los valores monetarios involucrados en la situación, el cuadro psicológico del individuo y de cómo se siente acerca del futuro. Quizás usted tenga una curva de la utilidad para algunas situaciones que enfrenta y otras curvas totalmente diferentes para otras.

La utilidad como un criterio para la toma de decisiones

Después de determinar una curva de la utilidad, se emplean los valores de la utilidad de la curva en la toma de decisiones. Los resultados o valores monetarios se sustituyen con los valores de la utilidad adecuados y, luego, se realiza el análisis de decisiones como de costumbre. Se calcula la utilidad esperada para cada alternativa en vez del VME. Veamos un ejemplo donde se utiliza un árbol de decisiones, y los valores de la utilidad esperados se calculan para seleccionar la mejor alternativa.

Los valores de la utilidad sustituyen los valores monetarios.

A Mark Simkin le encanta jugar. Decide practicar un juego que se trata de lanzar tachuelas (chinchetas) al aire. Si la punta de la tachuela está hacia arriba cuando cae, Mark gana $10,000. Si la punta de la tachuela está hacia abajo, Mark pierde $10,000. ¿Debería Mark jugarlo (alternativa 1) o no debería jugarlo (alternativa 2)?

Las alternativas 1 y 2 se presentan en el árbol de la figura 3.11. Como se observa, la alternativa 1 es jugar. Mark piensa que hay 45% de posibilidades de ganar $10,000 y 55% de posibilidades de sufrir la pérdida de $10,000. La alternativa 2 es no jugar. ¿Qué debería hacer Mark? Desde luego, ello

FIGURA 3.11
Decisión que enfrenta Mark Simkin

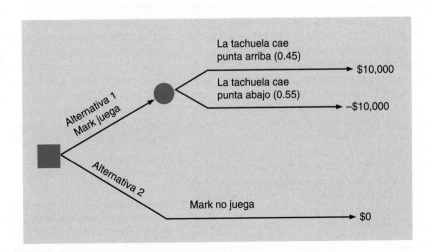

FIGURA 3.12

Curva de la utilidad para
Mark Simkin

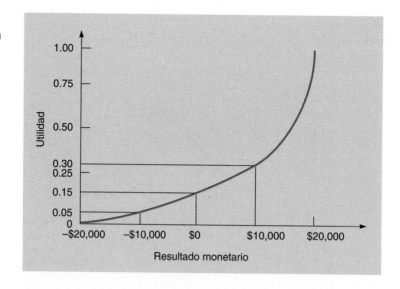

depende de la utilidad del dinero para Mark. Como se dijo, le encanta jugar. Usando el procedimiento descrito, Mark fue capaz de construir una curva de la utilidad que muestra sus preferencias por el dinero. Mark tiene un total de $20,000 para jugar, de manera que construyó la curva de la utilidad con base en un mejor pago de $20,000 y en un peor pago con una pérdida de $20,000. Esta curva aparece en la figura 3.12.

El objetivo de Mark es maximizar su utilidad esperada.

Vemos que la utilidad de –$10,000 para Mark es de 0.05, su utilidad por no jugar ($0) es de 0.15 y su utilidad por $10,000 es de 0.30. Esto valores se pueden usar en el árbol de decisiones. El objetivo de Mark es maximizar su utilidad esperada, que se puede hacer como sigue:

Paso 1.

$$U(-\$10,000) = 0.05$$
$$U(\$0) = 0.15$$
$$U(\$10,000) = 0.30$$

EN ACCIÓN

Un modelo de la utilidad multiatributos ayuda a desechar armas nucleares

Cuando terminó la Guerra Fría entre Estados Unidos y la URSS, los dos países acordaron desmantelar un gran número de armas nucleares. El número exacto no se conoce, pero el número total se ha estimado en más de 40,000. El plutonio recuperado al desmantelar las armas significó varias preocupaciones. La National Academy of Sciences consideró la posibilidad de que el plutonio pudiera caer en manos de terroristas como un verdadero peligro. Además, el plutonio es muy tóxico para el ambiente, de manera que era fundamental contar con un proceso de desecho seguro. Decidir qué proceso de desecho se usaría no fue una tarea sencilla.

Debido a la larga relación entre Estados Unidos y la URSS durante la Guerra Fría, fue necesario que el proceso de desecho del plutonio para cada país ocurriera aproximadamente al mismo tiempo. Cualquiera que fuera el método seleccionado por un país tendría que ser aprobado por el otro. El Departamento de Energía (DE) formó la Oficina para el Desecho de Materiales de Fusión (ODMF) para supervisar el proceso de seleccionar del enfoque que se usaría para el desecho del plutonio. Reconociendo que la decisión podía ser controversial, la ODMF contrató a un equipo de analistas en investigación de operaciones asociados con el Amarillo National Research Center. Este grupo de IO usó un modelo de la utilidad con multiatributos (MUM) para combinar varias medidas de desempeño en una sola medida.

Se usaron un total de 37 medidas de desempeño para evaluar 13 alternativas posibles. El MUM combinó estas medidas y ayudó a jerarquizar las alternativas, así como a identificar las deficiencias de algunas de ellas. La ODMF recomendó 2 de las alternativas con la jerarquía más alta y se inició el desarrollo de ambas. Este desarrollo paralelo permitió que Estados Unidos reaccionara con rapidez cuando se desarrolló el plan de la URSS, quien utilizó un análisis basado en el mismo enfoque del MUM. Estados Unidos y la URSS eligieron convertir el plutonio de las armas nucleares en combustible de óxidos mixtos, que se utiliza en los reactores nucleares para generar electricidad. Una vez que el plutonio se convierte de esta forma, ya no es útil en armas nucleares.

El modelo MUM ayudó a Estados Unidos y la URSS a manejar un asunto muy sensible y potencialmente riesgoso de una manera que consideraba aspectos económicos, de no proliferación y ecológicos. El marco de referencia se usa ahora en Rusia para evaluar otras políticas relacionadas con la energía nuclear.

Fuente: Basada en John C. Butler *et al.* "The United States and Russia Evaluate Plutonium Disposition Options with Multiattribute Utility Theory", *Interfaces* 35, I (enero-febrero, 2005): 88-101.

FIGURA 3.13
Uso de las utilidades esperadas en la toma de decisiones

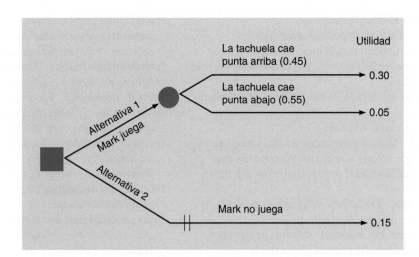

Paso 2. Se sustituyen los valores monetarios con los valores de la utilidad. Véase la figura 3.13. Aquí se muestran las utilidades esperadas para las alternativas 1 y 2:

$$E(\text{alternativa 1: jugar}) = (0.45)(0.30) + (0.55)(0.05)$$
$$= 0.135 + 0.027 = 0.162$$
$$E(\text{alternativa 2: no jugar}) = 0.15$$

Por lo tanto, la alternativa 1 es la mejor estrategia si se emplea la utilidad como criterio de decisión. Si se hubiera usado el VME, la alternativa 2 habría sido la mejor estrategia. La curva de la utilidad es una curva para un buscador de riesgo y la elección de jugar sin duda refleja esta preferencia por el riesgo.

Resumen

La teoría de las decisiones es un enfoque analítico y sistemático para el estudio de la toma de decisiones. En general, se siguen seis pasos para la toma de decisiones en tres entornos: toma de decisiones con certidumbre, con incertidumbre y con riesgo. En la toma de decisiones con incertidumbre, se construyen tablas de decisiones para calcular criterios como maximax, maximin, de realismo, probabilidades iguales y de arrepentimiento minimax. Los métodos como determinar el valor monetario esperado (VME), el valor esperado de la información perfecta (VEIP), la pérdida de oportunidad esperada (POE) y el análisis de sensibilidad se usan en la toma de decisiones con riesgo.

Los árboles de decisiones son otra opción, sobre todo para problemas de decisión más grandes, cuando debe tomarse una decisión antes de tomar otra(s). Por ejemplo, una decisión de tomar una muestra y realizar una investigación de mercados se toma antes de decidir construir una planta grande, una pequeña o ninguna. En este caso, también podemos calcular el valor esperado de la información muestral (VEIM) para determinar el valor del estudio de mercado. La eficiencia de la información muestral compara el VEIM con el VEIP. El análisis bayesiano sirve para revisar o actualizar las probabilidades, usando las probabilidades previas y otras probabilidades relacionadas con la exactitud de la fuente de información.

Glosario

Adverso al riesgo   Un individuo que evita el riesgo. En la curva de la utilidad, cuando el valor monetario aumenta, la utilidad aumenta a una tasa decreciente. Este tomador de decisiones obtiene menor utilidad cuando el riesgo es mayor y los rendimientos potenciales son más altos.

Alternativa   Curso de acción o estrategia que un tomador de decisiones puede elegir.

Árbol de decisiones   Representación gráfica de una situación de toma de decisiones.

Arrepentimiento   Pérdida de oportunidad.

Arrepentimiento minimax   Criterio que minimiza la máxima pérdida de oportunidad.

Buscador de riesgo   Persona que busca el riesgo. En la curva de la utilidad, cuando el valor monetario aumenta, la utilidad aumenta a una tasa creciente. Este tomador de decisiones obtiene más placer por un mayor riesgo y mayores rendimientos potenciales.

Coeficiente de realismo (α)   Número entre 0 y 1. Cuando el coeficiente es cercano a 1, el criterio de decisión es optimista. Cuando el coeficiente está cerca de 0, el criterio de decisión es pesimista.

Criterio de Hurwicz   Criterio de realismo.

Criterio de Laplace   Criterio de probabilidades iguales.

Criterio de realismo   Criterio para la toma de decisiones que usa un promedio ponderado de los pagos posibles mejor y peor para cada alternativa.

Criterio del promedio ponderado   Otro nombre para el criterio de realismo.

Criterio optimista   Criterio maximax.

Curva de la utilidad   Gráfica o curva que revela la relación entre la utilidad y los valores monetarios. Al construir esta curva, sus valores de la utilidad se pueden usar en el proceso de toma de decisiones.

Decisiones secuenciales   Decisiones en las que el resultado de una decisión influye en otras decisiones.

Eficiencia de la información muestral   Medida de qué tan buena es la información de la muestra respecto a la información perfecta.

Estado de naturaleza   Resultado u ocurrencia sobre la cual el tomador de decisiones tiene muy poco o ningún control.

Evaluación de la utilidad   Proceso para determinar la utilidad de los diferentes resultados. Suele hacerse usando un juego estándar entre un resultado seguro y arriesgarse entre el peor y el mejor de los resultados.

Juego estándar   Proceso utilizado para determinar valores de la utilidad.

Maximax   Criterio de toma de decisiones optimista. Selecciona la alternativa con el mayor rendimiento posible.

Maximin   Criterio de toma de decisiones pesimista. Maximiza el pago mínimo. Selecciona la alternativa con la mejor de los peores pagos posibles.

Nodo de estado de naturaleza   En un árbol de decisiones, un punto donde se calcula el VME. Las ramas que salen de este nodo representan los estados de naturaleza.

Nodo (punto) de decisión   En un árbol de decisiones, punto donde se elige la mejor de las alternativas disponibles. Las ramas representan las alternativas.

Pérdida de oportunidad   Cantidad que se perdería al no elegir la mejor alternativa. Para cualquier estado de naturaleza, es la diferencia entre las consecuencias de cualquier alternativa y la mejor alternativa posible.

Probabilidad condicional   Una probabilidad posterior.

Probabilidad posterior   Probabilidad condicional de un estado de naturaleza que se ha ajustado según la información muestral. Se encuentra usando el teorema de Bayes.

Probabilidad previa   Probabilidad inicial de un estado de naturaleza antes de emplear la información muestral con el teorema de Bayes, para obtener la probabilidad posterior.

Probabilidades iguales   Criterio de decisión que asigna pesos iguales a todos los estados de naturaleza.

Tabla de decisiones   La tabla de pagos.

Tabla de pagos   Tabla que presenta alternativas, estados de naturaleza y pagos en una situación de toma de decisiones.

Teoría de la utilidad   Teoría que permite a los tomadores de decisiones incorporar sus preferencias al riesgo y otros factores en el proceso de toma de decisiones.

Teoría de las decisiones   Enfoque analítico y sistémico para la toma de decisiones.

Toma de decisiones con certidumbre   Entorno para la toma de decisiones donde se conocen los resultados o los estados de naturaleza futuros.

Toma de decisiones con incertidumbre   Entorno para la toma de decisiones en el cual pueden ocurrir varios resultados o estados de naturaleza. Sin embargo, no se conocen las probabilidades de estos resultados.

Toma de decisiones con riesgo   Entorno para la toma de decisiones donde pueden ocurrir varios resultados o estados de naturaleza como resultado de una decisión o alternativa. Se conocen las probabilidades de los resultados o estados de naturaleza.

Utilidad   Valor general de un resultado en particular.

Valor condicional o pago   Consecuencia, normalmente expresada como valor monetario, que ocurre como resultado de una alternativa y un estado de naturaleza específicos.

Valor esperado con información perfecta (VECIP)   Valor esperado o promedio de una decisión, si se tuviera conocimiento perfecto del futuro.

Valor esperado de la información muestral (VEIM)   Incremento en el VME que resulta de tener información muestral o información imperfecta.

Valor esperado de la información perfecta (VEIP)   Valor esperado o promedio de la información, si fuera completamente exacta. El incremento en el VME que resulta de contar con información perfecta.

Valor monetario esperado (VME)   Valor promedio de una decisión, si se puede repetir muchas veces. Se determina multiplicando los valores monetarios por sus probabilidades respectivas. Los resultados se suman para obtener el VME.

Ecuaciones clave

(3-1)   VME (alternativa i) $= \Sigma X_i P(X_i)$
Ecuación que calcula el valor monetario esperado.

(3-2)   VECIP $= \Sigma$(mejor pago en el estado de naturaleza i) $\times$ (probabilidad del estado de naturaleza i)
Ecuación que calcula el valor esperado con información perfecta.

(3-3)   VEPI $=$ VECIP $-$ (mejor VME)
Ecuación que calcula el valor esperado con información perfecta.

(3-4)   VEIM $=$ (VE con IM $+$ costo) $-$ (VE sin IM)
Ecuación que calcula el valor esperado (VE) de la información muestral (IM)

(3-5)   Eficiencia de la información muestral $= \dfrac{\text{VEIM}}{\text{VEIP}} 100\%$
Ecuación que compara la información muestral con la información perfecta.

(3-6) $P(A|B) = \dfrac{P(B|A)P(A)}{P(B|A)P(A) + P(B|A')P(A')}$

Teorema de Bayes: la probabilidad condicional del evento A dado que ocurrió el evento B.

(3-7) Utilidad de otro resultado $= (p)(1) + (1 - p)(0) = p$
Ecuación que determina la utilidad de un resultado intermedio.

Problemas resueltos

Problema resuelto 3-1

María Rojas está considerando la posibilidad de abrir una pequeña tienda de vestidos en Fairbanks Avenue, a pocas cuadras de la universidad. Ha localizado un buen centro comercial que atrae a estudiantes. Sus opciones son abrir una tienda pequeña, una tienda mediana o no abrirla en absoluto. El mercado para una tienda de vestidos puede ser bueno, regular o malo. Las probabilidades de estas tres posibilidades son 0.2 para un mercado bueno, 0.5 para un mercado regular y 0.3 para un mercado malo. La ganancia o pérdida neta para las tiendas mediana y pequeña en las diferentes condiciones del mercado se dan en la siguiente tabla. No abrir una tienda no tiene pérdida ni ganancia.

a) ¿Qué recomienda a María?
b) Calcule el VEIP.
c) Desarrolle la tabla de pérdida de oportunidad para esta situación. ¿Qué decisiones se tomarán usando el criterio de arrepentimiento minimax y el criterio de POE mínima?

ALTERNATIVA	MERCADO BUENO ($)	MERCADO REGULAR ($)	MERCADO MALO ($)
Tienda pequeña	75,000	25,000	–40,000
Tienda mediana	100,000	35,000	–60,000
Ninguna tienda	0	0	0

Solución

a) Como el entorno de toma de decisiones es de riesgo (se conocen las probabilidades), es adecuado usar el criterio del VME. El problema se resuelve desarrollando la tabla de pagos que contiene todas las alternativas, estados de naturaleza y valores de probabilidad. El VME para cada alternativa también se calcula como en la siguiente tabla:

ALTERNATIVA	ESTADOS DE NATURALEZA			
	MERCADO BUENO ($)	MERCADO REGULAR ($)	MERCADO MALO ($)	VME ($)
Tienda pequeña	75,000	25,000	–40,000	15,500
Tienda mediana	100,000	35,000	–60,000	19,500
Ninguna tienda	0	0	0	0
Probabilidades	0.20	0.50	0.30	

VME (tienda pequeña) $= (0.2)(\$75,000) + (0.5)(\$25,000) + (0.3)(-\$40,000) = \$15,500$

VME (tienda mediana) $= (0.2)(\$100,000) + (0.5)(\$35,000) + (0.3)(-\$60,000) = \$19,500$

VME (ninguna tienda) $= (0.2)(\$0) + (0.5)(\$0) + (0.3)(\$0) = \$0$

Como se observa, la mejor decisión es abrir una tienda mediana. El VME para esta alternativa es de $19,500.

b) VMCIP $= (0.2)\$100,000 + (0.5)\$35,000 + (0.3)\$0 = \$37,500$

VEIP $= \$37,500 - \$19,500 = \$18,000$

c) La tabla de la pérdida de oportunidad se muestra a continuación.

ALTERNATIVA	MERCADO BUENO ($)	MERCADO REGULAR ($)	MERCADO MALO ($)	MÁXIMO ($)	POE ($)
	ESTADOS DE NATURALEZA				
Tienda pequeña	25,000	10,000	40,000	40,000	22,000
Tienda mediana	0	0	60,000	60,000	18,000
Ninguna tienda	100,000	35,000	0	100,000	37,500
Probabilidades	0.20	0.50	0.30		

El mejor pago en un buen mercado son 100,000, de manera que la pérdida de oportunidad en la primera columna indica qué tanto es peor cada pago que 100,000. El mejor pago en un mercado regular es de 35,000, de manera que las pérdidas de oportunidad en la segunda columna indican qué tanto es peor cada pago que 35,000. El mejor pago en un mercado malo es de 0, por lo que la pérdida de oportunidad en la tercera columna indica cuánto es peor cada pago que 0.

El criterio de arrepentimiento minimax considera el arrepentimiento máximo para cada decisión, y se selecciona la decisión correspondiente al mínimo de estas. La decisión sería abrir una tienda pequeña, ya que el arrepentimiento máximo es de 40,000, en tanto que el arrepentimiento máximo para cada una de las otras dos alternativas es más alto, como se indica en la tabla de pérdida de oportunidad.

La decisión basada en el criterio de la POE sería abrir una tienda mediana. Observe que la POE mínima ($18,000) es igual que el VEIP calculado en el inciso b. Los cálculos son

POE (pequeña) $= (0.2)25,000 + (0.5)10,000 + (0.3)40,000 = 22,000$

POE (mediana) $= (0.2)0 + (0.5)0 + (0.3)60,000 = 18,000$

POE (ninguna) $= (0.2)100,000 + (0.5)35,000 + (0.3)0 = 37,500$

Problema resuelto 3-2

Cal Bender y Becky Addison se conocen desde la escuela secundaria. Hace dos años ingresaron a la misma universidad y hoy toman cursos en la licenciatura en administración. Ambos esperan graduarse con especialidad en finanzas. En un intento por hacer dinero extra y usar parte de lo aprendido en sus cursos, Cal y Becky deciden evaluar la posibilidad de comenzar una pequeña compañía que proporcionaría servicio de procesamiento de textos a estudiantes que necesiten trabajos de fin de cursos, o bien, otros informes elaborados de manera profesional. Usando un enfoque de sistemas, Cal y Becky identifican tres estrategias. La estrategia 1 es invertir en un sistema de microcomputadora costoso con una impresora láser de alta calidad. En un mercado favorable deberían lograr una ganancia neta de $10,000 en los siguientes dos años. Si el mercado es desfavorable, podrían perder $8,000. La estrategia 2 es comprar un sistema menos costoso. Con un mercado favorable, podrían obtener un rendimiento durante los siguientes dos años de $8,000. Con un mercado desfavorable, incurrirían en una pérdida de $4,000. Su estrategia final, la estrategia 3, es no hacer nada. Cal básicamente corre riesgos, mientras que Becky trata de evitarlos.

a) ¿Qué tipo de procedimiento de decisión debería usar Cal? ¿Cuál sería la decisión de Cal?

b) ¿Qué tipo de tomador de decisiones es Becky? ¿Cuál sería su decisión?

c) Si Cal y Necky fueran indiferentes al riesgo, ¿qué tipo de enfoque de decisiones deberían usar? ¿Qué les recomendaría si esta fuera la situación?

Solución

El problema es de toma de decisiones con incertidumbre. Antes de contestar las preguntas específicas, debería desarrollarse una tabla de decisiones con las alternativas, los estados de naturaleza y las consecuencias relacionadas.

ALTERNATIVA	MERCADO FAVORABLE ($)	MERCADO DESFAVORABLE ($)
Estrategia 1	10,000	–8,000
Estrategia 2	8,000	–4,000
Estrategia 3	0	0

a) Si Cal es un buscador de riesgo, debe usar el criterio de decisión maximax. Este enfoque selecciona la fila que tiene el valor más alto o máximo. El valor de $10,000, que es el valor máximo de la tabla, está en la fila 1. Así, la decisión de Cal es seleccionar la estrategia 1, que es un enfoque de decisiones optimista.

b) Becky debería usar el criterio maximin porque desea evitar el riesgo. Se identifica el peor resultado o mínimo para cada fila o estrategia. Los resultados son –$8,000 para la estrategia 1, –$4,000 para la estrategia 2 y $0 para la estrategia 3. Se elige el máximo de estos valores. Así, Becky elegiría la estrategia 3, que refleja un enfoque de decisiones pesimista.

c) Si Cal y Becky fueran indiferentes al riesgo, podrían utilizar el enfoque de probabilidades iguales, donde se selecciona la alternativa que maximiza los promedios por fila. El promedio de la fila para la estrategia 1 es $1,000 [$1,000 = ($10,000 – $8,000)/2]. El promedio para la estrategia 2 es $2,000 y el promedio para la estrategia 3 es $0. Así, con el enfoque de probabilidades iguales, la decisión es seleccionar la estrategia 2, que maximiza los promedios de las filas.

Problema resuelto 3-3

Mónica Britt ha disfrutado la navegación en barcos pequeños desde que tenía 7 años, cuando su madre comenzó a navegar con ella. En la actualidad Mónica considera la posibilidad de comenzar una compañía para fabricar veleros pequeños para el mercado recreacional. A diferencia de la producción de veleros en masa, estos veleros se harían específicamente para niños de entre 10 y 15 años. Los botes serán de la más alta calidad y extremadamente estables, y el tamaño de las velas se reducirá para evitar que se volteen.

Su decisión básica es si construir una planta de manufactura grande, una pequeña o no construir ninguna. Con un mercado favorable, Mónica puede esperar un ingreso de $90,000 con la planta grande, o bien, $60,000 con la planta más pequeña. Sin embargo, si el mercado es desfavorable, Mónica estima que perdería $30,000 con una planta grande y tan solo $20,000 con una planta pequeña. Debido a los gastos para desarrollar los moldes iniciales y adquirir el equipo necesario para producir veleros de fibra de vidrio para niños, Mónica ha decidido realizar un estudio piloto para asegurarse de que el mercado de veleros será adecuado. Estima que el estudio piloto le costará $10,000. Asimismo, el estudio puede ser favorable o desfavorable. Mónica estima que la probabilidad de un mercado favorable dado que el estudio piloto fue favorable es de 0.8. La probabilidad de un mercado desfavorable dado que el estudio fue desfavorable se estima en 0.9. Mónica piensa que hay una posibilidad de 0.65 de que el estudio piloto sea favorable. Desde luego, Mónica puede saltarse el estudio piloto y simplemente tomar la decisión de construir una planta grande, una pequeña o ninguna. Sin hacer pruebas con un estudio piloto, estima que la probabilidad de un mercado favorable es de 0.6. ¿Qué le recomendaría? Calcule el VEIM.

Solución

Antes de que Mónica comience a resolver este problema, debería desarrollar un árbol de decisiones que muestre todas las alternativas, estados de naturaleza, valores de probabilidad y consecuencias económicas. Este árbol de decisiones se ilustra en la figura 3.14.

FIGURA 3.14

Árbol de decisiones de Mónica con alternativas, estados de naturaleza, valores de probabilidad y resultados financieros para el problema resuelto 3-3

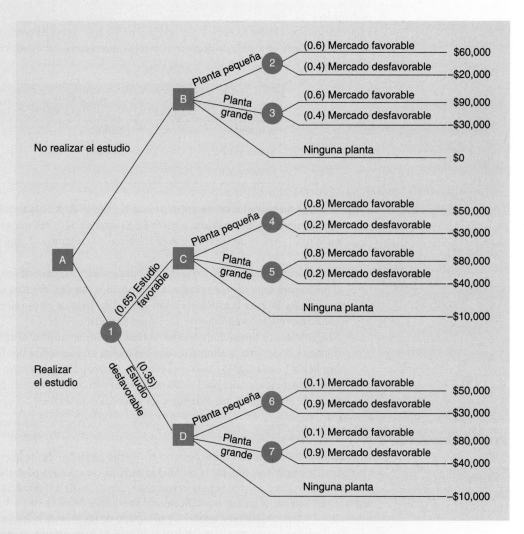

El VME en cada nodo numerado se calcula como:

$$\text{VME(nodo 2)} = 60,000(0.6) + (-20,000)0.4 = 28,000$$
$$\text{VME(nodo 3)} = 90,000(0.6) + (-30,000)0.4 = 42,000$$
$$\text{VME(nodo 4)} = 50,000(0.8) + (-30,000)0.2 = 34,000$$
$$\text{VME(nodo 5)} = 80,000(0.8) + (-40,000)0.2 = 56,000$$
$$\text{VME(nodo 6)} = 50,000(0.1) + (-30,000)0.9 = -22,000$$
$$\text{VME(nodo 7)} = 80,000(0.1) + (-40,000)0.9 = -28,000$$
$$\text{VME(nodo 1)} = 56,000(0.65) + (-10,000)0.35 = 32,900$$

En cada nodo cuadrado con letra, las decisiones serían:

Nodo B: Elegir planta grande ya que el VME = $42,000

Nodo C: Elegir planta pequeña ya que el VME = $56,000

Nodo D: Elegir ninguna planta ya que el VME = –$10,000

Nodo A: Elegir no realizar el estudio ya que el VME ($42,000) para esto es más alto que el VME (nodo 1), que es $32,900

Con base en el criterio del VME, Mónica seleccionaría no realizar el estudio y luego elegiría la planta grande. El VME de esta decisión es de $42,000. Si elige realizar el estudio el resultado sería un VME de $32,900. Entonces, el valor esperado de la información muestral es:

$$\text{VEIM} = \$32,900 + \$10,000 - \$42,000$$
$$= \$900$$

Problema resuelto 3-4

Desarrollar un pequeño campo de práctica para golfistas de todos los niveles ha sido por mucho tiempo el sueño de John Jenkins. No obstante, John cree que la posibilidad de tener un campo de prácticas exitoso es tan solo de alrededor de 40%. Un amigo de John le sugiere que haga un estudio de mercado en la comunidad para tener mejor idea de la demanda por este tipo de instalación. Existe una probabilidad de 0.9 de que el estudio sea favorable, si el campo de práctica tendrá éxito. Además, se estima que hay una probabilidad de 0.8 de que el estudio de mercado sea desfavorable, si la instalación no va a tener éxito. A John le gustaría determinar las posibilidades de un campo de práctica exitoso dado un resultado favorable para el estudio de mercado.

Solución

Este problema requiere usar el teorema de Bayes. Antes de comenzar a resolver el problema, definiremos los siguientes términos:

$P(\text{IE})$ = probabilidad de una instalación exitosa para práctica de golf

$P(\text{IN})$ = probabilidad de una instalación no exitosa para práctica de golf

$P(\text{EF}|\text{IE})$ = probabilidad de un estudio favorable dada una instalación exitosa

$P(\text{ED}|\text{IE})$ = probabilidad de un estudio desfavorable dada una instalación exitosa

$P(\text{ED}|\text{IN})$ = probabilidad de un estudio desfavorable dada una instalación no exitosa

$P(\text{EF}|\text{IN})$ = probabilidad de un estudio favorable dada una instalación no exitosa

Ahora, resumimos lo que sabemos:

$$P(\text{IE}) = 0.4$$
$$P(\text{EF}|\text{IE}) = 0.9$$
$$P(\text{ED}|\text{IN}) = 0.8$$

A partir de esta información calculamos tres probabilidades adicionales que necesitamos para resolver el problema:

$$P(\text{IN}) = 1 - P(\text{IE}) = 1 - 0.4 = 0.6$$
$$P(\text{ED}|\text{IE}) = 1 - P(\text{EF}|\text{IE}) = 1 - 0.9 = 0.1$$
$$P(\text{EF}|\text{IN}) = 1 - P(\text{ED}|\text{IN}) = 1 - 0.8 = 0.2$$

Ahora sustituimos estos valores en el teorema de Bayes para calcular la probabilidad deseada:

$$P(\text{IE}|\text{EF}) = \frac{P(\text{EF}|\text{IE}) \times P(\text{IE})}{P(\text{EF}|\text{IE}) \times P(\text{IE}) + P(\text{EF}|\text{IN}) \times P(\text{IN})}$$

$$= \frac{(0.9)(0.4)}{(0.9)(0.4) + (0.2)(0.6)}$$

$$= \frac{0.36}{(0.36 + 0.12)} = \frac{0.36}{0.48} = 0.75$$

Además de usar las fórmulas para resolver el problema de John, es posible realizar otros cálculos en una tabla:

Probabilidades revisadas dado un estudio de mercado favorable

ESTADO DE NATURALEZA	PROBABILIDAD CONDICIONAL		PROBABILIDAD PREVIA		PROBABILIDAD CONJUNTA	PROBABILIDAD POSTERIOR
Mercado favorable	0.9	×	0.4	=	0.36	0.36/0.48 = 0.75
Mercado desfavorable	0.2	×	0.6	=	0.12	0.12/0.48 = 0.25
					0.48	

Como se observa en la tabla, los resultados son los mismos. La probabilidad de un campo de práctica (instalación) exitoso(a) dado un resultado favorable del estudio de mercado es 0.36/0.48, o bien, 0.75.

Autoevaluación

- Antes de resolver la autoevaluación, consulte los objetivos de aprendizaje al inicio del capítulo, las notas al margen y el glosario al final del capítulo.
- Utilice la solución al final del libro para corregir sus respuestas.
- Estudie de nuevo las páginas que corresponden a cualquier pregunta cuya respuesta sea incorrecta o al material con el que se sienta inseguro.

1. En la terminología de la teoría de decisiones, un curso de acción o una estrategia que puede elegir un tomador de decisiones se llama
   a) pago.
   b) alternativa.
   c) estado de naturaleza.
   d) ninguna de los anteriores.

2. En la teoría de las decisiones, las probabilidades están asociadas con
   a) pagos.
   b) alternativas.
   c) estados de naturaleza.
   d) ninguna de los anteriores.

3. Si el tomador de decisiones dispone de probabilidades, entonces el entorno de la toma de decisiones se llama
   a) de certidumbre.
   b) de incertidumbre.
   c) de riesgo.
   d) ninguna de los anteriores.

4. ¿Cuál de los siguientes es un criterio para tomar decisiones que se usa en la toma de decisiones con riesgo?
   a) criterio del valor monetario esperado.
   b) criterio de Huwicz (de realismo).
   c) criterio optimista (maximax).
   d) criterio de probabilidades iguales.

5. La pérdida de oportunidad mínima esperada
   a) es igual al pago esperado más alto.
   b) es mayor que el valor esperado con información perfecta.
   c) es igual al valor esperado de la información perfecta.
   d) se calcula al encontrar la decisión de arrepentimiento mínima.

6. Al usar el criterio de realismo (criterio de Hurwicz), el coeficiente de realismo (α)
   a) es la probabilidad de un buen estado de naturaleza.
   b) describe el grado de optimismo del tomador de decisiones.
   c) describe el grado de pesimismo del tomador de decisiones.
   d) usualmente es menor que cero.

7. Lo más que una persona debería pagar por la información perfecta es
   a) el VEIP.
   b) el VME máximo menos el VME mínimo.
   c) la POE máxima.
   d) el VME máximo.

8. El criterio de la mínima POE siempre dará como resultado la misma decisión que
   a) el criterio maximax.
   b) el criterio de arrepentimiento minimax.
   c) el criterio del VME máximo.
   d) el criterio de probabilidades iguales.

9. Un árbol de decisiones es preferible a una tabla de decisiones cuando
   a) deben tomarse varias decisiones secuenciales.
   b) están disponibles las probabilidades.

   c) se usa el criterio maximax.
   d) el objetivo es maximizar el arrepentimiento.

10. El teorema de Bayes se utiliza para revisar las probabilidades. Las nuevas probabilidades (revisadas) se llaman
    a) probabilidades previas.
    b) probabilidades muestrales.
    c) probabilidades del estudio.
    d) probabilidades posteriores.

11. En un árbol de decisiones, en cada nodo de estado de naturaleza,
    a) se elige la alternativa con el mayor VME.
    b) se calcula el VME.
    c) se suman todas las probabilidades.
    d) se elige la rama con la probabilidad más alta.

12. El VEIM
    a) se encuentra restando el VME sin información muestral del VME con información muestral.
    b) siempre es igual al valor esperado de la información perfecta.
    c) es igual al VME con información muestral, suponiendo que no hay costo por la información menos el VME sin información muestral.
    d) generalmente es negativo.

13. La eficiencia de la información muestral
    a) es el VEIM/(VME máximo sin IM) expresado como porcentaje.
    b) es el VEIP/VEIM expresado como porcentaje.
    c) sería de 100% si la información muestral fuera perfecta.
    d) se calcula usando tan solo el VEIP y el máximo VME.

14. En un árbol de decisiones, una vez que se dibuja el árbol y se colocan los pagos y las probabilidades, el análisis (cálculo del VME y elección de la mejor alternativa)
    a) se hace trabajando hacia atrás (iniciando en la derecha y moviéndose hacia la izquierda).
    b) se hace trabajando hacia adelante (comenzando en la izquierda y moviéndose hacia la derecha).
    c) se hace iniciando hasta arriba del árbol y moviéndose hacia abajo.
    d) se hace comenzando en la parte inferior del árbol y moviéndose hacia arriba.

15. Al evaluar los valores de la utilidad,
    a) se asigna al peor resultado una utilidad de -1.
    b) se asigna al mejor resultado una utilidad de 0.
    c) se asigna al peor resultado una utilidad de 0.
    d) se asigna al mejor resultado un valor de -1.

16. Si una persona racional elige una alternativa que no maximiza el VME, esperaríamos que esta alternativa
    a) maximice el VME.
    b) maximice la utilidad esperada.
    c) minimice la utilidad esperada.
    d) tenga una utilidad de 0 asociada a cada pago posible.

Preguntas y problemas para análisis

Preguntas para análisis

3-1 Dé un ejemplo de una buena decisión que haya tomado y cuyo resultado haya sido malo. También mencione un ejemplo de una mala decisión que haya tomado y que tuvo un buen resultado. ¿Por qué cada decisión fue buena o mala?

3-2 Describa qué incluye el proceso de decisiones.

3-3 ¿Qué es una alternativa? ¿Qué es un estado de la naturaleza?

3-4 Analice las diferencias entre la toma decisiones con certidumbre, la toma de decisiones con riesgo y la toma de decisiones con incertidumbre.

3-5 ¿Qué técnicas se utilizan para resolver problemas de toma de decisiones con incertidumbre? ¿Cuál técnica da como resultado una decisión optimista? ¿Qué técnica da como resultado una decisión optimista?

3-6 Defina *pérdida de oportunidad*. ¿Qué criterios de toma de decisiones se usan con una tabla de pérdida de oportunidad?

3-7 ¿Qué información debería colocarse en un árbol de decisiones?

3-8 Describa cómo determinaría la mejor decisión usando el criterio del VME con un árbol de decisiones.

3-9 ¿Cuál es la diferencia entre las probabilidades previas y las posteriores?

3-10 ¿Cuál es el propósito del análisis bayesiano? Describa cómo usaría el análisis bayesiano en el proceso de toma de decisiones.

3-11 ¿Qué es el VEIM? ¿Cómo se calcula?

3-12 ¿Cómo se calcula la eficiencia de la información muestral?

3-13 ¿Cuál es el propósito general de la teoría de la utilidad?

3-14 Analice brevemente cómo se evalúa una función de la utilidad. ¿Qué es el juego estándar y cómo se utiliza al determinar valores de la utilidad?

3-15 ¿Cómo se emplea la curva de la utilidad al seleccionar la mejor decisión para un problema en particular?

3-16 ¿Qué es un buscador de riesgo? ¿Qué es ser adverso al riesgo? ¿En qué difieren las curvas de la utilidad para estos tipos de tomadores de decisiones?

Problemas

3-17 Kenneth Brown es el principal propietario de Brown Oil, Inc. Después de dejar su trabajo académico en la universidad, Ken ha podido aumentar su salario anual por un factor mayor que 100. En la actualidad, Ken se ve forzado a considerar la compra de más equipo para Brown Oil debido a la competencia. Sus alternativas se muestran en la siguiente tabla.

EQUIPO	MERCADO FAVORABLE ($)	MERCADO DESFAVORABLE ($)
Sub 100	300,000	–200,000
Oiler J	250,000	–100,000
Texan	75,000	–18,000

Por ejemplo, si Ken compra un Sub 100 y hay un mercado favorable, obtendrá una ganancia de $300,000. Por otro lado, si el mercado es desfavorable, Ken sufrirá una pérdida de $200,000. Pero Ken siempre ha sido un tomador de decisiones muy optimista.

a) ¿Qué tipo de decisión enfrenta Ken?
b) ¿Qué criterio de decisión debería utilizar?
c) ¿Cuál alternativa es la mejor?

3-18 Aunque Ken Brown (del problema 3-17) es el principal propietario de Brown Oil, su hermano Bob tiene el crédito de haber hecho a la compañía un éxito financiero. Bob es vicepresidente de finanzas, y atribuye su éxito a su actitud pesimista acerca del negocio y de la industria del petróleo. Dada la información del problema 3-17, es probable que Bob llegue a una decisión diferente. ¿Qué criterio de decisión debería emplear Bob y qué alternativa elegirá?

3-19 *Lubricant* es un boletín de noticias energéticas costoso al que muchos gigantes del petróleo se suscriben, incluyendo a Ken Brown (véase el problema 3-17 por lo detalles). En el último número, el boletín describía la forma en que la demanda de petróleo y sus derivados sería extremadamente alta. Parece que el consumidor estadounidense continuará usando productos de petróleo, aun cuando se duplique su precio. Sin duda uno de los artículos en el *Lubricant* establece que la posibilidad de un mercado petrolero favorable es de 70%, en tanto que la posibilidad de un mercado desfavorable es de solo 30%. A Ken le gustaría usar estas probabilidades para determinar la mejor decisión.

a) ¿Qué modelo de decisión debería usar?
b) ¿Cuál es la decisión óptima?
c) Ken piensa que la cifra de $300,000 para el Sub 100 con un mercado favorable es demasiado alta. ¿Cuánto tendría que disminuir esta cifra para que Ken cambiara la decisión tomada en el inciso *b*)?

3-20 Mickey Lawson considera invertir un dinero que heredó. La siguiente tabla de pagos da las ganancias que obtendría durante el siguiente año para cada una de las tres alternativas de inversión que Mickey está considerando:

	ESTADO DE NATURALEZA	
ALTERNATIVA DE DECISIÓN	ECONOMÍA BUENA	ECONOMÍA MALA
Mercado de valores	80,000	−20,000
Bonos	30,000	20,000
Certificados de depósito	23,000	23,000
Probabilidad	0.5	0.5

a) ¿Qué decisión maximizaría las ganancias esperadas?

b) ¿Cuál es la cantidad máxima que debería pagar por un pronóstico perfecto de la economía?

3-21 Desarrolle una tabla de pérdida de oportunidad para el problema de inversión que enfrenta Mickey Lawson en el problema 3-20. ¿Qué decisión minimiza la pérdida de oportunidad esperada? ¿Cuál es la POE mínima?

3-22 Allen Young siempre ha estado orgulloso de sus estrategias de inversión personales y le ha ido muy bien en los años recientes. Invierte principalmente en el mercado de valores. Sin embargo, durante los últimos meses Allen ha estado muy preocupado por el mercado de valores como una buena inversión. En algunos casos, hubiera sido mejor que tuviera su dinero en un banco y no en la bolsa de valores. Durante el siguiente año, Allen debe decidir si invertir $10,000 en el mercado de valores o en un certificado de depósito (CD) a una tasa de interés de 9%. Si el mercado es bueno, Allen cree que puede tener un rendimiento de 14% sobre su dinero. Con un mercado regular, espera obtener 8% de rendimiento. Si el mercado es malo, lo más probable es que no tenga rendimiento —en otras palabras, el retorno sería de 0%. Allen estima que la probabilidad de un mercado bueno es de 0.4, la probabilidad de un mercado regular es de 0.4, y la probabilidad de un mercado malo es de 0.2, y él busca maximizar su rendimiento promedio a largo plazo.

a) Desarrolle una tabla de decisiones para este problema.

b) ¿Cuál es la mejor decisión?

3-23 En el problema 3-22 ayudó a Allen Young a determinar la mejor estrategia de inversión. Ahora Young está pensando pagar por un boletín de noticias del mercado de valores. Un amigo de Young le dice que este tipo de boletines suelen predecir con mucha exactitud si el mercado será bueno, regular o malo. Entonces, con base en estas predicciones, Allen podría tomar mejores decisiones de inversión.

a) ¿Cuánto es lo más que Allen estaría dispuesto a pagar por un boletín?

b) Young piensa que un buen mercado le dará un rendimiento de tan solo 11% en vez de 14%. ¿Cambia esta información la cantidad que Allen estaría dispuesto a pagar por el boletín? Si su respuesta es afirmativa, determine lo más que Allen pagaría por el boletín, dada esta nueva información.

3-24 Today's Electronics se especializa en fabricar componentes electrónicos modernos y también fabrica el equipo para producirlos. Phyllis Wienberg, responsable de asesorar al presidente de Today's Electronics en cuanto a la fabricación del equipo, ha desarrollado la siguiente tabla respecto a una instalación propuesta:

	GANANCIA ($)		
	MERCADO FUERTE	MERCADO REGULAR	MERCADO MALO
Instalación grande	550,000	110,000	−310,000
Instalación mediana	300,000	129,000	−100,000
Instalación pequeña	200,000	100,000	−32,000
Ninguna instalación	0	0	0

a) Desarrolle una tabla de pérdida de oportunidad.

b) ¿Cuál es la decisión de arrepentimiento minimax?

3-25 Brilliant Color es un modesto proveedor de químicos y equipo que se usa en algunas tiendas fotográficas para revelar película de 35 mm. Un producto de Brilliant Color es el BC-6. John Kubick, presidente de Brilliant Color, suele almacenar 11, 12 o 13 cajas de BC-6 cada semana. Por cada caja que John vende, recibe una ganancia de $35. Al igual que muchos químicos fotográficos, el BC-6 tiene una vida de repisa muy corta, de manera que si una caja no se vende para el fin de la semana, John debe desecharla. Como cada caja cuesta $56, John pierde $56 por cada caja que no se vende para el fin de semana. Hay una probabilidad de 0.45 de vender 11 cajas, una probabilidad de 0.35 de vender 12 cajas y una probabilidad de 0.2 de vender 13 cajas.

a) Construya una tabla de decisiones para este problema. Incluya todos los valores y las probabilidades condicionales en la tabla.

b) ¿Qué curso de acción recomienda?

c) Si John puede desarrollar el BC-6 con un ingrediente que lo estabilice, de modo que ya no tenga que desecharse, ¿cómo cambiaría esto su curso de acción recomendado?

3-26 La compañía Megley Cheese es un pequeño fabricante de varios productos de queso diferentes. Uno de los productos es un queso para untar que se vende a tiendas al menudeo. Jason Megley tiene que decidir cuántas cajas de queso para untar debe producir cada mes. La probabilidad de que la demanda sea de seis cajas es de 0.1, para 7 cajas es de 0.3, para 8 es de 0.5 y para 9 es de 0.1. El costo de cada caja es de $45 y el precio que Jason obtiene por cada caja es de $95. Por desgracia, las cajas que no se venden al final del mes no tienen valor, porque se descomponen. ¿Cuántas cajas de queso debería fabricar John cada mes?

3-27 Farm Grown, Inc., produce cajas de productos alimenticios perecederos. Cada caja contiene una variedad de vegetales y otros productos agrícolas. Cada caja cuesta

$5 y se vende en $15. Si hay cajas que no se hayan vendido al final del día, se venden a una compañía grande procesadora de alimentos en $3 por caja. La probabilidad de que la demanda diaria sea de 100 cajas es de 0.3, de que sea de 200 cajas es de 0.4 y de que sea de 300 cajas es de 0.3. Farm Gown tiene la política de siempre satisfacer la demanda de los clientes. Si su propia reserva de cajas es menor que la demanda, compra los vegetales necesarios a un competidor. El costo estimado de hacer esto es de $16 por caja.

a) Dibuje un árbol de decisiones para este problema.

b) ¿Qué recomendaría?

3-28 Aun cuando las estaciones de gasolina independientes enfrentan tiempos difíciles, Susan Solomon ha estado pensado emprender su propia estación de servicio. El problema de Susan es decidir qué tan grande debería ser. Los rendimientos anuales dependerán del tamaño de su instalación y de varios factores de comercialización relacionados con la industria del petróleo y la demanda de gasolina. Después de un análisis cuidadoso, Susan desarrolló la siguiente tabla:

TAMAÑO DE LA PRIMERA ESTACIÓN	MERCADO BUENO ($)	MERCADO REGULAR ($)	MERCADO MALO ($)
Pequeña	50,000	20,000	–10,000
Mediana	80,000	30,000	–20,000
Grande	100,000	30,000	–40,000
Muy grande	300,000	25,000	–160,000

Por ejemplo, si Susan construye una estación pequeña y el mercado es bueno, obtendrá una ganancia de $50,000.

a) Desarrolle una tabla de decisiones para esta situación.

b) ¿Cuál es la decisión maximax?

c) ¿Cuál es la decisión maximin?

d) ¿Cuál es la decisión de probabilidades iguales?

e) ¿Cuál es la decisión con el criterio de realismo? Use un valor de α de 0.8.

f) Desarrolle una tabla de pérdida de oportunidad.

g) ¿Cuál es la decisión del arrepentimiento minimax?

3-29 Beverly Mill ha decidido rentar un automóvil híbrido para ahorrar gastos de gasolina y contribuir con el cuidado del ambiente. El auto seleccionado está disponible solamente con un distribuidor en el área, aunque este tiene varias opciones de arrendamiento para ajustarse a una gama de patrones de manejo. Todos los contratos de renta son por 3 años y no requieren pago inicial (enganche). La primera opción tiene un costo mensual de $330, una autorización de 36,000 millas (un promedio de 12,000 millas por año) y un costo de $0.35 por milla adicional a las 36,000. La siguiente tabla resume las tres opciones de renta:

CONTRATO DE 3 AÑOS	COSTO MENSUAL	MILLAS INCLUIDAS	COSTO POR MILLA ADICIONAL
Opción 1	$330	36,000	$0.35
Opción 2	$380	45,000	$0.25
Opción 3	$430	54,000	$0.15

Beverly estima que durante los 3 años del contrato, hay 40% de posibilidades de que maneje un promedio de 12,000 millas anuales, 30% de posibilidades de que sea un promedio de 15,000 millas anuales y 30% de posibilidades de que llegue a 18,000 millas anuales. Al evaluar estas opciones de arrendamiento, a Beverly le gustaría mantener sus costos tan bajos como sea posible.

a) Desarrolle una tabla de pagos (costos) para esta situación.

b) ¿Qué decisión tomaría Beverly si fuera optimista?

c) ¿Qué decisión tomaría si fuera pesimista?

d) ¿Qué decisión tomaría si quisiera minimizar su costo (valor monetario) esperado?

e) Calcule el valor esperado de la información perfecta para este problema.

3-30 Con referencia a la decisión de renta que enfrenta Beverly Mills en el problema 3.29, desarrolle la tabla de pérdida de oportunidad para esa situación. ¿Cuál opción elegiría según el criterio de arrepentimiento minimax? ¿Qué alternativa daría como resultado la menor pérdida de oportunidad esperada?

3-31 El juego de ruleta es popular en muchos casinos en todo el mundo. En Las Vegas, una ruleta ordinaria tiene los números 1 a 36 en las muescas. La mitad de estas son rojas y la otra mitad son negras. En Estados Unidos, la ruleta suele tener también los números 0 (cero) y 00 (doble cero), y estos dos números se encuentran en muescas verdes. Entonces, hay 38 muescas en una rueda. El *crupier* impulsa la rueda y lanza una pequeña pelota en dirección opuesta al giro de la rueda. Cuando la rueda pierde velocidad, la pelota cae en una de las muescas y ese es el número y el color que ganan. Una de las apuestas disponibles es simplemente rojo o negro, para la cual las posibilidades son 1 a 1. Si el jugador apuesta ya sea rojo o negro, y ocurre que acierta al color ganador, el jugador obtiene la cantidad de su apuesta. Por ejemplo, si el jugador apuesta $5 al rojo y gana, le pagan $5 y todavía tiene su apuesta original. Por otro lado, si el color ganador es negro o verde cuando el jugador apuesta al rojo, pierde toda su apuesta.

a) ¿Cuál es la probabilidad de que un jugador que apuesta rojo gane?

b) Si un jugador apuesta $10 a rojo cada vez que se gira la ruleta, ¿cuál es el valor monetario (ganancia) esperado(a)?

c) En Europa se acostumbra a que no haya 00 en la rueda, tan solo 0. Con este tipo de juego, ¿cuál es la probabilidad de que un jugador que apuesta rojo gane? Si un jugador apuesta $10 al rojo todas las veces en este juego (sin 00), ¿cuál es el valor monetario esperado?

d) Como la utilidad esperada (ganancia) en un juego de ruleta es negativa, ¿por qué seguiría jugando una persona racional?

3-32 Remítase al problema 3-31 para los detalles del juego de ruleta. Otra apuesta en la ruleta se llama "directa", que significa que el jugador apuesta que el número ganador será el número que eligió. En un juego con 0 y 00, hay un total de 38 resultados posibles (los números 1 a 36 más 0 y 00), y cada uno tiene la misma posibilidad de ocurrir. El pago por este tipo de apuesta es 35 a 1, lo cual significa que el jugador obtiene 35 y conserva su apuesta original. Si un jugador apuesta $10 al número 7 (o cualquier otro número sencillo), ¿cuál es el valor monetario (ganancia) esperado(a)?

3-33 La compañía Technically Techno tiene varias patentes para diferentes dispositivos de almacenamiento que se utilizan en las computadoras, los teléfonos celulares y una gama de productos. Un competidor recientemente introdujo un producto basado en una tecnología similar a algo patentado por Technically Techno el año pasado. En consecuencia, Technically Techno demandó al competidor por transgresión de sus derechos. Con base en los hechos del caso, al igual que el registro de los abogados involucrados, Technically Techno cree que tiene una probabilidad de 40% de que le otorguen $300,000 si la demanda llega a los tribunales. Tiene una probabilidad de 30% de que le otorguen sólo $50,000 si van a juicio y ganan, y una probabilidad de 30% de que pierdan el caso y no obtengan dinero. El costo legal estimado si van a la corte es de $50,000. Sin embargo, la otra compañía ha ofrecido pagar a Technically Techno $75,000 para arreglar la disputa sin ir a juicio. El costo legal estimado de esto sería de $10,000. Si Technically Techno desea maximizar la ganancia esperada, ¿debería aceptar la oferta de arreglo fuera de los tribunales?

3-34 Un grupo de profesionales médicos está considerando construir una clínica privada. Si la demanda médica es alta (es decir, si el mercado es favorable para la clínica), los médicos pueden recibir una ganancia neta de $100,000. Si el mercado no es favorable, podrían perder $40,000. Desde luego, no tienen que seguir adelante, en cuyo caso no hay costo. En ausencia de datos de mercado, lo mejor que pueden adivinar los médicos es que hay una posibilidad de 50-50 de que la clínica tenga éxito. Construya un árbol de decisiones que ayude a analizar este problema. ¿Qué deberían hacer los profesionales médicos?

3-35 Un investigador de mercados se acercó a los doctores del problema 3-34 y les ofrece realizar un estudio de mercado con un costo de $5,000. Los investigadores de mercado aseguran que su experiencia les permite usar el teorema de Bayes para hacer las siguientes afirmaciones de probabilidad:

probabilidad de un mercado favorable dado un estudio favorable = 0.82

probabilidad de un mercado desfavorable dado un estudio favorable = 0.18

probabilidad de un mercado favorable dado un estudio desfavorable = 0.11

probabilidad de un mercado desfavorable dado un estudio desfavorable = 0.89

probabilidad de un estudio favorable = 0.55

probabilidad de un estudio desfavorable = 0.45

a) Desarrolle un nuevo árbol de decisiones para los profesionales médicos, que refleje las opciones que se abren ahora con el estudio de mercado.

b) Use el VME para recomendar una estrategia.

c) ¿Cuál es el valor esperado de la información muestral? ¿Cuánto estarían los médicos dispuestos a pagar por un estudio de mercado?

d) Calcule la eficiencia de la información muestral.

3-36 Jerry Smith está pensando abrir una tienda de bicicletas en su ciudad natal. A Jerry le encanta llevar su bicicleta en viajes de 50 millas con sus amigos, pero cree que cualquier negocio pequeño debería iniciarse tan solo si hay una buena posibilidad de ganar dinero. Jerry puede abrir una tienda pequeña, una tienda grande o no abrir una tienda. Las ganancias dependerían del tamaño de la tienda, y de si el mercado es favorable o desfavorable para sus productos. Como hay un local para rentar por 5 años en un edificio que Jerry está pensando usar, quiere asegurase de tomar la decisión correcta. Jerry también piensa contratar a su antiguo profesor de marketing para realizar un estudio de mercado. Si el estudio se realiza podría ser favorable (es decir, predecir un mercado favorable) o desfavorable (predecir un mercado desfavorable). Desarrolle un árbol de decisiones para Jerry.

3-37 Jerry Smith (véase el problema 3-36) hizo un análisis de la rentabilidad de la tienda de bicicletas. Si Jerry abre una tienda grande, ganará $60,000 si el mercado es favorable, pero perderá $40,000 si es desfavorable. La tienda pequeña le hará ganar $30,000 en un mercado favorable y perder $10,000 en un mercado desfavorable. Actualmente, él cree que hay una posibilidad de 50-50 de que el mercado sea favorable. Su antiguo profesor de marketing le cobrará $5,000 por el estudio de mercado. Se estima que hay una probabilidad de 0.6 de que el estudio de mercado sea favorable y una probabilidad de 0.9 de que el mercado sea favorable dado un resultado favorable para el estudio. Sin embargo, el profesor advirtió a Jerry que tan solo hay una probabilidad de 0.12 de un mercado favorable, si los resultados del estudio no son favorables. Jerry está confundido.

a) ¿Debe Jerry usar el estudio de mercado?

b) Sin embargo, Jerry no está seguro de que la probabilidad de 0.6 para un estudio de mercado favorable sea correcta. ¿Qué tan sensible es la decisión de Jerry a este valor de probabilidad? ¿Cuánto se puede desviar este valor de 0.6 sin ocasionar que Jerry cambie su decisión?

3-38 Bill Holliday no está seguro de qué debería hacer. Puede construir un edificio de cuatro departamentos, uno de dos, reunir información adicional o simplemente no hacer nada. Si reúne información adicional, los resultados podrían ser favorables o desfavorables, pero le costaría $3,000 reunirla. Bill piensa que hay una posibilidad de 50-50 de que la información sea favorable. Si el mercado de renta es favorable, Bill ganará $15,000 con cuatro departamentos o $5,000 con dos. Él no tiene recursos financieros para llevar a cabo ambas opciones, pero con un mercado de renta desfavorable perdería $20,000 con cuatro departamentos o $10,000 con dos. Sin reunir información adicional, Bill estima que la probabilidad de un mercado de renta favorable es de 0.7. Un reporte favorable del estudio aumentaría la probabilidad de un mercado de renta favorable a 0.9. Más aún, un reporte desfavorable de la información adicional disminuiría la probabilidad de un mercado de renta favorable a 0.4. Desde luego, Bill puede olvidar estos números y no construir. ¿Qué aconsejaría a Bill?

3-39 Peter Martin ayudará a su hermano que quiere abrir una tienda de alimentos. Peter inicialmente cree que hay una posibilidad de 50-50 de que la tienda de alimentos de su hermano tenga éxito. Peter está considerando hacer un estudio de mercado. Con base en datos históricos, hay una probabilidad de 0.8 de que la investigación de mercado sea favorable dada una tienda con éxito. Todavía más, hay una probabilidad de 0.7 de que el estudio de mercado sea desfavorable dada un tienda sin éxito.

a) Si el estudio de mercado es favorable, ¿cuál es la probabilidad revisada de Peter de una tienda con éxito para su hermano?

b) Si el estudio de mercado es desfavorable, ¿cuál es la probabilidad revisada de Peter para una tienda con éxito para su hermano?

c) Si la probabilidad inicial de una tienda con éxito es de 0.60 (en vez de 0.50), encuentre las probabilidades de los incisos a) y b).

3-40 Mark Martinko ha sido un raquetbolista de clase A durante los últimos cinco años y una de sus metas más importantes es ser dueño de una instalación de raquetbol y administrarla. Por desgracia, Mark piensa que la posibilidad de tener éxito es tan solo de 30%. El abogado de Mark le recomienda que use uno de los grupos locales de investigación de mercados para realizar un estudio respecto al éxito o fracaso de la instalación para raquetbol. Existe una probabilidad de 0.8 de que el estudio sea favorable dada una instalación exitosa. Además, hay una probabilidad de 0.7 de que el estudio sea desfavorable dada una instalación no exitosa. Calcule las probabilidades revisadas de una instalación para raquetbol exitosa, dados un estudio favorable y un estudio desfavorable.

3-41 Un asesor financiero recomienda dos fondos mutuos posibles para inversión: el fondo A y el fondo B. El rendimiento que logrará cada uno depende de si la economía es buena, regular o mala. Se ha construido una tabla de pagos para ilustrar la situación:

| | ESTADO DE NATURALEZA | | |
INVERSIÓN	ECONOMÍA BUENA	ECONOMÍA REGULAR	ECONOMÍA MALA
Fondo A	$10,000	$2,000	−$5,000
Fondo B	$6,000	$4,000	0
Probabilidad	0.2	0.3	0.5

a) Dibuje un árbol de decisiones que represente esta situación.

b) Realice los cálculos necesarios para determinar cuál de los dos fondos mutuos es mejor. ¿Cuál debería elegir para maximizar el valor esperado?

c) Suponga que hay una pregunta acerca del rendimiento del fondo A en una buena economía. Podría ser mayor o menor que $10,000. ¿Qué valor de este ocasionaría que una persona sea indiferente entre el fondo A y el fondo B (es decir, para el que el VME sería igual)?

3-42 Jim Sellers está pensando producir un nuevo tipo de maquinilla para afeitar para hombre. Si el mercado fuera favorable, obtendría un rendimiento de $100,000 pero si el mercado de este nuevo tipo de maquinilla para afeitar fuera desfavorable, perdería $60,000. Como Ron Bush es un buen amigo de Jim Sellers, Jim considera la posibilidad de contratar a Bush Marketing Research para reunir información adicional acerca del mercado de la maquinilla para afeitar. Ron sugiere que Jim use una encuesta o un estudio piloto para probar el mercado. La encuesta sería un cuestionario complejo aplicado a un mercado de prueba y costaría $5,000. Otra alternativa es realizar un estudio piloto, que incluye producir un número limitado de maquinillas para afeitar y tratar de venderlas en dos ciudades que sean típicamente estadounidenses. El estudio piloto es más preciso pero también más costoso: sería de $20,000. Ron Bush sugiere que sería buena idea que Jim realizara uno de los dos antes de tomar una decisión respecto a producir la nueva maquinilla para afeitar; sin embargo, Jim no está seguro de que el valor de la encuesta o del estudio piloto valgan la pena.

Jim estima que la probabilidad de un mercado exitoso sin hacer una encuesta o un estudio piloto es de 0.5. Todavía más, la probabilidad de una encuesta favorable dado un mercado favorable para las máquinas para afeitar es de 0.7 y la probabilidad de un resultado favorable de la encuesta dado un mercado desfavorable es de 0.2. Además, la probabilidad de un estudio piloto desfavorable dado un mercado desfavorable es de 0.9 y la probabilidad de un estudio piloto sin éxito dado un mercado favorable es de 0.2.

a) Dibuje el árbol de decisiones para este problema sin los valores de probabilidad.

b) Calcule las probabilidades revisadas necesarias para completar la decisión y colóquelas en el árbol de decisiones.

c) ¿Cuál es la mejor decisión para Jim? Use el VME como criterio de decisión.

Q: 3-43 Jim Sellers pudo estimar su utilidad para varios valores. Le gustaría usar estos valores de la utilidad para tomar la decisión en el problema 3-42: $U(-\$80,000) = 0$, $U(-\$65,000) = 0.5$, $U(-\$60,000) = 0.55$, $U(-\$20,000) = 0.7$, $U(-\$5,000) = 0.8$, $U(\$0) = 0.81$, $U(\$80,000) = 0.9$, $U(\$95,000) = 0.95$, y $U(\$100,000) = 1$. Resuelva el problema 3-42 usando los valores de la utilidad. ¿Es Jim adverso al riesgo?

: 3-44 Hay dos estados de naturaleza para una situación particular; una economía buena y una economía mala. Se puede realizar un estudio económico para obtener más información acerca de cuál de ellos ocurrirá durante el año próximo. El estudio pronosticaría una economía buena o una mala. En la actualidad hay 60% de posibilidades de que la economía sea buena y 40% de que sea mala. En el pasado, siempre que la economía era buena, el estudio económico predijo que sería buena 80% de las veces. (El otro 20% de las veces su predicción fue errónea.) En el pasado, cuando la economía era mala, el estudio económico predijo que sería mala 90% de las veces. (El otro 10% de las veces su predicción estuvo equivocada.)

a) Use el teorema de Bayes para encontrar lo siguiente:

P(economía buena | predicción de economía buena)

P(economía mala | predicción de economía buena)

P(economía buena | predicción de economía mala)

P(economía mala | predicción de economía mala)

b) Suponga que la probabilidad inicial (previa) de una economía buena es de 70% (en vez de 60%) y que la probabilidad de una economía mala es de 30% (en vez de 40%). Encuentre las probabilidades posteriores en el inciso *a)* usando estos valores nuevos.

Q: 3-45 La compañía Long Island Life Insurance vende una póliza de seguro de vida a término. Si el titular de la póliza muere durante la vigencia de la póliza, la compañía paga $100,000. Si la persona no muere, la compañía no paga y la póliza deja de tener valor. La compañía usa tablas actuariales para determinar la probabilidad de que una persona con ciertas características muera durante el año siguiente. Para cierto individuo, se determina que existe una posibilidad de 0.001 de que muera en el siguiente año y una posibilidad de 0.999 de que viva y la compañía no pague. El costo de esta póliza es de $200 por año. Según el criterio del VME, ¿debería el individuo comprar esta póliza de seguro? ¿Cómo ayudaría la teoría de la utilidad a explicar por qué una persona compraría esta póliza de seguro?

Q: 3-46 En el problema 3-35, ayudó a los profesionales médicos a analizar su decisión usando el valor monetario es-

perado como criterio de decisión. Este grupo evaluó también su utilidad para el dinero: $U(-\$45,000) = 0$, $U(-\$40,000) = 0.1$, $U(-\$5,000) = 0.7$, $U(\$0) = 0.9$, $U(\$95,000) = 0.99$ y $U(\$100,000) = 1$. Use la utilidad esperada como criterio de decisión y determine la mejor decisión para los profesionales médicos. ¿Los profesionales médicos son buscadores de riesgo o adversos al riesgo?

Q: 3-47 En este capítulo se desarrolló un árbol de decisiones para John Thompson (véase en la figura 3.5 el árbol de decisiones completo). Después de terminar el análisis, John no estaba muy seguro de que fuera indiferente al riesgo. Luego de revisar varios de los juegos estándar, John pudo evaluar su utilidad para el dinero. Algunas de sus evaluaciones son: $U(-\$190,000) = 0$, $U(-\$180,000) = 0.05$, $U(-\$30,000) = 0.10$, $U(-\$20,000) = 0.15$, $U(-\$10,000) = 0.2$, $U(\$0) = 0.3$, $U(\$90,000) = 0.5$, $U(\$100,000) = 0.6$, $U(\$190,000) = 0.95$ y $U(\$200,000) = 1.0$. Si John maximiza su utilidad esperada, ¿cambia su decisión?

Q: 3-48 En los años recientes, han empeorado los problemas de tránsito vehicular en la ciudad donde nació Lynn McKell. Ahora Broad Street está congestionada cerca de la mitad del tiempo. El tiempo normal de traslado al trabajo para Lynn es de tan solo 15 minutos cuando usa Broad Street y no está congestionada; pero si se congestiona, le lleva 40 minutos a Lynn llegar al trabajo. Si decide tomar la vía rápida, tomará 30 minutos sin importar las condiciones de tránsito. La utilidad de Lynn para el tiempo de traslado es: $U(15\ minutos) = 0.9$, $U(30\ minutos) = 0.7$ y $U(40\ minutos) = 0.2$.

a) ¿Qué ruta minimiza el tiempo de traslado esperado de Lynn?

b) ¿Qué ruta maximiza la utilidad de Lynn?

c) En lo se refiere a tiempo de traslado, ¿es Lynn una buscadora de riesgo o adversa al riesgo?

Q: 3-49 Coren Chemical, Inc., desarrolla químicos industriales que usan otros fabricantes para producir químicos fotográficos, preservativos y lubricantes. Uno de sus productos, K-1000, se usa por varias compañías para hacer un químico necesario en el procesamiento de revelado de película. Para producir el K-1000 de manera eficiente, Coren emplea el enfoque por lotes, donde cierto número de galones se produce a la vez. Así se reducen los costos de preparación y permite a Coren Chemical producir K-1000 a un precio competitivo. Desafortunadamente, K-1000 tiene una vida corta en los estantes: cerca de un mes.

Coren Chemical produce K-1000 en lotes de 500 galones, 1,000 galones, 1,500 galones y 2,000 galones. Con los datos históricos, David Coren pudo determinar que la probabilidad de vender 500 galones de K-1000 es de 0.2. Las probabilidades de vender 1,000, 1,500 y 2,000 galones son respectivamente 0.3, 0.4 y 0.1. La pregunta que debe contestar David es cuántos galones de K-1000 producir en la siguiente corrida del lote. K-1000 se vende en $20 por galón. El costo de fabricación es de $12 por galón, en tanto que los costos de manejo y almacenaje se estiman en $1 por galón. En el pasado, David ha asignado costos de publicidad al K-1000 en $3 por galón. Si K-1000 no se vende después de producir el lote, los químicos pierden gran parte de sus propiedades importantes para el revelado. Sin embargo, se puede vender a un valor de recuperación de $13 por galón. Más aún, David garantiza a sus clientes que siempre habrá una abasto adecuado de K-1000. Si los productos se agotan, David garantiza que comprará un producto similar a un competidor en $25 por galón. David vende todos los químicos a $20 por galón, de manera que sus faltantes significan que David pierde los $5 al comprar un químico más costoso.

a) Desarrolle un árbol de decisiones para este problema.

b) ¿Cuál es la mejor solución?

c) Determine el valor esperado de la información perfecta.

3-50 La corporación Jamis participa en la administración de basura. Durante los últimos 10 años se ha convertido en una de las compañías más grandes de manejo de residuos en el medio oeste; da servicio principalmente a Wisconsin, Illinois y Michigan. Bob Jamis, presidente de la compañía, está considerando la posibilidad de establecer una planta de tratamiento de basura en Mississippi. Por su experiencia, Bob cree que una planta pequeña en el norte de Mississippi daría $500,000 de ganancias, sin importar el mercado para la instalación. El éxito de una planta de tratamiento mediana dependería del mercado. Con una demanda baja de tratamiento de basura, Bob espera un rendimiento de $200,000. Una demanda media daría un rendimiento de $700,000, según la estimación de Bob; y una demanda alta daría un rendimiento de $800,000. Aunque una instalación grande es mucho más riesgosa, el rendimiento potencial es mucho mayor. Con una demanda alta de tratamiento de basura en Mississippi, la instalación grande debería dar un rendimiento de un millón de dólares. Con una demanda media, la instalación grande daría $400,000. Bob estima que la instalación grande sería una gran pérdida si la demanda de tratamiento fuera baja. Estima que perdería alrededor de $200,000 con una demanda baja y una planta grande. Al observar las condiciones económicas en la parte norte de Mississippi y usar su experiencia en este campo, Bob estima que la probabilidad de una demanda baja para la planta de tratamiento es de 0.15. La probabilidad de una demanda media es aproximadamente 0.40 y la probabilidad de una demanda alta es de 0.45.

Debido a la inversión con gran potencial y la posibilidad de una pérdida, Bob decidió contratar a un equipo de investigación de mercados con sede en Jackson, Mississippi. Este equipo realizará un estudio para tener una mejor idea de la probabilidad de una demanda baja, una media o una alta para el tratamiento

de basura. El costo de la investigación es de $50,000. Para ayudar a que Bob determine si seguir adelante con el estudio de mercado, la empresa le proporcionó la siguiente información:

P(resultados del estudio | resultados posibles)

	RESULTADOS DEL ESTUDIO		
RESULTADO POSIBLE	RESULTADO BAJO	RESULTADO MEDIO	RESULTADO ALTO
Demanda baja	0.7	0.2	0.1
Demanda media	0.4	0.5	0.1
Demanda alta	0.1	0.3	0.6

Como se observa, la encuesta podría dar tres resultados posibles. Un resultado bajo significa que es probable que haya una demanda baja. De manera similar, los resultados medio o alto serían de una demanda media o alta, respectivamente. ¿Qué debería hacer Bob?

3-51 Mary está considerando abrir una nueva tienda de abarrotes en el condado. Evalúa tres lugares: el centro, la plaza comercial y los suburbios. Mary calculó el valor de tiendas exitosas en estos lugares como sigue: en el centro, $250,000; en la plaza, $300,000; en los suburbios, $400,000. Mary calculó las pérdidas si no tiene éxito como $100,000 en el centro o la plaza, y $200,000 en los suburbios. Mary piensa que su posibilidad de éxito es de 50% en el centro, 60% en la plaza y 75% en los suburbios.

a) Dibuje un árbol de decisiones para Mary y seleccione su mejor alternativa.

b) Una empresa de investigación de mercados se acercó a Mary y le ofrece estudiar el área para determinar si se necesita otra tienda de abarrotes. El costo de este estudio es de $30,000. Mary cree que hay 60% de posibilidad de que los resultados del estudio sean positivos (muestren una necesidad de otra tienda de abarrotes). REP = resultado del estudio positivo, REN = resultado del estudio negativo, EP = éxito en la plaza, EC = éxito en el centro, ES = éxito en los suburbios, SES = sin éxito en los suburbios, etcétera. Para estudios de esta naturaleza: $P(REP | éxito) = 0.7$; $P(REN | éxito) = 0.3$; $P(REP | sin éxito) = 0.2$, y $P(REN | sin éxito) = 0.8$. Calcule las probabilidades revisadas para el éxito (y el sin éxito) para cada lugar, dependiendo de los resultados del estudio.

c) ¿Cuánto vale el estudio de mercado para Mary? Calcule el VEIM.

3-52 Sue Reynolds tiene que decidir si debería obtener información (a un costo de $20,000) para invertir en una tienda al menudeo. Si obtiene la información, existe una probabilidad de 0.6 de que sea favorable y una probabilidad de 0.4 de que no sea favorable. Si la información es favorable, existe una probabilidad de 0.9 de que la tienda tenga éxito. Si la información es desfavorable, la probabilidad de éxito de la tienda es de tan solo 0.2. Sin información, Sue estima que la probabilidad de éxito en la tienda será de 0.6. Una tienda exitosa dará un rendimiento de $100,000. Si la tienda se abre pero no tiene éxito, Sue tendrá una pérdida de $80,000. Desde luego, puede decidir no abrirla.

a) ¿Qué recomienda?

b) ¿Qué influencia tendría en la decisión de Sue una probabilidad de 0.7 de obtener información favorable? La probabilidad de obtener información desfavorable sería de 0.3.

c) Sue cree que las probabilidades de una tienda con éxito y una sin éxito dado que la información es favorable son de 0.8 y 0.2, respectivamente, en vez de los respectivos 0.9 y 0.1. ¿Qué influencia, si la hay, tendrá esto en la decisión de Sue y en el mejor VME?

d) Sue tiene que pagar $20,000 para obtener información. ¿Cambiaría su decisión si el costo de la información aumentara a $30,000?

e) Usando los datos de este problema y la siguiente tabla de la utilidad, calcule la utilidad esperada. ¿Es ésta la curva de un buscador de riesgo o de un individuo adverso al riesgo?

VALOR MONETARIO	UTILIDAD
$100,000	1
$80,000	0.4
$0	0.2
−$20,000	0.1
−$80,000	0.05
−$100,000	0

f) Calcule la utilidad esperada dada la siguiente tabla de la utilidad. ¿Esta tabla de la utilidad representa a un buscador de riesgo o a alguien adverso al riesgo?

VALOR MONETARIO	UTILIDAD
$100,000	1
$80,000	0.9
$0	0.8
−$20,000	0.6
−$80,000	0.4
−$100,000	0

Problemas de tarea en Internet

Nuestra página en Internet, en **www. pearsonenespañol.com/render**, contiene problemas de tarea adicionales: problemas 3-53 a 3-66.

Estudio de caso

Corporación Starting Right

Después de ver una película acerca de una joven mujer que deja su carrera en una corporación exitosa para iniciar su propia empresa de alimento para bebé, Julia Day decidió que quería hacer lo mismo. En la película, la compañía de alimento para bebé era muy exitosa. Sin embargo, Julia sabía que es mucho más fácil hacer una película sobre una mujer exitosa que inicia su propia empresa, que hacerlo en la vida real. El producto tiene que ser de la más alta calidad y Julia tenía que encontrar a las mejores personas para lanzar su nueva compañía. Julia renunció a su trabajo y lanzó su nueva compañía: Starting Right.

Julia decidió dirigirse al sector alto del mercado de alimento para bebé produciendo alimentos sin conservadores y con un gran sabor. Aunque el precio sería un poco más elevado que el alimento para bebé existente, Julia pensaba que los padres estarían dispuestos a pagar más por alimentos de alta calidad. En vez de colocar papillas en frascos, que requiere conservadores para estabilizar la comida, Julia decidió intentar un nuevo enfoque. El alimento para bebé estaría congelado. Esto permitiría ingredientes naturales, sin conservadores y con nutrición sobresaliente.

Lograr que individuos capaces trabajaran para la nueva compañía también era importante. Julia decidió contratar a personas con experiencia en finanzas, marketing y producción para Starting Right. Con su entusiasmo y carisma, Julia logró encontrar a un grupo así. Su primer paso fue desarrollar los prototipos del nuevo alimento congelado para bebé y realizar una pequeña prueba piloto del nuevo producto, la cual recibió opiniones entusiastas.

El último punto para dar a la compañía un buen inicio era reunir fondos. Consideró tres opciones: bonos corporativos, acciones preferenciales y acciones comunes. Julia decidió que cada inversión debía hacerse en bloques de $30,000. Más aún, cada inversionista debía tener un ingreso anual de al menos $40,000 y un valor neto de $100,000 para ser elegible para invertir en Starting Right. Los bonos corporativos tendrían un rendimiento de 13% anual durante los siguientes cinco años. Julia además garantizó que los inversionistas en bonos corporativos obtendrían al menos $20,000 de rendimiento al final de los cinco años. Los inversionistas en acciones preferenciales deberían ver crecer su inversión inicial por un factor de 4 con un buen mercado, o bien, ver que la inversión valía tan solo la mitad de la inversión inicial con un mercado desfavorable. Las acciones comunes tenían el mayor potencial. Se esperaba que la inversión inicial creciera por un factor de 8 con un buen mercado, pero los inversionistas perderían todo si el mercado es desfavorable. Durante los siguientes cinco años, se espera que la inflación aumente por un factor de 4.5% anual.

Preguntas para análisis

1. Sue Pansky, una maestra de primaria jubilada, está considerando invertir en Starting Right. Es muy conservadora y adversa al riesgo. ¿Qué le recomendaría?
2. Ray Cahn, que actualmente es un corredor de bienes, también considera una inversión, aunque piensa que hay tan solo una posibilidad de éxito de 11%. ¿Qué le recomienda?
3. Lila Battle ha decidido invertir en Starting Right. Mientras que piensa que Julia tiene una buena posibilidad de lograr el éxito, Lila evita el riesgo y es muy conservadora. ¿Qué le recomendaría?
4. George Yates cree que hay la misma posibilidad de tener éxito que no tenerlo. ¿Qué le recomendaría?
5. Peter Metarko es extremadamente optimista acerca del mercado para el nuevo alimento para bebé. ¿Cuál es su consejo para Peter?
6. Le han dicho a Julia que desarrollar la documentación legal para cada tipo de inversión es costoso. A Julia le gustaría ofrecer alternativas tanto para quienes tienen aversión al riesgo como para los inversionistas que lo buscan. ¿Puede Julia eliminar una de las alternativas financieras y todavía ofrecer opciones de inversión para quienes se arriesgan y para los que evitan el riesgo?

Estudio de caso

Blake electronics

En 1979 Steve Blake fundó Blake Electronics en Long Beach, California, para fabricar resistencias, capacitores, inductores y otros componentes electrónicos. Durante la guerra de Vietnam, Steve era un operador de radio y durante este tiempo adquirió competencia en la reparación de radios y otros equipos de comunicación. Steve vio su experiencia de cuatro años con el ejército con sentimientos mezclados. Odió la vida militar, pero su experiencia le dio la confianza y la iniciativa para comenzar su propia empresa de electrónicos.

Al pasar los años, Steve mantuvo el negocio relativamente sin cambios. Para 1992, las ventas totales anuales eran de más de $2 millones. En 1996 el hijo de Steve, Jim, se unió a la compañía después de terminar la preparatoria y dos años de cursos en electrónica en el Long Beach Communitiy College. Jim era siempre dinámico en el atletismo de la escuela y se volvió más dinámico como gerente general de ventas de Blake Electronics. Este dinamismo molestaba un poco a Steve, que era más conservador. Jim hacía tratos para abastecer componentes electrónicos a las compañías antes de molestarse en averiguar si Blake Electronics tenía la capacidad para producirlos. En varias ocasiones su comportamiento ocasionó algunos momentos embarazosos cuando Blake Electronics no fue capaz de producir los componentes según los tratos de Jim.

En 2000 Jim comenzó a buscar contratos de abastecimiento de componentes electrónicos con el gobierno. Para 2002, las ventas totales anuales habían aumentado a más de $10 millones y el número de empleados excedía los 200. Muchos de estos empleados eran especialistas en electrónica y graduados de ingeniería eléctrica de programas de universidades importantes. No obstante, la tendencia de Jim a estirar los contratos continuó y, para 2007, Blake Electronics tenía una reputación con las dependencias del gobierno de una compañía que no cumplía lo que prometía. Casi de la noche a la mañana, los contratos con el gobierno cesaron y Blake Electronics se quedó con una fuerza de trabajo ociosa y equipo de manufactura que no se usaba. Estos altos costos generales comenzaron a esfumarse las ganancias y, en 2009, se enfrentó a la posibilidad de enfrentar una pérdida por primera vez en la historia.

En 2010 Steve decidió estudiar la posibilidad de fabricar componentes electrónicos para uso en el hogar. Aunque se trataba de un mercado totalmente nuevo para Blake Electronics, Steve estaba convencido de que era la única manera de hacer que la compañía no cayera en números rojos. El equipo de investigación se dio a la tarea de desarrollar nuevos dispositivos electrónicos para uso doméstico. La primera idea del equipo fue el "centro de control maestro". Los componentes básicos para este sistema se ilustran en la figura 3.15.

FIGURA 3.15
Centro de control maestro

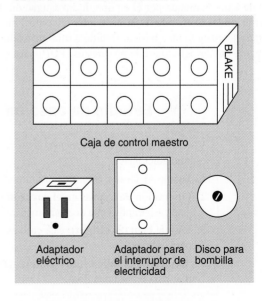

Caja de control maestro

Adaptador eléctrico

Adaptador para el interruptor de electricidad

Disco para bombilla

El corazón del sistema es la caja de control maestro. La unidad, que tendría un precio al menudeo de $250, tiene dos filas de cinco botones. Cada botón controla una luz o un aparato y puede establecerse como interruptor o reóstato. Cuando se establece como interruptor, un toque ligero con el dedo en el botón enciende o apaga la luz o el aparato. Cuando se establece como reóstato, un toque ligero en el botón controla la intensidad de la luz. Si se deja el dedo en el botón, la luz va un ciclo completo de brillo máximo a apagado y de regreso.

Para permitir la máxima flexibilidad, cada de control maestro funciona con dos baterías D que pueden durar hasta un año, dependiendo del uso. Además, el equipo de investigación ha desarrollado tres versiones del control maestro: A, B y C. Si una familia quiere controlar más de 10 luces o aparatos, se puede comprar otro control maestro.

El disco para la bombilla, que tiene un precio al menudeo de $2.50, se controla con el control maestro y sirve para controlar la intensidad de cualquier bombilla. Un disco diferente está disponible para cada posición del botón de las tres cajas del control maestro. Al insertar el disco para la bombilla entre la bombilla y su enchufe, el botón adecuado en el control maestro puede controlar totalmente la intensidad de la luz. Si se usa un interruptor estándar, debe estar encendido siempre para que funcione el control maestro.

Una desventaja al usar un interruptor estándar es que tan solo se puede usar la caja del control maestro para controlar esa luz. Para evitar este problema, el equipo de investigación desarrolló un adaptador especial para el interruptor que se vendería en $15. Cuando se instala este dispositivo, la luz se puede controlar con la caja del control maestro o con el adaptador del interruptor.

Cuando se usa para controlar los aparatos diferentes a la luz, la caja del control maestro se debe usar junto con uno o más adaptadores de enchufe. Los adaptadores se conectan al enchufe estándar en la pared y el aparato se conecta al adaptador. Cada adaptador tiene un interruptor en la parte superior que permite que el aparato se controle con el control maestro o con el adaptador. El precio de cada adaptador es de $25.

El equipo de investigación estima que costaría $500,000 desarrollar el equipo y los procedimientos necesarios para fabricar la caja del control maestro y los accesorios. Si tiene éxito, esta empresa podría aumentar sus ventas en aproximadamente $2 millones. Pero, ¿tendrá éxito el control maestro? Con una oportunidad de 60% de éxito estimada por el equipo de investigación, Steve tiene serias dudas acerca de tratar de vender el control maestro, aun cuando le gusta la idea básica. Debido a esta incertidumbre, Steve decide enviar peticiones de propuestas (PDP) para una in-

TABLA 3.15   **Cifras de éxito para MAI**

	RESULTADOS DE ENCUESTAS		
RESULTADO	FAVORABLE	DESFAVORABLE	TOTAL
Proyecto exitoso	35	20	55
Proyecto que no es exitoso	15	30	45

vestigación de mercado adicional a 30 compañías de investigación de mercado en el sur de California

La primera PDP que regresó era de una compañía pequeña llamada Marketing Associates, Inc. (MAI), que cobraría $100,000 por la investigación. Según su propuesta, MAI ha estado en el negocio durante tres años y ha realizado cerca de 100 proyectos del ramo. La mayor fortaleza de MAI parece ser la atención individual a cada cuenta, personal especializado y trabajo rápido. Steve estuvo muy interesado en una parte de la propuesta, la cual le reveló el registro de éxitos de MAI con cuentas anteriores. Esto se muestra en la tabla 3.15.

La única otra propuesta que regresó era de una sucursal de Investine and Walker, una de las compañías de investigación de mercados más grandes en el país. El costo de un estudio completo sería de $300,000. Mientras que la propuesta no contenía el mismo registro de éxitos de MAI, sí incluía cierta información interesante. La posibilidad de obtener un resultado favorable, dado un proyecto exitoso, era de 90%. Por otro lado, la oportunidad de obtener un resultado desfavorable en el estudio, dado un proyecto que no es exitoso es de 80%. Así, le pareció a Steve que Investine and Walker podrían predecir el éxito o fracaso de la caja de control maestro con una buena cantidad de certidumbre.

Steve ponderó la situación. Por desgracia, ambos equipos de investigación de mercados daban distintos tipos de información en sus propuestas. Steve concluyó que no tendría manera de comparar las dos propuestas a menos que obtuviera información adicional de Investine and Walker. Todavía más, Steve no estaba seguro de qué haría con la información y si valdría la pena el gasto de contratar a una de esas compañías.

Preguntas para análisis

1. ¿Necesita Steve información adicional de Investine and Walker?
2. ¿Qué recomendaría?

Estudio de caso en Internet

Visite nuestro sitio de Internet en www.pearsonenespañol.com/render, donde encontrará casos de estudio adicionales:

1. **Drink-At-Home, Inc.:** este caso trata el desarrollo y la comercialización de una nueva bebida.
2. **Operación de bypass en el corazón de Ruth Jones (Ruth Jones' Heart Bypass Operation):** este caso implica una decisión médica respecto a una cirugía.
3. **Esquíe bien (Ski Right):** este caso es acerca del desarrollo y comercialización de un nuevo casco para esquiar.
4. **Tiempo de estudio (Study Time):** trata de un estudiante que debe programar su tiempo para estudiar para un examen final.

Bibliografía

Abbas, Ali E. "Invariant Utility Functions and Certain Equivalent Transformations", *Decision Analysis* 4, 1 (marzo, 2007): 17-31.

Carassus, Laurence y Miklos Rasonyi. "Optimal Strategies and Utility-Based Prices Converge When Agents' Preferences Do", *Mathematics of Operations Research* 32, 1 (febrero, 2007): 102-117.

Congdon, Peter. *Bayesian Statistical Modeling.* Nueva York: John Wiley & Sons, Inc., 2001.

Duarte, B. P. M. "The Expected Utility Theory Applied to an Industrial Decision Problem-What Technological Alternative to Implement to Treat Industrial Solid Residuals", *Computers and Operations Research* 28, 4 (abril, 2001): 357-380.

Ewing, Paul L., Jr. "Use of Decision Analysis in the Army Base Realignment and Closure (BRAC) 2005 Military Value Analysis", *Decision Analysis* 3 (marzo, 2006): 33-49.

Hammond, J. S., R. L. Kenney y H. Raiffa. "The Hidden Traps in Decision Making", *Harvard Business Review* (septiembre-octubre, 1998): 47-60.

Hurley, William J. "The 2002 Ryder Cup: Was Strange's Decision to Put Tiger Woods in the Anchor Match a Good One?" *Decision Analysis* 4, I (marzo, 2007): 41-45.

Kirkwood, C. W. "An Overview of Methods for Applied Decision Analysis", *Interfaces* 22, 6 (noviembre-diciembre, 1992): 28-39.

Kirkwood, Craig W. "Approximating Risk Aversion in Decision Analysis Applications", *Decision Analysis* I (marzo, 2004): 51-67.

Luce, R y H. Raiffa. *Games and Decisions.* Nueva York: John Wiley & Sons, Inc., 1957.

Maxwell, Daniel T. "Improving Hard Decisions", *OR/MS Today* 33, 6 (diciembre, 2006): 51-61.

Maxwell, Dan. "Software Survey: Decision Analysis-Find a Tool That Fits", *OR/MS Today* 35, 5 (octubre, 2008): 56-64.

Paté-Cornell, M. Elisabeth y Robin L. Dillon. "The Respective Roles of Risk and Decision Analyses in Decision Support", *Decision Analysis* 3 (diciembre, 2006): 220-232.

Pennings, Joost M. E. y Ale Smidts. "The Shape of Utility Functions and Organizational Behavior", *Management Science* 49, 9 (septiembre, 2003): 1251-1263.

Raiffa, Howard, John W. Pratt y Robert Schlaifer. *Introduction to Statistical Decision Theory.* Boston: MIT Press, 1995.

Raiffa, Howard y Robert Schlaifer. *Applied Statistical Decision Theory.* New York: John Wiley & Sons, Inc., 2000.

Render, B. y R. M. Stair. *Cases and Readings in Management Science,* 2a. ed. Boston: Allyn & Bacon, Inc., 1988.

Schlaifer, R. *Analysis of Decisions under Uncertainty.* Nueva York: McGraw-Hill Book Company, 1969.

Smith, James E. y Robert L. Winkler. "The Optimizer's Curse: Skepticism and Postdecision Surprise in Decision Analysis", *Management Science* 52 (marzo, 2006): 311-322.

Van Binsbergen, Jules H. y Leslie M. Marx. "Exploring Relations between Decision Analysis and Game Theory", *Decision Analysis* 4, 1 (marzo, 2007): 32-40.

Wallace, Stein W. "Decision Making Under Uncertainty: Is Sensitivity Analysis of Any Use?" *Operations Research* 48, 1 (2000): 20-25.

Apéndice 3.1: Modelos de decisión con QM para Windows

QM para Windows sirve para resolver los problemas de teoría de decisiones estudiados en este capítulo. Este apéndice muestra cómo resolver problemas de teoría de decisiones directos que incluyen tablas.

En este capítulo se resolvió el problema de Tompson Lumber. Las alternativas incluyen la construcción de una planta grande, una planta pequeña o no hacer nada. Las probabilidades de un mercado desfavorable o favorable, junto con la información financiera, se presentaron en la tabla 3.9.

Para demostrar QM para Windows, usaremos estos datos para resolver el problema de Thompson Lumber. El programa 3.3 muestra los resultados. Observe que la mejor alternativa es construir la planta mediana, con un VME de $40,000.

Este capítulo también cubrió la toma de decisiones con incertidumbre, donde los valores de probabilidad no estaban disponibles o no eran adecuados. Las técnicas de solución para estos tipos de problemas se presentaron en la sección 3.4. El programa 3.3 muestra estos resultados, incluyendo las soluciones maximax, maximin y Hurwicz.

El capítulo 3 también cubrió la pérdida de oportunidad. Para demostrar el uso de QM para Windows, podemos determinar la POE para el problema de Thompson Lumber. Los resultados se presentan en el programa 3.4. Note que este programa también calcula el VEIP.

PROGRAMA 3.3

Cálculo del VME para el problema de la compañía Thompson Lumber usando QM para Windows

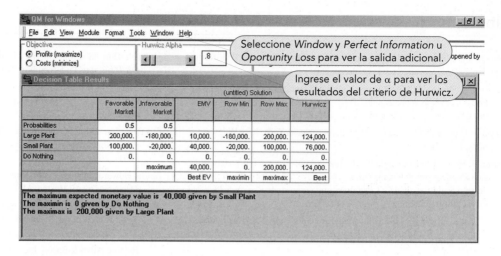

PROGRAMA 3.4

Pérdida de oportunidad y VEIP para el problema de la compañía Thompson Lumber usando QM para Windows

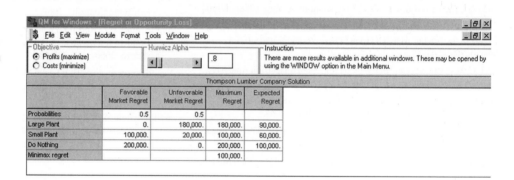

Apéndice 3.2: árboles de decisiones con QM para Windows

Para ilustrar el uso de QM para Windows para árboles de decisiones, usaremos los datos del ejemplo de Thompson Lumber. El programa 3.5 muestra los resultados de salida, incluyendo los datos originales, los resultados intermedios y la mejor decisión, que tiene un VME de $106,400. Note que los nodos deben numerarse y las probabilidades incluirse para cada rama de estado de naturaleza, mientras los pagos se incluyen en los lugares adecuados. El programa 3.5 ofrece solo una pequeña porción de este árbol ya que todo el árbol tiene 25 ramas.

PROGRAMA 3.5

QM para Windows en decisiones secuenciales

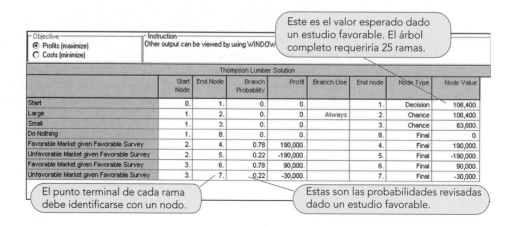

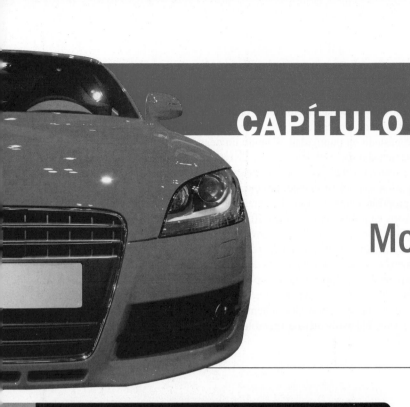

CAPÍTULO 4

Modelos de regresión

OBJETIVOS DE APRENDIZAJE

Al terminar de estudiar este capítulo, el alumno será capaz de:

1. Identificar las variables y usarlas en un modelo de regresión.
2. Desarrollar ecuaciones de regresión lineal simple a partir de datos muestrales, e interpretar la pendiente y la ordenada al origen (intersección).
3. Calcular el coeficiente de determinación y el coeficiente de correlación, e interpretar sus significados.
4. Interpretar la prueba F en un modelo de regresión lineal.
5. Identificar los supuestos utilizados en un modelo de regresión y usar las gráficas residuales para identificar problemas.
6. Desarrollar un modelo de regresión múltiple y usarlo con fines de predicción.
7. Utilizar variables ficticias para modelar datos categóricos.
8. Determinar cuáles variables deberían incluirse en un modelo de regresión múltiple.
9. Transformar funciones no lineales en lineales para usarlas en un modelo de regresión.
10. Entender y evitar errores comunes al utilizar el análisis de regresión.

CONTENIDO DEL CAPÍTULO

Resumen • Glosario • Ecuaciones clave • Problemas resueltos • Autoevaluación • Preguntas y problemas para análisis

Estudio de caso: North-South Airline • Bibliografía

Apéndice 4.1   Fórmulas para cálculos de regresión

Apéndice 4.2   Modelos de regresión usando QM para Windows

Apéndice 4.3   Análisis de regresión en Excel QM o Excel 2007

4.1   Introducción

El **análisis de regresión** es una herramienta muy valiosa para el gerente actual. La regresión se ha utilizado para modelar cuestiones como la relación entre el nivel de educación y el ingreso, el precio de una casa y los pies cuadrados de construcción, así como el volumen de ventas para una compañía en relación con el dinero gastado en publicidad. Cuando un negocio intenta decidir cuál lugar es mejor para abrir una nueva tienda o sucursal, los modelos de regresión se utilizan con frecuencia. Los modelos de estimación de costos muchas veces son modelos de regresión. Las posibilidades de aplicación del análisis de regresión son prácticamente ilimitadas.

Dos propósitos del análisis de regresión son entender la relación entre las variables y predecir el valor de una basado en la otra.

En general, hay dos propósitos en el análisis de regresión. El primero es entender la relación entre las variables como gastos en publicidad y ventas. El segundo es predecir el valor de una de las variables con base en el valor de la otra. Por ello, la regresión es una técnica muy importante para realizar predicciones y se verá de nuevo en el capítulo 5.

En este capítulo, primero se desarrollará el modelo de regresión lineal simple y, luego, se usará un modelo más complejo de regresión múltiple para incorporar incluso más variables en el modelo. En cualquier modelo de regresión, la variable que se quiere predecir se llama **variable dependiente** o **variable de respuesta**. Se dice que su valor es dependiente del valor de una **variable independiente**, que algunas veces se llama **variable explicativa** o **variable predictiva**.

4.2   Diagramas de dispersión

Un diagrama de dispersión es una gráfica de los datos.

Para investigar la relación entre las variables, es útil ver una gráfica de los datos. Esa gráfica se llama **diagrama de dispersión** o **gráfica de dispersión**. Generalmente, la variable independiente se grafica en el eje horizontal y la variable dependiente en el eje vertical. El siguiente ejemplo ilustrará esto.

La compañía Triple A Construction remodela casas antiguas en Albany. Con el tiempo, la compañía encontró que su volumen de trabajo de remodelación en dólares dependía de la nómina del área de Albany. Las cifras para los ingresos de Triple A y la cantidad de dinero ganado por los trabajadores de Albany en los últimos seis años se presentan en la tabla 4.1. Los economistas han anticipado que la nómina en el área local será de $600 millones el próximo año y Triple A quiere planear de acuerdo con eso.

La figura 4.1 es un diagrama de dispersión para los datos de Triple A Construction dados en la tabla 4.1. Esta gráfica indica que los valores más altos para la nómina local parecen dar como resultado mayores ventas para la compañía. No hay una relación perfecta porque no todos los puntos están en línea recta, pero existe una relación. Se trazó una recta a través de los datos para ayudar a mostrar la relación que hay entre la nómina y las ventas. Los puntos no están todos sobre la recta, de manera que habría cierto error si tratáramos de predecir las ventas con base en la nómina, usando esta u otra recta. Pudieron dibujarse muchas líneas con estos puntos, pero ¿cuál es la que representa mejor la relación verdadera? El análisis de regresión ofrece la respuesta a esta pregunta.

TABLA 4.1

Ventas de la compañía Triple A Construction y la nómina local

VENTAS DE TRIPLE A ($100,000)	NÓMINA LOCAL (POR $100,000,000)
6	3
8	4
9	6
5	4
4.5	2
9.5	5

FIGURA 4.1

Diagrama de dispersión de los datos de la compañía Triple A Construction

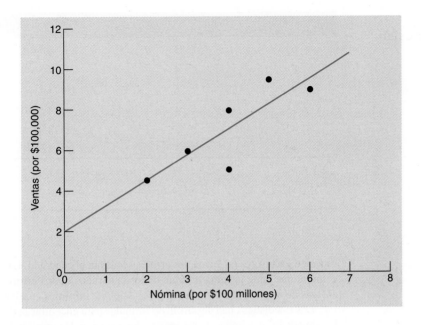

4.3   Regresión lineal simple

En cualquier modelo de regresión se tiene el supuesto implícito (que se puede probar) de que existe una relación entre las variables. También hay un error aleatorio que no se puede predecir. El modelo de regresión lineal simple fundamental es:

$$Y = \beta_0 + \beta_1 X + \epsilon \tag{4-1}$$

donde:

La variable dependiente es Y y la variable independiente es X.

Y = variable dependiente (variable de respuesta)

X = variable independiente (variable predictiva o variable explicativa)

β_0 = intersección (ordenada al origen, valor de Y cuando $X = 0$)

β_1 = pendiente de regresión lineal

ϵ = error aleatorio

Las estimaciones de la pendiente y la intersección se encuentran a partir de los datos muestrales.

No se conocen los valores reales para la intersección: se estiman usando los datos de la muestra. La ecuación de regresión basada en los datos de la muestra está dada por:

$$\hat{Y} = b_0 + b_1 X \tag{4-2}$$

donde:

$\hat{Y}$ = valor pronosticado de Y

b_0 = estimación de β_0, según los resultados de la muestra

b_1 = estimación de β_1, según los resultados de la muestra

En el ejemplo de Triple A Construction, intentamos predecir las ventas, de modo que la variable dependiente (Y) serán las ventas. La variable que usamos para ayudar a predecir las ventas es la nómina en el área de Albany; entonces, esta es la variable independiente (X). Aunque se puede dibujar cualquier número de rectas a través de estos puntos para mostrar la relación entre X y Y en la figura 4.1, la recta que se elegirá es aquella que de alguna manera minimiza los errores. El error se define como:

Error = (valor real) − (valor pronosticado)

$$e = Y - \hat{Y} \tag{4-3}$$

La recta de regresión minimiza la suma de los cuadrados de los errores.

Como los errores son positivos o negativos, el error promedio debe ser cero aunque haya errores muy grandes, tanto positivos como negativos. Para eliminar la dificultad de que los errores negativos

TABLA 4.2
Cálculos de regresión para Triple A Construction

Y	X	$(X - \bar{X})^2$	$(X - \bar{X})(Y - \bar{Y})$
6	3	$(3 - 4)^2 = 1$	$(3 - 4)(6 - 7) = 1$
8	4	$(4 - 4)^2 = 0$	$(4 - 4)(8 - 7) = 0$
9	6	$(6 - 4)^2 = 4$	$(6 - 4)(9 - 7) = 4$
5	4	$(4 - 4)^2 = 0$	$(4 - 4)(5 - 7) = 0$
4.5	2	$(2 - 4)^2 = 4$	$(2 - 4)(4.5 - 7) = 5$
9.5	5	$(5 - 4)^2 = 1$	$(5 - 4)(9.5 - 7) = 2.5$
$\sum Y = 42$	$\sum X = 24$	$\sum (X - \bar{X})^2 = 10$	$\sum (X - \bar{X})(Y - \bar{Y}) = 12.5$
$\bar{Y} = 42/6 = 7$	$\bar{Y} = 24/6 = 4$		

cancelen los errores positivos, los errores se elevan al cuadrado. La mejor recta de regresión se define como la que tiene la suma mínima de los cuadrados de los errores. Por tal razón, algunas veces el análisis de regresión se conoce como regresión de **mínimos cuadrados**.

Los estadísticos han desarrollado fórmulas para encontrar la ecuación de una recta que minimiza la suma de los cuadrados de los errores. La ecuación de regresión lineal simple es:

$$\hat{Y} = b_0 + b_1 X$$

Las siguientes fórmulas sirven para calcular la intersección y la pendiente:

$$\bar{X} = \frac{\sum X}{n} = \text{promedio (media) de los valores } X$$

$$\bar{Y} = \frac{\sum Y}{n} = \text{promedio (media) de los valores } Y$$

$$b_1 = \frac{\sum (X - \bar{X})(Y - \bar{Y})}{\sum (X - \bar{X})^2} \tag{4-4}$$

$$b_0 = \bar{Y} - b_1 \bar{X} \tag{4-5}$$

Los cálculos preliminares se dan en la tabla 4.2. Hay otras fórmulas "cortas" útiles cuando los cálculos se realizan con una calculadora y se incluyen en el apéndice 4.1. No se presentarán aquí, ya que se usará el software de cómputo en la mayoría de los ejemplos de este capítulo.

Al calcular la pendiente y la intersección de la ecuación de regresión para el ejemplo de la compañía Triple A Construction, tenemos:

$$\bar{X} = \frac{\sum X}{6} = \frac{24}{6} = 4$$

$$\bar{Y} = \frac{\sum X}{6} = \frac{42}{6} = 7$$

$$b_1 = \frac{\sum (X - \bar{X})(Y - \bar{Y})}{\sum (X - \bar{X})^2} = \frac{12.5}{10} = 1.25$$

$$b_0 = \bar{Y} - b_1 \bar{X} = 7 - (1.25)(4) = 2$$

La ecuación de regresión estimada es, entonces:

$$\hat{Y} = 2 + 1.25X$$

es decir:

$$\text{ventas} = 2 + 1.25(\text{nómina})$$

Si la nómina para el próximo año es de $600 millones ($X = 6$), entonces, el valor anticipado sería:

$$\hat{Y} = 2 + 1.25(6) = 9.5$$

o bien $950,000.

Uno de los propósitos de la regresión es entender la relación entre variables. Este modelo nos indica que por cada $100 millones (representados por X) de incremento en la nómina, esperaríamos que las ventas aumenten $125,000, ya que $b_1 = 1.25$ (por $100,000). Este modelo ayuda a Triple A Construction a entender cómo se relacionan la economía local y las ventas de la compañía.

4.4 Medición del ajuste del modelo de regresión

Las desviaciones (errores) pueden ser positivas o negativas.

Una ecuación de regresión se desarrolla para cualesquiera variables X y Y, e incluso números aleatorios. Sin duda no tendríamos confianza en la capacidad de un número aleatorio para predecir el valor de otro número aleatorio. ¿Cómo sabemos que el modelo realmente ayuda a predecir Y con base en X? ¿Deberíamos tener confianza en este modelo? ¿Da las mejores predicciones (menores errores) que tan solo utilizar el promedio de los valores de Y?

En el ejemplo de Triple A Construction, las cifras de ventas (Y) varían del valor más bajo de 4.5 al valor más alto de 9.5, y la media es 7. Si cada valor de ventas se compara con la media, vemos cuánto se desvía de la media y podríamos calcular una medida de la variabilidad total en las ventas. Como Y algunas veces es mayor o menor que la media, puede haber desviaciones tanto positivas como negativas. Con tan solo sumar estos valores podría llevar a un error porque los negativos anularían los positivos, haciendo que parezca que los números están más cerca de la media de lo que en realidad están.

La SCT mide la variabilidad total de Y alrededor de la media.

Para evitar este problema, usaremos la **suma de cuadrados total (SCT)** para medir la variabilidad total de Y:

$$SCT = \sum (Y - \bar{Y})^2 \qquad (4\text{-}6)$$

Si no usáramos X para predecir Y, simplemente utilizaríamos la media de Y como predicción y la SCT mediría la exactitud de nuestras predicciones. Sin embargo, una recta de regresión se puede usar para predecir el valor de Y y, aunque todavía hay errores, la suma de los cuadrados de estos errores será menor que la suma de los cuadrados total que se acaba de calcular. La suma de los cuadrados de los errores (SCE) es:

La SCE mide la variabilidad en Y alrededor de la recta de regresión

$$SCE = \sum e^2 = \sum (Y - \hat{Y})^2 \qquad (4\text{-}7)$$

La tabla 4.3 presenta los cálculos para el ejemplo de Triple A Construction. La media ($\bar{Y} = 7$) se compara con cada valor y obtenemos:

$$SCT = 22.5$$

La predicción ($\hat{Y}$) para cada observación se calcula y se compara al valor real, lo cual da como resultado:

$$SCE = 6.875$$

La SCE es mucho menor que la SCT. Emplear la línea de regresión ha reducido la variabilidad en la suma de cuadrados por 22.5 – 6.875 = 15.625. Esto se llama **suma de cuadrados debido a la**

TABLA 4.3 Suma de cuadrados para Triple A Construction

Y	X	$(Y - \bar{Y})^2$	$\hat{Y}$	$(Y - \hat{Y})^2$	$(\hat{Y} - \bar{Y})^2$
6	3	$(6 - 7)^2 = 1$	$2 + 1.25(3) = 5.75$	0.0625	1.563
8	4	$(8 - 7)^2 = 1$	$2 + 1.25(4) = 7.00$	1	0
9	6	$(9 - 7)^2 = 4$	$2 + 1.25(6) = 9.50$	0.25	6.25
5	4	$(5 - 7)^2 = 4$	$2 + 1.25(4) = 7.00$	4	0
4.5	2	$(4.5 - 7)^2 = 6.25$	$2 + 1.25(2) = 4.50$	0	6.25
9.5	5	$(9.5 - 7)^2 = 6.25$	$2 + 1.25(5) = 8.25$	1.5625	1.563
		$\sum (Y - \bar{Y})^2 = 22.5$		$\sum (Y - \hat{Y})^2 = 6.875$	$\sum (\hat{Y} - \bar{Y})^2 = 15.625$
$\bar{Y} = 7$		SCT = 22.5		SCE = 6.875	SCR = 15.625

FIGURA 4.2
Desviaciones de la recta de regresión y de la media

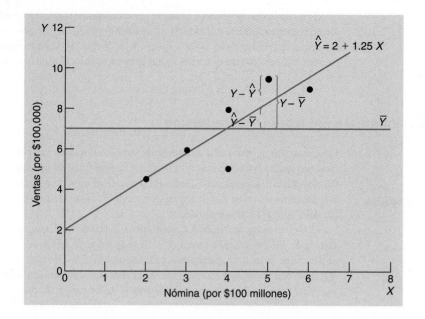

regresión (**SCR**) e indica cuánto de la variabilidad total en Y se explica por el modelo de regresión. Matemáticamente, esto se calcula como:

$$\text{SCR} = \sum(\hat{Y} - \overline{Y})^2 \tag{4-8}$$

La tabla 4.3 indica que:

$$\text{SCR} = 15.625$$

Hay una relación muy importante entre las sumas de los cuadrados que calculamos:

(Suma de cuadrados total) = (suma de cuadrados debido a la regresión) + (suma de cuadrados de los errores)

$$\text{SCT} = \text{SCR} + \text{SCE} \tag{4-9}$$

La figura 4.2 presenta los datos para Triple A Construction. Se ilustra la recta de regresión, lo mismo que la recta de la media de los valores de Y. Los errores que se utilizan para calcular las sumas de cuadrados también se observan en esta gráfica. Note que los puntos de la muestra están más cercanos a la recta de regresión que a la media.

Coeficiente de determinación

Algunas veces nos referimos a la SCR como la variabilidad explicada en Y y a la SCE como la variabilidad no explicada en Y. La proporción de la variabilidad en Y que se explica por la ecuación de regresión se llama **coeficiente de determinación** y se denota con r^2. Entonces:

r^2 es la proporción de la variabilidad en Y que se explica por la ecuación de regresión.

$$r^2 = \frac{\text{SCR}}{\text{SCT}} = 1 - \frac{\text{SCE}}{\text{SCT}} \tag{4-10}$$

Por lo tanto, r^2 se calcula usando la SCR o la SCE. Para Triple A Construction:

$$r^2 = \frac{15.625}{22.5} = 0.6944$$

Esto significa que aproximadamente 69% de la variabilidad en las ventas (Y) se explica por la ecuación de regresión basada en la nómina (X).

Si todos los puntos están en la recta de regresión, $r^2 = 1$ y SCE = 0.

Si cada punto de la muestra estuviera sobre la recta de regresión (es decir, si todos los errores fueran 0), entonces, la ecuación de regresión explicaría 100% de la variabilidad en Y, de manera que $r^2 = 1$ y SCE = 0. El menor valor posible de r^2 es 0 e indica que X explica 0% de la variabilidad en Y. Así, r^2 puede tener valores desde 0, el más bajo, hasta 1, el más alto. Al desarrollar las ecuaciones de regresión, un buen modelo tendrá un valor de r^2 cercano a 1.

FIGURA 4.3
Cuatro valores del coeficiente de correlación

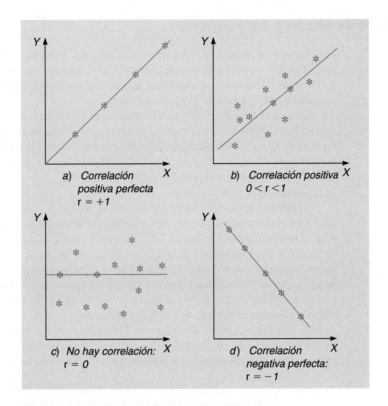

a) *Correlación positiva perfecta* r = +1

b) *Correlación positiva* 0 < r < 1

c) *No hay correlación:* r = 0

d) *Correlación negativa perfecta:* r = −1

Coeficiente de correlación

Otra medida relacionada con el coeficiente de determinación es el **coeficiente de correlación**. Esta medida también expresa el grado o fuerza de la relación lineal. En general, se expresa como *r* y puede ser cualquier número entre +1 y −1, incluyendo ambos valores. La figura 4.3 ilustra los diagramas de dispersión posibles para diferentes valores de *r*. El valor de *r* es la raíz cuadrada de r^2. Es negativo si la pendiente es negativa y es positivo si la pendiente es positiva. Entonces:

El coeficiente de correlación tiene valores entre −1 y +1.

$$r = \pm\sqrt{r^2} \tag{4-11}$$

En el ejemplo de Triple A Construction con $r^2 = 0.6944$,

$$r = \sqrt{0.6944} = 0.8333$$

Sabemos que es positivo porque la pendiente es +1.25.

 EN ACCIÓN **Modelado de regresión múltiple en TransAlta Utilities de Canadá**

TransAlta Utilities (TAU) es una compañía de $1,600 millones que opera en Canadá, Nueva Zelanda, Australia, Argentina y Estados Unidos. Con sede en Alberta, Canadá, TAU es el proveedor de energía más grande de ese país. Da servicio a 340,000 consumidores en Alberta con sus 57 instalaciones de servicio, cada una de las cuales tiene de 5 a 20 operadores. Los 270 puestos de operadores manejan las nuevas conexiones y reparaciones, y patrullan las líneas de energía para verificar las subestaciones. Este sistema existente no es el resultado de alguna planeación central óptima, sino que se fue organizando por etapas conforme la compañía crecía.

Con la ayuda de la Universidad de Alberta, TAU quería desarrollar un modelo causal para decidir cuántos operadores sería mejor asignar a cada instalación. El equipo de investigación decidió construir un modelo de regresión múltiple con únicamente tres variables independientes. La parte más difícil de la tarea fue seleccionar variables que

fueran fáciles de cuantificar con base en los datos disponibles. Al final, las variables explicativas fueron número de clientes urbanos, número de clientes rurales y tamaño del área geográfica de servicio. Las suposiciones implícitas en este modelo son que el tiempo dedicado a los clientes es proporcional al número de clientes; en tanto que el tiempo dedicado a las instalaciones (patrullaje de líneas y verificación de subestaciones) y a los viajes es proporcional al tamaño de la región de servicio. Por definición, el tiempo no explicado en el modelo es responsable del tiempo que no está explicado por las tres variables (como juntas, recesos y tiempo no productivo).

Los resultados del modelo no solo agradaron a los gerentes de TAU, sino que el proyecto (que incluía la optimización del número de instalaciones y su localización) ahorró $4 millones anuales.

Fuente: Basada en E. Erkut, T. Myroon y K. Strangway. "TransAlta Redesigns Its Service-Delivery Network", *Interfaces* (marzo-abril de 2000): 54-69.

4.5 Uso de software de cómputo para regresión

Con frecuencia se emplea software como QM para Windows (apéndice 4.2), Excel y Excel QM (apéndice 4.3) para los cálculos de regresión. Utilizaremos Excel para la mayoría de los cálculos en lo que resta del capítulo. Al usar Excel para desarrollar un modelo de regresión, la entrada y la salida para Excel 2007 y Excel 2010 son las mismas.

Se usará el ejemplo de Triple A Construction para ilustrar cómo desarrollar un modelo de regresión en Excel 2010. Vaya a la pestaña de *Data* y elija *Data Analysis*, como se indica en el programa 4.1A. Si no aparece *Data Analysis*, entonces, debe activar este complemento de Excel en el paquete de herramientas de análisis. El apéndice F al final del libro brinda las instrucciones para la activación de este y otros complementos de Excel 2010 y Excel 2007. Una vez activado el complemento, quedará en la pestaña *Data* para uso futuro.

Cuando se abre la ventana de *Data Analysis*, recórrala y señale *Regression*, oprima *OK*, como se ilustra en el programa 4.1A. Se abrirá la ventana de *Regression*, como se observa en el programa 4.1B, y puede ingresar los rangos *X* y *Y*. Active el cuadro *Labels* porque las celdas con los nombres de las variables se incluyeron en la primera fila de los rangos de *X* y *Y*. Para que los resultados se presenten en esta hoja de trabajo y no en una nueva, seleccione *Output Range* y dé una dirección de celda para el inicio de los resultados. Oprima *OK* y estos aparecerán en las celdas especificadas.

El programa 4.1C muestra la intersección (2), la pendiente (1.25) y otra información que se calculó antes para el ejemplo de Triple A Construction.

Los errores también reciben el nombre de residuos.

La suma de cuadrados se muestra en la columna con SS. Otro nombre para el *error* es **residuo**. En Excel, la **suma de cuadrados de los errores** se muestra como la suma de cuadrados residual. Los valores en estos resultados son los mismos que los contenidos en la tabla 4.3.

$$\text{Suma de cuadrados de la regresión} = SCR = 15.625$$

$$\text{Suma de cuadrados de los errores (residuo)} = SCE = 6.8750$$
$$\text{Suma de cuadrados total} = SCT = 22.5$$

El coeficiente de determinación (r^2) se muestra como 0.6944. El coeficiente de correlación (r) denominado *Multiple R* en la salida de Excel es 0.8333.

PROGRAMA 4.1A

Acceso a la opción de regresión en Excel 2010

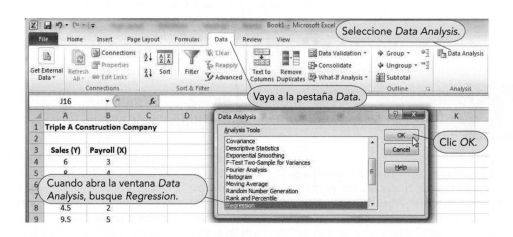

PROGRAMA 4.1B

Datos de entrada para regresión en Excel

PROGRAMA 4.1C

Salida de Excel para el ejemplo de Triple A Construction

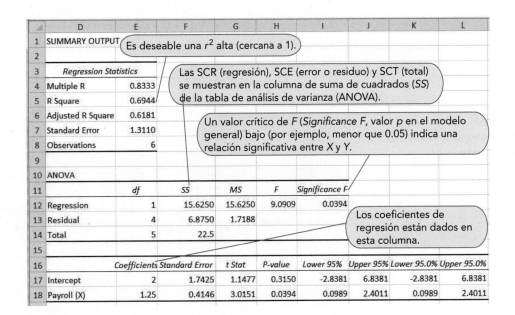

4.6   Supuestos del modelo de regresión

Si podemos hacer ciertos supuestos acerca de los errores en un modelo de regresión, podremos realizar pruebas estadísticas para determinar si el modelo es útil. Se plantean los siguientes supuestos acerca de los errores:

1. Los errores son independientes.
2. Los errores siguen una distribución normal.
3. Los errores tienen una media de cero.
4. Los errores tienen una varianza constante (sin importar el valor de X).

Una gráfica de los errores puede resaltar problemas con el modelo.

Es posible validar los datos para saber si estos supuestos se cumplen. Con frecuencia una gráfica de los residuos resaltará cualesquiera transgresiones evidentes de los supuestos. Cuando los errores (residuos) se grafican contra la variable independiente, debería aparecer un patrón aleatorio.

La figura 4.4 presenta algunos patrones de errores típicos, donde la figura 4.4A despliega un patrón que se espera cuando se cumplen las suposiciones y el modelo es adecuado. Los errores son aleatorios y no está presente un patrón discernible. La figura 4.4B ilustra un patrón donde los errores aumentan cuando *X* crece, lo cual transgrede el supuesto de varianza constante. La figura 4.4C ilustra

FIGURA 4.4A
Patrones de errores que indican aleatoriedad

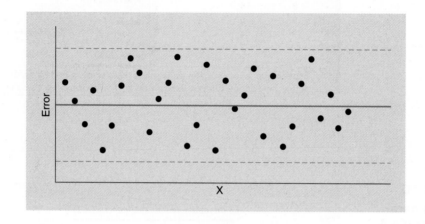

FIGURA 4.4B
Varianza del error no constante

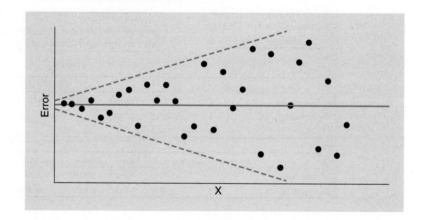

FIGURA 4.4C
Errores que indican que la relación no es lineal

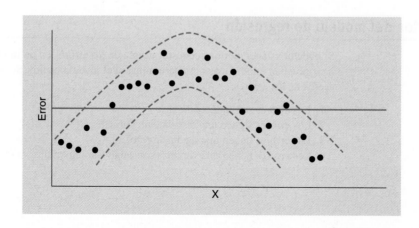

errores que primero aumentan y luego disminuyen de manera consistente. Un patrón de este tipo indica que el modelo no es lineal y debería usarse alguna otra forma (tal vez cuadrática). En general, los patrones en la gráfica de errores indican problemas con los supuestos o la especificación del modelo.

Estimación de la varianza

La varianza del error se estima mediante el EMC.

Mientras que se supone que los errores tienen una varianza (σ^2) constante, esto en general no se sabe. Se puede estimar a partir de los resultados de la muestra. La estimación de σ^2 es el **error medio de cuadrados (EMC)** y se denota con s^2. El EMC es la suma de cuadrados debidos al error dividida entre los grados de libertad:*

$$s^2 = \text{EMC} = \frac{\text{SCE}}{n - k - 1} \tag{4-12}$$

donde:

n = número de observaciones en la muestra

k = número de variables independientes

En este ejemplo, $n = 6$ y $k = 1$. De manera que

$$s^2 = \text{SCE} = \frac{\text{EMC}}{n - k - 1} = \frac{6.8750}{6 - 1 - 1} = \frac{6.8750}{4} = 1.7188$$

De esto, estimamos la desviación estándar como:

$$s = \sqrt{\text{EMC}} \tag{4-13}$$

Esto se llama **error estándar de la estimación** o *desviación estándar de la regresión*. En el ejemplo mostrado en el programa 4.1D,

$$s = \sqrt{\text{EMC}} = \sqrt{1.7188} = 1.31$$

Esto se utiliza en muchas pruebas estadísticas acerca del modelo. También sirve para estimar los intervalos de Y y de los coeficientes de regresión.**

4.7 Prueba de la significancia del modelo

El EMC y r^2 proporcionan una medida de la exactitud del modelo de regresión. Sin embargo, cuando el tamaño de la muestra es demasiado pequeño, es posible obtener buenos valores de estas dos medidas, aun cuando no exista una relación entre las variables en el modelo de regresión. Para determinar si estos valores son significativos, es necesario probar la significancia (valor crítico) del modelo.

Para saber si existe una relación lineal entre X y Y, se realiza una prueba de hipótesis estadística. El modelo lineal fundamental se dio en la ecuación 4-1 como:

$$Y = \beta_0 + \beta_1 X + \epsilon$$

Una prueba F sirve para determinar si existe una relación entre X y Y.

Si $\beta_1 = 0$, entonces, Y no depende de X de ninguna manera. La hipótesis nula indica que no hay una relación lineal entre las dos variables (es decir, $\beta_1 = 0$). La hipótesis alternativa ($\beta_1 \neq 0$) indica que existe una relación lineal. Si la hipótesis nula se pude rechazar, entonces, hemos demostrado que sí existe una relación lineal, de manera que X es útil para predecir Y. La distribución F se utiliza para probar esta hipótesis. El apéndice D contiene valores de la distribución F que se pueden usar cuando se realizan los cálculos a mano. Consulte en el capítulo la distribución F. Los resultados de la prueba también se obtienen con Excel y en QM para Windows.

---

*La bibliografía al final de este capítulo contiene libros con más detalles.
**El EMC es una medida común de exactitud en las predicciones. Cuando se utiliza con otras técnicas diferentes a la regresión, es común dividir la SCE entre n en vez de entre $n - k - 1$.

El estadístico F usado en la prueba de hipótesis se basa en el EMC (estudiado en la sección anterior) y en la regresión media cuadrada (RMC), que se calcula como

$$\text{RMC} = \frac{\text{SCR}}{k} \tag{4-14}$$

donde,

k = número de variables independientes en el modelo

El estadístico F es:

$$F = \frac{\text{RMC}}{\text{EMC}} \tag{4-15}$$

Con base en los supuestos respecto a los errores en un modelo de regresión, el estadístico F calculado está descrito por la distribución F con:

grados del libertad para el numerador = $\text{df}_1 = k$

grados de libertad para el denominador = $\text{df}_2 = n - k - 1$

donde

k = número de variables independientes (X)

Si el nivel de significancia para la prueba F es bajo, existe una relación entre X y Y.

Si existe poco error, el denominador (EMC) del estadístico F es muy pequeño con respecto al numerador RMC, y el estadístico F que resulta será grande. Esto indicaría que el modelo es útil. Después se encuentra un nivel de significancia relacionado con el valor del estadístico F. Siempre que el valor de F sea grande, el nivel de significancia (valor-p) será bajo, lo cual indica que es muy improbable que esto haya ocurrido al azar. Cuando el valor de F es grande (con un nivel de significancia bajo como resultado), podemos rechazar la hipótesis nula de que no existe una relación lineal. Esto significa que hay una relación lineal y los valores de EMC y r^2 son significativos.

La prueba de hipótesis recién descrita se resume a continuación:

Pasos de la prueba de hipótesis para un modelo de regresión significativo

1. Especificar las hipótesis nula y alternativa:

$$H_0 : \beta_1 = 0$$
$$H_1 : \beta_1 \neq 0$$

2. Seleccionar el nivel de significancia (α). Los valores comunes son 0.01 y 0.05.

3. Calcular el valor del estadístico usando la fórmula

$$F = \frac{\text{RMC}}{\text{EMC}}$$

4. Tomar una decisión usando uno de los siguientes métodos:

a) Rechazar la hipótesis nula si el estadístico de prueba es mayor que el valor de F en la tabla del apéndice D. De otra manera, no rechazar la hipótesis nula:

Rechazar si $F_{\text{calculada}} > F_{\alpha, \text{df}_1, \text{df}_2}$
$$\text{df}_1 = k$$
$$\text{df}_2 = n - k - 1$$

b) Rechazar la hipótesis nula si el **nivel de significancia observado**, o **valor-*p***, es menor que el nivel de significancia (α). De otra manera, no rechazar la hipótesis nula:

valor-$p = P(F >$ estadístico de prueba calculado)

Rechazar si valor-$p < \alpha$

FIGURA 4.5

Distribución *F* para la prueba de significancia de Tripe A Construction

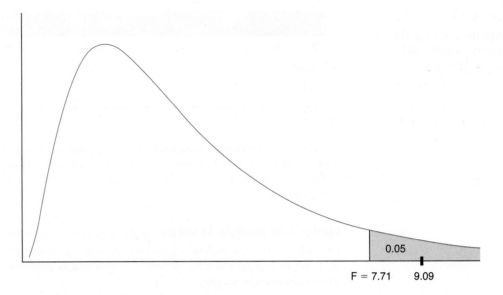

Ejemplo de Triple A Construction

Ejemplo de Triple A Construction

Para ilustrar el proceso de prueba de hipótesis acerca de una relación significativa, considere el ejemplo de Triple A Construction. Se usará el apéndice D para obtener los valores de la distribución *F*.

Paso 1.

$$H_0 : \beta_1 = 0 \quad (\text{no hay relación lineal entre } X \text{ y } Y)$$
$$H_1 : \beta_1 \neq 0 \quad (\text{existe una relación lineal entre } X \text{ y } Y)$$

Paso 2.

$$\text{Seleccionar } \alpha = 0.05,$$

Paso 3. Calcular el valor del estadístico de prueba. El EMC ya se calculó como 1.7188. El RMC se calcula para encontrar *F*:

$$\text{RMC} = \frac{\text{SCR}}{k} = \frac{15.6250}{1} = 15.6250$$

$$F = \frac{\text{RMS}}{\text{EMC}} = \frac{15.6250}{1.7188} = 9.09$$

Paso 4. *a*) Rechazar la hipótesis nula si el estadístico de prueba es mayor que el valor de *F* en la tabla del apéndice D:

$$\text{df}_1 = k = 1$$
$$\text{df}_2 = n - k - 1 = 6 - 1 - 1 = 4$$

El valor de *F* asociado con un nivel de significancia de 5% y con 1 y 4 grados de libertad se encuentra en el apéndice D. La figura 4.5 ilustra esto:

$$F_{0.05,1,4} = 7.71$$
$$F_{\text{calculada}} = 9.09$$
$$\text{Se rechaza la hipótesis } H_0 \text{ porque } 9.09 > 7.71$$

Entonces, se tienen datos suficientes para concluir que existe una relación estadísticamente significativa entre *X* y *Y*, de manera que el modelo es útil. La fortaleza de esta relación se mide por $r^2 = 0.69$. Así, podemos concluir que cerca de 69% de la variabilidad en las ventas (*Y*) está explicada por el modelo de regresión que se basa en la nómina local (*X*).

Tabla de análisis de varianza (ANOVA)

Cuando el software como Excel o QM para Windows se utiliza para desarrollar los modelos de regresión, la salida proporciona el nivel de significancia observado, o valor-*p*, para el valor calculado de *F*. Luego, esto se compara con el nivel de significancia (α) para tomar una decisión.

TABLA 4.4
Tabla de análisis de varianza (ANOVA) para regresión

	DF	SC	MC	F	SIGNIFICANCIA F
Regresión	k	SCR	RMC = SCR/k	RMC/EMC	$P(F > RMC/EMC)$
Residuo	$n - k - 1$	SCE	EMC = SCE/$(n - k - 1)$		
Total	$n - 1$	SCT			

La tabla 4.4 ofrece un resumen de la tabla de análisis de varianza. Indica cómo se calculan los números en las últimas tres columnas. La última columna de esta tabla, Significancia F, es el valor-p, o el nivel de significancia observado, que se puede utilizar en la prueba de hipótesis sobre el modelo de regresión.

Ejemplo de análisis de varianza para Triple A Construction

La salida de Excel que incluye la tabla de análisis de varianza para los datos de Triple A Construction se ilustra en el programa 4.1C. El nivel de significancia observado para $F = 9.0909$ está dado por 0.0394, lo cual significa que:

$$P(F > 9.0909) = 0.0394$$

Como esta probabilidad es menor que 0.05 (α), rechazaríamos la hipótesis de que no hay relación lineal, y concluimos que existe una relación lineal entre X y Y. Observe en la figura 4.5 que el área bajo la curva a la derecha de 9.09 es claramente menor que 0.05, que es el área a la derecha del valor F asociado con un nivel de significancia de 0.05.

4.8   Análisis de regresión múltiple

Un modelo de regresión múltiple tiene más de una variable independiente.

El **modelo de regresión múltiple** es una extensión práctica del modelo que acabamos de observar. Nos permite construir un modelo con varias variables independientes. El modelo fundamental es:

$$Y = \beta_0 + \beta_1 X_1 + \beta_2 X_2 + \cdots + \beta_k X_k + \epsilon \tag{4-16}$$

donde:

Y = variable dependiente (variable de respuesta)

X_i = i-ésima variable independiente (variable predictiva o variable explicativa)

β_0 = intersección (valor de Y cuando $X_i = 0$, ordenada al origen)

β_i = coeficiente de la i-ésima variable independiente

k = número de variables independientes

ϵ = error aleatorio

Para estimar los valores de estos coeficientes, se toma una muestra y se desarrolla la siguiente ecuación:

$$\hat{Y} = b_0 + b_1 X_1 + b_2 X_2 + \cdots + b_k X_k \tag{4-17}$$

donde

$\hat{Y}$ = valor pronosticado de Y

b_0 = intersección de la muestra (estimación de β_0)

b_i = coeficiente muestral de la i-ésima variable (estimación de β_i)

Considere el caso de Jenny Wilson Realty, una compañía de bienes raíces en Montgomery, Alabama. Jenny Wilson, dueña y corredora de esta compañía, quiere desarrollar un modelo para determinar los precios listados sugeridos para las casas con base en el tamaño y la antigüedad de estas. Selecciona una muestra de casas que se hayan vendido recientemente en un área específica y registra el precio de venta, los pies cuadrados de construcción y la antigüedad de cada una; además, registra la condición (buena, excelente o nueva) como se indica en la tabla 4.5. Inicialmente Jenny planea

TABLA 4.5

Datos de bienes raíces de Jenny Wilson

PRECIO DE VENTA ($)	PIES CUADRADOS	ANTIGÜEDAD	CONDICIÓN
95,000	1,926	30	Buena
119,000	2,069	40	Excelente
124,800	1,720	30	Excelente
135,000	1,396	15	Buena
142,800	1,706	32	Nueva
145,000	1,847	38	Nueva
159,000	1,950	27	Nueva
165,000	2,323	30	Excelente
182,000	2,285	26	Nueva
183,000	3,752	35	Buena
200,000	2,300	18	Buena
211,000	2,525	17	Buena
215,000	3,800	40	Excelente
219,000	1,740	12	Nueva

usar tan solo los pies cuadrados de construcción y la antigüedad para desarrollar un modelo, aunque quiere guardar la información sobre la condición de la casa para usarla después. Desea encontrar los coeficientes del siguiente modelo de regresión múltiple:

$$\hat{Y} = b_0 + b_1 X_1 + b_2 X_2$$

donde:

$\hat{Y}$ = predicción del valor de la variable dependiente (precio de venta)

b_0 = intersección de Y

X_1 y X_2 = valor de las dos variables independientes (pies cuadrados y antigüedad), respectivamente

b_1 y b_2 = pendientes de X_1 y X_2, respectivamente

Se puede usar Excel para desarrollar modelos de regresión múltiple.

Las matemáticas de la regresión múltiple se vuelven bastante complejas, de manera que dejamos las fórmulas para b_0, b_1 y b_2 para los libros de regresión.[*] Se puede usar Excel para desarrollar un modelo de regresión múltiple tal como se utilizó para el modelo de regresión lineal simple. Cuando ingresamos los datos en Excel, es importante que todas las variables independientes estén en columnas contiguas para facilitar la captura. De la pestaña *Data* en Excel, seleccione *Data Analysis* y luego *Regression*, como se ilustró en el programa 4.1A. Así se abre la ventana de regresión para permitir la entrada de datos, como se mostró en el programa 4.2A. Note que el *rango de X* incluye los datos en dos columnas (B y C) porque hay dos variables independientes. La salida de Excel que obtiene Jenny Wilson se ilustra en el programa 4.2B y proporciona la siguiente ecuación:

$$\hat{Y} = b_0 + b_1 X_1 + b_2 X_2$$
$$= 146,630.89 + 43.82 X_1 - 2898.69 X_2$$

Evaluación del modelo de regresión múltiple

Un modelo de regresión múltiple se evalúa de forma similar a como se evaluó el modelo de regresión lineal simple. En los modelos de regresión múltiple, el valor-p para la prueba F y r^2 se interpreta igual que en los modelos de regresión lineal simple. Sin embargo, como hay más de una variable

---

[*]Véase, por ejemplo, Norman R. Draper y Harry Smith. *Applied Regression Analysis,* 3a. ed. Nueva York: John Wiley & Sons, 1998.

independiente, la hipótesis que se prueba con la prueba *F* es que todos los coeficientes son iguales a 0. Si todos son 0, entonces, ninguna de las variables del modelo es útil para predecir la variable dependiente.

PROGRAMA 4.2A

Pantalla de entrada para el ejemplo de regresión múltiple de Jenny Wilson Realty

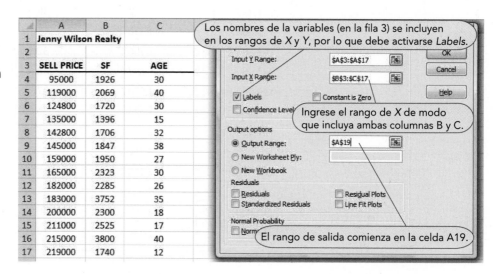

PROGRAMA 4.2B

Salida para el ejemplo de regresión múltiple de Jenny Wilson Realty

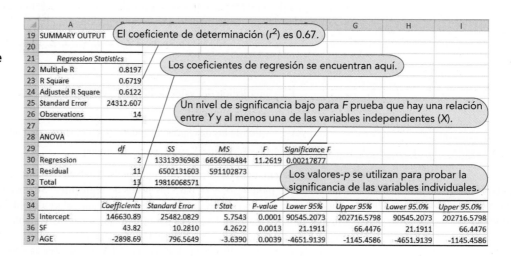

Para determinar cuál de las variables independientes en un modelo de regresión múltiple es significativa, se realiza una prueba de significancia sobre los coeficientes de cada variable. Mientras que los libros de estadística proporcionan detalles de estas pruebas, los resultados se despliegan de manera automática en la salida de Excel. La hipótesis nula es que el coeficiente es cero ($H_0:\beta_i = 0$) y la hipótesis alternativa es que no es cero ($H_1: \beta_i \neq 0$). El estadístico de prueba se calcula en Excel y da los valores *p*. Si el valor *p* es menor que el nivel de significancia (α), entonces, se rechaza la hipótesis nula y se concluye que la variable es significativa.

Ejemplo de Jenny Wilson Realty

En el ejemplo de Jenny Wilson Realty en el programa 4.2B, el modelo completo es estadísticamente significativo y útil para predecir el precio de venta de la casa, ya que el valor-*p* de la prueba *F* es de 0.02. El valor r^2 es 0.6719, de manera que 67% de la variabilidad en el precio de venta de estas casas podría explicarse por el modelo de regresión. Sin embargo, hay dos variables independientes en el modelo: pies cuadrados de construcción y antigüedad. Es posible que una de ellas sea significativa y la otra no. La prueba *F* tan solo indica que el modelo como un todo es significativo.

Se pueden realizar dos pruebas de significancia para determinar si los pies cuadrados de construcción o la antigüedad (o ambos) son significativos. En el programa 4.2B, se presentan los resultados de dos pruebas de hipótesis. La primera prueba para la variable X_1 (pies cuadrados) es:

$$H_0{:}\beta_1 = 0$$

$$H_1{:}\beta_1 \neq 0$$

Si usamos un nivel de significancia de 5% ($\alpha = 0.05$), se rechaza la hipótesis nula porque el valor-p que corresponde es de 0.0013. Así, los pies cuadrados de construcción son útiles en la predicción del precio de una casa.

De igual manera, se prueba la variable X_2 (antigüedad) aprovechando la salida de Excel, y el valor-p es de 0.0039. Se rechaza la hipótesis nula porque ese valor es menor que 0.05. Entonces, la edad también es útil en la predicción del precio de una casa.

4.9   Variables binarias o ficticias

Una variable ficticia se llama también variable indicativa o binaria.

Todas las variables que hemos usado en los ejemplos de regresión han sido variables cuantitativas como cifras de ventas, nóminas, pies cuadrados y antigüedad. Todas se han podido medir con facilidad y han tenido números asociados. Existen muchas situaciones en las cuales pensamos que una variable cualitativa en vez de una cuantitativa sería útil para predecir la variable dependiente Y. Por ejemplo, se puede usar regresión para encontrar una relación entre el ingreso anual y ciertas características de los empleados. Los años de experiencia en un trabajo dado serían una variable cuantitativa. Sin embargo, la información respecto a si un individuo tiene o no una carrera universitaria también podría ser importante. Este atributo no es un valor ni una cantidad medible, por lo que se usará una variable llamada **ficticia** (**variable binaria** o **indicativa**). A una variable ficticia se le asigna un valor de 1 si se cumple una condición específica (como que una persona tenga carrera universitaria) y un valor de 0 si no se cumple.

Regrese al ejemplo de Jenny Wilson Realty. Jenny cree que se puede desarrollar un modelo mejor si incluye la condición de la propiedad. Para incorporar esta condición de la casa en el modelo, Jenny ve la información disponible (tabla 4.5) y se da cuenta de que las tres categorías son las condiciones buena, excelente y nueva. Como estas no son variables cuantitativas, debe utilizar variables ficticias que se definen como

$$X_3 = 1 \text{ si la condición de la casa es excelente}$$

$$= 0 \text{ de otra manera}$$

$$X_4 = 1 \text{ si la casa es nueva}$$

$$= 0 \text{ de otra manera}$$

El número de variables ficticias debe ser igual a uno menos que el número de categorías de una variable cualitativa.

Observe que no hay una variable separada para la condición "buena". Si X_3 y X_4 son ambas cero, entonces, la casa no puede estar en condición excelente o nueva, de manera que debe estar en condición buena. Cuando se usan variables ficticias, el número de variables debe ser 1 menos que el número de categorías. En este problema, hay tres categorías (condiciones buena, excelente y nueva), por lo que debemos tener dos variables ficticias. Si por error usamos demasiadas variables y el número de variables ficticias es igual al número de categorías, entonces, los cálculos matemáticos no se podrán realizar o no darían valores confiables.

Estas variables ficticias se usarán con las dos variables anteriores (X_1, los pies cuadrados; y X_2, la antigüedad) para intentar predecir el precio de venta de las casas para Jenny Wilson. Los programas 4.3A y 4.3B presentan la entrada y salida de Excel para estos datos nuevos, e indican cómo se codificó la variable ficticia. El nivel de significancia para la prueba F es de 0.00017, de manera que este modelo es estadísticamente significativo. El coeficiente de determinación (r^2) es 0.898, de modo que es un modelo mucho mejor que el anterior. La ecuación de regresión es:

$$\hat{Y} = 121{,}658 + 56.43X_1 - 3{,}962X_2 + 33{,}162X_3 + 47{,}369X_4$$

Esto indica que una casa en condición excelente ($X_3 = 1$, $X_4 = 0$) se vendería en cerca de $33,162 más que una casa en condición buena ($X_3 = 0$, $X_4 = 0$). Una casa nueva ($X_3 = 0$, $X_4 = 1$) se venderá en aproximadamente $47,369 más alto que una casa en condición buena.

PROGRAMA 4.3A

Ventana de entrada para el ejemplo de Jenny Wilson Realty con variables ficticias

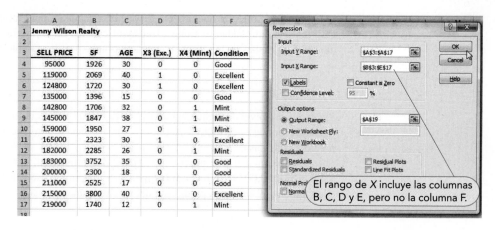

	A	B	C	D	E	F
1	Jenny Wilson Realty					
2						
3	SELL PRICE	SF	AGE	X3 (Exc.)	X4 (Mint)	Condition
4	95000	1926	30	0	0	Good
5	119000	2069	40	1	0	Excellent
6	124800	1720	30	1	0	Excellent
7	135000	1396	15	0	0	Good
8	142800	1706	32	0	1	Mint
9	145000	1847	38	0	1	Mint
10	159000	1950	27	0	1	Mint
11	165000	2323	30	1	0	Excellent
12	182000	2285	26	0	1	Mint
13	183000	3752	35	0	0	Good
14	200000	2300	18	0	0	Good
15	211000	2525	17	0	0	Good
16	215000	3800	40	1	0	Excellent
17	219000	1740	12	0	1	Mint

El rango de *X* incluye las columnas B, C, D y E, pero no la columna F.

PROGRAMA 4.3B

Salida para el ejemplo de Jenny Wilson Realty con variables ficticias

	A	B	C	D	E	F	G	H	I
19	SUMMARY OUTPUT								
20									
21	*Regression Statistics*								
22	Multiple R	0.9476							
23	R Square	0.8980							
24	Adjusted R Squ	0.8526							
25	Standard Error	14987.5545							
26	Observations	14							
27									
28	ANOVA								
29		*df*	*SS*	*MS*	*F*	*Significance F*			
30	Regression	4	17794427451	4.449E+09	19.804436	0.000174			
31	Residual	9	2021641120	224626791					
32	Total	13	19816068571						
33									
34		Coefficients	Standard Error	t Stat	P-value	Lower 95%	Upper 95%	ower 95.0%	Upper 95.0%
35	Intercept	121658.45	17426.61	6.981	0.000	82236.71	161080.19	82236.71	161080.19
36	SF	56.43	6.95	8.122	0.000	40.71	72.14	40.71	72.14
37	AGE	-3962.82	596.03	-6.649	0.000	-5311.13	-2614.51	-5311.13	-2614.51
38	X3 (Exc.)	33162.65	12179.62	2.723	0.023	5610.43	60714.87	5610.43	60714.87
39	X4 (Mint)	47369.25	10649.27	4.448	0.002	23278.93	71459.57	23278.93	71459.57

El coeficiente de antigüedad es negativo, lo cual indica que el precio disminuye conforme la casa se hace más vieja.

El modelo completo es útil porque la probabilidad de la significancia *F* (valor crítico *F*) es baja (mucho menor que 5%).

Las variables individualmente son útiles porque los valores-*p* de cada una son bajos (mucho menor que 5%).

4.10 Construcción de modelos

Al desarrollar un buen modelo de regresión, se identifican las posibles variables independientes y se seleccionan las mejores para incluirlas en el modelo. El modelo estadísticamente significativo es el mejor, con una r^2 alta y pocas variables.

El valor de r^2 nunca puede disminuir cuando se agregan más variables al modelo.

Conforme se agreguen más variables al modelo de regresión, en general r^2 aumentará y no podrá disminuir. Es tentador seguir agregando variables al modelo para intentar que aumente r^2. No obstante, si se incluyen demasiadas variables independientes, quizá surjan problemas. Por ello, con frecuencia se usa el valor **ajustado de r^2** (en vez de r^2), para determinar si una variable independiente adicional será beneficiosa. El valor ajustado de r^2 toma en cuenta el número de variables independientes en el modelo y es posible que disminuya. La fórmula para r^2 es:

La r^2 ajustada puede disminuir cuando se agregan más variables al modelo.

$$r^2 = \frac{SCR}{SCT} = 1 - \frac{SCE}{SCT}$$

La r^2 ajustada es:

$$r^2 \text{ ajustada } = 1 - \frac{\text{SCE}/(n - k - 1)}{\text{SCT}/(n - 1)} \tag{4-18}$$

Advierta que cuando el número de variables (k) aumenta, $n - k - 1$ disminuye. Esto ocasiona que SCE/($n - k - 1$) aumente y, en consecuencia, la r^2 ajustada disminuya, a menos que una variable adicional en el modelo ocasione una disminución significativa en la SCE. Así, la reducción en el error (y en la SCE) debe ser suficiente para compensar el cambio en k.

No debería agregarse una variable al modelo si ocasiona que disminuya la r² ajustada.

Como regla empírica general, si la r^2 ajustada aumenta cuando se agrega una nueva variable al modelo, la variable tal vez deba conservarse en el modelo. Si la r^2 ajustada disminuye cuando se agrega una nueva variable al modelo, la variable no debería dejarse ahí. También hay que considerar otros factores cuando se intenta construir un modelo, pero están más allá del nivel introductorio de este capítulo.

REGRESIÓN POR PASOS Mientras que el proceso de construcción del modelo quizá parezca tedioso, existen muchos paquetes de software estadístico que incluyen procedimientos de regresión por pasos para hacerlo. La **regresión por pasos** es un proceso automatizado para agregar o eliminar variables independientes de manera sistemática en un modelo de regresión. Un *procedimiento por pasos hacia adelante* coloca primero la variable más significativa en el modelo y, luego, agrega la siguiente variable que mejorará más al modelo, dado que la primera variable ya está incluida. Se siguen agregando variables de esta manera, hasta que el modelo incluye todas las variables o hasta que las variables que quedan no mejoren el modelo de forma significativa. Un *procedimiento por pasos hacia atrás* comienza con todas las variables independientes en el modelo, y se eliminan una a una las variables menos útiles. Así se continúa hasta que solamente queden variables significativas. Existen muchas variaciones de estos modelos por pasos.

MULTICOLINEALIDAD En el ejemplo de Jenny Wilson Realty ilustrado en el programa 4.3B, vimos una r^2 cercana a 0.90 y una r^2 ajustada de 0.85. Mientras que otras variables como el tamaño del lote, el número de dormitorios y el número de cuartos de baño podrían relacionarse con el precio de venta de una casa, tal vez no queramos incluirlas en el modelo. Es posible que estas variables se correlacionen con los pies cuadrados de la casa (por ejemplo, más dormitorios suele significar una casa más grande), que ya está incluido en el modelo. Entonces, la información proporcionada por estas variables adicionales duplicaría la información que ya tiene el modelo.

La multicolinealidad existe cuando una variable se correlaciona con otras variables.

Cuando una variable independiente se correlaciona con otra variable independiente, se dice que las variables son **colineales**. Si una variable independiente se correlaciona con una combinación de otras variables independientes, existe la condición de **multicolinealidad**. Esto suele causar problemas al interpretar los coeficientes de las variables, pues varias de ellas dan información duplicada. Por ejemplo, si dos variables independientes fueran los gastos por nómina mensual de una compañía y los gastos anuales por salario de una compañía, la información proporcionada por una también la proporciona la otra. Varios conjuntos de coeficientes de regresión para estas dos variables llevarían justo a los mismos resultados. Por consiguiente, la interpretación de estas variables sería cuestionable, aun cuando el modelo en sí fuera todavía bueno respecto a los fines de predicción. Cuando hay multicolinealidad, la prueba F general aún es válida, pero las pruebas de hipótesis relacionadas con los coeficientes individuales no lo son. Una variable quizá parezca significativa cuando no lo es, o bien, una variable tal vez parezca insignificante cuando es significativa.

4.11 Regresión no lineal

Los modelos de regresión que hemos visto son modelos lineales. Sin embargo, algunas veces existen relaciones no lineales entre las variables. Se pueden aplicar algunas transformaciones de variables sencillas para crear un modelo aparentemente lineal a partir de una relación no lineal. Esto nos permite usar Excel y otros programas de regresión lineales para realizar los cálculos. Se demostrará esto con el siguiente ejemplo.

Las transformaciones se pueden usar para convertir un modelo no lineal en un modelo lineal.

Por cada automóvil nuevo vendido en Estados Unidos, la eficiencia de combustible (medida en millas por galón de gasolina [MPG] del automóvil) se despliega prominentemente en el engomado del parabrisas. Las MPG están relacionadas con varios factores, uno de los cuales es el peso del auto. En un intento por mejorar la eficiencia de la gasolina, se pide a los ingenieros de Colonel Motors que estudien el impacto del peso sobre las MPG. Ellos deciden que deberían usar un modelo de regresión para hacerlo.

Se seleccionó una muestra de 12 automóviles nuevos y se registraron el peso y las MPG. La tabla 4.6 presenta los datos. El diagrama de dispersión de estos datos de la figura 4.6A indica el peso y las MPG. Se dibuja una recta de regresión a través de los puntos. Se usa Excel para desarrollar una ecuación de regresión lineal simple que relacione las MPG (Y) con el peso en miles de libras (X_1) como

$$\hat{Y} = b_0 + b_1X_1$$

TABLA 4.6

Peso contra MPG del automóvil

MPG	PESO (1,000 lb)	MPG	PESO (1,000 lb)
12	4.58	20	3.18
13	4.66	23	2.68
15	4.02	24	2.65
18	2.53	33	1.70
19	3.09	36	1.95
19	3.11	42	1.92

FIGURA 4.6A

Modelo no lineal para los datos de MPG

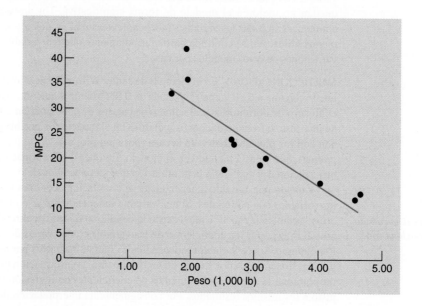

FIGURA 4.6B

Modelo no lineal para los datos de MPG

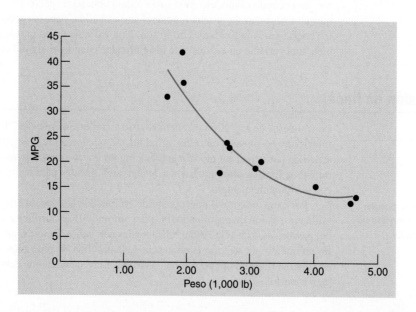

PROGRAMA 4.4

Salida de Excel para el modelo de regresión lineal con los datos de MPG

	A	B	C	D	E	F	G	H	I	J	K	L	M
1	Automobile Weight vs. MPG			SUMMARY OUTPUT									
2													
3	MPG (Y)	Weight (X1)		Regression Statistics									
4	12	4.58		Multiple R	0.8629								
5	13	4.66		R Square	0.7446								
6	15	4.02		Adjusted R Sc	0.7190								
7	18	2.53		Standard Erroi	5.0076								
8	19	3.09		Observations	12								
9	19	3.11											
10	20	3.18		ANOVA									
11	23	2.68			df	SS	MS	F	Significance F				
12	24	2.65		Regression	1	730.9090	730.9090	29.1480	0.0003				
13	33	1.70		Residual	10	250.7577	25.0758						
14	36	1.95		Total	11	981.6667							
15	42	1.92											
16					Coefficients	Standard Err	t Stat	p-value	Lower 95%	Upper 95%	Lower 95.0	Upper 95.0%	
17				Intercept	47.6193	4.8132	9.8936	0.0000	36.8950	58.3437	36.8950	58.3437	
18				Weight	-8.2460	1.5273	-5.3989	0.0003	-11.6491	-4.8428	-11.6491	-4.8428	

La salida de Excel se ilustra en el programa 4.4. De ahí obtenemos la ecuación

$$\hat{Y} = 47.6 - 8.2X_1$$

es decir,

$$\text{MPG} = 47.6 - 8.2 \text{ (peso en 1,000 lb)}$$

El modelo es útil pues el nivel de significancia para la prueba F es pequeño y $r^2 = 0.7446$. No obstante, un examen más detallado de la gráfica de la figura 4.6A genera la pregunta acerca del uso de un modelo lineal. Tal vez exista una relación no lineal y quizás el modelo debería modificarse para tomar esto en cuenta. Un modelo cuadrático se ilustra en la figura 4.6B. Este modelo sería de la forma

$$\text{MPG} = b_0 + b_1(\text{peso}) + b_2(\text{peso})^2$$

La forma más sencilla de desarrollar este modelo es definir una nueva variable

$$X_2 = (\text{peso})^2$$

que nos da el modelo

$$\hat{Y} = b_0 + b_1X_1 + b_2X_2$$

Podemos crear otra columna en Excel y correr de nuevo la herramienta de regresión. La salida se muestra en el programa 4.5. La nueva ecuación es:

$$\hat{Y} = 79.8 - 30.2X_1 + 3.4X_2$$

Un valor de significancia bajo para F y un valor alto para r² indican un buen modelo.

El nivel de significancia para F es bajo (0.0002), de manera que el modelo es útil y $r^2 = 0.8478$. La r^2 ajustada aumentó de 0.719 a 0.814, de modo que esta nueva variable mejoró definitivamente el modelo.

Este modelo sirve para realizar predicciones. Sin embargo, no deberíamos tratar de interpretar los coeficientes de las variables debido a la correlación entre X_1 (peso) y X_2 (peso al cuadrado). En general, interpretaríamos el coeficiente de X_1 como el cambio en Y que resulta de un cambio de 1 unidad en X_1, mientras que todas las demás variables se mantienen constantes. Es evidente que mantener una variable constante al tiempo que se cambia la otra es imposible en este ejemplo, ya que

PROGRAMA 4.5

Salida de Excel para el modelo de regresión no lineal con datos de MPG

	A	B	C	D	E	F	G	H	I	J	K	L
1	Automobile Weight vs. MPG			SUMMARY OUTPUT								
2												
3	MPG (Y)	Weight (X1)	WeightSq. (X2)	Regression Statistics								
4	12	4.58	20.98	Multiple R	0.9208							
5	13	4.66	21.72	R Square	0.8478							
6	15	4.02	16.16	Adjusted R Sc	0.8140							
7	18	2.53	6.40	Standard Erro	4.0745							
8	19	3.09	9.55	Observations	12							
9	19	3.11	9.67									
10	20	3.18	10.11	ANOVA								
11	23	2.68	7.18		df	SS	MS	F	Significance F			
12	24	2.65	7.02	Regression	2	832.2557	416.1278	25.0661	0.0002			
13	33	1.70	2.89	Residual	9	149.4110	16.6012					
14	36	1.95	3.80	Total	11	981.6667						
15	42	1.92	3.69									
16					Coefficient	Standard Err	t Stat	p-value	Lower 95%	Upper 95%	Lower 95.0	Upper 95.0%
17				Intercept	79.7888	13.5962	5.8685	0.0002	49.0321	110.5454	49.0321	110.5454
18				Weight	-30.2224	8.9809	-3.3652	0.0083	-50.5386	-9.9061	-50.5386	-9.9061
19				Weight2	3.4124	1.3811	2.4708	0.0355	0.2881	6.5367	0.2881	6.5367

$X_2 = X_1^2$. Si X_1 cambia, X_2 también debe cambiar. Este es un ejemplo de un problema que existe cuando está presente la multicolinealidad.

Otros tipos de no linealidades se manejan utilizando un enfoque similar. Existen varias transformaciones que ayudan a desarrollar un modelo lineal a partir de variables con relaciones no lineales.

4.12   Advertencias y fallas en el análisis de regresión

Este capítulo proporcionó una breve introducción al análisis de regresión, una de las técnicas cuantitativas que más se utiliza en los negocios. Sin embargo, se cometen ciertas fallas comunes con los modelos de regresión, de manera que debería tenerse cuidado al usarlos.

Si los supuestos no se cumplen, quizá no sean válidas las pruebas estadísticas. Las estimaciones de intervalos también serán inválidas, aunque el modelo todavía pueda usarse para fines de predicción.

Una alta correlación no significa que una variable ocasione un cambio en otra.

Correlación no necesariamente significa causa. Dos variables (como el precio del automóvil y su salario anual) podrían tener una alta correlación entre sí, pero una no es causa de que la otra cambie. Ambas pueden cambiar debido a otros factores como la economía en general o la tasa de inflación.

Si en un modelo de regresión múltiple está presente la multicolinealidad, el modelo todavía es bueno para predecir, aunque la interpretación de los coeficientes individuales sería cuestionable. Las pruebas individuales sobre los coeficientes de regresión no son válidas.

La ecuación de regresión no debería usarse con valores de X *menores que el valor más bajo de* X*, ni mayores que el valor más alto de* X *que se encuentran en la muestra.*

Usar la ecuación de regresión fuera del intervalo de X es muy cuestionable. Puede existir una relación lineal dentro del intervalo de valores de X en la muestra. Lo que ocurre más allá de este intervalo se desconoce; la relación lineal puede convertirse en no lineal en algún momento. Por ejemplo, suele haber una relación lineal entre la publicidad y las ventas dentro del intervalo limitado. Conforme se gasta más dinero en publicidad, las ventas tienden a aumentar incluso si todo lo demás se mantiene constante. Sin embargo, en algún punto, aumentar los gastos en publicidad tendrá menor impacto sobre las ventas, a menos que la compañía haga otras cosas para ayudar, como apertura de nuevos mercados o expansión de los productos que ofrece. Si la publicidad se incrementa y no cambia algo más, las ventas tal vez se estabilicen en algún punto.

Relacionado con la limitación del intervalo de X está la interpretación de la intersección (b_0). Como el valor más bajo de X en la muestra con frecuencia es mucho mayor que 0, la intersección es un punto sobre la recta de regresión fuera del rango de X. Por lo tanto, no deberíamos preocuparnos si la prueba t para el coeficiente no es significativa, ya que no debemos usar la ecuación de regresión para predecir un valor de Y cuando $X = 0$. Esta intersección tan solo se usa para definir la recta que mejor se ajusta a los puntos de la muestra.

Aplicar la prueba F y concluir que un modelo de regresión lineal es útil para predecir Y no significa que ésta sea la mejor relación. Mientras que el modelo puede explicar gran parte de la variabilidad en Y, también es posible que una relación no lineal pueda explicar todavía más. De manera similar, si se concluye que no existe una relación no lineal, quizás haya otro tipo de relación.

Un valor de F *significativo puede ocurrir aun cuando la relación no sea fuerte.*

Una relación estadísticamente significativa no quiere decir que tenga un valor práctico. Con muestras suficientemente grandes, es posible tener una relación estadística significativa, pero r^2 podría ser 0.01. Esto por lo general tiene poco uso para un gerente. De la misma manera, podría encontrarse que una r^2 alta se debe la aleatoriedad si la muestra es pequeña. La prueba F también debe mostrar significancia para dar cualquier valor a r^2.

Resumen

El análisis de regresión es una herramienta cuantitativa sumamente valiosa. Los diagramas de dispersión ayudan a ver las relaciones entre las variables. La prueba F sirve para determinar si los resultados se pueden considerar útiles. El coeficiente de determinación (r^2) mide la proporción de la variabilidad en Y que se explica por el modelo de regresión. El coeficiente de correlación mide la relación entre dos variables.

La regresión múltiple incluye más de una variable independiente. Las variables ficticias (variables binarias o indicativas) se utilizan con datos cualitativos o categóricos. Los modelos no lineales se pueden transformar en modelos lineales.

Vimos cómo se usa Excel para desarrollar modelos de regresión. Se presentó la interpretación de la salida de computadora y se dieron varios ejemplos.

Glosario

Análisis de regresión   Procedimiento de predicción que utiliza el criterio de mínimos cuadrados en una o más variables independientes para desarrollar un modelo de predicción.

Coeficiente de correlación (r)   Medida de la fortaleza de la relación entre dos variables.

Coeficiente de determinación (r^2)   Porcentaje de la variabilidad de la variable dependiente (Y) que se explica por la ecuación de regresión.

Colinealidad   Condición que existe cuando una variable independiente se correlaciona con otra variable independiente.

Diagrama de dispersión   Diagrama de la variable que se quiere predecir, graficada contra otra variable, como el tiempo. También se llaman gráficas de dispersión.

Error   Diferencia entre el valor real (Y) y el valor pronosticado ($\hat{Y}$).

Error estándar de la estimación   Estimación de la desviación estándar de los errores que a veces se denomina desviación estándar de la regresión.

Error medio de cuadrados (EMC)   Estimación de la varianza del error.

Mínimos cuadrados   Referencia al criterio usado para seleccionar la recta de regresión, de modo que se minimiza la suma de los cuadrados de las distancias entre la recta estimada y los valores observados.

Modelo de regresión múltiple   Modelo de regresión que tiene más de una variable independiente.

Multicolinealidad   Condición que existe cuando una variable independiente se correlaciona con otras variables independientes.

Nivel de significancia del observador   Otro nombre para el valor-p.

r^2 ajustada   Medida del poder explicativo de un modelo de regresión que toma en cuenta el número de variables independientes en el modelo.

Regresión por pasos   Proceso automatizado para agregar o eliminar sistemáticamente variables independientes a partir de un modelo de regresión.

Residuo   Otro nombre para el error.

Suma de cuadrados de la regresión (SCR)   Suma total de los cuadrados de la diferencia entre cada valor pronosticado y la media ($\hat{Y}$).

Suma de cuadrados total (SCT)   Suma total de los cuadrados de la diferencia entre cada observación (Y) y la media ($\hat{Y}$).

Suma de los cuadrados de los errores (SCE)   Suma total de los cuadrados de las diferencias entre cada observación (Y) y el valor que se pronostica ($\hat{Y}$).

Valor-p   Valor de probabilidad que se utiliza al probar una hipótesis. La hipótesis se rechaza cuando este valor es bajo.

Variable binaria.   Véase variable ficticia.

Variable de respuesta   La variable dependiente en una ecuación de regresión.

Variable dependiente   Variable Y en un modelo de regresión. Es lo que va a predecirse.

Variable explicativa   Variable independiente en una ecuación de regresión.

Variable ficticia   Variable que sirve para representar un factor o condición cualitativa. Las variables ficticias tienen valores 0 o 1. También se llaman variables binarias o variables indicativas.

Variable independiente   Variable X en una ecuación de regresión. Se usa para ayudar a predecir la variable dependiente.

Variable predictiva   Otro nombre para variable explicativa.

Ecuaciones clave

(4-1) $Y = \beta_0 + \beta_1 X + \epsilon$
Modelo lineal fundamental para regresión lineal simple.

(4-2) $\hat{Y} = b_0 + b_1 X$
Modelo de regresión lineal simple calculado para una muestra.

(4-3) $e = Y - \hat{Y}$
Error en el modelo de regresión.

(4-4) $b_1 = \dfrac{\Sigma(X - \overline{X})(Y - \overline{Y})}{\Sigma(X - \overline{X})^2}$
Pendiente de la recta de regresión.

(4-5) $b_0 = \overline{Y} - b_1\overline{X}$
Intersección de la recta de regresión.

(4-6) $\text{SCT} = \Sigma(Y - \overline{Y})^2$
Suma de cuadrados total.

(4-7) $\text{SCE} = \Sigma e^2 = \Sigma(Y - \hat{Y})^2$
Suma de cuadrados de los errores.

(4-8) $\text{SCR} = \Sigma(\hat{Y} - \overline{Y})^2$
Suma de cuadrados de la regresión.

(4-9) $\text{SCT} = \text{SCR} + \text{SCE}$
Relación entre las sumas de cuadrados en la regresión.

(4-10) $r^2 = \dfrac{\text{SCR}}{\text{SCT}} = 1 - \dfrac{\text{SCE}}{\text{SCT}}$
Coeficiente de determinación.

(4-11) $r = \pm\sqrt{r^2}$
Coeficiente de correlación; tiene el mismo signo que la pendiente.

(4-12) $s^2 = \text{EMC} = \dfrac{\text{SCE}}{n - k - 1}$
Estimación de la varianza de los errores en la regresión; n es el tamaño de la muestra y k es el número de variables independientes.

(4-13) $s = \sqrt{\text{EMC}}$
Estimación de la desviación estándar de los errores; también se llama error estándar de la estimación.

(4-14) $\text{RMC} = \dfrac{\text{SCR}}{k}$

Regresión media de cuadrados. k es el número de variables independientes.

(4-15) $F = \dfrac{\text{RMC}}{\text{EMC}}$

Estadístico F usado para probar la significancia del modelo de regresión general.

(4-16) $Y = \beta_0 + \beta_1 X_1 + \beta_2 X_2 + \cdots + \beta_k X_k + \epsilon$

Modelo fundamental para regresión múltiple.

(4-17) $\hat{Y} = b_0 + b_1 X_1 + b_2 X_2 + \cdots + b_k X_k$

Modelo de regresión múltiple calculado a partir de la muestra.

(4-18) $r^2 \text{ ajustada } = 1 - \dfrac{\text{SCE}/(n - k - 1)}{\text{SCT}/(n - 1)}$

r^2 ajustada que sirve para construir modelos de regresión múltiple.

Problemas resueltos

Problema resuelto 4-1

Judith Thompson tiene una florería en la costa del Golfo de México en el estado de Texas, y se especializa en arreglos florales para bodas y otros eventos especiales. Se anuncia cada semana en los periódicos locales y está considerando aumentar su presupuesto de publicidad. Antes de hacerlo, decide evaluar la efectividad histórica de sus anuncios. Se muestrearon cinco semanas, el dinero gastado y el volumen de ventas para cada una se presenta en la siguiente tabla. Desarrolle una ecuación de regresión que ayude a Judith a evaluar su publicidad. Encuentre el coeficiente de determinación para este modelo.

VENTAS ($1,000)	PUBLICIDAD ($100)
11	5
6	3
10	7
6	2
12	8

Solución

VENTAS Y	PUBLICIDAD X	$(X - \bar{X})^2$	$(X - \bar{X})(Y - \bar{Y})$
11	5	$(5 - 5)^2 = 0$	$(5 - 5)(11 - 9) = 0$
6	3	$(3 - 5)^2 = 4$	$(3 - 5)(6 - 9) = 6$
10	7	$(7 - 5)^2 = 4$	$(7 - 5)(10 - 9) = 2$
6	2	$(2 - 5)^2 = 9$	$(2 - 5)(6 - 9) = 9$
12	8	$(8 - 5)^2 = 9$	$(8 - 5)(12 - 9) = 9$
$\sum Y = 45$	$\sum X = 25$	$\sum (X - \bar{X})^2 = 26$	$\sum (X - \bar{X})(Y - \bar{Y}) = 26$
$\bar{Y} = 45/5$	$\bar{X} = 25/5$		
$= 9$	$= 5$		

$$b_1 = \frac{\sum (X - \bar{X})(Y - \bar{Y})}{\sum (X - \bar{X})^2} = \frac{26}{26} = 1$$

$$b_0 = \bar{Y} - b_1 \bar{X} = 9 - (1)(5) = 4$$

La ecuación de regresión es:

$$\hat{Y} = 4 + 1X$$

Para calcular r^2, usamos la siguiente tabla:

Y	X	$\hat{Y} = 4 + 1X$	$(Y - \hat{Y})^2$	$(Y - \bar{Y})^2$
11	5	9	$(11 - 9)^2 = 4$	$(11 - 9)^2 = 4$
6	3	7	$(6 - 7)^2 = 1$	$(6 - 9)^2 = 9$
10	7	11	$(10 - 11)^2 = 1$	$(10 - 9)^2 = 1$
6	2	6	$(6 - 6)^2 = 0$	$(6 - 9)^2 = 9$
12	8	12	$(12 - 12)^2 = 0$	$(12 - 9)^2 = 9$
$\sum Y = 45$	$\sum X = 25$		$\sum(Y - \hat{Y})^2 = 6$	$\sum(Y - \bar{Y})^2 = 32$
$\bar{Y} = 9$	$\bar{X} = 5$		SCE	SCT

La pendiente ($b_1 = 1$) nos indica que por cada unidad de incremento en X (o \$100 en publicidad), las ventas aumentan una unidad (o bien, \$1,000). Además, $r^2 = 0.8125$ significa que aproximadamente 81% de la variabilidad en las ventas se explica con el modelo de regresión donde la publicidad es la variable independiente.

Problema resuelto 4-2

Utilice Excel y los datos del problema resuelto 4.1 para encontrar el modelo de regresión. ¿Qué indica la prueba F respecto a este modelo?

Solución

El programa 4.6 presenta la salida de Excel para este problema. Vemos que la ecuación es:

$$\hat{Y} = 4 + 1X$$

El coeficiente de determinación (r^2) tiene un valor de 0.8125. El nivel de significancia (o valor crítico) de la prueba F es de 0.0366, que es menor que 0.05. Esto indica que el modelo es estadísticamente significativo. Entonces, existe suficiente evidencia en los datos para concluir que el modelo es útil y que hay una relación entre X (publicidad) y Y (ventas).

PROGRAMA 4.6

Salida de Excel para el problema resuelto 4-2

	A	B	C	D	E	F	G	H	I	J
17	SUMMARY OUTPUT									
18										
19	*Regression Statistics*									
20	Multiple R	0.9014								
21	R Square	0.8125								
22	Adjusted R Squ	0.7500								
23	Standard Error	1.4142								
24	Observations	5								
25										
26	ANOVA									
27		*df*	*SS*	*MS*	*F*	*Significance F*				
28	Regression	1	26	26	13	0.03662				
29	Residual	3	6	2						
30	Total	4	32							
31										
32		*Coefficient*	*Standard*	*t Stat*	*p-value*	*Lower 95%*	*Upper 9:*	*Lower 95*	*Upper 95.0%*	
33	Intercept	4	1.5242	2.6244	0.0787	-0.8506	8.8506	-0.8506	8.8506	
34	Advertising (\$100)	1	0.2774	3.6056	0.0366	0.1173	1.8827	0.1173	1.8827	

Autoevaluación

- Antes de resolver la autoevaluación, consulte los objetivos de aprendizaje al inicio del capítulo, las notas al margen y el glosario al final del capítulo.
- Utilice la solución al final del libro para corregir sus respuestas.
- Estudie de nuevo las páginas que correspondan a cualquier pregunta cuya respuesta sea incorrecta o al material con el que se sienta inseguro.

1. Uno de los supuestos en el análisis de regresión es que
   a) los errores tienen media de 1.
   b) los errores tienen media de 0.
   c) las observaciones (Y) tienen media de 1.
   d) las observaciones (Y) tienen media de 0.
2. Se usará una gráfica de los puntos de la muestra para desarrollar una línea de regresión llamada
   a) gráfica de la muestra.
   b) diagrama de regresión.
   c) diagrama de dispersión.
   d) gráfica de regresión.
3. Al usar regresión, un error se llama también
   a) intersección.
   b) predicción.
   c) coeficiente.
   d) residuo.
4. En un modelo de regresión, Y se llama
   a) variable independiente.
   b) variable dependiente.
   c) variable de regresión.
   d) variable predictiva.
5. Una cantidad que proporciona una medida de qué tan lejos de la recta de regresión está cada punto de la muestra es
   a) la SCR.
   b) la SCE.
   c) la SCT.
   d) la RMC.
6. El porcentaje de variación en la variable dependiente que explica la ecuación de regresión se mide por
   a) el coeficiente de correlación.
   b) el EMC.
   c) el coeficiente de determinación.
   d) la pendiente.
7. En un modelo de regresión, si cada punto de la muestra está sobre la recta de regresión (todos los errores son 0), entonces,
   a) el coeficiente de correlación es 0.
   b) el coeficiente de correlación es –1 o 1.

   c) el coeficiente de determinación es –1.
   d) el coeficiente de determinación es 0.
8. Cuando se usan variables ficticias en una ecuación de regresión para modelar una variable cualitativa o categórica, el número de variables ficticias debería ser igual a
   a) el número de categorías.
   b) una más que el número de categorías.
   c) una menos que el número de categorías.
   d) el número de otras variables independientes en el modelo.
9. Un modelo de regresión múltiple difiere de un modelo de regresión lineal simple en que el modelo de regresión múltiple tiene más de un(a)
   a) variable independiente.
   b) variable dependiente.
   c) intersección.
   d) error.
10. La significancia general de un modelo de regresión se prueba con la prueba F. El modelo es significativo si
    a) el valor F es bajo.
    b) el nivel de significancia del valor F es bajo.
    c) el valor r^2 es bajo.
    d) la pendiente es menor que la intersección.
11. No debe agregarse una nueva variable a un modelo de regresión múltiple, si esa variable ocasiona que
    a) r^2 disminuya.
    b) r^2 ajustada disminuya.
    c) la SCT disminuya.
    d) la intersección disminuya.
12. Un buen modelo de regresión debería tener
    a) una r^2 baja y un nivel de significancia bajo en la prueba F.
    b) una r^2 alta y un nivel de significancia alto en la prueba F.
    c) una r^2 alta y un nivel de significancia bajo en la prueba F.
    d) una r^2 baja y un nivel de significancia alto en la prueba F.

Preguntas y problemas para análisis

Preguntas para análisis

4-1 ¿Cuál es el significado de mínimos cuadrados en un modelo de regresión?

4-2 Analice el uso de variables ficticias en el análisis de regresión.

4-3 Analice cómo se relacionan el coeficiente de determinación y el coeficiente de correlación, y cómo se utilizan en el análisis de regresión.

4-4 Explique cómo se utiliza un diagrama de dispersión para identificar el tipo de regresión que se debe aplicar.

4-5 Explique cómo se utiliza la r^2 ajustada en el desarrollo de un modelo de regresión.

4-6 Explique qué información ofrece la prueba F.

4-7 ¿Qué es la SCE? ¿Cómo se relaciona con la SCT y con la SCR?

4-8 Explique de qué manera se puede usar una gráfica de residuos en el desarrollo de un modelo de regresión.

Problemas

• 4-9 John Smith ha desarrollado el siguiente modelo de pronósticos:

$$\hat{Y} = 36 + 4.3X_1$$

donde:

$\hat{Y}$ = demanda de los acondicionadores de aire K10

X_1 = temperatura exterior (°F)

a) Pronostique la demanda de K10 cuando la temperatura sea de 70 °F

b) ¿Cuál es la demanda cuando la temperatura es de 80 °F?

c) ¿Cuál es la demanda cuando la temperatura es de 90 °F?

4-10 El gerente de operaciones de un distribuidor de instrumentos musicales piensa que la demanda de baterías puede relacionarse con el número de apariciones en televisión del popular grupo de rock Green Shades durante el mes anterior. El gerente recolectó los datos que se presentan en la siguiente tabla:

DEMANDA DE BATERÍAS	APARICIONES EN TV DE GREEN SHADES
3	3
6	4
7	7
5	6
10	8
8	5

a) Grafique estos datos para saber si la ecuación de una recta podría describir la relación entre los programas de televisión del grupo y las ventas de baterías.

b) Con las ecuaciones presentadas en este capítulo calcule SCT, SCE y SCR. Encuentre la recta de regresión de mínimos cuadrados para tales datos.

c) ¿Cuál es su estimación para las ventas de baterías si Green Shades actuó en televisión seis veces el mes pasado?

4-11 Utilice los datos del problema 4-10 para probar si existe una relación estadísticamente significativa entre las ventas y las apariciones en televisión, para un nivel de significancia de 0.05. Use las fórmulas de este capítulo y del apéndice D.

4-12 Con un software de cómputo encuentre la recta de regresión de mínimos cuadrados para los datos del problema 4-10. Según la prueba F, ¿existe una relación estadísticamente significativa entre la demanda de baterías y el número de actuaciones en televisión?

4-13 Los estudiantes en una clase de ciencias de la administración acaban de recibir sus calificaciones del primer examen. El profesor les dio información acerca de estas calificaciones en algunas clases anteriores y del promedio final para los mismos estudiantes. Se obtuvo una muestra de algunas calificaciones:

ESTUDIANTE	1	2	3	4	5	6	7	8	9
Calificación de examen 1	98	77	88	80	96	61	66	95	69
Promedio final	93	78	84	73	84	64	64	95	76

a) Desarrolle un modelo de regresión que sirva para predecir el promedio final en el curso, de acuerdo con la calificación del primer examen.

b) Prediga el promedio final de un estudiante que obtuvo 83 en el primer examen.

c) Dé los valores de r y r^2 para este modelo. Interprete el valor de r^2 en el contexto de este problema.

4-14 Con los datos del problema 4-13, pruebe si hay una relación estadísticamente significativa entre la calificación en el primer examen y el promedio final para un nivel de significancia de 0.05. Use las fórmulas de este capítulo y el apéndice D.

4-15 Use un software de cómputo para encontrar la recta de regresión de mínimos cuadrados con los datos del problema 4-13. Con base en la prueba F, ¿existe una relación estadísticamente significativa entre la calificación del primer examen y el promedio final en el curso?

4-16 Steve Caples, un evaluador de bienes raíces en Lake Charles, Louisiana, desarrolló un modelo de regresión para ayudar a los avalúos residenciales en el área local. Construyó el modelo usando las casas vendidas recientemente en un vecindario específico. El precio (Y) de la casa se basa en los pies cuadrados de construcción (X). El modelo es:

$$\hat{Y} = 13,473 + 37.65X$$

El coeficiente de correlación para el modelo es de 0.63.

a) Use el modelo para predecir el precio de venta de una casa de 1,860 pies cuadrados.

b) Una casa con 1,860 pies cuadrados se vendió hace poco en $95,000. Explique por qué esto no es lo que el modelo predice.

c) Si usara regresión múltiple para desarrollar un modelo de avalúos, ¿qué otras variables cuantitativas incluiría en él?

d) ¿Cuál es el coeficiente de determinación para este modelo?

4-17 Los contadores de la empresa Walker and Walker piensan que varios ejecutivos que viajan presentan comprobantes de gastos demasiado altos cuando regresan de viajes de negocios. Los contadores tomaron una muestra de 200 comprobantes entregados durante el año pasado; luego, desarrollaron la siguiente ecuación de regresión múltiple que relaciona el costo esperado de viaje (Y) con el número de días de duración (X_1) y la distancia recorrida (X_2) en millas:

$$\hat{Y} = \$90.00 + \$48.50X_1 + \$0.40X_2$$

El coeficiente de correlación calculado es de 0.68.

a) Si Thomas Williams regresa de un viaje de 300 millas que le tomó cinco días, ¿cuál es la cantidad esperada que debería entregar como gastos?

b) Williams presentó una solicitud de reembolso de $685; ¿qué debería hacer el contador?

c) Comente la validez de este modelo. ¿Deben incluirse otras variables? ¿Cuáles? ¿Por qué?

4-18 Trece estudiantes se inscribieron a un programa de negocios de licenciatura en Rollins College hace dos años. La siguiente tabla indica sus promedios de calificaciones (GPA, *grade point average*) después de 2 años en el programa y la puntuación del SAT (examen estándar de admisión a universidades en Estados Unidos, con un máximo de 2400 puntos) cuando estaban en preparatoria. ¿Hay alguna relación significativa entre las calificaciones y las puntuaciones en el SAT? Si un estudiante tiene 1200 en el SAT, ¿cuál piensa que será su GPA? ¿Cuál sería si hubiera obtenido 2400 puntos?

ESTU-DIANTE	PUNTOS EN SAT	GPA	ESTU-DIANTE	PUNTOS EN SAT	GPA
A	1263	2.90	H	1443	2.53
B	1131	2.93	I	2187	3.22
C	1755	3.00	J	1503	1.99
D	2070	3.45	K	1839	2.75
E	1824	3.66	L	2127	3.90
F	1170	2.88	M	1098	1.60
G	1245	2.15			

4-19 El número de viajes en autobús y metro (*subway*) en el área de Washington, D.C. durante los meses de verano parecen estar muy vinculados al número de turistas que visitan la ciudad. Durante los 12 últimos años se obtuvieron los siguientes datos:

AÑO	NÚMERO DE TURISTAS (millones)	NÚMERO DE VIAJES (cientos de miles)
1	7	15
2	2	10
3	6	13
4	4	15
5	14	25
6	15	27
7	16	24
8	12	20
9	14	27
10	20	44
11	15	34
12	7	17

a) Grafique estos datos y determine si es razonable un modelo de regresión lineal.

b) Desarrolle un modelo de regresión.

c) ¿Cuál es el número esperado de viajes si en la ciudad hay 10 millones de turistas?

d) Si no hay turistas, explique el número de viajes esperado.

4-20 Utilice un software de cómputo para desarrollar un modelo de regresión para los datos del problema 4-19. Explique qué indica esta salida acerca de la utilidad de este modelo.

4-21 Los siguientes datos proporcionan el salario inicial para estudiantes recién graduados de una universidad local que aceptaron trabajos poco tiempo después. Se incluyen el salario inicial, el promedio de calificaciones (GPA) y el área académica (administración u otra).

SALARIO	$29,500	$46,000	$39,800	$36,500
GPA	3.1	3.5	3.8	2.9
Área	Otra	Administración	Administración	Otra

SALARIO	$42,000	$31,500	$36,200
GPA	3.4	2.1	2.5
Área	Administración	Otra	Administración

a) Utilice una computadora para desarrollar un modelo de regresión que sirva para predecir el salario inicial según el GPA y área.

b) Use este modelo para predecir el salario inicial para un estudiante de administración con GPA de 3.0.

c) ¿Qué indica el modelo acerca del salario inicial para un estudiante de administración en comparación con el de un estudiante de otra carrera?

d) ¿Cree que este modelo sea útil para predecir el salario inicial? Justifique su respuesta usando la información proporcionada en la salida de computadora.

4-22 Los siguientes datos incluyen el precio de venta, los pies cuadrados, el número de dormitorios y la antigüedad de las casas que se han vendido en el área en los últimos 6 meses. Desarrolle tres modelos de regresión para predecir el precio de venta basado en cada factor de manera individual. ¿Cuál es mejor?

PRECIO DE VENTA($)	PIES CUADRADOS	DORMI-TORIOS	ANTIGÜEDAD (AÑOS)
64,000	1,670	2	30
59,000	1,339	2	25
61,500	1,712	3	30
79,000	1,840	3	40
87,500	2,300	3	18
92,500	2,234	3	30
95,000	2,311	3	19
113,000	2,377	3	7

(*Continúa en la siguiente página*)

PRECIO DE VENTA($)	PIES CUADRADOS	DORMI-TORIOS	ANTIGÜEDAD (AÑOS)
115,000	2,736	4	10
138,000	2,500	3	1
142,500	2,500	4	3
144,000	2,479	3	3
145,000	2,400	3	1
147,500	3,124	4	0
144,000	2,500	3	2
155,500	4,062	4	10
165,000	2,854	3	3

4-23 Use los datos del problema 4-22 para desarrollar un modelo de regresión que prediga el precio de venta con base en los pies cuadrados y el número de dormitorios. Use este modelo para predecir el precio de venta de una casa con 2,000 pies cuadrados y tres dormitorios. Compare este modelo con los del problema 4-22. ¿Debería incluirse el número de dormitorios en el modelo? ¿Por qué sí?

4-24 Utilice los datos del problema 4-22 para desarrollar un modelo de regresión que prediga el precio de venta basado en los pies cuadrados, el número de dormitorios y la antigüedad de la casa. Use esto para predecir el precio de venta de una casa construida hace 10 años, con 2,000 pies cuadrados y tres dormitorios.

4-25 Tim Cooper planea invertir dinero en un fondo mutuo que está ligado a uno de los principales índices del mercado, ya sea S&P 500 o Dow Jones Industrial Average (DJIA). Para obtener mayor diversificación, Tim piensa invertir en ambos. Para determinar si esto ayudaría, Tim decide tomar 20 semanas de datos y comparar los dos mercados. El precio de cierre de cada índice se muestra en la tabla que sigue:

SEMANA 1	2	3	4	5	6	7
DJIA	10,226	10,473	10,452	10,442	10,471	10,213	10,187
S&P	1,107	1,141	1,135	1,139	1,142	1,108	1,110

SEMANA 8	9	10	11	12	13	14
DJIA	10,240	10,596	10,584	10,619	10,628	10,593	10,488
S&P	1,121	1,157	1,145	1,144	1,146	1,143	1,131

SEMANA15	16	17	18	19	20
DJIA	10,568	10,601	10,459	10,410	10,325	10,278
S&P	1,142	1,140	1,122	1,108	1,096	1,089

Desarrolle un modelo de regresión que ayude a predecir el DJIA basado en el índice S&P 500. Según este modelo, ¿cuál esperaría que fuera el valor de DJIA cuando S&P es de 1,100? ¿Cuál es el coeficiente de correlación (r) entre los dos mercados?

4-26 Los gastos totales de un hospital se relacionan con muchos factores. Dos de ellos son el número de camas en el hospital y el número de admisiones. Se recolectaron datos en 14 hospitales, como se indica en la siguiente tabla:

HOSPITAL	NÚMERO DE CAMAS	ADMISIONES (CIENTOS)	GASTOS TOTALES (MILLONES)
1	215	77	57
2	336	160	127
3	520	230	157
4	135	43	24
5	35	9	14
6	210	155	93
7	140	53	45
8	90	6	6
9	410	159	99
10	50	18	12
11	65	16	11
12	42	29	15
13	110	28	21
14	305	98	63

Encuentre el mejor modelo de regresión para predecir los gastos totales de un hospital. Analice la exactitud de este modelo. ¿Deberían incluirse ambas variables en el modelo? ¿Por qué?

4-27 Se tomó una muestra de 20 automóviles y se registraron las millas por galón (MPG), los caballos de potencia y el peso total. Desarrolle un modelo de regresión lineal para predecir las MPG, usando los caballos de potencia como la única variable independiente. Desarrolle otro modelo con el peso como la variable independiente. ¿Cuál de estos dos modelos es mejor? Explique.

MPG	CABALLOS DE POTENCIA	PESO
44	67	1,844
44	50	1,998
40	62	1,752
37	69	1,980
37	66	1,797
34	63	2,199
35	90	2,404
32	99	2,611
30	63	3,236
28	91	2,606
26	94	2,580
26	88	2,507

(Continúa en la siguiente página)

MPG	CABALLOS DE POTENCIA	PESO
25	124	2,922
22	97	2,434
20	114	3,248
21	102	2,812
18	114	3,382
18	142	3,197
16	153	4,380
16	139	4,036

4-28 Use los datos del problema 4-27 para desarrollar un modelo de regresión lineal múltiple. ¿Cuál es la comparación con cada uno de los modelos del problema 4-27?

4-29 Use los datos del problema 4-27 para encontrar el mejor modelo de regresión cuadrática. (Existe más de uno.) ¿Cuál es la comparación con los modelos de los problemas 4-27 y 4-28?

4-30 Se obtuvo una muestra de nueve universidades públicas y nueve privadas. Se registraron el costo total por año (incluyendo hospedaje y alimentos) y la mediana del SAT (máximo de 2,400) en cada escuela. Se piensa que las escuelas con una mediana más alta en el SAT tendrían mejor reputación y como resultado cobrarían más. Los datos se incluyen en la tabla. Use una regresión como ayuda para contestar las siguientes preguntas con base en esta muestra. ¿Cobran más colegiatura las escuelas con mayores puntuaciones del SAT? ¿Son más costosas las escuelas privadas que las públicas cuando se toman en cuenta las puntuaciones del SAT?

CATEGORÍA	COSTO TOTAL ($)	MEDIANA DEL SAT
Pública	21,700	1990
Pública	15,600	1620
Pública	16,900	1810
Pública	15,400	1540
Pública	23,100	1540
Pública	21,400	1600
Pública	16,500	1560
Pública	23,500	1890
Pública	20,200	1620
Privada	30,400	1630
Privada	41,500	1840
Privada	36,100	1980
Privada	42,100	1930
Privada	27,100	2130
Privada	34,800	2010
Privada	32,100	1590
Privada	31,800	1720
Privada	32,100	1770

Analice qué tan precisos cree que sean estos resultados usando la información relacionada con el modelo de regresión.

4-31 En 2008, la nómina total para los Yankees de Nueva York era de $209.1 millones, en tanto que la nómina total para los Rayos de Tampa Bay era alrededor de $43.8 millones, o cerca de un quinto de la de los Yankees. Muchas personas han sugerido que algunos equipos pueden comprar temporadas ganadoras y campeonatos gastando mucho dinero en los jugadores más talentosos disponibles. La siguiente tabla presenta las nóminas (en millones de dólares) para los 14 equipos de las Ligas Mayores de Béisbol en la Liga Americana, al igual que el número total de victorias para cada uno en la temporada de 2008:

EQUIPO	NÓMINA (MILLONES)	NÚMERO DE VICTORIAS
Yankees de Nueva York	209.1	89
Tigres de Detroit	138.7	74
Medias Rojas de Boston	133.4	95
Medias Blancas de Chicago	121.2	89
Indios de Cleveland	79.0	81
Orioles de Baltimore	67.2	68
Atléticos de Oakland	48.0	75
Angelinos de Los Ángeles	119.2	100
Marineros de Seattle	118.0	61
Azulejos de Toronto	98.6	86
Mellizos de Minnesota	62.2	88
Reales de Kansas City	58.2	75
Rayos de Tampa Bay	43.8	97
Rangers de Texas	68.2	79

Desarrolle un modelo de regresión para predecir el número total de victorias con base en la nómina de un equipo. De acuerdo con los resultados de salida de computadora, analice qué tan preciso es el modelo. Utilice el modelo para predecir el número de victorias de un equipo con nómina de $79 millones.

4-32 En 2009, Los Yankees de Nueva York ganaron 103 juegos de béisbol durante la temporada regular. La tabla siguiente presenta el número de juegos ganados (G), las carreras limpias permitidas (CLP) y el promedio de bateo (PROM) de cada equipo de la Liga Americana. Las CLP son una medida de efectividad del equipo de lanzamiento, y un número bajo es mejor. El promedio de bateo es una medida de efectividad del bateador y un número grande es mejor.

a) Desarrolle un modelo de regresión que se pueda usar para predecir el número de victorias con base en las CLP.

b) Desarrolle un modelo de regresión que se pueda usar para predecir el número de victorias con base en el promedio de bateo.

EQUIPO	G	CLP	PROM
Yankees de Nueva York	103	4.26	0.283
Angelinos de Los Ángeles	97	4.45	0.285
Medias Rojas de Boston	95	4.35	0.270
Mellizos de Minnesota	87	4.50	0.274
Rangers de Texas	87	4.38	0.260
Tigres de Detroit	86	4.29	0.260
Marineros de Seattle	85	3.87	0.258
Rayos de Tampa Bey	84	4.33	0.263
Medias Blancas de Chicago	79	4.14	0.258
Azulejos de Toronto	75	4.47	0.266
Atléticos de Oakland	75	4.26	0.262
Indios de Cleveland	65	5.06	0.264
Reales de Kansas City	65	4.83	0.259
Orioles de Baltimore	64	5.15	0.268

MES	DJIA	ACCIÓN 1	ACCIÓN 2
1	11,168	48.5	32.4
2	11,150	48.2	31.7
3	11,186	44.5	31.9
4	11,381	44.7	36.6
5	11,679	49.3	36.7
6	12,081	49.3	38.7
7	12,222	46.1	39.5
8	12,463	46.2	41.2
9	12,622	47.7	43.3
10	12,269	48.3	39.4
11	12,354	47.0	40.1
12	13,063	47.9	42.1
13	13,326	47.8	45.2

c) ¿Cuál de los dos modelos es mejor para predecir el número de victorias?

d) Desarrolle un modelo de regresión múltiple que incluya las CLP y el promedio de bateo. ¿Cuál es la comparación con los modelos anteriores?

4-33 El precio de cierre para dos acciones se registró durante un periodo de 12 meses. El precio de cierre para el Dow Jones Industrial Average (DJIA) también se registró para este mismo periodo. Los valores se muestran en la siguiente tabla:

a) Desarrolle un modelo de regresión para predecir el precio de la acción 1 según el Dow Jones Industrial Average.

b) Desarrolle un modelo de regresión para predecir el precio de la acción 2 según el Dow Jones Industrial Average.

c) ¿Cuál de las dos acciones tiene la correlación más alta con el Dow Jones en este periodo?

Estudio de caso

North–South Airline

En enero de 2008, Northern Airlines se fusionó con Southeast Airlines para crear la cuarta compañía aérea más grande de Estados Unidos. La nueva North-South Airline heredó tanto una flota de Boeing 727-300 antiguos como a Stephen Ruth. Stephen era un duro ex Secretario de la Marina que llegó como el nuevo presidente y director del consejo de administración.

La primera preocupación de Stephen para crear una compañía financieramente sólida fueron los costos de mantenimiento. Por lo común se suponía en la industria aérea que los costos de mantenimiento se elevaban con la antigüedad de las aeronaves. Él pronto notó que históricamente había una diferencia significativa en los costos de mantenimiento reportados del B727-300 (en la forma 41s de ATA) en las áreas del fuselaje y el motor entre Northern Airlines y Southeast Airlines, donde Southeast tenía la flota más nueva.

El 12 de febrero de 2008, Stephen llamó a su oficina Peg Jones, vicepresidente de operaciones y mantenimiento, y le preguntó sobre este asunto. Específicamente, Stephen quería saber si la antigüedad promedio de la flota se correlacionaba con los costos directos de mantenimiento del fuselaje, así como si había una relación entre la antigüedad promedio de la flota y los costos di-

rectos de mantenimiento del motor. Peg debía regresar a más tardar el 26 de febrero con la respuesta y con descripciones cuantitativas y gráficas de la relación.

El primer paso de Peg fue que su personal analizara la antigüedad promedio de las flotas de Northern y Southeast B727-300, por trimestre, desde la introducción de ese equipo por cada línea aérea desde fines de 1993 y principios de 1994. La antigüedad promedio de cada flota se calculó primero multiplicando el número total de días calendario que cada aeronave había estado en servicio en el momento pertinente de tiempo, por la utilización promedio diaria de la flota correspondiente respecto de las horas totales voladas por la flota. Las horas totales de la flota se dividieron entonces entre el número de equipos en servicio en ese momento, dada una antigüedad de la aeronave "promedio" en la flota.

La utilización promedio se encontró tomando las horas reales voladas totales de la flota el 30 de septiembre de 2007, de los datos de Northern and Southeast, y dividiendo entre el número total de días en servicio para todas las aeronaves en ese momento. La utilización promedio para Southeast era de 8.3 horas diarias y para Northern era de 8.7 horas diarias. Como los datos disponibles de costos se calcularon para cada periodo de un año que terminaba al final del primer trimestre, la antigüedad promedio de la flota se calculó en los mismos momentos. Los datos de la flota se presentan en la siguiente tabla. Los datos de costo para el fuselaje y el motor se incluyen junto con la antigüedad promedio de la flota.

Pregunta para análisis

1. Prepare la respuesta de Peg Jones a Stephen Ruth.

Nota: Las fechas y los nombres de las líneas aéreas y las personas se cambiaron en este caso para mantener la confidencialidad. Los datos y aspectos descritos aquí son reales.

Datos de North-South Airline para los aviones Boeing 727-300

AÑO	DATOS DE NORTHERN AIRLINE			DATOS DE SOUTHEAST AIRLINE		
	COSTO PARA FUSELAJE POR AERONAVE ($)	COSTO PARA MOTOR POR AERONAVE ($)	ANTIGÜEDAD PROMEDIO (HORAS)	COSTO PARA FUSELAJE POR AERONAVE ($)	COSTO PARA MOTOR POR AERONAVE ($)	ANTIGÜEDAD PROMEDIO HORAS
2001	51.80	43.49	6,512	13.29	18.86	5,107
2002	54.92	38.58	8,404	25.15	31.55	8,145
2003	69.70	51.48	11,077	32.18	40.43	7,360
2004	68.90	58.72	11,717	31.78	22.10	5,773
2005	63.72	45.47	13,275	25.34	19.69	7,150
2006	84.73	50.26	15,215	32.78	32.58	9,364
2007	78.74	79.60	18,390	35.56	38.07	8,259

Bibliografía

Berenson, Mark L., David M. Levine y Timothy C. Kriehbiel. *Basic Business Statistics: Concepts and Applications,* 11a. ed. Upper Saddle River, NJ: Prentice Hall, 2009.

Black, Ken. *Business Statistics: For Contemporary Decision Making,* 6a. ed. John Wiley & Sons, Inc., 2010.

Draper, Norman R. y Harry Smith. *Applied Regression Analysis,* 3a. ed. Nueva York: John Wiley & Sons, Inc., 1998.

Kutner, Michael, John Neier, Chris J. Nachtsheim y William Wasserman. *Applied Linear Regression Models,* 4a. ed., Boston; Nueva York: McGraw-Hill/Irwin, 2004.

Mendenhall, William y Terry L. Sincich. A *Second Course in Statistics: Regression Analysis,* 6a. ed., Upper Saddle River, NJ: Prentice Hall, 2004.

Apéndice 4.1   Fórmulas para cálculos de regresión

Cuando se realizan los cálculos de regresión a mano, existen otras fórmulas que suelen facilitar la tarea y son matemáticamente equivalentes a las presentadas en el capítulo. Sin embargo, dificultan ver la lógica detrás de las fórmulas y la comprensión del significado real de los resultados.

Cuando se aplican estas fórmulas, son una ayuda para establecer una tabla con las columnas que se presentan en la tabla 4.7, la cual contiene los datos de la compañía Triple A Construction que se presentó anteriormente en el capítulo. El tamaño de la muestra (n) es 6. Se presentan los totales para todas las columnas y se calculan los promedios para X y Y. Una vez hecho esto, podemos emplear las siguientes fórmulas para los cálculos de un modelo de regresión lineal simple (con una variable independiente). De nuevo, la ecuación de regresión lineal simple está dada por:

$$\hat{Y} = b_0 + b_1 X$$

La pendiente de la ecuación de regresión es:

$$b_1 = \frac{\Sigma XY - n\overline{XY}}{\Sigma X^2 - n\overline{X}^2}$$

$$b_1 = \frac{180.5 - 6(4)(7)}{106 - 6(4^2)} = 1.25$$

TABLA 4.7

Cálculos preliminares para Triple A Construction

Y	X	Y^2	X^2	XY
6	3	$6^2 = 36$	$3^2 = 9$	$3(6) = 18$
8	4	$8^2 = 64$	$4^2 = 16$	$4(8) = 32$
9	6	$9^2 = 81$	$6^2 = 36$	$6(9) = 54$
5	4	$5^2 = 25$	$4^2 = 16$	$4(5) = 20$
4.5	2	$4.5^2 = 20.25$	$2^2 = 4$	$2(4.5) = 9$
9.5	5	$9.5^2 = 90.25$	$5^2 = 25$	$5(9.5) = 47.5$
$\Sigma Y = 42$	$\Sigma X = 24$	$\Sigma Y^2 = 316.5$	$\Sigma X^2 = 106$	$\Sigma XY = 180.5$
$\overline{Y} = 42/6 = 7$	$\overline{X} = 24/6 = 4$			

La intersección de la ecuación de regresión es:

$$b_0 = \overline{Y} - b_1\overline{X}$$
$$b_0 = 7 - 1.25(4) = 2$$

Suma de cuadrados de los errores:

$$\text{SCE} = \Sigma Y^2 - b_0\Sigma Y - b_1\Sigma XY$$
$$\text{SCE} = 316.5 - 2(42) - 1.25(180.5) = 6.875$$

Estimación de la varianza del error:

$$s^2 = \text{EMC} = \frac{\text{SCE}}{n - 2}$$
$$s^2 = \frac{6.875}{6 - 2} = 1.71875$$

Estimación de la desviación estándar del error:

$$s = \sqrt{\text{EMC}}$$
$$s = \sqrt{1.71875} = 1.311$$

Coeficiente de determinación:

$$r^2 = 1 - \frac{\text{SCE}}{\Sigma Y^2 - n\overline{Y}^2}$$
$$r^2 = 1 - \frac{6.875}{316.5 - 6(7^2)} = 0.6944$$

Esta fórmula para el coeficiente de correlación determina de manera automática el signo de r. Este también se podría encontrar sacando la raíz cuadrada de r^2 y dándole el mismo signo que la pendiente:

$$r = \frac{n\Sigma XY - \Sigma X\Sigma Y}{\sqrt{[n\Sigma X^2 - (\Sigma X)^2][n\Sigma Y^2 - (\Sigma Y)^2]}}$$
$$r = \frac{6(180.5) - (24)(42)}{\sqrt{[6(106) - 24^2][6(316.5) - 42^2]}} = 0.833$$

Apéndice 4.2   Modelos de regresión usando QM para Windows

El manejo de QM para Windows para desarrollar un modelo de regresión es muy sencillo. Usaremos los datos de Triple A Construction para ilustrarlo. Después de iniciar QM para Windows, bajo *Modules* seleccionamos *Forecasting*. Para ingresar el problema seleccionamos *New* y especificamos *Least Squares – Simple and Multiple Regression*, como se ilustra en el programa 4.7A. Esto abre la ventana del programa 4.7B. Ingresamos el número de observaciones, que es 6 en el ejemplo. Tan solo hay 1 variable independiente (*X*). Cuando se oprime *OK*, se abre una ventana y se ingresan los datos como se indica en el programa 4.7C. Después de ingresar los datos, oprima *Solve* y los resultados de los pronósticos aparecen como en el programa 4.7D. La ecuación y otra información se proporcionan es esta ventana. Se dispone de una salida adicional haciendo clic en la opción *Window* en la barra de herramientas.

Recuerde que el EMC es una estimación de la varianza del error (σ^2) y la raíz cuadrada de esta es el error estándar de la estimación. La fórmula que se presentó en el capítulo y se usó en Excel es:

$$EMC = SCE/(n - k - 1)$$

donde *n* es el tamaño de la muestra y *k* es el número de variables independientes. Esta es una estimación no sesgada de σ^2. En QM para Windows, el error medio de cuadrados se calcula como:

$$EMC = SCE/n$$

Este es simplemente el error promedio y es una estimación sesgada de σ^2. El error estándar mostrado en el programa 4-7D no es la raíz cuadrada del EMC en los resultados, más bien se encuentra usando el denominador $n - 2$. Si el error estándar se eleva al cuadrado, se obtiene el EMC que se vio antes en la salida de Excel.

PROGRAMA 4.7A

Ventana inicial de entrada para QM en *File – New – Least Squares – Simple and Multiple Regression*

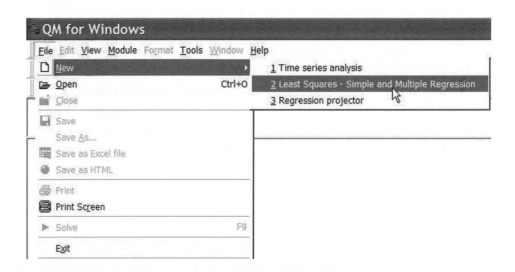

PROGRAMA 4.7B

Segunda ventana de entrada en QM para Windows

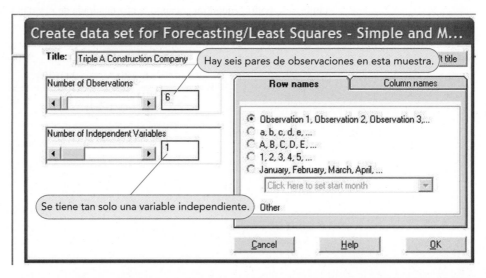

La prueba *F* se usó para probar la hipótesis acerca de la efectividad general del modelo. Para ver la tabla de análisis de varianza, después de resolver el problema, seleccione *Window – ANOVA Summary* y se desplegará la ventana mostrada en el programa 4.7E.

PROGRAMA 4.7C

Datos de entrada para el ejemplo de Triple A Construction

Triple A construction		
	Dpndnt var, Y	X1
Observation 1	6	3
Observation 2	8	4
Observation 3	9	6
Observation 4	5	4
Observation 5	4.5	2
Observation 6	9.5	5

PROGRAMA 4.7D

Salida de QM para Windows con los datos de Triple A Construction

Forecasting Results

Triple A Construction Company Summary

Measure	Value
Error Measures	
Bias (Mean Error)	0.
MAD (Mean Absolute Deviation)	0.8333
MSE (Mean Squared Error)	1.1458
Standard Error (denom=n-2-0=4)	1.311
Regression line	
Dpndnt var, Y = 2.0 + 1.25 * X1	
Statistics	
Correlation coefficient	0.8333
Coefficient of determination (r^2)	0.6944

El EMC es la SCE dividido entre *n*.

El error estándar es la raíz cuadrada de la SCE dividida entre *n* – 2.

La ecuación de regresión se muestra en estas dos filas.

PROGRAMA 4.7E

Salida del resumen de análisis de varianza (ANOVA) en QM para Windows

◇ ANOVA Summary

Triple A construction solution			
	Sum	Degrees of Freedom	Mean square
SSR (Sum of squares due to regression)	15.625	1	15.625
SSE (Sum of the squared error)	6.875	4	1.7188
SST (Sum of the squares total)	22.5	5	
F statistic	9.0909		
Probability	0.0394		

Apéndice 4.3 Análisis de regresión en Excel QM o Excel 2007

Excel QM

Quizá la manera más sencilla de realizar un análisis de regresión con Excel (2007 o 2010) es usar Excel QM que está disponible en el sitio Web para este libro. Una vez instalado Excel QM como complemento de Excel (véase las instrucciones en el apéndice F al final del libro), vaya a la pestaña *Add-Ins* y haga clic en *Excel QM*, como se indica en el programa 4.8A. Cuando aparece el menú, señale *Forecasting* y aparecerán las opciones. Haga clic en *Multiple Regression* como se indica en el programa 4.8A, para llegar a los modelos de regresión simple o múltiple.

Se abre una ventana, como se observa en el programa 4.8B. Ingrese el número de observaciones anteriores y el número de variables independientes (*X*). También puede ingresar el nombre o título del problema. Para ingresar los datos del ejemplo de Triple A Construction de este capítulo, ingrese 6 para los periodos (observaciones) anteriores y 1 para el número de variables independientes. Esto iniciará el tamaño de la hoja de cálculo que aparecerá como se indica en el programa 4.8C.

El área sombreada bajo Y y x 1 estará vacía, pero se ingresan los datos en esta área y los cálculos se realizan de manera automática. En el programa 4.8C, la intersección es 2 (el coeficiente en la columna Y) y la pendiente es 1.25 (el coeficiente en la columna x 1), lo cual resulta en la ecuación de regresión

$$Y = 2 + 1.25X$$

que es la ecuación encontrada en este capítulo.

Excel 2007

Cuando se realiza una regresión en Excel (sin el complemento Excel QM), se usa el complemento *Data Analysis* tanto en Excel 2010 como en Excel 2007. Los pasos e ilustraciones para Excel 2010 que se estudiaron en el capítulo también funcionan en Excel 2007. Sin embargo, la activación de este o de cualquier otro complemento de Excel varía dependiendo de la versión. Véase las instrucciones para las dos versiones en el apéndice F.

PROGRAMA 4.8A

Uso de Excel QM para regresión

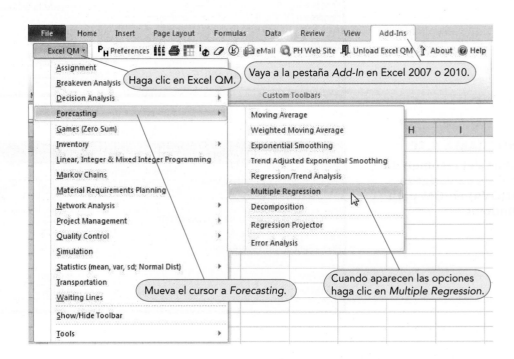

PROGRAMA 4.8B

Inicio de la hoja en
Excel QM

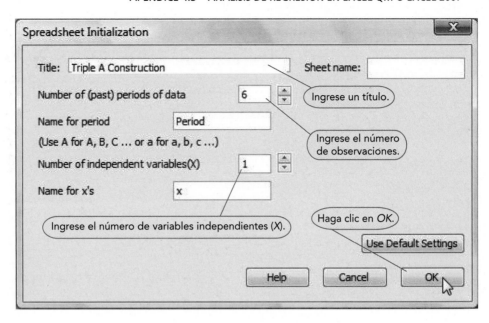

PROGRAMA 4.8C

Entrada y resultados de
regresión en Excel QM

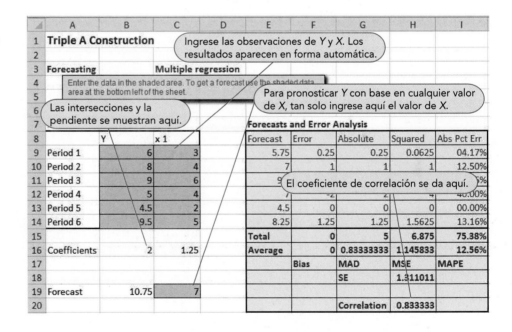

5

Pronósticos

OBJETIVOS DE APRENDIZAJE

Al terminar de estudiar este capítulo, el alumno será capaz de:

1. Entender y saber cuándo usar las diferentes familias de modelos de pronósticos.

2. Comparar promedios móviles, suavizamiento exponencial y otro modelo de series de tiempo.

3. Ajustar los datos estacionalmente.

4. Comprender el enfoque Delphi y otros enfoques cualitativos para la toma de decisiones.

5. Calcular varias medidas de error.

CONTENIDO DEL CAPÍTULO

5.1 Introducción

5.2 Tipos de pronósticos

5.3 Diagramas de dispersión y series de tiempo

5.4 Medidas de exactitud del pronóstico

5.5 Modelos de pronósticos de series de tiempo

5.6 Monitoreo y control de pronósticos

Resumen • Glosario • Ecuaciones clave • Problemas resueltos • Autoevaluación • Preguntas y problemas para análisis • Problemas de tarea en Internet • Estudio de caso: pronóstico de la asistencia a los juegos de futbol de la SWU • Estudio de caso: pronósticos de ventas mensuales • Estudio de caso en Internet • Bibliografía

Apéndice 5.1: Pronósticos con QM para Windows

5.1 Introducción

Todos los días, los gerentes toman decisiones sin saber lo que ocurrirá en el futuro. Se ordena el inventario aunque no se sepa cuánto se venderá, se compra equipo nuevo aunque nadie conozca la demanda de productos y se realizan inversiones sin saber cuáles serán las ganancias. Los gerentes tratan siempre de reducir la incertidumbre e intentan hacer mejores estimaciones de lo que sucederá en el futuro. Lograr esto es el objetivo principal de la elaboración de los pronósticos.

Existen muchas formas de pronosticar el futuro. En muchas empresas (sobre todo las pequeñas), el proceso completo es subjetivo e incluye los métodos improvisados, la intuición y los años de experiencia. También existen muchos modelos de pronósticos *cuantitativos*, como promedios móviles, suavizamiento exponencial, proyecciones de tendencias y análisis de regresión por mínimos cuadrados.

Los siguientes pasos ayudan en el desarrollo de un sistema de pronósticos. Mientras que los pasos 5 y 6 quizá no sean relevantes si se selecciona el modelo cuantitativo en el paso 4, los datos sin duda son necesarios para los modelos de pronósticos cuantitativos presentados en este capítulo.

Ocho pasos para elaborar pronósticos

1. Determinar el uso del pronóstico: ¿qué meta tratamos de alcanzar?
2. Seleccionar los artículos o las cantidades que se van a pronosticar.
3. Determinar el horizonte de tiempo del pronóstico: ¿30 días (corto plazo), de 1 mes a un año (mediano plazo) o más de un año (largo plazo)?
4. Seleccionar el modelo o los modelos de pronósticos.
5. Reunir los datos o la información necesaria para realizar el pronóstico.
6. Validar el modelo del pronóstico.
7. Efectuar el pronóstico.
8. Implementar los resultados.

Estos pasos indican de una manera sistemática cómo iniciar, diseñar e implementar un sistema de pronósticos. Cuando el sistema de pronósticos se usa para generar pronósticos periódicamente, los datos deben recolectarse por rutina, y los cálculos o procedimientos reales utilizados para hacer el pronóstico pueden hacerse de forma automática.

Ningún método es superior. El que funcione mejor es el que debe usarse.

Pocas veces existe un único método de pronósticos que sea superior. Una organización podría encontrar que la regresión es efectiva, otra tal vez aplique varios enfoques, y una tercera quizá combine técnicas cuantitativas y subjetivas. Cualquiera que sea la herramienta que funcione para una empresa, esa es la que debería usarse.

5.2 Tipos de pronósticos

Las tres categorías de modelos son de series de tiempo, causal y cualitativo.

En este capítulo consideramos modelos de pronósticos que se clasifican en una de tres categorías: modelos de series de tiempo, modelos causales y modelos cualitativos (véase la figura 5.1).

Modelos de series de tiempo

Los **modelos de series de tiempo** intentan predecir el futuro usando datos históricos. Estos modelos suponen que lo que ocurra en el futuro es una función de lo que haya sucedido en el pasado. En otras palabras, los modelos de series de tiempo ven qué ha pasado durante un periodo y usan una serie de datos históricos para realizar un pronóstico. Entonces, si queremos pronosticar las ventas semanales de las podadoras de césped, utilizamos las ventas semanales anteriores de las podadoras para realizar el pronóstico.

Los modelos de series de tiempo que examinaremos en este capítulo son promedios móviles, suavizamiento exponencial, proyecciones de tendencia y descomposición. Es posible recurrir al análisis de regresión en las proyecciones de tendencia y en un tipo de modelo de descomposición. En este capítulo se da la mayor importancia a los pronósticos de series de tiempo.

Modelos causales

Los **modelos causales** incorporan las variables o factores que pueden influir en la cantidad que se pronostica con el modelo de elaboración de pronósticos. Por ejemplo, las ventas diarias de una gaseosa de cola quizá dependan de la estación, la temperatura promedio, la humedad promedio, si es fin de semana o día laborable, etcétera. Los modelos causales intentarán incluir factores como temperatura, humedad, estación, día de la semana, etcétera. Los modelos causales también pueden incluir datos históricos de ventas, como hacen los modelos de series de tiempo, pero incluyen otros factores.

FIGURA 5.1
Modelos de pronósticos

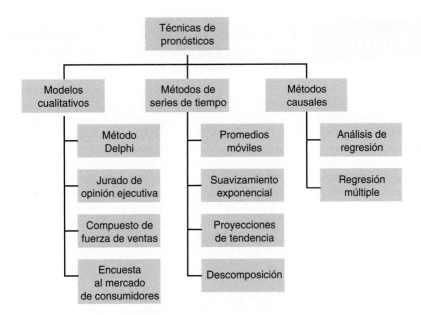

Resumen de cuatro enfoques cualitativos o subjetivos: Delphi, jurado de opinión ejecutiva, consulta a vendedores y encuesta al mercado de consumidores.

Nuestro trabajo como analistas cuantitativos es desarrollar la mejor relación estadística entre las ventas o la variable que pronosticamos, y el conjunto de variables independientes. El modelo causal cuantitativo más común es el análisis de regresión que se presentó en el capítulo 4. Los ejemplos en las secciones 4.8 y 4.9 ilustran la manera de aplicar un modelo de regresión en los pronósticos. En especial, demuestran cómo predecir el precio de venta de una casa con base en características como tamaño, antigüedad y condición. Existen otros modelos causales y muchos de ellos se basan en el análisis de regresión.

Modelos cualitativos

En tanto que las series de tiempo y los modelos causales se basan en datos cuantitativos, los **modelos cualitativos** intentan incorporar factores subjetivos o de opiniones en los modelos de pronósticos. Se suelen tomar en cuenta las opiniones de expertos, las experiencias y los juicios individuales, u otros factores subjetivos. Los modelos cualitativos son útiles sobre todo cuando se espera que los factores subjetivos sean muy importantes o cuando es difícil obtener datos cuantitativos precisos.

Se presenta una descripción breve de cuatro diferentes técnicas cualitativas de pronósticos:

1. *Método Delphi.* Este proceso iterativo de grupo permite que expertos, quienes podrían encontrarse en diferentes lugares, hagan pronósticos. Hay tres tipos de participantes diferentes en el proceso **Delphi**: quienes toman decisiones, el personal y encuestados. El **grupo que toma las decisiones** suele consistir entre 5 a 10 expertos que harán en realidad el pronóstico. El personal ayuda a los que toman las decisiones para preparar, distribuir, recolectar, y resumir una serie de cuestionarios y resultados de las encuestas. Los encuestados son un grupo de individuos cuyo juicio se valora y se busca obtener. Este grupo brinda información a quienes toman las decisiones antes de realizar el pronóstico.

   En el método Delphi, cuando se obtienen los resultados del primer cuestionario, estos se resumen y se modifica el cuestionario. Tanto el resumen de resultados como el nuevo cuestionario se envían al mismo grupo de encuestados para una nueva ronda de respuestas. Quienes responden, después de ver los resultados del primer cuestionario, quizá vean las cosas de manera diferente y modifiquen sus respuestas originales. Este proceso se repite con la esperanza de llegar a un consenso.

2. *Jurado de opinión ejecutiva.* Este método toma las opiniones de un pequeño grupo de gerentes de alto nivel, con frecuencia en combinación con modelos estadísticos y los resultados de la estimación de la demanda.

3. *Consulta a vendedores.* En este enfoque, cada persona de ventas estima las ventas en su región; estos pronósticos se revisan para asegurar que sean realistas y después se combinan a niveles de región y nacional, para llegar a un pronóstico general.

4. *Encuesta al mercado de consumidores.* Este método solicita información a los consumidores o clientes potenciales respecto a sus planes de compra futuros. Puede ayudar no solo a elaborar un pronóstico, sino también a mejorar el diseño del producto y la planeación de nuevos productos.

EN ACCIÓN — Pronósticos de localización de la llegada de huracanes y la desviación media absoluta

Los científicos del Centro Nacional de Huracanes (CNH) de Estados Unidos del Servicio Nacional de Meteorología han tenido un trabajo difícil para predecir dónde tocará tierra el ojo del huracán. Los pronósticos precisos son muy importantes para los negocios y residentes de la costa, quienes necesitarían prepararse para una tormenta y quizá incluso para evacuación. También son importantes para los funcionarios del gobierno local, las dependencias de seguridad y otros servicios de emergencia que brindarán ayuda una vez que pase la tormenta. Con el transcurso de los años, el CNH ha mejorado enormemente la exactitud de sus pronósticos (medida por la desviación media absoluta [DMA]) en cuanto a la predicción del lugar de llegada para los huracanes que se originan en el Océano Atlántico.

El CNH ofrece pronósticos y actualizaciones periódicas acerca de dónde tocará tierra el huracán. Esas predicciones de la llegada se registran cuando el huracán está a 72, 48, 36, 24 y 12 horas de tocar tierra. Una vez que el huracán llega a la costa, los pronósticos se comparan con la localización real de llegada y se registra el error (en millas). Al final de la temporada de huracanes, los errores para todos los huracanes del año se usan para calcular la DMA de cada tipo de pronóstico (a 12 horas, a 24 horas, etcétera). La siguiente gráfica indica la mejora en los pronósticos acerca de las llegadas desde 1989. A principios de la década de 1990, el pronóstico del punto de llegada cuando el huracán estaba a 48 horas, tenía una DMA cercana a las 200 millas; en 2009, este número está en aproximadamente 75 millas. Es evidente que se tiene una gran mejora en la exactitud del pronóstico y esta tendencia continúa.

Fuente: Basada en datos del Centro Nacional de Huracanes, http://www.nhc.noaa.gov

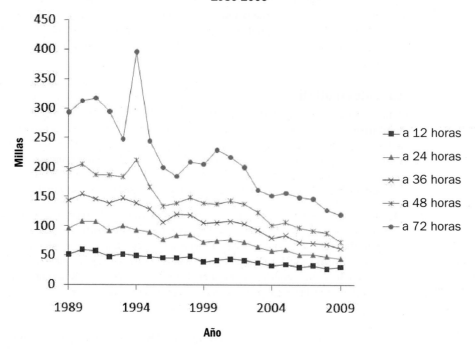

DMA (en millas) para el pronóstico de la localización de la llegada del huracán, 1989-2009

5.3 Diagramas de dispersión y series de tiempo

Un diagrama de dispersión ayuda a obtener ideas acerca de la relación.

Al igual que con los modelos de regresión, los **diagramas de dispersión** son muy útiles cuando se pronostican series de tiempo. Un diagrama de dispersión para una serie de tiempo se grafica en dos dimensiones, con el tiempo en el eje horizontal. La variable que se pronostica (como las ventas) se coloca en el eje vertical. Consideremos el ejemplo de una empresa que necesita pronosticar las ventas para tres productos diferentes.

Wacker Distributors observa las ventas anuales de tres de sus productos –televisores, radios y reproductores de CD– durante los últimos 10 años (tabla 5.1). Una manera sencilla de examinar estos datos históricos y quizás usarlos para establecer un pronóstico, es dibujar un diagrama de dispersión para cada producto (figura 5.2). La gráfica ilustra la relación entre las ventas de un producto y el tiempo, y es útil para descubrir las tendencias o los ciclos. Después se desarrolla un modelo matemático exacto que describe esta situación, si parece razonable hacerlo.

TABLA 5.1

Ventas anuales de tres productos

AÑO	TELEVISORES	RADIOS	REPRODUCTORES DE CD
1	250	300	110
2	250	310	100
3	250	320	120
4	250	330	140
5	250	340	170
6	250	350	150
7	250	360	160
8	250	370	190
9	250	380	200
10	250	390	190

FIGURA 5.2

Diagrama de dispersión para ventas

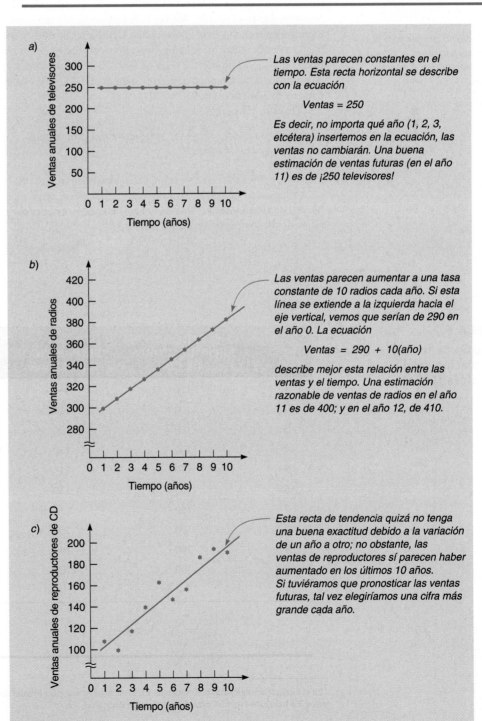

a) Las ventas parecen constantes en el tiempo. Esta recta horizontal se describe con la ecuación

$$Ventas = 250$$

Es decir, no importa qué año (1, 2, 3, etcétera) insertemos en la ecuación, las ventas no cambiarán. Una buena estimación de ventas futuras (en el año 11) es de ¡250 televisores!

b) Las ventas parecen aumentar a una tasa constante de 10 radios cada año. Si esta línea se extiende a la izquierda hacia el eje vertical, vemos que serían de 290 en el año 0. La ecuación

$$Ventas = 290 + 10(año)$$

describe mejor esta relación entre las ventas y el tiempo. Una estimación razonable de ventas de radios en el año 11 es de 400; y en el año 12, de 410.

c) Esta recta de tendencia quizá no tenga una buena exactitud debido a la variación de un año a otro; no obstante, las ventas de reproductores sí parecen haber aumentado en los últimos 10 años. Si tuviéramos que pronosticar las ventas futuras, tal vez elegiríamos una cifra más grande cada año.

5.4 Medidas de exactitud del pronóstico

Analizamos varios modelos de pronósticos diferentes en este capítulo. Para saber qué tan bien funciona un modelo o para comparar un modelo con otros, los valores pronosticados se comparan con los valores reales u observados. El error del pronóstico (o desviación) se define como:

$$\text{Error de pronóstico} = \text{valor real} - \text{valor pronosticado}$$

Una medida de exactitud es la **desviación media absoluta (DMA)**, que se calcula tomando la suma de los valores absolutos de los errores de pronósticos individuales y, luego, dividiendo entre el número de errores (n):

$$\text{DMA} = \frac{\sum |\text{error del pronóstico}|}{n} \qquad (5\text{-}1)$$

Considere las ventas de Wacker Distributors de reproductores de CD que se presentan en la tabla 5.1. Suponga que en el pasado, Wacker había pronosticado las ventas de cada año como las ventas que se lograban en realidad en el año anterior. Algunas veces esto se conoce como **modelo simple**. La tabla 5.2 da estos pronósticos, así como los valores absolutos de los errores. Al pronosticar el siguiente periodo (año 11), el pronóstico sería de 190. Observe que no hay error calculado para el año 1 pues no se pronosticó, ni tampoco hay error para el año 11, cuyo valor real todavía no se conoce. Así, el número de **errores** (n) es 9.

El pronóstico simple para el siguiente periodo es el valor real observado en el periodo actual.

De esto, obtenemos lo siguiente:

$$\text{DMA} = \frac{\sum |\text{error del pronóstico}|}{n} = \frac{160}{9} = 17.8$$

Lo cual significa que, en promedio, cada pronóstico difiere del valor real en 17.8 unidades.

Además de la DMA, en ocasiones se emplean otras medidas de la exactitud de los errores históricos al pronosticar. Una de las más comunes es el **error cuadrado medio (ECM)**, que es el promedio de los cuadrados de los errores:*

$$\text{ECM} = \frac{\sum (\text{error})^2}{n} \qquad (5\text{-}2)$$

TABLA 5.2

Cálculo de la desviación media absoluta (DMA)

AÑO	VENTAS REALES DE REPRODUCTORES DE CD	PRONÓSTICO DE VENTAS	VALOR ABSOLUTO DE LOS ERRORES (DESVIACIÓN). |REAL-PRONÓSTICO|
1	110	—	—
2	100	110	$\|100 - 110\| = 10$
3	120	100	$\|120 - 100\| = 20$
4	140	120	$\|140 - 120\| = 20$
5	170	140	$\|170 - 140\| = 30$
6	150	170	$\|150 - 170\| = 20$
7	160	150	$\|160 - 150\| = 10$
8	190	160	$\|190 - 160\| = 30$
9	200	190	$\|200 - 190\| = 10$
10	190	200	$\|190 - 200\| = 10$
11	—	190	—

Suma de |errores| = 160

DMA = 160/9 = 17.8

---

*En el análisis de regresión, la fórmula del ECM suele ajustarse para brindar un estimado no sesgado de la varianza del error. En todo este capítulo, usaremos la fórmula dada aquí.

MODELADO EN EL MUNDO REAL

Pronósticos en Tupperware International

Definición del problema

Para manejar la producción en cada una de las 15 plantas de Tupperware en Estados Unidos, América Latina, África, Europa y Asia, la empresa necesita pronósticos precisos de la demanda de sus productos.

Desarrollo del modelo

Se emplea una variedad de modelos estadísticos, incluyendo promedios móviles, suavizamiento exponencial y análisis de regresión. El análisis cualitativo también se utiliza en el proceso.

Recolección de datos

En su oficina matriz en Orlando, Florida, se mantienen enormes bases de datos que registran las ventas de cada producto, los resultados de mercados de prueba de cada nuevo producto (ya que 20% de las ventas viene de productos con menos de 2 años de antigüedad) y donde cada producto cae en su propio ciclo de vida.

Desarrollo de una solución

Cada uno de los centros de utilidades de Tupperware alrededor del mundo desarrolla proyecciones computarizadas de ventas mensuales, trimestrales y anuales. Estas se agregan por región y luego globalmente.

Pruebas de la solución

Las revisiones de los pronósticos se llevan a cabo en los departamentos de ventas, marketing, finanzas y producción.

Análisis de los resultados

Los gerentes que participan analizan los pronósticos según la versión de Tupperware de un "jurado de opinión ejecutiva".

Implementación de resultados

Los pronósticos sirven para programar materiales, equipo y personal en cada planta.

Fuente: Entrevista de los autores a los ejecutivos de Tupperware.

Además de la DMA y el ECM, algunas veces se utiliza el **error medio absoluto porcentual (EMAP)**, que es el promedio de los valores absolutos de los errores expresados como porcentajes de los valores reales. Esto se calcula como:

$$\text{EMAP} = \frac{\sum \left| \dfrac{\text{error}}{\text{real}} \right|}{n} 100\% \tag{5-3}$$

Tres medidas comunes del error son DMA, ECM y EMAP. El sesgo da el error promedio y puede ser positivo o negativo.

Existe otro término común asociado con el error del pronóstico. **Sesgo** es el error promedio e indica si el pronóstico tiende a ser demasiado alto o demasiado bajo y por cuánto. Entonces, el sesgo puede ser negativo o positivo. Aunque no es una buena medida del tamaño real de los errores, ya que los errores negativos pueden cancelar los errores positivos.

5.5 Modelos de pronósticos de series de tiempo

Una serie de tiempo se basa en una secuencia de datos igualmente espaciados (semanales, mensuales, trimestrales, etcétera). Los ejemplos incluyen ventas semanales de computadoras personales HP, reporte de ingresos trimestrales de Microsoft Corporation, envíos diarios de baterías Eveready e índices anuales de precios al consumidor en el país. Pronosticar con datos de series de tiempo implica que se predicen valores futuros *tan solo* a partir de datos históricos de esa variable (como vimos en la tabla 5.1) y que se ignoran otras variables, sin importar su valor potencial.

Componentes de una serie de tiempo

Cuatro componentes de series de tiempo son tendencia, estacionalidad, ciclos y variaciones aleatorias.

Analizar una serie de tiempo significa desglosar los datos históricos en sus componentes y, luego, proyectarlos hacia el futuro. En general, una serie de tiempo tiene cuatro componentes:

1. *Tendencia* (*T*) es el movimiento gradual hacia arriba o hacia abajo de los datos en el tiempo.
2. *Estacionalidad* (*S*, por *seasonality*) es el patrón de la fluctuación de la demanda arriba o abajo de la recta de tendencia que se repite a intervalos regulares.
3. *Ciclos* (*C*) son patrones en los datos anuales que ocurren cada cierto número de años. Suelen estar vinculados al ciclo de negocios.
4. *Variaciones aleatorias* (*R* por *Random variations*) son "saltos" en los datos ocasionados por el azar y por situaciones inusuales; no siguen un patrón discernible.

La figura 5.3 presenta una serie de tiempo y sus componentes.

En estadística existen dos formas generales de los modelos de series de tiempo. La primera es un modelo multiplicativo que supone que la demanda es el producto de las cuatro componentes y se establece como:

$$\text{Demanda} = T \times S \times C \times R$$

Un modelo aditivo suma las componentes para dar una estimación. Con frecuencia se usa un modelo de regresión múltiple para desarrollar los modelos aditivos. Esta relación aditiva se establece como:

$$\text{Demanda} = T + S + C + R$$

Hay otros modelos que pueden ser una combinación de estos. Por ejemplo, una de las componentes (como la tendencia) puede ser aditiva, en tanto que otra (como la estacionalidad) puede ser multiplicativa.

Entender las componentes de una serie de tiempo ayudará a seleccionar una técnica de pronósticos adecuada. Si todas las variaciones en una serie de tiempo se deben a variaciones aleatorias, sin componentes de tendencia, estacional o cíclica, se recomienda algún tipo de modelo de promedios o de suavizamiento. Las técnicas de promedios en este capítulo son promedios móviles, promedio móvil ponderado y suavizamiento exponencial. Estos métodos suavizarán los pronósticos y no ten-

FIGURA 5.3

Demanda de productos graficada para 4 años, con tendencia y estacionalidad

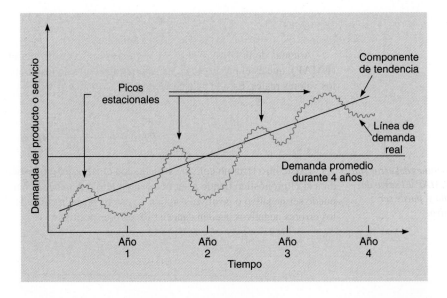

drán demasiada influencia de las variaciones aleatorias. Sin embargo, si hay en los datos un patrón de tendencia o estacional, entonces, se debería usar una técnica que incorpore esa componente en particular en el pronóstico. Dos de tales técnicas son el suavizamiento exponencial con tendencia y las proyecciones de tendencia. Si existe un patrón estacional presente en los datos, podría desarrollarse un índice estacional y usarse con cualquier método de promedios. Si están presentes las componentes de tendencia y estacional, entonces, deberá emplearse un método como el de descomposición.

Promedios móviles

Los promedios móviles suavizan las variaciones cuando las demandas pronosticadas son bastante estables.

Los **promedios móviles** son útiles si podemos suponer que las demandas del mercado permanecerán bastante estables en el tiempo. Un promedio móvil de cuatro meses, por ejemplo, se encuentra simplemente sumando la demanda durante los últimos cuatro meses y dividiéndola entre 4. Con cada mes que pasa, los datos del mes más reciente se suman a los datos de los tres meses anteriores y se elimina el mes más lejano. Esto tiende a suavizar las irregularidades del corto plazo en la serie de datos.

Un pronóstico de promedio móvil de *n* periodos, que sirve como estimación de la demanda del siguiente periodo, se expresa como:

$$\text{Pronóstico de promedio móvil} = \frac{\text{suma de demandas de } n \text{ periodos anteriores}}{n} \quad (5\text{-}4)$$

Matemáticamente, esto se escribe como

$$F_{t+1} = \frac{Y_t + Y_{t-1} + \cdots + Y_{t-n+1}}{n} \quad (5\text{-}5)$$

donde

$$F_{t+1} = \text{pronóstico para el periodo } t + 1$$
$$Y_t = \text{valor real en el periodo } t$$
$$n = \text{número de periodos para promediar}$$

Un promedio móvil de 4 meses tiene $n = 4$; si el promedio móvil es de 5 meses, $n = 5$.

EJEMPLO DE SUMINISTROS DE WALLACE GARDEN Las ventas de naves de almacenamiento de Wallace Garden se presentan en la columna central de la tabla 5.3. El promedio móvil de 3 meses se indica a la derecha. Usando esta técnica, el pronóstico para el siguiente enero es de 16. Si únicamente nos pidieran hacer un pronóstico para enero, haríamos nada más este cálculo. Los otros pronósticos son necesarios tan solo si deseamos calcular la DMA u otra medida de exactitud.

Se pueden usar pesos para dar más importancia a los periodos recientes.

PROMEDIO MÓVIL PONDERADO Un promedio móvil simple da el mismo peso ($1/n$) a cada observación pasada que se usa para desarrollar el pronóstico. Por otro lado, un **promedio móvil ponderado** permite asignar diferentes pesos a las observaciones previas. Como el método de promedio

TABLA 5.3

Ventas de naves de almacenamiento de Wallace Garden

MES	VENTAS REALES DE NAVES DE ALMACENAMIENTO	PROMEDIO MÓVIL DE 3 MESES
Enero	10	
Febrero	12	
Marzo	13	
Abril	16	(10 + 12 + 13)/3 = 11.67
Mayo	19	(12 + 13 + 16)/3 = 13.67
Junio	23	(13 + 16 + 19)/3 = 16.00
Julio	26	(16 + 19 + 23)/3 = 19.33
Agosto	30	(19 + 23 + 26)/3 = 22.67
Septiembre	28	(23 + 26 + 30)/3 = 26.33
Octubre	18	(26 + 30 + 28)/3 = 28.00
Noviembre	16	(30 + 28 + 18)/3 = 25.33
Diciembre	14	(28 + 18 + 16)/3 = 20.67
Enero	—	(18 + 16 + 14)/3 = 16.00

móvil ponderado suele asignar mayor peso a las observaciones más recientes, este pronóstico es más sensible ante los cambios que ocurran en el patrón de los datos. Sin embargo, esto también es una desventaja potencial del método, debido a que el mayor peso también responde rápido a las fluctuaciones aleatorias.

Un *promedio móvil ponderado* se expresa como

$$F_{t+1} = \frac{\sum (\text{peso del periodo } i)(\text{valor real de periodo } i)}{\sum (\text{pesos})} \qquad (5\text{-}6)$$

Matemáticamente, esto es

$$F_{t+1} = \frac{w_1 Y_t + w_2 Y_{t-1} + \cdots + w_n Y_{t-n+1}}{w_1 + w_2 + \cdots + w_n} \qquad (5\text{-}7)$$

donde

$$w_i = \text{peso para la } i\text{-ésima observación}$$

Wallace Garden decide usar un pronóstico de promedio móvil ponderado de 3 meses con pesos de 3 para la observación más reciente, 2 para la siguiente y 1 para la más lejana, lo cual se implementaría como sigue:

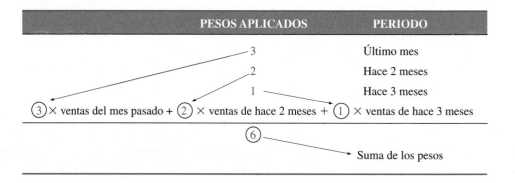

Los resultados del pronóstico del promedio ponderado para Wallace Garden se muestran en la tabla 5.4. En esta situación de pronósticos en particular, se observa que ponderar el último mes con más peso da una proyección más precisa, en tanto que calcular la DMA para cada uno lo verificaría.

La elección de los pesos evidentemente tiene una influencia importante sobre los pronósticos. Una manera de elegir los pesos es intentar varias combinaciones, calcular la DMA para cada una y elegir el conjunto de pesos que dé como resultado el menor valor de la DMA. Algunos paquetes de software de pronósticos tienen una opción para buscar las mejores ponderaciones, y brinda los pronósticos con esos pesos. El mejor conjunto de ponderaciones también se encuentra usando programación no lineal, como se verá en un capítulo posterior.

Algunos paquetes de software requieren que los pesos sumen 1, y esto simplificaría la ecuación 5-7 porque el denominador sería 1. Forzar a los pesos a que sumen 1 es sencillo si se divide cada uno entre la suma de los pesos. En el ejemplo de Wallace Garden en la tabla 5.4, los pesos son 3, 2 y 1, que suman 6. Estos pesos se pueden revisar a los nuevos pesos 3/6, 2/6 y 1/6, que suman 1. Al utilizar dichos pesos, se obtienen los mismos pronósticos de la tabla 5.4.

Los dos promedios móviles simples y ponderados son efectivos en cuanto a suavizar fluctuaciones repentinas en el patrón de demanda, con la finalidad de dar estimaciones estables. Sin embargo, los promedios móviles tienen dos problemas. Primero, aumentar el tamaño de n (el número de periodos promediados) suaviza mejor las fluctuaciones, aunque hace al método menos sensible a los cambios *reales* en los datos si ocurren. Segundo, los promedios móviles no pueden captar muy bien las tendencias. Como son promedios, siempre estarán dentro de los niveles del pasado y no pronosticarán un cambio a un nivel más alto o más bajo.

Los promedios móviles tienen dos desventajas: si el número de periodos es grande quizá suavicen los cambios reales y no captan la tendencia.

USO DE EXCEL Y EXCEL QM PARA PRONÓSTICOS Excel y las hojas de cálculo en general se utilizan con frecuencia para pronosticar. Muchas técnicas de pronósticos tienen funciones integradas en Excel. También se puede usar el módulo de pronósticos de Excel QM, que incluye varias componentes. Para acceder a Excel QM una vez instalado en Excel 2010 o Excel 2007 (consulte las instrucciones de

TABLA 5.4

Pronóstico
con promedio
móvil ponderado
para Wallace Garden

MES	VENTAS REALES DE NAVES DE ALMACENAMIENTO	PROMEDIO MÓVIL DE 3 MESES
Enero	10	
Febrero	12	
Marzo	13	
Abril	16	$[(3 \times 13) + (2 \times 12) + (10)]/6 = 12.17$
Mayo	19	$[(3 \times 16) + (2 \times 13) + (12)]/6 = 14.33$
Junio	23	$[(3 \times 19) + (2 \times 16) + (13)]/6 = 17.00$
Julio	26	$[(3 \times 23) + (2 \times 19) + (16)]/6 = 20.5$
Agosto	30	$[(3 \times 26) + (2 \times 23) + (19)]/6 = 23.83$
Septiembre	28	$[(3 \times 30) + (2 \times 26) + (23)]/6 = 27.5$
Octubre	18	$[(3 \times 28) + (2 \times 30) + (26)]/6 = 28.33$
Noviembre	16	$[(3 \times 18) + (2 \times 28) + (30)]/6 = 23.33$
Diciembre	14	$[(3 \times 16) + (2 \times 18) + (28)]/6 = 18.67$
Enero	—	$[(3 \times 14) + (2 \times 16) + (18)]/6 = 15.33$

instalación en el apéndice F), vaya a la pestaña *Add-Ins* y seleccione *Excel QM*; luego, elija *Forecasting*. Si da clic en una técnica como *Moving Averages*, *Weighted Moving Average* o *Exponential Smoothing*, se abre una ventana de entrada. Use Excel QM para el pronóstico con promedio móvil ponderado de Wallace Garden, seleccionando *Forecasting-Weighted Moving Average*, como se indica en el programa 5.1A. Ingrese el número de periodos anteriores de datos y el número de periodos a promediar, como en el programa 5.1B. Dé clic en *OK* cuando termine y se inicia la hoja. Simplemente ingrese las observaciones pasadas y cualesquiera parámetros, como el número de periodos del promedio y la salida aparecerá en forma automática, ya que Excel QM genera las fórmulas. El programa 5.1C presenta los resultados. Para desplegar las fórmulas en Excel, simplemente presione las teclas Ctrl + (acento grave). Presionando de nuevo, despliega los valores en vez de las fórmulas.

PROGRAMA 5.1A

Selección del módulo de
pronósticos en Excel QM

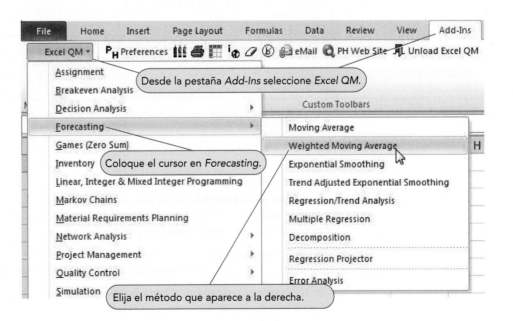

PROGRAMA 5.1B

Ventana de inicio para el promedio móvil ponderado

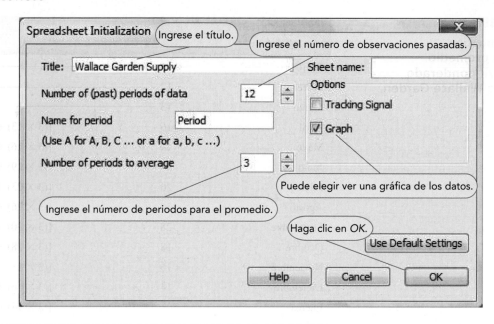

PROGRAMA 5.1C

Promedio móvil ponderado en Excel QM para Wallace Garden

	A	B	C	D	E	F	G	H	I
1	**Wallace Garden**								
2									
3	**Forecasting**			**Weighted moving averages - 3 period moving average**					
6									
7	**Data**				**Forecasts and Error Analysis**				
8	Period	Demand	Weights		Forecast	Error	Absolute	Squared	Abs Pct Err
9	January	10	1						
10	February	12	2						
11	March	13	3						
12	April	16			12.1667	3.8333	3.8333	14.6944	23.96%
13	May				14.3333	4.6667	4.6667	21.7778	24.56%
14	June				17	6	6	36	26.09%
15	July				0.5	5.5	5.5	30.25	21.15%
16	August				333	6.1667	6.1667	38.0278	20.56%
17	September	20			27.5	0.5	0.5	0.25	01.79%
18	October	18			28.3333	-10.3333	10.3333	106.7778	57.41%
19	November	16			23.3333	-7.3333	7.3333	53.7778	45.83%
20	December	14			18.6667	-4.6667	4.6667	21.7778	33.33%
21					Total	4.3333	49.0000	323.3333	254.68%
22					rage	0.4815	5.4444	35.9259	28.30%
23						Bias	MAD	MSE	MAPE
24							SE	6.79636	
25	**Next period**	15.3333333							

Suavizamiento exponencial

El **suavizamiento exponencial** es un método de pronósticos de uso sencillo y se maneja con eficiencia en la computadora. Aunque es un tipo de técnica de promedio móvil, necesita llevar un registro de los datos pasados. La fórmula básica para el suavizamiento exponencial es:

$$\text{Nuevo pronóstico} = \text{pronóstico del último periodo} \tag{5-8}$$
$$+ \alpha(\text{demanda real del último periodo} - \text{pronóstico del último periodo})$$

donde α es un peso (o **constante de suavizamiento**) que tiene un valor entre 0 y 1, inclusive.

La ecuación 5-8 también se escribe matemáticamente como

$$F_{t+1} = F_t + \alpha(Y_t - F_t) \tag{5-9}$$

donde

F_{t+1} = nuevo pronóstico (para el periodo $t + 1$)

F_t = pronóstico previo (para el periodo t)

α = constante de suavizamiento ($0 \le \alpha \le 1$)

Y_t = demanda real para el periodo anterior

El concepto no es complejo. La última estimación de la demanda es igual a la estimación previa ajustada por una fracción del error (la demanda real del último periodo menos la estimación anterior).

La constante de suavizamiento, α, permite a los gerentes asignar un peso a los datos recientes.

La constante de suavizamiento, α, se puede modificar para dar más peso a los datos recientes con un valor alto o a los datos pasados cuando es bajo. Por ejemplo, si $\alpha = 0.5$, se puede demostrar matemáticamente que el nuevo pronóstico se basa casi por completo en la demanda de los tres últimos periodos. Cuando $\alpha = 0.1$, el pronóstico asigna poco peso a cualquier periodo, incluso en el más reciente, y toma en cuenta muchos periodos de valores históricos (cerca de 19).*

Por ejemplo, en enero, un distribuidor predijo una demanda de 142 automóviles de cierto modelo para febrero. La demanda real en febrero fue de 153 autos. Utilizando una constante de suavizamiento $\alpha = 0.20$, podemos pronosticar la demanda de marzo usando el modelo de suavizamiento exponencial. Al sustituir en la fórmula,

Pronóstico nuevo (para demanda de marzo) = $142 + 0.2(153 - 142)$

= 144.2

Entonces, el pronóstico de la demanda de autos en marzo es de 144.

Suponga que la demanda real de autos en marzo fue de 136. Un pronóstico para la demanda en abril, usando el modelo de suavizamiento exponencial con una constante $\alpha = 0.20$, es

Pronóstico nuevo (para demanda de abril) = $144.2 + 0.2(136 - 144.2)$

= 142.6, o bien, 143 automóviles

SELECCIÓN DE LA CONSTANTE DE SUAVIZAMIENTO El enfoque de suavizamiento exponencial es fácil de emplear y se ha utilizado con éxito en bancos, compañías de manufactura, distribuidoras mayoristas y otras organizaciones. Sin embargo, el valor adecuado de la constante de suavizamiento, α, podría marcar la diferencia entre un pronóstico exacto y uno inexacto. Al elegir un valor para la constante de suavizamiento, el propósito es obtener el pronóstico más exacto. Se pueden tratar varios valores de la constante de suavizamiento y se seleccionaría aquel que dé la menor DMA. Esto es similar a la forma en que se eligen los pesos en un pronóstico de promedio móvil ponderado. Algunos paquetes de software de pronósticos hacen una selección automática de la mejor constante de suavizamiento. QM para Windows desplegará la DMA que se obtendría con valores de α entre 0 y 1 en incrementos de 0.01.

EJEMPLO DEL PUERTO DE BALTIMORE Apliquemos a un ejemplo este concepto con una técnica de ensayo y error de dos valores de α. El puerto de Baltimore ha descargado grandes cantidades de grano de los barcos durante los últimos ocho trimestres. El gerente de operaciones del puerto quiere probar el uso del suavizamiento exponencial para saber qué tan bien funciona la técnica para predecir las toneladas descargadas. Supone que el pronóstico de grano descargado en el primer trimestre fue de 175 toneladas. Se examinan dos valores de α: $\alpha = .10$ y $\alpha = .50$. La tabla 5.5 presenta los cálculos *detallados* únicamente para $\alpha = 0.10$.

---

*Se usa el término *suavizamiento exponencial* porque el peso de la demanda de cualquier periodo en un pronóstico decrece exponencialmente en el tiempo. Consulte la prueba algebraica en un libro avanzado de elaboración de pronósticos.

TABLA 5.5

Pronósticos para el puerto de Baltimore con suavizamiento exponencial para $\alpha = 0.10$ y $\alpha = 0.50$

TRIMESTRE	TONELADAS DESCARGADAS REALES	PRONÓSTICO CON $\alpha = 0.10$	PRONOSTICO CON $\alpha = 0.50$
1	180	175	175
2	168	175.5 = 175.00 + 0.10(180 − 175)	177.5
3	159	174.75 = 175.50 + 0.10(168 − 175.50)	172.75
4	175	173.18 = 174.75 + 0.10(159 − 174.75)	165.88
5	190	173.36 = 173.18 + 0.10(175 − 173.18)	170.44
6	205	175.02 = 173.36 + 0.10(190 − 173.36)	180.22
7	180	178.02 = 175.02 + 0.10(205 − 175.02)	192.61
8	182	178.22 = 178.02 + 0.10(180 − 178.02)	186.30
9	?	178.60 = 178.22 + 0.10(182 − 178.22)	184.15

Para evaluar la exactitud de cada constante de suavizamiento, calculamos las desviaciones absolutas y la DMA (véase la tabla 5.6). Con base en este análisis, se prefiere una constante de suavizamiento de $\alpha = 0.10$ y no de $\alpha = 0.50$ porque su DMA es menor.

USO DE EXCEL QM PARA SUAVIZAMIENTO EXPONENCIAL El programa 5.2 ilustra la manera en que Excel QM maneja el suavizamiento exponencial con el ejemplo del puerto de Baltimore.

SUAVIZAMIENTO EXPONENCIAL CON AJUSTE DE TENDENCIA Las técnicas para promediar o suavizar el pronóstico son útiles cuando una serie de tiempo tiene tan solo una componente aleatoria; sin embargo, tales técnicas no responden a las tendencias. Si hay una tendencia presente en los datos, debería usarse un modelo de pronóstico que la incorpore de manera explícita en el pronóstico. Una de esas técnicas es el modelo de suavizamiento exponencial con ajuste de tendencia. La idea es desarrollar un pronóstico de suavizamiento exponencial y, luego, ajustarlo por la tendencia. Se emplean dos constantes de suavizamiento, α y β, en este modelo y ambos valores deben estar entre 0 y 1. El nivel del pronóstico se ajusta multiplicando primero la constante de suavizamiento, α, por el error del pronóstico más reciente y sumarlo al pronóstico anterior. La tendencia se ajusta multiplicando la segunda constante de suavizamiento, β, por el error más reciente o la cantidad en exceso de la tendencia. Un valor más alto da más peso a las observaciones recientes y, con ello, responde con mayor rapidez a los cambios en los patrones.

Se utilizan dos constantes de suavizamiento.

Al igual que con el suavizamiento exponencial simple, la primera vez que se desarrolla un pronóstico, debe darse o estimarse un pronóstico anterior (F_t). Si no se dispone de uno, con frecuen-

TABLA 5.6

Desviaciones absolutas y DMA para el ejemplo del puerto de Baltimore

TRIMESTRE	TONELADAS DESCARGADAS REALES	PRONÓSTICO CON $\alpha = 0.10$	DESVIACIONES ABSOLUTAS PARA $\alpha = 0.10$	PRONÓSTICO CON $\alpha = 0.50$	DESVIACIONES ABSOLUTAS PARA $\alpha = 0.50$
1	180	175	5	175	5
2	168	175.5	7.5	177.5	9.5
3	159	174.75	15.75	172.75	13.75
4	175	173.18	1.82	165.88	9.12
5	190	173.36	16.64	170.44	19.56
6	205	175.02	29.98	180.22	24.78
7	180	178.02	1.98	192.61	12.61
8	182	178.22	3.78	186.30	4.3
Suma de las desviaciones absolutas			82.45		98.63

$$\text{DMA} = \frac{\sum|\text{desviación}|}{n} = 10.31 \qquad \text{DMA} = 12.33$$

PROGRAMA 5.2

Ejemplo de suavizamiento exponencial del puerto de Baltimore en Excel QM

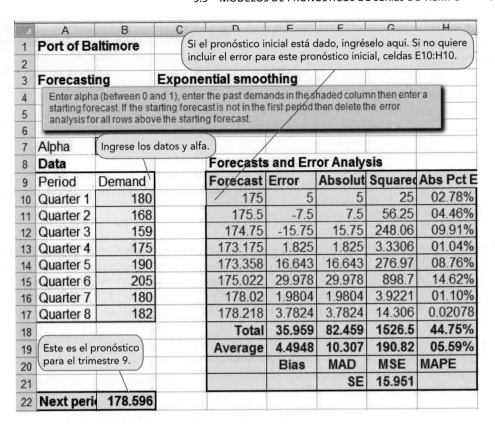

cia se supone que el pronóstico inicial es perfecto. Asimismo, debe darse o estimarse una tendencia previa (T_t), que muchas veces es estima usando otros datos históricos, si están disponibles, o bien, utilizando medios subjetivos o calculando el incremento (o decremento) observado durante los primeros periodos de los datos disponibles. Sin esa estimación disponible, en ocasiones se supone que la tendencia es 0 inicialmente, aunque podría llevar a pronósticos deficientes, si la tendencia es grande y β es pequeño. Una vez establecidas las condiciones iniciales, se desarrolla el pronóstico de suavizamiento exponencial incluyendo la tendencia (FIT_t) mediante los siguientes tres pasos:

Estime o suponga los valores iniciales para F_t y T_t.

Paso 1. Calcular el pronóstico suavizamiento (F_{t+1}) para el periodo $t + 1$ usando la ecuación

Pronóstico suavizamiento = pronóstico previo incluyendo tendencia + α(último error)

$$F_{t+1} = FIT_t + \alpha(Y_t - FIT_t) \tag{5-10}$$

Paso 2. Actualizar la tendencia (T_{t+1}) con la ecuación

Tendencia suavizada = tendencia previa + β(error o exceso de tendencia)

$$T_{t+1} = T_t + \beta(F_{t+1} - FIT_t) \tag{5-11}$$

Paso 3. Calcular el pronóstico de suavizamiento exponencial ajustado por la tendencia (FIT_{t+1}) usando la ecuación

Pronóstico con tendencia (FIT_{t+1}) = pronóstico suavizamiento (F_{t+1}) + tendencia suavizada (T_{t+1})

$$FIT_{t+1} = F_{t+1} + T_{t+1} \tag{5-12}$$

donde

$$T_t = \text{tendencia suavizada para el periodo } t$$
$$F_t = \text{pronóstico suavizamiento para el periodo } t$$
$$FIT_t = \text{Pronóstico incluyendo tendencia para el periodo } t$$
$$\alpha = \text{constante de suavizamiento para el pronóstico}$$
$$\beta = \text{constante de suavizamiento para la tendencia}$$

TABLA 5.7
Demanda de Midwestern Manufacturing

AÑO	GENERADORES ELÉCTRICOS VENDIDOS
2004	74
2005	79
2006	80
2007	90
2008	105
2009	142
2010	122

Considere el caso de la compañía Midwestern Manufacturing que, en el periodo de 2004 a 2010, ha tenido la demanda de generadores eléctricos que se presenta en la tabla 5.7. Para usar el método de suavizamiento exponencial con ajuste de tendencia, primero se establecen las condiciones iniciales (valores previos para F y T), y se eligen α y β. Suponiendo que F_1 es perfecto y T_1 es 0, y eligiendo 0.3 y 0.4 como las constantes de suavizamiento,

$$F_1 = 74 \quad T_1 = 0 \quad \alpha = 0.3 \quad \beta = 0.4$$

lo cual da como resultado

$$FIT_1 = F_1 + T_1 = 74 + 0 = 74$$

Siguiendo los tres pasos para obtener el pronóstico para 2005 (periodo 2), tenemos

Paso 1. Calcular F_{t+1} con la ecuación

$$F_{t+1} = FIT_t + \alpha(Y_t - FIT_t)$$
$$F_2 = FIT_1 + 0.3(Y_1 - FIT_1) = 74 + 0.3(74 - 74) = 74$$

Paso 2. Actualizar la tendencia (T_{t+1}) usando la ecuación

$$T_{t+1} = T_t + \beta(F_{t+1} - FIT_t)$$
$$T_2 = T_1 + 0.4(F_2 - FIT_1) = 0 + 0.4(74 - 74) = 0$$

Paso 3. Calcular el pronóstico de suavizamiento exponencial de ajuste de tendencia (FIT_{t+1}) usando la ecuación

$$FIT_2 = F_2 + T_2 = 74 + 0 = 74$$

Para 2006 (periodo 3), tenemos

Paso 1.

$$F_3 = FIT_2 + 0.3(Y_2 - FIT_2) = 74 + 0.3(79 - 74) = 75.5$$

Paso 2.

$$T_3 = T_2 + 0.4(F_3 - FIT_2) = 0 + 0.4(75.5 - 74) = 0.6$$

Paso 3.

$$FIT_3 = F_3 + T_3 = 75.5 + 0.6 = 76.1$$

Los otros resultados se muestran en la tabla 5.8. El pronóstico para 2011 sería de aproximadamente 131.35.

Uso de Excel QM para suavizamiento exponencial con ajuste de tendencia

El programa 5.3 indica cómo utilizar Excel QM para el pronóstico de suavizamiento exponencial con tendencia.

TABLA 5.8   Pronósticos con suavizamiento exponencial con tendencia para Midwestern Manufacturing

TIEMPO (t)	DEMANDA (Y_t)	$F_{t+1} = FIT_t + 0.3(Y_t - FIT_t)$	$T_{t+1} = T_t + 0.4(F_{t+1} - FIT_t)$	$FIT_{t+1} = F_{t+1} + T_{t+1}$
1	74	74	0	74
2	79	$74 = 74 + 0.3(74 - 74)$	$0 = 0 + 0.4(74 - 74)$	$74 = 74 + 0$
3	80	$75.5 = 74 + 0.3(79 - 74)$	$0.6 = 0 + 0.4(75.5 - 74)$	$76.1 = 75.5 + 0.6$
4	90	77.270 $= 76.1 + 0.3(80 - 76.1)$	1.068 $= 0.6 + 0.4(77.27 - 76.1)$	$78.338 = 77.270 + 1.068$
5	105	81.837 $= 78.338 + 0.3(90 - 78.338)$	2.468 $= 1.068 + 0.4(81.837 - 78.338)$	$84.305 = 81.837 + 2.468$
6	142	90.514 $= 84.305 + 0.3(105 - 84.305)$	4.952 $= 2.468 + 0.4(90.514 - 84.305)$	$95.466 = 90.514 + 4.952$
7	122	109.426 $= 95.466 + 0.3(142 - 95.466)$	10.536 $= 4.952 + 0.4(109.426 - 95.466)$	$119.962 = 109.426 + 10.536$
8		120.573 $= 119.962 + 0.3(122 - 119.962)$	10.780 $= 10.536 + 0.4(120.573 - 119.962)$	$131.353 = 120.573 + 10.780$

PROGRAMA 5.3

Suavizamiento exponencial con ajuste de tendencia para Midwestern Manufacturing con Excel QM

Proyecciones de tendencia

Una recta de tendencia es una ecuación de regresión con el tiempo como variable independiente.

Otro método para pronósticos de series de tiempo con tendencia se llama **proyecciones de tendencia**, que es una técnica que ajusta una recta de tendencia a una serie de datos históricos y, luego, proyecta la línea al futuro para obtener pronósticos a mediano y largo plazos. Existen varias ecuaciones de tendencia que se pueden desarrollar (por ejemplo, exponencial y cuadrática); no obstante, en esta sección tan solo veremos tendencias lineales (en línea recta). Una tendencia lineal es simplemente una ecuación de regresión lineal donde la variable independiente (X) es el tiempo. La forma de esto es

$$\hat{Y} = b_0 + b_1 X$$

donde

$$\hat{Y} = \text{valor predicho}$$
$$b_0 = \text{intersección}$$
$$b_1 = \text{pendiente de la recta}$$
$$X = \text{periodo (es decir, } X = 1, 2, 3, \ldots, n)$$

El método de regresión de **mínimos cuadrados** se aplica para encontrar los coeficientes que minimizan la suma de los cuadrados de los errores y, de esta forma, minimizan el error cuadrático medio (ECM). El capítulo 4 ofrece una explicación detallada de la regresión por mínimos cuadrados, en tanto que las fórmulas para calcular los coeficientes a mano se encuentran en la sección 4.3. En esta sección, los cálculos se realizarán con Excel o con Excel QM.

EJEMPLO DE LA COMPAÑÍA MIDWESTERN MANUFACTURING Consideremos el caso de Midwestern Manufacturing. En el periodo 2004-2010, la demanda de generadores eléctricos para esa empresa se mostró en la tabla 5.7. Se puede desarrollar una recta de tendencia para predecir la demanda (Y) basada en el tiempo, usando un modelo de regresión. Si 2004 es el periodo 1 ($X = 1$), entonces, 2005 es el periodo 2 ($X = 2$), y así sucesivamente. La recta de regresión se puede desarrollar en Excel 2010 (consulte los detalles en el capítulo 4) en la pestaña *Data* y seleccionando *Data Analysis-Regression*, e ingresando la información como en el programa 5.4A. Los resultados se ilustran en el programa 5.4B. De esto obtenemos

$$\hat{Y} = 56.71 + 10.54X$$

Para proyectar la demanda en 2011, primero denotamos el año 2011 en nuestro nuevo sistema de codificación como $X = 8$:

$$(\text{ventas en 2011}) = 56.71 + 10.54(8)$$
$$= 141.03, \text{ o } 141 \text{ generadores}$$

Podemos estimar la demanda para 2012 insertando $X = 9$ en la misma ecuación:

$$(\text{ventas en 2012}) = 56.71 + 10.54(9)$$
$$= 151.57, \text{ o } 152 \text{ generadores}$$

PROGRAMA 5.4A

Ventana de entrada de Excel para la recta de tendencia de Midwestern Manufacturing

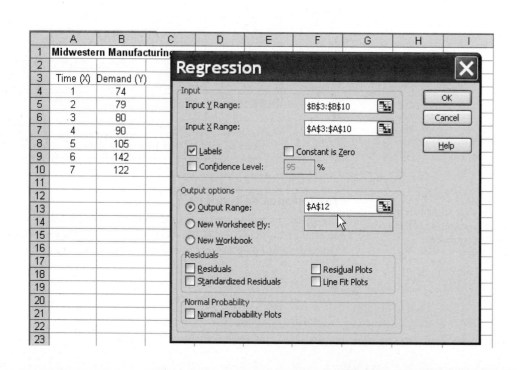

PROGRAMA 5.4B

Salida de Excel para la recta de tendencia de Midwestern Manufacturing

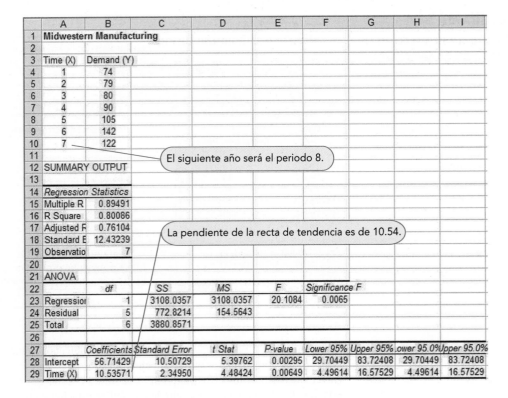

Una gráfica de la demanda histórica y de la recta de tendencia se ilustra en la figura 5.4, en cuyo caso será mejor ser precavidos y tratar de entender los cambios en la demanda durante 2009-2010.

USO DE EXCEL QM EN ANÁLISIS DE TENDENCIA La regresión también se efectúa con Excel QM. Vaya a la pestaña *Add-Ins* en Excel 2010 y seleccione *Excel QM-Forecasting-Regression/Trend Analysis*. Ingrese el número de periodos de datos (7 en este ejemplo), e ingrese el título y el nombre de los periodos (por ejemplo, semana, mes, año) si lo desea, después, haga clic en *OK*. Cuando aparezca la hoja de inicio, ingrese los datos históricos y los periodos, como se indica en el programa 5.5.

Variaciones estacionales

El pronóstico de series de tiempo como en el ejemplo de Midwestern Manufacturing requiere observar la *tendencia* de los datos en una serie de momentos. Sin embargo, algunas veces las variaciones recurrentes en ciertas estaciones del año hacen necesario un ajuste *estacional* en el pronóstico de la

FIGURA 5.4

Los generadores eléctricos y la recta de tendencia calculada

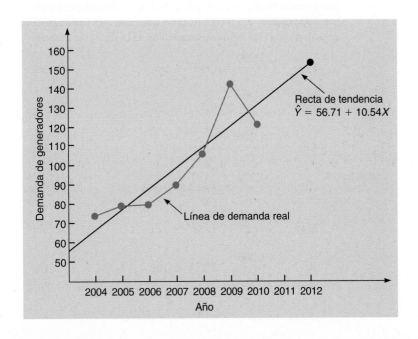

PROGRAMA 5.5

Modelo de proyección de tendencia en Excel QM

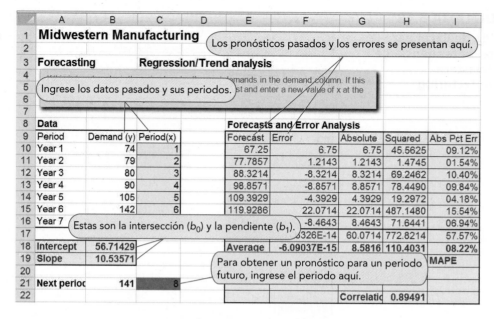

recta de tendencia. La demanda de carbón y combustible, por ejemplo, suele tener su pico durante los meses de invierno; mientras que la demanda de palos de golf o lociones bronceadoras suele ser mayor en verano. Analizar los datos en términos de meses o trimestres facilita la detección de los patrones estacionales. Con frecuencia se emplea un índice estacional en los modelos de pronósticos con series de tiempo multiplicativas, para realizar un ajuste en el pronóstico cuando existe una componente estacional. Una alternativa es usar un modelo aditivo como el modelo de regresión que se introducirá en una sección posterior.

Una estación promedio tiene un índice de 1.

Un **índice estacional** indica la comparación de una estación dada (como mes o trimestre) y una estación promedio. Cuando no hay una tendencia, el índice se determina dividiendo el valor promedio para una estación específica entre el promedio de todos los datos. Así, un índice de 1 significa que la estación es promedio. Por ejemplo, si las ventas promedio en enero fueran de 120 y las ventas promedio en todos los meses fueran de 200, el índice estacional para enero sería de 120/200 = 0.60, de manera que enero está abajo del promedio. El siguiente ejemplo ilustra cómo calcular los índices estacionales de los datos históricos y usarlos para pronosticar valores futuros.

Las ventas mensuales de una marca de contestador telefónico en Eichler Supplies se muestran en la tabla 5.9, para los dos últimos años. Se calcula la demanda promedio cada mes y los valores se dividen entre el promedio general (94) para encontrar el índice estacional de cada mes. Después, usamos los índices estacionales de la tabla 5.9 para ajustar los pronósticos futuros. Por ejemplo, suponga que esperamos que la demanda anual de contestadores en el tercer año sea de 1,200 unidades, que son 100 por mes. No pronosticamos que cada mes tiene una demanda de 100, sino que las ajustamos de acuerdo con los índices estacionales de la siguiente manera:

$$\text{Ene.} \quad \frac{1,200}{12} \times 0.957 = 96 \qquad \text{Jul.} \quad \frac{1,200}{12} \times 1.117 = 112$$

$$\text{Feb.} \quad \frac{1,200}{12} \times 0.851 = 85 \qquad \text{Ago.} \quad \frac{1,200}{12} \times 1.064 = 106$$

$$\text{Mar.} \quad \frac{1,200}{12} \times 0.904 = 90 \qquad \text{Sep.} \quad \frac{1,200}{12} \times 0.957 = 96$$

$$\text{Abr.} \quad \frac{1,200}{12} \times 1.064 = 106 \qquad \text{Oct.} \quad \frac{1,200}{12} \times 0.851 = 85$$

$$\text{May} \quad \frac{1,200}{12} \times 1.309 = 131 \qquad \text{Nov.} \quad \frac{1,200}{12} \times 0.851 = 85$$

$$\text{Jun.} \quad \frac{1,200}{12} \times 1.223 = 122 \qquad \text{Dic.} \quad \frac{1,200}{12} \times 0.851 = 85$$

TABLA 5.9

Ventas de contestadores e índices estacionales

MES	DEMANDA DE VENTAS		DEMANDA PROMEDIO DE 2 AÑOS	DEMANDA MENSUAL[a]	ÍNDICE ESTACIONAL PROMEDIO[b]
	AÑO 1	AÑO 2			
Enero	80	100	90	94	0.957
Febrero	85	75	80	94	0.851
Marzo	80	90	85	94	0.904
Abril	110	90	100	94	1.064
Mayo	115	131	123	94	1.309
Junio	120	110	115	94	1.223
Julio	100	110	105	94	1.117
Agosto	110	90	100	94	1.064
Septiembre	85	95	90	94	0.957
Octubre	75	85	80	94	0.851
Noviembre	85	75	80	94	0.851
Diciembre	80	80	80	94	0.851

Demanda promedio total = 1,128

[a]Demanda promedio mensual $= \dfrac{1,128}{12 \text{ meses}} = 94$ [b]Índice estacional $= \dfrac{\text{demanda promedio de 2 años}}{\text{demanda promedio mensual}}$

Variaciones estacionales con tendencia

Cuando ambas componentes, de tendencia y estacional, están presentes en una serie de tiempo, un cambio de un mes a otro se podría deber a tendencia, variación estacional o simplemente a fluctuaciones aleatorias. Para ayudar con este problema, deberían calcularse los índices estacionales con un enfoque de **promedio móvil centrado (PMC)** siempre que esté presente una tendencia. Este enfoque previene que una variación causada por la tendencia se interprete incorrectamente como una variación estacional. Considere el siguiente ejemplo.

Los promedios móviles centrados sirven para calcular índices estacionales cuando existe una tendencia.

Las cifras de ventas trimestrales para Turner Industries se muestran en la tabla 5.10. Advierta que existe una tendencia definida, ya que el total de ventas aumenta cada año y, también, hay un incremento para cada trimestre de un año al siguiente. La componente estacional es evidente, pues hay una baja definitiva del cuarto trimestre de un año al primero del siguiente. Un patrón similar se observa al comparar los terceros trimestres con los cuartos trimestres.

Si se calcula el índice estacional del trimestre 1 usando el promedio general, el índice sería demasiado bajo y dará la idea equivocada, ya que este trimestre tiene menos tendencia que cualquier otro en la muestra. Si se omitiera el primer trimestre del año 1 y se sustituyera por el primer trimestre del año 4 (si estuviera disponible), el promedio para el trimestre 1 (y por lo tanto el índice estacional del trimestre 1) sería considerablemente más alto. Para derivar un índice estacional preciso, deberíamos usar el PMC.

Considere el trimestre 3 del año 1 en el ejemplo de Turner Industries. Las ventas reales en ese trimestre fueron de 150. Para determinar la magnitud de la variación estacional, deberíamos comparar esta con un promedio del trimestre centrado en ese periodo. Así, tendríamos un total de cuatro trimestres (1 año de datos) con un número igual de trimestres antes y después del trimestre 3, de manera que la tendencia se promedia. Entonces, necesitamos 1.5 trimestre antes del trimestre 3, y 1.5

TABLA 5.10

Ventas trimestrales (millones) para Turner Industries

TRIMESTRE	AÑO 1	AÑO 2	AÑO 3	PROMEDIO
1	108	116	123	115.67
2	125	134	142	133.67
3	150	159	168	159.00
4	141	152	165	152.67
Promedio	131.00	140.25	149.50	140.25

TABLA 5.11

Promedios móviles centrados y razones estacionales para Turner Industries

AÑO	TRIMESTRE	VENTAS (MILLONES)	PMC	RAZÓN ESTACIONAL
1	1	108		
	2	125		
	3	150	132.000	1.136
	4	141	134.125	1.051
2	1	116	136.375	0.851
	2	134	138.875	0.965
	3	159	141.125	1.127
	4	152	143.000	1.063
3	1	123	145.125	0.848
	2	142	147.875	0.960
	3	168		
	4	165		

trimestres después. Para obtener el PMC, tomamos los trimestres 2, 3 y 4 del año 1, más la mitad del trimestre 1 del año 1 y la mitad del trimestre 1 del año 2. El promedio será

$$\text{PMC (trimestre 3 del año 1)} = \frac{0.5(108) + 125 + 150 + 141 + 0.5(116)}{4} = 132.00$$

Comparamos las ventas reales en este trimestre con el PMC y tenemos la siguiente razón estacional:

$$\text{Razón estacional} = \frac{\text{ventas del trimestre 3}}{\text{PMC}} = \frac{150}{132.00} = 1.136$$

Entonces, las ventas en el trimestre 3 del año 1 son aproximadamente de 13.6% mayores que un trimestre promedio en este tiempo. Todos los PMC y las razones estacionales se muestran en la tabla 5.11.

Como hay dos razones estacionales para cada trimestre, las promediamos para obtener el índice estacional. Por lo tanto,

$$\text{Índice trimestral 1} = I_1 = (0.851 + 0.848)/2 = 0.85$$
$$\text{Índice trimestral 2} = I_2 = (0.965 + 0.960)/2 = 0.96$$
$$\text{Índice trimestral 3} = I_3 = (1.136 + 1.127)/2 = 1.13$$
$$\text{Índice trimestral 4} = I_4 = (1.051 + 1.063)/2 = 1.06$$

La suma de estos índices tiene que ser el número de estaciones (4), ya que una estación promedio debería tener índice igual a 1. En este ejemplo, la suma es 4. Si la suma no fuera 4, se haría un ajuste, multiplicando cada índice por 4 y dividiéndolo entre la suma de los índices.

Pasos para determinar los índices estacionales basados en los PMC

1. Calcular el PMC para cada observación (cuando sea posible).
2. Calcular la razón estacional = observación/PMC para esa observación.
3. Promediar las razones estacionales para obtener los índices estacionales.
4. Si los índices estacionales no suman el número de estaciones, multiplicar cada índice por (número de estaciones)/(suma de índices).

La figura 5.5 ilustra un diagrama de dispersión de los datos de Turner Industries y los PMC. Note que el diagrama de los PMC es mucho más suave que el de los datos originales. Se observa una tendencia definida en los datos.

FIGURA 5.5

Diagrama de dispersión de las ventas de Turner Industries y el promedio móvil centrado

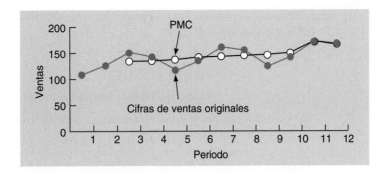

Método de descomposición del pronóstico con componentes de tendencia y estacional

El proceso de aislar los factores de tendencia lineal y estacional para desarrollar pronósticos más exactos se llama **descomposición**. El primer paso es calcular los índices estacionales para cada estación, como lo hicimos con los datos de Turner Industries. Luego, se elimina la estacionalidad de los datos dividiendo cada número entre su índice estacional, como se indica en la tabla 5.12.

Después se encuentra una recta de tendencia usando los **datos sin estacionalidad**. Mediante un software de cómputo aplicado a estos datos, obtenemos*

$$b_1 = 2.34$$
$$b_0 = 124.78$$

La ecuación de tendencia es

$$\hat{Y} = 124.78 + 2.34X$$

donde

$$X = \text{tiempo}$$

Esta ecuación sirve para desarrollar el pronóstico basado en la tendencia, y el resultado se multiplica por el índice estacional correspondiente para efectuar el ajuste estacional. Para los datos de

TABLA 5.12

Datos sin estacionalidad para Turner Industries

VENTAS (MILLONES)	ÍNDICE ESTACIONAL	VENTAS SIN ESTACIO-NALIDAD (MILLONES)
108	0.85	127.059
125	0.96	130.208
150	1.13	132.743
141	1.06	133.019
116	0.85	136.471
134	0.96	139.583
159	1.13	140.708
152	1.06	143.396
123	0.85	144.706
142	0.96	147.917
168	1.13	148.673
165	1.06	155.660

*Si realiza los cálculos a mano, quizá los números difieran un poco debido al redondeo.

Turner Industries, el pronóstico para el primer trimestre del año 4 (periodo $X = 13$ e índice estacional $I_1 = 0.85$) se encuentra como sigue:

$$\hat{Y} = 124.78 + 2.34X$$
$$= 124.78 + 2.34(13)$$
$$= 155.2 \text{ (pronóstico antes del ajuste de estacionalidad)}$$

Multiplicamos esto por el índice estacional del trimestre 1 y obtenemos

$$\hat{Y} \times I_1 = 155.2 \times 0.85 = 131.92$$

Usando el mismo procedimiento, encontramos los pronósticos para los trimestres 2, 3 y 4 del año próximo como 151.24, 180.66 y 171.95, respectivamente.

Pasos para desarrollar un pronóstico usando el método de descomposición

1. Calcular los índices estacionales usando los PMC.
2. Eliminar la estacionalidad de los datos dividiendo cada número entre su índice estacional.
3. Encontrar la ecuación de la recta de tendencia empleando los datos sin estacionalidad.
4. Pronosticar para periodos futuros con la recta de tendencia.
5. Multiplicar el pronóstico de la recta de tendencia por el índice estacional adecuado.

Muchos paquetes de software de pronósticos —por ejemplo, Excel QM y QM para Windows— incluyen el método de descomposición como una de las técnicas disponibles. Este calcula en forma automática los PMC, elimina la estacionalidad de los datos, desarrolla la recta de tendencia, hace los pronósticos con la ecuación de tendencia y ajusta el pronóstico final por estacionalidad.

Los siguientes ejemplos brindan otra aplicación de este proceso. Los índices estacionales y la recta de tendencia ya se calcularon siguiendo el proceso de descomposición.

EJEMPLO DEL HOSPITAL SAN DIEGO Un hospital de San Diego usó 66 meses de días de hospitalización de pacientes adultos para llegar a la siguiente ecuación:

$$\hat{Y} = 8,091 + 21.5X$$

donde

$$\hat{Y} = \text{pronóstico de días-paciente}$$
$$X = \text{tiempo en meses}$$

Con base en este modelo, el hospital pronostica los días-paciente para el siguiente mes (periodo 67) como

$$\text{Días-paciente} = 8.091 + (21.5)(67) = 9,532 \text{ (solo tendencia)}$$

Este modelo reconoce la ligera tendencia ascendente en la demanda de servicios para pacientes internados, pero ignora la estacionalidad que la administración sabe que está presente. La tabla 5.13 presenta los índices estacionales basados en los 66 meses. Dicho sea de paso, se encontró que esos datos

TABLA 5.13
Índices estacionales para días de hospitalización de pacientes adultos en el Hospital San Diego

MES	ÍNDICE DE ESTACIONALIDAD	MES	ÍNDICE DE ESTACIONALIDAD
Enero	1.0436	Julio	1.0302
Febrero	0.9669	Agosto	1.0405
Marzo	1.0203	Septiembre	0.9653
Abril	1.0087	Octubre	1.0048
Mayo	0.9935	Noviembre	0.9598
Junio	0.9906	Diciembre	0.9805

Fuente: W. E. Sterk y E. G. Shryock. "Modern Methods Improve Hospital Forecasting", *Healthcare Financial Management* (marzo de 1987): 97. Reimpreso con autorización del autor.

estacionales son típicos de los hospitales en todo el país. Observe que enero, marzo, julio y agosto parecen mostrar promedios de días-paciente significativamente mayores, en tanto que febrero, septiembre, noviembre y diciembre experimentan cifras más bajas.

Para corregir la extrapolación de la serie de tiempo por estacionalidad, el hospital multiplica el pronóstico mensual por el índice de estacionalidad adecuado. Así, para el periodo 67, que era enero,

$$\text{Días-paciente} = (9.532)(1.0436) = 9,948 \quad \text{(tendencia y estacionalidad)}$$

Con este método se pronosticaron los días-paciente de enero a junio (periodos 67 a 72) como 9,948, 9,236, 9,768, 9,678, 9,554 y 9,547. Este estudio llevó a mejores pronósticos, al igual que a la previsión de un presupuesto más preciso.

USO DE EXCEL QM PARA DESCOMPOSICIÓN En Excel QM, para llegar al procedimiento de descomposición vaya a la pestaña *Add-Ins* y haga clic en *Excel QM–Forecasting–Decomposition* y se abre la ventana de inicio. Ingrese la información relevante, como se indica en el programa 5.6A, y se iniciará la hoja de cálculo para el tamaño del problema especificado. Ingrese los datos para los periodos históricos, como en el programa 5.6B y los resultados aparecerán.

USO DE QM PARA WINDOWS PARA DESCOMPOSICIÓN QM para Windows también se utiliza para el método de pronósticos por descomposición. Consulte los detalles en el apéndice 5.1.

Uso de regresión con componentes de tendencia y estacional

La regresión múltiple sirve para desarrollar un modelo de descomposición aditivo.

Se puede utilizar la regresión múltiple para pronosticar cuando las componentes de tendencia y estacional están presentes en una serie de tiempo. Una variable independiente es el tiempo, y otras variables independientes son variables artificiales para indicar la estación. Si pronosticamos datos trimestrales, hay cuatro categorías (trimestres), por lo que se usan tres variables artificiales. El modelo básico es un modelo de descomposición aditivo y se expresa como:

$$\hat{Y} = a + b_1 X_1 + b_2 X_2 + b_3 X_3 + b_4 X_4$$

donde

$$X_1 = \text{ periodo}$$
$$X_2 = 1 \text{ si es el trimestre 2}$$
$$= 0 \text{ de otra manera}$$
$$X_3 = 1 \text{ si es el trimestre 3}$$
$$= 0 \text{ de otra manera}$$
$$X_4 = 1 \text{ isi es el trimestre 4}$$
$$= 0 \text{ de otra manera}$$

PROGRAMA 5.6A

Ventana de inicio para el método de descomposición en Excel QM

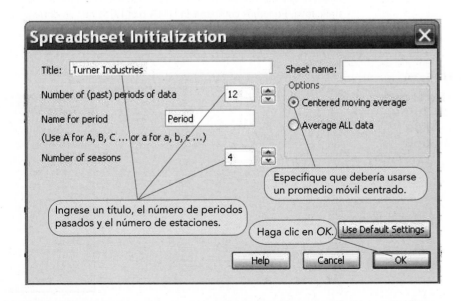

PROGRAMA 5.6B

Pronósticos de Turner Industries usando el método de descomposición en Excel QM

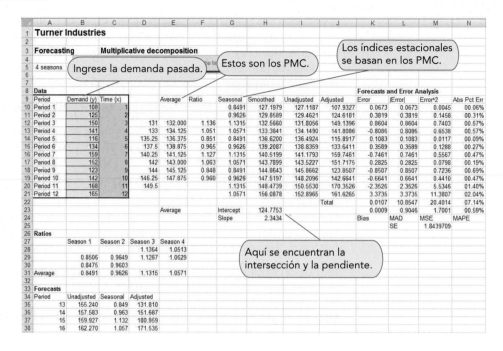

Si $X_2 = X_3 = X_4 = 0$, entonces se trata del trimestre 1. Es una elección arbitraria respecto de cuáles trimestres no tendrían una variable artificial específica asociada. Los pronósticos serán los mismos sin importar qué trimestre no tiene una variable artificial específica.

El programa 5.7A ilustra la entrada de Excel y el programa 5.7B da los resultados para el ejemplo de Turner Industries. Se observa cómo se ingresan los datos y la ecuación de regresión (con los coeficientes redondeados) es

$$\hat{Y} = 104.1 + 2.3X_1 + 15.7X_2 + 38.7X_3 + 30.1X_4$$

Si se usa esta ecuación para pronosticar las ventas del primer trimestre del siguiente año, obtenemos

$$\hat{Y} = 104.1 + 2.3(13) + 15.7(0) + 38.7(0) + 30.1(0) = 134$$

Para el trimestre 2 del siguiente año, obtenemos

$$\hat{Y} = 104.1 + 2.3(14) + 15.7(1) + 38.7(0) + 30.1(0) = 152$$

Observe que no son los mismos valores que los obtenidos usando el método de descomposición multiplicativa. Podemos comparar la DMA o el ECM que se obtiene con cada método y elegir aquel que sea mejor.

PROGRAMA 5.7A

Entrada de Excel para el ejemplo de Turner Industries usando regresión múltiple

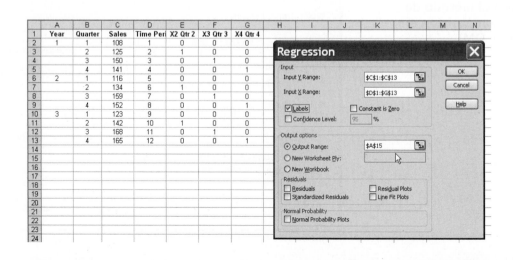

PROGRAMA 5.7B

Salida de Excel para el ejemplo de Turner Industries usando regresión múltiple

	A	B	C	D	E	F	G	H	I
1	Year	Quarter	Sales	X1 Time Period	X2 Qtr 2	X3 Qtr 3	X4 Qtr4		
2	1	1	108	1	0	0	0		
3		2	125	2	1	0	0		
4		3	150	3	0	1	0		
5		4	141	4	0	0	1		
6	2	1	116	5	0	0	0		
7		2	134	6	1	0	0		
8		3	159	7	0	1	0		
9		4	152	8	0	0	1		
10	3	1	123	9	0	0	0		
11		2	142	10	1	0	0		
12		3	168	11	0	1	0		
13		4	165	12	0	0	1		
14									
15	SUMMARY OUTPUT								
16									
17	*Regression Statistics*								
18	Multiple R	0.99718							
19	R Square	0.99436							
20	Adjusted R	0.99114							
21	Standard E	1.83225							
22	Observatio	12							
23									
24	ANOVA								
25		*df*	*SS*	*MS*	*F*	*Significance F*			
26	Regression	4	4144.75	1.0362E+03	3.0865E+02	6.0284E-08			
27	Residual	7	23.5	3.3571E+00					
28	Total	11	4168.25						
29									
30		*Coefficient*	*standard Err*	*t Stat*	*p-value*	*Lower 95%*	*Upper 95%*	*ower 95.0%*	*Upper 95.0%*
31	Intercept	104.1042	1.3322	78.1449	0.0000	100.9540	107.2543	100.9540	107.2543
32	X1 Time Pe	2.3125	0.1619	14.2791	0.0000	1.9296	2.6954	1.9296	2.6954
33	X2 Qtr 2	15.6875	1.5048	10.4252	0.0000	12.1293	19.2457	12.1293	19.2457
34	X3 Qtr 3	38.7083	1.5307	25.2882	0.0000	35.0888	42.3278	35.0888	42.3278
35	X4 Qtr4	30.0625	1.5729	19.1123	0.0000	26.3431	33.7819	26.3431	33.7819

El trimestre 1 se indica con $X_2 = X_3 = X_4 = 0$.

EN ACCIÓN   Pronósticos en Disney World

Cuando el presidente de Disney World recibe el informe diario de los parques temáticos en Orlando, Florida, el reporte contiene tan solo dos números: el *pronóstico* de la asistencia de ayer en los parques (Magic Kingdom, Epcot, Fort Wilderness, Hollywood Studios [anteriormente MGM Studios], Animal Kingdom, Typhoon Lagoon y Blizzard Beach) y la asistencia real. Se espera un error cercano a cero (usando el EMAP como medida). El presidente toma muy en serio sus pronósticos.

El equipo de pronósticos en Disney World no únicamente hace una predicción diaria, y el presidente no es su único cliente. También brinda pronósticos diarios, semanales, mensuales, anuales y a 5 años a los departamentos de recursos humanos, mantenimiento, operaciones, finanzas y programación de los parques. Usa modelos de juicio, económicos y de promedios móviles, así como el análisis de regresión. Los pronósticos anuales del volumen total, realizados por el equipo en 1999 para el año 2000, tuvieron como resultado un EMAP de cero.

Como 20% de los clientes de Disney World llegan del extranjero, su modelo econométrico incluye variables como confianza del consumidor y el producto interno bruto de siete países. Disney también encuesta a un millón de personas cada año para examinar sus planes futuros de viaje y sus experiencias en los parques. Esto ayuda a pronosticar no únicamente la asistencia, sino el comportamiento de cada juego o paseo (cuánto tiempo esperará la gente y cuántas veces lo usarán). Los datos para el modelo de pronósticos mensuales incluyen ofertas de las aerolíneas, discursos del presidente de la Reserva Federal y las tendencias de Wall Street. Disney incluso monitorea 3,000 distritos escolares dentro y fuera de Estados Unidos con respecto a los calendarios de vacaciones.

Fuente: Basada en J. Newkirk y M. Haskell. "Forecasting in the Service Sector", presentación en la 12th Annual Meeting of the Production and Operations Management Society, 1 de abril de 2001, Orlando, FL.

5.6   Monitoreo y control de los pronósticos

Después de obtener un pronóstico, es importante que este no se olvide. Ningún gerente quiere que le recuerden cuando su pronóstico fue terriblemente inexacto, pero una empresa necesita determinar por qué la demanda real (o la variable que se pronostica) tiene una diferencia significativa con la proyectada.*

---

*Si quien pronostica es preciso, casi siempre se asegurará de que todos estén conscientes de sus talentos. Rara vez se publican artículos en *Fortune, Forbes* o *Wall Street Journal* acerca de los gerentes de finanzas que muchas veces fallan en 25% en sus pronósticos del mercado de valores.

Una señal de rastreo mide qué tan bien se ajustan las predicciones a los datos reales.

Una manera de vigilar los pronósticos para asegurar que se realizan bien consiste en emplear una **señal de rastreo**, que es una medida de qué tan bien predice el pronóstico a los valores reales. Conforme se actualizan los pronósticos cada semana, mes o trimestre, los nuevos datos de demanda se comparan con los valores pronosticados.

La señal de rastreo se calcula como la **suma corriente de los errores de pronóstico (SCEP)** dividida entre la desviación media absoluta:

$$\text{Señal de rastreo} = \frac{\text{SCEP}}{\text{DMA}} \tag{5-13}$$

$$= \frac{\sum(\text{error del pronóstico})}{\text{DMA}}$$

donde

$$\text{DMA} = \frac{\sum|\text{error del pronóstico}|}{n}$$

como se vio antes en la ecuación 5-1.

Las señales de rastreo positivas indican que la demanda es mayor que el pronóstico. Las señales negativas significan que la demanda es menor que el pronóstico. Una buena señal de rastreo –es decir, una con SCEP baja– tiene tantos errores positivos como negativos. En otras palabras, las desviaciones pequeñas son aceptables; sin embargo, las desviaciones positivas y negativas deberían equilibrarse, de manera que la señal de rastreo se centre cerca o alrededor de cero.

Establecer límites de rastreo es cuestión de establecer valores razonables como límites superior e inferior.

Cuando se calculan las señales de rastreo, se comparan con los límites de control predeterminados. Cuando la señal de rastreo excede un límite superior o inferior, se activa una señal, lo cual quiere decir que hay un problema con el método de pronósticos y la gerencia quizá desee reevaluar la forma en que pronostica la demanda. La figura 5.6 presenta la gráfica de una señal de rastreo que se sale del intervalo de variación aceptable. Si el modelo que se usa es suavizamiento exponencial, es posible que necesite reajustarse la constante de suavizamiento.

¿Como deciden las empresas cuáles deberían ser los límites de rastreo superior e inferior? No hay una respuesta única, pero tratan de encontrar valores razonables; dicho de otra forma, los límites no serán tan bajos que cada pequeño error active la señal, ni serán tan altos que permitan que los pronósticos malos se pasen por alto frecuentemente. George Plossl y Oliver Wight, dos expertos en control de inventarios, sugirieron usar máximos de ± 4 DMA para volúmenes altos de artículos en inventario y de ± 8 DMA para volúmenes menores.*

Otros pronosticadores sugieren rangos un poco menores. Una DMA equivale aproximadamente a 0.8 desviaciones estándar, de manera que ± 2 DMA = 1.6 desviaciones estándar, ± 3 DMA = 2.4 desviaciones estándar y ± 4 DMA = 3.2 desviaciones estándar. Esto sugiere que para que un pronóstico esté "bajo control", se espera que 89% de los errores estén dentro de ± 2 DMA, 98% esté

FIGURA 5.6
Gráfica de señales de rastreo

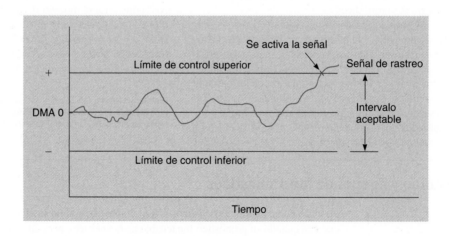

*Véase G. W. Plossl y O. W. Wight. *Production and Inventory Control.* Upper Saddle River, NJ: Prentice Hall, 1967.

dentro de $\pm$ 3 DMA, o bien, 99.9% esté dentro de $\pm$ 4 DMA, siempre que los errores tengan una distribución normal aproximada.*

EJEMPLO DE KIMBALL'S BAKERY Este ejemplo muestra cómo se calculan la señal de rastreo y la SCEP. Las ventas trimestrales de Kimball's Bakery de *croissants* (en miles), así como el pronóstico de la demanda y los cálculos del error, se presentan en la siguiente tabla. El propósito es calcular la señal de rastreo y determinar si los pronósticos se realizan de manera adecuada.

PERIO-DO	PRONÓSTICO DE DEMANDA	DEMANDA REAL	ERROR	SCEP	|ERROR DEL PRONÓSTICO|	ERROR ACUMULADO	DMA	SEÑAL DE RASTREO
1	100	90	−10	−10	10	10	10.0	−1
2	100	95	−5	−15	5	15	7.5	−2
3	100	115	+15	0	15	30	10.0	0
4	110	100	−10	−10	10	40	10.0	−1
5	110	125	+15	+5	15	55	11.0	+0.5
6	110	140	+30	+35	30	85	14.2	+2.5

En el periodo 6, los cálculos son

$$\text{DMA} = \frac{\sum |\text{error de pronóstico}|}{n} = \frac{85}{6}$$

$$= 14.2$$

$$\text{Señal de rastreo} = \frac{\text{SCEP}}{\text{DMA}} = \frac{35}{14.2}$$

$$= 2.5 \text{ DMA}$$

Esta señal de rastreo queda dentro de los límites aceptables. Observamos que varía de −2.0 DMA a +2.5 DMA.

Suavizamiento adaptable

Se ha publicado gran cantidad de investigación sobre el tema de pronósticos adaptables, que se refiere a supervisión por computadora de las señales de rastreo y autoajuste, si una señal pasa su límite preestablecido. En el suavizamiento exponencial, los coeficientes α y β se seleccionan primero con base en los valores que minimizan el error del pronóstico y, luego, se ajustan cuando la computadora detecta una señal de rastreo errante. Esto se llama **suavizamiento adaptable**.

Resumen

Los pronósticos constituyen una parte esencial de la función administrativa. Los pronósticos de demanda impulsan los sistemas de producción, capacidad y programación en una empresa, e influyen en las funciones financieras, de comercialización y de planeación de personal.

En este capítulo se introdujeron tres tipos de modelos de pronósticos: series de tiempo, causal y cualitativo. Se desarrollaron los modelos de promedios móviles, suavizamiento exponen-

cial, proyección de tendencia y descomposición de series de tiempo. Los modelos de regresión y de regresión múltiple se reconocieron como modelos causales. Se analizaron brevemente cuatro modelos cualitativos. Además, se explicó el uso de los diagramas de dispersión y las medidas de precisión del pronóstico. En capítulos posteriores se apreciará la utilidad de dichas técnicas en la determinación de valores para diferentes modelos de toma de decisiones.

---

*Para probar estos tres porcentajes por sí mismo, tan solo establezca una curva normal para $\pm$ 1.6 desviaciones estándar (valores Z). Usando la tabla normal del apéndice A, encuentre que el área bajo la curva es de 0.89, lo cual representa $\pm$ 2 DMA. De manera similar, $\pm$ 3 DMA = 2.4 desviaciones estándar abarca 98% del área, y así sucesivamente para $\pm$ 4 DMA.

Como se estudio en este capítulo, ningún método de pronósticos es perfecto en todas las condiciones. Aun cuando el gerente haya encontrado un enfoque satisfactorio, debería vigilar y controlar sus pronósticos, para asegurarse de que los errores no se salen de control. Con frecuencia elaborar pronósticos es un gran reto y una parte valiosa de la administración.

Glosario

Constante de suavizamiento   Valor entre 0 y 1 que se utiliza en el pronóstico de suavizamiento exponencial.

Datos sin estacionalidad   Datos de series de tiempo donde cada valor se divide entre su índice estacional para eliminar el efecto de la componente estacional.

Delphi   Técnica de pronósticos subjetiva que usa a quienes toman decisiones, el personal y encuestados, para determinar un pronóstico.

Descomposición   Modelo de pronósticos que descompone (desglosa) una serie de tiempo en sus componentes estacional y de tendencia.

Desviación   Término usado en pronósticos para el error.

Desviación media absoluta (DMA)   Técnica para determinar la precisión de un modelo del pronóstico tomando el promedio de las desviaciones absolutas.

Diagramas de dispersión   Diagramas de la variable que se quiere pronosticar, graficada contra otra variable como el tiempo.

Error   Diferencia entre el valor real y el valor pronosticado.

Error medio absoluto porcentual (EMAP)   Técnica para determinar la exactitud de un modelo de pronósticos, tomando el promedio de los errores absolutos como porcentaje de los valores observados.

Error medio cuadrático (ECM)   Técnica para determinar la exactitud del modelo del pronóstico tomando el promedio de los cuadrados de los errores en un modelo de pronósticos.

Grupo de toma de decisiones   Grupo de expertos en una técnica Delphi que tiene la responsabilidad de hacer un pronóstico.

Índice estacional   Un número índice que indica la comparación de una estación en particular con un periodo promedio (un índice de 1 indica la estación promedio).

Método de Holt   Modelo de suavizamiento exponencial que incluye una componente de tendencia. También se llama modelo de suavizamiento exponencial doble o modelo de suavizamiento de segundo orden.

Mínimos cuadrados   En el análisis de regresión y proyección de la tendencia, procedimiento que sirve para minimizar los cuadrados de las distancias entre la línea estimada y los valores observados.

Modelo simple   Modelo de pronósticos de series de tiempo, donde el pronóstico para el siguiente periodo es el valor real del periodo actual.

Modelos causales   Modelos que pronostican usando otras variables y factores, además del tiempo.

Modelos cualitativos   Modelos que pronostican considerando juicios y experiencia, así como datos cualitativos y subjetivos.

Modelos de series de tiempo   Modelos que pronostican empleando tan solo datos históricos.

Promedio móvil   Técnica de pronósticos que promedia valores pasados para calcular el pronóstico.

Promedio móvil centrado   Promedio de valores centrados en un momento específico. Se utiliza para calcular los índices estacionales cuando está presente una tendencia.

Promedio móvil ponderado   Método de pronósticos de promedio móvil que da diferentes pesos a los valores históricos.

Proyección de tendencia   Uso de una recta de tendencia para pronosticar una serie de tiempo con una tendencia presente. Una tendencia lineal es una recta de regresión con el tiempo como variable independiente.

Señal de rastreo   Medida de qué tan bien el pronóstico predice los valores reales.

Sesgo   Técnica para determinar la exactitud de un modelo de pronósticos midiendo el error promedio y su dirección.

Suavizamiento adaptable   Proceso automático de monitorear y ajustar las constantes de suavizamiento en un modelo de suavizamiento exponencial.

Suavizamiento exponencial   Método de pronósticos que es una combinación del último pronóstico y el último valor observado.

Suma corriente de los errores de pronósticos (SCEP)   Sirve para desarrollar una señal de rastreo para los modelo de pronósticos de series de tiempo, es un total de los errores conforme ocurren, y puede ser positiva o negativa.

Ecuaciones clave

(5-1) $DMA = \dfrac{\sum |\text{error del pronóstico}|}{n}$

Medida del error general del pronóstico llamada desviación media absoluta.

(5-2) $ECM = \dfrac{\sum (\text{error})^2}{n}$

Medida de la precisión del pronóstico llamada error medio cuadrático.

(5-3) $EMAP = \dfrac{\sum \left|\dfrac{\text{error}}{\text{real}}\right|}{n} 100\%$

Medida de la precisión del pronóstico llamada error medio absoluto porcentual.

(5-4) $\text{Pronóstico de promedio móvil} = \dfrac{\text{Suma de demandas en } n \text{ periodos previos}}{n}$

Ecuación para calcular un pronóstico de promedio móvil.

(5-5) $F_{t+1} = \dfrac{Y_t + Y_{t-1} + \cdots + Y_{t-n+1}}{n}$

Expresión matemática para el pronóstico del promedio móvil.

(5-6) $F_{t+1} = \dfrac{\sum(\text{peso del periodo } i)(\text{valor real en el periodo } i)}{\sum(\text{pesos})}$

Ecuación para calcular un pronóstico de promedio móvil ponderado.

(5-7) $F_{t+1} = \dfrac{w_1 Y_t + w_2 Y_{t-1} + \cdots + w_n Y_{t-n+1}}{w_1 + w_2 + \cdots + w_n}$

Expresión matemática para el pronóstico de promedio móvil ponderado.

(5-8) Pronostico nuevo = pronóstico del último periodo + α(demanda real del último periodo − pronóstico del último periodo)

Ecuación para calcular un pronóstico de suavizamiento exponencial.

(5-9) $F_{t+1} = F_t + \alpha(Y_t - F_t)$

Expresión matemática de la ecuación 5-8.

(5-10) $F_{t+1} = FIT_t + \alpha(Y_t - FIT_t)$

Ecuación para actualizar el pronóstico suavizamiento (F_{t+1}) que se usa en el modelo de suavizamiento exponencial ajustado por tendencia.

(5-11) $T_{t+1} = T_t + \beta(F_{t+1} - FIT_t)$

Ecuación para actualizar el valor de tendencia suavizamiento (T_{t+1}) que se usa en el modelo de suavizamiento exponencial ajustado por tendencia.

(5-12) $FIT_{t+1} = F_{t+1} + T_{t+1}$

Ecuación para desarrollar el pronóstico incluyendo la tendencia (*FIT*) en el modelo de suavizamiento exponencial ajustado por tendencia.

(5-13) Señal de rastreo $= \dfrac{\text{SCEP}}{\text{DMA}}$

$= \dfrac{\sum(\text{error del pronóstico})}{\text{DMA}}$

Ecuación para vigilar los pronósticos con una señal de rastreo.

Problemas resueltos

Problema resuelto 5-1

La demanda de cirugías en pacientes en el Hospital General de Washington ha aumentado de manera estable durante los últimos años, como se indica en la siguiente tabla:

AÑO	CIRUGÍAS AMBULATORIAS REALIZADAS A PACIENTES
1	45
2	50
3	52
4	56
5	58
6	—

El director de servicios médicos predijo hace seis años que la demanda en un año sería de 4 cirugías. Utilice suavizamiento exponencial con un peso de α = 0.20 para desarrollar pronósticos para los años 2 a 6. ¿Cuál es el valor de la DMA?

Solución

AÑO	REAL	PRONÓSTICO (SUAVIZAMIENTO)	ERROR	|ERROR|
1	45	42	+3	3
2	50	42.6 = 42 + 0.2(45 − 42)	+7.4	7.4
3	52	44.1 = 42.6 + 0.2(50 − 42.6)	+7.9	7.9
4	56	45.7 = 44.1 + 0.2(52 − 44.1)	+10.3	10.3
5	58	47.7 = 45.7 + 0.2(56 − 45.7)	+10.3	10.3
6	—	49.8 = 47.7 + 0.2(58 − 47.7)	—	—

$$\text{DMA} = \frac{\sum|\text{errores}|}{n} = \frac{38.9}{5} = 7.78 \qquad\qquad 38.9$$

Problema resuelto 5-2

La demanda trimestral del Jaguar XJ8 en una distribuidora de Nueva York se pronostica con la ecuación

$$\hat{Y} = 10 + 3X$$

donde

X = periodo (trimestre): trimestre 1 del año pasado = 0

trimestre 2 del año pasado = 1

trimestre 3 del año pasado = 2

trimestre 4 del año pasado = 3

trimestre 1 de este año = 4, etcétera.

y

$$\hat{Y} = \text{demanda trimestral pronosticada}$$

La demanda de los sedanes de lujo es estacional y los índices para los trimestres 1, 2, 3 y 4 son, respectivamente, 0.80, 1.00, 1.30 y 0.90. Usando la ecuación de tendencia, pronostique la demanda para cada trimestre del siguiente año. Luego, ajuste cada pronóstico según las variaciones estacionales (trimestrales).

Solución

El trimestre 2 de este año tiene el código $X = 5$; el trimestre 3 de este año, $X = 6$; y el trimestre 4 de este año, $X = 7$. Por lo tanto, el trimestre 1 del siguiente año es $X = 8$; el trimestre 2, $X = 9$, y así sucesivamente.

$\hat{Y}$ (siguiente año trimestre 1) = 10 + (3)(8) = 34   Pronóstico ajustado = (0.80)(34) = 27.2

$\hat{Y}$ (siguiente año trimestre 2) = 10 + (3)(9) = 37   Pronóstico ajustado = (1.00)(37) = 37

$\hat{Y}$ (siguiente año trimestre 3) = 10 + (3)(10) = 40   Pronóstico ajustado = (1.30)(40) = 52

$\hat{Y}$ (siguiente año trimestre 4) = 10 + (3)(11) = 43   Pronóstico ajustado = (0.90)(43) = 38.7

Autoevaluación

- Antes de resolver la autoevaluación, consulte los objetivos de aprendizaje al inicio del capítulo, las notas al margen y el glosario al final del capítulo.
- Utilice la solución al final del libro para corregir sus respuestas.
- Estudie de nuevo las páginas que correspondan a cualquier pregunta cuya respuesta sea incorrecta, o al material con el que se sienta inseguro.

1. Los modelos cualitativos de pronósticos incluyen
   a) análisis de regresión.
   b) método Dephi.
   c) modelos de series de tiempo.
   d) líneas de tendencia.
2. Un modelo de pronósticos que tan solo usa datos históricos para la variable que se pronostica se llama
   a) modelo de series de tiempo.
   b) modelo causal.
   c) modelo Delphi.
   d) modelo variable.
3. Un ejemplo de un modelo causal es
   a) suavizamiento exponencial.
   b) proyección de tendencia.
   c) promedios móviles.
   d) análisis de regresión.

4. ¿Cuál de los siguientes es un modelo de series de tiempo?
   a) modelo Delphi.
   b) análisis de regresión.
   c) suavizamiento exponencial.
   d) regresión múltiple.
5. ¿Cuál de las siguientes no es una componente de una serie de tiempo?
   a) estacionalidad.
   b) variaciones causales.
   c) tendencia.
   d) variaciones aleatorias.
6. ¿Cuál de los siguientes puede ser negativo?
   a) DMA.
   b) Sesgo.
   c) EMAP.
   d) ECM.

7. Cuando se comparan varios modelos de pronósticos para determinar cuál se ajusta mejor a un conjunto de datos específico, el modelo que debería elegirse es el que tiene
   a) el mayor ECM.
   b) la DMA más cercana a 1.
   c) un sesgo de 0.
   d) la menor DMA.

8. En el suavizamiento exponencial, si desea dar un peso significativo a las observaciones más recientes, entonces, la constante de suavizamiento debería ser
   a) cercana a 0.
   b) cercana a 1.
   c) cercana a 0.5.
   d) menor que el error.

9. Una ecuación de tendencia es una ecuación de regresión en la cual
   a) existen múltiples variables independientes.
   b) la intersección y la pendiente son iguales.
   c) la variable dependiente es el tiempo.
   d) la variable independiente es el tiempo.

10. Es común que las ventas de una compañía sean más altas en los meses de verano que en los de invierno. Esta variación se llamaría
    a) tendencia.
    b) factor estacional.
    c) factor aleatorio.
    d) factor cíclico.

11. Un pronóstico simple para las ventas mensuales es equivalente a
    a) un modelo de promedio móvil de un mes.
    b) un modelo de suavizamiento exponencial con $\alpha = 0$.

c) un modelo estacional donde el índice estacional es de 1.
d) ninguno de los anteriores.

12. Si el índice estacional para enero es 0.80, entonces, las ventas de enero tienden a
    a) ser 80% más altas que en un mes promedio.
    b) ser 20% más altas que en un mes promedio.
    c) ser 80% más bajas que en un mes promedio.
    d) ser 20% más bajas que en un mes promedio.

13. Si las componentes estacional y de tendencia están presentes en una serie de tiempo, entonces, los índices estacionales
    a) deberían calcularse con base en el promedio general.
    b) deberían calcularse con base en el PMC.
    c) serán mayores que 1.
    d) deberían ignorarse al desarrollar un pronóstico.

14. ¿Cuál de los siguientes se emplea para alertar al usuario de que ocurrió un error significativo en un modelo de pronósticos durante uno de los periodos?
    a) índice estacional.
    b) constante de suavizamiento.
    c) señal de rastreo.
    d) coeficiente de regresión.

15. Si el modelo de descomposición multiplicativa se aplica para pronosticar las ventas diarias para una tienda al menudeo, ¿cuántas estaciones debe haber?
    a) 4
    b) 7
    c) 12
    d) 365

Preguntas y problemas para análisis

Preguntas para análisis

5-1 Describa brevemente los pasos para desarrollar un sistema de pronósticos.

5-2 ¿Qué es un modelo de pronósticos de series de tiempo?

5-3 ¿Cuál es la diferencia entre un modelo causal y un modelo de series de tiempo?

5-4 ¿Qué es un modelo de pronósticos cualitativo y cuándo es adecuado?

5-5 ¿Cuáles son algunos problemas y desventajas del modelo de pronósticos de promedio móvil?

5-6 ¿Qué efecto tiene el valor de la constante de suavizamiento sobre el peso dado al pronóstico previo y al valor histórico observado?

5-7 Describa brevemente la técnica Delphi.

5-8 ¿Qué es la DMA y por qué es importante en la selección y el uso de los modelos de pronósticos?

5-9 Explique cómo se determina el número de estación al pronosticar con una componente estacional.

5-10 Un índice estacional puede ser menor que uno, igual a uno o mayor que uno. Explique qué significa cada uno de estos valores.

5-11 Explique qué pasaría si la constante de suavizamiento en un modelo de suavizamiento exponencial fuera igual a cero. Explique qué pasaría si esa constante fuera igual a uno.

5-12 Explique cuándo debería utilizarse un PMC (en vez de un promedio general) al calcular un índice estacional. Explique por qué esto es necesario.

Problemas

5-13 Desarrolle un pronóstico con promedio móvil de cuatro meses para Wallace Garden y calcule la DMA. En la sección sobre promedios móviles de la tabla 5.3, se

---

Nota: ⚛ significa que el problema se resuelve con QM para Windows, ✖ indica que el problema se resuelve con Excel QM y ✖⚛ quiere decir que el problema se resuelve con QM para Windows o con Excel QM.

desarrolló un pronóstico de promedio móvil de tres meses.

5-14 Utilice la DMA para determinar si el pronóstico del problema 5-13 o el pronóstico en las sección concerniente a Wallace Garden Supply es más exacto.

5-15 Los datos recolectados de la demanda anual de sacos de 50 libras de fertilizante en Wallace Garden se presentan en la siguiente tabla. Desarrolle un promedio móvil de 3 años para pronosticar las ventas. Luego, estime la demanda de nuevo con un promedio móvil ponderado, donde las ventas del año más reciente tienen un peso de 2 y las ventas en los otros 2 años tienen, cada una, un peso de 1. ¿Qué método piensa usted que sea mejor?

AÑO	DEMANDA DE FERTILIZANTE (MILES DE SACOS)
1	4
2	6
3	4
4	5
5	10
6	8
7	7
8	9
9	12
10	14
11	15

5-16 Desarrolle un recta de tendencia para la demanda de fertilizante en el problema 5-15, utilizando un software de cómputo.

5-17 En los problemas 5-15 y 5-16, se desarrollaron tres pronósticos diferentes para la demanda de fertilizante. Los tres son un promedio móvil de 3 años, un promedio móvil ponderado y una recta de tendencia. ¿Cuál usaría? Explique su respuesta.

5-18 Utilice el suavizamiento exponencial con una constante de suavizamiento de 0.3 para pronosticar la demanda de fertilizante dada en el problema 5-15. Suponga que el pronóstico del periodo anterior para el año 1 es de 5,000 sacos para comenzar el procedimiento. ¿Preferiría usar el modelo de suavizamiento exponencial o el de promedio ponderado desarrollado en el problema 5-15? Explique su respuesta.

5-19 Las ventas de acondicionadores de aire Cool-Man han crecido de forma estable durante los últimos 5 años:

AÑO	VENTAS
1	450
2	495
3	518
4	563
5	584
6	?

El gerente de ventas predijo, antes de iniciar el negocio, que las ventas del año 1 serían de 410 acondicionadores de aire. Utilice suavizamiento exponencial con un peso de $\alpha = 0.30$, para desarrollar los pronósticos de los años 2 a 6.

5-20 Con constantes de suavizamiento de 0.6 y 0.9, desarrolle pronósticos para las ventas de acondicionadores de aire Cool-Man (véase el problema 5-19).

5-21 ¿Qué efecto tiene la constante de suavizamiento sobre el pronóstico de los acondicionadores de aire Cool-Man? (Véase los problemas 5-19 y 5-20.) ¿Qué constante de suavizamiento da el pronóstico más preciso?

5-22 Use el modelo de pronósticos del promedio móvil para pronosticar las ventas de acondicionadores de aire Cool-Man (véase el problema 5-19).

5-23 Con el método de proyección de tendencia, desarrolle un modelo de pronósticos para las ventas de acondicionadores de aire Cool-Man (véase el problema 5.19).

5-24 ¿Usaría suavizamiento exponencial con constante de suavizamiento de 0.3, un promedio móvil de 3 años o una tendencia para predecir las ventas de acondicionadores de aire Cool-Man? Consulte los problemas 5-19, 5-22 y 5-23.

5-25 Las ventas de aspiradoras industriales en R. Lowenthal Supply Co. durante los últimos 13 meses son las siguientes:

VENTAS (Miles)	MES	VENTAS (Miles)	MES
11	Enero	14	Agosto
14	Febrero	17	Septiembre
16	Marzo	12	Octubre
10	Abril	14	Noviembre
15	Mayo	16	Diciembre
17	Junio	11	Enero
11	Julio		

a) Utilice un promedio móvil con tres periodos, determine la demanda de aspiradoras para el siguiente febrero.

b) Con un promedio móvil ponderado de tres periodos, determine la demanda de aspiradoras para febrero. Utilice 3, 2, y 1 como pesos del periodo más reciente, el segundo más reciente y el tercero más reciente, respectivamente. Por ejemplo, si quisiera pronosticar la demanda de febrero, noviembre tendría un peso de 1, diciembre un peso de 2 y enero un peso de 3.

c) Evalúe la exactitud de cada uno de los métodos.

d) ¿Qué otros factores podría considerar R. Lowenthal para pronosticar las ventas?

5-26   La millas-pasajero voladas en Northeast Airlines, una empresa de transporte con servicio en Boston, son las siguientes durante las últimas 12 semanas:

SEMANA	MILLAS-PASAJERO REALES (Miles)	SEMANA	MILLAS-PASAJERO REALES (Miles)
1	17	7	20
2	21	8	18
3	19	9	22
4	23	10	20
5	18	11	15
6	16	12	22

a)   Suponga que un pronóstico inicial para la semana 1 es de 17,000 millas, utilice suavizamiento exponencial para calcular las millas para las semanas 2 a 12. Suponga que $\alpha = 0.2$.

b)   ¿Cuál es la DMA para este modelo?

c)   Calcule la SCEP y las señales de rastreo. ¿Están dentro de los límites aceptables?

5-27   Las llamadas de emergencia al sistema 911 de Winter Park, Florida, durante las últimas 24 horas son las siguientes:

SEMANA	LLAMADAS	SEMANA	LLAMADAS	SEMANA	LLAMADAS
1	50	9	35	17	55
2	35	10	20	18	40
3	25	11	15	19	35
4	40	12	40	20	60
5	45	13	55	21	75
6	35	14	35	22	50
7	20	15	25	23	40
8	30	16	55	24	65

a)   Calcule el pronóstico de suavizamiento exponencial para las llamadas de cada semana. Suponga un pronóstico inicial de 50 llamadas en la primera semana y tome $\alpha = 0.1$. ¿Cuál es el pronóstico para la semana 25?

b)   Pronostique de nuevo cada periodo con $\alpha = 0.6$.

c)   Las llamadas reales durante la semana 25 fueron 85. ¿Qué constante de suavizamiento brinda un pronóstico superior?

5-28   Respecto a los datos de llamadas al 911 en el problema 5.27, pronostique las llamadas para las semanas 2 a 25 con $\alpha = 0.9$. ¿Cuál es mejor? (Otra vez, suponga que las llamadas reales en la semana 25 fueron 85 y use un pronóstico inicial de 50 llamadas.)

5-29   El ingreso por consulta en Kate Walsh Associates para el periodo de febrero a julio ha sido el siguiente:

MES	INGRESO (Miles)
Febrero	70.0
Marzo	68.5
Abril	64.8
Mayo	71.7
Junio	71.3
Julio	72.8

Utilice suavizamiento exponencial para pronosticar el ingreso de agosto. Suponga que el pronóstico inicial para febrero es de $65,000. La constante de suavizamiento es $\alpha = 0.1$.

5-30   Resuelva el problema 5.29 con $\alpha = 0.3$. Usando la DMA, ¿cuál es la constante de suavizamiento que brinda un mejor pronóstico?

5-31   Una fuente importante de ingresos en Texas es un impuesto de ventas estatal sobre ciertos tipos de bienes y servicios. Los datos están compilados y el contralor los usa para proyectar los ingresos futuros para el presupuesto del estado. Una categoría en particular de bienes se clasifica como comercio al menudeo. La siguiente tabla presenta cuatro años de datos trimestrales (en millones) para un área del sureste de Texas:

TRIMESTRE	AÑO 1	AÑO 2	AÑO 3	AÑO 4
1	218	225	234	250
2	247	254	265	283
3	243	255	264	289
4	292	299	327	356

a)   Calcule los índices estacionales para cada trimestre basados en el PMC.

b)   Elimine la estacionalidad de los datos y desarrolle una recta de tendencia en los datos sin estacionalidad.

c)   Utilice la recta de tendencia para pronosticar las ventas para cada trimestre del año 5.

d)   Use los índices estacionales para ajustar los pronósticos encontrados en el inciso c) para obtener los pronósticos finales.

5-32   Utilice los datos del problema 5.31, desarrolle un modelo de regresión múltiple para predecir las ventas (componentes de tendencia y estacional), usando variables artificiales para incorporar el factor estacional al modelo. Utilice este modelo para predecir las ventas de cada trimestre del siguiente año. Comente sobre la exactitud de este modelo.

5-33   Trevor Harty, un ávido ciclista de montaña, siempre quiso abrir una tienda de bicicletas para montaña de la más alta calidad y otros implementos para el campo traviesa. Hace un poco más de 6 años, él y un socio cauteloso abrieron una tienda llamada Hale and Harry Trail Bikes and Supplies. El crecimiento fue rápido durante los 2 primeros años, pero desde ese tiempo, el crecimiento en las ventas ha disminuido un poco, como se esperaba. La tabla que sigue contiene las ventas trimestrales (en miles) para los últimos 4 años.

	AÑO 1	AÑO 2	AÑO 3	AÑO 4
TRIMESTRE 1	274	282	282	296
TRIMESTRE 2	172	178	182	210
TRIMESTRE 3	130	136	134	158
TRIMESTRE 4	162	168	170	182

a) Desarrolle una recta de tendencia con los datos de la tabla. Utilícela para pronosticar las ventas de cada trimestre del año 5. ¿Qué indica la pendiente de esta línea?

b) Use un modelo de descomposición multiplicativo para incorporar ambas componentes, de tendencia y estacional, al pronóstico. ¿Qué indica la pendiente de esta recta?

c) Compare la pendiente de la recta de tendencia del inciso *a)* con la pendiente de la recta de tendencia, para el modelo de descomposición que se basó en las cifras de ventas sin estacionalidad. Analice por qué son tan diferentes y explique cuál es mejor.

5-34 Se presentan las tasas de desempleo en Estados Unidos durante un periodo de 10 años en la siguiente tabla. Utilice suavizamiento exponencial para encontrar el mejor pronóstico para el año próximo. Suponga que las constantes de suavizamiento son de 0.2, 0.4, 0.6 y 0.8. ¿Cuál dio la DMA más baja?

AÑO	1	2	3	4	5	6	7	8	9	10
Tasa de desempleo (%)	7.2	7.0	6.2	5.5	5.3	5.5	6.7	7.4	6.8	6.1

5-35 La gerencia de la tienda por departamentos Davis ha usado extrapolación de series de tiempo, para pronosticar las ventas al menudeo para los siguientes cuatro trimestres. Las ventas estimadas son de $100,000, $120,000, $140,000 y $160,000 para los respectivos trimestres, antes de ajustar por estacionalidad. Se encontró que los índices estacionales para los cuatro trimestres son de 1.30, 0.90, 0.70 y 1,10, respectivamente. Calcule un pronóstico de ventas ajustado o con estacionalidad.

5-36 En el pasado, la distribuidora de llantas de Judy Holmes vendió un promedio de 1,000 llantas radiales cada año. En los últimos dos años, vendió respectivamente 200 y 250 en el otoño, 350 y 300 en el invierno, 150 y 156 en la primavera, y 300 y 285 en el verano. Con una mayor expansión planeada, Judy proyecta que las ventas para el siguiente año crecerán a 1,200 radiales. ¿Cuál será la demanda en cada estación?

5-37 La siguiente tabla brinda el valor del índice de apertura del Dow Jones Industrial Average (DJIA) en el primer día laborable de 1991 a 2010.

Desarrolle una recta de tendencia y utilícela para predecir el valor del índice de apertura del DJIA para los años 2011, 2012 y 2013. Encuentre el ECM para este modelo.

AÑO	DJIA	AÑO	DJIA
2010	10,431	2000	11,502
2009	8,772	1999	9,213
2008	13,262	1998	7,908
2007	12,460	1997	6,448
2006	10,718	1996	5,117
2005	10,784	1995	3,834
2004	10,453	1994	3,754
2003	8,342	1993	3,301
2002	10,022	1992	3,169
2001	10,791	1991	2,634

5-38 Use los datos del DJIA del problema 5.37 y suavizamiento exponencial con ajuste de tendencia para pronosticar el valor de apertura del DJIA para el año 2011. Suponga que $\alpha = 0.8$ y $\beta = 0.2$. Compare el ECM para esta técnica con el ECM para la recta de tendencia.

5-39 Use los datos para el DJIA del problema 5-37.
a) Con un modelo de suavizamiento exponencial y constante de suavizamiento de 0.4 prediga el valor del índice de apertura del DJIA en 2011. Encuentre el ECM.
b) Con QM para Windows o Excel, encuentre la constante de suavizamiento que brindará el menor ECM.

5-40 La siguiente tabla presenta la tasa de cambio mensual promedio entre el dólar estadounidense y el euro para 2009. Indica que 1 euro era equivalente a 1.324 dólares estadounidenses en enero de 2009. Desarrolle una recta de tendencia que sirva para predecir la tasa de cambio para 2010. Utilice el modelo para predecir la tasa de cambio para enero y febrero de 2010.

MES	TASA DE CAMBIO
Enero	1.324
Febrero	1.278
Marzo	1.305
Abril	1.320
Mayo	1.363
Junio	1.402
Julio	1.409
Agosto	1.427
Septiembre	1.456
Octubre	1.482
Noviembre	1.491
Diciembre	1.461

5-41 Para los datos del problema 5-40, desarrolle un modelo de suavizamiento exponencial ponderado con constante de suavizamiento igual a 0.3. Use el ECM para comparar esto con el modelo del problema 5-40.

Problemas de tarea en Internet

Nuestra página en Internet, en **www.pearsonenespañol.com/render**, contiene problemas de tarea adicionales, problemas 5-42 a 5-50.

Estudio de caso

Pronóstico de la asistencia a los juegos de fútbol de la SWU

Southwestern University (SWU), una universidad estatal grande en Stephenville, Texas, 30 millas al suroeste del área metropolitana de Dallas/Fort Worth, inscribe cerca de 20,000 estudiantes. Con una típica relación entre ciudad y escuela, la universidad es la fuerza dominante en la pequeña ciudad, con más estudiantes durante el otoño y la primavera que residentes permanentes.

Desde hace tiempo una potencia en el futbol americano, la SWU es miembro de la conferencia de los Once Grandes y suele estar entre las 20 primeras universidades en la clasificación de futbol. Para reforzar su oportunidad de llegar al elusivo y largamente deseado número uno de la lista, en 2005 la SWU contrató al legendario Bo Pitterno como su entrenador en jefe. Aunque el número uno siguió fuera del alcance, la asistencia a los cinco juegos sabatinos en casa aumentó cada año. Antes de la llegada de Pitterno, generalmente la asistencia promediaba 25,000 a 29,000 por juego. La venta de boletos por temporada aumentó en 10,000 tan solo con el anuncio de la llegada del nuevo entrenador. ¡Stephenville y la SWU estaban listos para moverse en grande!

Sin embargo, la preocupación inmediata de la SWU no era la posición en la clasificación NCAA sino su capacidad. El estadio exis-

tente, construido en 1953, tiene 54,000 asientos. La siguiente tabla indica la asistencia a cada juego durante los últimos seis años.

Una de las peticiones de Pitterno al incorporarse a la SWU fue la ampliación del estadio, o incluso la posibilidad de tener uno nuevo. Con el incremento en la asistencia, los administradores de SWU comenzaron a tener problemas. Pitterno quería dormitorios solamente para sus atletas en el estadio, como una característica adicional de cualquier expansión.

El presidente de la SWU, el doctor Marty Starr, decidió que era tiempo de que su vicepresidente desarrollara un pronóstico de cuándo la instalación existente "daría su máximo". También buscó una proyección de los ingresos, suponiendo un precio promedio por boleto de $20 en 2011, y un incremento de 5% cada año en los precios futuros.

Preguntas para análisis

1. Desarrolle un modelo de pronósticos, justifique su elección sobre otras técnicas y proyecte la asistencia durante todo 2011.
2. ¿Qué ingresos deben esperarse en 2011 y 2012?
3. Analice las opciones de la universidad.

Asistencia por juego de fútbol en la Sowthwestern University, 2005-2010

JUEGO	2005 ASISTENCIA	OPONENTE	2006 ASISTENCIA	OPONENTE	2007 ASISTENCIA	OPONENTE
1	34,200	Baylor	36,100	Oklahoma	35,900	TCU
2*	39,800	Texas	40,200	Nebraska	46,500	Texas Tech
3	38,200	LSU	39,100	UCLA	43,100	Alaska
4**	26,900	Arkansas	25,300	Nevada	27,900	Arizona
5	35,100	USC	36,200	Ohio State	39,200	Rice

JUEGO	2008 ASISTENCIA	OPONENTE	2009 ASISTENCIA	OPONENTE	2010 ASISTENCIA	OPONENTE
1	41,900	Arkansas	42,500	Indiana	46,900	LSU
2*	46,100	Missouri	48,200	North Texas	50,100	Texas
3	43,900	Florida	44,200	Texas A&M	45,900	Prairie View A&M
4**	30,100	Miami	33,900	Southern	36,300	Montana
5	40,500	Duke	47,800	Oklahoma	49,900	Arizona State

*Juegos en casa

**Durante la cuarta semana de cada temporada, Stephenville organizó un festival muy popular sobre artesanías del suroeste. Este evento trajo decenas de miles de turistas a la ciudad, en especial los fines de semana, y tuvo un impacto negativo evidente en la asistencia a los juegos.

Fuente: J. Heizer y B. Render. *Operations Management*, 6a. ed. Upper Saddle River, NJ: Prentice Hall, 2001, p. 126.

Estudio de caso

Pronósticos de ventas mensuales

Durante cuatro años, el restaurante The Glass Slipper ha operado en una comunidad vacacional cerca de una popular área para esquiar de Nuevo México. El restaurante tiene mucha afluencia durante los primeros tres meses del año, cuando las pendientes para esquiar están llenas y los turistas fluyen masivamente al área.

Cuando James y Deena Weltee construyeron el Glass Slipper, tenían la visión de una experiencia de cena grandiosa. Como la vista de las montañas quitaba el aliento, se dio una alta prioridad a tener grandes ventanales y brindar la vista espectacular desde cualquier punto interior del restaurante. También se puso mucha atención en la iluminación, los colores y el ambiente en general, lo cual dio como resultado una experiencia realmente grandiosa para todos los que venían a disfrutar la comida gourmet. Desde la inauguración, el Glass Slipper desarrolló y mantuvo la reputación de uno de los lugares que "se debe visitar" en la región de Nuevo México.

Aunque a James le encanta esquiar y aprecia mucho las montañas y todo lo que ofrecen, también comparte el sueño de Deena de retirarse a un paraíso tropical y disfrutar una vida más apacible en la playa. Después de un análisis cuidadoso de su condición financiera, saben que les faltan muchos años para el retiro. De cualquier modo, están diseñando un plan que los acerque a su sueño. Decidieron vender el Glass Slipper y abrir una posada (con hospedaje y desayuno) en una hermosa playa de México. Esto significaría que todavía hay trabajo en su futuro, pero podrían despertar en la mañana con la vista de palmeras inclinadas por el viento y el sonido de las olas que rompen en la playa. También saben que

contratar al gerente adecuado les permitiría tener tiempo para comenzar un semiretiro en una esquina del paraíso.

Para que eso suceda, James y Deena tendrían que vender el Glass Slipper en el precio correcto. El precio del negocio se basa en el valor de la propiedad y el equipo, al igual que en las proyecciones del ingreso futuro. Necesitan un pronóstico de ventas para el siguiente año para ayudarles a determinar el valor del restaurante. Las ventas mensuales para los últimos 3 años se dan en la tabla 5.14.

Preguntas para discusión

1. Prepare una gráfica de los datos. En ella grafique un pronóstico de promedios móviles de 12 meses. Analice cualquier tendencia aparente o patrón estacional.
2. Use regresión para desarrollar una recta de tendencia que pueda usar para pronosticar las ventas mensuales para el siguiente año. ¿La pendiente de esta recta es congruente con lo que observó en la pregunta 1? Si no, dé una explicación posible.
3. Use el modelo de descomposición multiplicativo con estos datos. Aplique este modelo para pronosticar las ventas para cada mes del siguiente año. Analice por qué la pendiente de la ecuación de tendencia de este modelo es tan diferente de la que tiene la ecuación de tendencia de la pregunta 2.

TABLA 5.14
Ingresos mensuales (en miles)

MES	2008	2009	2010
Enero	438	444	450
Febrero	420	425	438
Mayo	414	423	434
Abril	318	331	338
Mayo	306	318	331
Junio	240	245	254
Julio	240	255	264
Agosto	216	223	231
Septiembre	198	210	224
Octubre	225	233	243
Noviembre	270	278	289
Diciembre	315	322	335

 Caso de estudio en Internet

Nuestra página en Internet, en **www.pearsonenespañol.com/render**, contiene un estudio de caso adicional sobre Akron Zoological Park, que requiere que se pronostique la asistencia al zoológico de Akron.

Bibliografía

Berenson, Mark L., David M. Levine y Timothy C. Kriehbiel. *Business Statistics: Concepts and Applications,* 10a. ed. Upper Saddle River, NJ: Prentice Hall, 2006.

Billah, Baki, Maxwell L. King Ralph D. Snyder y Anne B. Koehler. "Exponential Smoothing Model Selection for Forecasting", *International Journal of Forecasting* 22, 2, (abril-junio de 2006): 239-247.

Black, Ken. *Business Statistics: For Contemporary Decision Making,* 6a. ed. John Wiley & Sons, Inc., 2009.

Diebold, F. X. *Elements of Forecasting,* 2a. ed. Cincinnati: South-Western College Publishing, 2001.

Gardner, Everette Jr. "Exponential Smoothing: The State of the Art-Part II", *International Journal of Forecasting* 22, 4 (octubre de 2006): 637-666.

Granger, Clive W. y J. M. Hashem Pesaran. "Economic and Statistical Measures of Forecast Accuracy", *Journal of Forecasting,* 19, 7 (diciembre de 2000): 537-560.

Hanke, J. E. y D. W. Wichern. *Business Forecasting,* 9a. ed. Upper Saddle River, NJ: Prentice Hall, 2009.

Heizer, J. y B. Render. *Operations Management,* 9a. ed. Upper Saddle River, NJ: Prentice Hall, 2008.

Hyndman, Rob J. "The Interaction between Trend and Seasonality", *International Journal of Forecasting* 20, 4 (octubre-diciembre de 2004): 561-563.

Hyndman, Rob J. y Anne B. Koehler. "Another Look at Measures of Forecast Accuracy", *International Journal of Forecasting* 22, 4 (octubre de 2006): 679-688.

Li, X. "An Intelligent Business Forecaster for Strategic Business Planning", *Journal of Forecasting* 18, 3 (mayo de 1999): 181-205.

Meade, Nigel. "Evidence for the Selection of Forecasting Methods", *Journal of Forecasting* 19, 6 (noviembre de 2000): 515-535.

Snyder, Ralph D. y Roland G. Shami. "Exponential Smoothing of Seasonal Data: A Comparison", *Journal of Forecasting* 20, 3 (abril de 2001): 197-202.

Yurkiewicz, J. "Forecasting Software Survey", *OR/MS Today* 35, 3 (agosto de 2008): 54-63.

Apéndice 5.1 Pronósticos con QM para Windows

En esta sección, veremos el otro paquete de software para pronósticos, QM para Windows, el cual proyecta promedios móviles (tanto simples como ponderados), hace suavizamiento exponencial simple y con ajuste de tendencia, maneja proyecciones de tendencias con mínimos cuadrados, resuelve problemas de regresión y utiliza el método de descomposición.

Para desarrollar pronósticos en QM para Windows, seleccione *Module* en la barra de herramientas y luego *Forecasting*. Después, dé clic en el icono de nuevo documento o en *File–New–Time Series Analysis* para ingresar un problema nuevo de series de tiempo. Especifique el número de observaciones pasadas e ingrese un título, si lo desea.

Para ilustrar QM para Windows usaremos los datos del puerto de Baltimore de la tabla 5.5. El número de observaciones pasadas era ocho en el ejemplo. Cuando haya ingresado los datos iniciales, se abre la pantalla mostrada en el programa 5.8A y permite que ingrese los datos de la tabla. Una vez

PROGRAMA 5.8A

Métodos de pronósticos en QM para Windows

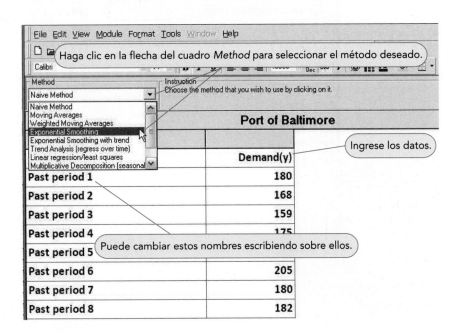

que ingrese los datos, dé clic en la flecha del cuadro de mensaje para ver todas las opciones y elegir la deseada. Al seleccionar suavizamientoo exponencial para este ejemplo, aparece un cuadro donde puede ingresar α (alfa) y una columna para colocar los pronósticos previos (si están disponibles), como se indica en el programa 5.8B. Con otros métodos de pronósticos, pueden aparecer otros tipos de cuadros para datos. Dé clic en el botón *Solve* y aparece la pantalla con los resultados, como se muestra en el programa 5.8C. Si desea intentar otro valor de α, oprima Edit para regresar a la ventana de ingreso, donde puede cambiar α. Note que puede ingresar un pronóstico inicial si lo desea, pero el análisis del error comenzará con el primer pronóstico generado por la computadora. Cualquier pronóstico que ingrese el usuario se ignora en el análisis del error.

Observe que una salida adicional, que incluye resultados detallados del procedimiento y una gráfica, está disponible en la opción *Window* de la barra de herramientas, una vez que el problema está resuelto. Con suavizamiento exponencial, una salida se llama *Errors as a function of alpha*. Esta opción despliega la DMA y el ECM para todos los valores de α entre 0 y 1, en incrementos de 0.01. Puede simplemente revisarlos para encontrar el valor de α que minimiza la DMA o el ECM.

Para presentar otro ejemplo, usaremos el método de descomposición sobre el ejemplo de Turner Industries de la tabla 5.10. Ingrese un problema de series de tiempo con 12 periodos históricos de datos y seleccione *Multiplicative Decomposition* en las opciones de *Method*. Una vez hecho esto, se necesitan datos adicionales; debe indicar que hay cuatro estaciones, seleccione *Centered Moving Average* como base para el suavizamiento, y especifique que los factores estacionales no deberían escalarse, como se ve en el programa 5.9. Esta ventana de salida brinda los pronósticos no ajustados calculados usando la ecuación de tendencia sobre los datos sin estacionalidad y los pronósticos finales o ajustados, que se encuentran multiplicando el pronóstico no ajustado por el factor o índice estacional. Los detalles adicionales se observan seleccionando *Details and Error Analysis* bajo *Window*.

PROGRAMA 5.8B

Suavizamiento exponencial para el ejemplo del puerto de Baltimore con QM para Windows

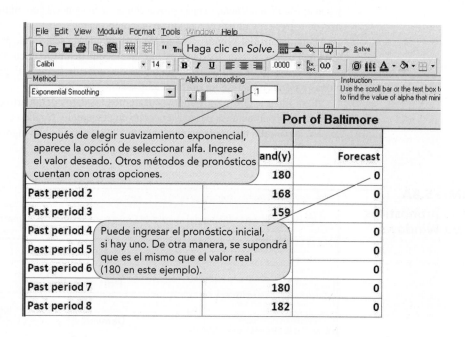

PROGRAMA 5.8C

Suavizamiento exponencial en la salida del Puerto de Baltimore con QM para Windows

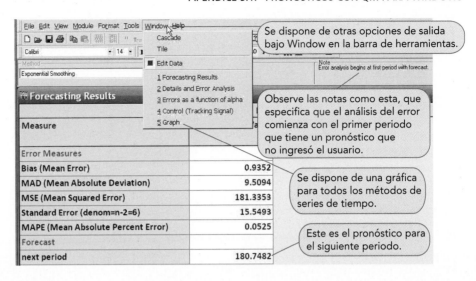

PROGRAMA 5.9

Salida de descomposición de QM para Windows en el ejemplo de Turner Industries

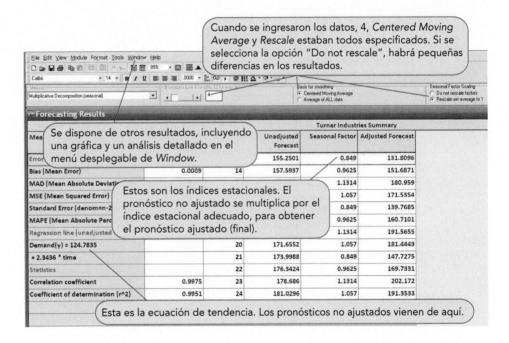

CAPÍTULO 6

Modelos de control de inventarios

6.1 Introducción

Inventario es cualquier recurso almacenado que se utiliza para satisfacer una necesidad actual o futura.

El inventario es uno de los bienes más costosos para muchas compañías, pues llega a representar 50% del capital total invertido. Los gerentes reconocen desde hace mucho que un buen control de inventarios es fundamental. Por un lado, una empresa puede tratar de reducir sus costos disminuyendo los niveles de su inventario disponible. Por otro lado, los clientes quedan insatisfechos cuando frecuentemente se quedan sin existencias y enfrentan **faltantes**. Así, las compañías deben llegar a un equilibrio entre los inventarios bajo y alto. Como es de esperarse, la minimización del costo es el factor más importante al obtener este delicado equilibrio.

El inventario es cualquier recurso almacenado que sirve para satisfacer cualquier necesidad actual o futura. Las materias primas, los productos en proceso y los bienes terminados son ejemplos de inventarios. Los niveles de inventario de productos terminados están en función directa de la demanda. Por ejemplo, cuando determinamos la demanda de secadoras de ropa terminadas, es posible usar esta información para determinar cuánto de hojas de metal, pintura, motores eléctricos, interruptores, y otras materias primas y materiales en proceso se necesitan para fabricar el artículo terminado.

Todas las organizaciones tienen algún tipo de sistema de planeación y control del inventario. Un banco tiene métodos para controlar su inventario de efectivo. Un hospital dispone de métodos para controlar la reserva de sangre y otros insumos importantes. Los gobiernos federal y estatal, las escuelas y prácticamente todas las organizaciones de manufactura y producción se interesan por la planeación y control del inventario. Estudiar cómo controlan su inventario las empresas es equivalente a estudiar cómo logran sus objetivos al entregar bienes y servicios a sus clientes. El inventario es una cuerda común que mantiene unidos todos los departamentos y las funciones de la organización.

La figura 6.1 ilustra los componentes básicos de un sistema de planeación y control de inventarios. La etapa de *planeación* se refiere principalmente a qué inventario debe almacenarse y cómo se adquirirá (manufactura o compra). Esta información se emplea luego para *pronosticar* la demanda para el inventario y *controlar* los niveles del mismo. El ciclo de retroalimentación en la figura 6.1 expone una manera de revisar el plan y el pronóstico, según las experiencias y la observación.

Mediante la planeación de inventarios, una organización determina qué bienes y/o servicios producir. En el caso de productos físicos, la organización también debe determinar si va a producir estos bienes o a comprarlos a otro fabricante. Una vez determinado esto, el siguiente paso consiste en pronosticar la demanda. Como se vio en el capítulo 5, existen muchas técnicas matemáticas que ayudan a pronosticar la demanda de cierto producto. En este capítulo se resalta el control de inventarios, es decir, cómo mantener un nivel de inventarios adecuado dentro de una organización.

6.2 Importancia del control de inventarios

El control de inventarios cumple con varias funciones importantes y agrega mucha flexibilidad a la operación de la empresa. Considere las siguientes cinco aplicaciones de inventaros:

1. Función de desacoplamiento
2. Almacenaje de recursos
3. Oferta y demanda irregulares
4. Descuentos por cantidad
5. Disminución de faltantes

FIGURA 6.1

Planeación y control de inventarios

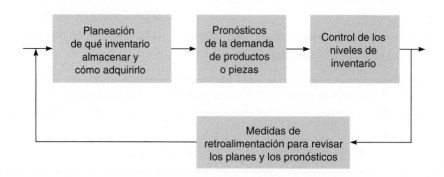

Función de desacoplamiento

El inventario puede actuar como amortiguador.

Una de las funciones más importantes del inventario es desacoplar o desenlazar los procesos de manufactura dentro de la organización. Cuando no se almacena inventario, quizás haya muchos retrasos e ineficiencias. Por ejemplo, si una actividad de manufactura debe completarse antes de iniciar una segunda actividad, el proceso entero podría detenerse. No obstante, si se tiene un inventario en almacén entre procesos, este serviría como amortiguador.

Almacenamiento de recursos

Los productos agrícolas y del mar a menudo tienen estaciones definidas para cosecharse o pescarse; sin embargo, la demanda de estos productos es más o menos constante durante el año. En estos casos y otro similares, el inventario sirve para almacenar tales recursos.

Los recursos se almacenan como productos en proceso.

En un proceso de manufactura, la materia prima se almacena, como producto en proceso o como artículo terminado. Entonces, si una compañía fabrica podadoras de césped, tal vez adquiera los neumáticos de otro fabricante. Si usted tiene en inventario 400 podadoras terminadas y 300 neumáticos, en realidad tiene 1,900 neumáticos almacenados. Los 300 neumáticos se almacenan y 1,600 (4 neumáticos por podadora × 400 podadoras) están almacenados en las podadoras terminadas. En este mismo sentido, la *mano de obra* también se almacena en inventario. Si se tienen 500 subensambles y toma 50 horas de mano de obra producir cada ensamble, de hecho, se tienen 25,000 horas de mano de obra almacenadas en el inventario de los subensambles. En general, cualquier recurso, físico o de otra forma, se puede almacenar en el inventario.

Oferta y demanda irregulares

Cuando la oferta o la demanda de un artículo en inventario son irregulares, almacenar ciertas cantidades en inventario suele ser importante. Si la mayor demanda de la bebida Diet-Delight ocurre durante el verano, habrá que asegurarse de que haya suficiente provisión para cumplir con la demanda irregular. Esto tal vez requiera producir más de lo que necesite la demanda del invierno. Los niveles de inventario de Diet-Delight se irán acumulando durante el invierno, hasta que se necesite en el verano. Lo mismo ocurre con los *suministros* irregulares.

Descuentos por cantidad

Otra manera de utilizar el inventario es aprovechar los **descuentos por cantidad**. Muchos proveedores ofrecen descuentos por comprar grandes cantidades. Por ejemplo, una sierra eléctrica generalmente cuesta $20 por unidad. Si se ordenan 300 o más al mismo tiempo, el proveedor quizá baje el precio a $18.75. La compra de cantidades mayores puede reducir en forma sustancial el precio de los productos. No obstante, existen algunas desventajas al comprar cantidades grandes. Se tienen mayores costos por almacenaje, deterioro, daños, robo, seguros y otros. Incluso al invertir en más inventario, se tendrá menos efectivo para invertir en otro lado.

Reducción o eliminación de faltantes

Otra función importante del inventario es evitar faltantes. Si el inventario se queda sin el artículo varias veces, es muy probable que los clientes se vayan con otra empresa para satisfacer sus necesidades. La pérdida de la buena voluntad tendrá un precio alto por no contar con el artículo correcto en el momento correcto.

6.3   Decisiones de inventario

Aun cuando hay literalmente millones de tipos de productos diferentes fabricados en nuestra sociedad, existen tan solo dos decisiones fundamentales que deben tomarse para controlar un inventario:

1. Cuánto ordenar
2. Cuándo ordenar

El propósito de todos los modelos y las técnicas de inventarios es determinar de una manera racional cuánto y cuándo ordenar. Como sabe, el inventario cumple muchas funciones importantes dentro de una organización; pero cuando los niveles de inventario suben como resultado, el costo por

MODELADO EN EL MUNDO REAL

Aplicación de un modelo de inventario para reducir los costos en una impresora Hewlett-Packard

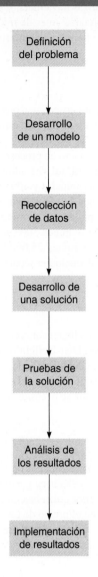

Definición del problema

Desarrollo de un modelo

Recolección de datos

Desarrollo de una solución

Pruebas de la solución

Análisis de los resultados

Implementación de resultados

Definición del problema

Al elaborar productos para diferentes mercados, con frecuencia las compañías de manufactura fabrican productos básicos y materiales que se pueden usar en diversos productos finales. Hewlett-Packard, un fabricante líder de impresoras, desea explorar la forma de reducir costos de materiales e inventario para su línea de impresoras Deskjet. Un problema específico es que se requieren distintas fuentes de energía en diferentes países.

Desarrollo del modelo

El modelo de inventarios investiga los requerimientos de material e inventario, en relación con los diferentes mercados. Se desarrolló un diagrama de flujo de materiales e inventario, que indica cómo debe fabricarse cada impresora Deskjet para cada país que requiere una fuente de energía diferente.

Recolección de datos

Los datos de entrada consisten en requerimientos del inventario, costos y versiones del producto. Una versión distinta de la impresora se necesita en el mercado de Estados Unidos, en el europeo y en el de Lejano Oriente. Los datos incluyen la demanda estimada en semanas, los tiempos de entrega de reabastecimiento y los diferentes costos.

Desarrollo de una solución

La solución dio como resultado un control de inventarios más estrecho y un cambio en la manera de fabricar la impresora. La fuente de energía debería ser la última pieza en instalarse en cada Deskjet durante el proceso de manufactura.

Pruebas de la solución

Las pruebas se hicieron seleccionando uno de los mercados y realizando varias pruebas durante dos meses. Las pruebas incluyeron faltantes de materiales, patrones de baja actividad, niveles de servicio y varios flujos de inventario.

Análisis de los resultados

Los resultados revelan que se puede lograr un ahorro de 18% en los costos de inventario usando el modelo de inventarios.

Implementación de resultados

Como resultado del modelo de inventarios, Hewlett-Packard decidió rediseñar la manufactura de sus impresoras Deskjet, para reducir los costos de inventario y adecuarse al mercado global de sus impresoras.

Fuente: Basado en H. Lee, *et al.* "Hewlett-Packard Gains Control of Inventory and Service Through Design for Localization", *Interfaces* 23, 4 (julio-agosto de 1993): 1-11.

El objetivo principal de todos los modelos de inventario es minimizar los costos del inventario.

almacenar y el inventario también aumentan. Entonces, se tiene que alcanzar un equilibrio óptimo al establecer los niveles del inventario. Un objetivo importante al controlar el inventario es minimizar los costos totales de inventario. Algunos de los costos más significativos del inventario son los siguientes:

1. Costo de los artículos (costo de compra o costo de materiales)
2. Costo por ordenar
3. Costo por mantener o almacenar el inventario
4. Costo por faltantes

Los factores más comunes asociados con los costos por ordenar y por almacenar se muestran en la tabla 6.1. Observe que los costos por ordenar en general son independientes del tamaño de la orden, y muchos de ellos incluyen tiempo del personal. Se incurre en un costo por ordenar cada vez que se coloca una orden, ya sea por 1 unidad o por 1,000 unidades. El tiempo para procesar la documentación, el pago de la factura, etcétera, no depende del número de unidades ordenadas.

TABLA 6.1 Factores de costos del inventario

FACTORES DEL COSTO POR ORDENAR	FACTORES DEL COSTO POR ALMACENAR INVENTARIOS
Desarrollo y envío de órdenes de compra	Costo de capital
Procesamiento e inspección del inventario entrante	Impuestos
Pago de facturas	Seguros
Indagación del inventario	Deterioro
Servicios de luz, agua, teléfono, etcétera para el departamento de compras	Robo
Sueldos y salarios para los empleados del departamento de compras	Obsolescencia
Suministros como formas y papel para el departamento de compras	Salarios de trabajadores del almacén
	Costo de servicios generales y del edificio para el almacén
	Suministros como formas y papel para el almacén

Por otro lado, el costo por almacenar varía conforme cambia el tamaño del inventario. Si se almacenan 1,000 unidades, los impuestos, los seguros, el costo de capital y otros serán mayores que si se almacenara 1 unidad. De igual manera, cuando el nivel del inventario es bajo, hay menos posibilidad de deterioro y obsolescencia.

El costo de los artículos, o el costo de compra, es lo que se paga por adquirir el inventario. El costo de faltantes indica la pérdida de ventas y de buena voluntad (ventas futuras), que resultan al no tener artículos disponibles para los clientes. Esto se analizará más adelante en el capítulo.

6.4 Cantidad del lote económico: Determinación de cuánto ordenar

La **cantidad del lote económico (CLE)** es una de las técnicas de control de inventarios más antiguas y conocidas. La investigación sobre su aplicación se remonta a una publicación de Ford W. Harris en 1915. En la actualidad, esta técnica se emplea en un gran número de organizaciones. Es relativamente sencilla, pero hace varias suposiciones. Algunos de los supuestos más importantes son los siguientes:

1. La demanda se conoce y es constante.
2. El tiempo de entrega —es decir, el tiempo entre colocar una orden y recibirla— se conoce y es constante.
3. La recepción del inventario es instantánea. En otras palabras, el inventario de una orden llega a un lote en cierto momento.
4. El costo de compra por unidad es constante durante el año. Los descuentos por cantidad no son posibles.
5. Los únicos costos variables son el costo por colocar una orden, *costo por ordenar*; y el costo por mantener o almacenar el inventario en el tiempo, *costo por almacenar*. El costo anual por almacenar una unidad y el costo por ordenar una orden son constantes durante el año.
6. Las órdenes se colocan de manera que los faltantes se evitan por completo.

Cuando *no* se cumplen tales supuestos, deben hacerse ajustes al modelo de la CLE, los cuales se estudian en una sección posterior de este capítulo.

La curva de utilización del inventario tiene forma de diente de sierra.

Con estos supuestos, la utilización del inventario tiene forma de diente de sierra, como en la figura 6.2, donde Q representa la cantidad a ordenar. Si esta cantidad es de 500 vestidos, todos ellos llegan al mismo tiempo cuando se recibe la orden. Así, el nivel de inventario salta de 0 a 500 vestidos. En general, un nivel de inventario aumenta de 0 a Q unidades cuando llega la orden.

Como la demanda es constante en el tiempo, el inventario disminuye a una tasa uniforme en el tiempo. (Véase la línea con pendiente de la figura 6.2.) Se coloca otra orden cuando el nivel de inventario llega a 0, la nueva orden se recibe y el nivel de inventario aumenta de nuevo a Q unidades, lo cual se representa con rectas verticales. Este proceso continúa indefinidamente en el tiempo.

FIGURA 6.2

Utilización del inventario en el tiempo

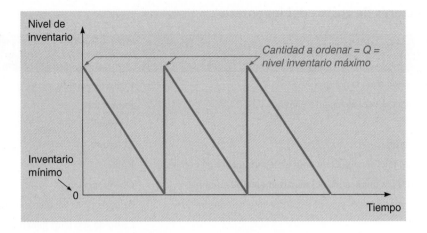

Costos de inventario en la situación de la CLE

El objetivo del modelo simple de la CLE es minimizar el costo total del inventario. Los costos relevantes son los costos por ordenar y almacenar.

El propósito de la mayoría de los modelos de inventario es minimizar los costos totales. Con el supuesto que se acaba de dar, los costos relevantes son el costo por ordenar y el costo por almacenar. Todos los demás costos son constantes, como el costo del inventario (el costo de compra). Por lo tanto, si minimizamos la suma del costo por ordenar y el costo por almacenar, también minimizamos los costos totales.

El costo anual por ordenar es simplemente el número de órdenes por año multiplicadas por el costo de colocar cada orden. Como el nivel de inventario cambia todos los días, resulta adecuado usar su nivel promedio para determinar el costo anual por almacenar, que será igual al inventario promedio por el costo anual por almacenar por unidad. De nuevo, en la figura 6.2 se observa que el inventario máximo es la cantidad ordenada (Q) y el **inventario promedio** será la mitad de eso. La tabla 6.2 es un ejemplo numérico a manera de ilustración. Observe que, en este caso, la cantidad a ordenar es 10 y el inventario promedio es 5, o la mitad de Q. Entonces:

El nivel de inventario promedio es la mitad del nivel máximo.

$$\text{Nivel promedio de inventario} = \frac{Q}{2} \tag{6-1}$$

Con las siguientes variables, desarrollamos expresiones matemáticas para los costos anuales por ordenar y almacenar:

$$Q = \text{número de piezas a ordenar}$$
$$\text{CLE} = Q^* = \text{número óptimo de piezas a ordenar}$$
$$D = \text{demanda anual en unidades del artículo en inventario}$$
$$C_o = \text{costo por colocar cada orden}$$
$$C_h = \text{costo anual por almacenar por unidad}$$

EN ACCIÓN   Una empresa de modas global modela un sistema de administración de inventarios

Fundada en 1975, el comerciante español Zara tiene actualmente más de 1,600 tiendas alrededor del mundo, lanza más de 10,000 nuevos diseños cada año y está reconocido como uno de los principales distribuidores de moda. Anteriormente, las prendas se enviaban desde dos almacenes centrales hasta cada una de las tiendas, según los pedidos de los gerentes individuales. Era inevitable que las decisiones locales llevaran ineficiencias en almacenaje, envío y operaciones de logística cuando se evaluaban a escala global. Los recientes excesos de producción, la ineficiencia en las cadenas de suministro y un mercado en cambio constante (por no decir más) ocasionaron que Zara enfrentara el problema.

Se usaron muchos modelos de investigación de operaciones en el rediseño y la implementación de un sistema de ad-

ministración del inventario totalmente nuevo. El nuevo sistema de decisiones centralizado sustituyó todas las decisiones de inventarios a nivel de tienda y, con ello, se obtuvieron resultados más cercanos al óptimo globalmente. Tener los productos correctos en los lugares correctos en el momento correcto para los clientes ha aumentado las ventas de 3 a 4% desde la implementación, lo cual se tradujo en un incremento en los ingresos de más de $230 millones en 2007 y de más de $350 millones en 2008. ¡Y hablamos de los amantes de la moda!

Fuente: Basada en F. Caro, J. Gallien, M. Díaz, J. García, J. M. Corredoira, M. Montes, J.A. Ramos y J. Correa. "Zara Uses Operations Research to Reengineer its Global Distribution Process", *Interfaces* 40, 1 (enero-febrero de 2010): 71-84.

TABLA 6.2
Cálculo del inventario promedio

	NIVEL DE INVENTARIO		
DÍA	INICIO	FINAL	PROMEDIO
Abril 1 (orden recibida)	10	8	9
Abril 2	8	6	7
Abril 3	6	4	5
Abril 4	4	2	3
Abril 5	2	0	1

Nivel máximo, 1 de abril = 10 unidades
Total de promedios diarios = 9 + 7 + 5 + 3 + 1 = 25
Número de días = 5
Nivel de inventario promedio = 25/5 = 5 unidades

Costo anual por ordenar $=$ (Número de órdenes colocadas por año) $\times$ (Costo por ordenar por orden)

$$= \frac{\text{Demanda anual}}{\text{Número de unidades en cada orden}} \times (\text{Costo por ordenar por orden})$$

$$= \frac{D}{Q}C_o$$

Costo anual por almacenar $=$ (Invenario promedio) $\times$ (Costo anual por almacenar por unidad)

$$= \frac{\text{Cantidad a ordenar}}{2} \times (\text{Costo anual por almacenar por unidad})$$

$$= \frac{Q}{2}C_h$$

Una gráfica del costo por almacenar, el costo por ordenar y el total de ambos se presenta en la figura 6.3. El punto más bajo del la curva del costo total ocurre donde el costo por ordenar es igual al costo por almacenar. Así, para minimizar los costos totales dada esta situación, la cantidad a ordenar debería ser el punto donde ambos costos son iguales.

FIGURA 6.3
Costo total en función de la cantidad a ordenar

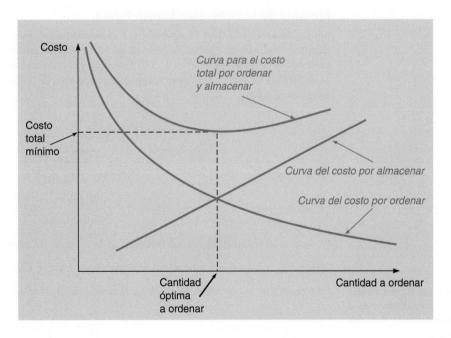

Cómo calcular la CLE

La ecuación de la CLE se deriva estableciendo el costo por ordenar igual al costo por almacenar.

Cuando se cumplen los supuestos de la CLE, el costo total es mínimo cuando:

$$\text{Costo anual por almacenar} = \text{Costo anual por ordenar}$$

$$\frac{Q}{2}C_h = \frac{D}{Q}C_o$$

Si se despeja Q se obtiene la cantidad óptima a ordenar:

$$Q^2 C_h = 2DC_o$$

$$Q^2 = \frac{2DC_o}{C_h}$$

$$Q = \sqrt{\frac{2DC_o}{C_h}}$$

Esta cantidad óptima a ordenar con frecuencia se denota con Q^*. Entonces, la cantidad del lote económico está dada por la fórmula:

$$\text{CLE} = Q^* = \sqrt{\frac{2DC_o}{C_h}}$$

Esta CLE es la base para muchos modelos avanzados y algunos de ellos se analizan más adelante en este capítulo.

Modelo de la cantidad del lote económico (CLE)

$$\text{Costo anual por ordenar} = \frac{D}{Q}C_o \tag{6-2}$$

$$\text{Costo anual por almacenar} = \frac{Q}{2}C_h \tag{6-3}$$

$$\text{CLE} = Q^* = \sqrt{\frac{2DC_o}{C_h}} \tag{6-4}$$

Ejemplo de la compañía Sumco Pump

Sumco, una compañía que vende bombas a otras compañías, quiere reducir su costo de inventario determinando el número óptimo de bombas que debe obtener por orden. La demanda anual es de 1,000 unidades, el costo por ordenar es de $10 por orden y el costo anual promedio por almacenar por unidad es de $0.50. Con estas cifras, si se cumplen los supuestos de la CLE, calculamos el número óptimo de unidades por orden:

$$Q^* = \sqrt{\frac{2DC_o}{C_h}}$$

$$= \sqrt{\frac{2(1,000)(10)}{0.50}}$$

$$= \sqrt{40,000}$$

$$= 200 \text{ unidades}$$

El costo total anual del inventario relevante es la suma de los costos por ordenar y almacenar:

$$\text{Costo total anual} = \text{Costo por ordenar} + \text{Costo por almacenar}$$

El costo total anual del inventario es igual al costo por ordenar más el costo por almacenar para el modelo de la CLE simple.

En términos de las variables del modelo, el costo total (CT) ahora se expresa como:

$$CT = \frac{D}{Q}C_o + \frac{Q}{2}C_h \tag{6-5}$$

El costo total anual del inventario para Sumco se calcula como:

$$TC = \frac{D}{Q}C_o + \frac{Q}{2}C_h$$

$$= \frac{1{,}000}{200}(10) + \frac{200}{2}(0.5)$$

$$= \$50 + \$50 = \$100$$

El número de órdenes por año (D/Q) es de 5 y el inventario promedio ($Q/2$) es de 100.

Como podría esperarse, el costo por ordenar es igual al costo por almacenar. Tal vez quiera tratar otros valores de Q, como 100 o 300 bombas. Encontrará que el costo total mínimo ocurre cuando $Q = 200$ unidades. La CLE, es decir, Q^*, es de 200 bombas.

USO DE EXCEL QM PARA PROBLEMAS BÁSICOS DE INVENTARIOS DE LA CLE El ejemplo de la compañía Sumco Pump y muchos otros problemas de inventarios que estudiamos en este capítulo se resuelven fácilmente con Excel QM. El programa 6.1A muestra los datos de entrada para Sumco y las fórmulas de Excel necesarias para el modelo de la CLE. El programa 6.1B contiene la solución de este ejemplo, incluyendo la cantidad óptima del lote económico, el nivel de inventario máximo, el inventario promedio y el número de órdenes o preparaciones.

Costo de compra de los artículos del inventario

Algunas veces, la expresión costo total del inventario se escribe para incluir el costo real de los materiales comprados. Con las suposiciones de la CLE, el costo de compra no depende de que la política específica de ordenar sea óptima, porque no importa cuántas órdenes se coloquen cada año, se incurre en el mismo costo de compra anual de $D \times C$, donde C es el costo de compra por unidad y D la demanda anual en unidades.*

PROGRAMA 6.1A

Datos de entrada y fórmulas de Excel QM para el ejemplo de la compañía Sumco Pump

	A	B	C	D
1	**Sumco Pump Company**			
2				
3	**Inventory**	**Economic Order Quantity Model**		
4		Enter the data in the shaded area		
5				
6				
7	**Data**			
8	Demand rate, D	1000		
9	Setup/order cost, S	10		
10	Holding cost, H	0.5	(fixed amount)	
11	Unit Price, P			
12				
13	**Results**			
14	**Optimal Order Quantity, Q***	=SQRT(2*B8*B9/B10)		
15	**Maximum Inventory**	=B14		
16	**Average Inventory**	=B14/2		
17	**Number of Orders**	=B8/B14		
18				
19	**Holding cost**	=B16*B10		
20	**Setup cost**	=B17*B9		
21				
22	**Unit costs**	=B11*B8		
23	Total cost, T$_c$	=B19+B20+B22		
24				

Ingrese tasa de demanda, costo por ordenar/preparar, costo por almacenar y precio unitario.

Si el precio unitario está disponible, se ingresa aquí.

En la ventana de ingreso, puede especificarse si el costo por almacenar es una cantidad fija o un porcentaje del precio unitario (de compra).

Este es el precio unitario total (de compra).

---

*Más adelante en el capítulo analizaremos el caso donde el precio afecta la política de ordenar, es decir, cuando se ofrecen descuentos por cantidad.

PROGRAMA 6.1B   Solución de Excel QM para el ejemplo de la compañía Sumco Pump

	A	B	C	D	E	F
1	**Sumco Pump Company**					
2						
3	**Inventory**	**Economic Order Quantity Model**				
4	Ingrese los datos en el área sombreada.					
5						
6						
7	**Data**					
8	Demand rate, D	1000				
9	Setup/order cost, S	10				
10	Holding cost, H	0.5	(fixed amount)			
11	Unit Price, P					
12						
13	**Results**					
14	**Optimal Order Quantity, Q***	**200**				
15	**Maximum Inventory**	**200**				
16	**Average Inventory**	**100**				
17	**Number of Orders**	**5**				
18						
19	**Holding cost**	**$50.00**				
20	**Setup cost**	**$50.00**				
21						
22	**Unit costs**	**$0.00**				
23	Total cost, T_c	$100.00				
24						

El costo total incluye costo por almacenar, costo por ordenar/preparar y costo unitario/de compra, si se ingresa el costo unitario.

Es útil saber cómo se calcula el nivel de inventario promedio en términos monetarios, cuando se da el precio por unidad. Esto se realiza como sigue. Si la variable Q representa la cantidad de unidades ordenadas, y suponiendo un costo unitario de C, determinamos el valor monetario promedio del inventario:

$$\text{Nivel monetario promedio} = \frac{(CQ)}{2} \tag{6-6}$$

Esta fórmula es similar a la ecuación 6-1.

El costo por mantener inventario para muchos negocios e industrias con frecuencia se expresa como un porcentaje anual del costo o precio unitario. Cuando esto sucede, se introduce una nueva variable. Sea I el cargo anual por mantener inventario como porcentaje del precio o costo unitario. Entonces, el costo por almacenar una unidad de inventario por un año, C_h, está dado por $C_h = IC$, donde C es el costo unitario de un artículo en inventario. En este caso, Q^* se expresa como:

I es el costo anual por almacenar como porcentaje del costo por unidad.

$$Q^* = \sqrt{\frac{2DC_o}{IC}} \tag{6-7}$$

Análisis de sensibilidad con el modelo de la CLE

El modelo de la CLE supone que todos los valores de entrada son fijos y se conocen con certidumbre. Sin embargo, como estos valores con frecuencia se estiman o pueden cambiar con el tiempo, es importante entender el cambio que puede sufrir la cantidad a ordenar, si se usan otros valores de entrada. La determinación de los efectos de estos cambios se llama **análisis de sensibilidad**.

La fórmula de la CLE está dada por:

$$CLE = \sqrt{\frac{2DC_o}{C_h}}$$

Debido a la raíz cuadrada en la fórmula, cualquier cambio en los datos (D, C_o, C_h) dará como resultado cambios relativamente menores en la cantidad del lote económico. Por ejemplo, si el C_o aumenta en un factor de 4, la CLE tan solo aumentaría en un factor de 2. Considere el ejemplo de Sumco que recién se presentó. La CLE para esta compañía es el siguiente:

$$CLE = \sqrt{\frac{2(1,000)(10)}{0.50}} = 200$$

Si el C_o aumenta de $10 a $40,

$$CLE = \sqrt{\frac{2(1,000)(40)}{0.50}} = 400$$

En general, la CLE cambia por una cantidad igual a la raíz cuadrada de un cambio en cualquiera de los datos.

6.5 Punto de reorden: Determinación de cuándo ordenar

Ahora que se ha decidido cuánto ordenar, la segunda pregunta de inventarios es: cuándo ordenar. El tiempo entre colocar una orden y recibirla, llamado **tiempo de entrega**, con frecuencia son unos cuantos días o incluso semanas. El inventario debe estar disponible para cumplir con la demanda durante este tiempo y dicho inventario puede estar en almacén o por recibirse una vez pedido. El total de estos se conoce como **posición del inventario**. Por consiguiente, la decisión de *cuándo ordenar* suele expresarse en términos de un **punto de reorden (PRO)**, que es la posición del inventario en la cual debería colocarse una orden. El PRO está dado por:

El punto de reorden (PRO) determina cuándo ordenar inventario. Se encuentra al multiplicar la demanda diaria por el tiempo de entrega en días.

$$PRO = (\text{Demanda por día}) \times (\text{Tiempo de entrega para una orden en días})$$
$$= d \times L \tag{6-8}$$

La figura 6-4 tiene dos gráficas que muestran el PRO. Una de ellas tiene un punto de reorden relativamente pequeño, en tanto que la otra tiene uno relativamente más grande. Cuando la posición del inventario llega al punto de reorden, debería colocarse una nueva orden. Mientras se espera que llegue esa orden, la demanda se cubrirá con el inventario que se tiene en almacén o con inventario que ya se ha ordenado; pero que llegará cuando el inventario disponible esté en cero. Veamos un ejemplo.

EJEMPLO DE UN CHIP PARA COMPUTADORA DE PROCOMP La demanda de chips para computadora de Procomp es de 8,000 por año. La empresa tiene una demanda diaria de 40 unidades y la cantidad de lote económico es de 400 unidades. La entrega de una orden toma tres días laborales. El punto de reorden para el chip se calcula como:

$$PRO = d \times L = 40 \text{ unidades por día} \times 3 \text{ días}$$
$$= 120 \text{ unidades}$$

Entonces, cuando la reserva en el inventario de chips cae a 120, debería colocarse una orden. La orden llegará tres días después, justo cuando se agote el inventario de la empresa. Como la cantidad a ordenar es de 400 unidades, el PRO es simplemente el inventario en almacén. Esta es la situación en la primera gráfica de la figura 6.4.

Suponga que el tiempo de entrega para Procomp era de 12 días en vez de 3. El punto de reorden sería:

$$PRO = 40 \text{ unidades por día} \times 12 \text{ días}$$
$$= 480 \text{ unidades}$$

FIGURA 6.4

Gráficas del punto de reorden

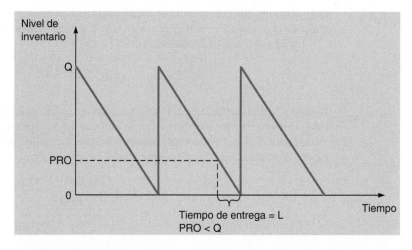

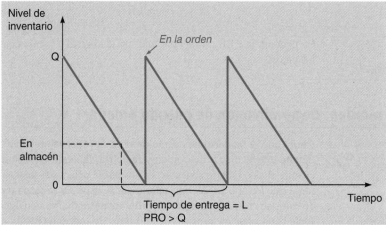

Como el máximo nivel de inventario en almacén es la cantidad a ordenar de 400, una posición de 480 del inventario sería:

$$\text{Posición del inventario} = (\text{Inventario en almacén}) + (\text{Inventario en la orden})$$

$$480 = 80 + 400$$

Así, una nueva orden tendría que colocarse cuando el inventario que hay en almacén baja a 80, mientras hay una orden en tránsito. La segunda gráfica en la figura 6.4 ilustra esta situación.

6.6 CLE sin el supuesto de reabastecimiento instantáneo

Cuando una empresa recibe su inventario durante cierto periodo, se necesita un nuevo modelo que no haga el supuesto de **recepción instantánea del inventario**, el cual se aplica cuando el inventario fluye de manera continua o se acumula durante un periodo después de colocar una orden, o cuando las unidades se producen y venden de forma simultánea. En tales circunstancias, debe tomarse en cuenta la tasa de demanda diaria. La figura 6.5 presenta los niveles de inventario en función del tiempo. Puesto que este modelo es adecuado en especial para los entornos de producción, es común llamarlo **modelo de corrida de producción**.

El modelo de corrida de producción elimina la suposición de recepción instantánea.

En el proceso de producción, en vez de tener un costo por ordenar, habrá un *costo por preparación*, que es el costo de preparar la instalación de producción para la manufactura del producto deseado. Suele incluir los salarios de los trabajadores responsables de preparar el equipo, los costos de ingeniería y diseño para la preparación, la documentación, los suministros, los servicios generales, etcétera. El costo por almacenar por unidad se compone de los mismos factores que el modelo de la CLE tradicional, aunque la ecuación del costo anual de mantener inventario cambia debido al cambio en el inventario promedio.

FIGURA 6.5

Control de inventarios y el proceso de producción

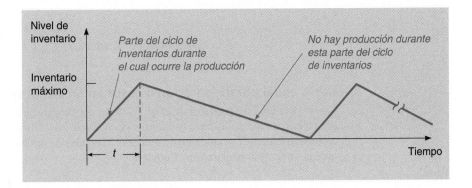

Resolver el modelo de corrida de producción implica establecer los costos de preparación iguales a los costos por almacenar, así como despejar Q.

La cantidad óptima de producción se deriva igualando los costos de preparación con los costos de almacenar o mantener, y despejando la cantidad de la orden. Comencemos por desarrollar la expresión del costo por almacenar. Sin embargo, se debería notar que igualar los costos por preparación con los costos por almacenar no siempre garantiza soluciones óptimas para los modelos más complejos, en comparación con el modelo de corrida de producción.

Costo anual por almacenar para el modelo de corrida de producción

Igual que con el modelo de la CLE, los costos por almacenar del modelo de corrida de producción se basan en el inventario promedio, en tanto que el inventario promedio es la mitad del nivel máximo de inventario. No obstante, como el reabastecimiento del inventario ocurre durante un periodo y la demanda continúa durante este tiempo, el inventario máximo será menor que el lote económico Q. Entonces, desarrollamos la expresión para el costo anual por almacenar, usando las siguientes variables:

$$Q = \text{número de piezas por orden o de corrida de producción}$$

$$C_s = \text{costo por preparación}$$

$$C_h = \text{costo anual por almacenar por unidad}$$

$$p = \text{tasa de producción diaria}$$

$$d = \text{tasa de demanda diaria}$$

$$t = \text{magnitud de la corrida de producción en días}$$

El nivel de inventario máximo es:

(Total producido durante la corrida) – (Total usado durante la corrida)

= (Tasa de producción diaria) (Número de días de producción)

– (Demanda diaria) (Número de días de producción)

$$= (pt) - (dt)$$

Dado que:

$$\text{total producido} = Q = pt,$$

sabemos que:

$$t = \frac{Q}{p}$$

$$\text{Nivel máximo del inventario} = pt - dt = p\frac{Q}{p} - d\frac{Q}{p} = Q\left(1 - \frac{d}{p}\right)$$

El nivel de inventario máximo en el modelo de producción es menor que Q.

Como el inventario promedio es la mitad del inventario máximo:

$$\text{Inventario promedio} = \frac{Q}{2}\left(1 - \frac{d}{p}\right) \tag{6-9}$$

y

$$\text{Costo anual por almacenar} = \frac{Q}{2}\left(1 - \frac{d}{p}\right)C_h \qquad (6\text{-}10)$$

Costo anual por preparación o costo anual por ordenar

Cuando se fabrica el producto a tiempo, el costo por preparación sustituye al costo por ordenar. Ambos costos son independientes del tamaño de la orden y del tamaño de la corrida de producción. Este costo simplemente es el número de órdenes (o corridas de producción) multiplicado por el costo por ordenar (costo por preparación). Entonces:

$$\text{Costo anual por preparación} = \frac{D}{Q}C_s \qquad (6\text{-}11)$$

y

$$\text{Costo anual por ordenar} = \frac{D}{Q}C_o \qquad (6\text{-}12)$$

Determinación de la cantidad óptima de producción

Cuando se cumplen los supuestos del modelo de corrida de producción, los costos se minimizan si el costo por preparación es igual al costo por almacenar. Encontramos la cantidad óptima igualando estos costos y despejando Q:

$$\text{Costo anual por almacenar} = \text{costo anual de preparar}$$

$$\frac{Q}{2}\left(1 - \frac{d}{p}\right)C_h = \frac{D}{Q}C_s$$

Esta es la fórmula para la cantidad de producción óptima. Note la similitud con el modelo de la CLE básico.

Despejando Q, obtenemos la cantidad óptima a producir (Q^*):

$$Q^* = \sqrt{\frac{2DC_s}{C_h\left(1 - \frac{d}{p}\right)}} \qquad (6\text{-}13)$$

Debería observarse que si la situación no incluye la producción pero sí la recepción del inventario durante un periodo, este mismo modelo es adecuado, aunque C_o sustituye C_s en la fórmula.

Modelo de corrida de producción

$$\text{Costo anual por almacenar} = \frac{Q}{2}\left(1 - \frac{d}{p}\right)C_h$$

$$\text{Costo anual por preparación} = \frac{D}{Q}C_s$$

$$\text{Cantidad óptima de producción } Q^* = \sqrt{\frac{2DC_s}{C_h\left(1 - \frac{d}{p}\right)}}$$

Ejemplo de Brown Manufacturing

Brown Manufacturing fabrica unidades de refrigeración comercial por lotes. La empresa estima que la demanda para el año es de 10,000 unidades. Cuesta aproximadamente $100 preparar el proceso de manufactura y el costo anual por almacenar es de cerca de 50 centavos por unidad. Cuando el proceso de producción queda establecido, se pueden fabricar 80 unidades de refrigeración diarias. La demanda durante el periodo de producción ha sido casi siempre de 60 unidades cada día. Brown opera su área de producción de unidades de refrigeración 167 días por año. ¿Cuántas unidades de refrigeración debería producir Brown Manufacturing en cada lote? ¿Cuánto debería durar la parte de producción de cada ciclo mostrado en la figura 6.5? Veamos la solución:

$$\text{Demanda anual} = D = 10,000 \text{ unidades}$$
$$\text{Costo por preparación} = C_s = \$100$$
$$\text{Costo por almacenar} = C_h = \$0.50 \text{ por unidad al año}$$
$$\text{Tasa de producción diaria} = p = 80 \text{ unidades diarias}$$
$$\text{Tasa de demanda diaria} = d = 60 \text{ unidades diarias}$$

1. $$Q^* = \sqrt{\dfrac{2DC_s}{C_h\left(1 - \dfrac{d}{p}\right)}}$$

2. $$Q^* = \sqrt{\dfrac{2 \times 10,000 \times 100}{0.5\left(1 - \dfrac{60}{80}\right)}}$$

$$= \sqrt{\dfrac{2,000,000}{0.5\left(\frac{1}{4}\right)}} = \sqrt{16,000,000}$$

$$= 4,000 \text{ unidades}$$

Si $Q^* = 4,000$ unidades y sabemos que se pueden fabricar 80 unidades diarias, la duración de cada ciclo de producción será $Q/p = 4,000/80 = 50$ días. Así, cuando Brown decida producir unidades de refrigeración, el equipo se prepara para fabricar unidades durante 50 días. El número de corridas de producción por año será $D/Q = 10,000/4,000 = 2.5$. Esto significa que el número promedio de corridas de producción anuales es de 2.5. Habrá tres corridas de producción en un año con una parte del inventario que se mantiene en almacén para el siguiente año, de manera que el segundo año tan solo se necesitarán 2 corridas de producción.

USO DE EXCEL QM PARA MODELOS DE CORRIDAS DE PRODUCCIÓN El modelo de corridas de producción de Brown Manufacturing también se resuelve con Excel QM. El programa 6.2A contiene los datos de entrada y las fórmulas de Excel para este problema. El programa 6.2B muestra los resultados, incluyendo la cantidad óptima del lote, el nivel de inventario máximo, el nivel de inventario promedio y el número de preparaciones.

PROGRAMA 6.2A   **Fórmulas de Excel QM y datos de entrada para el problema de Brown Manufacturig**

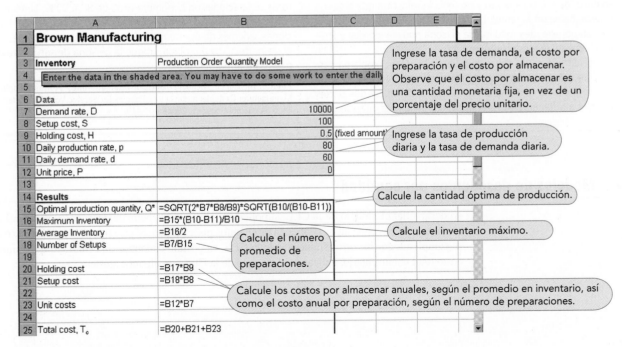

PROGRAMA 6.2B

Resultados para el problema de Brown Manufacturing con Excel QM

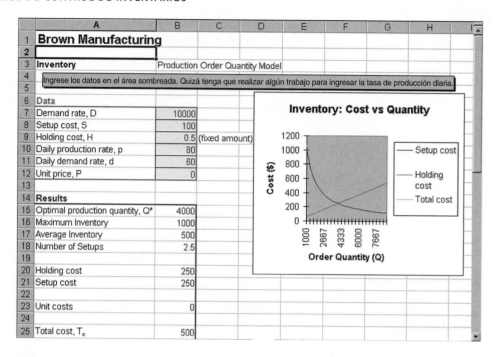

	A	B	C	D	E	F	G	H
1	**Brown Manufacturing**							
2								
3	Inventory	Production Order Quantity Model						
4	Ingrese los datos en el área sombreada. Quizá tenga que realizar algún trabajo para ingresar la tasa de producción diaria.							
5								
6	Data							
7	Demand rate, D	10000						
8	Setup cost, S	100						
9	Holding cost, H	0.5	(fixed amount)					
10	Daily production rate, p	80						
11	Daily demand rate, d	60						
12	Unit price, P	0						
13								
14	Results							
15	Optimal production quantity, Q*	4000						
16	Maximum Inventory	1000						
17	Average Inventory	500						
18	Number of Setups	2.5						
19								
20	Holding cost	250						
21	Setup cost	250						
22								
23	Unit costs	0						
24								
25	Total cost, T_c	500						

EN ACCIÓN   Empresa de Fortune 100 mejora su política de inventarios en vehículos de servicio

Casi todos los fabricantes de electrodomésticos ofrecen reparaciones a domicilio de los aparatos que están dentro de la garantía. Una de esas empresas de Fortune 100 tenía cerca de 70,000 refacciones diferentes que se usaban en la reparación de sus electrodomésticos. El valor anual de las partes en inventario era de más de $7 millones. La compañía tenía más de 1,300 vehículos de servicio que se remitían al recibir las solicitudes de servicio. Debido al limitado espacio en estos vehículos, tan solo llevaban cerca de 400 refacciones en cada uno. Si una persona de servicio llegaba a reparar un aparato y no tenía la refacción que requería (es decir, había un faltante), hacía una orden especial para que la enviaran por aire, de modo que la persona pudiera regresar y arreglar el aparato lo más pronto posible.

Decidir qué partes llevar en el vehículo era un problema bastante difícil. Se inicio un proyecto para encontrar una mejor manera de pronosticar la demanda de partes e identificar qué partes deberían mantenerse en cada uno. Al principio, la intención era

reducir el inventario de partes en cada vehículo, pues ello representa un costo significativo por mantener el inventario. Sin embargo, después de un análisis detallado, se decidió que la meta debería ser minimizar el costo global, incluyendo los costos de las entregas especiales de refacciones, la segunda visita al cliente y la satisfacción del cliente en general.

El equipo del proyecto mejoró el sistema de pronósticos que se utilizaba para proyectar el número de piezas necesarias en cada vehículo. Como resultado, el número real de partes que lleva cada automóvil aumentó; sin embargo, se incrementó el número de reparaciones en la primera visita de 85 a 90%. El resultado fue un ahorro de $3 millones anuales en el costo de las reparaciones, además de que se mejoró la satisfacción del cliente, pues el desperfecto se arreglaba sin que la persona de servicio tuviera que regresar en otra ocasión.

Fuente: Basada en Michael F. Gorman y Sanjay Ahire. "A Major Appliance Manufacturer Rethinks Its Inventory Policies for Service Vehicles", *Interfaces* 36, 5 (septiembre-octubre, 2006): 407-419.

6.7   Modelos de descuentos por cantidad

Al desarrollar el modelo de la CLE, suponemos que no se dispone de descuentos por cantidad. No obstante, muchas compañías sí ofrecen descuentos por cantidad. Si este tipo de descuento existe, pero se cumplen todos los otros supuestos de la CLE, es posible encontrar una cantidad que minimice el costo total del inventario, aplicando el modelo de la CLE con algunos ajustes.

TABLA 6.3
Programa de descuentos por cantidad

NÚMERO DE DESCUENTO	CANTIDAD PARA DESCUENTO	DESCUENTO (%)	COSTO CON DESCUENTO ($)
1	0 a 999	0	5.00
2	1,000 a 1,999	4	4.80
3	2,000 y más	5	4.75

Cuando se dispone de descuentos por cantidad, el costo de compra o el costo de materiales se convierten en un costo relevante, pues cambia de acuerdo con la cantidad ordenada. Los costos relevantes totales son:

Costo total = Costo de material + Costo por ordenar + Costo por almacenar

$$\text{Costo total} = DC + \frac{D}{Q}C_o + \frac{Q}{2}C_h \tag{6-14}$$

donde:

D = demanda anual en unidades
C_o = costo por ordenar de cada orden
C = costo por unidad
C_h = costo anual por almacenar o por mantener por unidad

Como el costo anual por almacenar por unidad se basa en el costo de los artículos, es conveniente expresarlo como:

$$C_h = IC$$

donde:

I = costo por almacenar como porcentaje del costo unitario (C)

Para un costo de compra específico (C), dados los supuestos hechos, ordenar la cantidad del lote económico minimizará los costos totales del inventario. En la situación de descuento, no obstante, esta cantidad quizá no sea lo suficientemente grande como para que le otorguen el descuento y, también, debemos considerar ordenar esta cantidad mínima para el descuento. Un programa de descuento por cantidad típico se muestra en la tabla 6.3.

Como se observa en la tabla, el costo normal del artículo es de $5. Cuando se ordenan de 1,000 a 1,999 unidades a la vez, el costo por unidad baja a $4.80; mientras que cuando la cantidad en una sola orden es de 2,000 unidades o más, el costo es de $4.75 por unidad. Como siempre, la gerencia debe decidir cuándo y cuánto ordenar. Pero con los descuentos por cantidad, ¿cómo toma la decisión el gerente?

El objetivo general del modelo de descuentos por cantidad es minimizar el costo total del inventario, que ahora incluye los costos reales de materiales.

Igual que con otros modelos de inventarios estudiados hasta ahora, el objetivo general es minimizar el costo total. Puesto que el costo unitario para el tercer descuento en la tabla 6.3 es el más bajo, quizás usted se sienta tentado a ordenar 2,000 unidades o más para aprovechar el menor costo del material. Sin embargo, colocar una orden por esa cantidad con el mayor descuento tal vez no minimice el costo total del inventario. Conforme sube el descuento por cantidad, baja el costo del material, pero el costo por almacenar se incrementa porque las órdenes son grandes. Entonces, el principal intercambio al considerar los descuentos por cantidad está entre el menor costo del material y el mayor costo por almacenar.

La figura 6.6 ofrece una representación gráfica del costo total para esta situación. Observe que la curva de costo baja considerablemente cuando la cantidad de la orden llega al mínimo para cada descuento. Con los costos específicos de este ejemplo, vemos que la CLE para la segunda categoría de precios ($1,000 \leq Q \leq 1,999$) es menor que para 1,000 unidades. Aunque el costo total para esta CLE es menor que el costo total para la CLE con la categoría 1 de costos, la CLE no es suficientemente grande como para obtener este descuento. Por lo tanto, el costo total menor posible para este precio de descuento ocurre en la cantidad mínima requerida para obtener el descuento ($Q = 1,000$). El proceso para determinar la cantidad del costo mínimo en esta situación se resume en el siguiente cuadro.

FIGURA 6.6

Curva de costo total para el modelo de descuento por cantidad

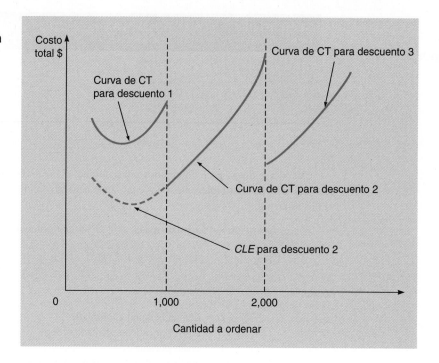

Modelo de descuentos por cantidad

1. Para cada precio de descuento (C), calcule la CLE $= \sqrt{\dfrac{2DC_o}{IC}}$.

2. Si la CLE < mínimo para descuento, ajuste la cantidad a Q = mínimo para descuento.

3. Para cada CLE o Q ajustada, calcule el costo total $= DC + \dfrac{D}{Q}C_o + \dfrac{Q}{2}C_h$.

4. Elija la cantidad con el menor costo.

Ejemplo de la tienda por departamentos Brass

Veamos ahora cómo aplicar este procedimiento con un ejemplo. La tienda por departamentos Brass almacena automóviles de carreras de juguete. Hace poco, la tienda recibió el programa de descuento por cantidad para los vehículos, el cual se presenta en la tabla 6.3. Así, el costo normal del juguete es

EN ACCIÓN | **Lucent Technologies desarrolla un sistema de planeación de requerimiento de inventario**

Lucent Technologies desarrolló un sistema de planeación de requerimiento de inventario (PRI) para determinar la cantidad de inventario de seguridad (amortiguamiento) necesario para varios productos. En lugar de observar tan solo la variabilidad de la demanda durante el tiempo de entrega, la compañía consideró tanto la oferta como la demanda de los productos durante ese tiempo de entrega. Centró la atención en las desviaciones entre el pronóstico de demanda y el suministro real. Este sistema se usó tanto para productos con demanda independiente como para productos con demanda dependiente.

Se aplicó un sistema de clasificación ABC modificado para determinar qué artículo recibiría la mayor atención. Se consideraron artícu-

los por su volumen monetario y por su importancia. Además de las categorías A, B y C, se creó una clase D para incluir artículos que tenían tanto bajo volumen monetario como baja importancia. Se utilizó un sistema sencillo de dos contenedores para estos artículos.

Con la finalidad de lograr la aceptación del sistema de PRI, se involucró a los gerentes de todas las funciones en el proceso y el sistema se hizo transparente para que todos lo entendieran. Gracias al sistema de PRI, el inventario general se redujo en $55 millones y el nivel de servicio aumentó 30%. El éxito del sistema de PRI ayudó a Lucent a recibir el premio Malcolm Baldrige en 1992.

Fuente: Basada en Alex Bangash *et al*. "Inventory Requirements Planning at Lucent Technologies", *Interfaces* 34, 5 (septiembre-octubre de 2004): 342-352.

TABLA 6.4   Cálculos del costo total para la tienda por departamentos Brass

NÚMERO DE DESCUENTO	PRECIO UNITARIO C	CANTIDAD A ORDENAR (Q)	COSTO ANUAL DEL MATERIAL (\$) = DC	COSTO ANUAL POR ORDENAR (\$) = $\frac{D}{Q}C_o$	COSTO ANUAL POR ALMACENAR (\$) = $\frac{Q}{2}C_h$	TOTAL (\$)
1	\$5.00	700	25,000	350.00	350.00	25,700.00
2	4.80	1,000	24,000	245.00	480.00	24,725.00
3	4.75	2,000	23,750	122.50	950.00	24,822.50

de \$5. Para órdenes entre 1,000 y 1,999 unidades, el costo unitario es de \$4.80; en tanto que para órdenes de 2,000 o más, el costo unitario es de \$4.75. Más aún, el costo por ordenar es de \$49 por orden, la demanda anual es de 5,000 carritos de carreras y el cargo por almacenar como porcentaje del costo, *I*, es de 20% o 0.2. ¿Qué cantidad a ordenar minimizará el costo total del inventario?

El primer paso es calcular la CLE para cada descuento de la tabla 6.3:

Se calculan los valores de la CLE.

$$\text{CLE}_1 = \sqrt{\frac{(2)(5,000)(49)}{(0.2)(5.00)}} = 700 \text{ autos por orden}$$

$$\text{CLE}_2 = \sqrt{\frac{(2)(5,000)(49)}{(0.2)(4.80)}} = 714 \text{ autos por orden}$$

$$\text{CLE}_3 = \sqrt{\frac{(2)(5,000)(49)}{(0.2)(4.75)}} = 718 \text{ autos por orden}$$

Se ajustan los valores de la CLE.

El segundo paso consiste en ajustar las cantidades que están abajo del rango de descuento permisible. Como CLE_1 está entre 0 y 999, no tiene que ajustarse. CLE_2 está en el intervalo de 1,000 a 1,999, por lo que debe ajustares a 1,000 unidades. Lo mismo se cumple para CLE_3: debería ajustarse a 2,000 unidades. Después de este paso, las siguientes cantidades a ordenar deben probarse en la ecuación del costo total:

$$Q_1 = 700$$
$$Q_2 = 1,000$$
$$Q_3 = 2,000$$

El tercer paso es usar la ecuación 6-14 y calcular el costo total para cada cantidad a ordenar, lo cual se logra con ayuda de la tabla 6.4.

Se calcula el costo total.

El cuarto paso es seleccionar la cantidad a ordenar con el menor costo total. En la tabla 6.4 se observa que una cantidad a ordenar de 1,000 autos de juguete minimiza el costo total; pero debería reconocerse que el costo total por ordenar 2,000 autos es tan solo un poco mayor que el costo total por ordenar 1,000. Entonces, si el costo del tercer descuento disminuye a \$4.65, por ejemplo, esta cantidad a ordenar podría ser la que minimice el costo total del inventario.

Se selecciona Q*.

USO DE EXCEL QM PARA PROBLEMAS DE DESCUENTOS POR CANTIDAD   Como se vio en el análisis anterior, el modelo de descuentos por cantidad es más complejo que los modelos de inventarios estudiados hasta aquí en este capítulo. Por fortuna, podemos usar la computadora para simplificar los cálculos. El programa 6.3A muestra las fórmulas de Excel y los datos de entrada que Excel QM necesita para el problema de la tienda por departamentos Brass. El programa 6.3B da la solución de este problema, incluyendo las cantidades a ordenar ajustadas y los costos totales para cada cambio de precio.

6.8   Uso del inventario de seguridad

El inventario de seguridad ayuda a evitar los faltantes. Es un inventario adicional que se mantiene disponible.

Cuando se cumplen los supuestos del modelo de la CLE, es posible programar que las órdenes lleguen de manera que se eviten los faltantes por completo. Sin embargo, si la demanda o los tiempos de entrega son inciertos, la demanda exacta durante el tiempo de entrega (que es el PRO en la situación de la CLE) no se conocerá con certidumbre. Por lo tanto, para prevenir los faltantes, es necesario tener un inventario adicional llamado **inventario de seguridad**.

PROGRAMA 6.3A   Fórmulas de Excel QM y datos de entrada para el problema de descuentos por cantidad de la tienda por departamentos Brass

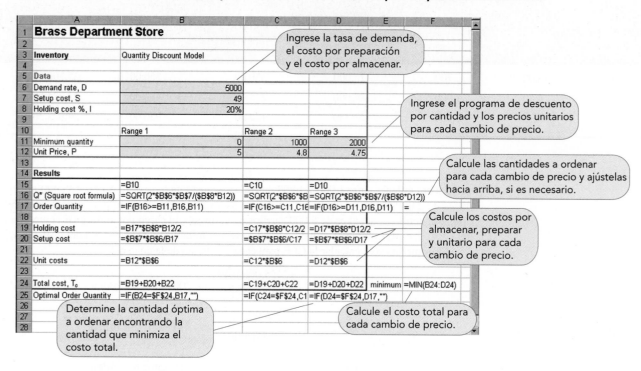

PROGRAMA 6.3B

Solución de Excel QM para el problema de la tienda por departamentos Brass

	A	B	C	D	E	F	G	H
1	**Brass Department Store**							
2								
3	**Inventory**	Quantity Discount Model						
4								
5	Data							
6	Demand rate, D	5000						
7	Setup cost, S	49						
8	Holding cost %, I	20%						
9								
10		Range 1	Range 2	Range 3				
11	Minimum quantity	0	1000	2000				
12	Unit Price, P	5	4.8	4.75				
13								
14	**Results**							
15		Range 1	Range 2	Range 3				
16	Q* (Square root formula)	700	714.434508	718.184846				
17	Order Quantity	700	1000	2000	=			
18								
19	Holding cost	$350.00	$480.00	$950.00				
20	Setup cost	$350.00	$245.00	$122.50				
21								
22	Unit costs	$25,000.00	$24,000.00	$23,750.00				
23								
24	Total cost, T_c	$25,700.00	$24,725.00	$24,822.50	minimum	$24,725.00		
25	Optimal Order Quantity		1000					

Cuando la demanda es inusualmente alta durante el tiempo de entrega, se emplea el inventario de seguridad, en vez de sufrir *faltantes*. El principal propósito del inventario de seguridad es evitar los faltantes cuando la demanda es más alta de lo esperado. Su utilización se ilustra en la figura 6.7. Observe que aunque los faltantes se pueden evitar a menudo con el inventario de seguridad, todavía existe la posibilidad de que ocurran. La demanda quizá sea tan alta que agotaría todo el inventario de seguridad y con ello todavía habría faltantes.

Una de las mejores formas de implementar una política de inventario de seguridad consiste en ajustar el punto de reorden. En la situación de la CLE donde la demanda y el tiempo de entrega son

FIGURA 6.7
Utilización del inventario de seguridad

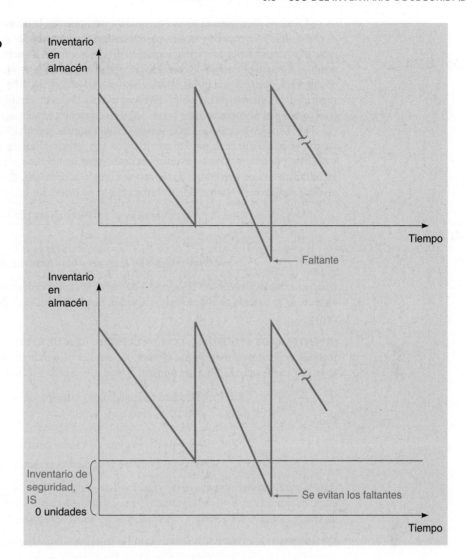

constantes, el punto de reorden es sencillamente a cantidad de inventario que se usaría durante el tiempo de entrega (esto es, la demanda diaria multiplicada por el tiempo de entrega en días), lo cual se supone que se conoce con certidumbre, de manera que no hay necesidad de colocar una orden cuando la posición del inventario es más alta que esto. Sin embargo, cuando fluctúan y son inciertos la demanda diaria o el tiempo de entrega, también es incierta la cantidad exacta de inventario que se usará durante el tiempo de entrega. El uso del inventario promedio durante el tiempo de entrega debería calcularse para agregar el inventario de seguridad y evitar los faltantes. El punto de reorden se convierte en:

$$\text{PRO} = (\text{Demanda promedio en el tiempo de entrega}) + (\text{Inventario de seguridad})$$

$$\text{PRO} = (\text{Demanda promedio en el tiempo de entrega}) + \text{IS} \qquad \textbf{(6-15)}$$

donde:

$$\text{IS} = \text{inventario de seguridad}$$

El inventario de seguridad está incluido en el PRO.

Cómo determinar la cantidad correcta de inventario de seguridad es el único aspecto que falta. Dos factores importantes en esta decisión son el costo por faltantes y el costo por almacenar. El costo por faltantes suele incluir las ventas perdidas y la pérdida de la buena voluntad del cliente, que resulta en la pérdida de ventas futuras. Si el costo por almacenar es bajo y el costo por faltantes es alto, el inventario de seguridad debe ser una cantidad grande para evitar los faltantes, ya que cuesta poco tenerlo en almacén, mientras que los faltantes son muy costosos. Por otro lado, si el costo por faltantes es bajo y el costo por almacenar es alto, debería preferirse una cantidad menor de inventario de seguridad, pues cuesta poco no tener los artículos y demasiado inventario de seguridad dará un costo anual por almacenar mucho más alto.

¿Cómo se determina el nivel óptimo del inventario? Si la demanda fluctúa, el tiempo de entrega es constante, y se conocen ambos costos unitarios, por almacenar y por faltantes, puede considerarse utilizar una tabla de retribución/costo. Con tan solo un número pequeño de valores de demanda posibles durante el tiempo de entrega, se construye una tabla de costos donde los diferentes niveles de demanda posibles serían los estados de la naturaleza, y las diferentes cantidades de inventario de seguridad, las alternativas. Con las técnicas estudiadas en el capítulo 3, se calcula el costo esperado para cada nivel de inventario de seguridad y se encuentra la solución con el costo mínimo.

No obstante, un enfoque más general es determinar qué nivel de servicio se desea y, luego, encontrar el inventario de seguridad que lo logre. Un gerente prudente observará el costo por almacenar y el costo por faltantes como ayuda para determinar un nivel de servicio adecuado. Un **nivel de servicio** indica en qué porcentaje de tiempo se cumple la demanda de los clientes. En otras palabras, el nivel de servicio es el porcentaje de las veces que se evitan los faltantes. Entonces:

$$\text{Nivel de servicio} = 1 - \text{Probabilidad de faltantes}$$

es decir:

$$\text{Probabilidad de faltantes} = 1 - \text{Nivel de servicio}$$

Una vez establecido el nivel de servicio deseado, la cantidad del inventario de seguridad que se va a almacenar se calcula mediante la distribución de probabilidad de la demanda durante el tiempo de entrega.

INVENTARIO DE SEGURIDAD CON LA DISTRIBUCIÓN NORMAL La ecuación 6-15 proporciona la fórmula general para determinar el punto de reorden. Cuando la demanda durante el tiempo de entrega (LT) tiene una distribución normal, el punto de reorden se convierte en:

$$\text{PRO} = (\text{Demanda promedio en el tiempo de entrega}) + Z\,\sigma_{d\text{LT}} \qquad \textbf{(6-16)}$$

donde:

$$Z = \text{número de desviaciones estándar para un nivel de servicio dado}$$
$$\sigma_{d\text{LT}} = \text{desviación estándar de la demanda durante el tiempo de entrega}$$

Así, la cantidad del inventario de seguridad es simplemente $Z\sigma_{d\text{LT}}$. El siguiente ejemplo muestra cómo determinar el nivel del inventario de seguridad adecuado, cuando la demanda durante el tiempo de entrega sigue una distribución normal, y se conocen la media y la desviación estándar.

EJEMPLO DE LA COMPAÑÍA HINSDALE La compañía Hinsdale tiene en inventario varios artículos electrónicos que se identifican como SKU. Un artículo en particular, el SKU A3378, tiene una demanda con distribución normal durante el tiempo de entrega, con media de 350 unidades y desviación estándar de 10. Hinsdale quiere seguir una política en la que los faltantes ocurran tan solo 5% de las veces para cualquier orden. ¿Cuánto inventario de seguridad debe almacenarse y cuál es el punto de reorden? La figura 6.8 ayuda a visualizar este ejemplo.

FIGURA 6.8
El inventario de seguridad y la distribución normal

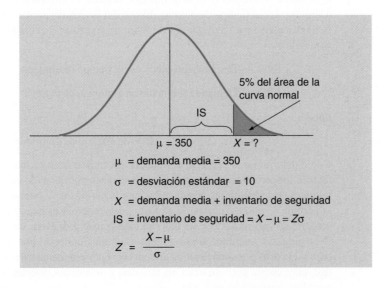

5% del área de la curva normal

IS

$\mu = 350$ $X = ?$

μ = demanda media = 350

σ = desviación estándar = 10

X = demanda media + inventario de seguridad

IS = inventario de seguridad = $X - \mu = Z\sigma$

$Z = \dfrac{X - \mu}{\sigma}$

De la distribución normal (apéndice A), $Z = 1.65$:

$$\text{PRO} = (\text{Demanda promedio en el tiempo de entrega}) + Z\sigma_{d\text{LT}}$$
$$= 350 + 1.65(10)$$
$$= 350 + 16.5 = 366.5 \text{ unidades (o cerca de 367)}$$

Entonces, el punto de reorden es de 366.5, y el inventario de seguridad es de 16.5 unidades.

CÁLCULO DE LA DEMANDA Y LA DESVIACIÓN ESTÁNDAR EN EL TIEMPO DE ENTREGA Si no se conocen la media ni la desviación estándar de la demanda durante el tiempo de entrega, deben calcularse a partir de los datos históricos de demanda y el tiempo de entrega. Una vez que se encuentran, se utiliza la ecuación 6-16 para encontrar el inventario de seguridad y el punto de reorden. En esta sección, suponemos que el tiempo de entrega está dado en días, aunque se podría aplicar el mismo procedimiento a semanas, meses o cualquier otro periodo. También supondremos que si la demanda fluctúa, la distribución de la demanda diaria es idéntica e independiente de la demanda de otros días. Si tanto la demanda diaria como el tiempo de entrega fluctúan, se supone que también son independientes.

Existen tres situaciones por considerar. En cada una de las siguientes fórmulas para el PRO, la demanda promedio durante el tiempo de entrega es el primer término y el inventario de seguridad ($Z\sigma_{d\text{LT}}$) es el segundo.

1. La demanda es variable pero el tiempo de entrega es constante:

$$\text{PRO} = \overline{d}L + Z(\sigma_d\sqrt{L}) \tag{6-17}$$

donde:

$$\overline{d} = \text{demanda promedio diaria}$$
$$\sigma_d = \text{desviación estándar de la demanda diaria}$$
$$L = \text{tiempo de entrega en días}$$

2. La demanda es constante y el tiempo de entrega es variable:

$$\text{PRO} = d\overline{L} + Z(d\sigma_L) \tag{6-18}$$

donde:

$$\overline{L} = \text{tiempo de entrega promedio}$$
$$\sigma_L = \text{desviación estándar del tiempo}$$
$$d = \text{demanda diaria}$$

3. Ambos, la demanda y el tiempo de entrega, son variables:

$$\text{PRO} = \overline{d}\,\overline{L} + Z(\sqrt{L\sigma_d^2 + \overline{d}^2\sigma_L^2}) \tag{6-19}$$

Observe que la tercera situación es el caso más general y los otros se pueden derivar de este. Si uno de ellos, la demanda o el tiempo de entrega, es constante, su desviación estándar y su varianza serán 0, mientras que el promedio sería igual a la cantidad constante. Así, la fórmula para el PRO en la situación 3 se simplifica a la fórmula dada para el PRO en esa situación.

EJEMPLO DE LA COMPAÑÍA HINSDALE, CONTINUACIÓN Hinsdale decidió determinar el inventario de seguridad y el PRO para otros tres artículos: SKU F5402, SKU B7319 y SKU F9004.

Para el SKU F5402, la demanda diaria tiene distribución normal, con media de 15 unidades y desviación estándar de 3. El tiempo de entrega es exactamente de 4 días. Hinsdale quiere mantener un nivel de servicio de 97%. ¿Cuál es el punto de reorden y cuánto inventario de seguridad debería tener?

Del apéndice A, para 97% del nivel de servicio, $Z = 1.88$. Como la demanda es variable y el tiempo de entrega es constante:

$$\text{PRO} = \overline{d}L + Z(\sigma_d\sqrt{L}) = 15(4) + 1.88(3\sqrt{4}) = 15(4) + 1.88(6)$$
$$= 60 + 11.28 = 71.28$$

De manera que la demanda promedio durante el tiempo de entrega es de 60, y el inventario de seguridad es de 11.28 unidades.

Para el SKU B7319, la demanda diaria es constante en 25 unidades por día, y el tiempo de entrega tiene distribución normal con media de 6 días y desviación estándar de 3. Hinsdale quiere mantener el nivel de servicio a 98% para este producto en particular. ¿Cuál es el punto de reorden?

Del apéndice A, para 98% del nivel de servicio, $Z = 2.05$. Como la demanda es constante y el tiempo de entrega es variable:

$$\text{PRO} = d\overline{L} + Z(d\sigma_L) = 25(6) + 2.05(3)(25) = 150 + 2.05(75)$$
$$= 150 + 153.75 = 303.75$$

De manera que la demanda promedio durante el tiempo de entrega es de 150 y el inventario de seguridad es de 154.03 unidades.

Para el SKU F9004, la demanda diaria tiene distribución normal con media de 20 unidades y desviación estándar de 4, en tanto que el tiempo de entrega tiene distribución normal con media de 5 días y una desviación estándar de 2. Hinsdale quiere mantener el nivel de servicio a 94% para este producto en particular. ¿Cuál es el punto de reorden?

Del apéndice A, para 94% del nivel de servicio, $Z = 1.55$. Como tanto la demanda como el tiempo de entrega son variables, entonces:

$$\text{PRO} = \overline{d}\,\overline{L} + Z(\sqrt{L\sigma_d^2 + \overline{d}^2\sigma_L^2}) = (20)(5) + 1.55\left(\sqrt{5(4)^2 + (20)^2(2)^2}\right)$$
$$= 100 + 1.55\sqrt{1680}$$
$$= 100 + 1.55(40.99)$$
$$= 100 + 63.53$$
$$= 163.53$$

Un nivel de inventario de seguridad se determina para cada nivel de servicio.

De modo que la demanda promedio durante el tiempo de entrega es de 100 y el inventario de seguridad es de 63.53 unidades.

Conforme aumenta el nivel de servicio, el inventario de seguridad es mayor a una tasa creciente. La tabla 6.5 ilustra cómo cambiaría el inventario de seguridad en el ejemplo de la compañía Hinsdale (SKU A3378) con los cambios en el nivel de servicio. Conforme aumenta el inventario de seguridad, también se incrementan los costos anuales por almacenar.

CÁLCULO DEL COSTO ANUAL POR ALMACENAR CON INVENTARIO DE SEGURIDAD   Cuando se cumplen los supuestos de la CLE con respecto a la demanda y al tiempo de entrega constante, el inventario promedio es $Q/2$, mientras que el costo anual por almacenar es $(Q/2)C_h$. Cuando se mantiene el inventario de seguridad porque la demanda fluctúa, el costo por almacenar de este inventario de seguridad se suma al costo por almacenar el inventario regular, para obtener el costo total anual por almacenar. Si la demanda durante el tiempo de entrega tiene distribución normal y se utiliza el inventario de seguridad, el inventario promedio sobre la cantidad a ordenar (Q) todavía es $Q/2$; pero la cantidad promedio del inventario de seguridad es simplemente la cantidad de inventario de seguridad (IS) y no la mitad de esa cantidad. Como la demanda durante el tiempo de entrega tiene distribución normal, habría veces en que el uso del inventario durante el tiempo de entrega exceda la cantidad esperada y se use algo del inventario de seguridad. Pero es igualmente probable que ese inventario

TABLA 6.5

Inventario de seguridad para SKU A3378 con diferentes niveles de servicio

NIVEL DE SERVICIO (%)	VALOR Z EN LA TABLA DE LA CURVA NORMAL	INVENTARIO DE SEGURIDAD (UNIDADES)
90	1.28	12.8
91	1.34	13.4
92	1.41	14.1
93	1.48	14.8
94	1.55	15.5
95	1.65	16.5
96	1.75	17.5
97	1.88	18.8
98	2.05	20.5
99	2.33	23.3
99.99	3.72	37.2

FIGURA 6.9
Nivel de servicio contra costos anuales por almacenar

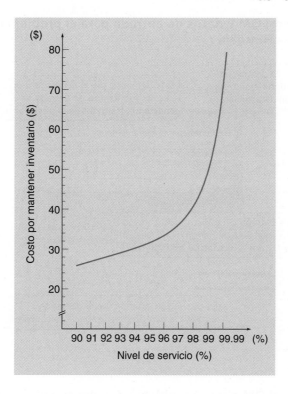

durante el tiempo de entrega sea menor que la cantidad esperada y la orden llegará mientras se tiene parte del inventario regular, además de todo inventario de seguridad. Por lo tanto, en promedio, la compañía siempre tendría esta cantidad completa de inventario de seguridad en almacén, en tanto que el costo por almacenar se aplicaría a todo esto. De aquí, tenemos que:

Costo total anual por almacenar = Costo por almacenar inventario regular + Costo por almacenar inventario de seguridad

$$\text{CTA} = \frac{Q}{2}C_h + (\text{IS})C_h \qquad (6\text{-}20)$$

donde:

$$\text{CTA} = \text{costo total anual por almacenar}$$
$$Q = \text{cantidad a ordenar}$$
$$C_h = \text{costo anual por almacenar por unidad}$$
$$\text{IS} = \text{inventario de seguridad}$$

El costo por almacenar aumenta a una tasa creciente cuando se incrementa el nivel de servicio.

En el ejemplo de Hinsdale para el SKU A3378, supongamos que el costo anual por almacenar es de $2 por unidad. La cantidad del inventario de seguridad necesaria para lograr los diferentes niveles de servicio se presenta en la tabla 6.5. El costo por almacenar para el inventario de seguridad serían estas cantidades multiplicadas por $2 por unidad. Como se ilustra en la figura 6.9, este costo por almacenar aumentaría con mucha rapidez, una vez que se logra el nivel de servicio de 98%.

USO DE EXCEL QM PARA PROBLEMAS DE INVENTARIO DE SEGURIDAD   Para utilizar Excel QM para determinar el inventario de seguridad y el punto de reorden, seleccione *Excel QM* desde la pestaña *Add-Ins* y elija *Inventory-Reorder Point/Safety Stock (normal distribution)*. Ingrese un título cuando se abra la ventana y haga clic en *OK*. El programa 6.4A ilustra la pantalla de inicio y las fórmulas para los ejemplos de la compañía Hinsdale. El programa 6.4B presenta la salida.

PROGRAMA 6.4A Fórmulas de Excel QM y datos de entrada para el problema del inventario de seguridad de Hinsdale

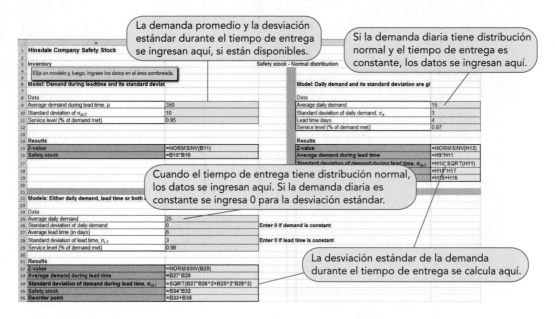

PROGRAMA 6.4B Solución de Excel QM para el problema del inventario de seguridad de Hinsdale

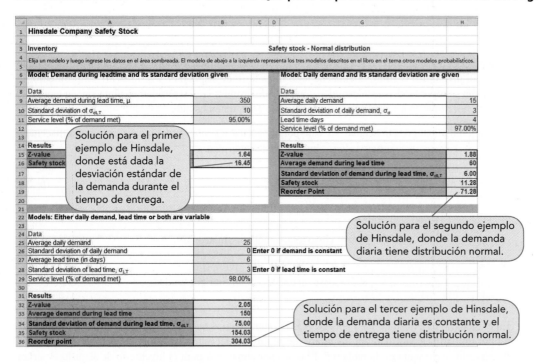

6.9 Modelos de inventarios de un solo periodo

Hasta ahora, hemos considerado decisiones de inventarios en las cuales la demanda continúa en el futuro y las órdenes futuras se colocan para el mismo producto. Existen algunos productos para los que se toma una decisión de satisfacer la demanda para un solo periodo, y los artículos que no se venden durante este tiempo no tienen valor, o bien, su valor se reduce considerablemente en el futuro. Por ejemplo, un periódico no vale nada después de que el siguiente periódico esté disponible. Otros ejemplos incluyen las revistas semanales, los programas impresos para eventos deportivos, ciertas comidas preparadas con una vida corta y algunas prendas de vestir de temporada que tienen un valor muy reducido al final de la temporada. Este tipo de problema con frecuencia se denomina problema del quiosco de periódicos o modelo de inventarios de un solo periodo.

Por ejemplo, un restaurante grande tal vez pueda almacenar de 20 a 100 cajas de rosquillas (donas) para cumplir con una demanda diaria que va de 20 a 100 cajas. Mientras que esto podría modelarse con una tabla de retribuciones (véase el capítulo 3), tendríamos que analizar 101 alternativas posibles y estados de naturaleza, algo bastante tedioso. Un enfoque más sencillo para este tipo de decisiones es usar un análisis marginal o incremental.

Un enfoque de toma de decisiones que utiliza la ganancia marginal o la pérdida marginal se llama **análisis marginal**. La **ganancia marginal (GM)** es la ganancia adicional lograda cuando se almacena y se vende una unidad adicional. La **pérdida marginal (PM)** es la pérdida que ocurre cuando se almacena una unidad adicional, pero no se puede vender.

Cuando se tiene un número manejable de alternativas y estados de naturaleza y conocemos las probabilidades de cada estado de la naturaleza, puede aplicarse el análisis marginal con distribuciones discretas. Cuando hay un número muy grande de alternativas posibles y estados de la naturaleza, y la distribución de probabilidad de los estados de la naturaleza se describe con una distribución normal, el análisis marginal con la distribución normal es adecuado.

Análisis marginal con distribuciones discretas

Encontrar el nivel de inventario con el menor costo no es difícil cuando seguimos el procedimiento del análisis marginal, que indica que almacenemos una unidad adicional tan solo si la ganancia marginal esperada para esa unidad es igual o mayor que la pérdida marginal esperada. Esta relación se expresa simbólicamente como:

P = probabilidad de que la demanda sea mayor o igual que una oferta dada (o la probabilidad de vender al menos una unidad adicional)

$1 - P$ = probabilidad de que la demanda sea menor que la oferta (o la probabilidad de que no se venderá una unidad adicional)

La ganancia marginal esperada se encuentra multiplicando la probabilidad de que se venda una unidad dada por la ganancia marginal, $P(\text{GM})$. De manera similar, la pérdida marginal esperada es la probabilidad de que no se venda la unidad multiplicada por la pérdida marginal, es decir, $(1 - P)(\text{PM})$.

La regla de decisión óptima es almacenar la unidad adicional si:

$$P(\text{GM}) \geq (1 - P)\text{PM}$$

Con cierta manipulación matemática básica, determinamos el nivel de P para el que esta relación se cumple:

$$P(\text{GM}) \geq \text{PM} - P(\text{PM})$$
$$P(\text{GM}) + P(\text{PM}) \geq \text{PM}$$
$$P(\text{GM} + \text{PM}) \geq \text{PM}$$

o bien:

$$P \geq \frac{\text{PM}}{\text{PM} + \text{GM}} \tag{6-21}$$

En otras palabras, mientras la probabilidad de vender una unidad más (P) sea mayor o igual que PM/(GM + PM), almacenaríamos la unidad adicional.

Pasos del análisis marginal con distribuciones discretas

1. Determinar el valor de $\dfrac{\text{PM}}{\text{PM} + \text{GM}}$ para el problema.

2. Construir una tabla de probabilidades y agregar una columna de probabilidad acumulada.

3. Seguir ordenando inventario mientras la probabilidad (P) de vender al menos una unidad adicional sea mayor que $\dfrac{\text{PM}}{\text{PM} + \text{GM}}$.

TABLA 6.6

Distribución de probabilidad para Café du Donut

VENTAS DIARIAS (CAJAS DE ROSQUILLAS)	PROBABILIDAD (*P*) DE QUE LA DEMANDA ESTÉ EN ESTE NIVEL
4	0.05
5	0.15
6	0.15
7	0.20
8	0.25
9	0.10
10	0.10
	Total 1.00

Ejemplo de Café du Donut

Café du Donut es un lugar popular para cenar en Nueva Orleáns, a la orilla del Barrio Francés. Su especialidad son el café y las rosquillas; compra las rosquillas recién hechas todos los días a una pastelería grande. El café paga $4 por cada caja (con dos docenas de rosquillas) entregada cada mañana. Cualquier caja no vendida al final de día se tira, pues ya no estarían recién hechas para cumplir con los estándares del café. Si una caja de rosquillas se vende, el ingreso total es de $6. Por lo tanto, la ganancia marginal por caja de rosquillas es:

$$\text{GM} = \text{ganancia marginal} = \$6 - \$4 = \$2$$

La pérdida marginal es PM = $4 ya que las rosquillas no se pueden regresar o vender por su valor de recuperación al final de día.

De las ventas anteriores, el gerente del café estima que la demanda diaria sigue la distribución de probabilidad mostrada en la tabla 6.6. El gerente sigue los tres pasos para encontrar el número óptimo de cajas de rosquillas a ordenar cada día.

Paso 1. Determinar el valor de $\dfrac{\text{PM}}{\text{PM} + \text{GM}}$ para la regla de decisión

$$P \geq \frac{\text{PM}}{\text{PM} + \text{GM}} = \frac{\$4}{\$4 + \$2} = \frac{4}{6} = 0.67$$
$$P \geq 0.67$$

De manera que la regla de decisión para almacenar inventario es almacenar una unidad más si $P \geq 0.67$.

Paso 2. Agregar una nueva columna a la tabla para reflejar que la probabilidad de que las rosquillas se vendan está en este nivel o en uno mayor. Esto se muestra en la columna del lado derecho de la tabla 6.7. Por ejemplo, la probabilidad de que la demanda sea de 4 cajas o más es de 1.00 (= 0.05 + 0.15 + 0.15 + 0.20 + 0.25 + 0.10 + 0.10). De igual manera, la probabilidad de que las ventas sean 8 cajas o más es de 0.45 (= 0.25 + 0.10 + 0.10); a saber, la suma de las probabilidades de las ventas de 8, 9 o 10 cajas.

Paso 3. Seguir ordenando cajas adicionales, en tanto que la probabilidad de vender al menos una caja adicional sea mayor que *P*, que es la probabilidad de la indiferencia. Si el Café du Donut ordena 6 cajas, las ganancias marginales serán mayores que la pérdida marginal porque

$$P \text{ de 6 cajas} = 0.80 > 0.67$$

Análisis marginal con distribución normal

Cuando la demanda del producto o las ventas siguen una distribución normal, que es una situación común en los negocios, se aplica el análisis marginal con la distribución normal. Primero, es necesario encontrar cuatro valores:

TABLA 6.7
Análisis marginal para Café du Donut

VENTAS DIARIAS (CAJAS DE ROSQUILLAS)	PROBABILIDAD (P) DE QUE LA DEMANDA ESTÉ AL MENOS EN ESTE NIVEL	PROBABILIDAD (P) DE QUE LA DEMANDA ESTÉ EN ESTE NIVEL O MÁS ALTO
4	0.05	$1.00 \geq 0.66$
5	0.15	$0.95 \geq 0.66$
6	0.15	$0.80 \geq 0.66$
7	0.20	0.65
8	0.25	0.45
9	0.10	0.20
10	0.10	0.10
Total	1.00	

1. Las ventas promedio o media de las ventas para el producto, μ
2. La desviación estándar de las ventas, σ
3. La ganancia marginal del producto, GM
4. La pérdida marginal del producto, PM

Una vez que se conocen estas cantidades, el proceso de encontrar la mejor política de almacenamiento es algo similar al análisis marginal con distribuciones discretas. Sea X^* = nivel de almacenamiento óptimo.

Pasos del análisis marginal con la distribución normal

1. Determinar el valor de $\dfrac{\text{PM}}{\text{PM} + \text{GM}}$ para el problema.
2. Localizar P en la distribución normal (apéndice A) y encontrar el valor Z asociado.
3. Encontrar X^* usando la relación

$$Z = \frac{X^* - \mu}{\sigma}$$

para despejar la política de almacenamiento que resulte.

$$X^* = \mu + Z\sigma$$

Ejemplo del periódico

La demanda del periódico *Chicago Tribune* en el quiosco de Joe tiene distribución normal y un promedio diario de 60 periódicos, con una desviación estándar de 10 periódicos. Con una pérdida marginal de 20 centavos y una ganancia marginal de 30 centavos, ¿qué política de almacenamiento diaria debería seguir Joe?

Paso 1. Joe debería almacenar el *Tribune* siempre que la probabilidad de vender el último ejemplar sea al menos PM/(PM + GM):

$$\frac{\text{PM}}{\text{PM} + \text{GM}} = \frac{20 \text{ centavos}}{20 \text{ centavos} + 30 \text{ centavos}} = \frac{20}{50} = 0.40$$

Sea $P = 0.40$.

Paso 2. La figura 6.10 muestra la distribución normal. Como la tabla normal tiene áreas acumuladas bajo la curva entre el lado izquierdo y cualquier punto, buscamos 0.60 (= 1.0 – 0.40) con la finalidad de obtener el valor de Z correspondiente:

$$Z = 0.25 \text{ desviaciones estándar de la media}$$

FIGURA 6.10

Decisión de almacenamiento de Joe para el *Chicago Tribune*

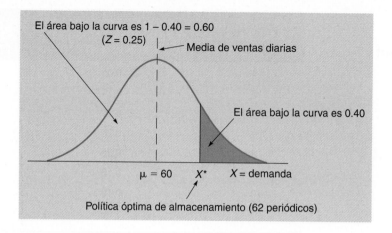

Paso 3. En este problema, $\mu = 60$ y $\sigma = 10$, de modo que

$$0.25 = \frac{X^* - 60}{10}$$

o bien,

$$X^* = 60 + 0.25(10) = 62.5,\ o\ 62\ periódicos.$$

Entonces, Joe debería ordenar 62 copias del diario *Chicago Tribune*, ya que la probabilidad de vender 63 es apenas menor que 0.40.

Cuando P es mayor que 0.50, se aplica el mismo procedimiento básico, aunque deberíamos dar una advertencia al buscar el valor de Z. Digamos que el quiosco de periódicos de Joe también almacena el *Chicago Sunday Times* y su pérdida marginal es de 40 centavos y la ganancia marginal es de 10 centavos. Las ventas diarias tienen un promedio de 100 ejemplares del *Sun Times*, con desviación estándar de 10 periódicos. La política óptima de almacenamiento es la siguiente:

$$\frac{PM}{PM + GM} = \frac{40\,\text{centavos}}{40\,\text{centavos} + 10\,\text{centavos}} = \frac{40}{50} = 0.80$$

La curva normal se observa en la figura 6.11. Como esta curva es simétrica, encontramos Z para un área bajo la curva de 0.80 y multiplicamos este número por -1, ya que todos los valores menores que la media están asociados con un valor de Z negativo:

$$Z = -0.84\ \text{desviaciones estándar de la media para una área de 0.80}$$

Con $\mu = 100$ y $\sigma = 10$,

$$-0.84 = \frac{X^* - 100}{10}$$

es decir,

$$X^* = 100 - 0.84(10) = 91.6,\ o\ 91\ periódicos.$$

Por lo que Joe debería ordenar 91 copias del *Sun Times* cada día.

FIGURA 6.11

Decisión de almacenamiento de Joe para el *Chicago Sunday Times*

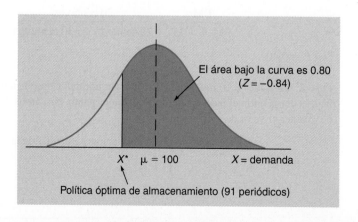

Las decisiones óptimas de inventario en estos dos ejemplos son intuitivamente congruentes. Cuando la ganancia marginal es mayor que la pérdida marginal, esperamos que X^* sea mayor que la demanda promedio, μ, y cuando la ganancia marginal sea menor que la pérdida marginal, esperaríamos que la política óptima de inventario, X^*, sea menor que μ.

6.10 Análisis ABC

Antes demostramos cómo desarrollar políticas de inventario usando técnicas cuantitativas. También existen consideraciones muy prácticas que deberían incorporarse a la implementación de las decisiones de inventarios, como el **análisis ABC**.

El propósito del análisis ABC es dividir todos los artículos del inventario de una compañía en tres grupos (A, B y C) con base en el valor de los artículos en el inventario general. Un gerente prudente tiene que dedicar más tiempo a administrar los artículos que representan el mayor costo monetario del inventario, porque ahí está el mayor ahorro potencial. A continuación se presenta una descripción breve de cada grupo, con una guía general de cómo clasificar los artículos.

Los artículos del inventario en el grupo A son responsables de una porción importante de los costos de inventario de la organización. Como resultado, sus niveles de inventario deben vigilarse con cuidado. Estos artículos suelen conformar más del 70% del negocio monetario de la compañía, pero pueden consistir en tan solo 10% de todos los artículos del inventario. En otras palabras, unos cuantos artículos del inventario son muy costosos para la compañía. Por ello, debería tenerse cuidado al pronosticar la demanda y desarrollar buenas políticas de administración del inventario para este grupo de artículos (consulte la tabla 6.8). Como existen relativamente pocos de estos, el tiempo dedicado no sería excesivo.

Los artículos en el grupo B suelen tener un precio más moderado y representan una inversión mucho menor que los artículos del grupo A. Entonces, quizá no sea adecuado dedicar al desarrollo de políticas óptimas de inventario para los artículos en este grupo, un tiempo equivalente al dedicado al grupo A, pues sus costos de inventario son mucho menores. En general, los artículos del grupo B representan aproximadamente 20% del negocio monetario de la compañía y cerca del 20% del inventario.

Los artículos en el grupo C tienen un costo muy bajo que representa muy poco en términos del dinero total invertido en inventario. Estos artículos pueden representar únicamente 10% del negocio monetario de la empresa, pero constituir 70% del inventario. Desde una perspectiva de costo-beneficio, no sería recomendable dedicar mucho tiempo a la administración de estos artículos, como a los de los grupos A y B.

Para los artículos en el grupo C, la compañía debería desarrollar una política de inventarios muy sencilla que incluya un inventario de seguridad relativamente grande. Como el costo es muy bajo, los costos de almacenamiento asociados con un inventario de seguridad grande también serán muy bajos. Debe tenerse más cuidado al determinar el inventario de seguridad para los artículos de precio más alto en el grupo B. Para los artículos muy costosos en el grupo A, el costo por mantener un inventario es tan alto que será beneficioso analizar con detalle su demanda, de forma que el inventario de seguridad esté en un nivel adecuado. De otra manera, la compañía puede tener costos de almacenamiento excesivamente altos para los artículos del grupo A.

TABLA 6.8
Resumen del análisis ABC

GRUPO DE INVENTARIO	UTILIZACIÓN DEL DINERO (%)	ARTÍCULOS EN EL INVENTARIO (%)	¿SE USAN TÉCNICAS DE CONTROL CUANTITATIVO?
A	70	10	Sí
B	20	20	En algunos casos
C	10	70	No

6.11 Demanda dependiente: Caso para planeación de requerimiento de materiales

En todos los modelos de inventarios ya analizados, suponemos que la demanda de un artículo es independiente de la demanda de otros artículos. Por ejemplo, la demanda de refrigeradores suele ser independiente de la demanda de hornos tostadores. No obstante, muchos problemas de inventarios se interrelacionan; la demanda de un artículo depende de la demanda de otro. Considere un fabricante de podadoras de césped pequeñas y de alta potencia. La demanda de neumáticos y bujías para las podadoras depende de la demanda de las podadoras. Se necesitan cuatro neumáticos y una bujía para cada podadora terminada. En general, cuando la demanda de varios artículos es dependiente, la relación entre los artículos se conoce y es constante. Así, debería pronosticarse la demanda del producto final y calcularse los requerimientos de las partes que lo componen.

Al igual que con los modelos de inventarios estudiados hasta ahora, las preguntas principales que tenemos que contestar son *cuánto* y *cuándo ordenar*. Pero con la demanda dependiente, la programación y planeación del inventario sin duda suele ser muy compleja. En tales situaciones, puede emplearse con efectividad la **planeación de requerimiento de materiales (PRM)**. Algunos beneficios de la PRM son los siguientes:

1. Incremento en el servicio y la satisfacción del cliente
2. Reducción de costos de inventario
3. Mejor planeación y programación del inventario
4. Ventas totales más altas
5. Respuesta más rápida ante los cambios en el mercado
6. Niveles de inventario reducidos sin bajar el servicio al cliente

Aunque la mayoría de los sistemas de PRM están computarizados, el análisis es directo y similar entre uno y otro sistema. Presentamos el procedimiento típico.

Árbol de la estructura de materiales

Padres y componentes se identifican en el árbol de la estructura de materiales.

Comenzamos por desarrollar una **lista de materiales (LDM)**, la cual identifica los componentes, sus descripciones y el número requerido en la producción de una unidad del producto final. De la LDM, desarrollamos un árbol de la estructura de materiales. Digamos que la demanda del producto A es de 50 unidades. Cada unidad requiere 2 unidades de B y 3 de C. Ahora bien, cada unidad de B requiere 2 unidades de D y 3 de E. Todavía más, cada unidad de C requiere 1 unidad de E y 2 de F. Entonces, la demanda de B, C, D, E y F es completamente dependiente de la demanda de A. Dada esta información, se desarrolla un árbol de la estructura de materiales para los artículos correspondientes en inventario (véase la figura 6.12).

El árbol de la estructura tiene tres niveles: 0, 1 y 2. Los artículos arriba de cualquier nivel se llaman *padres*, y los artículos abajo de cualquier nivel se llaman *componentes*. Existen tres padres: A, B y C. Cada padre tiene al menos un nivel abajo de él. En esta estructura, ambos, B y C, son padres y componentes.

FIGURA 6.12

Árbol de la estructura de materiales para el artículo A

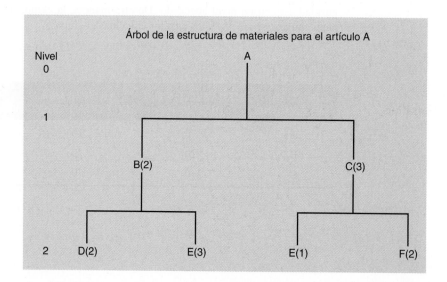

Árbol de la estructura de materiales para el artículo A

Nivel		
0	A	
1	B(2)	C(3)
2	D(2) E(3)	E(1) F(2)

El árbol de la estructura de materiales muestra cuántas unidades se necesitan en cada nivel de producción.

Observe que el número entre paréntesis en la figura 6.12 indica cuántas unidades de cada artículo específico se necesitan para hacer el artículo inmediatamente arriba de él. Así, B(2) significa que se requieren 2 unidades de B por cada unidad de A; y F(2), que se requieren 2 unidades de F por cada unidad de C.

Una vez desarrollado el árbol de la estructura de materiales, se determina el número de unidades de cada artículo requeridas para satisfacer la demanda. Esta información se despliega como:

Parte B: $2 \times$ número de A $= 2 \times 50 = 100$

Parte C: $3 \times$ número de A $= 3 \times 50 = 150$

Parte D: $2 \times$ número de B $= 2 \times 100 = 200$

Parte E: $3 \times$ número de B $+ 1 \times$ número de C $= 3 \times 100 + 1 \times 150 = 450$

Parte F: $2 \times$ número de C $= 2 \times 150 = 300$

Hasta ahora, para 50 unidades de A necesitamos 100 unidades de B, 150 unidades de C, 200 unidades de D, 450 unidades de E y 300 unidades de F. Por supuesto, los números en esta tabla pudieron determinarse directamente en el árbol de la estructura de materiales multiplicando los números en las ramas por la demanda de A, que es de 50 unidades para este problema. Por ejemplo, el número de unidades de D necesarias es simplemente $2 \times 2 \times 50 = 200$ unidades.

Plan de requerimientos brutos y netos de materiales

Una vez desarrollado el árbol de la estructura de materiales, se construye un plan de requerimientos brutos de materiales. Se trata de un cronograma que muestra cuándo debe ordenarse un artículo a los proveedores si no se tiene inventario disponible, o cuando debe iniciarse la producción de un artículo para satisfacer la demanda de productos terminados en una fecha en particular. Supongamos que la misma compañía fabrica o produce todos los artículos. Toma una semana hacer A, dos semanas hacer B, una semana hacer C, una semana hacer D, dos semanas hacer E y tres semanas hacer F. Con esta información, se construye el plan de requerimientos brutos de materiales para revelar el cronograma de la producción necesaria, con la finalidad de satisfacer la demanda de 50 unidades de A en una fecha futura. (Consulte la figura 6.13).

La interpretación de la información en la figura 6.13 es la siguiente: si desea 50 unidades de A en la semana 6, debe comenzar el proceso de producción en la semana 5. Entonces, en la semana 5 se necesitan 100 unidades de B y 150 unidades de C. La fabricación de estos dos artículos toma 2 semanas y

FIGURA 6.13

Plan de requerimientos brutos de materiales para 50 unidades de A

		1	2	3	4	5	6	Semana
A	Fecha requerida						50	Tiempo de entrega = 1 semana
	Liberación de orden					50		
B	Fecha requerida					100		Tiempo de entrega = 2 semanas
	Liberación de orden			100				
C	Fecha requerida					150		Tiempo de entrega = 1 semana
	Liberación de orden				150			
D	Fecha requerida			200				Tiempo de entrega = 1 semana
	Liberación de orden		200					
E	Fecha requerida			300	150			Tiempo de entrega = 2 semanas
	Liberación de orden	300	150					
F	Fecha requerida				300			Tiempo de entrega = 3 semanas
	Liberación de orden	300						

TABLA 6.9
Inventario disponible

ARTÍCULO	INVENTARIO DISPONIBLE
A	10
B	15
C	20
D	10
E	10
F	5

Utilización del inventario disponible para calcular los requerimientos netos.

1 semana (véase los tiempos de entrega). La producción de B debería comenzar en la semana 3 y la de C en la semana 4. (Véase la liberación de la orden para estos artículos). Trabajando hacia atrás, es posible realizar los mismos cálculos para todos los demás artículos. El plan de requerimiento de materiales revela de manera gráfica cuándo debería iniciarse y terminarse cada artículo, con la finalidad de tener 50 unidades de A en la semana 6. Ahora, se desarrolla un plan de requerimiento neto dado el inventario disponible de la tabla 6.9, de la siguiente manera.

Usando estos datos elaboramos un plan de requerimientos netos de materiales que incluya, para cada artículo, los requerimientos brutos, el inventario disponible, los requerimientos netos, la recepción de órdenes planeada y la liberación de órdenes planeada. Se desarrolla comenzando con A y trabajando hacia atrás con los demás artículos. La figura 6.14 ilustra un plan de requerimientos netos de materiales para el producto A.

FIGURA 6.14
Plan de requerimientos netos de materiales para 50 unidades de A

Artículo		Semana 1	2	3	4	5	6	Tiempo de entrega
A	Bruto						50	1
	Disponible 10						10	
	Neto						40	
	Recepción de orden						40	
	Liberación de orden					40		
B	Bruto					80^A		2
	Disponible 15					15		
	Neto					65		
	Recepción de orden					65		
	Liberación de orden			65				
C	Bruto					120^A		1
	Disponible 20					20		
	Neto					100		
	Recepción de orden					100		
	Liberación de orden				100			
D	Bruto			130^B				1
	Disponible 10			10				
	Neto			120				
	Recepción de orden			120				
	Liberación de orden		120					
E	Bruto			195^B	100^C			2
	Disponible 10			10	0			
	Neto			185	100			
	Recepción de orden			185	100			
	Liberación de orden	185	100					
F	Bruto				200^C			3
	Disponible 5				5			
	Neto				195			
	Recepción de orden				195			
	Liberación de orden	195						

El plan de requerimientos netos se construye igual que el plan de requerimientos brutos. Comenzando con el artículo A, trabajamos hacia atrás para determinar los requerimientos netos de todos los artículos. Estos cálculos se efectúan consultando constantemente el árbol de la estructura y los tiempos de entrega. Los requerimientos brutos de A son 50 unidades en la semana 6. Se tienen 10 artículos disponibles y, con ello, los requerimientos netos y la recepción de órdenes planeada son de 40 artículos en la semana 6. Debido al tiempo de entrega de una semana, la liberación de órdenes planeada es de 40 artículos en la semana 5. (Véase la flecha que conecta la recepción y la liberación de la orden). Consulte la columna 5 abajo y el árbol de la estructura de la figura 6.13. Ochenta (2×40) artículos de B y $120 = 3 \times 40$ artículos de C se requieren en la semana 5 para tener un total de 50 artículos de A en las semana 6. La letra A en la esquina superior derecha para los artículos de B y C significa que esta demanda de B y C se generó como resultado de la demanda del padre, A. Se realiza el mismo tipo de análisis con B y C para determinar los requerimientos para D, E y F.

Dos o más productos finales

Hasta ahora, se ha considerado solo un producto final. Para la mayoría de las compañías de manufactura, generalmente existen dos o más productos finales que comparten el uso de algunas de las partes o componentes. Todos los productos finales deben incorporarse en un mismo plan de requerimientos netos de materiales.

En el ejemplo de la PRM que se acaba de estudiar, desarrollamos un plan de requerimientos netos de materiales para el producto A. Ahora veremos cómo modificar ese plan cuando se introduce un segundo producto final. Sea AA el segundo producto final. El árbol de la estructura de materiales para el producto AA es el siguiente:

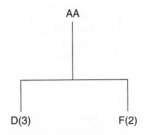

Supongamos que necesitamos 10 unidades de AA. Con esta información calculamos los requerimientos brutos para AA:

Parte D: $3 \times$ número de AA $= 3 \times 10 = 30$

Parte F: $2 \times$ número de AA $= 2 \times 10 = 20$

Para desarrollar un plan de requerimientos netos de materiales necesitamos conocer el tiempo de entrega de AA. Supongamos que es de una semana: también suponemos que necesitamos 10 unidades de AA en la semana 6 y que no tenemos unidades de AA en inventario.

Estamos ahora en posición de modificar el plan de requerimientos netos de materiales para el producto A al incluir AA. Esto se hace en la figura 6.15.

Veamos el renglón superior de la figura. Como se observa, tenemos un requerimiento bruto de 10 unidades de AA en la semana 6. No tenemos unidades de AA en almacén, de manera que el requerimiento neto es también de 10 unidades de AA. Como lleva una semana producir AA, la liberación de la orden de 10 unidades de AA se hace en la semana 5. Esto significa que comenzamos a fabricar AA en la semana 5 y tendremos las unidades terminadas en la semana 6.

Como iniciamos la fabricación de AA en la semana 5, debemos tener 30 unidades de D y 20 unidades de F en la semana 5. Consulte los renglones de D y F en la figura 6.15. El tiempo de entrega para D es una semana. Entonces, debemos hacer la liberación de la orden en la semana 4 para tener las unidades terminadas de D en la semana 5. Note que no hay inventario disponible de D en la semana 5. Las 10 unidades originales de D en el inventario se usaron en la semana 5 para fabricar B, que después se utilizó en A. También necesitamos tener 20 unidades de F en la semana 5 para producir 10 unidades de AA para la semana 6. De nuevo, no tenemos inventario disponible de F en la semana 5. Las 5 unidades originales se usaron en la semana 4 para producir C, que después se usó para producir A. El tiempo de entrega de F es de tres semanas, por lo que la liberación de la orden de 20 unidades de F debe hacerse en la semana 2. (Véase el renglón de F en la figura 6.15).

Este ejemplo demuestra cómo se reflejan los requerimientos de inventario de dos productos en el mismo plan de requerimientos netos de materiales. Algunas compañías manufactureras pueden tener más de 100 productos finales que deben coordinarse en el mismo plan de requerimientos netos de

FIGURA 6.15

Plan de requerimientos netos de materiales, incluyendo AA

Artículo	Inventario	1	2	3	4	5	6	Tiempo de entrega
AA	Bruto						10	1 Semana
	Inventario disponible: 0						0	
	Neto						10	
	Recepción de orden						10	
	Liberación de orden					10		
A	Bruto						50	1 Semana
	Inventario disponible: 10						10	
	Neto						40	
	Recepción de orden						40	
	Liberación de orden					40		
B	Bruto					80[A]		2 Semanas
	Inventario disponible: 15					15		
	Neto					65		
	Recepción de orden					65		
	Liberación de orden			65				
C	Bruto					120[A]		1 Semana
	Inventario disponible: 20					20		
	Neto					100		
	Recepción de orden					100		
	Liberación de orden				100			
D	Bruto			130[B]		30[AA]		1 Semana
	Inventario disponible: 10			10		0		
	Neto			120		30		
	Recepción de orden			120		30		
	Liberación de orden		120		30			
E	Bruto			195[B]	100[C]			2 Semanas
	Inventario disponible: 10			10	0			
	Neto			185	100			
	Recepción de orden			185	100			
	Liberación de orden	185	100					
F	Bruto				200[C]	20[AA]		3 Semanas
	Inventario disponible: 5				5	0		
	Neto				195	20		
	Recepción de orden				195	20		
	Liberación de orden	195	20					

materiales. Aunque esta situación suele ser muy complicada, se utilizan los mismos principios de este ejemplo. Recuerde que se han desarrollado programas de cómputo para manejar operaciones de manufactura grandes y complejas. Además de emplear la PRM para manejar productos finales y bienes terminados, también se utiliza para manejar refacciones y piezas de repuesto. Esto es importante porque la mayoría de las compañías de manufactura venden refacciones y piezas de repuesto para mantenimiento. Los planes de requerimientos netos de materiales deberían reflejar también tales refacciones.

6.12   Control de inventarios justo a tiempo

Con JIT, el inventario llega justo antes de que se necesite.

Durante las dos últimas décadas, ha habido una tendencia a volver más eficiente el proceso de manufactura. Un objetivo es tener menos inventario en proceso. Esto se conoce como **inventario justo a tiempo**. Con este enfoque, el inventario llega justo a tiempo para usarse durante el proceso de manufactura para producir piezas, ensambles o productos terminados. Una técnica para implementar el JIT es un procedimiento manual llamado *kanban*, que en japonés significa "tarjeta". Con un

FIGURA 6.16

El sistema *kanban*

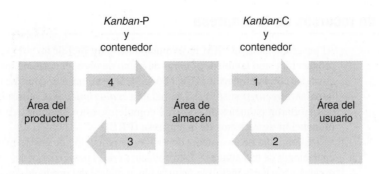

sistema *kanban* de tarjeta doble, hay una *kanban* de transporte, o *kanban*-C y una *kanban* de producción o *kanban*-P. El sistema *kanban* es muy sencillo. Su funcionamiento es el siguiente:

Cuatro pasos de *kanban*

1. Un usuario toma un contenedor de partes o inventario junto con una tarjeta *kanban*-C y los lleva a su área de trabajo. Cuando ya no hay partes o el contenedor está vacío, el usuario lo regresa con la tarjeta *kanban*-C al área del productor.
2. En el área del productor, hay un contenedor lleno de partes con una tarjeta *kanban*-P. El usuario separa la *kanban*-P del contenedor lleno de partes. Luego, se lleva el contenedor lleno con la tarjeta original *kanban*-C de regreso a su área para su uso inmediato.
3. La tarjeta separada *kanban*-P va de regreso al área del productor con el contenedor vacío. La *kanban*-P es una señal de que debe fabricar nuevas partes para colocarlas en el contenedor. Cuando el contenedor está lleno se coloca en él una *kanban*-P.
4. Este proceso se repite durante un día típico de trabajo. El sistema *kanban* de tarjeta doble se presenta en la figura 6.16.

Como se indica en la figura 6.16, los contendores llenos con sus tarjetas *kanban*-C van del área de almacén a una área de usuario que suele ser una línea de producción. Durante el proceso de producción, las partes en el contenedor se usan. Cuando el contenedor está vacío, va de regreso con la misma *kanban*-C al área de almacén. Ahí, el usuario recoge un nuevo contenedor lleno. La *kanban*-P del contenedor lleno se separa, y se envía de regreso al área de producción con el contenedor vacío para rellenarlo.

Como mínimo, se requieren dos contenedores que usen el sistema *kanban*. Un contendor está en el área del usuario y otro se está rellenando para su uso futuro. En realidad, suele haber más de dos contenedores. Así es como se logra el control del inventario. Los gerentes del inventario pueden introducir al sistema contendores adicionales y sus *kanban*-P asociadas. De manera similar, el gerente del inventario puede quitar contendores y las *kanban*-P asociadas, para tener un control más estrecho sobre la acumulación de inventario.

Además de ser un sistema sencillo y de fácil implementación, el sistema *kanban* también puede ser efectivo para controlar los costos de inventario y para detectar cuellos de botella de producción. El inventario llega al área del usuario o a la línea de producción justo cuando se necesita. El inventario no se acumula sin necesidad, amontonando la línea de producción o sumando gastos de inventario innecesarios. El sistema *kanban* reduce los niveles de inventario y genera una operación más eficiente. Es como hacer que la línea de producción se ponga a dieta, pues la dieta que el sistema *kanban* impone al inventario hace que la operación de la producción sea esbelta y racionada. Más aún, se pueden detectar los cuellos de botella y los problemas de producción. Muchos gerentes de producción eliminan contenedores y sus *kanban*-P asociadas del sistema *kanban*, con el propósito de "restringir" la línea de producción y descubrir problemas potenciales y cuellos de botella.

Al implementar un sistema *kanban*, normalmente se instituyen ciertas reglas de trabajo o reglas *kanban*. Una regla *kanban* típica es que no se llenan contendores sin la respectiva tarjeta *kanban*-P. Otra regla es que cada contenedor debe tener exactamente el número específico de partes o artículos de inventario. Estas y otras reglas similares hacen al proceso de producción más eficiente. Tan solo se producen las piezas que en realidad se necesitan. El departamento de producción no produce inventario únicamente para mantenerse ocupado. Produce el inventario o las piezas solamente cuando se requieren en el área del usuario o en una línea de producción real.

6.13 Planeación de recursos de la empresa

Al pasar los años, la PRM ha evolucionado para incluir no solo la lista de materiales requerida en producción, sino también las horas de mano de obra, el costo de los materiales y otros recursos relacionados con la producción. Cuando se ve de esta manera, con frecuencia se usa el término PRM II y la palabra *recurso* sustituye a la palabra *requerimiento*. Conforme evolucionó este concepto y se desarrollaron paquetes de software complejos, estos sistemas recibieron el nombre de sistemas de **planeación de recursos de la empresa (PRE)**.

El objetivo de un sistema de PRE es la reducción de costos mediante la integración de todas las operaciones de una empresa. Esto comienza con el proveedor de los materiales necesarios y fluye por la organización hasta incluir la facturación al cliente del producto final. Los datos se ingresan una vez a una base de datos para que, luego, cualquiera en la organización tenga acceso rápido y sencillo a ellos. Esto beneficia no solamente las funciones relacionadas con la planeación y la administración del inventario, sino también otros procesos de negocios como contabilidad, finanzas y recursos humanos.

Los beneficios de un sistema de PRE bien desarrollado incluyen costos reducidos de transacciones, así como mayor velocidad y precisión de la información. Sin embargo, existen desventajas. El software es costoso: tanto la compra como la personalización. La implementación de un sistema de PRE quizá requiera que una compañía cambie sus operaciones normales y con frecuencia los empleados se resisten al cambio. Además, la capacitación de los empleados en el uso de nuevo software también suele ser costosa.

Existen muchos sistemas de PRE disponibles. Los más comunes son de empresas como SAP, Oracle, People Soft, Baan y JD Edwards. Incluso sistemas pequeños podrían costar cientos de miles de dólares. Los sistemas más grandes llegan a costar hasta cientos de millones de dólares.

Resumen

Este capítulo introdujo los fundamentos de la teoría del control de inventarios. Mostramos que los dos problemas más importantes son **1.** cuánto ordenar y **2.** cuándo ordenar.

Investigamos la cantidad del lote económico, que determina cuánto ordenar, y el punto de reorden que establece cuándo ordenar. Además, exploramos el uso del análisis de sensibilidad, para determinar qué sucede con los cálculos cuando se modifica uno o más de los valores usados en una de las ecuaciones.

El modelo básico de inventarios de la CLE presentado en este capítulo hace varios supuestos: 1. se conocen la demanda y los tiempos de entrega y son constantes, 2. el inventario se recibe instantáneamente, 3. no hay descuentos por cantidad, 4. no hay faltantes ni inventarios agotados, y 5. los únicos costos variables son los costos por ordenar y los costos por almacenar. Si estos supuestos son válidos, el modelo de inventarios de la CLE proporciona soluciones óptimas. Por otro lado, si estos supuestos no se cumplen, no se puede aplicar el modelo básico de la CLE. En tales casos, se necesitan modelos más complejos como los modelos de corrida de producción, descuentos por cantidad e inventario de seguridad. Cuando los artículos en inventario se usan en un solo periodo, se utiliza el enfoque del costo marginal. El análisis ABC sirve para determinar qué artículos representan el mayor costo potencial del inventario para que estos se administren con mayor cautela.

Cuando la demanda del inventario no es independiente de la demanda de otro producto, se necesita una técnica como la PRM que se utiliza para determinar los requerimientos brutos y netos de los productos. El software de cómputo es necesario para implementar con éxito los sistemas de inventarios importantes, incluso los sistemas de PRM. En la actualidad, muchas organizaciones utilizan software de PRE para integrar todas las operaciones de una empresa y que incluyen inventarios, contabilidad, finanzas y recursos humanos.

JIT puede disminuir los niveles de inventarios, reducir costos y hacer el proceso de manufactura más eficiente. *Kanban*, una palabra japonesa que significa "tarjeta", es una manera de implementar el sistema JIT.

Glosario

Análisis ABC Análisis que divide el inventario en tres grupos. El grupo A es más importante que el grupo B que, a su vez, es más importante que el C.

Análisis de sensibilidad Proceso para determinar cuán sensible es la solución óptima ante los cambios en los valores usados en las ecuaciones.

Análisis marginal Técnica de toma de decisiones que usa la ganancia y la pérdida marginales, para determinar las políticas óptimas de decisión. El análisis marginal se utiliza cuando el número de alternativas y estados de la naturaleza es grande.

Costo anual de preparación Costo por preparar el proceso de manufactura y de producción en el modelo de corrida de producción.

Descuentos por cantidad Costo por unidad cuando se colocan grandes órdenes de un artículo del inventario.

Faltantes Situación que ocurre cuando no hay inventario disponible.

Ganancia marginal Ganancia adicional que se obtendría si se almacena y se vende una unidad más.

Inventario de seguridad   Inventario adicional que ayuda a evitar los faltantes.

Inventario de seguridad con costos por faltantes conocidos   Modelo de inventarios donde se conocen la probabilidad de la demanda durante el tiempo de entrega y el costo por faltantes por unidad.

Inventario de seguridad con costos por faltantes desconocidos   Modelo de inventarios en el que se conoce la probabilidad de la demanda durante el tiempo de entrega. El costo por faltantes se desconoce.

Inventario justo a tiempo (JIT)   Enfoque donde el inventario llega justo a tiempo para usarse en el proceso de manufactura.

Inventario promedio   Inventario promedio disponible. En este capítulo el inventario promedio es $Q/2$ para la ecuación del modelo CLE.

Kanban   Sistema JIT manual desarrollado por los japoneses. *Kanban* significa "tarjeta" en japonés.

Lista de materiales (LDM)   Lista de componentes de un producto con una descripción y la cantidad requerida para hacer una unidad de ese producto.

Lote económico (CLE)   Cantidad de inventario ordenado que minimiza el costo total del inventario. También se llama cantidad óptima a ordenar o Q^*.

Modelo de corrida de producción   Modelo de inventarios en el cual el inventario se produce o fabrica, en vez de ordenarlo o comprarlo. Este modelo elimina el supuesto de recepción instantánea.

Nivel de servicio   La posibilidad, expresada como porcentaje, de que no haya faltantes. Nivel de servicio = 1 – probabilidad de un faltante.

Pérdida marginal   Pérdida en que se incurriría si se almacena una unidad adicional y no se vende.

Planeación de recursos de la empresa (PRE)   Sistema de información computarizado que integra y coordina las operaciones de la empresa.

Planeación de requerimientos de materiales (PRM)   Modelo de inventarios que maneja la demanda dependiente.

Posición del inventario   Cantidad de inventario disponible más la cantidad en cualesquiera órdenes que se hayan colocado, pero que todavía no se reciben.

Punto de reorden (PRO)   Número de unidades disponibles cuando se coloca una orden de un artículo en el inventario.

Recepción instantánea del inventario   Sistema en el cual el inventario se recibe o se obtiene en un momento en el tiempo y no durante todo el periodo.

Tiempo de entrega   Tiempo que toma recibir la orden una vez que se coloca (designado L en el capítulo).

Ecuaciones clave

Las ecuaciones 6-1 a 6-6 están asociadas con la cantidad del lote económico (CLE).

(6-1) Nivel de inventario promedio $= \dfrac{Q}{2}$

(6-2) Costo anual por ordenar $= \dfrac{D}{Q} C_o$

(6-3) Costo anual por almacenar $= \dfrac{Q}{2} C_h$

(6-4) $\text{CLE} = Q^* = \sqrt{\dfrac{2DC_o}{C_h}}$

(6-5) $CT = \dfrac{D}{Q} C_o + \dfrac{Q}{2} C_h$

Costo total del inventario relevante.

(6-6) Nivel monetario promedio $= \dfrac{(CQ)}{2}$

(6-7) $Q = \sqrt{\dfrac{2DC_o}{IC}}$

CLE con C_h expresado como porcentaje del costo unitario.

(6-8) $\text{PRO} = d \times L$

Punto de reorden: d es la demanda diaria y L el tiempo de entrega en días.

Las ecuaciones 6-9 a 6-13 están asociadas con el modelo de corrida de producción.

(6-9) Inventario promedio $= \dfrac{Q}{2}\left(1 - \dfrac{d}{p}\right)$

(6-10) Costo anual por almacenar $= \dfrac{Q}{2}\left(1 - \dfrac{d}{p}\right)C_h$

(6-11) Costo anual por preparación $= \dfrac{D}{Q} C_s$

(6-12) Costo anual por ordenar $= \dfrac{D}{Q} C_o$

(6-13) $Q^* = \sqrt{\dfrac{2DC_s}{C_h\left(1 - \dfrac{d}{p}\right)}}$

Cantidad óptima de producción.

La ecuación 6-14 se usa para el modelo de descuentos por cantidad.

(6-14) Costo total $= DC + \dfrac{D}{Q} C_o + \dfrac{Q}{2} C_h$

Costo total de inventario (incluyendo el costo de compra).

Las ecuaciones 6-15 a 6-20 se utilizan cuando se requiere un inventario de seguridad.

(6-15) PRO = (demanda promedio durante el tiempo de entrega) + IS
Fórmula general del punto de reorden para determinar cuándo se requiere inventario de seguridad (IS).

(6-16) PRO = (demanda promedio durante el tiempo de entrega) $+ Z\sigma_{dLT}$
Fórmula del punto de reorden cuando la demanda durante el tiempo de entrega tiene distribución normal con desviación estándar de $Z\sigma_{dLT}$.

(6-17) PRO = $\bar{d}L + Z(\sigma_d \sqrt{L})$
Fórmula para determinar el punto de reorden, cuando la demanda diaria tiene distribución normal y el tiempo de entrega es constante, donde $\bar{d}$ es la demanda promedio diaria, L es el tiempo de entrega constante en días y σ_d es la desviación estándar de la demanda diaria.

(6-18) PRO = $d\bar{L} + Z(d\sigma_L)$
Fórmula para determinar el punto de reorden cuando la demanda diaria es constante y el tiempo de entrega tiene distribución normal, donde $\bar{L}$ es el tiempo de entrega promedio en días, d es la demanda diaria constante y σ_L es la desviación estándar del tiempo de entrega.

(6-19) PRO = $\bar{d}\,\bar{L} + Z(\sqrt{\bar{L}\sigma_d^2 + \bar{d}^2\sigma_L^2})$
Fórmula para determinar el punto de reorden cuando ambos, la demanda diaria y el tiempo de entrega, tienen distribución normal; donde $\bar{d}$ es la demanda promedio diaria, $\bar{L}$ es el tiempo de entrega promedio en días, σ_L es la desviación estándar del tiempo de entrega y σ_d es la desviación estándar de la demanda diaria.

(6-20) CTA = $\dfrac{Q}{2}C_h + (IS)C_h$
Fórmula para el costo total anual por almacenar, cuando se tiene inventario de seguridad.

(6-21) $P \geq \dfrac{PM}{PM + GM}$
Regla de decisión en el análisis marginal para almacenar unidades adicionales.

Problemas resueltos

Problema resuelto 6-1

Patterson Electronics surte microcircuitos de computadora a una compañía que los incorpora en refrigeradores y otros electrodomésticos. Uno de los componentes tiene demanda anual de 250 unidades y es constante durante todo el año. El costo anual por almacenar se estima en $1 por unidad y el costo por ordenar es de $20 por orden.

a) Para minimizar el costo, ¿cuántas unidades deberían ordenarse cada vez que se coloca una orden?

b) ¿Cuántas órdenes por año se necesitan con la política óptima?

c) ¿Cuál es el inventario promedio si se minimizan los costos?

d) Suponga que el costo por ordenar no es $20, y que Patterson ha ordenado 150 unidades cada vez que coloca una orden. Para que esta política de ordenar sea óptima, ¿cuál tendría que ser el costo por ordenar?

Soluciones

a) Los supuestos de la CLE se cumplen, de manera que la cantidad óptima a ordenar es:

$$\text{CLE} = Q^* = \sqrt{\frac{2DC_o}{C_h}} = \sqrt{\frac{2(250)20}{1}} = 100 \text{ unidades}$$

b) Número de órdenes por año $= \dfrac{D}{Q} = \dfrac{250}{100} = 2.5$ órdenes por año

Note que esto significaría que en un año la compañía coloca 3 órdenes y en el siguiente tan solo necesita 2, ya que parte del inventario se mantiene del año anterior. El promedio anual es de 2.5 órdenes.

c) $=$ Inventario promedio $= \dfrac{Q}{2} = \dfrac{100}{2} = 500$ unidades

d) Dada una demanda anual de 250, un costo por almacenar de $1 y una cantidad a ordenar de 150, Patterson Electronics debe determinar qué costo por ordenar debería tener para que sea óptima la política de ordenar 150 unidades. Para encontrar la respuesta a este problema, debemos despejar el costo por ordenar de la ecuación tradicional de la CLE. Como se observa en los cálculos que siguen, se necesita un costo por ordenar de $45 para que las 150 unidades ordenadas sean una cantidad óptima.

$$Q = \sqrt{\frac{2DC_o}{C_h}}$$

$$C_o = Q^2 \frac{C_h}{2D}$$

$$= \frac{(150)^2(1)}{2(250)}$$

$$= \frac{22,500}{500} = \$45$$

Problema resuelto 6-2

Flemming Accessories fabrica cortadoras de papel que se utilizan en oficinas y en tiendas de arte. La minicortadora ha sido uno de sus artículos más populares: la demanda anual es de 6,750 unidades y es constante durante el año. Kristen Flemming, dueña de la empresa, fabrica las minicortadoras por lotes. En promedio, Kristen puede fabricar 125 por día. La demanda de estas cortadoras durante el proceso de producción es de 30 por día. El costo por preparación del equipo necesario para fabricar minicortadoras es de $150. Los costos anuales por almacenar son de $1 por minicortadora. ¿Cuántas minicortadoras debería producir Kristen en cada lote?

Solución

Los datos para Flemming Accessories se resumen como sigue:

$$D = 6{,}750 \text{ unidades}$$
$$C_s = \$150$$
$$C_h = \$1$$
$$d = 30 \text{ unidades}$$
$$p = 125 \text{ unidades}$$

Este es un problema de corrida de producción que incluye tanto la tasa de producción diaria como la tasa de demanda diaria. Los cálculos adecuados se muestran a continuación:

$$Q^* = \sqrt{\frac{2DC_s}{C_h(1 - d/p)}}$$

$$= \sqrt{\frac{2(6{,}750)(150)}{1(1 - 30/125)}}$$

$$= 1{,}632$$

Problema resuelto 6-3

Distribuidores Dorsey tiene una demanda anual de un detector de metales de 1,400. El costo de un detector típico para Dorsey es de $400. El costo por almacenar se estima en 20% del costo unitario, en tanto que el costo por ordenar es de $25 por orden. Si la cantidad que ordena Dorsey es de 300 o más, puede obtener un descuento de 5% sobre el costo de los detectores. ¿Debería Dorsey tomar el descuento por cantidad? Suponga que la demanda es constante.

Solución

La solución para un modelo de descuentos por cantidad incluye determinar el costo total de cada alternativa después de calcular y ajustar las cantidades para el problema original y cada descuento. Comenzamos el análisis sin descuento:

$$\text{CLE (sin descuento)} = \sqrt{\frac{2(1{,}400)(25)}{0.2(400)}}$$

$$= 29.6 \text{ unidades}$$

Costo total (sin descuento) = costo del material + costo por ordenar + costo por almacenar

$$= \$400(1,400) + \frac{1,400(\$25)}{29.6} + \frac{29.6(\$400)(0.2)}{2}$$

$$= \$560,000 + \$1,183 + \$1,183 = \$562,366$$

El siguiente paso es calcular el costo total con el descuento:

$$CLE\,(\text{con descuento}) = \sqrt{\frac{2(1,400)(25)}{0.2(\$380)}}$$

$$= 30.3 \text{ unidades}$$

$$Q(\text{ajustada}) = 300 \text{ unidades}$$

Puesto que esta última cantidad del lote económico está abajo del precio de descuento, debemos ajustar la cantidad a ordenar a 300 unidades. El siguiente paso es calcular el costo total.

Costo total (con descuento) = costo del material + costo por ordenar + costo por almacenar

$$= \$380(1,400) + \frac{1,400(25)}{300} + \frac{300(\$380)(0.2)}{2}$$

$$= \$532,000 + \$117 + \$11,400 = \$543,517$$

La estrategia óptima es ordenar 300 unidades con un costo total de $543,517.

Problema resuelto 6-4

La compañía F.W. Harris vende un limpiador industrial a un gran número de plantas de manufactura en el área de Houston. Un análisis de la demanda y los costos dio como resultado una política de ordenar 300 unidades de este producto, cada vez que coloca una orden. La demanda es constante en 25 unidades por día. En un acuerdo con el proveedor, F.W. Harris está dispuesta a aceptar un tiempo de entrega de 20 días, ya que el proveedor le da un excelente precio. ¿Cuál es el punto de reorden? ¿Cuántas unidades hay de hecho en inventario cada vez que se coloca una orden?

Solución

El punto de reorden es:

$$PRO = dxL = 25(20) = 500 \text{ unidades}$$

Esto significa que debería colocarse una orden cuando la posición del inventario sea de 500. Como el PRO es mayor que la cantidad a ordenar, $Q = 300$, tiene que haberse colocado una orden que todavía no se recibe. Por lo tanto, la posición del inventario debe ser:

Posición del inventario = (Inventario disponible) + (Inventario ordenado)

$$500 = 200 + 300$$

Habrá 200 unidades disponibles y una orden de 300 en tránsito.

Problema resuelto 6-5

La compañía de computadoras B.N. Thayer y D.N. Thaht vende una computadora de escritorio que es popular entre los aficionados al juego. En los últimos meses, la demanda ha sido relativamente constante, aunque fluctúa de un día a otro. La compañía ordena estuches para las computadoras con un proveedor. Coloca una orden de 5,000 estuches en el momento adecuado para evitar faltantes. La demanda durante el tiempo de entrega sigue una distribución normal con media de 1,000 unidades y desviación estándar de 200 unidades. El costo anual por almacenar por unidad se estima en $4. ¿Cuánto inventario de seguridad debería tener la compañía para mantener 96% del nivel de servicio? ¿Cuál es el punto de reorden? ¿Cuál sería el costo total anual por almacenar si se sigue esta política?

Solución

Usando la tabla de la distribución normal, el valor de Z para un nivel de servicio de 96% es aproximadamente de 1.75. La desviación estándar es de 200. El inventario de seguridad se calcula como:

$$IS = z\sigma = 1.75(200) = 375 \text{ unidades}$$

Para una distribución normal con media 1,000, el punto de reorden es:

$$PRO = (\text{demanda promedio en el tiempo de entrega}) + IS$$
$$= 1000 + 350 = 1,350 \text{ unidades}$$

El costo total anual por almacenar es:

$$CTA = \frac{Q}{2}C_h + (IS)C_h = \frac{5000}{2}4 + (350)4 = \$11,400$$

Autoevaluación

- Antes de resolver la autoevaluación, consulte los objetivos de aprendizaje al inicio del capítulo, las notas al margen y el glosario al final del capítulo.
- Utilice la solución al final del libro para corregir sus respuestas.
- Estudie de nuevo las páginas que corresponden a cualquier pregunta cuya respuesta sea incorrecta o al material con el que se sienta inseguro.

1. ¿Cuál de los siguientes es un componente básico en un sistema de control de inventarios?
   - *a)* planear qué inventario almacenar y cómo adquirirlo.
   - *b)* pronosticar la demanda de partes y productos.
   - *c)* controlar los niveles del inventario.
   - *d)* desarrollar e implementar medidas de retroalimentación para revisar planes y pronósticos.
   - *e)* todos los anteriores son componentes de un sistema de control de inventarios.

2. ¿Cuál de los siguientes es un uso válido de un inventario?
   - *a)* la función de desacoplamiento.
   - *b)* aprovechar los descuentos por cantidad.
   - *c)* evitar faltantes.
   - *d)* suavizar los suministros y la demanda irregular.
   - *e)* todos los anteriores son usos válidos del inventario.

3. Un supuesto necesario para el modelo de la CLE es el reabastecimiento instantáneo. Esto significa que
   - *a)* el tiempo de entrega es cero.
   - *b)* se supone que el tiempo de producción es cero.
   - *c)* la orden completa se entrega al mismo tiempo.
   - *d)* el reabastecimiento no puede ocurrir, sino hasta que el inventario disponible sea cero.

4. Si los supuestos de la CLE se cumplen y una compañía ordena la CLE cada vez que coloca una orden, entonces,
   - *a)* se minimiza el costo total anual por almacenar.
   - *b)* se minimiza el costo total anual por ordenar.
   - *c)* se minimiza el costo total del inventario.
   - *d)* la cantidad a ordenar siempre será menor que el inventario promedio.

5. Si se cumplen los supuestos de la CLE y una compañía ordena más de la cantidad económica a ordenar o del lote económico, entonces,
   - *a)* el costo total anual por almacenar será mayor que el costo total anual por ordenar.
   - *b)* el costo total anual por almacenar será menor que el costo total anual por ordenar.
   - *c)* el costo total anual por almacenar será igual al costo total anual por ordenar.
   - *d)* el costo total anual por almacenar será igual al costo total anual de compra.

6. El punto de reorden es
   - *a)* la cantidad que se reordena cada vez que se coloca una orden.
   - *b)* la cantidad del inventario que se necesitaría para cumplir la demanda durante el tiempo de entrega.
   - *c)* igual al inventario promedio cuando se cumplen los supuestos de la CLE.
   - *d)* se supone que es cero, si hay reabastecimiento instantáneo.

7. Si se cumplen los supuestos de la CLE, entonces,
   - *a)* el costo anual por faltantes es cero.
   - *b)* el costo total anual por almacenar es igual al costo total anual por ordenar.
   - *c)* el inventario promedio será la mitad de la cantidad a ordenar.
   - *d)* todos los anteriores son ciertos.

8. En el modelo de corrida de producción, el nivel máximo de inventario será
   - *a)* mayor que la cantidad de producción.
   - *b)* igual que la cantidad de producción.

c) menor que la cantidad de producción.

d) igual que la tasa de producción diaria más la demanda diaria.

9. ¿Por qué el costo anual de compra (materiales) no se considera un costo de inventario relevante, si se cumplen los supuestos de la CLE?

a) Este costo será cero.

b) Este costo es constante y no lo afecta la cantidad ordenada.

c) Este costo es insignificante comparado con los otros costos de inventarios.

d) Este costo nunca se considera un costo de inventario.

10. Un sistema JIT por lo común da como resultado

a) un costo anual por inventario bajo.

b) muy pocas órdenes al año.

c) frecuentes paros en la línea de ensamble.

d) altos niveles de inventario de seguridad.

11. Los fabricantes usan la PRM cuando

a) la demanda de un producto depende de la demanda de otros productos.

b) la demanda de cada producto es independiente de la demanda de otros productos.

c) la demanda es totalmente impredecible.

d) el costo de compra es extremadamente alto.

12. Al usar el análisis marginal, debería almacenarse una unidad adicional si

a) GM = PM.

b) la probabilidad de vender esa unidad es mayor o igual que GM/(GM + PM).

c) la probabilidad de vender esa unidad es menor o igual que PM/(GM + PM).

d) la probabilidad de vender esa unidad es mayor o igual que PM/(GM + PM).

13. Al usar el análisis marginal con distribución normal, si la ganancia marginal es menor que la pérdida marginal, esperamos que la cantidad óptima a almacenar sea

a) mayor que la desviación estándar.

b) menor que la desviación estándar.

c) mayor que la media.

d) menor que la media.

14. La posición del inventario se define como

a) la cantidad de inventario necesaria para cumplir con la demanda durante el tiempo de entrega.

b) la cantidad de inventario disponible.

c) la cantidad de inventario ordenado.

d) el total del inventario disponible más el inventario ordenado.

Preguntas y problemas para análisis

Preguntas para análisis

6-1 ¿Por qué el inventario es una consideración importante para los gerentes?

6-2 ¿Cuál es el propósito del control del inventario?

6-3 ¿En qué circunstancias puede usarse un inventario como protección contra la inflación?

6-4 ¿Por qué una compañía no siempre almacenaría grandes cantidades de inventario para evitar los faltantes?

6-5 ¿Cuáles son algunos supuestos que se hacen al usar el modelo de la CLE?

6-6 Analice los principales costos de inventario que se emplean para determinar la CLE?

6-7 ¿Qué es el PRO? ¿Cómo se determina?

6-8 ¿Cuál es el objetivo del análisis de sensibilidad?

6-9 ¿Qué supuestos se hacen en el modelo de corrida de producción?

6-10 ¿Qué pasa con el modelo de corrida de producción cuando la tasa de producción diaria llega a ser muy grande?

6-11 Dé una descripción breve de qué implica resolver un modelo de descuentos por cantidad.

6-12 Cuando se utiliza el inventario de seguridad, ¿cómo se calcula la desviación estándar de la demanda durante el tiempo de entrega, si la demanda tiene distribución normal y los tiempos de entrega son constantes? ¿Cómo se calcula si la demanda diaria es constante y los tiempos de entrega tienen distribución normal? ¿Cómo se calcula si ambos, el tiempo de entrega y la demanda, tienen distribución normal?

6-13 Explique brevemente el enfoque del análisis marginal para el problema de inventarios de un solo periodo.

6-14 Dé una descripción breve de qué significa análisis ABC. ¿Cuál es el propósito de esta técnica de inventarios?

6-15 ¿Cuál es el propósito general de la PRM?

6-16 ¿Cuál es la diferencia entre el plan bruto y el plan neto de requerimientos de materiales?

6-17 ¿Cuál es el objetivo del JIT?

Problemas

6-18 Lila Battle determinó que la demanda anual para tornillos del número 6 es de 100,000 tornillos. Lila, que trabaja en la ferretería de su hermano, está encargada de las compras y estima que cuesta $10 cada vez que se coloca una orden. Este costo incluye su salario, el costo de las formas usadas para colocar la orden, etcétera. Más aún, estima que el costo de mantener un tornillo en inventario durante un año es: la mitad de un centavo. Suponga que la demanda es constante durante el año.

a) ¿Cuántos tornillos del número 6 debería ordenar Lila al mismo tiempo, si desea minimizar el costo total del inventario?

b) ¿Cuántas órdenes por año debería colocar? ¿Cuál será el costo anual por ordenar?

c) ¿Cuál sería el inventario promedio? ¿Cuál será el costo anual por almacenar?

6-19 Toma alrededor de 8 días laborales que llegue una orden de tornillos del número 6, una vez que se coloca. (Véase el problema 6-18.) La demanda de tales tornillos es bastante constante y, en promedio, Lila ha observado que la ferretería de su hermano vende 500 de estos tornillos al día. Como la demanda es bastante constante, Lila piensa que puede evitar los faltantes por completo, si tan solo ordena los tornillos del número 6 en el momento correcto. ¿Cuál es el punto de reorden?

6-20 El hermano de Lila cree que ella coloca demasiadas órdenes por año para los tornillos. Piensa que debería colocarse una orden tan solo dos veces al año. Si Lila sigue la política de su hermano, ¿cuánto más costaría cada año la política de ordenar que desarrolló en el problema 6-18? Si se colocan tan solo dos órdenes cada año, ¿qué efecto tendrá sobre el PRO.

6-21 Bárbara Bright es agente de compras en la compañía West Valve, que vende válvulas industriales y dispositivos de control de fluidos. Una de las válvulas más populares es la Western, que tiene una demanda anual de 4,000 unidades. El costo de cada válvula es de $90 y el costo por almacenarla se estima de 10% del costo de cada válvula. Bárbara realizó un estudio de los costos implicados en la colocación de una orden para cualquiera de las válvulas que almacena West Valve; concluyó que el costo promedio por ordenar es de $25 por orden. Todavía más, lleva alrededor de dos semanas para que el proveedor entregue una orden y, durante este tiempo, la demanda por semana para las válvulas West es aproximadamente de 80.

a) ¿Cuál es la CLE?

b) ¿Cuál es el PRO?

c) ¿Cuál es el inventario promedio? ¿Cuál es el costo anual por almacenar?

d) ¿Cuántas órdenes por año debería colocar? ¿Cuál es el costo anual por ordenar?

6-22 Ken Ramsing ha estado en el negocio de la madera casi toda su vida. El competidor más grande de Ken es Pacific Woods. Por los muchos años de experiencia, Ken sabe que el costo por ordenar una orden de contrachapado es de $25 y que el costo por almacenar es de 25% del costo unitario. Tanto Ken como Pacific Woods reciben el contrachapado en cargas que cuestan $100 cada una. Más aún, Ken y Pacific Woods tratan con el mismo proveedor y Ken pudo averiguar que Pacific Woods ordena cantidades de 4,000 cargas a la vez. Ken sabe también que 4,000 cargas es la CLE para Pacific Wood. ¿Cuál es la demanda anual en cargas de contrachapado para Pacific Woods?

6-23 Shoe Shine es una tienda localizada en el lado norte de Centerville. La demanda anual para unas sandalias populares es de 500 pares y John Dirk, el propietario de Shoe Shine, tiene el hábito de ordenar 100 pares a la vez. John estima que el costo por ordenar es de $10 por orden. El costo de la sandalia es de $5 por par. Para que la política de ordenar de John sea la correcta, ¿cuál tendría que ser el costo por almacenar como porcentaje del costo unitario? Si el costo por almacenar fuera de 10% del costo, ¿cuál sería la cantidad óptima a ordenar?

6-24 En el problema 6-18 ayudamos a Lila Battle a determinar la cantidad óptima a ordenar para tornillos del número 6. Ella estimó que el costo por ordenar era de $10 por orden. En este momento, no obstante, ella cree que esta estimación era demasiado baja. Aunque no sabe cuál es el costo exacto por ordenar, cree que podría ser tanto como $40 por orden. ¿Cuál sería el cambio en la cantidad óptima a ordenar, si el costo por ordenar fuera de $20, $30 y $40?

6-25 El taller de maquinado de Ross White usa 2,500 soportes en el curso de un año, y esta utilización es relativamente constante en ese periodo. Los soportes se compran a un proveedor que está a 100 millas de distancia en $15 cada uno, y el tiempo de entrega es de 2 días. El costo anual por almacenar por soporte es de $1.50 (o 10% del costo unitario) y el costo por ordenar es de $18.75 por orden. Hay 250 días laborales por año.

a) ¿Cuál es la CLE?

b) Dada la CLE, ¿cuál es el inventario promedio? ¿Cuál es el costo anual por almacenar el inventario?

c) Al minimizar el costo, ¿cuántas órdenes se harían cada año? ¿Cuál será el costo anual por ordenar?

d) Dada la CLE, ¿cuál es el costo total anual del inventario (incluyendo el costo de compra)?

e) ¿Cuál es el tiempo entre órdenes?

f) ¿Cuál es el punto de reorden?

6-26 Ross White (véase el problema 6-25) desea reconsiderar su decisión de comprar los soportes y cree que puede fabricarlos en su taller. Ha determinado que el costo por preparación sería de $25 en tiempo del operario y tiempo de producción perdido, y que se podrían fabricar 50 soportes en un día, una vez que la máquina está preparada. Ross estima que el costo (que incluye tiempo de mano de obra y materiales) de fabricar un soporte sería de $14.80. El costo por almacenarlo sería de 10% de este costo.

a) ¿Cuál es la tasa de demanda diaria?

b) ¿Cuál es la cantidad óptima de producción?

c) ¿Cuánto tiempo tomará producir la cantidad óptima? ¿Cuánto inventario se vende durante este tiempo?

d) Si Ross usa la cantidad óptima de producción, ¿cuál sería el nivel de inventario máximo? ¿Cuál sería el nivel del inventario promedio? ¿Cuál es el costo anual por almacenar?

e) ¿Cuántas corridas de producción habría cada año? ¿Cuál sería el costo anual por preparación?

f) Dado el tamaño óptimo de la corrida de producción, ¿cuál es el costo total anual del inventario?

g) Si el tiempo de entrega es de medio día, ¿cuál es el PRO?

6-27 Cuando el proveedor de soportes oyó que Ross (véase los problemas 6-25 y 6-26) estaba considerando producirlos en su taller, notifico a Ross que bajaría el precio de compra de $15 a $14.50 por soporte, si Ross los compraba en lotes de 1,000. Sin embargo, los tiempos de entrega aumentarían a 3 días para esta cantidad grande.

a) ¿Cuál es el costo total anual del inventario más el costo de compra, si Ross compra los soportes en lotes de 1,000 a $14.50 cada uno?

b) Si Ross decide comprar en lotes de 1,000 soportes, ¿cuál es el nuevo PRO?

c) Dadas las opciones de compra de soportes a $15 cada uno, producirlos en el taller a $14.80 y aprovechar el descuento, ¿cuál es su recomendación para Ross?

6-28 Después de analizar los costos de las diferentes opciones para obtener los soportes, Ross White (véanse los problemas 6-25, 6-26 y 6-27) reconoce que aunque sabe que el tiempo de entrega es de 2 días y la demanda diaria tiene un promedio de 10 unidades, la demanda durante el tiempo de entrega muchas veces varía. Ross ha mantenido registros cuidadosos y ha determinado que la demanda durante el tiempo de entrega tiene una distribución normal con desviación estándar de 1.5 unidades.

a) ¿Qué valor de Z será adecuado para un nivel de servicio de 98%?

b) ¿Qué inventario de seguridad debería mantener Ross, si desea 98% de nivel de servicio?

c) ¿Cuál es el PRO ajustado para los soportes?

d) ¿Cuál es el costo anual por almacenar, para el inventario de seguridad, si el costo anual por almacenar por unidad es de $1.50?

6-29 Douglas Boats es un proveedor de equipo para yates en los estados de Oregon y Washington. Vende 5,000 motores diesel White Marine WM-4 cada año. Estos motores se envían a Douglas en contenedores de 100 pies cúbicos y Douglas Boats mantiene lleno su almacén con estos motores WM-4. El almacén puede guardar 5,000 pies cúbicos de suministros para yates. Douglas estima que el costo por ordenar sea de $10 por orden y el costo por almacenar sea de $10 por motor por año. Douglas Boats considera la posibilidad de ampliar el almacén para los motores WM-4. ¿Cuánto se debería expandir Douglas Boats y cuál sería el valor de hacer la expansión para la compañía? Suponga que la demanda es constante durante el año.

6-30 Northern Distributors es una organización de venta al mayoreo que surte productos para el cuidado del césped y de los hogares a las tiendas minoristas. Un edificio se utiliza para almacenar podadoras de césped Neverfail. El edificio tiene 25 pies de frente por 40 pies de fondo y 8 pies de altura. Anna Odlham, gerente del almacén, estima que aproximadamente 60% del almacén se usa para guardar las podadoras Neverfail. El 40% restante se utiliza para corredores y una pequeña oficina. Cada podadora Neverfail viene en una caja de 5 pies por 4 pies por 2 pies de altura. La demanda anual para estas podadoras es de 12,000 y el costo por ordenar para Northern Distributors es de $30 por orden. Se estima que almacenar cuesta a Northern $2 por podadora anuales. Northern está pensando aumentar el tamaño del almacén. La compañía tan solo puede ampliarlo alargando el fondo. Por ahora, el almacén tiene 40 pies de fondo. ¿Cuántos pies de fondo deberían agregarse al almacén para minimizar el costo anual del inventario? ¿Cuánto debería estar dispuesta a pagar la compañía por la ampliación? Recuerde que únicamente 60% del área total se puede usar para almacenar podadoras Neverfail. Suponga que se cumplen todos los supuestos de la CLE.

6-31 Pidieron a Lisa Surowsky que ayudara a determinar la mejor política de ordenar para un nuevo producto. Se ha proyectado que la demanda del nuevo producto será alrededor de 1,000 unidades anuales. Para obtener los costos por almacenar y ordenar, Lisa preparó una serie de costos de inventario promedio. Lisa pensó que tales costos serían adecuados para el nuevo producto. Los resultados se resumen en la siguiente tabla. Estos datos se compilaron para 10,000 artículos en inventario que se almacenaron durante el año, y se ordenaron 100 veces en el año anterior. Ayude a Lisa a determinar la CLE.

FACTOR DE COSTO	COSTO ($)
Impuestos	2,000
Procesamiento e inspección	1,500
Desarrollo de nuevos productos	2,500
Pago de facturas	500
Hacer órdenes de suministro	50
Seguros de inventario	600
Publicidad del producto	800
Deterioro	750
Envió de órdenes de compra	800
Investigación de inventarios	450
Suministros para almacén	280
Investigación y desarrollo	2,750
Salarios de compras	3,000
Salarios de almacén	2,800
Robo de inventario	800
Suministros para órdenes de compra	500
Obsolescencia del inventario	300

6-32 Jan Gentry es la dueña de una pequeña compañía que fabrica tijeras eléctricas que sirven para cortar tela. La demanda anual es de 8,000 tijeras y Jan las produce por lotes. En promedio, Jan puede fabricar 150 tijeras por día y durante el proceso de producción, la demanda ha sido aproximadamente de 40 tijeras por día. El costo por preparación del proceso de producción es de $100 y a Jan le cuesta 30 centavos almacenar una unidad de tijeras durante un año. ¿Cuántas tijeras debería producir Jan en un lote?

6-33 Jim Overstreet, gerente de control de inventarios para Itex, recibe cojinetes para neumáticos de Wheel-Rite, un pequeño productor de partes metálicas. Desafortunadamente, Wheel Rite tan solo puede fabricar 500 cojinetes por día. Itex recibe 10,000 cojinetes de Wheel-Rite cada año. Como Itex opera 200 días laborales al año, su demanda promedio diaria de cojinetes es de 50. El costo por ordenar para Itex es de $40 por orden y el costo anual por almacenar es de 60 centavos por cojinete. ¿Cuántos cojinetes debería Itex ordenar a Wheel-Rite cada vez? Wheel-Rite ha acordado enviar a Itex el número máximo de cojinetes que produce cada día, cuando recibe una orden.

6-34 North Manufacturing tiene una demanda de 1,000 bombas cada año. El costo de una bomba es de $50. North tiene un costo de $40 por colocar una orden y un costo por almacenar de 25% del costo unitario. Sus bombas se ordenan en cantidades de 200. La compañía puede obtener un descuento de 3% sobre el costo de las bombas. ¿Debería North Manufacturing ordenar 200 bombas cada vez y optar por el descuento de 3%?

6-35 Linda Lechner está a cargo de mantener los suministros en el Hospital General. Durante el año pasado, la media del tiempo de entrega para el vendaje BX-5 fue de 60, en tanto que la desviación estándar de ese producto fue de 7. Linda desearía mantener 90% de nivel de servicio. ¿Qué inventario de seguridad recomienda para el BX-5?

6-36 Linda Lechner acaba de ser duramente reprendida por su política de inventarios. (Véase el problema 6-35). Su jefa, Sue Surrowski, cree que el nivel de servicio debería ser de 95% o de 98%. Calcule los niveles del inventario de seguridad para un nivel de servicio de 95% y de 98%. Linda sabe que el costo anual por almacenar para el BX-5 es de 50 centavos por unidad. Calcule el costo por almacenar asociado con un nivel de servicio de 90%, 95% y 98%.

6-37 Ralph Janaro simplemente no tiene tiempo de analizar todos los artículos del inventario de su compañía. Como gerente joven, tiene cosas más importantes que hacer. La siguiente tabla presenta seis artículos en inventario, con su costo unitario y su demanda en unidades.
a) Determine la cantidad total gastada en cada artículo durante el año. ¿Cuál es la inversión total para todos los artículos?
b) Calcule el porcentaje de la inversión total en inventario que se gasta en cada artículo.
c) Con base en los porcentajes del inciso b), ¿qué artículo(s) se clasificarían en las categorías A, B y C, si se aplica el análisis ABC?

CÓDIGO DE IDENTIFICACIÓN	COSTO UNITARIO ($)	DEMANDA EN UNIDADES
XX1	5.84	1,200
B66	5.40	1,110
3CPO	1.12	896
33CP	74.54	1,104
R2D2	2.00	1,110
RMS	2.08	961

d) ¿Qué artículo(s) debería Ralph controlar con más cuidado usando técnicas cuantitativas?

6-38 Thaarugo, Inc., produce un dispositivo de GPS que se está popularizando en partes de Escandinavia. Cuando Thaarugo produce uno de ellos, usa un tablero de circuitos impreso (TCI) y varios componentes electrónicos. Thaarugo determina que necesita aproximadamente 16,000 TCI de este tipo cada año. La demanda es relativamente constante durante el año y el costo por ordenar es de cerca de $25 por orden; el costo por almacenar es de 20% del precio de cada TCI. Dos compañías compiten para convertirse en el proveedor dominante de los TCI y ahora ambas han ofrecido descuentos, como se indica en la siguiente tabla. ¿Cuál de los dos proveedores debería elegir, si Thaarugo desea minimizar el costo total anual del inventario? ¿Cuál debería ser el costo anual del inventario?

PROVEEDOR A		PROVEEDOR B	
CANTIDAD	PRECIO	CANTIDAD	PRECIO
1–199	38.40	1–299	39.50
200–499	35.80	300–999	35.40
500 o más	34.70	1000 o más	34.60

6-39 Dillard Travey recibe 5,000 trípodes cada año de Quality Suppliers, para cumplir con su demanda anual. Dillard opera una tienda grande de artículos fotográficos y los trípodes se usan básicamente con cámaras de 35 mm. El costo por ordenar es de $15 por orden y el costo anual por almacenar es de 50 centavos por unidad. Quality quiere dar una nueva opción a sus clientes. Cuando se coloca una orden, Quality enviará un tercio de la orden cada semana durante tres semanas, en vez de enviar la orden completa a la vez. La demanda semanal en el tiempo de entrega es de 100 trípodes.
a) ¿Cuál es la cantidad a ordenar, si Dillard pide que le envíen la orden completa de una vez?
b) ¿Cuál es la cantidad a ordenar, si Dillard opta por el envío en las tres semanas según la opción de Quality Suppliers? Para simplificar los cálculos,

suponga que el inventario promedio es igual a la mitad del nivel de inventario máximo para la nueva opción de Quality.

c) Calcule el costo total para cada opción. ¿Qué recomendaría?

: 6-40 Quality Suppliers, Inc., ha decidido extender sus opciones de envío. (Véase los detalles en el problema 6-39). Ahora, Quality Suppliers ofrece mandar la cantidad ordenada en cinco envíos iguales, uno cada semana. Tomará cinco semanas recibir una orden completa. ¿Cuáles son las cantidades a ordenar y el costo total para esta nueva opción de envío?

6-41 La Hardware Warehouse está evaluando la política de inventario de seguridad para todos sus artículos, identificados por el código SKU. Para el SKU M4389, la compañía siempre ordena 80 unidades cada vez que se coloca una orden. La demanda diaria es constante, de 5 unidades por día, mientras que el tiempo de entrega tiene distribución normal con media de 3 días y desviación estándar de 2. El costo anual por almacenar es de $3 por unidad. Debe mantenerse un nivel de servicio de 95%.

a) ¿Cuál es la desviación estándar de la demanda durante el tiempo de entrega?

b) ¿Cuánto inventario de seguridad se debería mantener y cuál debería ser el punto de reorden?

c) ¿Cuál es el costo total anual por almacenar?

6-42 Para el SKU A3510 en Hardware Warehouse, la cantidad a ordenar se ha establecido en 150 unidades cada vez que se coloca una orden. La demanda diaria sigue un distribución normal con media de 12 unidades y desviación estándar de 4. Siempre toma exactamente 5 días recibir una orden de este artículo. El costo anual por almacenar se ha determinado en $10 por unidad. Debido al gran volumen vendido de este artículo, la administración quiere mantener 99% de nivel de servicio.

a) ¿Cuál es la desviación estándar de la demanda durante el tiempo de entrega?

b) ¿Cuánto inventario de seguridad se debería tener, y cuál debería ser el punto de reorden?

c) ¿Cuál es el costo total anual por almacenar?

6-43 H & K Electronics Warehouse vende un paquete de 12 baterías AAA, que es un artículo muy popular. Su demanda tiene distribución normal con promedio de 50 paquetes por día y desviación estándar de 16. El tiempo de entrega promedio es de 5 días con desviación estándar de 2 días. Se encontró que el tiempo de entrega tiene distribución normal. Se desea un nivel de servicio de 96%.

a) ¿Cuál es la desviación estándar de la demanda durante el tiempo de entrega?

b) ¿Cuánto inventario de seguridad debería mantenerse y cuál debería ser el punto de reorden?

6-44 Xemex recolectó los siguientes datos de inventario para seis artículos que almacena:

CÓDIGO DEL ARTÍCULO	COSTO UNITARIO ($)	DEMANDA ANUAL (UNIDADES)	COSTO POR ORDENAR ($)	COSTO POR ALMACENAR EN PORCENTAJE DEL COSTO UNITARIO
1	10.60	600	40	20
2	11.00	450	30	25
3	2.25	500	50	15
4	150.00	560	40	15
5	4.00	540	35	16
6	4.10	490	40	17

Lynn Robinson, gerente de inventarios de Xemex, no cree que se puedan controlar todos los artículos. ¿Qué cantidades a ordenar recomendaría para cuáles productos del inventario?

6-45 Georgia Products ofrece el siguiente programa de descuento para sus hojas de 4 por 8 pies de contrachapado de buena calidad.

ORDEN	COSTO UNITARIO ($)
9 hojas o menos	18.00
10 a 50 hojas	17.50
Más de 50 hojas	17.25

La compañía Home Sweet Home ordena contrachapado de Georgia Products. Home Sweet Home tiene un costo por ordenar de $45. El costo por almacenar es de 20% y la demanda anual es de 100 hojas. ¿Qué recomendaría?

6-46 Sunbright Citrus Products elabora jugo de naranja, toronja y otros productos relacionados con cítricos. Sunbright obtiene concentrados de fruta de una cooperativa en Orlando, la cual está formada por cerca de 50 campesinos. La cooperativa vende un mínimo de 100 latas de fruta concentrada a los procesadores de cítricos como Sunbright. El costo por lata es de $9.90.

El año pasado, la cooperativa desarrolló el programa de bonos como incentivo, para beneficiar a sus clientes grandes si compran mayores cantidades. Funciona como sigue: Si se compran 200 latas de concentrado, se incluyen 10 latas gratis en el trato. Además, los nombres de las organizaciones que compran concentrado participan en la rifa de una computadora personal nueva, la cual tiene un valor de alrededor de $3,000 y actualmente hay cerca de 1,000 compañías elegibles para dicha rifa. En la compra de 300 latas de concentrado, la cooperativa dará 30 latas gratis y también colocará el nombre de la compañía en la rifa de la computadora personal. Cuando la cantidad es mayor que 400 latas de concentrado, se incluyen 40 latas gratis con la orden. Además, la compañía también estará en la lista de la rifa de la computadora personal y un viaje gratis para dos personas. El valor del viaje es de aproximadamente $5,000. Se espera que 800 compañías califiquen para la rifa del viaje.

Sunbright estima que su demanda anual para el concentrado de fruta será de 1,000 latas. Además, estima que su costo por ordenar es de $10, mientras que el costo por almacenar es de 10% o alrededor de $1 por unidad. La empresa está intrigada con el plan de bonos como incentivo. Si la compañía decide que conservará la computadora o el viaje si lo ganan, ¿qué debería hacer?

6-47 John Lindsay vende discos compactos con 25 paquetes de software que realizan diversas funciones financieras, incluyendo el valor presente neto, la tasa interna de rendimiento, y otros programas financieros que suelen usar los estudiantes de administración con especialidad en finanzas. Dependiendo de la cantidad ordenada, John ofrece los siguientes descuentos. La demanda anual es de 2,000 unidades en promedio. Su costo por preparación para producir los CD es de $250. Estima que el costo anual por almacenar es de 10% del precio, o cerca de $1 por unidad.

	CANTIDAD ORDENADA		
RANGOS DE PRECIOS	DE	A	PRECIO
	1	500	$10.00
	501	1,000	9.95
	1,001	1,500	9.90
	1,500	2,000	9.85

a) ¿Cuál es el número óptimo de CD producidos a la vez?

b) ¿Cuál es el impacto del siguiente programa de cantidad-precio sobre la cantidad óptima a ordenar?

	CANTIDAD ORDENADA		
RANGOS DE PRECIOS	DE	A	PRECIO
	1	500	$10.00
	501	1,000	9.99
	1,001	1,500	9.98
	1,500	2,000	9.97

6-48 Teresa Granger es gerente de Chicago Cheese, que elabora quesos para untar y otros productos de queso relacionados. E-Z Spread Cheese es un producto que siempre ha sido muy popular. La probabilidad de las ventas, en cajas, es la siguiente:

DEMANDA (CAJAS)	PROBABILIDAD
10	0.2
11	0.3
12	0.2
13	0.2
14	0.1

Una caja de queso E-Z para untar se vende en $100 y tiene un costo de $75. Cualquier queso que no se vende después de una semana se vende a un procesador de alimentos local en $50. Teresa nunca vende queso que tenga más de una semana. Utilice el análisis marginal para determinar cuántas cajas de queso para untar E-Z hay que producir cada semana para maximizar la ganancia promedio.

6-49 Harry's Hardware tiene un negocio activo durante el año. En la época de Navidad, su ferretería vende árboles de navidad con una ganancia sustancial. Por desgracia, los árboles no vendidos al final de la temporada no tienen valor alguno. Entonces, el número de árboles que almacena para una temporada dada es una decisión muy importante. La siguiente tabla revela la demanda de árboles de navidad:

DEMANDA DE ÁRBOLES DE NAVIDAD	PROBABILIDAD
50	0.05
75	0.1
100	0.2
125	0.3
150	0.2
175	0.1
200	0.05

Harry vende los árboles en $80 cada uno, pero su costo es tan solo de $20.

a) Use el análisis marginal para determinar cuántos árboles debería almacenar Harry en su tienda.

b) Si el costo aumenta a $35 por árbol y Harry continúa vendiéndolos en $80 cada uno, ¿cuánto árboles debería almacenar?

c) Harry está pensando aumentar el precio a $100 por árbol. Suponga que el costo por árbol es de $20. Con el nuevo precio, espera que la probabilidad de vender 50, 75, 100 o 125 árboles es de 0.25 cada una. Harry no espera vender más de 125 árboles con el aumento de precio. ¿Qué le recomienda?

6-50 Además de comercializar árboles de Navidad durante las fiesta de diciembre, Harry's Hardware vende todos los artículos normales de la ferretería (véase el problema 6-49). Uno de los más populares es el pegamento HH, que se elabora especialmente para la ferretería de Harry. El precio de venta es de $4 la botella, pero el problema es que el pegamento se endurece y no se puede utilizar después de 1 mes. El costo del pegamento es de $1.20. Durante los meses recientes, la venta media del pegamento ha sido de 60 unidades, y la desviación estándar de 7. ¿Cuántas botellas de pegamento debería Harry almacenar? Suponga que las ventas siguen una distribución normal.

6-51 La pérdida marginal sobre las Washington Reds, una marca de manzanas en el estado de Washington, es de $35 por caja. La ganancia marginal es de $15 por caja. Durante el año pasado, la venta media de las Reds fue de 45,000 cajas y la desviación estándar de 4,450. ¿Cuántas cajas de Washington Reds debería traer al mercado? Suponga que las ventas siguen una distribución normal.

6-52 Linda Stanyon ha sido gerente de producción de Plano Produce por más de ocho años. Plano Produce es una pequeña empresa que está cerca de Plano, Illinois. Un artículo de su cosecha, el jitomate, se vende en cajas con ventas promedio diarias de 400 cajas. Se supone que las ventas diarias tienen una distribución normal. Además, 85% del tiempo las ventas están entre 350 y 450 cajas. Cada caja cuesta $10 y se vende en $15 dólares. Todas las cajas que no se venden se descartan.

a) Con la información proporcionada, estime la desviación estándar de las ventas.

b) Use la desviación estándar del inciso *a*), para determinar cuántas cajas de jitomate debería almacenar Linda.

6-53 Paula Shoemaker entrega un informe semanal del mercado de valores para lectores exclusivos. Por lo común, vende 3,000 informes por semana y 70% de las veces vende de 2,900 a 3,100. Producir el informe tiene un costo de $15 para Paula, pero puede venderlos en $350 cada uno. Por supuesto, cualquier informe que no se vende al final de la semana no tiene valor. ¿Cuántos informes debería producir Paula cada semana?

6-54 Emarpy Appliance fabrica todo tipo de electrodomésticos. Richard Feehan, el presidente de Emarpy, está preocupado por la política de producción para el refrigerador con mayores ventas de la compañía. La demanda ha sido relativamente constante de cerca de 8,000 unidades anuales. La capacidad de producción es de 200 unidades por día. Cada vez que inicia la producción, el costo para la compañía es de $120 por mover materiales, restablecer la línea de ensamble y limpiar el equipo es $120. El costo anual por almacenar un refrigerador es de $50. El plan de producción actual indica que deben fabricarse 400 refrigeradores en cada corrida de producción. Suponga que hay 250 días laborales por año.

a) ¿Cuál es la demanda diaria de este producto?

b) Si la compañía continuara produciendo 400 unidades por corrida, ¿cuántos días continuará la producción?

c) Con la política actual, ¿cuántas corridas de producción por año se requieren? ¿Cuál es el costo anual de preparación?

d) Si la política actual continúa, ¿cuántos refrigeradores habría en el inventario cuando se detenga la producción? ¿Cuál sería el nivel de inventario promedio?

e) Si la compañía fabrica 400 refrigeradores cada vez, ¿cuáles serían los costos anuales totales por preparación y por almacenar?

6-55 Considere la situación de Emarpy Appliance del problema 6-54. Si Richard Feehan quiere minimizar el costo total anual del inventario, ¿cuántos refrigeradores debería fabricar en cada corrida de producción? ¿Cuán-

to ahorraría esto a la compañía en costos de inventario, en comparación con la política actual de producir 400 refrigeradores en cada corrida?

6-56 Este capítulo presentó un árbol de la estructura de materiales para el artículo A en la figura 6.12. Suponga que ahora se necesita 1 unidad del artículo B para hacer cada unidad del artículo A. ¿Qué impacto tiene esto en el árbol de la estructura de materiales y el número de unidades de D y E que se requieren?

6-57 Dada la información del problema 6-56, desarrolle un plan de requerimiento de materiales bruto para 50 unidades del artículo A.

6-58 Use los datos de las figuras 6.12 a 6.14 para desarrollar un plan de requerimiento de materiales neto para 50 unidades del artículo A, suponiendo que tan solo se necesita 1 unidad del artículo B para cada unidad del artículo A.

6-59 La demanda del producto S es de 100 unidades. Cada unidad de S requiere 1 unidad de T y 1/2 unidad de U. Cada unidad de T requiere 1 unidad de V, 2 unidades de W y 1 unidad de X. Por último, cada unidad de U requiere 1/2 de Y y 3 unidades de Z. Todos los artículos se fabrican por la misma empresa. Toma dos semanas hacer S, una semana hacer T, dos semanas hacer U, dos semanas hacer V, tres semanas hacer W, una semana hacer X, dos semanas para Y y una para Z.

a) Construya un árbol de la estructura de materiales y un plan de requerimiento de materiales bruto para los artículos del inventario dependientes.

b) Identifique todos los niveles, padres y componentes.

c) Construya un plan de requerimiento de materiales neto usando los siguientes datos de inventario disponible:

ARTÍCULO	S	T	U	V	W	X	Y	Z
Inventario disponible	20	20	10	30	30	25	15	10

6-60 La compañía Webster Manufacturing produce un tipo de carrito de servicio muy popular. Este producto, el SL72, está hecho con las siguientes partes: 1 unidad de la parte A, 1 unidad de la parte B y 1 unidad del subensamble C. Cada subensamble C está formado por 2 unidades de la parte D, 4 unidades de E y 2 unidades de F. Desarrolle un árbol de la estructura de materiales.

6-61 El tiempo de entrega de cada una de las partes en el SL72 (problema 6-60) es de una semana, excepto la parte B que tiene tiempo de entrega de dos semanas. Desarrolle un plan de requerimiento de materiales neto para una orden de 800 SL72. Suponga que en este momento no hay partes en inventario.

6-62 Con referencia al problema 6-61, desarrolle un plan de requerimiento de materiales neto, suponiendo que actualmente hay en inventario 150 unidades de la parte A, 40 de la parte B, 50 del subensamble C y 100 de la parte F.

Problemas de tarea en Internet

Visite nuestra página de Internet en **www.pearsonenespañol.com/render,** donde encontrará problemas adicionales de tarea: problemas 6-63 a 6-70.

Estudio de caso

Corporación Martin-Pullin Bicycle

La corporación Martin-Pullin Bicycle (MPB), con sede en Dallas, es un distribuidor al mayoreo de bicicletas y refacciones para bicicletas. Formada en 1981 por los primos Ray Martin y Jim Pullin, la empresa tiene puntos de venta localizados dentro de un radio de 400 millas del centro de distribución. Estas tiendas reciben la orden de Martin-Pullin dentro de los dos días siguientes a la notificación al centro de distribución, siempre y cuando haya inventario disponible. Sin embargo, si la compañía no satisface una orden, no se quedan pedidos pendientes: los vendedores se las arreglan para obtener sus pedidos de otros distribuidores y MPB pierde la venta.

La compañía distribuye una amplia variedad de bicicletas. El modelo más popular y la fuente más importante de ingresos para la compañía es la AirWing. MPB recibe todos los modelos de un sólo fabricante en el extranjero y el envío puede tomar hasta cuatro semanas, después de colocar la orden. Con el costo de comunicación, documentación y pasos por aduanas, MPB estima que cada vez que se coloca una orden, incurre en un costo de $65. El precio de compra pagado por MPB, por bicicleta, es aproximadamente de 60% del precio de venta sugerido para todos los estilos disponibles, en tanto que el costo por almacenar es de 1% por mes (12% al año) del precio de compra pagado por MPB. El precio de venta al menudeo (pagado por los clientes) para la AirWing es de $170 por bicicleta.

MPB está interesada en hacer un plan de inventarios para 2011. La empresa quiere mantener un nivel de servicio de 95% con sus clientes para minimizar las pérdidas por órdenes perdidas. Los datos recolectados de los dos últimos años se resumen en la siguiente tabla. Se desarrolló un pronóstico de las ventas del modelo AirWing para el próximo año de 2011 y se usará para elaborar el plan de inventarios para MPB.

Demandas para el modelo AirWing

MES	2009	2010	PRONÓSTICO PARA 2011
Enero	6	7	8
Febrero	12	14	15
Marzo	24	27	31
Abril	46	53	59
Mayo	75	86	97
Junio	47	54	60
Julio	30	34	39
Agosto	18	21	24
Septiembre	13	15	16
Octubre	12	13	15
Noviembre	22	25	28
Diciembre	38	42	47
Total	343	391	439

Preguntas para análisis

1. Desarrolle un plan de inventarios para ayudar a MPB.
2. Analice el punto de reorden (PRO) y los costos totales.
3. ¿Cómo trataría una demanda que no está en el nivel del horizonte de planeación?

Fuente: Profesor Kala Chand Seal, Loyola Marymount University.

Estudios de caso en Internet

Nuestra página de Internet, en **www.pearsonenespañol.com/render,** contiene los siguientes estudios de caso adicionales:

1. **LaPlace Power and Light:** Este caso trata de una empresa pública de servicios en Louisiana y su utilización de cables eléctricos para conectar líneas de energía a las viviendas.

2. **Western Ranchman Outfitters:** Maneja el inventario de un popular estilo de jeans, cuando la fecha de entrega es algunas veces impredecible.

3. **Professional Video Management:** Este caso incluye la administración de sistemas de videograbación, donde son posibles los descuentos de los proveedores.

4. **Drake Radio:** Implica la orden de sintonizadores de FM.

Bibliografía

Anderson, Eric T., Gavan J. Fitzsimons y Duncan Simester. "Measuring and Mitigating the Costs of Stockouts", *Management Science* 52, 11 (noviembre de 2006): 1751-1763.

Bradley, James R. y Richard W. Conway. "Managing Cyclic Inventories", *Production and Operations Management* 12, 4 (invierno de 2003): 464-479.

Chan, Lap Mui Ann, David Simchi-Levi y Julie Swann. "Pricing, Production, and Inventory Policies for Manufacturing with Stochastic Demand and Discretionary Sales", *Manufacturing & Service Operations Management* 8, 2 (primavera de 2006): 149-168.

Chickering, David Maxwell y David Heckerman. "Targeted Advertising on the Web with Inventory Management", *Interfaces* 33, 5 (septiembre-octubre de 2003): 71-77.

Chopra, Sunil, Gilles Reinhardt y Maqbool Dada. "The Effect of Lead Time Uncertainty on Safety Stocks", *Decision Sciences* 35, 1 (invierno de 2004): 1-24.

Desai, Preyas S. y Oded Koenigsberg. "The Role of Production Lead Time and Demand Uncertainty in Marketing Durable Goods", *Management Science* 53, 1 (enero de 2007): 150-158.

Jayaraman, Vaidyanathan, Cindy Burnett y Derek Frank. "Separating Inventory Flows in the Materials Management Department of Hancock Medical Center", *Interfaces* 30, 4 (julio-agosto de 2000): 56-64.

Kapuscinski, Roman, Rachel Q. Zhang, Paul Carbonneau, Robert Moore y Bill Reeves. "Inventory Decisions in Dell's Supply Chain", *Interfaces* 34, 3 (mayo-junio de 2004): 191-205.

Karabakal, Nejat, Ali Gunal y Warren Witchie. "Supply-Chain Analysis at Volkswagen of America", *Interfaces* 30, 4 (julio-agosto de 2000): 46-55.

Kök, A. Gürhan y Kevin H. Shang. "Inspection and Replenishment Policies for Systems with Inventory Record Inaccuracy", *Manufacturing & Service Operations Management* 9, 2 (primavera de 2007): 185-205.

Ramasesh, Ranga V. y Ram Rachmadugu. "Lot-Sizing Decision under Limited-Time Price Reduction", *Decision Sciences* 32, 1 (invierno de 2001): 125-143.

Ramdas, Kamalini and Robert E. Spekman. "Chain or Shackles: Understanding What Drives Supply-Chain Performance", *Interfaces* 30, 4 (julio-agosto de 2000): 3-21.

Rubin, Paul A. y W. C. Benton. "A Generalized Framework for Quantity Discount Pricing Schedules", *Decision Sciences* 34, 1 (invierno de 2003): 173-188.

Shin, Hojung y W. C. Benton. "Quantity Discount-Based Inventory Coordination: Effectiveness and Critical Environmental Factors", *Production and Operations Management* 13, 1 (primavera de 2004): 63-76.

Apéndice 6.1 Control de inventarios con QM para Windows

En este capítulo se cubrieron diferentes modelos de control de inventarios. Cada modelo hace supuestos diferentes y utiliza enfoques un poco distintos. El uso de QM para Windows es similar para estos diferentes tipos de problemas de inventarios. Como se observa en el menú de QM para Windows, la mayoría de los problemas de inventarios estudiados en este capítulo se pueden resolver usando la computadora.

Para demostrar QM para Windows comenzamos con el modelo básico de la CLE. Sumco, la compañía manufacturera analizada en el capítulo, tiene una demanda anual de 1,000 unidades, un costo por ordenar de $10 por unidad y un costo anual por almacenar de $0.50 por unidad. Con estos datos, usamos QM para Windows para determinar la cantidad del lote económico. Los resultaos se ilustran en el programa 6.5.

El problema de inventarios de corrida de producción, que requiere la producción diaria y la tasa de demanda, además de la demanda anual, el costo por ordenar por orden y el costo anual por almacenar por unidad, también se cubrió en el capítulo. Se utilizó el ejemplo de Brown's Manufacturing para mostrar la manera de hacer los cálculos a mano. Usamos QM para Windows con estos datos y el programa 6.6 muestra los resultados.

PROGRAMA 6.5

Resultados de QM para Windows para el modelo de la CLE

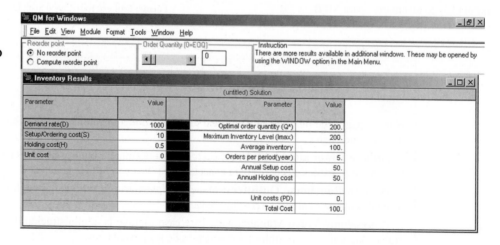

PROGRAMA 6.6

Resultados de QM para Windows para el modelo de corrida de producción

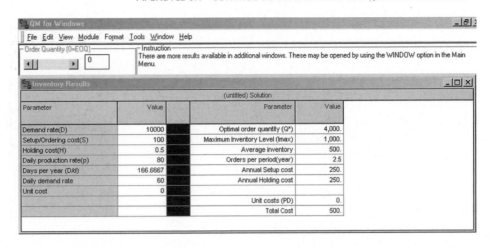

El modelo de descuentos por cantidad permite que varíe el costo del material con la cantidad ordenada. En este caso, el modelo debe tomar en cuenta y minimizar los costos del material, por ordenar y por almacenar, examinando cada descuento de precios. El programa 6.7 indica cómo aprovechar QM para Windows al resolver el modelo de descuentos por cantidad estudiado en el capítulo. Observe que la salida del programa presenta los datos de entrada, además de los resultados.

PROGRAMA 6.7

Resultados de QM para Windows en el modelo de descuentos por cantidad

Cuando una organización tiene un número grande de artículos en inventario, con frecuencia se usa el análisis ABC. Como se vio en el capítulo, el volumen monetario total de un artículo en inventario es una manera de determinar si se deberían usar técnicas cuantitativas de control. Los cálculos necesarios se realizan en el programa 6.8, que indica cómo QM para Windows puede aplicarse para calcular el volumen monetario y determinar si las técnicas de control cuantitativas se justifican para cada artículo en inventario con este nuevo ejemplo.

PROGRAMA 6.8

Resultados de QM para Windows para el análisis ABC

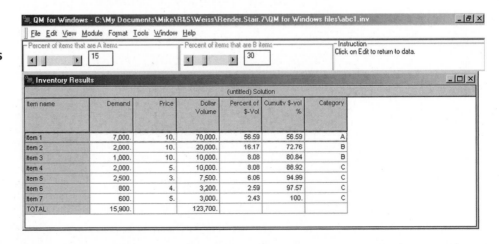

CAPÍTULO 7

Modelos de programación lineal: métodos gráficos y por computadora

7.1   Introducción

La programación lineal es una técnica que ayuda a tomar decisiones de asignación de recursos.

Muchas decisiones administrativas implican tratar de hacer un uso más eficaz de los recursos de una organización. En general, los recursos incluyen maquinaria, mano de obra, dinero, tiempo, espacio de almacenamiento y materia prima. Tales recursos se utilizan para elaborar productos (como maquinaria, mobiliario, alimentos o ropa) o servicios (como horarios para aerolíneas o producción, políticas de publicidad o decisiones de inversión). La **programación lineal (PL)** es una técnica de modelado matemático ampliamente utilizada, que está diseñada para ayudar a los gerentes en la planeación y toma de decisiones respecto a la asignación de recursos. Se dedican este capítulo y el siguiente para demostrar cómo y por qué funciona la programación lineal.

A pesar de su nombre, la PL y la categoría más general de técnicas llamada **programación "matemática"** tienen poco que ver con la programación por computadora. En el mundo de la ciencia de la administración, *programar* se refiere a modelar y resolver matemáticamente un problema. Desde luego, la programación por computadora ha jugado un rol importante en el avance y uso de la PL. Los problemas reales de la PL son demasiado engorrosos para resolverlos a mano o con una calculadora. Así, a lo largo de estos capítulos se presentan ejemplos de lo valioso que puede ser un software en la solución de un problema de PL.

7.2   Requerimientos de un problema de programación lineal

En los últimos 60 años, la PL se ha aplicado ampliamente a problemas militares, industriales, financieros, de comercialización, de contabilidad y de agricultura. Aun cuando sus aplicaciones son diversas, todos los problemas de PL tienen varias propiedades y suposiciones comunes.

Los problemas buscan maximizar o minimizar un objetivo.

Todos los problemas buscan *maximizar* o *minimizar* alguna cantidad, por lo general la utilidad o el costo. Nos referimos a esta propiedad como la **función objetivo** de un problema de PL. El principal objetivo de un fabricante típico es maximizar las utilidades en dólares. En el caso de un sistema de distribución por camión o por ferrocarril, el objetivo sería minimizar los costos de envío. En todo caso, el objetivo se debe establecer con claridad y definir matemáticamente. No importa, por cierto, si las utilidades y los costos se miden en centavos de dólar, dólares o millones de dólares.

Las restricciones limitan el grado en que se puede alcanzar el objetivo.

La segunda propiedad que los problemas de PL tienen en común es la presencia de limitaciones o **restricciones**, que acotan el grado en que se puede alcanzar el objetivo. Por ejemplo, la decisión de cuántas unidades de cada producto fabricar en la línea de productos de una empresa está restringida tanto por el personal como por la maquinaria disponibles. La selección de una política de publicidad o de un portafolio financiero está limitada por la cantidad de dinero disponible para gastar o invertir. Se desea, por lo tanto, maximizar o minimizar una cantidad (la función objetivo) sujeta a recursos limitados (las restricciones).

Debe haber alternativas disponibles.

Tienen que existir cursos de acción alternativos para elegir. Por ejemplo, si una organización fabrica tres productos diferentes, la gerencia puede utilizar la PL para decidir cómo distribuir entre ellos sus recursos de producción limitados (de personal, maquinaria, etcétera). ¿Debería dedicar toda la capacidad de fabricación para hacer únicamente el primer producto, elaborar la misma cantidad de cada producto o asignar los recursos en alguna otra proporción? Si no hay alternativas para elegir, no habría necesidad de la PL.

Las relaciones matemáticas son lineales.

Los objetivos y las restricciones en los problemas de PL se deben expresar en términos de ecuaciones o desigualdades *lineales*. Las relaciones matemáticas lineales tan solo significan que todos los términos utilizados en la función objetivo y en las restricciones son de primer grado (es decir, no se elevan al cuadrado, al cubo o a una potencia mayor, ni se presentan más de una vez). Por consiguiente, la ecuación $2A + 5B = 10$ es una función lineal aceptable; mientras que la ecuación $2A^2 + 5B^3 + 3AB = 10$ no es lineal, ya que la variable A está al cuadrado, la variable B está al cubo y las dos variables se presentan de nuevo como producto entre ellas.

El término *lineal* implica tanto proporcionalidad como adición. Proporcionalidad significa que si la producción de una unidad de un producto utiliza tres horas, la producción de 10 unidades tomaría 30 horas. Adición significa que el total de todas las actividades es igual a la suma de las actividades individuales. Si la fabricación de un producto generó una utilidad de $3 y la elaboración de otro producto generó una utilidad de $8, la utilidad total sería la suma de estas dos, que es $11.

Se supone que existen condiciones de *certeza*, es decir, se conocen con certeza el número en el objetivo y en las restricciones, y no cambia durante el periodo de estudio.

Se hace la suposición de *divisibilidad:* las soluciones no necesitan ser números enteros. Por el contrario, son divisibles y quizá tomen cualquier valor fraccionario. En los problemas de producción, a menudo se definen variables como el número de unidades fabricadas por semana o por mes, y un

TABLA 7.1
Propiedades y supuestos de la PL

PROPIEDADES DE PROGRAMAS LINEALES
1. Una función objetivo
2. Una o más restricciones
3. Cursos de acción alternativos
4. La función objetivo y las restricciones son lineales: proporcionalidad y divisibilidad
5. Certeza
6. Divisibilidad
7. Variables no negativas

valor fraccionario (como 0.3 sillas) simplemente significaría que se trata de un trabajo en proceso. Algo que comenzó en una semana puede terminarse en la siguiente. Sin embargo, en otros tipos de problemas, los valores fraccionarios no tienen sentido. Si una fracción de un producto no se puede comprar (digamos, un tercio de un submarino), existe un problema de programación entera. La programación entera se analiza con más detalle en el capítulo 10.

Por último, se supone que todas las respuestas o las variables son *no negativas*. Los valores negativos de las cantidades físicas son imposibles, pues sencillamente no se puede fabricar un número negativo de sillas, camisas, lámparas o computadoras. En la tabla 7.1 se resumen las propiedades y supuestos.

7.3 Formulación de problemas de PL

La formulación de un programa lineal implica el desarrollo de un modelo matemático que represente el problema administrativo. Por lo tanto, para formular un programa lineal, es necesario entender cabalmente el problema administrativo al que se enfrenta. Una vez que se haya entendido, es posible comenzar a desarrollar la formulación matemática del problema. Los pasos en la formulación de un programa lineal son los siguientes:

1. Entender cabalmente el problema administrativo que se enfrenta.
2. Identificar el objetivo y las restricciones.
3. Definir las variables de decisión.
4. Utilizar las variables de decisión para escribir expresiones matemáticas de la función objetivo y de las restricciones.

Los problemas de mezcla de productos utilizan PL para decidir la cantidad de cada producto a elaborar, a partir de una serie de recursos restringidos.

Una de las aplicaciones más comunes de la PL es el **problema de la mezcla de productos**. Con frecuencia dos o más productos se fabrican con recursos limitados, como personal, máquinas, materia prima, etcétera. La utilidad que la empresa busca maximizar se basa en la contribución a la utilidad por unidad de cada producto. (Tal vez recuerde que la contribución a la utilidad es únicamente el

HISTORIA **Cómo inició la programación lineal**

La programación lineal se desarrolló conceptualmente antes de la Segunda Guerra Mundial, gracias al destacado matemático soviético A. N. Kolmogorov. Otro ruso, Leonid Kantorovich, ganó el Premio Nobel en Economía por el avance de los conceptos de planeación óptima. Una aplicación inicial de la PL, hecha por Stigler en 1945, fue en el área de lo que actualmente se conoce como "problemas de dieta".

Sin embargo, a partir de 1947 hubo importantes avances en el área, cuando George D. Dantzig desarrolló el procedimiento de solución conocido como *algoritmo símplex*. En ese entonces matemático de la Fuerza Aérea, Dantzig, fue asignado a trabajar en problemas de logística y se dio cuenta de que muchos problemas relacionados con los recursos limitados y más de una demanda se podrían establecer en términos de una serie de ecuaciones y desigualdades. Aunque las primeras aplicaciones de la PL fueron de naturaleza militar, se convirtieron rápidamente en aplicaciones industriales con el evidente auge de las computadoras en los negocios. En 1984, N. Karmarkar desarrolló un algoritmo que parece ser superior al método símplex en muchas aplicaciones de gran tamaño.

TABLA 7.2
Datos de la compañía Flair Furniture

	HORAS REQUERIDAS PARA PRODUCIR 1 UNIDAD		
DEPARTAMENTO	**MESAS** (T)	**SILLAS** (C)	**HORAS DISPONIBLES ESTA SEMANA**
Carpintería	4	3	240
Pintura y barnizado	2	1	100
Utilidad por unidad	$70	$50	

precio de venta por unidad menos el costo variable por unidad*). La compañía quiere determinar cuántas unidades de cada producto se deberían fabricar para maximizar la utilidad general, dados sus recursos limitados. Un problema de este tipo se formula en el siguiente ejemplo.

Compañía Flair Furniture

La compañía Flair Furniture fabrica mesas y sillas de bajo precio. El proceso de fabricación de cada una es similar, ya que ambas requieren cierto número de horas de trabajo de carpintería, así como cierto número de horas de trabajo en el departamento de pintura y barnizado. Cada mesa requiere de 4 horas de carpintería y 2 horas en el taller de pintura y barnizado. Cada silla requiere de 3 horas de carpintería, y 1 hora en la pintura y barnizado. Durante el periodo de producción actual, están disponibles 240 horas de tiempo de carpintería, así como 100 horas de tiempo de pintura y barnizado. Cada mesa vendida genera una utilidad de $70; cada silla fabricada se vende con una utilidad de $50.

El problema de Flair Furniture es determinar la mejor combinación posible de mesas y sillas a fabricar, con la finalidad de alcanzar la utilidad máxima. La empresa desea que esta situación de mezcla de producción se formule como un problema de PL.

Empezamos con un resumen de la información necesaria para formular y resolver este problema (véase la tabla 7.2). Esto nos ayuda a entender el problema que se enfrenta. A continuación se identifican los objetivos y las restricciones. El objetivo es:

Maximizar la utilidad

Las restricciones son:

1. Las horas de tiempo de carpintería utilizadas no pueden exceder las 240 horas por semana.
2. Las horas de tiempo de pintura y barnizado utilizadas no pueden exceder las 100 horas por semana.

Las variables de decisión que representan las decisiones reales que tomarán se definen como:

T = número de mesas producidas por semana

C = número de sillas producidas por semana

Ahora se crea la función objetivo de PL en términos de T y C. La función objetivo es maximizar la utilidad = 70T$ + 50C$.

Nuestro siguiente paso es desarrollar las relaciones matemáticas para describir las dos restricciones en este problema. Una relación general es que la cantidad de un recurso utilizado debe ser menor que o igual a ($\leq$) la cantidad del recurso *disponible*.

En el caso del departamento de carpintería, el tiempo total utilizado es:

(4 horas por mesa)(número de mesas fabricadas)

+ (3 horas por silla)(número de sillas fabricadas)

Las restricciones de recursos ponen límites matemáticos al recurso de mano de obra de carpintería y a los recursos de mano de obra de pintura.

Entonces, la primera restricción se expresa de la siguiente manera:

Tiempo de carpintería utilizado $\leq$ tiempo disponible de carpintería

$4T + 3C \leq 240$ (horas de tiempo de carpintería)

---

*Técnicamente, se maximiza el margen de contribución total, que es la diferencia entre el precio de venta unitario, y los costos que varían en proporción con la cantidad del artículo producido. Depreciación, gastos generales fijos y publicidad se excluyen de los cálculos.

Del mismo modo, la segunda restricción es la siguiente:

Tiempo de pintura y barnizado utilizado ≤ tiempo disponible de pintura y barnizado

②$T + 1C ≤ 100$ (horas de tiempo de pintura y barnizado)

(Esto significa que cada mesa producida toma dos horas de recursos de pintura y barnizado).

Ambas restricciones representan restricciones de la capacidad de producción y, desde luego, afectan la utilidad total. Por ejemplo, Flair Furniture no puede fabricar 80 mesas durante el periodo de producción, ya que si $T = 80$, se transgredirían ambas restricciones. Tampoco se puede establecer $T = 50$ mesas y $C = 10$ sillas. ¿Por qué? Porque esto violaría la segunda restricción de que no se asigne un tiempo de más de 100 horas de pintura y barnizado.

Para obtener soluciones significativas, los valores de T y C deben ser números no negativos. Es decir, todas las posibles soluciones tienen que representar mesas y sillas reales. Matemáticamente, esto significa que:

$$T ≥ 0 \text{ (el número de mesas producidas es mayor que o igual a 0)}$$

$$C ≥ 0 \text{ (el número de sillas producidas es mayor que o igual a 0)}$$

Ahora el problema completo se reexpresa matemáticamente como:

$$\text{Maximizar utilidad} = \$70T + \$50C$$

Aquí se presenta un enunciado matemático completo del problema de PL.

sujeto a las restricciones:

$$4T + 3C ≤ 240 \text{ (restricción de carpintería)}$$
$$2T + 1C ≤ 100 \text{ (restricción de pintura y barnizado)}$$
$$T \quad\quad ≥ 0 \text{ (primera restricción de no negatividad)}$$
$$C ≥ 0 \text{ (segunda restricción de no negatividad)}$$

En tanto que las restricciones de no negatividad son limitaciones técnicamente independientes, se escriben a menudo en un solo renglón con las variables separadas por comas. En este ejemplo, esto se expresaría como:

$$T, C ≥ 0$$

7.4 Solución gráfica a un problema de PL

El método gráfico solamente funciona cuando hay dos variables de decisión, pero ofrece valiosa información acerca de cómo se estructuran los problemas más grandes.

La forma más sencilla de resolver un problema pequeño de PL como el de la empresa Flair Furniture es con el método de solución gráfica. El procedimiento gráfico únicamente es útil cuando existen dos variables de decisión (tales como el número de mesas a producir, T, y el número de sillas a producir, C) en el problema. Cuando hay más de dos variables, no es posible mostrar la solución en una gráfica bidimensional y se debe recurrir a enfoques más complejos. Sin embargo, el método gráfico es muy valioso y nos ofrece una visión de cómo funcionan otros métodos. Por esa única razón, vale la pena dedicar el resto de este capítulo a la exploración de soluciones gráficas, como una base intuitiva para los capítulos que siguen acerca de programación matemática.

Representación gráfica de las restricciones

Para encontrar la solución óptima de un problema de PL, primero se debe identificar un conjunto, o región, de soluciones factibles. El primer paso para hacerlo consiste en graficar cada restricción del problema. La variable T (mesas) se representa en el eje horizontal de la gráfica, en tanto que la variable C (sillas) se grafica en el eje vertical. La notación (T, C) se utiliza para identificar los puntos de la gráfica. Las **restricciones de no negatividad** significan que siempre se está trabajando en el primer cuadrante (el noreste) de una gráfica (véase la figura 7.1).

Restricciones no negativas significan $T ≥ 0$ y $C ≥ 0$.

Para representar gráficamente la primera restricción, $4T + 3C ≤ 240$, primero se grafica la parte de la igualdad de esta, que es:

$$4T + 3C = 240$$

El graficado de la primera restricción implica encontrar los puntos donde la recta interseca los ejes T y C.

Como recordará, en álgebra elemental, una ecuación lineal con dos variables es una recta. La forma más fácil de trazar la recta es encontrar cualesquier dos puntos que satisfagan la ecuación y, después, dibujar una recta que pase a través de ellos.

Los dos puntos más fáciles de encontrar son generalmente los puntos en los cuales la recta interseca los ejes T y C.

FIGURA 7.1

Cuadrante que contiene todos los valores positivos

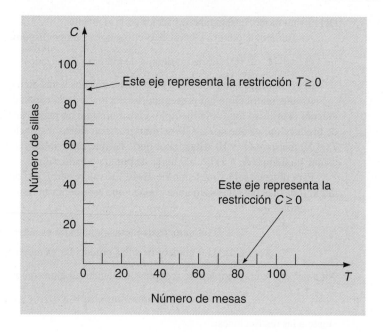

Cuando Flair Furniture no fabrica mesas, es decir, $T = 0$, esto implica que:

$$4(0) + 3C = 240$$

o bien,

$$3C = 240$$

o bien,

$$C = 80$$

En otras palabras, si *todo* el tiempo disponible de carpintería se utiliza para fabricar sillas, se *producirían* 80 sillas. Por lo tanto, esta restricción cruza el eje vertical en 80.

Para encontrar el punto donde la recta cruza el eje horizontal, se supone que la empresa no hace sillas, es decir, $C = 0$. Entonces:

$$4T + 3(0) = 240$$

o bien,

$$4T = 240$$

o bien,

$$T = 60$$

Por consiguiente, cuando $C = 0$, se observa que $4T = 240$ y que $T = 60$.

La restricción de carpintería se ilustra en la figura 7.2. Está limitada por la recta que va del punto $(T = 0, C = 80)$ al punto $(T = 60, C = 0)$.

No obstante, recuerde que la restricción de carpintería real era la **desigualdad** $4T + 3C \leq 240$. ¿Cómo se identifican todos los puntos de solución que satisfagan esta restricción? Resulta que hay tres posibilidades. Primera, sabemos que cualquier punto que se encuentre en la recta $4T + 3C = 240$ satisfará la restricción. Cualquier combinación de mesas y sillas en la recta agotará las 240 horas de tiempo de carpintería.* Ahora se debe encontrar el conjunto de puntos de solución que emplearían menos de 240 horas. Los puntos que satisfacen la parte $<$ de la restricción (es decir, $4T + 3C < 240$) serán todos los puntos en un lado de la recta, en tanto que todos los puntos del otro lado de la recta no cumplen con esta condición. Para determinar de qué lado de la recta están, basta con elegir un punto

---

*Por lo tanto, lo que se ha hecho es graficar la restricción en su posición más limitante, es decir, utilizando todos los recursos de carpintería.

FIGURA 7.2

Gráfica de la restricción $4T + 3C = 240$ de carpintería

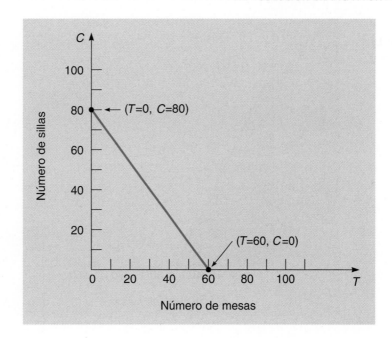

a cada lado de la recta de la restricción que se presenta en la figura 7.2 y comprobar si este satisface esta condición. Por ejemplo, se elige el punto (30, 20) como se ilustra en la figura 7.3:

$$4(30) + 3(20) = 180$$

Como $180 < 240$, este punto satisface la restricción, y todos los puntos de este lado de la recta también satisfarán la restricción. Este conjunto de puntos se indica mediante la región sombreada en la figura 7.3.

Para saber lo que sucedería si el punto no satisface la restricción, seleccione un punto en el otro lado de la recta como, por ejemplo, (70, 40). Esta restricción no se cumpliría en este punto, ya que:

$$4(70) + 3(40) = 400$$

Como $400 > 240$, este punto y cualquier otro de ese lado de la recta no satisfarían dicha restricción. Por lo tanto, la solución representada por el punto (70, 40), necesitarían más de las 240 horas que están disponibles. No hay suficientes horas de carpintería para fabricar 70 mesas y 40 sillas.

FIGURA 7.3

Región que satisface la restricción de carpintería

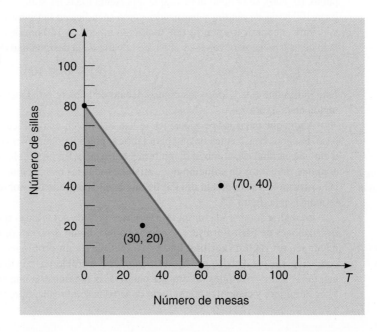

FIGURA 7.4

Región que satisface la restricción de pintura y barnizado

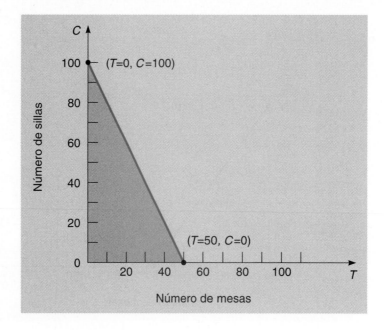

A continuación, se identifica la solución correspondiente a la segunda restricción, que limita el tiempo disponible en el departamento de pintura y barnizado. Esa restricción fue dada como $2T + 1C \leq 100$. Al igual que antes, se empieza por graficar la igualdad de esta restricción:

$$2T + 1C = 100$$

Para encontrar dos puntos de la recta, se selecciona $T = 0$ y se despeja C:

$$2(0) + 1C = 100$$
$$C = 100$$

Por consiguiente, un punto de la recta es (0, 100). Para encontrar el segundo punto, se elige $C = 0$ y se despeja T:

$$2T + 1(0) = 100$$
$$T = 50$$

El segundo punto utilizado para graficar la recta es (50,0). Localizando este punto, (50, 0), y el otro punto, (0, 100), se obtiene la recta que representa todas las soluciones en las que exactamente se utilizan 100 horas de pintura y barnizado, como se indica en la figura 7.4.

Para encontrar los puntos que requieren menos de 100 horas, seleccione un punto en cualquier lado de esta recta, para ver si se satisface la parte de la desigualdad de la restricción. Eligiendo (0, 0),

$$2(0) + 1(0) = 0 < 100$$

Esto indica que este y todos los puntos debajo de la recta satisfacen la restricción, y se sombrea esta región en la figura 7.4.

Ahora que todas las restricciones se han trazado en una gráfica, es el momento de ir al siguiente paso. Estamos conscientes de que para fabricar una silla o una mesa, se debe utilizar tanto el departamento de carpintería, como el de pintura y barnizado. En un problema de PL se necesita encontrar el conjunto de puntos de solución que satisfaga todas las restricciones *simultáneamente*. Por lo tanto, las restricciones se deberían dibujar de nuevo en una gráfica (o sobreponer una sobre la otra). Como se indica en la figura 7.5.

En los problemas de PL se quiere satisfacer todas las restricciones al mismo tiempo.

La región sombreada ahora representa el área de soluciones que no excede ninguna de las dos restricciones de Flair Furniture, y que se conoce como *área de soluciones factibles* o, más simplemente, como **región factible**. La región factible de un problema de PL debe satisfacer *todas* las condiciones especificadas por las restricciones del problema, por lo que es la región donde se traslapan todas las restricciones. Cualquier punto de la región sería una **solución factible** al problema de Flair Furniture, y cualquier punto fuera de la zona sombreada representaría una **solución no factible**.

La región factible es el conjunto de puntos que satisfacen todas las restricciones.

FIGURA 7.5

Región de solución factible para el problema de la compañía Flair Furniture

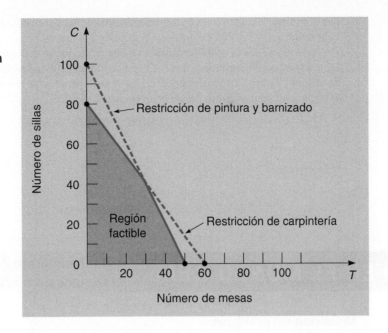

Por ello, sería factible la fabricación de 30 mesas y 20 sillas ($T = 30$, $C = 20$) durante un periodo de producción, ya que se consideran ambas restricciones:

Restricción de carpintería $4T + 3C \leq 240$ horas disponibles
$(4)(30) + (3)(20) = 180$ horas usadas   ⊘

Restricción de pintura $2T + 1C \leq 100$ horas disponibles
$(2)(30) + (1)(20) = 80$ horas usadas   ⊘

Fabricar 70 mesas y 40 sillas violaría ambas restricciones, como se ve aquí matemáticamente:

Restricción de carpintería $4T + 3C \leq 240$ horas disponibles
$(4)(70) + (3)(40) = 400$ horas usadas   ⊗

Restricción de pintura $2T + 1C \leq 100$ horas disponibles
$(2)(70) + (1)(40) = 180$ horas usadas   ⊗

Además, tampoco sería factible la fabricación de 50 mesas y 5 sillas ($T = 50$, $C = 5$). ¿Puede usted ver por qué?

Restricción de carpintería $4T + 3C \leq 240$ horas disponibles
$(4)(50) + (3)(5) = 215$ horas usadas   ⊘

Restricción de pintura $2T + 1C \leq 100$ horas disponibles
$(2)(50) + (1)(5) = 105$ horas usadas   ⊗

Esta posible solución se encuentra dentro del tiempo disponible en la carpintería, pero excede el tiempo disponible en pintura y barnizado y, por lo tanto, queda fuera de la región factible.

Método de solución de la recta de isoutilidad

Después de que grafica la región factible, se procede a encontrar la solución óptima al problema. La solución óptima es el punto que se encuentra en la región factible que genera la mayor utilidad. Sin embargo, hay muchos, muchos puntos de solución posible en la región. ¿Cómo se selecciona el mejor, es decir, el rendimiento con la mayor utilidad?

El método de isoutilidad es el primer método que se introdujo para encontrar la solución óptima.

Existen algunos métodos diferentes a seguir en la obtención de la solución óptima, cuando la región factible se ha establecido de forma gráfica. Uno de los más rápidos de aplicar es el *método de la recta de isoutilidad*.

La técnica inicia haciendo las utilidades iguales a cierta cantidad monetaria arbitraria, pero pequeña. Para el problema de Flair Furniture se elige una utilidad de $2,100. Este es un nivel de utilidad que se obtiene fácilmente sin transgredir ninguna de las dos restricciones. La función objetivo se escribe como $2,100 = 70T + 50C$.

Esta expresión es justo la ecuación de una recta, que se denomina **recta de isoutilidad** y representa todas las combinaciones de (T, C) que darían una utilidad total de $2,100. Para graficar la recta de utilidad, se procede exactamente como se hizo para trazar la recta de restricción. Primero, sea $T = 0$ y se despeja el punto donde la recta cruza al eje C:

$$\$2,100 = \$70(0) + \$50C$$

$$C = 42 \text{ sillas}$$

Después, sea $C = 0$ y se despeja T:

$$\$2,100 = \$70T + 50(0)$$

$$T = 30 \text{ mesas}$$

MODELADO EN EL MUNDO REAL

Establecimiento de los horarios de la tripulación en American Airlines

- Definición del problema
- Desarrollo de un modelo
- Recolección de datos
- Desarrollo de una solución
- Pruebas de la solución
- Análisis de los resultados
- Implementación de resultados

Definición del problema

American Airlines (AA) emplea a más de 8,300 pilotos y 16,200 asistentes de vuelo para operar más de 5,000 aviones. El costo total de las tripulaciones de American es de más de 1400 millones anuales, tan solo superado por el costo del combustible. La asignación de horarios de la tripulación es uno de los principales y más difíciles problemas de AA. En Estados Unidos, la Administración Federal de Aviación (FAA) establece restricciones al tiempo laboral diseñadas para asegurar que los miembros de la tripulación puedan cumplir con sus funciones de manera segura. Y los contratos sindicales especifican que a las tripulaciones se les debe garantizar el pago por un determinado número de horas de cada día o por cada viaje.

Desarrollo de un modelo

American Airlines Decision Technologies (grupo consultor de AA) invirtió 15 años de trabajo en el desarrollo de un modelo de PL llamado programa de reevaluación de viajes y de mejoramiento (TRIP, por las siglas de *trip reevaluation and improvement program*). El modelo TRIP elabora horarios de la tripulación que cumplan o superen la garantía de pago a las tripulaciones con el máximo nivel posible.

Recolección de datos

Datos y restricciones se deducen de la información de sueldos y de los reglamentos sindicales y de la FAA, que especifican los turnos de servicio máximos, los costos por trabajo nocturno, los horarios de las aerolíneas y los tamaños de las aeronaves.

Desarrollo de una solución

Se requieren aproximadamente 500 horas de tiempo de un servidor por mes para desarrollar los horarios de la tripulación, los cuales se preparan 40 días antes del mes objetivo.

Pruebas de la solución

Originalmente los resultados del TRIP se compararon con las asignaciones de la tripulación que se elaboraban en forma manual. A partir de 1971, el modelo se ha mejorado con nuevas técnicas de PL, nuevas restricciones, así como hardware y software más rápidos. Una serie de estudios del tipo ¿qué pasaría si? han puesto a prueba la capacidad del TRIP para llegar a soluciones más precisas y óptimas.

Análisis de los resultados

Cada año, el modelo de PL mejora la eficiencia de AA y permite a la aerolínea operar con una tripulación proporcionalmente menor. Ahora, un sistema más rápido del TRIP permite realizar análisis de sensibilidad de la programación en su primera semana.

Implementación de resultados

El modelo, totalmente aplicado, genera ahorros anuales de más de $20 millones. AA también ha vendido el TRIP a otras 10 compañías aéreas y a una de ferrocarriles.

Fuente: Basada en R. Anbil *et al.* "Recent Advances in Crew Pairing Optimization at American Airlines", *Interfaces* 21, 1 (enero-febrero de 1991): 62-74.

FIGURA 7.6
Recta de utilidad de $2,100 graficada para la empresa Furniture Flair

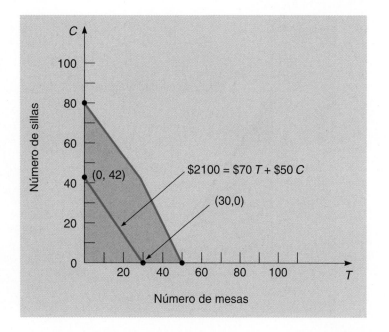

Isoutilidad implica trazar gráficas de rectas de utilidad paralelas.

Ahora se conectan esos dos puntos con una línea recta. La recta de utilidad se ilustra en la figura 7.6. Todos los puntos de la recta representan soluciones factibles que generan una utilidad de $2,100.*

Ahora, evidentemente, la recta de isoutilidad de $2,100 no produce la utilidad máxima posible para la empresa. En la figura 7.7 se grafican dos rectas más, dando cada una mayor utilidad. La ecuación de la porción media, $2,800 = $70T + $50C$, se grafica en la misma forma que la recta inferior. Cuando $T = 0$,

$$\$2,800 = \$70(0) + \$50C$$
$$C = 56$$

Cuando $C = 0$,

$$\$2,800 = \$70T + \$50(C)$$
$$T = 40$$

FIGURA 7.7
Cuatro líneas de isoutilidad graficadas para la empresa Furniture Flair

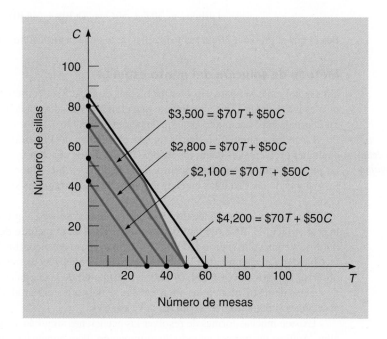

Iso significa "igual" o "similar", por lo que una recta de isoutilidad representa una línea con utilidades iguales; en este caso, $2,100.

FIGURA 7.8

Solución óptima al problema de Flair Furniture

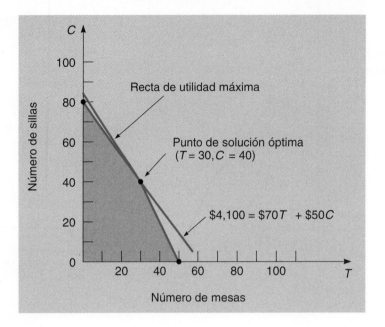

Se traza una serie de rectas de isoutilidad paralelas, hasta que se encuentra la de isoutilidad máxima, es decir, aquella que tiene la solución óptima.

Una vez más, cualquier combinación de mesas (T) y sillas (C) sobre esta recta de isoutilidad genera una utilidad total de $2,800. Observe que la tercera recta genera una utilidad de $3,500, aún más que una mejora. Cuanto más nos alejamos del origen, mayor será nuestra utilidad. Otro punto importante es que tales rectas de isoutilidad son paralelas. Ahora se tienen dos pistas acerca de cómo encontrar la solución óptima al problema original. Se puede trazar una serie de rectas paralelas (moviendo con cuidado nuestra regla en un plano paralelo a la primera recta de utilidad). La recta de mayor utilidad que toca un punto de la región factible indica la solución óptima. Observe que la cuarta recta ($4,200) es demasiado alta para considerarse.

El último punto que una recta de isoutilidad tocaría en la región factible es el punto esquina, donde se intersecan dos rectas de restricción, por lo que este punto resultará en la utilidad máxima posible. Para encontrar las coordenadas de este punto, se resuelven las dos ecuaciones al mismo tiempo (como se explica con detalle en la siguiente sección). Esto da como resultado el punto (30, 40), como se muestra en la figura 7.8. Al calcular la utilidad en este punto:

$$\text{Utilidad} = 70T + 50C = 70(30) + 50(40) = \$4,100$$

Por lo que al producir 30 mesas y 40 sillas se obtiene la utilidad máxima de $4,100.

Método de solución del punto esquina

Un segundo método para resolver problemas de PL utiliza el **método del punto esquina**. Esta técnica es más sencilla conceptualmente que el método de la recta de isoutilidad, pero implica considerar la utilidad en cada punto esquina de la región factible.

La teoría matemática detrás de la PL es que la solución óptima debe estar en uno de los puntos esquina de la región factible.

La teoría matemática detrás de los problemas de PL establece que una solución óptima a cualquier problema (es decir, los valores de T y C que generan la utilidad máxima) se encuentran en un **punto esquina** o **punto extremo**, de la región factible. Entonces, tan solo se necesita encontrar los valores de las variables en cada esquina: se encontrará una solución óptima en uno (o más) de ellos.

El primer paso en el método del punto esquina consiste en graficar las restricciones y encontrar la región factible. Este fue también el primer paso en el método de isoutilidad; en la figura 7.9 se muestra de nuevo la región factible. El segundo paso es encontrar los puntos esquina de la región factible. Para el ejemplo de Flair Furniture, las coordenadas de tres de las esquinas son evidentes al observar la gráfica: (0, 0), (50, 0) y (0, 80). El punto de la cuarta esquina es donde se intersecan las dos rectas de restricción, y las coordenadas se deben encontrar algebraicamente al resolver las dos ecuaciones simultáneamente para las dos variables.

Existen muchas formas de resolver las ecuaciones simultáneas y se puede utilizar cualquiera de ellas. Aquí se ilustrará el método de eliminación. Para comenzar con el método de eliminación, se-

FIGURA 7.9
Cuatro puntos esquina de la región factible

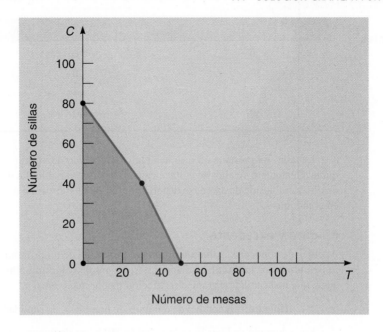

leccione una variable que se vaya a eliminar. En este ejemplo se selecciona T. Luego, se multiplica o se divide una ecuación entre un número para que el coeficiente de esa variable (T) en una ecuación sea el negativo del coeficiente de esa variable en la otra ecuación. Las dos ecuaciones de restricción son:

$$4T + 3C = 240 \qquad \text{(carpintería)}$$
$$2T + 1C = 100 \qquad \text{(pintura)}$$

Para eliminar T, se multiplica la segunda ecuación por -2:

$$-2(2T + 1C = 100) = -4T - 2C = -200$$

y, después, se agrega a la primera ecuación:

$$\begin{array}{r} + 4T + 3C = 240 \\ \hline + 1C = 40 \end{array}$$

o bien,

$$C = 40$$

Hacer esto nos ha permitido eliminar una variable, T, y despejar C. Ahora se sustituye 40 por C en cualquiera de las ecuaciones originales y se despeja T. Se utiliza la primera ecuación. Cuando $C = 40$, entonces:

$$4T + (3)(40) = 240$$
$$4T + 120 = 240$$

o bien,

$$4T = 120$$
$$T = 30$$

Por lo tanto, el último punto esquina es (30, 40).

El siguiente paso es calcular el valor de la función objetivo en cada uno de los puntos esquina. El último paso es seleccionar la esquina con el mejor valor, lo cual sería la mayor utilidad en este ejemplo. La tabla 7.3 lista los puntos esquina con sus utilidades. Se determina que la mayor utilidad es de $4,100, que se obtiene cuando se producen 30 mesas y 40 sillas. Esto es exactamente lo que se obtuvo con el método de isoutilidad.

TABLA 7.3
Puntos esquina factibles y utilidades de Flair Furniture

NÚMERO DE MESAS (T)	NÚMERO DE SILLAS (C)	Utilidad = $\$70T + \$50C$
0	0	$0
50	0	$3,500
0	80	$4,000
30	40	$4,100

La tabla 7.4 presenta un resumen tanto del método de isoutilidad como del método del punto esquina. Cualquiera de ellos se emplea cuando hay dos variables de decisión. Si un problema tiene más de dos variables de decisión, se debería confiar en el software o usar el algoritmo símplex analizado en el módulo 7.

Holgura y excedente

Además de conocer la solución óptima al problema de un programa lineal, es útil saber si se están utilizando todos los recursos disponibles. Se emplea el término **holgura** para la cantidad de un recurso que no se utiliza. Para una restricción menor que o igual a,

Holgura = (cantidad de recursos disponibles) − (cantidad de recursos utilizados)

En el ejemplo de Flair Furniture, había 240 horas de tiempo de carpintería disponible. Si la compañía decidió fabricar 20 mesas y 25 sillas, en vez de la solución óptima, la cantidad de tiempo de carpintería utilizada ($4T + 3C$) sería $4(20) + 3(25) = 155$. Por lo tanto:

Tiempo de holgura en carpintería = $240 − 155 = 85$

Para la solución óptima (30, 40) al problema de Flair Furniture, la holgura es 0 pues se utilizan todas las 240 horas.

El término **excedente** se emplea con las restricciones mayor que o igual a para indicar la cantidad en que se ha superado el lado derecho de una restricción. Para una restricción mayor que o igual a,

Excedente = (cantidad real) − (cantidad mínima)

Suponga que se tiene una restricción en el ejemplo donde se requiere el número total de mesas y sillas combinado de, al menos, 42 unidades (es decir, $T + C \geq 42$), y la compañía decidió fabricar 20 mesas y 25 sillas. La cantidad total producida sería de $20 + 25 = 45$, por lo que el excedente sería:

Excedente = $45 − 42 = 3$

que significa que se produjeron tres unidades más que el mínimo. Para la solución óptima (30, 40) en el problema de Flair Furniture, si esta restricción hubiera estado en el problema, el excedente sería $70 − 42 = 28$.

TABLA 7.4
Resúmenes de los métodos de solución gráfica

MÉTODO DE LA ISOUTILIDAD

1. Graficar todas las restricciones y encontrar la región factible.

2. Seleccionar una recta de utilidad (o de costo) específica(o) y trazar la gráfica para encontrar la pendiente.

3. Mover la recta de la función objetivo en la dirección de aumento de la utilidad (o de la disminución del costo), conservando la pendiente. El último punto que se toca en la región factible es la solución óptima.

4. Determinar los valores de las variables de decisión en este último punto y calcular la utilidad (o el costo).

MÉTODO DEL PUNTO ESQUINA

1. Graficar todas las restricciones y encontrar la región factible.

2. Encontrar los puntos esquina de la región factible.

3. Calcular la utilidad (o el costo) en cada uno de los puntos esquina factibles.

4. Seleccionar el punto esquina con el mejor valor de la función objetivo determinado en el paso 3. Esta es la solución óptima.

Así, la holgura y el excedente representan la diferencia entre el lado izquierdo (LHS) y el lado derecho (RHS) de una restricción. El término holgura se utiliza para referirse a restricciones menores o iguales, y el término *excedente* sirve para referirse a restricciones mayores o iguales. La mayoría del software para programación lineal dará la cantidad de holgura y de excedente que exista para cada restricción en la solución óptima.

Una restricción que tiene holgura o excedente cero para la solución óptima se llama **restricción precisa**. Una restricción con holgura o excedente positivo de la solución óptima se llama **restricción no precisa**. Algún resultado de cómputo especificará si la restricción es precisa o no precisa.

7.5 Solución del problema de PL de Flair Furniture usando QM para Windows y Excel

Casi todas las organizaciones tienen acceso a programas de software capaces de resolver problemas significativos de PL. Aunque cada programa es un poco diferente, el método que sigue cada uno para manejar problemas de PL es básicamente el mismo. El formato de introducción de los datos de entrada y el nivel de detalle de los resultados quizá varíe de un programa a otro, y de una computadora a otra; no obstante, una vez que haya experimentado con el tratamiento de los algoritmos computarizados de PL, se puede ajustar fácilmente a cambios menores.

Uso de QM para Windows

Empecemos por mostrar el uso de QM para Windows en el problema de la compañía Flair Furniture. Para utilizar QM para Windows, seleccione el módulo de programación lineal. A continuación, especifique el número de restricciones (sin considerar las restricciones de no negatividad, ya que se supone que las variables deben ser positivas), el número de variables, y si el objetivo se debe maximizar o minimizar. Para el problema de la compañía Flair Furniture, existen dos restricciones y dos variables. Una vez que se especifican estos números, la ventana de entrada de datos se abre como en el programa 7.1A. Entonces, puede introducir los coeficientes de la función objetivo y las restricciones. Coloque el cursor sobre X1 o X2 y escriba un nuevo nombre como *T* y *C* para cambiar los nombres de las variables. Los nombres de la restricción se cambian de igual manera. El programa 7.1B ilustra la pantalla de QM para Windows, después de que se hayan introducido los datos y antes de resolver

PROGRAMA 7.1A

Pantalla de entrada de datos para programación lineal de QM para Windows

	X1	X2		RHS	Equation form
Maximize	0	0			Max
Constraint 1	0	0	<=	0	<= 0
Constraint 2	0	0	<=	0	<= 0

PROGRAMA 7.1B

Introducción de datos de QM para Windows para el problema de Flair Furniture

	T	C		RHS	Equation form
Maximize	70	50			Max 70T + 50C
Carpentry	4	3	<=	240	4T + 3C <= 240
Painting	2	1	<=	100	2T + C <= 100

PROGRAMA 7.1C

Resultados de QM para Windows para el problema de Flair Furniture

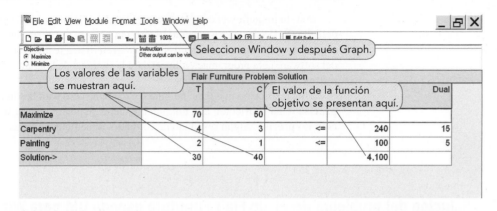

PROGRAMA 7.1D

Resultados gráficos de QM para Windows para el problema de Flair Furniture

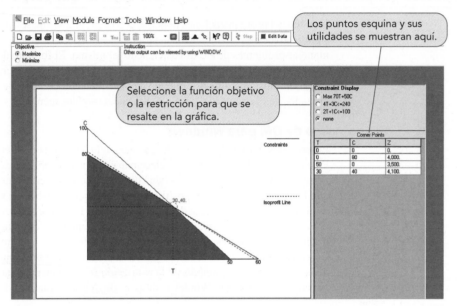

el problema. Al hacer clic en el botón Solve, se obtiene el resultado del programa 7.1C. Modifique el problema haciendo clic en el botón Edit y regrese a la pantalla de introducción para hacer los cambios que desee.

Una vez que se haya resuelto el problema, se visualiza la gráfica seleccionando Window-Graph de la barra de menú en QM para Windows. El programa 7.1 D ilustra el resultado de la solución gráfica. Observe que además de la gráfica, se presentan también los puntos esquina y el problema original. Más adelante regresaremos para ver información adicional relacionada con el análisis de sensibilidad que proporciona QM para Windows.

Uso de la instrucción Solver de Excel para problemas de PL

Excel 2010 (y versiones anteriores) tiene un complemento llamado Solver que se utiliza para resolver los problemas de programación lineal. Si este complemento no aparece en la pestaña Data en Excel 2010, es porque no se ha activado. Consulte el apéndice F para ver los detalles acerca de cómo activarlo.

PREPARACIÓN DE LA HOJA DE CÁLCULO PARA SOLVER La hoja de cálculo se debe preparar con datos y fórmulas para ciertos cálculos, antes de que se pueda utilizar Solver. Excel QM sirve para simplificar este proceso (véase el apéndice 7.1). Se describirán brevemente los pasos, el análisis adicional y las sugerencias de cuando se presente el ejemplo de Flair Furniture. A continuación se presenta un resumen de los pasos para preparar la hoja de cálculo:

1. Introducir los datos del problema. Los datos del problema consisten en los coeficientes de la función objetivo y las restricciones, además de los valores del lado derecho para cada una de las restricciones. Lo mejor es organizarlo de una manera lógica y significativa. Se utilizarán los coeficientes al escribir las fórmulas en los pasos 3 y 4, en tanto que los valores del lado derecho se introducirán en Solver.

PROGRAMA 7.2A

Introducción de datos en Excel para el ejemplo de Flair Furniture

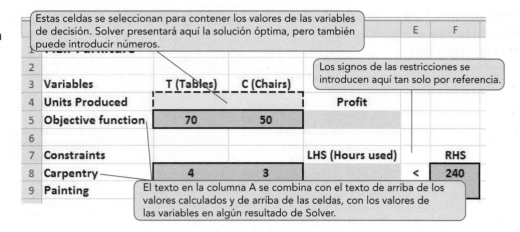

2. Designar las celdas específicas de los valores de las variables de decisión. Más tarde, estas direcciones de las celdas se pueden introducir en Solver.

3. Escribir una fórmula para calcular el valor de la función objetivo, utilizando los coeficientes de la función objetivo (del paso 1) que haya introducido y las celdas que contienen los valores de las variables de decisión (del paso 2). Más tarde, esta dirección de la celda se puede introducir en Solver.

4. Escribir una fórmula para calcular el valor del lado izquierdo (LHS) de cada restricción, utilizando los coeficientes de las restricciones (del paso 1) que haya introducido, y las celdas que contienen los valores de las variables de decisión (del paso 2). Más tarde, estas direcciones de la celda y las direcciones de celda para el valor correspondiente de RHS se introducirán en Solver.

Los cuatro pasos se deben completar de alguna manera en todos los problemas de programación lineal en Excel. Se brinda información adicional que se coloca en una hoja de cálculo. Ilustraremos esto con un ejemplo. Se darán sugerencias útiles.

1. Introducir los datos del problema. El programa 7.2A contiene los datos de entrada para el problema de Flair Furniture. En general, es mejor usar una columna para cada variable y una fila para cada restricción. Se deberían colocar etiquetas descriptivas en la columna A. Los nombres de las variables o la descripción se tienen que colocar justo en la fila anterior a las celdas de la solución, mientras que los coeficientes de la función objetivo y las restricciones deben estar en las mismas columnas que estos nombres. Para nuestro ejemplo, T (mesas) y C (sillas) se han introducido en las celdas B3 y C3. Tan solo las palabras mesas y sillas o simplemente los nombres de las variables T y C se podrían haber utilizado. En este ejemplo, a las celdas donde se van a introducir los coeficientes se les da un color de fondo (sombreado) y se indican con una línea gruesa para resaltarlas.

   Se eligió la fila 5 como la fila de la función objetivo, y en la columna A se introdujeron las palabras "función objetivo". Excel utilizará estas palabras en el resultado. La utilidad (coeficiente de la función objetivo) para cada mesa se introduce en B5, en tanto que la utilidad para cada silla se introduce en C5. Del mismo modo, las palabras carpintería y pintura se introdujeron en la columna A para las restricciones de carpintería y pintura. Los coeficientes de T y C en estas restricciones se encuentran en las filas 8 y 9. Los valores de RHS se introducen en las filas adecuadas; la prueba de RHS se introduce en la fila anterior a los valores, y este texto aparecerá en los resultados de Solver. Como ambas son restricciones $\leq$, se introduce el símbolo $<$ en la columna E, junto con los valores del RHS. Se entiende que la parte de la igualdad de $\leq$ es una parte de la restricción. Si bien no es necesario tener los signos ($<$) para las restricciones en cualquier lugar de la hoja de cálculo, tenerlos de manera explícita demuestra que actúan como un recordatorio para el usuario, cuando introduce el problema en Solver.

PROGRAMA 7.2B

Fórmulas para el ejemplo de Flair Furniture

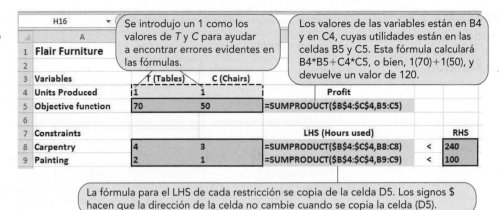

> Se introdujo un 1 como los valores de *T* y *C* para ayudar a encontrar errores evidentes en las fórmulas.

> Los valores de las variables están en B4 y en C4, cuyas utilidades están en las celdas B5 y C5. Esta fórmula calculará B4*B5+C4*C5, o bien, 1(70)+1(50), y devuelve un valor de 120.

	A	T (Tables)	C (Chairs)			RHS
1	Flair Furniture					
2						
3	Variables	T (Tables)	C (Chairs)			
4	Units Produced	1	1	Profit		
5	Objective function	70	50	=SUMPRODUCT($B$4:$C$4,B5:C5)		
6						
7	Constraints			LHS (Hours used)		RHS
8	Carpentry	4	3	=SUMPRODUCT($B$4:$C$4,B8:C8)	<	240
9	Painting	2	1	=SUMPRODUCT($B$4:$C$4,B9:C9)	<	100

> La fórmula para el LHS de cada restricción se copia de la celda D5. Los signos $ hacen que la dirección de la celda no cambie cuando se copia la celda (D5).

Las palabras en la columna A y las palabras inmediatamente arriba de los datos de entrada se utilizan en el resultado de Solver, a menos que las celdas o los rangos de celdas se nombren explícitamente en Excel. Con Excel 2010, los nombres se pueden asignar seleccionando *Name Manager* en la pestaña *Formula*.

2. Designar las celdas específicas para los valores de las variables de decisión. Debe haber una celda para el valor de *T* (celdas C4) y una celda para el valor de *C* (celda D4). Estos deberían estar en la fila debajo de los nombres de las variables, ya que el resultado de Solver asociará los valores al texto que se encuentra inmediatamente arriba (celdas C3 y D3) de los valores, a menos que a las celdas con los valores se les hayan dado otros nombres usando *Name Manager* de Excel.

3. Escribir una fórmula para calcular el valor de la función objetivo. Antes de escribir cualquier fórmula, ayuda introducir un 1 como el valor de cada variable (celdas B4 y C4). Esto le ayudará a ver si la fórmula tiene errores evidentes. La celda D5 se elige como la celda para el valor de la función objetivo, a pesar de que esta celda podría estar en cualquier lugar. Es conveniente mantenerla en la fila objetivo con los coeficientes de la función objetivo. La fórmula en Excel se puede escribir como =B4*B5+C4*C5. Sin embargo, hay una función en Excel, SUMPRODUCT, que lo hará más fácil. Puesto que los valores en las celdas B4:C4 (de B4 a C4) se multiplican por los valores en las celdas B5:C5, la función se escribe como =SUMPRODUCT(B4:C4,B5:C5). Esto hará que los números en el primer rango (B4:C4) se multipliquen por los números en el segundo rango (B5:C5) término por término; después, se suman los resultados. Puesto que una fórmula similar se utilizará para el LHS de las dos restricciones, ayuda especificar (utilizando el símbolo $) que las direcciones de las variables son absolutas (en oposición con relativas) y no deberían cambiar cuando se copia la fórmula. Esta última función sería =SUMPRODUCT($B$4:$C$4,B5:C5), como se indica en el programa 7.2B. Cuando esto se introduce en la celda D5, el valor de esa celda se convierte en 120, ya que hay un 1 en las celdas B4 y D5, y el cálculo de la función SUMPRODUCT sería 1(70) + 1(50) = 120. El programa 7.2C presenta los valores resultantes de las fórmulas, así como un rápido vistazo a la utilidad por unidad nos indica que se espera que la utilidad sea de 120, si se hace una unidad de cada una. Teniendo B4:C4 vacía, la celda D5, tendría un valor de 0. Hay muchas maneras en que una fórmula se escribe incorrectamente y da un valor de 0. Los errores evidentes que no se ven fácilmente.

4. Escribir una fórmula para calcular el valor del LHS de cada restricción. Mientras que las fórmulas individuales se pueden escribir, es más fácil utilizar la función SUMPRODUCT utilizada en el paso 3. Es incluso más fácil simplemente copiar la fórmula en la celda D5 y pegarla en las celdas D8 y D9, como se ilustra en el programa 7.2B. El primer rango de celdas, $B$4:$C$4, no cambia, ya que es una dirección absoluta, el segundo rango, B5:C5, hace los cambios. Observe que los valores en D8 y D9 son lo que se esperaría, ya que *T* y *C* tienen un valor de 1.

PROGRAMA 7.2C

Hoja de cálculo de Excel para el ejemplo de Flair Furniture

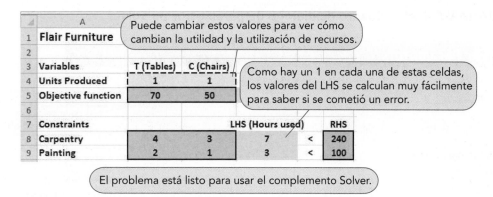

El problema ya está listo para usar Solver. No obstante, aun cuando no se encuentre la solución óptima, esta hoja de cálculo tiene beneficios. Es posible especificar otros valores para *T* y *C* en las celdas B4 y C4, para ver cómo cambian la utilización de recursos (LHS) y la utilidad.

USO DE SOLVER Para comenzar a utilizar Solver, vaya a la pestaña *Data* en Excel 2010 y haga clic en *Solver*, como se indica en el programa 7.2D. Si Solver no aparece en la pestaña Data, consulte el apéndice F para obtener instrucciones sobre cómo activar este complemento. Una vez que haga clic en Solver, se abre el cuadro de diálogo de Solver Parameters, como en el programa 7.2E, y se deberán introducir los siguientes parámetros, aunque el orden no es importante:

1. En el cuadro de Set Objective, introduzca la dirección de celda de la utilidad total (D5).

2. En el cuadro By Changing Cells, escriba las direcciones de las celdas para los valores de las variables (B4:C4). Solver le permitirá cambiar los valores de esas celdas, mientras busca el mejor valor en la celda de referencia Set Objective.

3. Haga clic en *Max* para un problema de maximización y en *Min* para uno de minimización.

4. Marque la casilla *Make Unconstrained Variables Non-Negative* ya que las variables *T* y *C* deben ser mayores que o iguales a cero.

5. Haga clic en el botón *Select Solving Method* y seleccione *Simplex LP* en el menú que aparece.

6. Haga clic en *Add* para agregar las restricciones. Al hacer esto, se presentará el cuadro de diálogo que se muestra en el programa 7.2F.

PROGRAMA 7.2D

Inicio de Solver

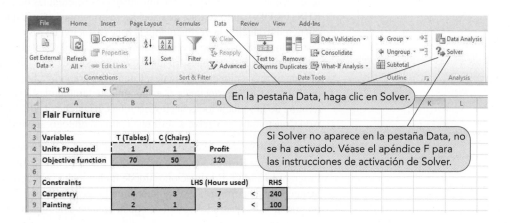

PROGRAMA 7.2E   Cuadro de diálogo de parámetros de Solver

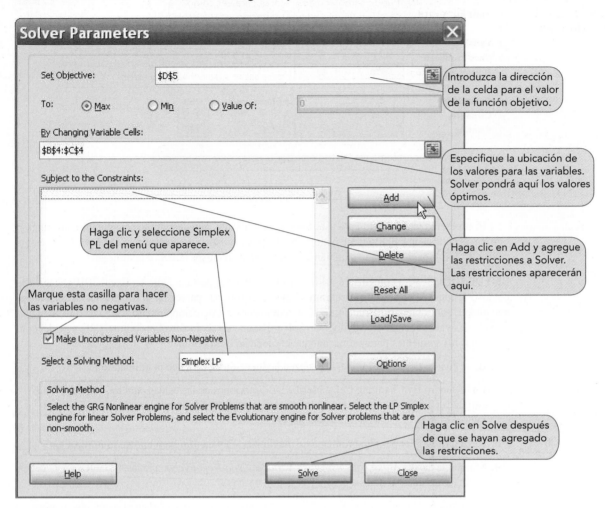

7. En la restricción *Cell Reference*, introduzca las referencias de celdas para los valores de LHS (D8:D9). Haga clic en el botón para abrir el menú desplegable y seleccionar <=, que es para restricciones ≤. A continuación, introduzca las referencias de las celdas para los valores de RHS (F8:F9). Como se trata de todas las restricciones menor que o igual a, todas ellas se pueden introducir a la vez mediante la especificación de los rangos. Si hubiera otro tipo de restricciones, tales como las restricciones ≥, se puede hacer clic en *Add* después de introducir estas primeras restricciones, en tanto que el cuadro de diálogo Add Constraint le permitiría introducir restricciones adicionales. Cuando se prepara la hoja de cálculo de Solver, es más fácil si todas las restricciones ≤ están juntas y también las restricciones ≥ están juntas. Cuando termine de introducir todas las restricciones, haga clic en OK. Se cierra el cuadro de diálogo Add Constraint y se vuelve a abrir el cuadro de diálogo Solver Parameters.

8. Haga clic en *Solve* en el cuadro Solver Parameters, y se encuentra la solución. El cuadro de diálogo Solver Results se abre e indica que encontró una solución, como se muestra en el Programa de 7.2G. En situaciones donde no haya una solución posible, esta caja se lo indicará. Se puede obtener información adicional en la sección Reports, como se verá más adelante. El programa 7.2H ilustra los resultados de la hoja de cálculo con la solución óptima.

PROGRAMA 7.2F

Cuadro de diálogo de Solver de agregar restricción

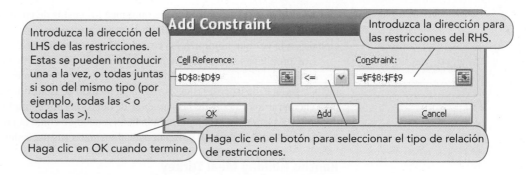

Introduzca la dirección del LHS de las restricciones. Estas se pueden introducir una a la vez, o todas juntas si son del mismo tipo (por ejemplo, todas las < o todas las >).

Introduzca la dirección para las restricciones del RHS.

Haga clic en OK cuando termine.

Haga clic en el botón para seleccionar el tipo de relación de restricciones.

PROGRAMA 7.2G

Cuadro de diálogo de resultados de Solver

PROGRAMA 7.2H

Solución encontrada por Solver

	A	B	C	D	E	F
1	Flair Furniture					
2						
3	Variables	T (Tables)	C (Chairs)			
4	Units Produced	30	40	Profit		
5	Objective function	70	50	4100		
6						
7	Constraints			LHS (Hours used)		RHS
8	Carpentry	4	3	240	<	240
9	Painting	2	1	100	<	100

La solución óptima es $T = 30$, $C = 40$, utilidad = 4100.

Las horas utilizadas se dan aquí.

7.6   Solución de problemas de minimización

Muchos de los problemas de PL incluyen minimizar un objetivo como el costo, en vez de maximizar una función de utilidad. Un restaurante, por ejemplo, tal vez quiera desarrollar un horario de trabajo para satisfacer las necesidades de personal y reducir al mínimo el número total de empleados. Un fabricante puede buscar la forma de distribuir sus productos elaborados en diferentes fábricas a sus almacenes regionales, de manera que minimice los costos de envío totales. Un hospital quizá quiera ofrecer un plan de alimentación diaria para sus pacientes, que cumpla con ciertas normas nutricionales, a la vez que minimiza los costos de las compras de insumos.

Los problemas de minimización se pueden resolver gráficamente, primero estableciendo la región de solución factible y, después, utilizando ya sea el método del punto esquina o bien un método de recta de isocosto (que es similar al método de isoutilidad en problemas de maximización), para encontrar los valores de las variables de decisión (por ejemplo, X_1 y X_2) que producen el costo mínimo. Revisemos un problema común de PL conocido como el problema de la dieta. Esta situación es similar a la que el hospital enfrenta para alimentar a sus pacientes al menor costo posible.

Rancho Holiday Meal Turkey

El rancho Holiday Meal Turkey está considerando comprar dos marcas diferentes de alimento para pavo, y mezclarlos para ofrecer una buena dieta de bajo costo para sus aves. Cada alimento contiene, en proporciones variables, algunos o los tres ingredientes nutricionales esenciales para pavos de engorda. Por ejemplo, cada libra de la marca 1 contiene 5 onzas del ingrediente A, 4 onzas del ingrediente B y 0.5 onzas del ingrediente C. Cada libra de la marca 2 contiene 10 onzas del ingrediente A, 3 onzas del ingrediente B, pero nada del ingrediente C. La marca 1 de alimento cuesta al rancho 2 centavos de dólar por libra; en tanto que la marca 2 de alimento le cuesta 3 centavos de dólar por libra. El propietario del rancho desea utilizar la PL para determinar la dieta con costo mínimo que cumpla con el requisito mínimo de ingesta mensual de cada ingrediente nutricional.

La tabla 7.5 resume la información pertinente. Si hacemos que,

$$X_1 = \text{número de libras de la marca 1 de alimento comprada}$$
$$X_2 = \text{número de libras de la marca 2 de alimento comprada}$$

Entonces, se procede a formular el problema de programación lineal de la siguiente manera:

$$\text{Minimizar los costos (en centavos)} = 2X_1 + 3X_2$$

sujetos a las siguientes restricciones:

$$5X_1 + 10X_2 \geq 90 \text{ onzas} \quad \text{(restricción del ingrediente A)}$$
$$4X_1 + 3X_2 \geq 48 \text{ onzas} \quad \text{(restricción del ingrediente B)}$$
$$0.5X_1 \geq 1.5 \text{ onzas} \quad \text{(restricción del ingrediente C)}$$
$$X_1 \geq 0 \quad \text{(restricción de no negatividad)}$$
$$X_2 \geq 0 \quad \text{(restricción de no negatividad)}$$

Antes de resolver este problema, queremos estar seguros de considerar tres características que afectan su solución. En primer lugar, se debe tener en cuenta que la tercera restricción implica que el agricultor *deba* comprar suficiente alimento de marca 1 para satisfacer las normas mínimas para el ingrediente nutricional C. Comprar tan solo la marca 2 no sería factible, debido a que carece de C. En

TABLA 7.5
Datos del rancho Holiday Meal Turkey

INGREDIENTE	COMPOSICIÓN DE CADA LIBRA DE ALIMENTO (OZ.) ALIMENTO MARCA 1	COMPOSICIÓN DE CADA LIBRA DE ALIMENTO (OZ.) ALIMENTO MARCA 2	REQUERIMIENTO MENSUAL MÍNIMO POR PAVO (OZ.)
A	5	10	90
B	4	3	48
C	0.5	0	1.5
Costo por libra	2 ¢	3 ¢	

segundo lugar, ya que el problema está formulado, se resolverá para la mejor combinación de las marcas 1 y 2 en las compras mensuales por pavo. Si el rancho aloja 5,000 pavos en un mes dado, simplemente se necesitan multiplicar las cantidades X_1 y X_2 por 5,000, para decidir la cantidad de alimento a ordenar en general. En tercer lugar, ahora se está tratando con una serie de restricciones del tipo mayor que o igual a. Esto provoca que el área de soluciones factibles esté por encima de las rectas de las restricciones en este ejemplo.

USO DEL MÉTODO DEL PUNTO ESQUINA EN UN PROBLEMA DE MINIMIZACIÓN Para resolver el problema del rancho Holiday Meal Turkey, primero se construye la región de la solución factible. Esto se hace mediante el trazado de cada una de las tres restricciones, como se muestra en la figura 7.10. Observe que la tercera restricción, $0.5X_1 \geq 1.5$, se puede reescribir y graficar como $X_1 \geq 3$. (Esto implica multiplicar ambos lados de la desigualdad por 2, pero no cambia la posición de la recta de restricción de ninguna manera). A menudo los problemas de minimización no tienen límites hacia el exterior (es decir, son no acotados en el lado derecho y en la parte superior); sin embargo, esto no causa dificultad al resolverlos. Siempre y cuando se limiten hacia el interior (en el lado izquierdo y en el fondo), se pueden establecer los puntos esquina. La solución óptima se encuentra en una de las esquinas, como se haría en un problema de maximización.

Graficamos las tres restricciones para desarrollar una región de solución factible para el problema de minimización.

Observe que con frecuencia los problemas de minimización tienen regiones factibles no acotadas.

En este caso, hay tres puntos esquina: *a*, *b* y *c*. Para el punto *a*, se encuentran las coordenadas en la intersección de las restricciones de los ingredientes C y B, es decir, donde la recta $X_1 = 3$ cruza la recta de $4X_1 + 3X_2 = 48$. Si sustituimos $X_1 = 3$ en la ecuación de restricción B, obtenemos:

$$4(3) + 3X_2 = 48$$

o bien,

$$X_2 = 12$$

Por consiguiente, el punto *a* tiene las coordenadas ($X_1 = 3$, $X_2 = 12$).

Para encontrar algebraicamente las coordenadas del punto *b*, se resuelven las ecuaciones $4X_1 + 3X_2 = 48$ y $5X_1 + 10X_2 = 90$ de forma simultánea. Se obtiene ($X_1 = 8.4$, $X_2 = 4.8$).

EN ACCIÓN
NBC utiliza programación lineal, entera y de metas en ventas de espacios publicitarios

La National Broadcasting Company (NBC) vende anualmente más de $4 mil millones de publicidad televisiva. Aproximadamente del 60% al 80% de tiempo aire para una próxima temporada se vende en un periodo de 2 a 3 semanas a finales de mayo. Las agencias de publicidad se acercan a las cadenas para adquirir espacios publicitarios para sus clientes. En cada solicitud se incluye la cantidad monetaria, las características demográficas (por ejemplo, edad de la audiencia) en las cuales se interesa el cliente, la mezcla de programas, el peso semanal, la distribución de la longitud de las unidades, y un costo negociado por cada 1,000 espectadores. NBC debe entonces desarrollar estos planes de ventas detallados para cumplir con dichos requisitos. Tradicionalmente, NBC desarrolló sus planes de forma manual, lo cual requiere varias horas por cada plan. Estos, en general, tuvieron que reprocesarse debido a la complejidad que había. Con más de 300 planes por desarrollar y reprocesar en un periodo de 2 a 3 semanas, se invierte mucho tiempo, y no necesariamente resulta en el máximo ingreso posible.

En 1996 se inició un proyecto en el área de gestión del rendimiento. A través de este esfuerzo, NBC fue capaz de crear planes que cumplieran con mayor precisión las exigencias del cliente, que respondieran a los clientes con mayor rapidez, que hicieran un uso más rentable de su inventario limitado de espacio de tiempos publicitarios, y que redujeran los reprocesamientos. El éxito de este sistema condujo a la creación de un sistema de optimización a gran escala, basado en la programación lineal, entera y de metas. Se estima que los ingresos por ventas entre los años 1996 y 2000 aumentaron en más de $200 millones, debido en gran medida a este esfuerzo. Mejoras en el tiempo de reprocesamiento, en la productividad del equipo de ventas y en la satisfacción del cliente fueron también beneficios de este sistema.

Fuente: Basada en Srinivas Bollapragada *et al.* "NBC's Optimization Systems Increase Revenues and Productivity", *Interfaces* 32, 1 (enero-febrero de 2002): 47-60.

FIGURA 7.10

Región factible para el problema del Holiday Meal Turkey Ranch

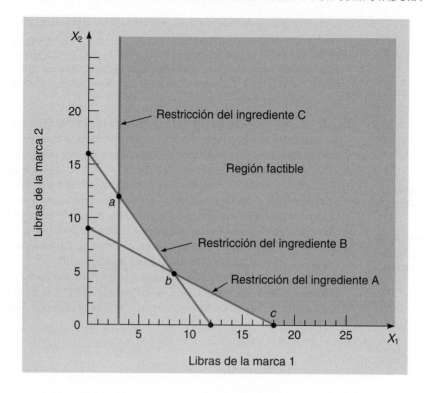

Se ve por inspección que las coordenadas en el punto *c* son ($X_1 = 18$, $X_2 = 0$). Ahora se evalúa la función objetivo en cada punto de la esquina, y se obtiene

$$\text{Costo} = 2X_1 + 3X_2$$

$$\text{Costo en el punto } a = 2(3) + 3(12) = 42$$

$$\text{Costo en el punto } b = 2(8.4) + 3(4.8) = 31.2$$

$$\text{Costo en el punto } c = 2(18) + 3(0) = 36$$

Por lo tanto, la solución del costo mínimo es comprar mensualmente 8.4 libras de alimento de la marca 1 y 4.8 libras de alimento de la marca 2 para los pavos. Así, se tendría un costo de 31.2 centavos por pavo.

El método de la recta de isocosto es análogo al método de la recta de isoutilidad que hemos utilizado en los problemas de maximización.

MÉTODO DE LA RECTA DE ISOCOSTO   Como se mencionó anteriormente, el método de la **recta de isocosto** también se utiliza para resolver problemas de minimización de PL, como el del rancho Holiday Meal Turkey. Al igual que con las rectas de isoutilidad, no se tiene que calcular el costo en cada punto esquina, pero en cambio se debe trazar una serie de rectas de costos paralelas. La recta de menor costo (la más cercana al origen) al tocar la región factible nos proporciona la esquina de solución óptima.

Por ejemplo, se comienza en la figura 7.11, trazando una recta de costos de 54 centavos, es decir, $54 = 2X_1 + 3X_2$. Evidentemente, hay muchos puntos en la región factible que darían lugar a un menor costo total. Se procede a mover nuestra recta de isocosto hacia la parte inferior izquierda, en un plano paralelo a la recta solución de 54 centavos. El último punto que tocamos cuando aún estábamos en contacto con la región factible es el mismo punto esquina *b* de la figura 7.10, que tiene las coordenadas ($X_1 = 8.4$, $X_2 = 4.8$) y un costo asociado de 31.2 centavos.

MÉTODO POR COMPUTADORA   Para cerrar, también resolveremos el problema del rancho Holiday Meal Turkey usando el software QM para Windows (véase el programa 7.3) y con la función Solver de Excel (véase los programas 7.4A y 7.4B).

FIGURA 7.11

Solución gráfica del problema del Holiday Meal Turkey Ranch usando la recta de isocosto

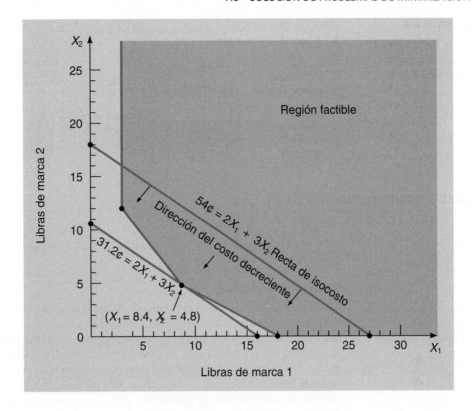

PROGRAMA 7.3

Solución del problema del rancho Holiday Meal Turkey usando el software QM para Windows

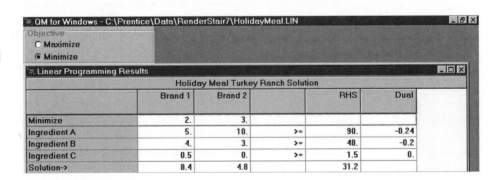

QM for Windows – C:\Prentice\Data\RenderStair7\HolidayMeal.LIN

Objective
○ Maximize
● Minimize

Linear Programming Results

Holiday Meal Turkey Ranch Solution					
	Brand 1	Brand 2		RHS	Dual
Minimize	2.	3.			
Ingredient A	5.	10.	>=	90.	-0.24
Ingredient B	4.	3.	>=	48.	-0.2
Ingredient C	0.5	0.	>=	1.5	0.
Solution->	8.4	4.8		31.2	

PROGRAMA 7.4A

Hoja de cálculo de Excel 2010 para el problema del rancho Holiday Meal Turkey

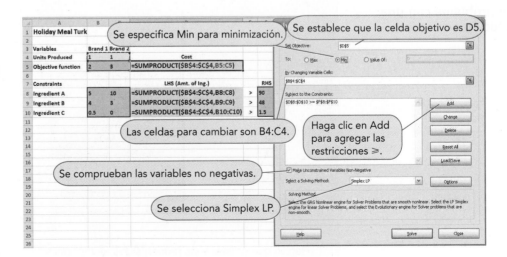

PROGRAMA 7.4B

Solución en Excel 2010 para el problema del rancho Holiday Meal Turkey

	A	B	C	D	E	F
1	Holiday Meal Turkey Ranch					
2						
3	Variables	Brand 1	Brand 2			
4	Units Produced	8.4	4.8	Cost		
5	Objective function	2	3	31.2		
6						
7	Constraints			LHS (Amt. of Ing.)		RHS
8	Ingredient A	5	10	90	>	90
9	Ingredient B	4	3	48	>	48
10	Ingredient C	0.5	0	4.2	>	1.5

> Observe que hay un excedente para el ingrediente C ya que LHS > RHS.

7.7 Cuatro casos especiales de PL

Algunas veces surgen cuatro casos especiales y dificultades cuando se utiliza el método gráfico para resolver problemas de PL: 1. solución no factible, 2. región no acotada, 3. redundancia y 4. soluciones óptimas múltiples.

Solución no factible

La falta de una región de solución factible puede ocurrir, si las restricciones están en conflicto entre sí.

Cuando no hay solución a un problema de PL que satisfaga todas las restricciones dadas, entonces existe una solución no factible. Gráficamente, esto significa que no hay una región de solución factible: una situación que ocurriría si el problema se formuló con restricciones en conflicto. Esto, por cierto, es un hecho frecuente en la vida real, los problemas de PL a gran escala implican cientos de restricciones. Por ejemplo, si el director de ventas proporciona una restricción que establece que al menos se deben fabricar 300 mesas (es decir, $X_1 \geq 300$) para satisfacer la demanda de ventas, y una segunda restricción la da el gerente de producción, quien insiste en que no se fabriquen más de 220 mesas (es decir, $X_1 \leq 220$) debido a la escasez de madera, no se obtiene una región de solución factible. Cuando el analista de investigación de operaciones que coordina los problemas de PL detecta este conflicto, uno u otro gerentes deben revisar sus datos. Tal vez se podría procurar mayor cantidad de materia prima de una nueva fuente, o bien, quizá la demanda de ventas se podría reducir mediante la sustitución de un modelo de mesa diferente para los clientes.

Como un ejemplo más gráfico, consideremos las siguientes tres restricciones:

$$X_1 + 2X_2 \leq 6$$
$$2X_1 + X_2 \leq 8$$
$$X_1 \geq 7$$

Como se observa en la figura 7.12, hay una región de solución no factible para este problema de programación lineal debido a la presencia de restricciones en conflicto.

FIGURA 7.12

Un problema con una solución no factible

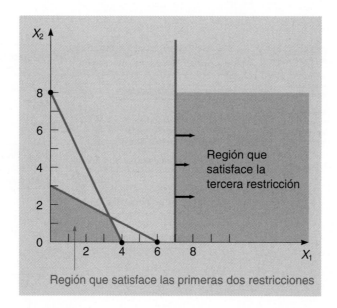

Región que satisface la tercera restricción

Región que satisface las primeras dos restricciones

Región no acotada

A veces, un problema de programación lineal no tiene solución finita, lo cual significa que en un problema de maximización, por ejemplo, una o más variables de solución, y la utilidad, se pueden hacer infinitamente grandes sin contravenir ninguna restricción. Si se trata de resolver tal problema gráficamente, se observa que la región factible es abierta o no acotada.

Consideremos un ejemplo sencillo para ilustrar la situación. Una empresa formuló el siguiente problema de PL:

$$\text{Maximizar la utilidad} = \$3X_1 + \$5X_2$$

$$\begin{aligned} \text{Sujeto a} \quad X_1 &\geq 5 \\ X_2 &\leq 10 \\ X_1 + 2X_2 &\geq 10 \\ X_1, X_2 &\geq 0 \end{aligned}$$

Como se observa en la figura 7.13, debido a que se trata de un problema de maximización y la región factible se extiende infinitamente hacia la derecha, es **ilimitada** o existe una solución no acotada. Esto implica que el problema se ha formulado incorrectamente. De hecho, sería extraordinario para la compañía fabricar un número infinito de unidades de X_1 (¡con una utilidad de $3 cada una!), pero es evidente que ninguna empresa tiene recursos disponibles infinitos, o una demanda de productos infinita.

Redundancia

La presencia de restricciones redundantes es otra situación común que sucede en formulaciones grandes de PL. La **redundancia** no causa mayores dificultades en la solución gráfica de problemas de PL, pero debería ser capaz de identificar su presencia. Una restricción redundante es simplemente una que no afecta la región de solución factible. En otras palabras, una restricción quizá sea más limitante o restrictiva que la otra y, por lo tanto, no es necesaria.

Veamos el siguiente ejemplo de un problema de PL con tres restricciones:

$$\text{Maximizar la utilidad} = \$1X_1 + \$2X_2$$

$$\begin{aligned} \text{sujeta a} \quad X_1 + X_2 &\leq 20 \\ 2X_1 + X_2 &\leq 30 \\ X_1 &\leq 25 \\ X_1, X_2 &\geq 0 \end{aligned}$$

FIGURA 7.13
Una región factible no acotada por la derecha

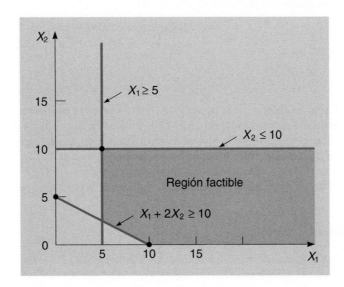

FIGURA 7.14

Problema con una restricción redundante

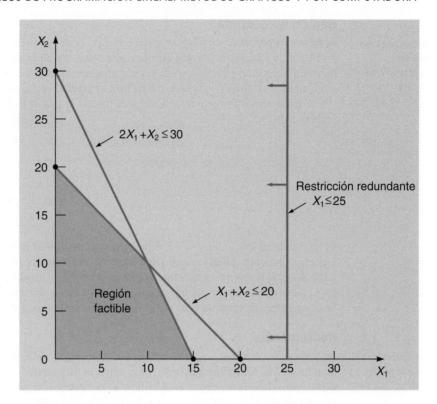

La tercera restricción, $X_1 \leq 25$, es redundante e innecesaria en la formulación y solución del problema, ya que no tiene efecto alguno sobre la región factible de las dos primeras restricciones más significativas (véase la figura 7.14).

Soluciones óptimas múltiples

En problemas de PL son posibles soluciones óptimas múltiples.

Un problema de PL puede, en ocasiones, tener dos o más **soluciones óptimas múltiples**. Gráficamente, este es el caso cuando la recta de isocosto o de isoutilidad de la función objetivo corre perfectamente paralela a una de las restricciones del problema o, en otras palabras, cuando tienen la misma pendiente.

La administración de una empresa advirtió la presencia de más de una solución óptima, cuando formularon este problema sencillo de PL:

$$\text{Maximizar la utilidad} = \$3X_1 + \$2X_2$$
$$\text{sujeta a} \qquad 6X_1 + 4X_2 \leq 24$$
$$X_1 \qquad \leq 3$$
$$X_1, X_2 \geq 0$$

Como se observa en la figura 7.15, nuestra primera recta de isoutilidad de $8 corre paralela a la ecuación de restricción. En un nivel de utilidad de $12, la recta de isoutilidad quedará directamente sobre el segmento de la primera recta de restricción, lo cual significa que cualquier punto a lo largo de la recta entre A y B ofrece una combinación óptima de X_1 y X_2. Lejos de causar problemas, la existencia de más de una solución óptima permite una mayor flexibilidad en la administración para decidir qué combinación seleccionar. La utilidad es la misma en cada solución alternativa.

7.8   Análisis de sensibilidad

Hasta ahora, las soluciones óptimas a los problemas de PL se han encontrado en lo que se llaman *suposiciones deterministas*, que significa que suponemos toda la certeza en los datos y las relaciones de un problema, es decir, los precios son fijos, se conocen los recursos y se ha establecido el tiempo necesario para producir exactamente una unidad. No obstante, en el mundo real las condiciones son dinámicas y cambiantes. ¿Cómo se manejaría esta aparente discrepancia?

FIGURA 7.15

Ejemplo de soluciones óptimas múltiples

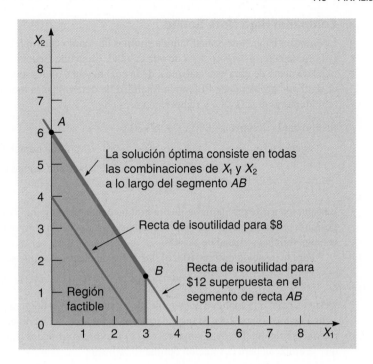

Una forma de hacerlo es seguir tratando cada problema de PL en particular como una situación determinista. Sin embargo, cuando se encuentra la solución óptima, se reconoce la importancia de ver qué tan *sensible* es la solución ante los datos y las suposiciones del modelo. Por ejemplo, si una organización se da cuenta de que la utilidad por unidad no es de $5 como se había estimado, sino que está más cerca de $5.50, ¿cómo sería la combinación de la solución final y cómo cambiaría la utilidad total? Si se tuvieran recursos adicionales, como 10 horas laborales o 3 horas de tiempo de máquina, ¿cambiaría la respuesta del problema? Estos análisis se utilizan para examinar los efectos de los cambios en tres áreas: 1. tasas de contribución de cada variable, 2. coeficientes tecnológicos (los números en las ecuaciones de restricción) y 3. recursos disponibles (las cantidades en el lado derecho de cada restricción). Esta tarea se llama alternativamente **análisis de sensibilidad**, *análisis de posoptimalidad*, *programación paramétrica* o *análisis de optimalidad*.

¿Qué tan sensible es la solución óptima ante los cambios en utilidades, recursos u otros parámetros de entrada?

El análisis de sensibilidad también implica a menudo una serie de preguntas del tipo ¿qué pasaría si? ¿Qué ocurriría si la utilidad del producto 1 se incrementa en un 10%? ¿Qué sucedería si hay menos dinero disponible en la restricción del presupuesto de publicidad? ¿Qué pasaría si los trabajadores se quedan una hora más todos los días a una tasa de pago de 1?, con la finalidad de aumentar la capacidad de producción? ¿Qué ocurriría si la nueva tecnología permite cablear un producto en un tercio del tiempo del que solía tomar? Entonces, vemos que el análisis de sensibilidad se utiliza para tratar no solo con los errores en la estimación de los parámetros de entrada para el modelo de PL, sino también con experimentos administrativos con posibles cambios futuros en la empresa, los cuales afectarían las utilidades.

Una función importante del análisis de sensibilidad es permitir a los gerentes experimentar con los valores de los parámetros de entrada.

Hay dos métodos para determinar qué tan sensible es una solución óptima ante los cambios. La primera es simplemente un método de ensayo y error, el cual por lo general implica la resolución de todo el problema, de preferencia con computadora, cada vez que cambia un parámetro o un elemento de los datos de entrada. Quizá tome mucho tiempo probar una serie de posibles cambios de esta manera.

El método que preferimos es el método analítico de la posoptimalidad. Después de que se haya resuelto un problema de PL, se pretende determinar una serie de cambios en los parámetros del problema, que no afectarán la solución óptima ni cambiarán las variables en la solución. Esto se hace sin resolver todo el problema.

Análisis de posoptimalidad significa examinar los cambios después de que se haya alcanzado la solución óptima.

Se investiga el análisis de sensibilidad mediante el desarrollo de un pequeño problema de mezcla de producción. Nuestro objetivo será demostrar gráficamente, y por medio de la tabla símplex, como se utiliza el análisis de sensibilidad para hacer que los conceptos de programación lineal sean más realistas y comprensibles.

Compañía High Note Sound

La empresa High Note Sound fabrica equipos de sonido con reproductor de discos compactos (CD) y radiorreceptores estereofónicos de alta calidad. Cada uno de estos productos requiere una cierta cantidad de mano de obra especializada, de la cual hay una oferta semanal limitada. La empresa formula el siguiente problema de PL con la finalidad de determinar la mejor combinación de producción de reproductores de CD (X_1) y radiorreceptores (X_2):

$$\text{Maximizar la utilidad} = \$50X_1 + \$120X_2$$

$$\begin{aligned}
\text{sujeta a} \qquad 2X_1 + 4X_2 &\leq 80 \quad \text{(horas de tiempo disponible de electricistas)}\\
3X_1 + 1X_2 &\leq 60 \quad \text{(horas de tiempo disponible de técnicos de sonido)}\\
X_1, X_2 &\geq 0
\end{aligned}$$

La solución a este problema se ilustra gráficamente en la figura 7.16. Dada esta información y las suposiciones deterministas, la empresa debería producir tan solo radios estereofónicos (20 de ellos), con una utilidad semanal de $2,400.

Para la solución óptima, (0, 20), las horas de electricista que se utilizan son:

$$2X_1 + 4X_2 = 2(0) + 4(20) = 80$$

y esto es igual a la cantidad disponible, de modo que hay 0 holgura para esta restricción. Por lo tanto, es una restricción precisa. Si una restricción es precisa, la elaboración de unidades adicionales de ese recurso generalmente dará como resultado mayores utilidades. Las horas de los técnicos de sonido que se emplean para la solución óptima (0, 20) son:

$$3X_1 + 1X_2 = 3(0) + 1(20) = 20$$

aunque las horas disponibles son 60. Por consiguiente, existe una holgura de $60 - 20 = 40$ horas. Debido a que hay horas extras disponibles que no se están utilizando, hay una restricción no precisa. Para una restricción no precisa, la elaboración de unidades adicionales de ese recurso no dará como resultado mayores utilidades y tan solo aumentará la holgura.

Cambios en el coeficiente de la función objetivo

Se examinan primero los cambios en las tasas de contribución.

En problemas de la vida real, las tasas de contribución (en general la utilidad o el costo) en las funciones objetivo fluctúan de manera periódica, al igual que la mayoría de los gastos de una empresa.

FIGURA 7.16
Solución gráfica de la compañía High Note Sound

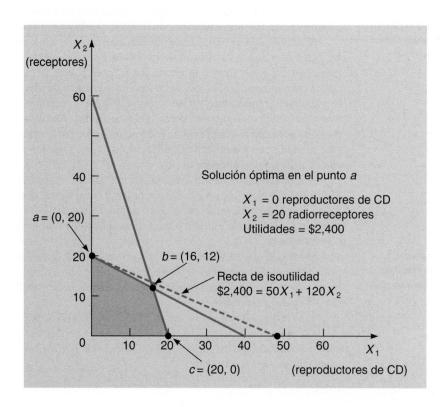

FIGURA 7.17
Cambios en los coeficientes de contribución de los radiorreceptores

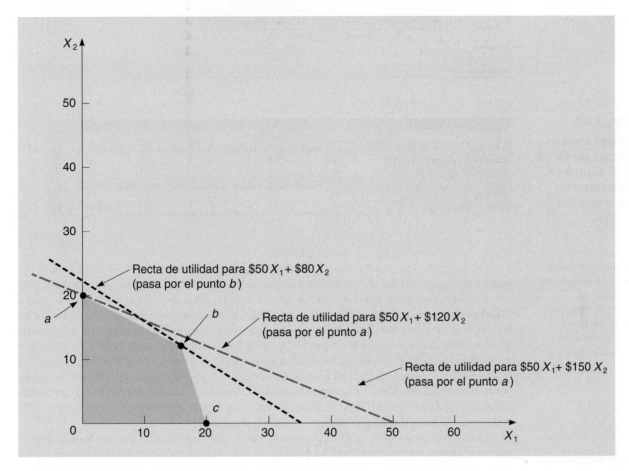

Gráficamente, esto significa que aunque la región de solución factible siga siendo exactamente la misma, cambiará la pendiente de la recta de isoutilidad o de isocosto. Es fácil ver en la figura 7.17 que la recta de utilidad de la compañía High Note Sound es óptima en el punto a. Pero, ¿qué sucedería si un gran avance técnico que acaba de ocurrir elevara la utilidad por cada radiorreceptor estereofónico (X_2) de \$120 a \$150? ¿Aún es óptima la solución? La respuesta definitivamente es sí, ya que en este caso la pendiente de la recta de utilidad resalta la rentabilidad en el punto a. La nueva utilidad es \$3,000 = 0(\$50) + 20(\$150).

Por otro lado, si el coeficiente de utilidad de X_2 se sobreestimó y tan solo debería haber sido de \$80, la pendiente de la recta de utilidad cambia lo suficiente como para hacer un nuevo punto esquina (b) para convertirse en óptima. Aquí, la utilidad es \$1,760 = 16(\$50) + 12(\$80).

Un nuevo punto esquina se vuelve óptimo si un coeficiente de la función objetivo disminuye o se incrementa demasiado.

Este ejemplo ilustra un concepto muy importante sobre los cambios en los coeficientes de la función objetivo. Se puede aumentar o disminuir el coeficiente de la función objetivo (utilidad) de cualquier variable, y el punto esquina actual puede seguir siendo óptimo, si el cambio no es demasiado grande. Sin embargo, cuando este coeficiente aumenta o disminuye en exceso, entonces, la solución óptima estaría en un punto esquina diferente. ¿Cuánto cambiaría el coeficiente de la función objetivo, antes de que otro punto esquina se convierta en óptimo? Tanto QM para Windows como Excel dan la respuesta.

QM para Windows y cambios en los coeficientes de la función objetivo

Los datos de entrada con QM para Windows del ejemplo de la compañía High Note Sound se muestran en el programa 7.5A. Cuando se encuentra la solución, al seleccionar Windows y Ranging, se observa información adicional del análisis de sensibilidad. El programa 7.5B ilustra el resultado relacionado con el análisis de sensibilidad.

PROGRAMA 7.5A

Introducción de datos de la compañía High Note Sound con QM para Windows

Objective				
⦿ Maximize				
○ Minimize				

High Note Sound				
	CD players	Receivers		RHS
Maximize	50	120		
Electrician hrs	2	4	<=	80
Audio tech hrs	3	1	<=	60

PROGRAMA 7.5B

Resultados del análisis de sensibilidad de PL de la compañía High Note Sound utilizando los datos de entrada del programa 7.5A.

◇ Ranging					_ □ ×
High Note Sound Solution					
Variable	Value	Reduced Cost	Original Val	Lower Bound	Upper Bound
CD players	0.	10.	50.	-Infinity	60.
Receivers	20.	0.	120.	100.	Infinity
Constraint	Dual Value	Slack/Surplus	Original Val	Lower Bound	Upper Bound
Electrician hrs	30.	0.	80.	0.	240.
Audio tech hrs	0.	40.	60.	20.	Infinity

La solución actual sigue siendo óptima, a menos que un coeficiente de la función objetivo se incremente hasta un valor por encima del límite superior, o disminuya hasta un valor por debajo del límite inferior.

Del programa 7.5B, se observa que la utilidad de los reproductores de CD fue de $50, que se indica como el valor original en el resultado. Este coeficiente de la función objetivo tiene un límite inferior de infinito negativo y un límite superior de $60. Esto significa que la solución del punto esquina actual sigue siendo óptima, siempre y cuando la utilidad de los reproductores de CD no supere los $60. Si es igual a $60, habría dos soluciones óptimas, ya que la función objetivo sería paralela a la primera restricción. Los puntos (0, 20) y (16, 12) darían ambos una utilidad de $2,400. La utilidad en los reproductores de CD puede disminuir en cualquier cantidad, como lo indica el infinito negativo, y el punto esquina óptimo no cambia. Este infinito negativo es lógico, ya que actualmente no hay reproductores de CD en fabricación porque la utilidad es muy baja. Cualquier disminución en la utilidad de los reproductores de CD los haría menos atractivos en relación con los radiorreceptores, y sin duda no se producirá ningún reproductor de CD debido a esto.

La utilidad de los radiorreceptores tiene un límite superior infinito (que puede aumentar en cualquier cantidad) y un límite inferior de $100. Si esta utilidad iguala los $100, entonces, ambos puntos esquina, (0, 20) y (16, 12), serían óptimos. La utilidad en cada uno de ellos sería de $2,000.

Los límites superior e inferior se relacionan con el cambio solo de un coeficiente a la vez.

En general, se puede hacer un cambio a un (y sólo un) coeficiente de la función objetivo; mientras que el punto esquina óptimo actual sigue siendo óptimo, en tanto el cambio sea entre los límites superior e inferior. Si se cambian dos o más coeficientes al mismo tiempo, entonces, el problema se debería resolver con los nuevos coeficientes, para determinar si la solución actual sigue siendo óptima o no.

Solver de Excel y cambios en los coeficientes de la función objetivo

El programa 7.6A muestra cómo se prepara la hoja de cálculo de Excel 2010 para este ejemplo con Solver. Cuando se selecciona *Solver* en la pestaña *Data*, se introducen los datos adecuados y se hace clic en *Solver* en el cuadro de diálogo de Solver, la solución y la ventana Solver Results aparecerá como en el programa 7.6B. Seleccionando *Sensitivity* en el área de reportes de esta ventana dará un informe de sensibilidad en una nueva hoja de cálculo, con resultados como se indica en el programa 7.6C. Observe cómo se nombran las celdas de acuerdo con el texto del programa 7.6A. Advierta que Excel no proporciona límites inferiores ni límites superiores para los coeficientes de la función objetivo. En cambio, da aumentos y disminuciones permisibles para ellos. Al agregar el aumento permitido al valor actual, se puede obtener el límite superior. Por ejemplo, el incremento permitido (Allowable Increase) en las utilidades (coeficiente del objetivo) para los reproductores de CD es de 10, lo cual significa que el límite superior de esta utilidad es $50 + $10 = $60. Del mismo modo, se puede restar la disminución aceptable del valor actual para obtener el límite inferior.

Solver de Excel da incrementos y decrementos admisibles, en vez de límites superior e inferior.

Cambios en los coeficientes tecnológicos

Los cambios en los coeficientes tecnológicos afectan la forma de la región de solución factible.

Los cambios en los **coeficientes tecnológicos** con frecuencia reflejan los cambios en el estado de la tecnología. Si se requieren más o menos recursos para elaborar un producto, como un reproductor de CD o un radiorreceptor estereofónico, cambiarán los coeficientes de las ecuaciones de restricción. Estos cambios no tendrán ningún efecto sobre la función objetivo de un problema de PL, aunque

PROGRAMA 7.6A

Hoja de cálculo Excel 2010 para la compañía High Note Sound

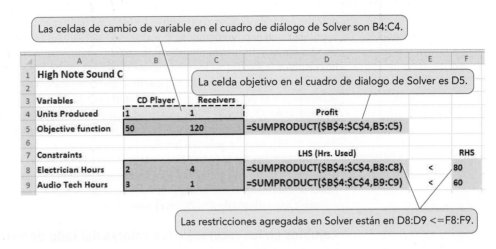

Las celdas de cambio de variable en el cuadro de diálogo de Solver son B4:C4.

La celda objetivo en el cuadro de dialogo de Solver es D5.

Las restricciones agregadas en Solver están en D8:D9 <=F8:F9.

PROGRAMA 7.6B

Solución en Excel 2010 y ventana de resultados de Solver para la compañía High Note Sound

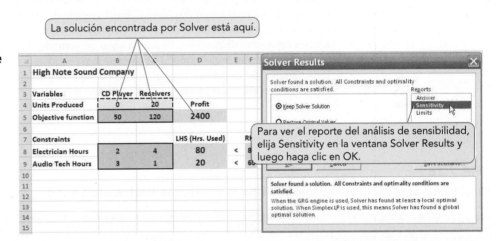

La solución encontrada por Solver está aquí.

Para ver el reporte del análisis de sensibilidad, elija Sensitivity en la ventana Solver Results y luego haga clic en OK.

PROGRAMA 7.6C

Reporte de sensibilidad en Excel 2010 para la compañía High Note Sound

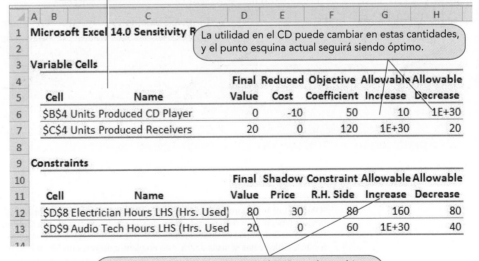

Los nombres que se presentan en el informe de sensibilidad (Sensitivity Report) combinan el texto de la columna A y el texto de arriba de los datos, a menos que las celdas se hayan nombrado usando Name Manager de la pestaña Formulas.

La utilidad en el CD puede cambiar en estas cantidades, y el punto esquina actual seguirá siendo óptimo.

Los recursos utilizados están aquí. El RHS puede cambiar por estas cantidades y el precio sombra aún sería relevante.

quizá generen un cambio significativo en la forma de la región de solución factible y, por lo tanto, en la utilidad o en el costo óptimos.

La figura 7.18 presenta la solución gráfica original de la compañía High Note Sound, así como dos cambios separados en los coeficientes tecnológicos. En la figura 7.18, inciso *a*), se observa que la solución óptima se encuentra en el punto *a*, que representa $X_1 = 0$, $X_2 = 20$. Debería demostrarse a sí mismo que el punto *a* continúa siendo óptimo en la figura 7.18, inciso *b*), a pesar de un cambio de restricción de $3X_1 + 1X_2 \leq 60$ a $2X_1 + 1X_2 \leq 60$. Tal cambio puede tener lugar cuando la empresa descubra que ya no requiere de tres horas de tiempo de los técnicos de sonido para fabricar un reproductor de CD, sino tan solo dos horas.

Sin embargo, en la figura 7.18, inciso *c*), un cambio en las otras restricciones modifica la forma de la región factible lo suficiente para causar que un nuevo punto esquina (*g*) se convierta en óptimo. Antes de continuar, vea si alcanza un valor de la función objetivo de $1,954 como utilidad en el punto *g* (contra una utilidad de $1,920 en el punto *f*).*

Cambios en los recursos o los valores del lado derecho (RHS)

Los valores del lado derecho de las restricciones a menudo representan recursos disponibles para la empresa. Los recursos podrían ser las horas laborales o el tiempo de máquina, o quizás el dinero o los materiales de producción disponibles. En el ejemplo de la compañía High Note Sound, los dos recursos son horas disponibles de tiempo de electricistas y horas de técnicos de sonido. Si las horas adicionales estuvieran disponibles, se podría notar un aumento en sus utilidades totales. ¿Cuánto debe pagar la empresa por horas extras? ¿Es rentable tener algunos electricistas que trabajen tiempo extra? ¿Deberíamos estar dispuestos a pagar por más tiempo de técnicos de sonido? El análisis de sensibilidad de estos recursos nos ayudará a responder tales preguntas.

FIGURA 7.18

Cambio en los coeficientes tecnológicos de la compañía High Note Sound

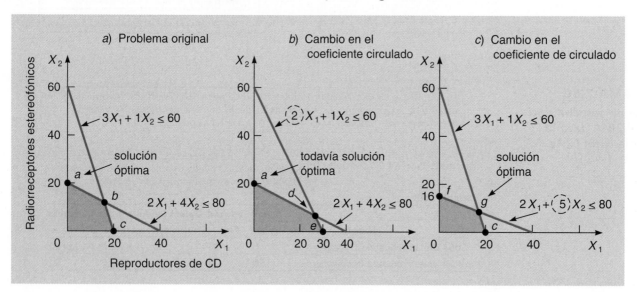

*Observe que los valores de X_1 y X_2 en el punto *g* son fracciones. Aunque la compañía High Note Sound no puede fabricar 0.67, 0.75 ni 0.90 reproductores de CD o radiorreceptores estereofónicos, se puede suponer que la empresa *comenzará* una unidad en una semana y la terminará en la siguiente. En tanto que el proceso de producción sea relativamente estable de una semana a otra, esto no plantea mayores problemas. Si las soluciones *deben* ser números enteros en cada periodo, consulte nuestro análisis a la programación entera del capítulo 10 para manejar la situación.

EN ACCIÓN — Swift & Company utiliza PL para programar la producción

Con sede en Greeley, Colorado, Swift & Company tiene ventas anuales de más de $8 mil millones, donde los productos de carne de res y sus derivados constituyen la gran mayoría de ellas. Swift tiene cinco plantas de procesamiento, que manejan más de 6 mil millones de libras de carne cada año. Cada cabeza de ganado se corta en dos partes, cuyos derivados son paletilla, falda, lomo, costilla, aguayón, bistec, y arrachera. Con algunos cortes con mayor demanda que otros, los representantes de servicio a clientes (RSC) tratan de satisfacer la demanda de estos y dan descuentos cuando sea necesario para comercializar algunos cortes que podrían tener exceso de oferta. Es importante que los RSC tengan información precisa acerca de la disponibilidad del producto cercana al tiempo real, de manera que logren reaccionar rápidamente ante la demanda cambiante.

Con el costo de la materia prima tan alto como 85%, y con un margen de utilidad muy pequeño, es esencial que la compañía funcione de manera eficiente. En marzo de 2001, Swift inició un proyecto para desarrollar un modelo de programación matemática que permita optimizar la cadena de suministro. Diez empleados de tiempo completo trabajaron con cuatro consultores de investigación de operaciones de Aspen Technology, en lo que se llamó el Proyecto Phoenix. En el corazón del modelo final hay 45 modelos integrados de PL que permitirán a la compañía programar de forma dinámica sus operaciones en tiempo real, conforme se reciban las órdenes.

El Proyecto Phoenix no solo aumentó los márgenes de utilidad, sino que mejoró en los pronósticos, la adquisición de ganado, y el logro de buenas relaciones con los clientes reforzaron la reputación de la empresa Swift & en el mercado. La compañía está en mejores condiciones para ofrecer productos de acuerdo con las especificaciones del cliente. En tanto que el desarrollo del modelo costó más de $6 millones, en el primer año de funcionamiento generó una utilidad de $12.7 millones.

Fuente: Basada en Ann Bixby, Brian Downs y Mike Self. "A Scheduling and Capable-to-Promise Application for Swift & Company", *Interfaces* 36, 1 (enero-febrero de 2006): 69-86.

El valor de una unidad adicional de un recurso escaso se determina a partir del precio dual.

Si se cambia el lado derecho de una restricción, la región factible va a cambiar (a menos que la restricción sea redundante), y con frecuencia la solución óptima también cambiará. En el ejemplo de la compañía High Note Sound, había 80 horas de tiempo de electricista disponibles cada semana y la utilidad máxima posible era de $2,400. No hay holgura para esta restricción, por lo que es una restricción precisa. Si las horas de los electricistas disponibles se incrementan a 100 horas, la nueva solución óptima que se observa en la figura 7.19, inciso *a*) es de (0, 25), y la utilidad es de $3,000. Así, las 20 horas de tiempo extra dan como resultado un aumento en la utilidad de $600, o bien, $30 por hora. Si las horas se redujeran a 60 horas, como se indica en la figura 7.19, inciso *b*), la nueva solución óptima sería (0, 15) y la utilidad sería de $1,800. Por lo tanto, la reducción de 20 horas da como resultado una disminución en la utilidad de $600 o de $30 por hora. Este cambio en la utilidad de $30 por hora que resultó de un cambio en las horas disponibles se llama precio dual o valor dual. El **precio dual** de una restricción es el mejoramiento del valor de la función objetivo que resulta del aumento de una unidad en el lado derecho de la restricción.

El precio dual de $30 por hora del tiempo de electricista nos indica que se puede aumentar la utilidad, si tenemos más horas de electricista. Sin embargo, hay un límite a esto, ya que el tiempo de los técnicos de sonido es limitado. Si el total de horas de tiempo de electricista fuera de 240 horas, la solución óptima sería (0, 60), como se muestra en la figura 7.19, inciso *c*), y la utilidad sería de $7,200. Una vez más, hay un aumento de $30 en utilidad por hora (el precio dual) para cada una de las 160 horas que se han agregado a la cantidad original. Si el número de horas aumentara arriba de 240, entonces, las utilidades ya no aumentarían y la solución óptima continuaría siendo (0, 60), como se indica en la figura 7.19, inciso *c*). Simplemente habría exceso (holgura) de horas de tiempo de electricista y se utilizaría todo el tiempo de los técnicos de sonido. Por lo tanto, el precio dual tan solo es significativo dentro de los límites. Tanto QM para Windows como Solver de Excel proporcionan dichos límites.

QM para Windows y cambios en los valores del lado derecho

El resultado del análisis de sensibilidad de QM de Windows se mostró en el programa 7.5B. El valor dual de la restricción de las horas de electricista es de 30, y el límite inferior es cero; mientras que el límite superior es de 240. Esto significa que cada hora adicional de tiempo de electricista, y hasta un

FIGURA 7.19

Cambios en el recurso de tiempo de electricista de la compañía High Note Sound

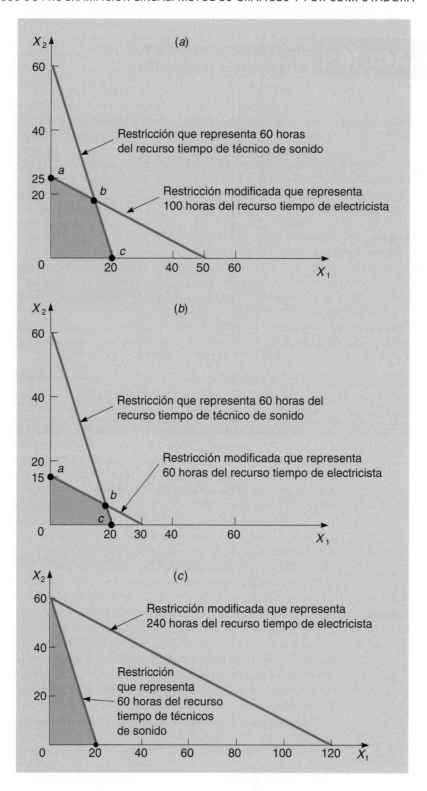

total de 240 horas, incrementará la utilidad máxima posible en $30. Del mismo modo, si se reduce el tiempo disponible de electricista, la utilidad máxima posible se reducirá en $30 por hora, hasta que el tiempo disponible se reduzca al límite inferior de 0. Si la cantidad de tiempo de electricista (el valor del lado derecho de esta restricción) está fuera de este rango (0 a 240), entonces, el valor dual ya no es significativo y el problema debería resolverse con el nuevo valor del lado derecho.

En el programa 7.5B, el valor dual de horas de técnico de sonido se muestra que es de $0 y la holgura es de 40, por lo que se trata de una restricción no precisa. Hay 40 horas de tiempo de técnico de sonido que no se utilizan a pesar de que están actualmente disponibles. Si estuvieran disponibles horas adicionales, no aumentarían la utilidad sino que simplemente aumentarían la cantidad de holgura. Este valor dual de cero es significativo, siempre y cuando el lado derecho no quede debajo del límite inferior de 20. El límite superior es infinito e indica que la adición de más horas simplemente aumentaría la cantidad de holgura.

Solver de Excel y cambios en los valores del lado derecho

El precio sombra es igual al precio dual en problemas de maximización.

El reporte de sensibilidad de Solver de Excel se ilustra en el programa 7.6C. Observe que Solver da el precio sombra en vez del precio dual. Un **precio sombra** es el cambio en el valor de la función objetivo (por ejemplo, utilidad o costo) que resulta de un aumento de una unidad en el lado derecho de una restricción.

Puesto que una mejora en el valor de la función objetivo en un problema de maximización es el mismo que un cambio positivo (aumento), el precio dual y el precio sombra son exactamente lo mismo para los problemas de maximización. En un problema de minimización, una mejora en el valor de la función objetivo es una disminución, que es un cambio negativo. Así, para problemas de minimización, el precio sombra será el negativo del precio dual.

Se proporciona el aumento permitido y la disminución permitida para el lado derecho de cada restricción, y el precio sombra es significativo para cambios dentro de estos límites. Para las horas de electricista, el valor del lado derecho de 80 puede incrementarse en 160 (para un total de 240) o disminuir en 80 (para un total de 0), y el precio sombra sigue siendo pertinente. Si se realiza un cambio que exceda estos límites, entonces, el problema se debería resolver para encontrar el impacto del cambio.

Resumen

En este capítulo se introdujo una técnica de modelado matemático llamada programación lineal (PL), que sirve para obtener una solución óptima a los problemas que tienen una serie de restricciones que acotan el objetivo. Se utilizan tanto el método del punto esquina como los métodos de isoutilidad/isocosto para resolver de forma gráfica los problemas con tan solo dos variables de decisión.

Los métodos de solución gráfica de este capítulo proporcionan una base conceptual para enfrentar problemas mayores y más complejos, algunos de los cuales se tratan en el capítulo 8. Para resolver problemas de la vida real de PL con diversas variables y restricciones, se necesita un procedimiento de solución, como el algoritmo símplex, tema del módulo 7. El algoritmo símplex es el método que utilizan QM para Windows y Excel al trabajar con problemas de programación lineal.

En este capítulo también está presente el importante concepto de análisis de sensibilidad. A veces designado como análisis de posoptimalidad, el análisis de sensibilidad es útil para la gerencia al responder una serie de preguntas del tipo ¿qué sucedería si?, acerca de los parámetros del modelo de PL. También se evalúa qué tan sensible es la solución óptima ante los cambios en los coeficientes de utilidad o costo, en los coeficientes tecnológicos y en los recursos del lado derecho. Hemos explorado gráficamente el análisis de sensibilidad (es decir, para problemas con tan solo dos variables de decisión) y con resultados por computadora; no obstante, para saber cómo manejar la sensibilidad algebraicamente a través del algoritmo símplex, consulte el módulo 7 (que se encuentra en **www.pearsonenespañol.com/render**).

Glosario

Análisis de sensibilidad   Estudio de qué tan sensible es una solución óptima ante las hipótesis del modelo y los cambios en los datos. Con frecuencia se refiere como análisis de posoptimalidad.

Coeficientes tecnológicos   Coeficientes de las variables de las ecuaciones de restricción. Los coeficientes representan la cantidad de recursos necesarios para producir una unidad de la variable.

Desigualdad   Expresión matemática que contiene una relación mayor que o igual a ($\geq$), o bien, una relación menor que o igual a ($\leq$), que se utiliza para indicar que el consumo total de un recurso debe ser $\geq$ o $\leq$ que algún valor límite.

Excedente   Diferencia entre el lado izquierdo y el lado derecho de una restricción mayor que o igual a. Con frecuencia representa la cantidad por la cual se excede una cantidad mínima.

Función objetivo   Enunciado matemático de la meta de una organización, establecido como un intento por maximizar o minimizar alguna cantidad importante, como las utilidades o los costos.

Holgura   Diferencia entre el lado izquierdo y el lado derecho de una restricción menor que o igual a. Con frecuencia es la cantidad de un recurso que no se está utilizando.

Método de ecuaciones simultáneas   Métodos algebraico para determinar el punto de intersección de dos o más ecuaciones de restricción lineal.

Método del punto esquina El método para encontrar la solución óptima a un problema de PL, probando la utilidad o el nivel de costos en cada punto esquina de la región factible. La teoría de la PL establece que la solución óptima debe estar en uno de los puntos esquina.

No acotamiento Condición que existe cuando una variable solución y la utilidad se pueden hacer infinitamente grandes, sin violar cualquiera de las restricciones del problema en un proceso de maximización.

Precio sombra El aumento del valor de la función objetivo que resulta de un aumento de una unidad en el lado derecho de la restricción.

Precio (valor) dual Mejoramiento en el valor de la función objetivo que resulta de aumentar una unidad en el lado derecho de esa restricción.

Problema de mezcla de productos Problema común de PL que implica una decisión sobre qué productos debería fabricar una empresa dado que tiene recursos limitados.

Programación lineal (PL) Técnica matemática utilizada para ayudar al gerente a decidir cómo hacer más efectivo el uso de los recursos de una organización.

Programación matemática Categoría general de modelado matemático y técnicas de solución utilizadas para asignar recursos mientras optimiza una meta medible. La PL es un tipo de modelo de programación.

Punto esquina o punto extremo Punto que se encuentra en una de las esquinas de la región factible, lo cual significa que se encuentra en la intersección de dos rectas de restricción.

Recta de isocosto Línea recta que representa todas las combinaciones de X_1 y X_2 para un nivel de costo específico.

Recta de isoutilidad Línea recta que representa todas las combinaciones no negativas de X_1 y X_2 para un nivel de utilidad particular.

Redundancia Presencia de una o más restricciones que no afectan la región de solución factible.

Región factible Área que satisface todas las restricciones de recursos del problema, es decir, la región donde se traslapan todas las restricciones. Todas las soluciones posibles al pro-blema se encuentran en la región factible.

Restricción Limitación de los recursos disponibles para una empresa (expresada en la forma de una desigualdad o una ecuación).

Restricción no precisa Restricción con una cantidad positiva de holgura o excedente para la solución óptima.

Restricción precisa Restricción con holgura o excedente cero para la solución óptima.

Restricciones de no negatividad Conjunto de restricciones que requiere que cada variable de decisión sea no negativa, es decir, cada X_i debe ser mayor que o igual a 0.

Solución factible Un punto situado en la región factible. Básicamente, es cualquier punto que satisface todas las restricciones del problema.

Solución no factible Cualquier punto que se encuentre fuera de la región factible. Viola una o más de las restricciones establecidas.

Solución óptima múltiple o alternativa Situación en que es posible más de una solución óptima. Surge cuando la pendiente de la función objetivo es la misma que la pendiente de una restricción.

Variable de decisión Una variable cuyo valor puede elegir quien toma la decisión.

Problemas resueltos

Problema resuelto 7-1

Personal Mini Warehouses planea ampliar su exitoso negocio de Orlando hacia Tampa. Para hacerlo, la compañía debe determinar el número de almacenes de cada tamaño que tendría que construir. Su objetivo y sus restricciones son las siguientes:

$$\text{Maximizar las ganancias mensuales} = 50X_1 + 20X_2$$

sujetas a

$$2X_1 + 4X_2 \leq 400 \quad \text{(presupuesto disponible para publicidad)}$$
$$100X_1 + 50X_2 \leq 8{,}000 \quad \text{(pies cuadrados requeridos)}$$
$$X_1 \leq 60 \quad \text{(límite de renta esperado)}$$
$$X_1, X_2 \geq 0$$

donde:

X_1 = número de espacios desarrollados grandes

X_2 = número de espacios desarrollados pequeños

Solución

Una evaluación de los cinco puntos esquina en la gráfica adjunta indica que el punto esquina C genera ingresos mayores. Consulte la gráfica y la tabla.

PUNTO ESQUINA	VALORES DE X_1, X_2	VALOR DE LA FUNCIÓN OBJETIVO ($)
A	(0, 0)	0
B	(60, 0)	3,000
C	(60, 40)	3,800
D	(40, 80)	3,600
E	(0, 100)	2,000

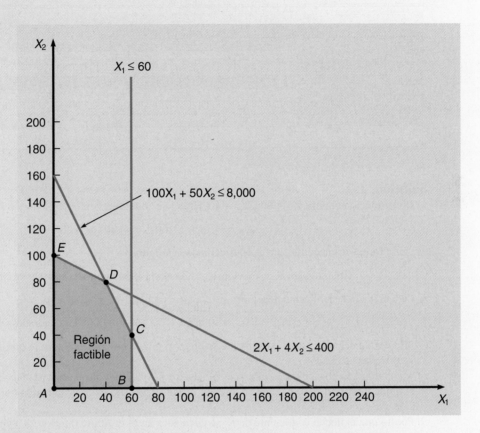

Problema resuelto 7-2

La solución obtenida con QM para Windows en el problema resuelto 7-1 se da en el siguiente programa. Úselo para responder las siguientes preguntas.

a) Para la solución óptima, ¿cuánto se gasta del presupuesto en publicidad?

b) Para la solución óptima, ¿cuántos pies cuadrados se utilizarán?

c) ¿Cambiaría la solución si el presupuesto fuera tan solo de $300 en vez de $400?

d) ¿Cuál sería la solución óptima, si la utilidad de los espacios grandes se redujera de $50 a $45?

e) ¿Cuánto aumentarían las ganancias si el requerimiento de pies cuadrados se incrementara de 8,000 a 9,000?

Linear Programming Results					
Solved Problem 7-2 Solution					
	X1	X2		RHS	Dual
Maximize	50.	20.			
Constraint 1	2.	4.	<=	400.	0.
Constraint 2	100.	50.	<=	8,000.	0.4
Constraint 3	1.	0.	<=	60.	10.
Solution->	60.	40.		3,800.	

Ranging					
Solved Problem 7-2 Solution					
Variable	Value	Reduced Cost	Original Val	Lower Bound	Upper Bound
X1	60.	0.	50.	40.	Infinity
X2	40.	0.	20.	0.	25.
Constraint	Dual Value	Slack/Surplus	Original Val	Lower Bound	Upper Bound
Constraint 1	0.	120.	400.	280.	Infinity
Constraint 2	0.4	0.	8,000.	6,000.	9,500.
Constraint 3	10.	0.	60.	40.	80.

Solución

a) En la solución óptima, $X_1 = 60$ y $X_2 = 40$. Usando estos valores en la primera restricción nos da:

$$2X_1 + 4X_2 = 2(60) + 4(40) = 280$$

Otra forma de encontrar esto es considerando la holgura:

Holgura para la restricción $1 = 120$ así, la cantidad usada es $400 - 120 = 280$

b) Para la segunda restricción, tenemos:

$$100X_1 + 50X_2 = 100(60) + 50(40) = 8,000 \text{ pies cuadrados}$$

En vez de calcular esto, simplemente se observa que la holgura es 0, por lo que se utilizarán todos los 8,000 pies cuadrados.

c) No, la solución no cambiaría. El precio dual es 0 y hay holgura disponible. El valor 300 se encuentra entre el límite inferior de 280 y el límite superior infinito. Tan solo podría cambiar la holgura para esta restricción.

d) Puesto que el nuevo coeficiente de X_1 se encuentra entre el límite inferior (40) y el límite superior (infinito), el punto esquina actual sigue siendo óptimo. Entonces, $X_1 = 60$ y $X_2 = 40$, y únicamente cambian los ingresos mensuales.

$$\text{Ingresos} = 45(60) + 20(40) = \$3,500$$

e) El precio dual para esta restricción es 0.4, y el límite superior es de 9,500. El aumento de 1,000 unidades se traducirá en un aumento en los ingresos de $1,000(0.4 \text{ por unidad}) = \$400$.

Problema resuelto 7-3

Resuelva gráficamente la siguiente formulación de PL, utilizando el método de la recta de isocosto:

$$\text{Minimizar costos} = 24X_1 + 28X_2$$

$$\text{sujeto a} \quad 5X_1 + 4X_2 \leq 2,000$$

$$X_1 \geq 80$$

$$X_1 + X_2 \geq 300$$

$$X_2 \geq 100$$

$$X_1, X_2 \geq 0$$

Solución

En seguida se presenta una gráfica de las cuatro restricciones. Las flechas indican la dirección de factibilidad de cada restricción. La siguiente gráfica ilustra la región de solución factible y las gráficas de las dos posibles rectas de costo de la función objetivo. La primera, $10,000, se seleccionó arbitrariamente como punto de partida. Para encontrar el punto esquina óptimo, se necesita mover a la recta del costo en la dirección de menor costo, es decir, hacia abajo y a la izquierda. El último punto donde una recta de costos toca la región factible, ya que se mueve hacia el origen, es el punto esquina D. De este modo D, que representa $X_1 = 200$, $X_2 = 100$, y un costo de $7,600, es óptimo.

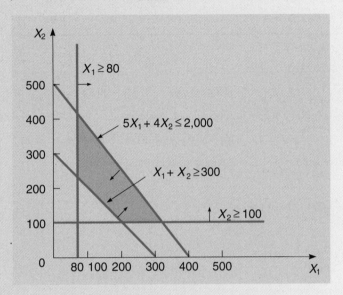

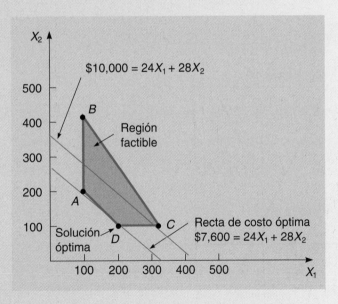

Problema resuelto 7-4

Resuelva el siguiente problema, usando el método del punto esquina. Para la solución óptima, ¿cuánta holgura o excedente hay en cada restricción?

$$\text{Maximizar utilidad} = 30X_1 + 40X_2$$

$$\text{sujeta a} \qquad 4X_1 + 2X_2 \leq 16$$

$$2X_1 - X_2 \geq 2$$

$$X_2 \leq 2$$

$$X_1, X_2 \geq 0$$

Solución

La gráfica se presenta a continuación con la región factible sombreada.

PUNTO ESQUINA	COORDENADAS	UTILIDAD ($)
A	$X_1 = 1, X_2 = 0$	30
B	$X_1 = 4, X_2 = 0$	120
C	$X_1 = 3, X_2 = 2$	170
D	$X_1 = 2, X_2 = 2$	140

La solución óptima es (3, 2). Para este punto,

$$4X_1 + 2X_2 = 4(3) + 2(2) = 16$$

Por lo tanto, la holgura = 0 para la restricción 1. Asimismo,

$$2X_1 - 1X_2 = 2(3) - 1(2) = 4 > 2$$

Entonces, el excedente = 4 − 2 = 2 para la restricción 2. Además,

$$X_2 = 2$$

Por lo tanto, holgura = 0 para la restricción 3.

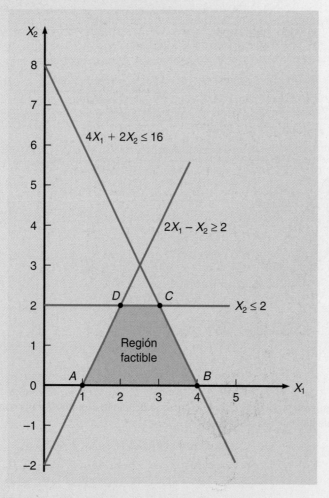

La utilidad óptima de $170 está en el punto esquina *C*.

Autoevaluación

- Antes de resolver la autoevaluación, consulte los objetivos de aprendizaje al inicio del capítulo, las notas en los márgenes y el glosario del final del capítulo.
- Consulte la solución en la parte final del libro para corregir sus respuestas.
- Estudie de nuevo las páginas que correspondan a cualquier pregunta que haya contestado incorrectamente o al material con el que se sienta inseguro.

1. Cuando se utiliza un procedimiento de solución gráfica, la región limitada por el conjunto de restricciones se llama la
   a) solución.
   b) región factible.
   c) región no factible.
   d) región de utilidad máxima.
   e) ninguna de las anteriores.

2. En un problema de programación lineal, por lo menos un punto esquina debe ser la solución óptima, si existe una solución óptima.
   a) Verdadero.
   b) Falso.

3. Un problema de programación lineal tiene una región factible acotada. Si el problema tiene una restricción de igualdad ($=$), entonces,
   a) este debe ser un problema de minimización.
   b) la región factible debe constar de un segmento de recta.
   c) el problema debe ser degenerado.
   d) el problema debe tener más de una solución óptima.

4. ¿Cuál de las siguientes acciones causaría un cambio en la región factible?
   a) aumentar el coeficiente de la función objetivo en un problema de maximización.
   b) agregar una restricción redundante.
   c) cambiar el lado derecho de una restricción no redundante.
   d) aumentar el coeficiente de la función objetivo en un problema de minimización.

5. Si se elimina una restricción no redundante de un problema de programación lineal, entonces,
   a) la región factible se hará más grande.
   b) la región factible se volverá más pequeña.
   c) el problema sería no lineal.
   d) el problema sería no factible.

6. En la solución óptima de un problema de programación lineal, hay 20 unidades de holgura para una restricción. Por esto se sabe que
   a) el precio dual para esta restricción es de 20.
   b) el precio dual para esta restricción es 0.
   c) esta restricción debe ser redundante.
   d) el problema debe ser un problema de maximización.

7. Se resolvió un programa lineal y se efectuó el análisis de sensibilidad. Se encontraron los intervalos de los coeficientes de la función objetivo. Para la utilidad en X_1, el límite superior es de 80, el límite inferior es de 60 y el valor actual es de 75. ¿Cuál de los siguientes enunciados debe ser verdadero, si la utilidad de esta variable se redujo a 70 y se encontró la solución óptima?
   a) un nuevo punto esquina será el óptimo.
   b) se puede aumentar la utilidad total máxima posible.
   c) los valores de todas las variables de decisión permanecerán constantes.
   d) todo lo anterior es posible.

8. Un método gráfico tan solo se debería utilizar para resolver un problema de programación lineal, cuando
   a) únicamente hay dos restricciones.
   b) hay más de dos restricciones.
   c) solamente hay dos variables.
   d) hay más de dos variables.

9. En la PL, las variables no tienen que ser valores enteros y pueden tomar cualquier valor fraccionario. Esta suposición se llama
   a) proporcionalidad.
   b) divisibilidad.
   c) adición.
   d) certeza.

10. En la solución de un problema de programación lineal, no existe solución factible. Para resolver este problema, se podría
   a) agregar otra variable.
   b) agregar otra restricción.
   c) eliminar o relajar una restricción.
   d) intentar con otro programa de cómputo.

11. Si la región factible se hace más grande debido a un cambio en una de las restricciones, el valor óptimo de la función objetivo
   a) debe aumentar o permanecer constante para un problema de maximización.
   b) debe disminuir o permanecer constante para un problema de maximización.
   c) debe aumentar o permanecer constante para un problema de minimización.
   d) no puede cambiar.

12. Cuando existen soluciones múltiples óptimas en un problema de programación lineal, entonces,
   a) la función objetivo será paralela a una de las restricciones.
   b) una de las restricciones es redundante.
   c) dos restricciones serán paralelas.
   d) el problema también será ilimitado.

13. Si un programa lineal es no acotado, quizás el problema no se haya formulado correctamente. ¿Cuál de las siguientes sería la causa más probable de ello?
   a) una restricción fue omitida inadvertidamente.
   b) se agregó una restricción innecesaria al problema.
   c) los coeficientes de la función objetivo son demasiado grandes.
   d) los coeficientes de la función objetivo son demasiado pequeños.

14. Una solución factible a un problema de PL
   a) debe cumplir simultáneamente con todas las restricciones del problema.
   b) no es necesario que cumpla con todas las restricciones, tan solo con algunas de ellas.
   c) debe ser un punto esquina de la región factible.
   d) debe dar la utilidad máxima posible.

Preguntas y problemas para análisis

Preguntas para análisis

7-1 Analice las similitudes y las diferencias entre los problemas de minimización y de maximización, con los métodos de solución gráfica de PL.

7-2 Es importante entender las suposiciones subyacentes al uso de cualquier modelo de análisis cuantitativo. ¿Cuáles son las suposiciones y los requisitos para un modelo de PL que deben formularse y utilizarse?

7-3 Se ha dicho que cada problema de programación lineal con una región factible tiene un número infinito de soluciones. Explique su respuesta.

7-4 Usted acaba de formular un problema de programación lineal de maximización y se está preparando para resolverlo de forma gráfica. ¿Qué criterios debería tener en cuenta, para decidir si sería más fácil resolver el problema con el método del punto esquina o con el método de la recta de isoutilidad?

7-5 ¿En qué condiciones es posible que un problema de programación lineal tenga más de una solución óptima?

7-6 Desarrolle su propio conjunto de ecuaciones de restricción y desigualdades, y utilícelas para ilustrar gráficamente cada una de las siguientes condiciones:

a) un problema no acotado.

b) un problema no factible.

c) un problema que contiene restricciones redundantes.

7-7 El gerente de producción de una gran empresa de manufactura en Cincinnati declaró una vez lo siguiente: "Me gustaría usar PL, pero es una técnica que opera en condiciones de certeza. Mi planta no tiene certezas: es un mundo de incertidumbre. De manera que la PL no se puede utilizar aquí". ¿Cree que esta afirmación tiene algún mérito? Explique por qué el gerente pudo haberlo dicho.

7-8 Las siguientes relaciones matemáticas se formularon por un analista de investigación de operaciones en la compañía de sustancias químicas Smith-Lawton. ¿Cuáles son inválidas para su uso en un problema de PL, y por qué?

Maximizar utilidad $= 4X_1 + 3X_1X_2 + 8X_2 + 5X_3$

sujeta a

$$2X_1 + X_2 + 2X_3 \leq 50$$
$$X_1 - 4X_2 \geq 6$$
$$1.5X_1^2 + 6X_2 + 3X_3 \geq 21$$
$$19X_2 - 0.35X_3 = 17$$
$$5X_1 + 4X_2 + 3\sqrt{X_3} \leq 80$$
$$-X_1 - X_2 + X_3 = 5$$

7-9 Discuta el rol del análisis de sensibilidad en la PL. ¿En qué circunstancias es necesario, y en qué condiciones cree usted que no sea necesario?

7-10 Un programa lineal tiene el objetivo de maximizar la utilidad $= 12X + 8Y$. La utilidad máxima es de $8,000. Usando una computadora se encuentra que el límite superior para la utilidad de X es 20 y el límite inferior es 9. Analice los cambios a la solución óptima (los valores de las variables y la utilidad) que se producirían si la utilidad de X se incrementara a $15. ¿Cómo cambiaría la solución óptima si la utilidad de X se incrementara a $25?

7-11 Un programa lineal tiene una utilidad máxima de $600. Una restricción de este problema es $4X + 2Y \leq 80$. Usando una computadora se encuentra que el precio dual para esta restricción es 3, y que hay un límite inferior de 75 y un límite superior de 100. Explique qué significa esto.

7-12 Desarrolle su propio problema de PL original con dos restricciones y dos variables reales.

a) Explique el significado de los números en el lado derecho de cada una de sus restricciones.

b) Explique la importancia de los coeficientes tecnológicos.

c) Resuelva gráficamente el problema para encontrar la solución óptima.

d) Ilustre gráficamente el efecto de aumentar la tasa de contribución de la primera variable (X_1) en 50% sobre el valor que le asignó la primera vez. ¿Cambia esto la solución óptima?

7-13 Explique cómo un cambio en un coeficiente tecnológico puede afectar la solución óptima de un problema. ¿Cómo puede un cambio en la disponibilidad de recursos afectar una solución?

Problemas

7-14 La corporación Electrocomp fabrica dos productos eléctricos: acondicionadores de aire y ventiladores de gran tamaño. El proceso de ensamblado para cada uno es similar en tanto que requieren una cierta cantidad de cableado y de perforación. Cada acondicionador de aire tarda 3 horas de cableado y 2 horas de perforación. Cada ventilador tiene que pasar por 2 horas de cableado y 1 hora de perforación. En el siguiente periodo de producción, están disponibles 240 horas de tiempo de cableado y hasta 140 horas de tiempo de perforación que se pueden utilizar. Cada aparato de acondicionador de aire vendido genera una utilidad de $25. Cada ventilador ensamblado se puede vender con una utilidad de $15. Formule y resuelva esta situación de la mezcla producción de PL para encontrar la mejor combinación de acondicionadores de aire y ventiladores que genera la mayor utilidad. Use el método gráfico de punto esquina.

7-15 La gerencia de Electrocomp se da cuenta que olvidó incluir dos restricciones fundamentales (véase el problema 7-14). En particular, la gerencia decide que debería haber un número mínimo de equipos de acondicionador de aire producidos con la finalidad de cumplir un contrato. Además, debido a un exceso de oferta de ventiladores en el periodo anterior, se debería poner un límite en el número total de ventiladores producidos.

a) Si Electrocomp decide que se deberían fabricar por lo menos 20 acondicionadores de aire, pero no más de 80 ventiladores, ¿cuál sería la solución óptima? ¿Cuánta holgura hay para cada una de las cuatro restricciones?

b) Si Electrocomp decide que se deberían fabricar por lo menos 30 acondicionadores de aire, pero no más de 50 ventiladores, ¿cuál sería la solución óptima? ¿Cuánta holgura hay en cada una de las cuatro restricciones en la solución óptima?

7-16 El candidato a la alcaldía en un pequeño pueblo asignó $40,000 para propaganda de último minuto en los días anteriores a la elección. Se utilizarán dos tipos de anuncios: radio y televisión. Cada anuncio de radio cuesta $200 y llega a unas 3,000 personas. Cada anuncio de televisión cuesta $500 y llega a un estimado de 7,000 personas. En la planeación de la campaña de propaganda, la jefa de la campaña quiere llegar a tantas personas como sea posible, aunque ha establecido que se deben utilizar al menos 10 anuncios de cada tipo. Asimismo, el número de anuncios de radio debe ser al menos tan grande como el número de anuncios de televisión. ¿Cuántos anuncios de cada tipo se deberían utilizar? ¿A cuántas personas llegarán?

7-17 La corporación Outdoor Furniture fabrica dos productos, bancos y mesas de picnic, para su uso en jardines y parques. La empresa cuenta con dos recursos principales: sus carpinteros (mano de obra) y el suministro de madera de secoya para fabricar muebles. Durante el siguiente ciclo de producción están disponibles 1,200 horas de mano de obra de acuerdo con el sindicato. La empresa también cuenta con un inventario de 3,500 pies de secoya de buena calidad. Cada banco que produce Outdoor Furniture requiere de 4 horas de mano de obra y de 10 pies de secoya, en tanto que cada mesa de picnic toma 6 horas de mano de obra y 35 pies de secoya. Los bancos terminados darán una utilidad de $9 cada uno; y las mesas una utilidad de $20 cada una. ¿Cuántos bancos y mesas debería fabricar Outdoor Furniture para obtener la mayor utilidad posible? Utilice el método gráfico de la PL.

7-18 El decano del Western College of Business debe planear la oferta de cursos de la escuela para el semestre de otoño. Las demandas de los estudiantes hacen que sea necesario ofrecer un mínimo de 30 cursos de licenciatura y 20 de posgrado durante el semestre. Los contratos de los profesores también dictan que se ofrezcan al menos 60 cursos en total. Cada curso de licenciatura impartido cuesta a la universidad un promedio de $2,500 en salarios de docentes, y cada curso de posgrado cuesta $3,000. ¿Cuántos cursos de licenciatura y posgrado se deberían impartir en otoño, de manera que los salarios totales del profesorado se reduzcan al mínimo?

7-19 La corporación MSA Computer fabrica dos modelos de minicomputadoras, Alpha 4 y Beta 5. La empresa contrata a cinco técnicos, que trabajan 160 horas cada mes, en su línea de ensamble. La gerencia insiste en que se mantenga pleno empleo (es decir, las 160 horas de tiempo) para cada trabajador durante las operaciones del siguiente mes. Se requiere 20 horas de trabajo para ensamblar cada equipo Alpha 4 y 25 horas de trabajo para ensamblar cada modelo Beta 5. MSA desea producir al menos 10 Alfa 4 y por lo menos 15 Beta 5 durante el periodo de producción. Las Alfa 4 generan $1,200 de utilidad por unidad, y las Beta 5 producen $1,800 cada una. Determine el número más rentable de cada modelo de minicomputadora que se debe producir durante el próximo mes.

7-20 El ganador de la lotería de Texas ha decidido invertir $50,000 al año en el mercado de valores. Piensa adquirir acciones de una empresa petroquímica y de una compañía de servicios públicos. Aunque una meta a largo plazo es obtener el mayor rendimiento posible, está considerando el riesgo que implica la compra de las acciones. Un índice de riesgo en una escala de 1-10 (donde 10 es el más riesgoso) se asigna a cada una de las dos acciones. El riesgo total del portafolios se encuentra al multiplicar el riesgo de cada una de las acciones por el dinero invertido en esa acción.

La siguiente tabla proporciona un resumen de la rentabilidad y el riesgo:

ACCIÓN	RENDIMIENTO ESTIMADO	ÍNDICE DE RIESGO
Petroquímica	12%	9
Servicios públicos	6%	4

El inversionista quiere maximizar el rendimiento sobre la inversión, pero el índice de riesgo promedio de la inversión no debería ser mayor a 6. ¿Cuánto debería invertir en cada acción? ¿Cuál es el riesgo promedio de esta inversión? ¿Cuál es el rendimiento estimado de esta inversión?

7-21 Con referencia a la situación de la lotería de Texas del problema 7-20, supongamos que el inversionista ha cambiado su actitud respecto a la inversión y desea considerar más el riesgo de la inversión. Ahora el inversionista desea minimizar el riesgo de la inversión, siempre y cuando se genere al menos 8% de rendimiento. Formule esto como un problema de PL y encuentre la solución óptima. ¿Cuánto se debería invertir en cada acción? ¿Cuál es el riesgo promedio de esta inversión? ¿Cuál es el rendimiento estimado de esta inversión?

7-22 Resuelva el siguiente problema de PL utilizando el método gráfico del punto esquina. En la solución óptima, calcule la holgura para cada restricción:

$$\text{Maximizar la utilidad} = 4X + 4Y$$
$$\text{sujeta a} \quad 3X + 5Y \leq 150$$
$$X - 2Y \leq 10$$
$$5X + 3Y \leq 150$$
$$X, Y \geq 0$$

7-23 Considere esta formulación de PL:

$$\text{Minimizar el costo} = \$X + 2Y$$

sujeto a

$$X + 3Y \geq 90$$
$$8X + 2Y \geq 160$$
$$3X + 2Y \geq 120$$
$$Y \leq 70$$
$$X, Y \geq 0$$

Muestre gráficamente la región factible y aplique el procedimiento de la recta de isocosto, para indicar qué punto esquina genera la solución óptima. ¿Cuál es el costo de esta solución?

7-24 La casa de bolsa Blank, Leibowitz and Weinberger analizó y recomendó dos acciones a un club de inversionistas de profesores de la universidad. Los profesores estaban interesados en factores tales como el crecimiento a corto plazo, el crecimiento intermedio y las tasas de dividendos. Los datos de cada acción son los siguientes:

	ACCIÓN ($)	
FACTOR	LOUISIANA GAS AND POWER	TRIMEX INSULATION COMPANY
Potencial de crecimiento a corto plazo por dólar invertido	.36	.24
Potencial de crecimiento intermedio (en los siguientes tres años) por dólar invertido	1.67	1.50
Potencial de tasa de dividendos	4%	8%

Cada miembro del club tiene una meta de inversión de: **1.** una ganancia de no menos de $720 a corto plazo, **2.** una ganancia de al menos $5,000 en los siguientes tres años, y **3.** un ingreso por dividendos de al menos $200 anuales. ¿Cuál es la inversión más pequeña que puede hacer un profesor para alcanzar estas tres metas?

7-25 Woofer Pet Foods elabora un alimento bajo en calorías para perros con condición de sobrepeso. Este producto está hecho con productos de carne y granos. Cada libra de carne cuesta $0.90, y cada libra de grano cuesta $0.60. Una libra de alimento para perro debe contener al menos 9 unidades de vitamina 1 y 10 unidades de vitamina 2. Una libra de carne de res contiene 10 unidades de vitamina 1 y 12 unidades de vitamina 2. Una libra de grano tiene 6 unidades de vitamina 1 y 9 unidades de vitamina 2. Formule este como un problema de PL para minimizar el costo del alimento para perro. ¿Cuántas libras de carne y de granos se deberían incluir en cada libra de alimento para perro? ¿Cuáles son el costo y el contenido de vitaminas del producto final?

7-26 El rendimiento estacional de las aceitunas de un viñedo de Pireo, Grecia, está muy influido por el proceso de la poda de las ramas. Si los olivos se podan cada dos se-

manas, la producción aumenta. Sin embargo, el proceso de poda requiere considerablemente más mano de obra que permitir que los olivos crezcan por sí mismos y den como resultado una aceituna de menor tamaño. También, permitiría que los olivos estén más cercanos. La producción de 1 barril de aceitunas mediante la poda requiere 5 horas de trabajo y un acre de terreno. La producción de 1 barril de aceitunas por el proceso normal requiere tan solo 2 horas de trabajo, pero 2 acres de terreno. Un oleicultor dispone de 250 horas de mano de obra y un total de 150 acres para el cultivo. Debido a la diferencia de tamaño, 1 barril de aceitunas producidas en los árboles podados se vende por $20, mientras que un barril de aceitunas regulares tiene un precio de mercado de $30. El oleicultor ha determinado que debido a la incertidumbre de la demanda, se deben producir no más de 40 barriles de aceitunas de árboles podados. Use la PL gráfica para encontrar

a) la utilidad máxima posible.

b) la mejor combinación de barriles de aceitunas de árboles podados y no podados.

c) el número de acres que el oleicultor debería dedicar a cada proceso de crecimiento.

7-27 Considere las siguientes cuatro formulaciones de PL. Usando un método gráfico, determine

a) que formulación tiene más de una solución óptima.

b) que formulación es no acotada.

c) que formulación no tiene una solución factible.

d) que formulación es correcta como está.

Formulación 1

$$\text{Maximizar } 10X_1 + 10X_2$$

$$\text{sujeta a} \quad 2X_1 \quad\quad\quad \leq 10$$
$$2X_1 + 4X_2 \leq 16$$
$$4X_2 \leq 8$$
$$X_1 \quad\quad = 6$$

Formulación 2

$$\text{Maximizar } X_1 + 2X_2$$

$$\text{sujeta a} \quad X_1 \quad\quad \leq 1$$
$$2X_2 \leq 2$$
$$X_1 + 2X_2 \leq 2$$

Formulación 3

$$\text{Maximizar } 3X_1 + 2X_2$$

$$\text{sujeta a} \quad X_1 + X_2 \geq 5$$
$$X_1 \quad\quad \geq 2$$
$$2X_2 \geq 8$$

Formulación 4

$$\text{Maximizar } 3X_1 + 3X_2$$

$$\text{sujeta a} \quad 4X_1 + 6X_2 \leq 48$$
$$4X_1 + 2X_2 \leq 12$$
$$3X_2 \geq 3$$
$$2X_1 \quad\quad \geq 2$$

7-28 Grafique el siguiente problema de PL e indique el punto de solución óptima:

$$\text{Maximizar la utilidad} = \$3X + \$2Y$$

$$\text{sujeta a} \quad 2X + Y \leq 150$$
$$2X + 3Y \leq 300$$

a) ¿Cambiaría la solución óptima si la utilidad por unidad de X cambia a $4.50?

b) ¿Qué sucede si la función de utilidad hubiera sido $3X + $3Y?

7-29 Gráficamente analice el siguiente problema:

$$\text{Maximizar la utilidad} = \$4X + \$6Y$$

$$\text{sujeta a} \quad X + 2Y \leq 8 \text{ horas}$$
$$6X + 4Y \leq 24 \text{ horas}$$

a) ¿Cuál es la solución óptima?

b) Si la primera restricción se modifica como $X + 3Y \leq 8$, ¿cambiarían la región factible o la solución óptima?

7-30 Examine la formulación de PL en el problema 7-29. La segunda restricción del problema indica:

$$6X + 4Y \leq 24 \text{ horas (tiempo disponible en la máquina 2)}$$

Si la empresa decide que 36 horas de tiempo pueden estar disponibles en la máquina 2 (es decir, 12 horas adicionales) a un costo adicional de $10, ¿deberían agregar horas?

7-31 Considere el siguiente problema de PL:

$$\text{Maximizar utilidad} = 5X + 6Y$$

$$\text{sujeta a} \qquad 2X + Y \leq 120$$
$$2X + 3Y \leq 240$$
$$X, Y \geq 0$$

a) ¿Cuál es la solución óptima para este problema? Resuélvalo gráficamente.

b) Si se produjo un gran avance técnico que elevó la utilidad por unidad de X a $8, ¿afectaría esto la solución óptima?

c) En vez de un aumento en el coeficiente de utilidad X a $ 8, suponga que la utilidad se sobreestimó y tan solo debería haber sido de $3. ¿Cambia esto la solución óptima?

7-32 Considere la formulación de PL dada en el problema 7.31. Si la segunda restricción se cambia de $2X + 3Y \leq 240$ a $2X + 4Y \leq 240$, ¿qué efecto tendrá este cambio en la solución óptima?

7-33 El resultado de computadora que se presenta a continuación es para el problema 7.31. Úselo para contestar las siguientes preguntas.

a) ¿Cuánto podría aumentar o disminuir la utilidad de X, sin necesidad de cambiar los valores de X y de Y en la solución óptima?

b) Si el lado derecho de la restricción 1 se aumentara en 1 unidad, ¿cuánto aumentaría la utilidad?

c) Si el lado derecho de la restricción 1 se aumentara en 10 unidades, ¿cuánto aumentaría la utilidad?

7-34 Los resultados por computadora que se muestran en la siguiente página son de un problema de mezcla de productos donde hay dos productos y tres restricciones de recursos. Utilice tales resultados para ayudarle a responder las siguientes preguntas. Suponga que desea maximizar las utilidades en cada caso.

a) ¿Cuántas unidades del producto 1 y del producto 2 se deberían producir?

b) ¿Cuánto de cada uno de los tres recursos se está utilizando? ¿Cuánta holgura hay en cada restricción? ¿Cuáles restricciones son obligatorias, y cuáles no son obligatorias?

c) ¿Cuáles son los precios duales para cada recurso?

d) Si se pudiera obtener más de uno de los recursos, ¿cuál debería obtener? ¿Cuánto estaría dispuesto a pagar por esto?

e) ¿Qué le pasaría a la utilidad sí, con los resultados originales, la gerencia decidiera elaborar una unidad más del producto 2?

7-35 Resuelva gráficamente el siguiente problema:

$$\text{Maximizar la utilidad} = 8X_1 + 5X_2$$

$$\text{sujeta a} \qquad X_1 + X_2 \leq 10$$
$$X_1 \leq 6$$
$$X_1, X_2 \geq 0$$

a) ¿Cuál es la solución óptima?

b) Cambie el lado derecho de la restricción 1 a 11 (en vez de 10) y resuelva el problema. ¿Cuánto aumenta la utilidad como consecuencia de esto?

c) Cambie el lado derecho de la restricción 1 a 6 (en vez de 10) y resuelva el problema. ¿Cuánto disminuyen las utilidades como resultado de esto? Examine la gráfica, ¿qué sucedería si el valor del lado derecho se reduce por debajo de 6?

d) Cambie el valor del lado derecho de la restricción 1 a 5 (en vez de 10) y resuelva el problema.

Resultado del problema 7-33

Linear Programming Results

Problem 7-33 Solution

	X	Y		RHS	Dual
Maximize	5.	6.			
Constraint 1	2.	1.	<=	120.	0.75
Constraint 2	2.	3.	<=	240.	1.75
Solution->	30.	60.		510.	

Ranging

Problem 7-33 Solution

Variable	Value	Reduced Cost	Original Val	Lower Bound	Upper Bound
X	30.	0.	5.	4.	12.
Y	60.	0.	6.	2.5	7.5
Constraint	Dual Value	Slack/Surplus	Original Val	Lower Bound	Upper Bound
Constraint 1	0.75	0.	120.	80.	240.
Constraint 2	1.75	0.	240.	120.	360.

Resultados para el problema 7-34

Linear Programming Results

Problem 734 Solution

	X1	X2		RHS	Dual
Maximize	50.	20.			
Constraint 1	1.	2.	<=	45.	0.
Constraint 2	3.	3.	<=	87.	0.
Constraint 3	2.	1.	<=	50.	25.
Solution->	25.	0.		1,250.	

Ranging

Problem 734 Solution

Variable	Value	Reduced Cost	Original Val	Lower Bound	Upper Bound
X1	25.	0.	50.	40.	Infinity
X2	0.	5.	20.	-Infinity	25.
Constraint	Dual Value	Slack/Surplus	Original Val	Lower Bound	Upper Bound
Constraint 1	0.	20.	45.	25.	Infinity
Constraint 2	0.	12.	87.	75.	Infinity
Constraint 3	25.	0.	50.	0.	58.

Resultados para el problema 7-35

Linear Programming Results

Solved Problem 7-2 Solution

	X1	X2		RHS	Dual
Maximize	50.	20.			
Constraint 1	2.	4.	<=	400.	0.
Constraint 2	100.	50.	<=	8,000.	0.4
Constraint 3	1.	0.	<=	60.	10.
Solution->	60.	40.		3,800.	

Ranging

Solved Problem 7-2 Solution

Variable	Value	Reduced Cost	Original Val	Lower Bound	Upper Bound
X1	60.	0.	50.	40.	Infinity
X2	40.	0.	20.	0.	25.
Constraint	Dual Value	Slack/Surplus	Original Val	Lower Bound	Upper Bound
Constraint 1	0.	120.	400.	280.	Infinity
Constraint 2	0.4	0.	8,000.	6,000.	9,500.
Constraint 3	10.	0.	60.	40.	80.

¿Cuánto disminuye la utilidad con respecto a la utilidad original como resultado de esto?

e) Utilizando los resultados por computadora de esta página, ¿cuál es el precio dual de la restricción 1? ¿Cuál es su límite inferior?

f) ¿Qué conclusiones se obtienen de estos resultados con respecto a los límites de los valores del lado derecho y al precio dual?

7-36 **Serendipity***

Los tres príncipes de Serendip
hicieron un pequeño viaje.
No podían llevar mucho peso;
más de 300 libras los hicieron dudar.
Planearon llevar pequeñas cantidades. Cuando regresaron a Ceilán

descubrieron que sus provisiones estaban a punto de desaparecer
cuando, para su alegría, el príncipe William encontró un montón de cocos en el suelo.
"Cada uno aportará 60 rupias", dijo el príncipe Richard con una sonrisa.
Como casi se tropieza con una piel de león.
"¡Cuidado!", grito el príncipe Robert con alegría cuando observó más pieles de león debajo de un árbol.
"Estas valen aún más: 300 rupias cada una.
Si tan solo pudiéramos llevarlas todas a la playa".
Cada piel pesaba quince libras y cada coco cinco, pero cargaron todo y lo hicieron con ánimo.
El barco para regresar a la isla era muy pequeño

---

*La palabra *serendipity* fue acuñada por el escritor inglés Horace Walpole con base en un cuento de hadas titulado *Los tres príncipes de Serendip*. Se desconoce el origen del problema.

15 pies cúbicos de capacidad de equipaje, eso era todo.
Cada piel de león ocupó un pie cúbico
mientras que ocho cocos ocupaban el mismo espacio.
Con todo guardado se hicieron a la mar
y en el trayecto calculaban lo que su nueva riqueza podría ser.
"¡Eureka!", gritó el príncipe Robert, "Nuestra riqueza es tan grande
que no hay otra forma de regresar en este estado.
Cualquier otra piel o coco que pudiéramos haber traído ahora nos harían más pobres. Y ahora sé que
voy a escribir, a mi amigo Horacio, en Inglaterra, porque seguramente
tan solo él puede apreciar nuestro serendipity".
Formule y resuelva **Serendipity** con PL gráfica para calcular "cuál podría ser su nueva riqueza".

7-37 A Inversiones Bhavika, un grupo de asesores financieros y planeadores de jubilación, se le ha pedido que aconseje a uno de sus clientes cómo invertir $200,000. El cliente ha estipulado que el dinero se debe poner en cualquier fondo de acciones o de mercado monetario, y que el rendimiento anual debería ser de al menos de $14,000. También se le han especificado otras condiciones relacionadas con el riesgo, y se desarrolló el siguiente programa lineal para ayudar con esta decisión de inversión.

Minimizar el riesgo $= 12S + 5M$
sujeto a

$$S + M = 200,000 \quad \text{la inversión total es de } \$200,000$$

$$0.10S + 0.05M \geq 14,000 \quad \text{el rendimiento debe ser al menos de } \$14,000$$

$$M \geq 40,000 \quad \text{al menos } \$40,000 \text{ deben estar en fondos del mercado monetario}$$

$$S, M \geq 0$$

donde

S = dólares invertidos en el fondo de acciones

M = dólares invertidos en fondos del mercado monetario

En la parte inferior se muestran los resultados en QM para Windows.

a) ¿Cuánto dinero se debería invertir en el fondo del mercado monetario y en el fondo de acciones? ¿Cuál es el riesgo total?

b) ¿Cuál es el rendimiento total? ¿Qué tasa de rendimiento es esta?

c) ¿Cambiaría la solución si la medida de riesgo de cada dólar en el fondo de acciones fuera de 14 en vez de 12?

d) Por cada dólar adicional que está disponible, ¿cuál es el cambio en el riesgo?

e) ¿Podría cambiar la solución si la cantidad que se deba invertir en el fondo del mercado monetario cambiara de $40,000 a $50,000?

7-38 Consulte el caso de Inversiones Bhavika (problema 7-37), una vez más. Se ha decidido que, en vez de minimizar el riesgo, el objetivo debería ser maximizar el rendimiento, haciendo una restricción a la cantidad del riesgo. El riesgo promedio no debería ser de más de 11 (con un riesgo total de 2,200,000 de los $200,000 invertidos). Se reformuló el programa lineal, y los resultados QM para Windows se muestran en la siguiente página.

a) ¿Cuánto dinero se debería invertir en el fondo del mercado monetario y en el fondo de acciones? ¿Cuál es el rendimiento total? ¿Qué tasa de rendimiento es esta?

b) ¿Cuál es el riesgo total? ¿Cuál es el riesgo promedio?

c) ¿Cambiaría la solución, si el rendimiento por cada dólar en el fondo de acciones fuera de 0.09 en vez de 0.10?

d) Por cada dólar adicional que está disponible, ¿cuál es la tasa de rendimiento marginal?

e) ¿Cuál sería el cambio de la rentabilidad total, si la cantidad que se debe invertir en el fondo del mercado monetario cambiara de $40,000 a $50,000?

Los problemas 7-39 a 7-44 prueban su capacidad para formular problemas de PL que tienen más de dos variables. No se pueden resolver gráficamente, pero le dará una oportunidad de formular un problema más grande.

7-39 El rancho Feed 'N Ship engorda ganado para los granjeros locales y lo envía a los mercados de carne en

Resultados para el problema 7-37

Bhavika Investments Solution					
	S	M		RHS	Dual
Minimize	12	5			
Constraint 1	1	1	=	200000	2
Constraint 2	0.1	0.05	>=	14000	-140
Constraint 3	0	1	>=	40000	0
Solution->	80000	120000.0		1560000	

Bhavika Investments Solution					
Variable	Value	Reduced Cost	Original Val	Lower Bound	Upper Bound
S	80000	0	12	5	Infinity
M	120000.0	0	5	-Infinity	12
Constraint	Dual Value	Slack/Surplus	Original Val	Lower Bound	Upper Bound
Constraint 1	2	0	200000	160000	280000
Constraint 2	-140	0	14000	10000	18000
Constraint 3	0	80000.01	40000	-Infinity	120000.0

Resultados para el problema 7-38

Bhavika Investments Solution					
	S	M		RHS	Dual
Maximize	0.1	0.05			
Constraint 1	1	1	=	200000	0.1
Constraint 2	12	5	<=	2200000	0
Constraint 3	0	1	>=	40000	-0.05
Solution->	160000	40000		18000	

Bhavika Investments Solution					
Variable	Value	Reduced Cost	Original Val	Lower Bound	Upper Bound
S	160000	0	0.1	0.05	Infinity
M	40000	0	0.05	-Infinity	0.1
Constraint	Dual Value	Slack/Surplus	Original Val	Lower Bound	Upper Bound
Constraint 1	0.1	0	200000	40000	206666.7
Constraint 2	0	80000	2200000	2120000	Infinity
Constraint 3	-0.05	0	40000	28571.43	200000

Kansas City y Omaha. Los propietarios del rancho intentan determinar las cantidades de alimento para el ganado a comprar, de manera que se satisfagan los estándares nutricionales mínimos y, al mismo tiempo, se reduzcan al mínimo los costos totales de alimentación. La mezcla de alimentos puede estar formada por tres granos que contienen los siguientes ingredientes por libra de alimento:

	ALIMENTO (OZ.)		
INGREDIENTE	MEZCLA X	MEZCLA Y	MEZCLA Z
A	3	2	4
B	2	3	1
C	1	0	2
D	6	8	4

El costo por libra de las mezclas X, Y y Z es de $2, $4 y $2.50, respectivamente. El requerimiento mensual mínimo por vaca es de 4 libras del ingrediente A, 5 libras del ingrediente B, 1 libra de ingrediente C y 8 libras de ingrediente D.

El rancho enfrenta una restricción adicional: tan solo puede obtener 500 libras mensuales de la mezcla Z del proveedor de alimento, independientemente de su necesidad. Como en general hay 100 vacas en el rancho Feed 'N Ship en un momento dado, esto significa que no se pueden contar con más de 5 libras de la mezcla Z para su uso en la alimentación mensual de cada vaca.

a) Formule esto como un problema de PL.

b) Resuelva usando software de PL.

: 7-40 La corporación de Weinberger Electronics fabrica cuatro productos muy avanzados que vende a empresas aeroespaciales que tienen contratos con la NASA. Cada uno de los productos debe pasar por los siguientes departamentos antes de que se envíen: cableado, perforación, ensamble e inspección. El requerimiento de tiempo en horas para cada unidad producida y su correspondiente valor de utilidad se resumen la siguiente tabla:

	DEPARTAMENTO				UTILIDAD
PRODUCTO	CABLEADO	PERFORACIÓN	ENSAMBLE	INSPECCIÓN	POR UNIDAD ($)
XJ201	0.5	0.3	0.2	0.5	9
XM897	1.5	1	4	1	12
TR29	1.5	2	1	0.5	15
BR788	1	3	2	0.5	11

La producción mensual disponible en cada departamento y el requerimiento de producción mínima mensual para cumplir con los contratos son los siguientes:

DEPARTAMENTO	CAPACIDAD (HORAS)	PRODUCTO	NIVEL DE PRODUCCIÓN MÍNIMO
Cableado	15,000	XJ201	150
Perforación	17,000	XM897	100
Ensamble	26,000	TR29	300
Inspección	12,000	BR788	400

El gerente de producción tiene la responsabilidad de especificar los niveles de producción de cada producto para el siguiente mes. Ayúdelo a formular (es decir, a establecer las restricciones y la función objetivo) el problema de Weinberger con PL.

: 7-41 Outdoor Inn, un fabricante de equipo para campamento en el sur de Utah, está desarrollando un programa de producción para un tipo popular de tienda de campaña, la Doble Inn. Se han recibido 180 pedidos que se entregarán a finales de este mes, 220 se entregarán a finales del próximo mes, y 240 que se entregarán al final del tercer mes. Esta tienda de campaña se pueden fabricar a un costo de $120, y el número máximo de tiendas de campaña que se pueden fabricar en un mes es de 230. La compañía puede fabricar algunas tiendas de campaña extra en un mes y mantenerlas en el almacén hasta el mes siguiente. El costo por mantener estas en el inventario durante 1 mes se estima en $6 por tienda, por cada unidad dejada hasta final del mes. Formule este como un problema de PL para minimizar los costos y, al mismo tiempo, satisfacer la demanda y que no se exceda la capacidad de producción mensual. Resuélvalo utilizando cualquier software. (*Sugerencia*: Defina las variables que representan el número de tiendas de campaña que quedan a final de cada mes).

7-42 Outdoors Inn (véase el problema 7-41) amplió por un periodo más largo sus operaciones de elaborar tiendas de campaña. Aunque aún fabrica la tienda Double Inn, también está haciendo una tienda más grande, la Family Rolls, que tiene cuatro secciones interiores. La compañía puede producir hasta un total mensual combinado de 280 tiendas. La siguiente tabla muestra la demanda que debe cumplir y los costos de producción para los próximos 3 meses. Observe que los costos aumentarán en el mes 2. El costo por mantenimiento para tener una tienda de campaña en el inventario a fines de mes para su uso en el mes siguiente se estima en $6 por tienda Double Inn y $8 por tienda Family Rolls. Desarrolle un programa lineal para minimizar el costo total. Resuélvalo utilizando cualquier software.

MES	DEMANDA PARA LA DOBLE INN	COSTO DE PRODUCIR LA DOUBLE INN	DEMANDA PARA LA FAMILY ROLLS	COSTO DE PRODUCIR LA FAMILY ROLLS
1	185	$120	60	$150
2	205	$130	70	$160
3	225	$130	65	$160

7-43 La corporación Modem of America (CMA) es el mayor productor del mundo de dispositivos de comunicación por módem para microcomputadoras. CMA vendió 9,000 del modelo regular y 10,400 del modelo "inteligente" en este mes de septiembre. Su estado de resultados del mes se presenta en la siguiente tabla. Los costos presentados son típicos de meses anteriores y se espera que permanezcan en los mismos niveles en un futuro próximo.

La empresa se enfrenta a varias restricciones conforme prepara su plan de producción de noviembre. En primer lugar, ha experimentado una gran demanda y no ha sido capaz de mantener un inventario significativo en existencia. No se espera que cambie esta situación. En segundo lugar, la empresa está ubicada en un pequeño poblado de Iowa, donde no hay mano de obra adicional disponible. Sin embargo, los trabajadores se pueden alternar de la producción de un módem a otro. Para fabricar los 9,000 módem regulares en septiembre se requirieron 5,000 horas de mano de obra directa. Los 10,400 módem inteligentes absorbieron 10,400 horas de mano de obra directa.

TABLA PARA EL PROBLEMA 7-43

Estado de resultados de fin de mes al 30 de septiembre, CMA

	MÓDEMS REGULARES	MÓDEMS INTELIGENTES
Ventas	$450,000	$640,000
Menos: Descuentos	10,000	15,000
Devoluciones	12,000	9,500
Reemplazos por garantía	4,000	2,500
Ventas totales	$424,000	$613,000
Costos totales		
Mano de obra directa	60,000	76,800
Mano de obra indirecta	9,000	11,520
Costo de materiales	90,000	128,000
Depreciación	40,000	50,800
Costo de ventas	$199,000	$267,120
Utilidad bruta	$225,000	$345,880
Gastos de ventas y generales		
Gastos generales: variables	30,000	35,000
Gastos generales: fijos	36,000	40,000
Publicidad	28,000	25,000
Comisiones por ventas	31,000	60,000
Costo operativo total	$125,000	$160,000
Ingresos antes de impuestos	$100,000	$185,880
Impuestos sobre ingresos (25%)	25,000	46,470
Ingreso neto	$ 75,000	$139,410

En tercer lugar, CMA está experimentando un problema que afecta el modelo de módem inteligente: su proveedor de componentes tan solo puede garantizar 8,000 microprocesadores para entrega en noviembre. Cada módem inteligente requiere uno de estos microprocesadores de fabricación especial. No hay proveedores alternos disponibles con poca antelación.

CMA quiere planear la combinación óptima de los dos modelos de módem para producir en noviembre, con la finalidad de maximizar sus utilidades.

a) Usando datos de septiembre, formule el problema de CMA como un programa lineal.

b) Resuelva gráficamente el problema.

c) Analice las implicaciones de su solución recomendada.

7-44 Trabajando con químicos del Virginia Tech y de la George Washington Universities, el contratista paisajista Kenneth Golding mezcló su propio fertilizante, llamado "Golding-Grow", el cual consiste en cuatro compuestos químicos: C-30, C-92, D-21 y E-11. A continuación se indica el costo por libra de cada compuesto:

COMPUESTO QUÍMICO	COSTO POR LIBRA ($)
C-30	0.12
C-92	0.09
D-21	0.11
E-11	0.04

Las especificaciones del Golding-Grow son las siguientes: **1.** E-11 debe constituir al menos el 15% de la mezcla; **2.** C-92 y C-30 en conjunto deben constituir al menos el 45% de la mezcla; **3.** D-21 y C-92 en conjunto pueden constituir no más del 30% de la mezcla; y **4.** Golding-Grow se empaqueta y se vende en bolsas de 50 libras.

a) Formule un problema de programación lineal para determinar qué mezcla de los cuatro productos químicos permitirá a Golding minimizar el costo de una bolsa de 50 libras del fertilizante.

b) Resuélvalo usando una computadora para encontrar la mejor solución.

 7-45 Raptor Fuels produce tres tipos de gasolina: regular, premium y súper. Todas ellas se producen al mezclar dos tipos de petróleo, crudo A y crudo B. Los dos tipos de crudo contienen ingredientes específicos que ayudan a determinar el octanaje de la gasolina. Los ingredientes importantes y los costos están contenidos en la siguiente tabla:

	CRUDO A	CRUDO B
Costo por galón	$0.42	$0.47
Ingrediente 1	40%	52%
Otros ingredientes	60%	48%

Con la finalidad de alcanzar el octanaje deseado, al menos 41% de la gasolina regular debería ser del ingrediente 1; al menos 44% de la gasolina premium debe ser del ingrediente 1, y por lo menos 48% de la gasolina súper debe ser del ingrediente 1. Debido a compromisos contractuales vigentes, Raptor Fuels tiene que producir al menos 20,000 galones de regular, al menos 15,000 galones de Premium y al menos 10,000 galones de súper. Formule un programa lineal que se podría utilizar para determinar la cantidad de crudo A y de crudo B, que se debería utilizar en cada una de las gasolinas, para satisfacer la demanda con el costo mínimo. ¿Cuál es el costo mínimo? ¿Qué cantidad de crudo A y de crudo B se utiliza en cada galón de los diferentes tipos de gasolina?

Problemas de tarea en Internet

Visite nuestra página en Internet, en **www.pearsonenespañol.com/render**, para problemas de tarea adicionales, problemas 7-46 a 7-50.

Estudio de caso

Mexicana Wire Works

Ron García se sintió bien en su primera semana como aprendiz administrativo en Mexicana Wire Winding, Inc. Aún no había desarrollado ningún conocimiento técnico sobre el proceso de fabricación, pero había recorrido toda la planta, ubicada en los suburbios de la ciudad de México, y conoció a muchas personas en diversas áreas operativas.

Mexicana, una subsidiaria de Westover Wire Works, una empresa de Texas, es un fabricante de tamaño medio de bobinas de alambre utilizadas en la fabricación de transformadores eléctricos. Carlos Álvarez, el gerente de control de producción, describió el embobinado a García como de diseño estandarizado. La visita de García a la planta, distribuida por tipo de proceso (véase la figura 7.20), siguió la secuencia de fabricación de bobinas: estirado, extrusión, embobinado, inspección y embalaje. Después de la inspección, el producto bueno se empaca y se envía al almacén de productos terminados; el producto defectuoso se almacena por separado hasta que pueda reprocesarse.

El 8 de marzo, Vivian España, la gerente general de Mexicana, se detuvo en la oficina de García y le pidió que asistiera a una junta de personal a la 1:00 P.M.

"Empecemos con el negocio en cuestión", dijo Vivian, al iniciar la junta. "Todos ustedes ya se han reunido con Ron García, nuestro nuevo gerente en capacitación. Ron estudió adminis-

tración de operaciones en su programa de maestría en el sur de California, así que creo que es competente para que nos ayude con un problema que hemos estado analizando durante mucho tiempo sin poder resolverlo. Estoy segura de que cada miembro de mi personal dará a Ron su total cooperación".

Vivian se dirigió a José Arroyo, gerente de control de producción: "José, ¿por qué no describes el problema que enfrentamos?".

"Bien", dijo José, "el negocio marcha muy bien en este momento. Estamos registrando más pedidos de los que podemos cumplir. Tendremos algunos equipos nuevos en línea en los próximos meses, que se encargarán de los problemas de capacidad, pero eso no nos ayudará en abril. He localizado a unos empleados jubilados que trabajaron en el departamento de estirado, y tengo la intención de contratarlos como empleados temporales en abril, para aumentar la capacidad de ese departamento. Debido a que estamos planeando refinanciar nuestra deuda a largo plazo, Vivian quiere que nuestras utilidades de abril sean tan buenas como sea posible. Estoy teniendo dificultades para decidir qué órdenes ejecutar y cuáles poner en espera, de manera que el resultado final sea el mejor posible. ¿Puedes ayudarme con esto?".

García se sintió sorprendido y temeroso de recibir una tarea tan importante y de alto perfil tan pronto en su carrera. Recuperán-

FIGURA 7.20
Mexicana Wire Winding,
Inc.

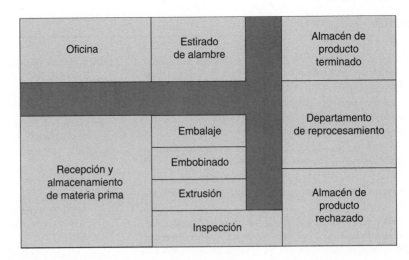

dose rápidamente, dijo: "Dame tus datos y déjame trabajar con esto durante un par de días".

Órdenes de abril

Producto W0075C	1,400 unidades
Producto W0033C	250 unidades
Producto W0005X	1,510 unidades
Producto W0007X	1,116 unidades

Nota: Vivian España dio su palabra a un cliente clave de que va a fabricar 600 unidades del producto W0007X y 150 unidades del producto W0075C para él durante abril.

Costo estándar

PRODUCTO	MATERIAL	MANO DE OBRA	COSTOS GENERALES	PRECIO DE VENTA
W0075C	$33.00	$ 9.90	$23.10	$100.00
W0033C	25.00	7.50	17.50	80.00
W0005X	35.00	10.50	24.50	130.00
W0007X	75.00	11.25	63.75	175.00

Datos operativos seleccionados

Producción promedio por mes = 2,400 unidades

Utilización promedio de máquinas = 63%

Porcentaje promedio de producción del departamento de reprocesamiento = 5% (básicamente del departamento de embobinado)

Número promedio de unidades rechazadas en espera de reprocesamiento = 850 (sobre todo del departamento de embobinado)

Capacidad de la planta (horas)

ESTIRADO	EXTRUSIÓN	EMBOBINADO	EMBALAJE
4,000	4,200	2,000	2,300

Nota: La capacidad de inspección no es un problema; se pueden trabajar horas extras, cuando sea necesario, para adaptarse a cualquier horario.

Costos de mano de obra (horas/unidad)

PRODUCTO	ESTIRADO	EXTRUSIÓN	EMBOBINADO	EMBALAJE
W0075C	1.0	1.0	1.0	1.0
W0033C	2.0	1.0	3.0	0.0
W0005X	0.0	4.0	0.0	3.0
W0007X	1.0	1.0	0.0	2.0

Preguntas para análisis

1. ¿Qué recomendaciones debería hacer Ron García y con qué justificación? Elabore un análisis detallado con tablas, gráficos e impresiones de computadora incluidos.
2. Analice la necesidad de contar con trabajadores temporales en el departamento de estirado.
3. Analice la distribución de la planta.

Fuente: Profesor Víctor E. Sower, Sam Houston State University. El material de este caso se basa en una situación real, con nombres y datos cambiados por razones de confidencialidad.

Estudio de caso en Internet

Consulte nuestra página en Internet, en **www.pearsonenespañol.com/render**, para este estudio de caso adicional: Corporación Agri Chem. Este caso se refiere a la respuesta de una empresa a una falta de energía.

Bibliografía

Bassamboo, Achal, J. Michael Harrison y Assaf Zeevi. "Design and Control of a Large Cali Center: Asymptotic Analysis of and PL-Based Method", *Operations Research* 54, 3 (mayo-junio de 2006): 419-435.

Behjat, Laleh, Anthony Vannelli y William Rosehart. "Integer Linear Programming Model for Global Routing", *INFORMS Journal on Computing* 18, 2 (primavera de 2006): 137-150.

Bixby, Robert E. "Solving Real-World Linear Programs: A Decade and More of Progress", *Operations Research* 50, 1 (enero-febrero de 2002): 3-15.

Bodington, C. E. y T. E. Baker. "A History of Mathematical Programming in the Petroleum Industry", *Interfaces* 20, 4 (julio-agosto de 1990): 117-132.

Boros, E., L. Fedzhora, P. B. Kantor, K. Saeger y P. Stroud. "A Large-Scale Linear Programming Model for Finding Optimal Container Inspection Strategies", *Naval Research Logistics* 56, 5 (agosto de 2009): 404-420.

Chakravarti, N. "Tea Company Steeped in OR", *OR/MS Today* 27, 2 (abril de 2000): 32-34.

Ching, Wai-Ki, Wai-On Yuen, Michael K. Ng y Shu-Qin Zhang. "A Linear Programming Approach for Determining Optimal Advertising Policy", *IMA Journal of Management Mathematics* 17, 1 (2006): 83-96.

Dantzig, George B. "Linear Programming Under Uncertainty", *Management Science* 50, 12 (diciembre de 2004): 1764-1769.

Desroisers, Jacques. "Air Transat Uses ALTITUDE to Manage Its Aircraft Routing, Crew Pairing, and Work Assignment", *Interfaces* 30, 2 (marzo-abril de 2000): 41-53.

Dutta, Goutam, y Robert Fourer. "A Survey of Mathematical Programming Applications in Integrated Steel Plans", *Manufacturing & Service Operations Management* 3, 4 (otoño de 2001): 387-400.

Farley, A. A. "Planning the Cutting of Photographic Color Paper Rolls for Kodak (Australasia) Pty. Ltd.", *Interfaces* 21, 1 (enero-febrero de 1991): 92-106.

Fourer, Robert. "Software Survey: Linear Programming", *OR/MS Today* 36, 3 (junio de 2009): 46-55.

Gass, Saul I. "The First Linear-Programming Shoppe", *Operations Research* 50, 1 (enero-febrero de 2002): 61-68.

Greenberg, H. J. "How to Analyze the Results of Linear Programs—Part 1: Preliminaries", *Interfaces* 23, 4 (julio-agosto de 1993): 56-68.

Greenberg, H. J. "How to Analyze the Results of Linear Programs—Part 3: Infeasibility Diagnosis", *Interfaces* 23, 6 (noviembre-diciembre de 1993): 120-139.

Hafizoğlu, A. B. y M. Azizoğlu. "Linear Programming Based Approaches for the Discrete Time/Cost Trade-off Problem in Project Networks", *Journal of the Operational Research Society* 61 (abril de 2010): 676-685.

Higle, Julia L. y Stein W. Wallace. "Sensitivity Analysis and Uncertainty in Linear Programming", *Interfaces* 33, 4 (julio-agosto de 2003): 53-60.

Murphy, Frederic H. "ASP, the Art and Science of Practice: Elements of a Theory of the Practice of Operations Research: Expertise in Practice", *Interfaces* 35, 4 (julio-agosto de 2005): 313-322.

Orden, A. "LP from the '40s to the '90s", *Interfaces* 23, 5 (septiembre-octubre de 1993): 2-12.

Romeijn, H. Edwin, Ravindra K. Ahuja, James F. Dempsey y Arvind Kumar. "A New Linear Programming Approach to Radiation Therapy Treatment Planning Problems", *Operations Research* 54, 2 (marzo-abril de 2006): 201-216.

Rubin, D. S. y H. M. Wagner. "Shadow Prices: Tips and Traps for Managers and Instructors", *Interfaces* 20, 4 (julio-agosto de 1990): 150-157.

Wendell, Richard E. "Tolerance Sensitivity and Optimality Bounds in Linear Programming", *Management Science* 50, 6 (junio de 2004): 797-803.

Apéndice 7.1 Excel QM

El uso del complemento de Excel QM puede ayudarle a resolver fácilmente los problemas de programación lineal. Excel QM automatiza la preparación de hojas de cálculo para el uso del complemento Solver. Ilustraremos esto con el ejemplo de Flair Furniture.

Para empezar, en la pestaña *Add-Ins* de Excel 2010, haga clic en *Excel QM* y, luego, seleccione *Linear, Integer & Mixed Integer Programming* del menú desplegable, como se indica en el programa 7.7A. La ventana de inicialización de la hoja de cálculo de Excel QM se abre, y en ella se introduce el título del problema, el número de variables, el número de restricciones (sin contar las restricciones de no negatividad), y se especifica si es un problema de maximización o de minimización. Esto se ilustra en el programa 7.7B. Cuando termine, haga clic en *OK*.

Cuando el proceso de inicialización finaliza, se abrirá una hoja de cálculo preparada para la introducción de datos, como se muestra en el programa de 7.7C. En esta pantalla se introducen los datos en la pestaña Data. Se especifica el tipo de restricción (menor que, mayor que o igual a) y se cambian los nombres de las variables y de la restricción, si así se desea.

El programa 7.7D presenta la misma hoja de cálculo que el programa 7.7C, con la introducción de datos y los nombres de las variables cambiados. Una vez que se hayan introducido los datos, en la pestaña *Data*, seleccione *Solver*. Se abre la ventana de parámetros de Solver, como se muestra en el programa 7.7E. Excel QM habrá hecho todas las entradas y las selecciones necesarias, por lo que basta con hacer clic en *OK* para encontrar la solución.

La solución se presenta en el programa 7.7F. Además de los valores óptimos de las variables de decisión y de las utilidades, la solución también incluye la holgura o el excedente de cada restricción. Puede obtener información adicional de la ventana Solver Results que abre. Seleccione un tipo de reporte (si procede) y haga clic en *OK*. Cualquier informe que haya seleccionado se colocará en una hoja de cálculo aparte.

PROGRAMA 7.7A

Uso de Excel QM de Excel 2010 para el ejemplo de Flair Furniture

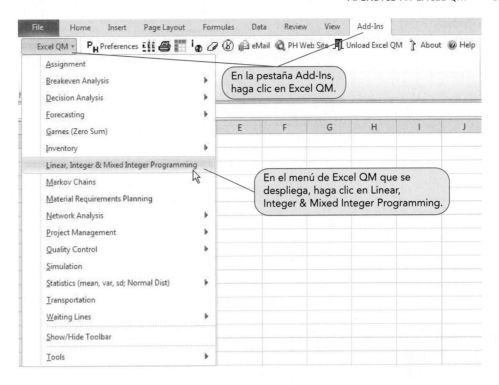

PROGRAMA 7.7B

Uso de la ventana de inicio de la hoja de cálculo de Excel QM

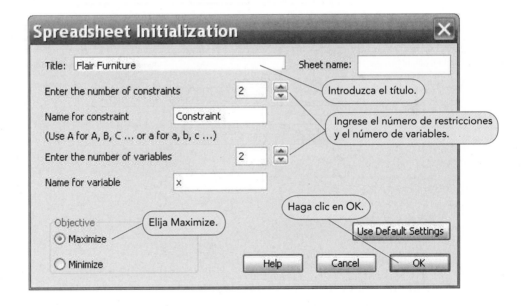

PROGRAMA 7.7C

Una hoja de cálculo de inicio de Excel QM

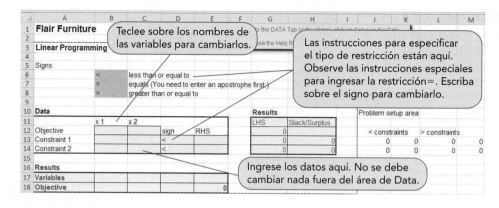

PROGRAMA 7.7D

Hoja de cálculo de Excel QM después de ingresar los datos de Flair Furniture

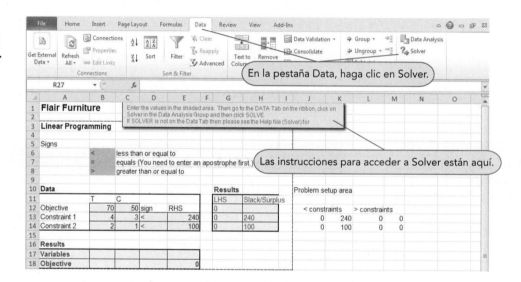

PROGRAMA 7.7E

Ventana de los
parámetros de Solver
de Excel

Cuando abre la ventana, tan solo
haga clic en Solve. Excel QM ya
ha ingresado datos de entrada
para los parámetros de Solver del
cuadro de diálogo.

PROGRAMA 7.7F

Resultados de Excel QM
para Flair Furniture y
ventana de resultados
de Solver

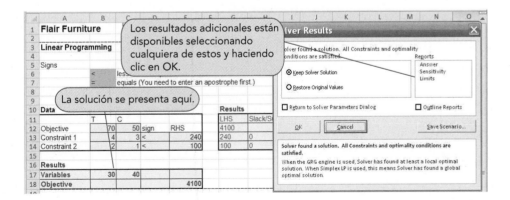

Los resultados adicionales están
disponibles seleccionando
cualquiera de estos y haciendo
clic en OK.

La solución se presenta aquí.

CAPÍTULO 8

Aplicaciones de programación lineal

8.1 Introducción

El método gráfico de programación lineal (PL) estudiado en el capítulo 7 es útil para entender cómo formular y resolver problemas de PL pequeños. En este capítulo daremos un paso más y demostraremos cómo modelar un gran número de problemas de la vida real usando programación lineal. Haremos esto presentando ejemplos de modelos en las áreas de investigación de mercados, selección de medios de comunicación, mezcla de producción, programación de la mano de obra y la producción, envíos y transporte, mezcla de ingredientes y selección de portafolios financiero. Resolveremos muchos de estos problemas de PL usando Solver de Excel y QM para Windows.

Aunque algunos de estos modelos son relativamente modestos en el sentido numérico, los principios desarrollados se aplican en definitiva a problemas más grandes. Es más, esta idea de "parafrasear" las formulaciones de los modelos de PL debería ayudarlo a desarrollar sus habilidades para aplicar la técnica a otras áreas menos comunes.

8.2 Aplicaciones de marketing

Selección de medios de comunicación

Los problemas de selección de medios de comunicación pueden abordarse con PL desde dos enfoques. El objetivo sería maximizar la exposición de la audiencia o minimizar los costos por publicidad.

Los modelos de programación lineal se han utilizado en el campo de la publicidad como una ayuda en la decisión para seleccionar una mezcla de medios de comunicación efectiva. Algunas veces, la técnica se emplea en la asignación de un presupuesto fijo o limitado, que podría incluir comerciales de radio o televisión, anuncios en periódicos, correo directo, anuncios en revistas, etcétera. En otras aplicaciones, el objetivo es maximizar la exposición de la audiencia. Pueden surgir restricciones sobre la mezcla de medios de comunicación permitida a través de requerimientos de contratos, disponibilidad de medios limitada o políticas de la compañía. El siguiente es un ejemplo.

El club Win Big Gambling promueve el juego en giras de una ciudad grande el medio oeste de Estados Unidos a los casinos en las Bahamas. El club tiene un presupuesto de hasta $8,000 semanales para anuncios locales. El dinero se asignará entre cuatro medios de comunicación: spots en televisión, anuncios en periódicos y dos tipos de comerciales en radio. La meta de Win Big es llegar a la audiencia de mayor potencial más grande posible, usando los diferentes medios de comunicación. La siguiente tabla presenta el número de jugadores potenciales expuestos mediante un anuncio en cada uno de los cuatro medios. También proporciona el costo por anuncio colocado y el máximo número de ellos que se puede comprar por semana.

MEDIO	AUDIENCIA ALCANZADA POR ANUNCIO	COSTO POR ANUNCIO ($)	MÁXIMO DE ANUNCIOS POR SEMANA
Spot en TV (1 minuto)	5,000	800	12
Periódico (una plana)	8,500	925	5
Spot en radio (30 segundos, horario estelar)	2,400	290	25
Spot de radio (1 minuto, en la tarde)	2,800	380	20

Las condiciones contractuales de Win Big requieren que se coloquen al menos cinco spots de radio cada semana. Para asegurar una campaña promocional de amplio espectro, la gerencia también insiste en que no se gasten más de $1,800 por semana en los comerciales de radio.

Al formular esto como un programa lineal, el primer paso es entender cabalmente el problema. Algunas veces hacer preguntas del tipo "qué sucedería si" ayuda a comprender la situación. En este ejemplo, ¿qué ocurriría si exactamente se usaran cinco anuncios de cada tipo? ¿Cuánto costaría esto? ¿A cuántas personas llegaría? Sin duda ayuda la disponibilidad de las hojas de cálculo para obtener soluciones, ya que se escriben las fórmulas para calcular el costo y el número de personas expuestas. Una vez que se entiende la situación, se enuncian el objetivo y las restricciones:

Objetivo:

Maximizar el número de gente (audiencia) expuesta

Restricciones:

1. No se pueden colocar más de 12 comerciales en TV. **2.** No se pueden utilizar más de 5 anuncios en periódicos. **3.** No se pueden usar más de 25 comerciales de 30 segundos en radio. **4.** No se pueden usar más de 20 comerciales de 1 minuto en radio. **5.** El total gastado no debe exceder $8,000. **6.** El número total de comerciales en radio tiene que ser, por lo menos, de 5. **7.** La cantidad total gastada en comerciales de radio no debe exceder $1,800.

Después se definen las variables de decisión. Las decisiones que se toman son el número de comerciales de cada tipo que se contratarán. Una vez que se conocen, pueden utilizarse para calcular la cantidad gastada y el número de personas expuestas. Sea:

X_1 = número de spots de TV de 1 minuto en cada semana

X_2 = número de anuncios de 1 plana en el periódico en cada semana

X_3 = número de spots de radio de 30 segundos en cada semana

X_4 = número de spots de radio de 1 minuto por la tarde en cada semana

Luego, con estas variables, se escriben las expresiones matemáticas para el objetivo y las restricciones que se identificaron. Las restricciones de no negatividad también se establecen en forma explícita.

Objetivo:

$$\text{Maximizar la cobertura de audiencia} = 5{,}000X_1 + 8{,}500X_2 + 2{,}400X_3 + 2{,}800X_4$$

sujeta a	$X_1 \le 12$	(máximo de spots en TV/semana)
	$X_2 \le 5$	(máximo de anuncios en periódico/semana)
	$X_3 \le 25$	(máximo de spots de 30 s en radio/semana)
	$X_4 \le 20$	(máximo de spots de 1 min en radio/semana)
$800X_1 + 925X_2 + 290X_3 + 380X_4 \le \$8{,}000$		(presupuesto semanal de publicidad)
	$X_3 + X_4 \ge 5$	(mínimo de spots en radio contratados)
	$290X_3 + 380X_4 \le \$1{,}800$	(máximo de dólares gastados en radio)
	$X_1, X_2, X_3, X_4 \ge 0$	

La solución a este problema se encuentra con Solver de Excel. El programa 8.1 da los datos para el cuadro de diálogo de Solver Parameter, la fórmula que debe escribirse en la celda para el valor de la función objetivo y las celdas donde tiene que copiarse esta fórmula. Los resultados se muestran en la hoja de cálculo. La solución es:

$X_1 = 1.97$ spots en TV

$X_2 = 5$ anuncios en periódicos

$X_3 = 6.2$ spots en radio de 30 segundos

$X_4 = 0$ spots en radio de 1 minuto

Esto produce una audiencia expuesta de 67,240 contactos. Como X_1 y X_3 son fracciones, Win Big las redondea a 2 y 6, respectivamente. Los problemas que requieren soluciones enteras se estudian con detalle en el capítulo 10.

Investigación de mercados

La programación lineal también se ha aplicado a problemas de investigación de mercados y al área de encuestas a consumidores. El siguiente ejemplo ilustra cómo los encuestadores estadísticos llegan a decisiones estratégicas con PL.

Management Sciences Associates (MSA) es una empresa de investigación de mercados con sede en Washington D.C., que realiza encuestas al consumidor. Uno de sus clientes es el servicio de prensa nacional que periódicamente levanta encuestas políticas sobre cuestiones de interés general. En una encuesta para el servicio de prensa, MSA determina que debe llenar varios requisitos para obtener conclusiones estadísticas válidas acerca de un aspecto sensible de las nuevas leyes de inmigración estadounidenses:

1. Encuestar al menos 2,300 hogares en Estados Unidos en total.
2. Encuestar al menos 1,000 hogares, cuyos jefes de familia tengan 30 años de edad o menos.
3. Encuestar al menos 600 hogares, cuyos jefes de familia tengan entre 31 y 50 años de edad.

PROGRAMA 8.1

Solución para Win Big en Excel 2010

	A	B	C	D	E	F	G	H
1	Win Big Gambling Club							
2				Radio	Radio			
3		TV	Newspaper	30 sec.	1 min.			
4	Variables	X1	X2	X3	X4			
5	Solution	1.9688	5	6.2069	0	Total Audience		
6	Audience per ad	5000	8500	2400	2800	67240.3017		
7								
8	Constraints					LHS		RHS
9	Max. TV	1				1.9688	≤	12
10	Max. Newspaper		1			5	≤	5
11	Max. 30-sec. radio			1		6.2069	≤	25
12	Max. 1 min. radio				1	0	≤	20
13	Cost	800	925	290	380	8000	≤	8000
14	Radio dollars			290	380	1800	≤	1800
15	Radio spots			1	1	6.2069	≥	5

Registro de parámetros y opciones en Solver

Set Objective: F6
By Changing cells: B5:E5
To: Max
Subject to the Constraints:
  F9:F14 <= H9:H14
  F15 >= H15
Solving Method: Simplex LP
☑ **Make Variables Non-Negative**

Fórmulas clave

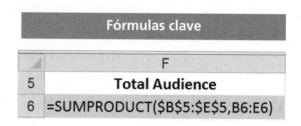

	F
5	**Total Audience**
6	=SUMPRODUCT($B$5:$E$5,B6:E6)

Copy F6 to F9:F15

4. Asegurar que al menos 15% de los encuestados vivan en un estado de la frontera con México.
5. Asegurar que no más de 20% de los encuestados que tienen 51 años de edad o más vivan en un estado de la frontera con México.

MSA decide que todas las encuestas deberían realizarse en persona y estima que los costos por llegar a la gente en cada categoría de edad y región son los siguientes:

	COSTO POR PERSONA ENCUESTADA ($)		
REGIÓN	EDAD ≤ 30	EDAD 31–50	EDAD ≥ 51
Estado en la frontera con México	$7.50	$6.80	$5.50
Estado sin frontera con México	$6.90	$7.25	$6.10

MSA quiere cumplir los cinco requisitos del muestreo al menor costo posible.

Al formular esto como un programa lineal, el objetivo es minimizar el costo. El resultado de los cinco requisitos acerca del número de personas en la muestra con características específicas es de cinco restricciones. Las variables de decisión vienen de las decisiones que deben tomarse, que son el número de individuos muestreados en cada región y en cada una de las tres categorías de edad. Así, las seis variables son:

X_1 = número de encuestados de 30 años de edad o menores que viven en estado fronterizo

X_2 = número de encuestados de 31 a 50 años de edad que viven en estado fronterizo

X_3 = número de encuestados de 51 años de edad o mayores que viven en estado fronterizo

X_4 = número de encuestados de 30 años de edad o menores que no viven en estado fronterizo

X_5 = número encuestado de 31 a 50 años de edad que no viven en estado fronterizo

X_6 = número encuestados de 51 años de edad o mayores que no viven en estado fronterizo

Función objetivo:

$$\text{Minimizar el costo total de las encuestas} = \$7.50X_1 + \$6.80X_2 + \$5.50X_3$$
$$+ \$6.90X_4 + \$7.25X_5 + \$6.10_6$$

sujeto a

$$X_1 + X_2 + X_3 + X_4 + X_5 + X_6 \geq 2{,}300 \quad \text{(total de hogares)}$$

$$X_1 + \qquad\qquad X_4 \qquad\qquad \geq 1{,}000 \quad \text{(hogares de 30 años o menores)}$$

$$X_2 + \qquad\qquad X_5 \qquad \geq 600 \qquad \text{(hogares de 31 años a 50 años)}$$

$$X_1 + X_2 + X_3 \geq 0.15(X_1 + X_2 + X_3 + X_4 + X_5 + X_6) \quad \text{(hogares de la frontera)}$$

$$X_3 \leq 0.2(X_3 + X_6) \quad \text{(límite del grupo de edad de 51+ que vive en la frontera)}$$

$$X_1, X_2, X_3, X_4, X_5, X_6 \geq 0$$

La solución por computadora del problema de MSA tiene un costo de $15,166 y se presenta en la siguiente tabla y en el programa 8.2, que muestra los datos de entrada y salida en Excel 2010. Observe que las variables en las restricciones se mueven al lado izquierdo de la desigualdad.

REGIÓN	EDAD ≤ 30	EDAD 31–50	EDAD ≥ 51
Estado en frontera con México	0	600	140
Estado sin frontera con México	1,000	0	560

PROGRAMA 8.2

Solución para MSA con Excel 2010

	A	B	C	D	E	F	G	H	I	J
1	Management Science Associates									
2										
3	Variable	X1	X2	X3	X4	X5	X6			
4	Solution	0	600	140	1000	0	560	Total Cost		
5	Min. Cost	7.5	6.8	5.5	6.9	7.25	6.1	15166		
6										
7	Constraints							LHS		RHS
8	Total Households	1	1	1	1	1	1	2300	≥	2,300
9	30 and Younger	1	0	0	1	0	0	1000	≥	1,000
10	31-50	0	1	0	0	1	0	600	≥	600
11	Border States	0.85	0.85	0.85	-0.15	-0.15	-0.15	395	≥	0
12	51+ Border States	0	0	0.8	0	0	-0.2	0	≤	0

Registro de parámetros y opciones en Solver

Set Objective: H5
By Changing cells: B4:G4
To: Min
Subject to the Constraints:
    H8:H11 >= J8:J11
    H12 <= J12
Solving Method: Simplex LP
☑ **Make Variables Non-Negative**

Fórmulas clave

	H
4	**Total Cost**
5	=SUMPRODUCT($B$4:$G$4,B5:G5)

Copy H5 to H8:H12

8.3 Aplicaciones de manufactura

Mezcla de productos

Un campo fértil para el uso de PL es la planeación de la mezcla óptima de productos que se fabrican. Una compañía debe cumplir numerosas restricciones, que van desde preocupaciones financieras hasta la demanda de ventas, pasando por los contratos de materiales y las demandas laborales sindicales. Su meta principal es generar la mayor utilidad posible.

Fifth Avenue Industries, un conocido fabricante local de ropa para caballero, produce cuatro variedades de corbatas. Una es una costosa de seda pura, otra está hecha de poliéster, otra más es una mezcla de poliéster y algodón, y la cuarta es una mezcla de seda y algodón. La siguiente tabla ilustra el costo y la disponibilidad (por periodo de planeación de la producción mensual) de los tres materiales utilizados en el proceso de producción:

MATERIAL	COSTO POR YARDA ($)	DISPONIBILIDAD DE MATERIAL POR MES (YARDAS)
Seda	24	1,200
Poliéster	6	3,000
Algodón	9	1,600

La empresa tiene contratos fijos con varias de las cadenas de tiendas por departamentos para comercializar sus corbatas. Los contratos requieren que Fifth Avenue Industries surta una cantidad mínima de cada corbata, pero permitirán una demanda mayor si la empresa elige cumplir esa demanda. (Dicho sea de paso, la mayoría de las corbatas no llevan etiqueta de Fifth Avenue, sino etiquetas propias de las tiendas). La tabla 8.1 resume la demanda del contrato para cada uno de los cuatro estilos de corbata, el precio de venta por corbata y los requerimientos de tela para cada variedad. La meta de Fifth Avenue es maximizar su ganancia mensual. Debe decidir la política para la mezcla de productos.

Al formular este problema, el objetivo es maximizar la ganancia. Hay tres restricciones (una para cada material) que indican que la cantidad de seda, poliéster y algodón no pueden exceder las cantidades disponibles. Existen cuatro restricciones (una para cada tipo de corbata) que especifican que el número de todas las corbatas de seda, todas las de poliéster, las de poliéster-seda, y las de algodón-seda producidas deben ser al menos la cantidad mínima en el contrato. Hay otras cuatro restricciones más (una para cada tipo de corbata), que indican que el número de cada una de las corbatas producidas no debe exceder la demanda mensual. Las variables se definen como:

X_1 = número de corbatas de seda producidas por mes

X_2 = número de corbatas de poliéster

X_3 = número de corbatas de la mezcla 1, poliéster y algodón

X_4 = número de corbatas de la mezcla 2, algodón y seda

TABLA 8.1 Datos para Fifth Avenue Industries

VARIEDAD DE CORBATAS	PRECIO DE VENTA POR CORBATA ($)	MÍNIMO DE CONTRATO MENSUAL	DEMANDA MENSUAL	MATERIAL REQUERIDO POR CORBATA (YARDAS)	REQUERIMIENTOS DE MATERIALES
Toda de seda	19.24	5,000	7,000	0.125	100% seda
Toda de poliéster	8.70	10,000	14,000	0.08	100% poliéster
Mezcla 1, poliéster y algodón	9.52	13,000	16,000	0.10	50% poliéster–50% algodón
Mezcla 2, seda y algodón	10.64	5,000	8,500	0.11	60% seda–40% algodón

Pero primero la empresa debe establecer la ganancia por corbata:

1. Cada corbata de seda (X_1) requiere 0.125 yardas de seda, a un costo de $24.00 cada yarda. Por lo tanto, el costo del material por corbata es de $3.00. El precio de venta es de $19.24 por corbata de seda, lo cual da una utilidad neta de $16.24.

2. Cada corbata de poliéster (X_2) requiere 0.08 yardas de poliéster, a un costo de $6 por yarda. Por lo tanto, el costo del material por corbata es de $0.48. El precio de venta es de $8.70, que deja una utilidad neta de $8.22 por corbata de poliéster.

3. Cada corbata de poliéster y algodón (X_3) (mezcla 1) requiere 0.05 yardas de poliéster, a un costo de $6 por yarda, y 0.05 yardas de algodón, a $9 por yarda, con un costo de $0.30 + $0.45 = $0.75 por corbata. El precio de venta es de $9.52, que deja una utilidad neta de $8.77 por corbata de poliéster y algodón.

4. Realizando cálculos similares demostraremos que cada corbata de seda y algodón (X_4) (mezcla 2) tiene un costo de materiales de $1.98 y una utilidad de $8.66.

La función objetivo se establece ahora como:

$$\text{Maximizar la ganancia} = \$16.24\, X_1 + \$8.22\, X_2 + \$8.77\, X_3 + \$8.66\, X_4$$

$$
\begin{array}{lll}
\text{sujeta a} & 0.125X_1 + 0.066X_4 \leq 1{,}200 & \text{(yardas de seda)} \\
& 0.08X_2 + 0.05X_3 \leq 3{,}000 & \text{(yardas de poliéster)} \\
& 0.05X_3 + 0.044X_4 \leq 1{,}600 & \text{(yardas de algodón)} \\
& X_1 \geq 5{,}000 & \text{(mínimo del contrato para seda)} \\
& X_1 \leq 7{,}000 & \text{(máximo del contrato)} \\
& X_2 \geq 10{,}000 & \text{(mínimo del contrato para poliéster)} \\
& X_2 \leq 14{,}000 & \text{(máximo del contrato)} \\
& X_3 \geq 13{,}000 & \text{(mínimo del contrato para mezcla 1)} \\
& X_3 \leq 16{,}000 & \text{(máximo del contrato)} \\
& X_4 \geq 5{,}000 & \text{(mínimo del contrato para mezcla 2)} \\
& X_4 \leq 8{,}500 & \text{(máximo del contrato)} \\
& X_1, X_2, X_3, X_4 \geq \quad 0 &
\end{array}
$$

Al usar Excel y su complemento Solver, la solución generada por computadora es producir 5,112 corbatas de seda pura cada mes; 14,000 corbatas de poliéster; 16,000 de la mezcla 1 de poliéster y algodón; y 8,500 de la mezcla 2 de seda y algodón. Esto genera una ganancia de $412,028 por periodo de producción. Véase los detalles en el programa 8.3.

Programación de la producción

Establecer un programa de producción para un periodo de semanas o meses es un problema administrativo difícil e importante en la mayoría de las plantas. El gerente de producción tiene que considerar diversos factores: capacidad de la mano de obra, costos de inventario y almacén, limitaciones de espacio, demanda del producto y relaciones laborales. Debido a que muchas compañías producen más de un producto, el proceso de programación con frecuencia es bastante complejo.

Básicamente, el problema se parece al modelo de la mezcla de productos para cada periodo en el futuro. El objetivo es ya sea maximizar la ganancia o minimizar el costo total (producción más inventario) de llevar a cabo la tarea.

La programación de la producción se soluciona con facilidad mediante PL, ya que es un problema que debe resolverse periódicamente. Cuando se establecen la función objetivo y las restricciones para una empresa, los datos pueden cambiarse fácilmente cada mes para ofrecer una programación actualizada.

Un ejemplo de programación de la producción: Greenberg Motors.

Greenberg Motors, Inc. fabrica dos motores eléctricos distintos para venta regulada por un contrato con Drexel Corp., un fabricante conocido de electrodomésticos pequeños para cocina. Su modelo GM3A se encuentra en muchos procesadores de alimentos Drexel y su modelo GM3B se usa en el ensamble de licuadoras.

Tres veces al año, el funcionario de compras de Drexel contrata a Irwin Greenberg, el fundador de Greenberg Motors, y coloca una orden mensual para los siguientes cuatro meses. La demanda de Drexel de motores varía cada mes según sus propios pronósticos de ventas, capacidad de producción

PROGRAMA 8.3

Solución para Fifth Avenue en Excel 2010

	A	B	C	D	E	F	G	H
1	**Fifth Avenue Industries**							
2								
3		**All silk**	**All poly.**	**Blend 1**	**Blend 2**			
4	Variables	**X1**	**X2**	**X3**	**X4**			
5	Values	5112	14000	16000	8500	Total Profit		
6	Profit	16.24	8.22	8.77	8.66	412028.88		
7								
8	Constraints					LHS		RHS
9	Silk available	0.125			0.066	1200	≤	1200
10	Polyester available		0.08	0.05		1920	≤	3000
11	Cotton available			0.05	0.044	1174	≤	1600
12	Maximum silk	1				5112	≤	7000
13	Maximum polyester		1			14000	≤	14000
14	Maximum blend 1			1		16000	≤	16000
15	Maximum blend 2				1	8500	≤	8500
16	Minimum silk	1				5112	≥	5000
17	Minimum polyester		1			14000	≥	10000
18	Minimum blend 1			1		16000	≥	13000
19	Minimum blend 2				1	8500	≥	5000

Registro de parámetros y opciones en Solver

Set Objective: F6
By Changing cells: B5:E5
To: Max
Subject to the Constraints:
    F9:F15 <= H9:H15
    F16:F19 >= H16:H19
Solving Method: Simplex LP
☑ **Make Variables Non-Negative**

Fórmulas clave

	F
5	**Total Profit**
6	=SUMPRODUCT($B$5:$E$5,B6:E6)

Copy F6 to F9:F19

TABLA 8.2

Programa de cuatro meses de órdenes para motores eléctricos

MODELO	ENERO	FEBRERO	MARZO	ABRIL
GM3A	800	700	1,000	1,100
GM3B	1,000	1,200	1,400	1,400

y posición financiera. Greenberg acaba de recibir la orden para enero-abril, y debe iniciar su propio plan de producción de cuatro meses. La demanda de motores se presenta en la tabla 8.2.

La planeación de la producción en Greenberg Motors tiene que considerar varios factores:

1. La compañía debe cumplir la demanda de cada uno de los dos productos cada mes (véase la tabla 8.2). Además, la compañía desea tener 450 unidades del GM3A y 300 unidades del GM3B en inventario al final de abril, pues se espera que la demanda de mayo sea algo más alta que la de los meses anteriores.

2. Hay costos por almacenar o mantener para cualquier inventario que quede al final del mes. De manera que producir demasiadas unidades adicionales de cualquier producto quizá no sea

deseable. El costo mensual por almacenar asignado al GM3A es de $0.36 por unidad, mientras que el costo mensual por almacenar para el GM3B es de $0.26 por unidad.

3. La compañía ha podido mantener la política de que no haya despidos y quiere continuar así. Esto es más fácil si las horas de mano de obra no fluctúan demasiado de un mes a otro. Se recomienda mantener un programa de producción que requiera entre 2,240 y 2,560 horas de mano de obra al mes. El GM3A requiere 1.3 horas de mano de obra por unidad, en tanto que el GM3B requiere tan solo 0.9 horas.

4. Las limitaciones de almacén no pueden excederse sin incurrir en costos altos adicionales. Hay lugar al final del mes nada más para 3,300 unidades de GM3A y GM3B combinados.

Aunque estos factores algunas veces están en conflicto, Greenberg ha encontrado que la programación lineal es una herramienta efectiva para establecer el programa de producción que minimizará el costo total. Los costos de producción actualmente son de $20 por unidad para el GM3A y $15 por unidad para el GM3B. Sin embargo, cada uno debería aumentar 10% el 1 de marzo, cuando entre en vigencia el nuevo contrato laboral.

Al formular este problema como un programa lineal, es importante entender cómo se relacionan todos los factores importantes, cómo se calculan los costos, cómo se calculan las horas mensuales de mano de obra y cómo se satisface la demanda con la producción y el inventario disponibles. Para comprender mejor, intente determinar el número de horas de mano de obra usadas, el número de unidades que quedan en inventario al final de cada mes para cada producto y el costo total, si se fabricaran cada mes exactamente 1,000 unidades del GM3A y justo 1,200 del GM3B.

Para formular el programa lineal, el objetivo y las restricciones son:

Objetivo:

Minimizar el costo total (costo de producción más costo por almacenar)

Restricciones:

4 restricciones de demanda (1 para cada uno de los 4 meses) para el GM3A

4 restricciones de demanda (1 para cada uno de los 4 meses) para el GM3B

2 restricciones (1 para el GM3A y 1 para el GM3B) para el inventario al final de abril

4 restricciones del mínimo de horas laborales (1 para cada mes)

4 restricciones del máximo de horas laborales (1 para cada mes)

4 restricciones de la capacidad de almacenaje cada mes

Las decisiones implican determinar cuántas unidades de cada uno de 2 productos fabricar en cada uno de los 4 meses, de manera que habrá 8 variables. No obstante, como el objetivo es minimizar el costo y existen costos asociados no solo con las unidades mensuales producidas, sino también con el número de unidades que quedan en inventario, será mejor definir también las variables para estas. Sean

A_i = número de unidades GM3A producidas el mes i ($i = 1, 2, 3, 4$, enero a abril)

B_i = número de unidades GM3B producidas el mes i ($i = 1, 2, 3, 4$, enero a abril)

IA_i = unidades de GM3A en inventario al final del mes i ($i = 1, 2, 3, 4$, enero a abril)

IB_i = unidades de GM3B en inventario al final del mes i ($i = 1, 2, 3, 4$, enero a abril)

La función objetivo en el modelo de PL es:

$$\text{Minimizar el costo} = 20A_1 + 20A_2 + 22A_3 + 22A_4 + 15B_1 + 15B_2 + 16.50B_3$$
$$+ 16.50B_4 + 0.36IA_1 + 0.36IA_2 + 0.36IA_3 + 0.36IA_4$$
$$+ 0.26IB_1 + 0.26IB_2 + 0.26IB_3 + 0.26IB_4$$

Las restricciones del inventario establecen las relaciones entre el cierre del inventario este mes, el cierre del inventario el mes anterior, la producción de este mes y las ventas de este mes.

Al establecer las restricciones, debemos organizar la relación entre el inventario final del mes pasado y la producción del actual, con las ventas a Drextel este mes. El inventario al final de un mes es:

$$\begin{pmatrix}\text{Inventario} \\ \text{al final} \\ \text{de este} \\ \text{mes}\end{pmatrix} = \begin{pmatrix}\text{Inventario} \\ \text{al final} \\ \text{del mes} \\ \text{anterior}\end{pmatrix} + \begin{pmatrix}\text{Producción} \\ \text{del mes} \\ \text{actual}\end{pmatrix} - \begin{pmatrix}\text{Ventas a} \\ \text{Drexel} \\ \text{este mes}\end{pmatrix}$$

Mientras que las restricciones pueden escribirse en esta forma, insertar el problema en una computadora requiere que todas las variables estén del lado izquierdo de la restricción. Reordenando los términos, obtenemos:

$$\begin{pmatrix} \text{Inventario} \\ \text{al final} \\ \text{del mes} \\ \text{anterior} \end{pmatrix} + \begin{pmatrix} \text{Producción} \\ \text{del mes} \\ \text{actual} \end{pmatrix} - \begin{pmatrix} \text{Inventario} \\ \text{al final} \\ \text{de este} \\ \text{mes} \end{pmatrix} = \begin{pmatrix} \text{Ventas} \\ \text{a Drexel} \\ \text{este mes} \end{pmatrix}$$

Entonces, las restricciones de demanda son:

$$A_1 - IA_1 = 800 \qquad \text{(demanda para GM3A en enero)}$$
$$IA_1 + A_2 - IA_2 = 700 \qquad \text{(demanda para GM3A en febrero)}$$
$$IA_2 + A_3 - IA_3 = 1{,}000 \qquad \text{(demanda para GM3A en marzo)}$$
$$IA_3 + A_4 - IA_4 = 1{,}100 \qquad \text{(demanda para GM3A en abril)}$$
$$B_1 - IB_1 = 1{,}000 \qquad \text{(demanda para GM3B en enero)}$$
$$IB_1 + B_2 - IB_2 = 1{,}200 \qquad \text{(demanda para GM3B en febrero)}$$
$$IB_2 + B_3 - IB_3 = 1{,}400 \qquad \text{(demanda para GM3B en marzo)}$$
$$IB_3 + B_4 - IB_4 = 1{,}400 \qquad \text{(demanda para GM3B en abril)}$$
$$IA_4 = 450 \qquad \text{(inventario de GM3A al final de abril)}$$
$$IB_4 = 300 \qquad \text{(inventario de GM3B al final de abril)}$$

Las restricciones para el número mínimo y máximo de horas de mano de obra cada mes son:

Las restricciones de fuerza de trabajo se establecen para cada mes.

$$1.3A_1 + 0.9B_1 \geq 2{,}240 \qquad \text{(mínimo de horas de mano de obra en enero)}$$
$$1.3A_2 + 0.9B_2 \geq 2{,}240 \qquad \text{(mínimo de horas de mano de obra en febrero)}$$
$$1.3A_3 + 0.9B_3 \geq 2{,}240 \qquad \text{(mínimo de horas de mano de obra en marzo)}$$
$$1.3A_4 + 0.9B_4 \geq 2{,}240 \qquad \text{(mínimo de horas de mano de obra en abril)}$$
$$1.3A_1 + 0.9B_1 \leq 2{,}560 \qquad \text{(máximo de horas de mano de obra en enero)}$$
$$1.3A_2 + 0.9B_2 \leq 2{,}560 \qquad \text{(máximo de horas de mano de obra en febrero)}$$
$$1.3A_3 + 0.9B_3 \leq 2{,}560 \qquad \text{(máximo de horas de mano de obra en marzo)}$$
$$1.3A_4 + 0.9B_4 \leq 2{,}560 \qquad \text{(máximo de horas de mano de obra en abril)}$$

Las restricciones en la capacidad de almacenaje son:

$$IA_1 + IB_1 \leq 3{,}300 \qquad \text{(capacidad de almacenaje en enero)}$$
$$IA_2 + IB_2 \leq 3{,}300 \qquad \text{(capacidad de almacenaje en febrero)}$$
$$IA_3 + IB_3 \leq 3{,}300 \qquad \text{(capacidad de almacenaje en marzo)}$$
$$IA_4 + IB_4 \leq 3{,}300 \qquad \text{(capacidad de almacenaje en abril)}$$
$$\text{Todas las variables} \geq 0 \qquad \text{(restricciones de no negatividad)}$$

La solución se obtuvo con Solver de Excel 2010, como se indica en el programa 8.4. Aunque algunas variables no son enteras, esto no es un problema ya que el trabajo en proceso podría aplazarse de un mes al siguiente. La tabla 8.3 resume la solución con los valores redondeados. El costo total es aproximadamente de \$169,295. Greenberg puede usar este modelo para desarrollar los programas de producción de nuevo en el futuro, estableciendo los subíndices sobre las variables como nuevos meses, y haciendo cambios menores al problema. Lo único en el modelo que tendría que cambiar serían los valores del lado derecho (RHS) de las restricciones de demanda (y del inventario deseado al final de mes cuatro), así como los coeficientes (costos) de la función objetivo si tienen cambios.

PROGRAMA 8.4

Solución para Greenber Motors con Excel 2010

Greenberg Motors

	A	B	C	D	E	F	G	H	I	J	K	L	M	N	O	P	Q	R	S	T
3	Variable	A1	A2	A3	A4	B1	B2	B3	B4	IA1	IA2	IA3	IA4	IB1	IB2	IB3	IB4			
4	Solution	1276.9	223.1	1757.7	792.3	1000	2522.2	77.8	1700	476.9	0	757.7	450	0	1322.2	0	300	Total Cost		
5	Min. Cost	20	20	22	22	15	15	16.5	16.5	0.36	0.36	0.36	0.36	0.26	0.26	0.26	0.26	169294.9		
6																				
7	Demand Constraints																	LHS	Sign	RHS
8	Jan. GM3A	1								-1								800	=	800
9	Feb. GM3A		1							1	-1							700	=	700
10	Mar. GM3A			1							1	-1						1000	=	1000
11	Apr. GM3A				1							1	-1					1100	=	1100
12	Jan. GM3B					1								-1				1000	=	1000
13	Feb. GM3B						1							1	-1			1200	=	1200
14	Mar. GM3B							1							1	-1		1400	=	1400
15	Apr. GM3B								1							1	-1	1400	=	1400
16	Inv.GM3A Apr.												1					450	=	450
17	Inv.GM3B Apr.																1	300	=	300
18	Labor Hour Constraints																			
19	Hrs Min. Jan.	1.3				0.9												2560	≥	2240
20	Hrs Min. Feb.		1.3				0.9											2560	≥	2240
21	Hrs Min. Mar.			1.3				0.9										2355	≥	2240
22	Hrs Min. Apr.				1.3				0.9									2560	≥	2240
23	Hrs Max. Jan.	1.3				0.9												2560	≤	2560
24	Hrs Max. Feb.		1.3				0.9											2560	≤	2560
25	Hrs Max.Mar.			1.3				0.9										2355	≤	2560
26	Hrs Max. Apr.				1.3				0.9									2560	≤	2560
27	Storage Constraints																			
28	Jan. Inv. Limit									1				1				476.92	≤	3300
29	Feb. Inv. Limit										1				1			1322.22	≤	3300
30	Mar. Inv. Limit											1				1		757.69	≤	3300
31	Apr. Inv. Limit												1				1	750	≤	3300

Registro de parámetros y opciones en Solver

Set Objective: R5
By Changing cells: B4:Q4
To: Min
Subject to the Constraints:
   R19:R22 >= T19:T22
   R23:R26 <= T23:T26
   R28:R31 <= T28:T31
   R8:R17 = T8:T17
Solving Method: Simplex LP
☑ **Make Variables Non-Negative**

Fórmulas clave

	R
4	**Total Cost**
5	=SUMPRODUCT($B$4:$Q$4,B5:Q5)

Copy formula in R5 to R8:R17
Copy formula in R5 to R19:R26
Copy formula in R5 to R28:R31

TABLA 8.3

Solución al problema de Greenberg Motors

PROGRAMA DE PRODUCCIÓN	ENERO	FEBRERO	MARZO	ABRIL
Unidades de GM3A producidas	1,277	223	1,758	792
Unidades de GM3B producidas	1,000	2,522	78	1,700
Inventario final de GM3A	477	0	758	450
Inventario final de GM3B	0	1,322	0	300
Horas de mano de obra requeridas	2,560	2,560	2,355	2,560

8.4   Aplicaciones de programación de mano de obra

Planeación de mano de obra

Los problemas de planeación de mano de obra se refieren a las necesidades de personal durante cierto periodo. Son útiles en especial cuando los gerentes tienen cierta flexibilidad para asignar individuos a los puestos de trabajo que requieren talentos afines o intercambiables. Los grandes bancos con frecuencia usan PL para enfrentar sus problemas de programación de mano de obra.

TABLA 8.4
Hong Kong Bank of Commerce and Industry

PERIODO	NÚMERO DE CAJEROS REQUERIDOS
9 A.M.–10 A.M.	10
10 A.M.–11 A.M.	12
11 A.M.–12 P.M.	14
12 P.M.–1 P.M.	16
1 P.M.–2 P.M.	18
2 P.M.–3 P.M.	17
3 P.M.–4 P.M.	15
4 P.M.–5 P.M.	10

El Hong Kong Bank of Commerce and Industry es un banco con mucho movimiento que tiene requerimientos de 10 a 18 cajeros, dependiendo de la hora del día. La hora de la comida, de 12 P.M. a 2 P.M. suele ser la más pesada. La tabla 8.4 indica los trabajadores necesarios en las diferentes horas en que el banco está abierto.

Actualmente el banco emplea a 12 cajeros de tiempo completo, aunque tiene a muchas personas en su lista de empleados de tiempo parcial. Un empleado de tiempo parcial debe trabajar justo cuatro horas diarias, puede comenzar en cualquier momento entre las 9 A.M. y la 1 P.M. y constituyen un grupo de trabajadores poco costoso, ya que no tienen prestaciones como jubilación o comidas pagadas. Por otro lado, los empleados de tiempo completo trabajan de 9 A.M. a 5 P.M., pero tienen una hora para comer. (La mitad de ellos come a las 11 A.M. y la otra mitad a las 12 P.M.) De esta manera, los trabajadores de tiempo completo proporcionan 35 horas semanales de trabajo productivo.

Por políticas corporativas, el banco limita las horas de tiempo parcial a un máximo de 50% del requerimiento diario total. El empleado de tiempo parcial gana en promedio $8 por hora ($32 por día), y el de tiempo completo gana en promedio $100 por día en salario y prestaciones. El banco desea establecer un programa que minimice sus costos totales de personal. Despedirá a uno o más de sus trabajadores de tiempo completo, si ello es redituable.

Al formular esto como un programa lineal, el objetivo es minimizar el costo. Se tiene una restricción para cada hora del día, la cual indica que el número de personas que trabajan en el banco a esa hora debería ser al menos el número mínimo mostrado en la tabla 8.4; entonces, hay ocho restricciones de este tipo. Otra restricción limita el número total de empleados de tiempo completo a no más de 12. La última restricción especifica que el número de horas de tiempo parcial no debe exceder 50% de las horas totales.

El banco tiene que decidir a cuántos cajeros de tiempo completo asignar, de modo que esta es una variable de decisión. Asimismo, debe decidir si contratar a cajeros de tiempo parcial, aunque esto es más complejo, ya que los empleados de tiempo parcial pueden comenzar en horas diferentes del día, mientras que los de tiempo completo comienzan al inicio del día. Por consiguiente, debería haber una variable que indique el número de empelados de tiempo parcial que comienzan a cada hora de 9 A.M. a la 1 P.M. Cualquier empleado que entre a la 1 P.M. trabajará hasta el momento de cerrar, por lo que no es necesario considerar asignar empleados de tiempo parcial que entren después de esa hora. Sean:

$$F = \text{cajeros de tiempo completo}$$

$$P_1 = \text{cajeros de tiempo parcial que inician a las 9 A.M. (y salen a la 1 P.M.)}$$

$$P_2 = \text{cajeros de tiempo parcial que inician a las 10 A.M. (y salen a las 2 P.M.)}$$

$$P_3 = \text{cajeros de tiempo parcial que inician a las 11 A.M. (y salen a las 3 P.M.)}$$

$$P_4 = \text{cajeros de tiempo parcial que inician a las 12 P.M. (y salen a la 4 P.M.)}$$

$$P_5 = \text{cajeros de tiempo parcial que inician a la 1 P.M. (y salen a las 5 P.M.)}$$

Función objetivo:

Minimizar el costo diario total del personal $= \$100F + \$32(P_1 + P_2 + P_3 + P_4 + P_5)$

Restricciones:

Para cada hora, las horas de mano de obra disponibles deben ser al menos iguales a las horas de mano de obra requeridas.

$$F + P_1 \geq 10 \quad \text{(necesidades de 9 A.M. a 10 A.M.)}$$
$$F + P_1 + P_2 \geq 12 \quad \text{(necesidades de 10 A.M. a 11 A.M.)}$$
$$0.5F + P_1 + P_2 + P_3 \geq 14 \quad \text{(necesidades de 11 A.M. a 12 P.M.)}$$
$$0.5F + P_1 + P_2 + P_3 + P_4 \geq 16 \quad \text{(necesidades de 12 P.M. a 1 P.M.)}$$
$$F + P_2 + P_3 + P_4 + P_5 \geq 18 \quad \text{(necesidades de 1 P.M. a 2 P.M.)}$$
$$F + P_3 + P_4 + P_5 \geq 17 \quad \text{(necesidades de 2 P.M. a 3 P.M.)}$$
$$F + P_4 + P_5 \geq 15 \quad \text{(necesidades de 3 P.M. a 4 P.M.)}$$
$$F + P_5 \geq 10 \quad \text{(necesidades de 4 P.M. a 5 P.M.)}$$

Tan solo están disponibles 12 cajeros de tiempo completo:

$$F \leq 12$$

Las horas de trabajadores de tiempo parcial no pueden exceder 50% de las horas totales requeridas cada día, que es la suma de los cajeros requeridos cada hora:

$$4(P_1 + P_2 + P_3 + P_4 + P_5) \leq 0.50(10 + 12 + 14 + 16 + 18 + 17 + 15 + 10)$$

es decir,

$$4P_1 + 4P_2 + 4P_3 + 4P_4 + 4P_5 \leq 0.50(112)$$
$$F, P_1, P_2, P_3, P_4, P_5 \geq 0$$

Es común obtener soluciones óptimas distintas en muchos problemas de PL. La secuencia en la cual se ingresan las restricciones a QM para Windows podría afectar la solución encontrada.

El programa 8.5 da la solución encontrada con Solver de Excel 2010. Existen varios programas óptimos diferentes que puede seguir el Hong Kong Bank. El primero es emplear tan solo a 10 cajeros de tiempo completo ($F = 10$) y comenzar con 7 tiempos parciales a las 10 A.M. ($P_2 = 7$), 2 tiempos parciales a las 11 A.M. ($P_3 = 2$) y 5 tiempos parciales a las 12 P.M. ($P_4 = 5$). Ningún tiempo parcial comenzaría a las 9 A.M. o a la 1 P.M.

La segunda solución también emplea a 10 cajeros de tiempo completo, pero comienza 6 tiempos parciales a las 9 A.M. ($P_1 = 6$), 1 tiempo parcial a las 10 A.M. ($P_2 = 1$), 2 tiempos parciales a las 11 A.M. y 5 a las 12 P.M. ($P_3 = 2$ y $P_4 = 5$) y 0 tiempos parciales a la 1 P.M. ($P_5 = 0$). El costo de cualquiera de estas dos políticas es de $1,448 por día.

8.5 Aplicaciones de finanzas

Selección de portafolios

Maximizar el rendimiento sobre la inversión sujeto a un conjunto de restricciones de riesgo es una aplicación financiera muy utilizada de la PL.

Un problema encontrado con frecuencia por gerentes de bancos, fondos mutuos, servicios de inversión y compañías de seguros es la selección de inversiones específicas entre una amplia variedad de alternativas. El objetivo general del gerente suele ser maximizar el rendimiento esperado sobre la inversión, dado un conjunto de restricciones legales, políticas o de riesgo.

Por ejemplo, International City Trust (ICT) invierte en créditos comerciales a corto plazo, bonos corporativos, reservas de oro y préstamos para construcción. Para fomentar un portafolios diversificado, el consejo de administración ha puesto límites en la cantidad que se puede comprometer a cualquier tipo de inversión. ICT dispone de $5 millones para inversión inmediata y desea hacer dos cosas: **1.** maximizar el rendimiento sobre la inversión hecha para los siguientes seis meses y **2.** satisfacer los requerimientos de diversificación según los estipuló el consejo de administración.

PROGRAMA 8.5

Solución de la planeación de personal con Excel 2010

▲	A	B	C	D	E	F	G	H	I	J
1	**Labor Planning Example**									
2										
3										
4	**Variables**	**F**	**P1**	**P2**	**P3**	**P4**	**P5**			
5	**Values**	10	0	7	2	5	0	**Total Cost**		
6	**Cost**	100	32	32	32	32	32	1448		
7										
8	**Constraints**							**LHS**	**Sign**	**RHS**
9	**9 a.m. - 10 a.m.**	1	1					10	≥	10
10	**10 a.m. - 11 a.m.**	1	1	1				17	≥	12
11	**11 a.m. - noon**	0.5	1	1	1			14	≥	14
12	**noon - 1 p.m.**	0.5	1	1	1	1		19	≥	16
13	**1 p.m. - 2 p.m.**	1		1	1	1	1	24	≥	18
14	**2 p.m. - 3 p.m.**	1			1	1	1	17	≥	17
15	**3 p.m. - 4 p.m.**	1				1	1	15	≥	15
16	**4 p.m. - 5 p.m.**	1					1	10	≥	10
17	**Max. Full time**	1						10	≤	12
18	**Total PT hours**		4	4	4	4	4	56	≤	56

Registro de parámetros y opciones en Solver

Set Objective: H6
By Changing cells: B5:G5
To: Min
Subject to the Constraints:
     H9:H16 >= J9:J16
     H17:H18 <= J17:J18
Solving Method: Simplex LP
☑ **Make Variables Non-Negative**

Fórmulas clave

▲	H
5	**Total Cost**
6	=SUMPRODUCT($B$5:$G$5,B6:G6)

Copy H6 to H9:H18

Los detalles de las posibilidades de inversión son los siguientes:

INVERSIÓN	INTERESES	INVERSIÓN MÁXIMA ($ MILLONES)
Crédito comercial	7%	1.0
Bonos corporativos	11%	2.5
Reservas de oro	19%	1.5
Préstamos para construcción	15%	1.8

Además, el consejo especifica que por lo menos 55% de los fondos deben invertirse en reservas de oro y préstamos para construcción, y que por lo menos 15% tiene que invertirse en créditos comerciales.

Al formular esto como un programa lineal, el objetivo es maximizar el rendimiento. Existen cuatro restricciones separadas que limitan la cantidad máxima en cada opción de inversión a la cantidad dada en la tabla. Una restricción especifica que la cantidad total en reservas de oro y préstamos para construcción debería ser al menos 55% del total invertido, y una restricción especifica que la cantidad total invertida en préstamos comerciales debe ser por lo menos 15% del total invertido. La restricción final estipula que la cantidad total invertida no debe exceder $5 millones (puede ser menor). Defina las variables como:

$$X_1 = \text{dólares invertidos en crédito comercial}$$
$$X_2 = \text{dólares invertidos en bonos corporativos}$$
$$X_3 = \text{dólares invertidos en reservas de oro}$$
$$X_4 = \text{dólares invertidos en préstamos para construcción}$$

La cantidad total invertida es $X_1 + X_2 + X_3 + X_4$, que debe ser menor que $5 millones. Esto es importante al calcular 55% de la cantidad total invertida y 15% de la cantidad total invertida en dos de las restricciones.

Objetivo:

$$\text{Maximizar los dólares de interés ganados} = 0.07X_1 + 0.11X_2 + 0.19X_3 + 0.15X_4$$

$$\text{sujeto a} \quad X_1 \le 1{,}000{,}000$$
$$X_2 \le 2{,}500{,}000$$
$$X_3 \le 1{,}500{,}000$$
$$X_4 \le 1{,}800{,}000$$
$$X_3 + X_4 \ge 0.55(X_1 + X_2 + X_3 + X_4)$$
$$X_1 \ge 0.15(X_1 + X_2 + X_3 + X_4)$$
$$X_1 + X_2 + X_3 + X_4 \le 5{,}000{,}000$$
$$X_1, X_2, X_3, X_4 \ge 0$$

EN ACCIÓN   Optimización en UPS

En un día promedio, UPS entrega 13 millones de paquetes a casi 8 millones de clientes en 200 países y territorios. Las entregas se clasifican como en el mismo día por aire, al siguiente día por aire y al segundo día por aire. Las operaciones del siguiente día por aire promedian más de 1.1 millones de paquetes por día y generan ingresos anuales por más de $5 mil millones. La compañía tiene 256 aviones y muchos más ordenados. Durante la época del año de más actividad, entre Día de Acción de Gracias y Año Nuevo, la compañía renta aviones adicionales para satisfacer la demanda. El tamaño de esta flota hace que UPS sea la novena línea aérea comercial más grande en Estados Unidos y la número 11 en el mundo.

En la operación de entrega al día siguiente, la recolección y entrega de paquetes por UPS implica varias etapas. Los paquetes se llevan en camión a los centros en tierra y de ahí al aeropuerto; luego, se trasladan por aire a uno de los centros de conexión con cuando mucho una escala en otro aeropuerto para recoger más paquetes. En el centro de conexión, los paquetes se clasifican y cargan en aviones para volar a su destino. Después, los paquetes se cargan en camiones grandes y se llevan a los centros de tierra. Aquí se clasifican de nuevo, se asignan a camiones más pequeños y se entregan en su destino final antes de las 10:30 A.M. El mismo

avión se usa también en las entregas de segundo día, de manera que estos dos tipos de operaciones deben coordinarse.

Un equipo de UPS y del MIT (Massachusetts Institute of Technology) trabajaron juntos para desarrollar un sistema de planeación basado en la optimización, llamado VOLCANO (Volume, Location and Aircraft Network Optimizer) que se utiliza para planear y administrar las operaciones. Este grupo desarrolló métodos de optimización para minimizar el costo general (de propiedad y operación) a la vez que se satisfacen las restricciones estándares de capacidad y servicio. Los modelos matemáticos sirven para determinar el conjunto de rutas de costo mínimo, las asignaciones de la flota y los flujos de paquetes. Las restricciones incluyen el número de aviones, las restricciones de aterrizaje en aeropuertos y las características de operación de los aviones (como velocidad, capacidad y alcance).

El sistema VOLCANO tiene el crédito de haber ahorrado más de $87 millones desde finales de 2000 a finales de 2002. Se esperan ahorros de $189 millones durante la siguiente década. Este optimizador también se utiliza para identificar la composición necesaria de la flota y recomendar futuras adquisiciones de aeronaves.

Fuente: Basada en Andrew P. Armacost, Cynthia Barnhart, Keith A. Ware y Alysia M. Wilson. "UPS Optimizes Its Air Network", *Interfaces* 34, 1 (enero-febrero de 2004): 15-25.

PROGRAMA 8.6
Solución del portafolios de ITC con Excel 2010

	A	B	C	D	E	F	G	H
1	ICT Portfolio Selection							
2								
3	Variable	X1	X2	X3	X4			
4	Solution	750000	950000	1500000	1800000	Total Return		
5	Max. Return	0.07	0.11	0.19	0.15	712000		
6								
7						LHS		RHS
8	Trade	1				750000	≤	1,000,000
9	Bonds		1			950000	≤	2,500,000
10	Gold			1		1500000	≤	1,500,000
11	Construction				1	1800000	≤	1,800,000
12	Min. Gold+Const	-0.55	-0.55	0.45	0.45	550000	≥	0
13	Min. Trade	0.85	-0.15	-0.15	-0.15	0	≥	0
14	Total Invested	1	1	1	1	5000000	≤	5000000

Registro de parámetros y opciones en Solver

Set Objective: F5
By Changing cells: B4:E4
To: Max
Subject to the Constraints:
    F8:F11 <= H8:H11
    F12:F13 >= H12:H13
      F14 <= H14
Solving Method: Simplex LP
☑ **Make Variables Non-Negative**

Fórmulas clave

	F
4	**Total Return**
5	=SUMPRODUCT($B$4:$E$4,B5:E5)

Copy F5 to F8:F14

El programa 8.6 muestra la solución encontrada con Solver de Excel. ICT maximiza su interés ganado, si hace las siguiente inversión: X_1 = \$750,000, X_2 = \$950,000, X_3 = \$1,500,000 y X_4 = \$1,800,000; el interés total ganado es de \$712,000.

Problema de carga de un camión

El problema de cargar un camión incluye decidir qué artículos cargar para maximizar el valor de la carga enviada. Como ejemplo, consideramos Goodman Shipping, una empresa en Orlando que pertenece a Steven Goodman. Uno de sus camiones, con una capacidad de 10,000 libras, está a punto de cargarse.[*] Se espera enviar los siguientes artículos:

ARTÍCULO	VALOR ($)	PESO (LIBRAS)
1	22,500	7,500
2	24,000	7,500
3	8,000	3,000
4	9,500	3,500
5	11,500	4,000
6	9,750	3,500

---

[*]Adaptado de un ejemplo en S. L. Savage. *What's Best!* Oakland CA: General Optimization Inc. y Holden-Day, 1985.

Vemos que cada uno de estos seis artículos tiene asociado un valor en dólares y un peso.

El objetivo es maximizar el valor total de los artículos cargados en el camión, sin exceder la capacidad de peso del camión. Sea X_i la proporción de cada artículo i cargado en el camión.

$$\text{Maximizar el valor de la carga} = \$22{,}500X_1 + \$24{,}000X_2 + \$8{,}000X_3 + \$9{,}500X_4$$
$$+ \$11{,}500X_5 + \$9{,}750X_6$$

$$\text{sujeta a} \quad 7{,}500X_1 + 7{,}500X_2 + 3{,}000X_3 + 3{,}500X_4 + 4{,}000X_5$$
$$+3{,}500X_6 \leq 10{,}000 \text{ lb de capacidad}$$

$$X_1 \leq 1$$
$$X_2 \leq 1$$
$$X_3 \leq 1$$
$$X_4 \leq 1$$
$$X_5 \leq 1$$
$$X_6 \leq 1$$
$$X_1, X_2, X_3, X_4, X_5, X_6 \geq 0$$

Estas seis restricciones finales reflejan el hecho de que cuando mucho se puede cargar una "unidad" de un artículo en el camión. En efecto, si Goodman puede cargar una *porción* de un artículo (digamos que el artículo 1 es un lote de 1,000 sillas plegables y no es necesario cargarlas todas juntas), las X_i serán todas porciones que van de 0 (nada) a 1 (todo el lote).

Para resolver este problema de PL, recurrimos a Solver de Excel. El programa 8.7 muestra la formulación de Goodman, los datos de entrada y la solución, que da un valor total de la carga de $31,500.

La respuesta nos lleva a un aspecto interesante que veremos con detalle en el capítulo 10. ¿Qué haría Goodman si no se pueden cargar fracciones de artículos? Por ejemplo, si los artículos que se cargan fueran automóviles de lujo, es claro que no se puede enviar un tercio de un Maserati.

PROGRAMA 8.7

Solución al problema de carga de un camión de Goodman con Excel

	A	B	C	D	E	F	G	H	I	J
1	**Goodman Shipping**									
2										
3	**Variables**	**X1**	**X2**	**X3**	**X4**	**X5**	**X6**			
4	**Values**	0.3333	1	0	0	0	0	**Total Value**		
5	**Load Value $**	22500	24000	8000	9500	11500	9750	31500		
6										
7	**Constraints**							**LHS**	**Sign**	**RHS**
8	**Total weight**	7500	7500	3000	3500	4000	3500	10000	≤	10000
9	**% Item 1**	1						0.3333333	≤	1
10	**% Item 2**		1					1	≤	1
11	**% Item 3**			1				0	≤	1
12	**% Item 4**				1			0	≤	1
13	**% Item 5**					1		0	≤	1
14	**% Item 6**						1	0	≤	1

Registro de parámetros y opciones en Solver

Set Objective: H5
By Changing cells: B4:G4
To: Max
Subject to the Constraints:
    H8:H14 <= J8:J14
Solving Method: Simplex LP
☑ **Make Variables Non-Negative**

Fórmulas clave

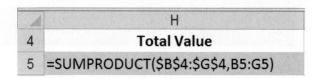

	H
4	**Total Value**
5	=SUMPRODUCT($B$4:$G$4,B5:G5)

Copy H5 to H8:H14

Si la proporción del artículo 1 se redondeara a 1.00, el peso de la carga aumentaría a 15,000 libras y ello contravendría la restricción del máximo de 10,000 libras de peso. Por lo tanto, la fracción del artículo 1 debería redondearse a cero. Esto bajaría el peso de la carga a 7,500 libras, dejando sin usar 2,500 libras de capacidad de carga. Puesto que ningún otro artículo pesa menos de 2,500 libras, el camión no se puede llenar más.

Vemos entonces que al usar programación lineal normal y al redondear los pesos fraccionales, el camión llevaría tan solo el artículo 2, con un peso de 7,500 libras y un valor de carga de $24,000.

QM para Windows y los optimizadores de hoja de cálculo como Solver de Excel también son capaces de manejar problemas de *programación entera*; esto es, problemas de PL que requieren de soluciones en enteros. Con Excel la solución en enteros al problema de Goodman es cargar los artículos 3, 4 y 6, con un peso total de 10,000 libras y un valor de carga de $27,250.

8.6 Aplicaciones de mezcla de ingredientes

Problemas de la dieta

El problema de la dieta, una de las primeras aplicaciones de PL, se desarrolló originalmente en hospitales para determinar la dieta más económica para los pacientes. Conocido en las aplicaciones agrícolas como el problema de la mezcla de alimento, el problema de la dieta incluye especificar un alimento o una combinación de ingredientes que satisfaga los requerimientos nutricionales establecidos a un nivel de costos mínimo.

El Whole Food Nutrition Center utiliza tres granos para mezclar un cereal natural que se vende por libra. El costo de cada grano y las unidades de proteína, riboflavina, fósforo y magnesio de cada uno por libra se muestran en la tabla 8.5.

En el empaque de cada uno de sus productos, Whole Food indica el contenido nutricional por cada tazón de cereal cuando se consume con media taza de leche. Se consultaron los índices USRDA (U.S. Recommended Dietary Allowance) y el más reciente DRI (Dietary Reference Intake) con la finalidad de establecer las cantidades recomendadas de ciertas vitaminas y minerales para un adulto promedio. Con base en estas cifras y las cantidades deseadas para la etiqueta en el paquete, Whole Food determinó que cada porción de 2 onzas de cereal debería contener 3 unidades de proteína, 2 unidades de riboflavina, 1 unidad de fósforo y 0.425 unidades de magnesio.

Para modelar esto como un programa lineal, el objetivo es minimizar el costo. Habrá cuatro restricciones (para proteína, riboflavina, fósforo y magnesio) que estipulan que el número de unidades debe ser por lo menos la cantidad mínima especificada. Como estos requerimientos son por cada porción de 2 onzas, la última restricción indica que la cantidad total de granos usada será de 2 onzas o 0.125 libras.

Para definir las variables, observe que el costo se expresa por libra de los tres granos. Así, para calcular el costo total, debemos conocer el número de libras de los granos usadas en una porción del cereal. Asimismo, los números en la tabla 8.5 están expresados en unidades por libra de grano, de manera que definir las variables como el número de libras de los granos facilita el cálculo de las cantidades de proteína, riboflavina, fósforo y magnesio. Sean:

$$X_A = \text{libras del grano A en una porción de cereal de 2 onzas}$$

$$X_B = \text{libras del grano B en una porción de cereal de 2 onzas}$$

$$X_C = \text{libras del grano C en una porción de cereal de 2 onzas}$$

TABLA 8.5 Requerimientos del cereal natural de Whole Food

GRANO	COSTO POR LIBRA (CENTAVOS)	PROTEÍNA (UNIDADES/LB)	RIBOFLAVINA (UNIDADES/LB)	FÓSFORO (UNIDADES/LB)	MAGNESIO (UNIDADES/LB)
A	33	22	16	8	5
B	47	28	14	7	0
C	38	21	25	9	6

Función objetivo:

Minimizar el costo total de mezclar una porción de 2 onzas $= \$0.33X_A + \$0.47X_B + \$0.38X_C$

sujeto a

$$22X_A + 28X_B + 21X_C \geq 3 \quad \text{(unidades de proteína)}$$
$$16X_A + 14X_B + 25X_C \geq 2 \quad \text{(unidades de riboflavina)}$$
$$8X_A + 7X_B + 9X_C \geq 1 \quad \text{(unidades de fósforo)}$$
$$5X_A + 0X_B + 6X_C \geq 0.425 \quad \text{(unidades de magnesio)}$$
$$X_A + X_B + X_C = 0.125 \quad \text{(la mezcla total son 2 onzas o 0.125 libras)}$$
$$X_A, X_B, X_C \geq 0$$

La solución a este problema requiere mezclar 0.025 lb del grano A, 0.050 lb del grano B y 0.050 lb del grano C. Otra manera de establecer la solución es en términos de la proporción de las 2 onzas de cada grano; a saber, 0.4 onzas del grano A, 0.8 onzas del grano B y 0.8 onzas del grano C en cada porción. El costo por porción es de $0.05. El programa 8.8 ilustra esta solución obtenida con Solver de Excel 2010.

Problemas de mezclas y proporciones de ingredientes

Los problemas de dieta y mezcla de proporciones son, de hecho, casos especiales de una clase más general de problemas de PL conocidos como *problemas de mezclas* o *de ingredientes*. Los problemas de mezclas surgen cuando debe tomarse una decisión respecto a la mezcla de dos o más recursos para producir uno o más productos. Los recursos, en este caso, contienen uno o más ingredientes esenciales que deben mezclarse, de manera que cada producto final contenga porcentajes específicos

PROGRAMA 8.8

Solución al problema de dieta de Whole Food con Excel 2010

	A	B	C	D	E	F	G
1	Whole Foods Nutrition Problem						
2							
3		Grain A	Grain B	Grain C			
4	Variable	Xa	Xb	Xc			
5	Solution	0.025	0.05	0.05	Total Cost		
6	Minimize	0.33	0.47	0.38	0.05075		
7							
8	Constraints				LHS	Sign	RHS
9	Protein	22	28	21	3	≥	3
10	Riboflavin	16	14	25	2.35	≥	2
11	Phosphorus	8	7	9	1	≥	1
12	Magnesium	5	0	6	0.425	≥	0.425
13	Total Weight	1	1	1	0.125	=	0.125

Registro de parámetros y opciones en Solver

Set Objective: E6
By Changing cells: B5:D5
To: Min
Subject to the Constraints:
      E9:E12 >= G9:G12
      E13 = G13
Solving Method: Simplex LP
☑ **Make Variables Non-Negative**

Fórmulas clave

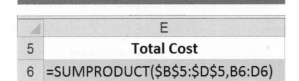

	E
5	**Total Cost**
6	=SUMPRODUCT($B$5:$D$5,B6:D6)

Copy E6 to E9:E13

de cada ingrediente. El siguiente ejemplo es una aplicación frecuente en la industria del petróleo: la mezcla de petróleo crudo para obtener gasolina refinada.

La compañía Low Knock Oil produce dos tipos de gasolina a precio reducido para distribución industrial. Los tipos, regular y económica, se obtienen refinando una mezcla de dos tipos de petróleo crudo, tipo X100 y tipo X220. Cada crudo difiere no tan solo en el costo por barril, sino también en la composición. La siguiente tabla indica el porcentaje de ingredientes cruciales encontrados en cada uno de los petróleos crudos y el costo por barril de cada uno:

Las principales refinerías de petróleo usan todas PL en sus mezclas de petróleos crudos para obtener diferentes gasolinas.

TIPO DE PETRÓLEO CRUDO	INGREDIENTE A (%)	INGREDIENTE B (%)	COSTO POR BARRIL ($)
X100	35	55	30.00
X220	60	25	34.80

La demanda semanal del tipo gasolina regular de Low Knock es al menos de 25,000 barriles, en tanto que la demanda semanal para la gasolina económica es por lo menos de 32,000 barriles. *Al menos 45% de cada barril de gasolina regular debe ser del ingrediente A. Cuando mucho 50% de cada barril de gasolina económica debería ser del ingrediente B.* Mientras que el rendimiento de la gasolina que viene de un barril de crudo depende del tipo de crudo y del tipo de procesamiento utilizado, para fines de este ejemplo, supondremos que un barril de crudo rinde un barril de gasolina.

La gerencia de Low Knock debe decidir cuántos barriles de cada tipo de crudo comprar cada semana, para que la mezcla satisfaga la demanda a un costo mínimo. Al modelar esto como un programa lineal, el objetivo es minimizar el costo. Cada tipo de gasolina tiene una restricción de demanda y cada tipo de gasolina tiene una restricción sobre la cantidad de ingredientes. Así, existen cuatro restricciones. Las decisiones incluyen la cantidad de cada tipo de crudo a usar en cada tipo de gasolina, de manera que las variables de decisión serán las siguientes:

X_1 = barriles de crudo X100 mezclados para producir gasolina regular

X_2 = barriles de crudo X100 mezclados para producir gasolina económica

X_3 = barriles de crudo X220 mezclados para producir gasolina regular

X_4 = barriles de crudo X220 mezclados para producir gasolina económica

Este problema se formula como sigue:

Objetivo:

$$\text{Minimizar el costo} = \$30X_1 + \$30X_2 + \$34.80X_3 + \$34.80X_4$$

sujeto a

$$X_1 + X_3 \geq 25,000 \quad \text{(demanda de gasolina regular)}$$
$$X_2 + X_4 \geq 32,000 \quad \text{(demanda de gasolina económica)}$$

Al menos 45% de cada barril de gasolina regular debe ser el ingrediente A:

$(X_1 + X_3)$ = cantidad total de crudo mezclado para producir la demanda de gasolina regular Entonces,

$$0.45(X_1 + X_3) = \text{cantidad mínima requerida del ingrediente A}$$

pero

$$0.35X_1 + 0.60X_3 = \text{cantidad de ingrediente A en la gasolina regular}$$

de manera que

$$0.35X_1 + 0.60X_3 \geq 0.45X_1 + 0.45X_3$$

o bien,

$$-0.10X_1 + 0.15X_3 \geq 0 \quad \text{(ingrediente A en la restricción de regular)}$$

De manera similar, cuando mucho 50% de cada barril de gasolina económica debe ser del ingrediente B:

$$X_2 + X_4 = \text{cantidad total de crudo mezclado para producir la demanda de gasolina económica}$$

Por lo tanto,

$$0.50(X_2 + X_4) = \text{cantidad máxima permitida del ingrediente B}$$

pero

$$0.55X_2 + 0.25X_4 = \text{cantidad del ingrediente B en la gasolina económica}$$

es decir,

$$0.55X_2 + 0.25X_4 \leq 0.50X_2 + 0.50X_4$$

o

$$0.05X_2 - 0.25X_4 \leq 0 \,(\text{ingrediente B en la restricción de económica})$$

Ahora, escribimos la formulación de PL completa:

$$\text{Minimizar el costo} = 30X_1 + 30X_2 + 34.80X_3 + 34.80X_4$$

$$
\begin{aligned}
\text{sujeto a} \quad X_1 \quad + \quad X_3 \quad\quad & \geq 25{,}000 \\
X_2 + \quad\quad X_4 & \geq 32{,}000 \\
-0.10X_1 \quad + \quad 0.15X_3 \quad\quad & \geq 0 \\
0.05X_2 \quad\quad - \quad 0.25X_4 & \leq 0 \\
X_1, X_2, X_3, X_4 & \geq 0
\end{aligned}
$$

La solución con Excel de la formulación de Low Knock Oil es:

$$X_1 = 15{,}000 \text{ barriles de X100 en la gasolina regular}$$

$$X_2 = 26{,}666.67 \text{ barriles de X100 en la gasolina económica}$$

$$X_3 = 10{,}000 \text{ barriles de X220 en la gasolina regular}$$

$$X_4 = 5{,}333.33 \text{ barriles de X220 en la gasolina económica}$$

El costo de esta mezcla es de $1,783,600. Consulte los detalles en el programa 8.9.

8.7 Aplicaciones de transporte

Problema de embarques

El transporte de bienes desde varios orígenes a diferentes destinos de manera eficiente se llama "problema de transporte". Se puede resolver con PL, como vemos aquí, o con un algoritmo especial introducido en el capítulo 9.

El problema de transporte o de envíos implica determinar la cantidad de bienes o artículos que se vayan a transportar desde varios orígenes (o fuentes) hacia varios destinos. El objetivo suele ser minimizar tanto los costos totales como las distancias del envío. Las restricciones en este tipo de problemas se refieren a las capacidades en cada origen y los requerimientos en cada destino. El problema de transporte es un caso muy específico de programación lineal y, de hecho, es uno de los temas del capítulo 9.

La Top Speed Bicycle Co. fabrica y comercializa en todo el país una línea de bicicletas de 10 velocidades. La empresa tiene plantas de ensamble final en dos ciudades donde el costo de mano de obra es bajo: Nueva Orleans y Omaha. Sus tres almacenes principales están cerca de las áreas de mercado más grandes: Nueva York, Chicago y Los Ángeles.

Los requerimientos de ventas para el próximo año en el almacén de Nueva York son 10,000 bicicletas; en el almacén de Chicago, 8,000 bicicletas; y en el almacén de Los Ángeles, 15,000 bicicletas. La capacidad de la fábrica en cada lugar es limitada. Nueva Orleans puede ensamblar y embarcar

PROGRAMA 8.9
Solución para Low Knock
Oil en Excel 2010

	A	B	C	D	E	F	G	H
1	**Low Knock Oil Company**							
2								
3		X100 Reg	X100 Econ	X220 Reg	X220 Econ			
4	Variable	X1	X2	X3	X4			
5	Solution	15000	26666.67	10000	5333.33	Total Cost		
6	Cost	30	30	34.8	34.8	1783600		
7								
8	Constraints					LHS	Sign	RHS
9	Demand Regular	1		1		25000	≥	25000
10	Demand Economy		1		1	32000	≥	32000
11	Ing. A in Regular	-0.1		0.15		0	≥	0
12	Ing. B in Economy		0.05		-0.25	0	≤	0

Registro de parámetros y opciones en Solver

Set Objective: F6
By Changing cells: B5:E5
To: Min
Subject to the Constraints:
　　F9:F11 >= H9:H11
　　　F12 <= H12
Solving Method: Simplex LP
☑ **Make Variables Non-Negative**

Fórmulas clave

	F
5	**Total Cost**
6	=SUMPRODUCT($B$5:$E$5,B6:E6)

Copy F6 to F9:F12

20,000 bicicletas; la planta de Omaha puede fabricar anualmente 15,000 bicicletas. El costo de enviar una bicicleta de cada fábrica a cada almacén difiere; los siguientes son los costos de envío por unidad:

DESDE ＼ HASTA	NUEVA YORK	CHICAGO	LOS ÁNGELES
Nueva Orleans	$2	$3	$5
Omaha	3	1	4

La compañía quiere desarrollar un programa de embarques que minimice sus costos totales anuales de transporte.

La figura 8.1 ilustra una red de este problema, donde cada círculo o nodo representa una fuente o un destino. Cada fuente y destino se numeran para facilitar la definición de las variables. Cada flecha indica una posible ruta de envío, en tanto que el costo por unidad o embarque a lo largo de cada flecha también se muestra en la figura 8.1.

Al formular un programa lineal para este problema, el objetivo es minimizar los costos de transporte. Se tienen dos restricciones de suministro (una por cada fuente): **1.** no pueden enviarse más de 20,000 desde Nueva Orleans; **2.** no pueden enviarse más de 15,000 desde Omaha. Hay tres restricciones de demanda (una por cada destino): **1.** el número total enviado a Nueva York debe ser igual a 10,000; **2.** el número total que llega a Chicago debe ser igual a 8,000; **3.** el número total enviado a Los Ángeles debe ser igual a 15,000. La compañía tiene que decidir cuántas bicicletas enviar por cada una de las rutas de transporte (es decir, de cada fuente a cada destino). En la figura 8.1, las flechas indican de donde salen los artículos, donde se entregan y el costo de envío por unidad está cerca de la flecha. Las variables de decisión son el número de unidades a enviar por estas rutas de transporte. Al definir las variables, es más sencillo usar subíndices dobles. Sea

En este ejemplo se utilizan variables con doble subíndice.

X_{ij} = número de unidades de la fuente i al destino j (i = 1, 2, donde 1 = Nueva Orleans y 2 = Omaha; j = 1, 2, 3, donde 1 = Nueva York, 2 = Chicago y 3 = Los Ángeles).

FIGURA 8.1

Representación en red del problema de transporte de bicicletas de Top Speed, con costos, demandas y suministros

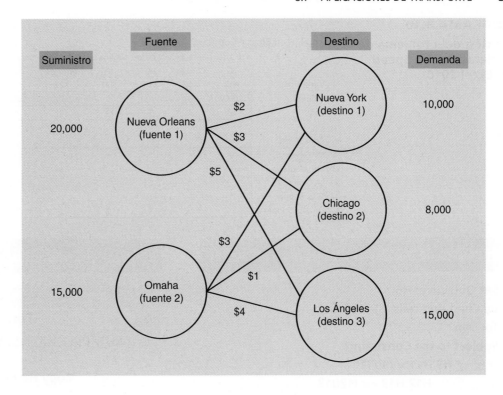

La formulación de PL es:

El problema de transporte tendrá una restricción por cada fuente de demanda y una restricción por cada destino del suministro.

Minimizar el costo total del envío $= 2X_{11} + 3X_{12} + 5X_{13} + 3X_{21} + 1X_{22} + 4X_{23}$

sujeto a

$$X_{11} + X_{21} = 10,000 \quad \text{(demanda en Nueva York)}$$
$$X_{12} + X_{22} = 8,000 \quad \text{(demanda en Chicago)}$$
$$X_{13} + X_{23} = 15,000 \quad \text{(demanda en Los Ángeles)}$$
$$X_{11} + X_{12} + X_{13} \leq 20,000 \quad \text{(suministro de la fábrica en Nueva Orleans)}$$
$$X_{21} + X_{22} + X_{23} \leq 15,000 \quad \text{(suministro de la fábrica en Omaha)}$$

Todas las variables ≥ 0

El uso de los subíndices dobles ayuda a ver fácilmente qué variable representa. Si el segundo subíndice es 1, entonces, el destino es Nueva York. En la restricción 1, el total de las variables que tienen un 1 como el segundo subíndice (es decir, las unidades que se envían al destino 1) debe ser igual a la demanda en Nueva York. La red de la figura 8.1 lo deja muy claro. Como ejercicio útil, observe los otros nombres de las variables y compárelos con las flechas de la red.

Note que todos los coeficientes de una variable en las restricciones son iguales a 1. Esta característica permite usar un algoritmo especializado que da los resultados con mayor rapidez. Existen dos modelos de programación lineal que tienen una relación estrecha con el modelo de transporte y tienen coeficientes de 1 en las restricciones. Los dos modelos son el problema de asignación y el problema del trasbordo. Ambos modelos se estudiarán en el capítulo 9, mientras que las formulaciones de programación lineal se presentarán ahí.

Con Solver de Excel, se obtuvo la solución generada por computadora para el problema de Top Speed, que se muestra en la tabla que sigue y en el programa 8.10. El costo total del envío es de $96,000.

HASTA DESDE	NUEVA YORK	CHICAGO	LOS ÁNGELES
Nueva Orleans	10,000	0	8,000
Omaha	0	8,000	7,000

PROGRAMA 8.10

Solución del problema de bicicletas de Top Speed con Excel 2010

	A	B	C	D	E	F	G	H	I	J
1	Top Speed Bicycle Company									
2		N.O. to	N.O. to	N.O. to	Omaha to	Omaha to	Omaha to			
3		NY	Chicago	LA	NY	Chicago	LA			
4	Variables	X11	X12	X13	X21	X22	X23			
5	Values	10000	0	8000	0	8000	7000	Total Cost		
6	Cost	2	3	5	3	1	4	96000		
7										
8	Constraints							LHS	Sign	RHS
9	NY Demand	1			1			10000	=	10000
10	Chi. Demand		1			1		8000	=	8000
11	LA Demand			1			1	15000	=	15000
12	N.O. Supply	1	1	1				18000	≤	20000
13	Omaha Supply				1	1	1	15000	≤	15000

Registro de parámetros y opciones en Solver

Set Objective: H6
By Changing cells: B5:G5
To: Min
Subject to the Constraints:
  H9:H11 = J9:J11
   H12:H13 <= J12:J13
Solving Method: Simplex LP
☑ **Make Variables Non-Negative**

Fórmulas clave

	H
5	Total Cost
6	=SUMPRODUCT($B$5:$G$5,B6:G6)

Copy H6 to H9:H13

Resumen

En este capítulo continuamos con el estudio de modelos de programación lineal. Se siguieron los pasos básicos para formular un programa lineal para una variedad de problemas, los cuales incluyeron aplicaciones de marketing, programación de la producción, finanzas, mezcla de ingredientes y transporte. Se resaltaron la comprensión del problema, la identificación del objetivo y las restricciones, así como la definición de las variables de decisión y el desarrollo del modelo matemático a partir de todo eso.

En capítulos posteriores se presentarán aplicaciones adicionales de la programación lineal. El problema de transporte estudiado en este capítulo se analizará aún más en el capítulo 9, junto con otras dos aplicaciones relacionadas: el problema de asignación y el problema del transbordo.

Autoevaluación

- Antes de resolver la autoevaluación, consulte los objetivos de aprendizaje al inicio del capítulo, las notas al margen y el glosario al final del capítulo.
- Utilice la solución al final del libro para corregir sus respuestas.
- Estudie de nuevo las páginas que corresponden a cualquier pregunta cuya respuesta sea incorrecta o al material con el que se sienta inseguro.

1. La programación lineal se utiliza para seleccionar mezclas efectivas de medios de comunicación, asignar presupuestos fijos y limitados para los medios y maximizar la exposición de la audiencia.
   a) Verdadero
   b) Falso
2. Usar PL para maximizar la audiencia expuesta en una campaña de publicidad es un ejemplo del tipo de aplicación de programación lineal conocida como
   a) investigación de mercados.
   b) selección de medios de comunicación.

   c) evaluación de portafolios.
   d) presupuesto de medios.
   e) todos los anteriores.
3. Cuál de las siguientes *no* representa un factor que los gerentes puedan considerar al emplear PL para programación de la producción:
   a) capacidad de mano de obra
   b) limitaciones de espacio
   c) demanda del producto
   d) evaluación de riesgos
   e) costos del inventario

4. Un problema común de transporte tiene 4 fuentes y 3 destinos. ¿Cuántas variables de decisión habrá en el programa lineal?
   a) 3
   b) 4
   c) 7
   d) 12

5. Un problema común de transporte tiene cuatro fuentes y 3 destinos. ¿Cuántas restricciones habrá en el programa lineal?
   a) 3
   b) 4
   c) 7
   d) 12

6. Cuando se aplica PL a los problemas de dieta, la función objetivo suele diseñarse para:
   a) maximizar las ganancias de las mezclas de nutrientes.
   b) maximizar las mezclas de ingredientes.
   c) minimizar las pérdidas de producción.
   d) maximizar el número de productos a fabricar.
   e) minimizar los costos de las mezclas de nutrientes.

7. El problema de la dieta
   a) también se llama problema de proporción de alimentos en agricultura.
   b) es un caso especial del problema de proporción de ingredientes.
   c) es un caso especial del problema de la mezcla.
   d) todos los anteriores.

8. La selección de inversiones específicas entre una amplia variedad de alternativas es el tipo de problema de PL conocido como
   a) problema de la mezcla de productos.
   b) problema de la inversión del banquero.
   c) problema de selección de portafolios.
   d) problema de Wall Street.
   e) ninguno de las anteriores.

Problemas

 8-1 (***Problema de producción***) Winkler Furniture fabrica dos tipos diferentes de vitrinas para porcelana: un modelo Francés Provincial y un modelo Danés Moderno. Cada vitrina producida debe pasar por tres departamentos: carpintería, pintura y terminado. La tabla que sigue contiene toda la información relevante respecto a tiempos de producción por vitrina y capacidades de producción diarias para cada operación, al igual que el ingreso neto por unidad producida. La empresa tiene un contrato con un distribuidor de Indiana para producir un mínimo de 300 de cada tipo de vitrina por semana (o 60 vitrinas por día). El dueño Bob Winkler quiere determinar una mezcla de productos que maximice su ingreso diario.
   a) Formule como un problema de PL.
   b) Resuelva con un software de PL o una hoja de cálculo.

8-2 (***Problema de decisión de inversión***) La agencia de correduría Heinlein and Krampf acaba de recibir instrucciones de uno de sus clientes para invertir $250,000 de su dinero obtenido recientemente con la venta de tierras en Ohio. El cliente tiene mucha confianza en la casa de inversiones, pero también tiene sus propias ideas acerca de la distribución de los fondos a invertir. En particular pide que la agencia seleccione las acciones y los bonos que consideren bien clasificados, aunque dentro de los siguientes lineamientos:
   a) Los bonos municipales deberían constituir al menos 20% de la inversión.
   b) Por lo menos 40% de los fondos deben colocarse en una combinación de empresas electrónicas, empresas aeroespaciales y fabricantes de medicamentos.
   c) No más de 50% de la cantidad invertida en bonos municipales tiene que colocarse en acciones de clínicas privadas de alto riesgo y alto rendimiento.

Sujeta a estas restricciones, la meta del cliente es maximizar el rendimiento sobre la inversión proyectado. Los analistas en Heinlein and Krampf, conscientes de dichos lineamientos, preparan una lista de acciones y

Datos para el problema 8-1

ESTILO DE VITRINA	CARPINTERÍA (HORAS/ VITRINA)	PINTURA (HORAS/ VITRINA)	TERMINADO (HORAS/ VITRINA)	INGRESO NETO/ VITRINA ($)
Francés Provincial	3	1.5	0.75	28
Danés Moderno	2	1	0.75	25
Capacidad del departamento (horas)	360	200	125	

Nota: ⚩ significa que el problema se resuelve con QM para Windows, ✖ indica que el problema se resuelve con Excel QM y ⚩✖ quiere decir que el problema se resuelve con QM para Windows o con Excel QM.

bonos de alta calidad, así como de sus correspondientes tasas de rendimiento:

INVERSIÓN	TASA DE RENDIMIENTO PROYECTADA (%)
Bonos municipales de Los Ángeles	5.3
Thompson Electronics, Inc.	6.8
United Aerospace Corp.	4.9
Palmer Drugs	8.4
Happy Days Nursing Homes	11.8

a) Formule este problema de selección de portafolios usando PL.

b) Resuelva el problema.

8-3 (*Problema de programación del trabajo en un restaurante*) El famoso restaurante Y. S. Chang está abierto las 24 horas. Los meseros y los ayudantes se reportan a trabajar a las 3 A.M., 7 A.M., 11 A.M., 3 P.M., 7 P.M. u 11 P.M., y cada uno cumple con un turno de 8 horas. La siguiente tabla muestra el número mínimo de trabajadores necesarios durante los seis periodos en que se divide el día. El problema de programación de Chang consiste en determinar cuántos meseros y ayudantes deben reportarse a trabajar al inicio de cada periodo, con la finalidad de minimizar el personal total requerido para un día de operaciones. (*Sugerencia:* Sea X_i igual al número de meseros y ayudantes que comienzan a trabajar en el periodo i, donde $i = 1, 2, 3, 4, 5, 6$).

PERIODO	HORA	NÚMERO DE MESEROS Y AYUDANTES REQUERIDOS
1	3 A.M.–7 A.M.	3
2	7 A.M.–11 A.M.	12
3	11 A.M.–3 P.M.	16
4	3 P.M.–7 P.M.	9
5	7 P.M.–11 P.M.	11
6	11 P.M.–3 A.M.	4

8-4 (*Problema de mezcla de alimento para animales*) El establo Battery Park alimenta y alberga a los caballos que jalan los carruajes, que llevan a turistas por las calles del área histórica del muelle en Charleston. El dueño del establo, un ex entrenador de caballos de carreras, reconoce la necesidad de tener una dieta nutritiva para los caballos bajo su cuidado. Al mismo tiempo, desea que el costo diario general del alimento sea mínimo.

Las mezclas de alimento disponibles para la dieta de los caballos son un producto de avena, un grano enriquecido y un producto mineral. Cada una de las mezclas contiene cierta cantidad de cinco ingredientes que se necesitan diariamente para mantener saludable al caballo promedio. La tabla con el número de este problema muestra los requerimientos mínimos, las unidades de cada ingrediente por libra de mezcla de alimento y los costos de las tres mezclas.

Además, el dueño del establo sabe que un caballo sobrealimentado es un mal trabajador. En consecuencia, determina que 6 libras de alimento por día es lo más que cualquier caballo necesita para funcionar bien. Formule este problema y obtenga la mezcla diaria óptima de los tres alimentos.

8-5 La corporación Kleenglass fabrica una lavadora de platos que tiene un poder de limpieza excelente. Esta lavadora usa menos agua que la mayoría de la competencia y es muy silenciosa. Las órdenes se reciben de varias tiendas para entregar al final de cada uno de los tres meses siguientes, como se indica a continuación:

MES	NÚMERO DE UNIDADES
Junio	195
Julio	215
Agosto	205

Debido a la capacidad limitada, tan solo se puede fabricar 200 lavavajillas cada mes en horario regular y el costo es de $300 cada una. Sin embargo, es posible fabricar otras 15 unidades con horas extra, pero el costo sube a $325 cada una. Además, si hay algunas lavadoras producidas que no se vendieron ese mes, hay un

Datos para el problema 8.4

REQUERIMIENTOS DE LA DIETA (INGREDIENTES)	MEZCLA DE ALIMENTO			REQUERIMIENTO MÍNIMO DIARIO (UNIDADES)
	PRODUCTO DE AVENA (UNIDADES/LB)	GRANO ENRIQUECIDO (UNIDADES/LB)	PRODUCTO MINERAL (UNIDADES/LB)	
A	2	3	1	6
B	0.5	1	0.5	2
C	3	5	6	9
D	1	1.5	2	8
E	0.5	0.5	1.5	5
Costo/lb	$0.09	$0.14	$0.17	

costo de $20 por almacenarlas para el siguiente mes. Utilice programación lineal para determinar cuántas unidades fabricar cada mes en horario regular y en tiempo extra, con la finalidad de minimizar el costo total cubriendo al mismo tiempo las demandas.

8-6 Eddie Kelly está en la competencia para la reelección como alcalde de un pequeño condado de Alabama. Jessica Martínez, la jefa de campaña de Kelly durante esta elección, está planeando la campaña de marketing y sabe que existe una competencia cerrada. Martínez seleccionó cuatro formas de propaganda: spots de televisión, anuncios de radio, carteles espectaculares e inserciones en periódicos. Los costos, la audiencia expuesta por tipo de medio y el número máximo de cada uno se muestran en la siguiente tabla:

TIPO DE ANUNCIO	COSTO POR ANUNCIO	AUDIENCIA ALCANZADA/ ANUNCIO	NÚMERO MÁXIMO
TV	$800	30,000	10
Radio	$400	22,000	10
Espectaculares	$500	24,000	10
Periódicos	$100	8,000	10

Además, Martínez decidió que debería haber al menos seis anuncios en TV o radio, o alguna combinación de estos. La cantidad gastada en espectaculares y periódicos juntos no debe exceder la cantidad gastada en TV. Aunque la recolección de fondos continúa, el presupuesto mensual para propaganda se estableció en $15,000. ¿Cuántos anuncios de cada tipo debería colocar para maximizar el número de personas expuestas?

8-7 (*Problema de selección de medios*) El directo de publicidad de Diversey Paint and Supply, una cadena de cuatro tiendas en el lado norte de Chicago, considera la posibilidad de dos medios de comunicación. Un plan es una serie de anuncios de media página en el *Chicago Tribune* dominical y la otra es tiempo de comerciales en la televisión de Chicago. Las tiendas están expandiendo sus líneas de herramientas "hágalo usted mismo" y el director de publicidad está interesado en un nivel de exposición de, al menos, 40% dentro de los vecindarios de la ciudad, y 60% en las áreas suburbanas de noroeste.

El horario de televisión en consideración tiene una tasa de exposición de 5% por spot en los hogares de la ciudad y de 3% en los suburbios del noroeste. El periódico dominical tiene tasas correspondientes de exposición de 4% y 3% por anuncio. El costo de media página en el *Tribune* es de $925; un spot de televisión cuesta $2,000.

Diversey Paint quiere seleccionar la estrategia de publicidad de menor costo que satisfaga los niveles de exposición deseados.

a) Formule con programación lineal.

b) Resuelva el problema.

8-8 (*Problema de renta de automóviles*) Sundown Rent-a-Car, un agencia grande de renta de automóviles que opera en el medio oeste, está preparando su estrategia de arrendamiento para los siguientes seis meses. Sundown renta autos de un fabricante de vehículos y, luego, los renta al público por día. En la siguiente tabla se da un pronóstico de demanda para los automóviles de Sundown en los próximos seis meses:

MES	MARZO	ABRIL	MAYO	JUNIO	JULIO	AGOSTO
Demanda	420	400	430	460	470	440

Los autos pueden rentarse al fabricante por tres, cuatro o cinco meses. Se rentan el primer día del mes y se regresan el último día. Cada seis meses Sundown notifica al fabricante el número de automóviles que necesitará durante los siguientes seis meses. El fabricante ha estipulado que al menos 50% de los autos rentados durante los seis meses deben tener un contrato por cinco meses. El costo mensual de cada uno de los tres tipos de renta es de $420 por tres meses, $400 por cuatro meses y $370 por cinco meses.

Actualmente, Sundown tiene 390 autos. El contrato sobre 120 autos expira al final de marzo. El contrato sobre otros 140 expira al final de abril y el contrato sobre el resto expira al final de mayo.

Utilice PL para determinar cuántos automóviles deberían rentarse cada mes y con qué tipo de contrato, para minimizar el costo de renta para los seis meses. ¿Cuántos vehículos quedarían la final de agosto?

8-9 La gerencia de Sundown Renta-a-Car (véase el problema 8-8) ha decidido que tal vez el costo durante los seis meses no es el adecuado para minimizar, ya que la agencia puede quedar con obligaciones de renta durante meses adicionales después de los seis meses. Por ejemplo, si Sundown recibe algunos autos al principio del sexto mes, la agencia estaría obligada por dos meses más en un contrato de tres meses. Utilice PL para determinar cuántos autos debería rentar cada mes en cada tipo de contrato, para minimizar el costo de renta en la vida completa de estos contratos.

8-10 (*Problema de transporte de estudiantes de secundaria*) El superintendente de educación de Arden County, Maryland, es responsable de asignar estudiantes a *tres* escuelas secundarias en su condado. Reconoce la necesidad de transportar a cierto número de estudiantes, ya que varios sectores del condado están más allá de una distancia que pueda recorrerse caminando. El superintendente hace una partición del condado en *cinco* sectores geográficos con la finalidad de intentar establecer un plan que minimice el número total de millas-estudiante viajadas en el autobús. También reconoce que si ocurre que un estudiante vive en cierto sector y es asignado a la escuela en ese sector, no hay necesidad de transportar a ese estudiante, ya que puede caminar a la escuela. Las tres escuelas están localizadas en los sectores B, C y E.

La siguiente tabla refleja el número de estudiantes en edad de secundaria que viven en cada sector y la distancia en millas de cada sector a cada escuela:

	DISTANCIA A LA ESCUELA			
SECTOR	ESCUELA EN EL SECTOR B	ESCUELA EN EL SECTOR C	ESCUELA EN EL SECTOR E	NÚMERO DE ESTUDIANTES
A	5	8	6	700
B	0	4	12	500
C	4	0	7	100
D	7	2	5	800
E	12	7	0	400
				2,500

Cada escuela tiene una capacidad para 900 estudiantes. Establezca la función objetivo y las restricciones de este problema con PL, de manera que se minimice el número total de millas-estudiante viajadas en autobús. (Observe el parecido con el problema de transporte ilustrado al inicio del capítulo.) Luego, resuelva el problema.

8-11 (*Problema de estrategia de marketing y fijación de precios*) La tienda I. Kruger Paint and Wallpaper es un distribuidor minorista grande de la marca Supertrex de tapiz de vinil. Kruger mejorará su imagen en toda la ciudad de Miami, si el siguiente año logra vender más que otras tiendas del lugar en cuanto al número total de rollos de Supertrex. Es posible estimar la función de demanda como sigue:

Número de rollos de Supertrex vendidos = 20 × dólares gastados en publicidad + 6.8 × dólares gastados en exhibidores para las tiendas + 12 × dólares invertidos en inventario de tapiz disponible − 65,000 × porcentaje de margen de ganancia sobre el costo de venta al mayoreo de un rollo

La tienda tiene un presupuesto total de $17,000 para publicidad, exhibidores en tienda e inventario disponible de Supertrex para el siguiente año. Decide que debe gastar por lo menos $3,000 en publicidad; además, por lo

menos 5% de la cantidad invertida en inventario disponible debería dedicarse a exhibidores. El margen de ganancia de Supertrex en otras tiendas locales está entre 20% y 45%. Kruger decide que será mejor que su margen de ganancia también esté en este rango.

a) Formule como un problema de programación lineal.
b) Resuelva el problema.
c) ¿Cuál es la dificultad con la respuesta?
d) ¿Qué restricción agregaría?

8-12 (*Problema de selección de alimentos en la universidad*) Kathy Roniger, la dietista de una universidad pequeña, es responsable de formular un plan de alimentos nutritivos para los estudiantes. Para una comida en la tarde, piensa que deberían cumplirse los siguientes cinco requerimientos de contenido: **1.** entre 900 y 1,500 calorías; **2.** al menos 4 miligramos de hierro; **3.** no más de 50 gramos de grasa; **4.** al menos 26 gramos de proteína, y **5.** no más de 50 gramos de carbohidratos. En un día dado, el inventario de alimentos de Roniger incluye siete artículos que se pueden preparar y servir de manera que la cena cumpla tales requerimientos. El costo por libra de cada alimento y la contribución de cada uno a los cinco requerimientos nutricionales están dados en la siguiente tabla.

¿Qué combinación y qué cantidades de alimentos proporcionará la nutrición que Roniger requiere por el menor costo total de la comida?

a) Formule como un problema de PL.
b) ¿Cuál es el costo por comida?
c) ¿Es esta una dieta bien balanceada?

8-13 (*Problema de producción de alta tecnología*) Quitmeyer Electronics Inc. fabrica los siguientes seis dispositivos periféricos para microcomputadoras: módem internos, módem externos, tarjeta de gráficos, lectores de CD, discos duros y tarjetas de expansión de memoria. Cada uno de estos productos técnicos requiere tiempo, en minutos, sobre tres tipos de equipo electrónico de pruebas, como se indica en la tabla correspondiente (siguiente página).

Los primeros dos dispositivos de prueba están disponibles 120 horas por semana. El tercero (dispositivo 3) requiere más mantenimiento preventivo y puede usarse tan solo 100 horas semanales. El mercado para los seis

Datos para el problema 8-12

	TABLA DE VALORES Y COSTOS DE ALIMENTOS					
ALIMENTO	CALORÍAS/ LB	HIERRO (MG/LB)	GRASA (G/LB)	PROTEÍNA (G/LB)	CARBOHIDRATOS (G/LB)	COSTO/ LB ($)
Leche	295	0.2	16	16	22	0.60
Carne molida	1216	0.2	96	81	0	2.35
Pollo	394	4.3	9	74	0	1.15
Pescado	358	3.2	0.5	83	0	2.25
Frijoles	128	3.2	0.8	7	28	0.58
Espinaca	118	14.1	1.4	14	19	1.17
Papas	279	2.2	0.5	8	63	0.33

Fuente: Pennington, Jean A. T. y Judith S. Douglas. *Bowes and Church's Food Values of Portions Commonly Used*, 18a. ed., Filadelfia: Lippincott Williams & Wilkins, 2004, pp. 100-130.

Datos para el problema 8-13

	MÓDEM INTERNO	MÓDEM EXTERNO	TARJETA DE GRÁFICOS	LECTOR DE CD	DISCO DURO	TARJETA DE MEMORIA
Dispositivo 1	7	3	12	6	18	17
Dispositivo 2	2	5	3	2	15	17
Dispositivo 3	5	1	3	2	9	2

componentes de computadora es enorme y Quitmeyer Electronics cree que puede vender todas las unidades de cada producto que pueda fabricar. La tabla que sigue resume los ingresos y costos de materiales para cada producto:

DISPOSITIVO	INGRESO POR UNIDAD VENDIDA ($)	COSTO DE MATERIAL POR UNIDAD ($)
Módem interno	200	35
Módem externo	120	25
Tarjeta de gráficos	180	40
Lector de CD	130	45
Disco duro	430	170
Tarjeta de expansión de memoria	260	60

Además, los costos variables de mano de obra son de $15 por hora del dispositivo de prueba 1, $12 por hora del dispositivo de prueba 2 y $18 por hora del dispositivo de prueba 3. Quitmeyer Electronics desea maximizar sus ganancias.

a) Formule este problema como un modelo de PL.

b) Resuelva el problema por computadora. ¿Cuál es la mejor mezcla de productos?

c) ¿Cuál es el valor de un minuto adicional de tiempo por semana para el dispositivo 1? ¿Para el dispositivo 2? ¿Y para el dispositivo 3? ¿Debería Quitmeyer Electronics agregar más tiempo de dispositivo de prueba? Si es así, ¿de qué equipo?

8-14 (***Problema de dotación de personal de un planta nuclear***) South Central Utilities acaba de anunciar la inauguración el 1 de agosto del segundo generador a su planta nuclear de Baton Rouge, Louisiana. Su departamento de personal está dirigido a determinar cuántos técnicos nucleares necesita contratar y capacitar durante lo que resta del año.

La planta actualmente emplea 350 técnicos completamente capacitados y proyecta las siguientes necesidades de personal:

MES	HORAS-PERSONAL NECESARIAS
Agosto	40,000
Septiembre	45,000
Octubre	35,000
Noviembre	50,000
Diciembre	45,000

Según la ley de Louisiana, un empleado en un reactor de hecho no puede trabajar más de 130 horas por mes. (Un poco más de una hora por día se usa para entrar y salir, actualización de registros y análisis médico diario por la radiación). La política de South Central Utilities también dicta que no son aceptables los despidos en los meses en que la planta nuclear tiene más personal del necesario. Entonces, si se dispone de más personal capacitado del necesario en cualquier mes, cada trabajador recibe su paga completa, aunque no haya sido requerido para trabajar las 130 horas.

La capacitación de los nuevos empleados es un procedimiento importante y costoso. Toma un mes de instrucción uno a uno en el salón de clases, antes de que se permita a un nuevo técnico trabajar solo en la instalación del reactor. Por lo tanto, South Central debe contratar a los técnicos aprendices un mes antes de que se necesiten. Cada aprendiz hace equipo con un técnico nuclear experimentado y requiere 90 horas del tiempo de ese empleado, lo cual significa que ese mes se dispone de 90 horas menos del tiempo del técnico para trabajar en el reactor.

Los registros del departamento de personal indican una tasa de rotación de técnicos capacitados de 5% al mes. En otras palabras, cerca de 5% de los empleados experimentados al inicio de cualquier mes renuncian al final de ese mes. Un técnico capacitado gana un salario promedio mensual de $2,000 (sin importar el número de horas que trabajó, como ya se dijo). Quienes están en capacitación ganan $900 durante el mes de instrucción.

a) Formule este problema de dotación de personal con PL.

b) Resuelva el problema, ¿cuántos aprendices deben iniciar cada mes?

8-15 (***Problema de planeación de la producción agrícola***) La familia de Margaret Black es dueña de cinco parcelas de tierra de cultivo dividida en los sectores sureste, norte, noroeste, oeste y suroeste. Margaret interviene principalmente en el cultivo de trigo, alfalfa y cebada, y está preparando su plan de producción para el siguiente año. Las autoridades del agua de Pensilvania acaban de publicar su asignación anual de agua, donde el rancho Black recibirá 7,400 pies-acre. Cada parcela puede tolerar una cantidad especificada de irrigación por temporada de cultivo que se indica en la siguiente tabla:

PARCELA	ÁREA (ACRES)	LÍMITE DE IRRIGACIÓN (PIES-ACRE)
Sureste	2,000	3,200
Norte	2,300	3,400
Noroeste	600	800
Oeste	1,100	500
Suroeste	500	600

Cada una de las cosechas de Margaret necesita una cantidad mínima de agua por acre, y existe un límite proyectado sobre las ventas de cada cosecha. Los datos de la cosecha son:

COSECHA	VENTAS MÁXIMAS	AGUA NECESARIA POR ACRE (PIES-ACRE)
Trigo	110,000 busheles	1.6
Alfalfa	1,800 toneladas	2.9
Cebada	2,200 toneladas	3.5

La mejor estimación de Margaret es que puede vender trigo con una ganancia neta de $2 por bushel, alfalfa a $40 por tonelada y cebada a $50 por tonelada. Un acre de tierra da un promedio de 1.5 toneladas de alfalfa y 2.2 toneladas de cebada. La cosecha de trigo es aproximadamente de 50 busheles por acre.

a) Formule el plan de producción de Margaret.
b) ¿Cuál debería ser el plan de cultivo y qué ganancia dará?
c) La autoridad del agua informa a Margaret que por una cuota especial de $6,000 este año, su rancho califica para una asignación adicional de 600 pies-acre de agua. ¿Qué debería responder?

8-16 (*Problema de mezcla de materiales*) Amalgamated Products acaba de recibir un contrato para construir bastidores de carrocería de acero para automóviles que deben producirse en una nueva fábrica japonesa en Tennessee. El fabricante de autos nipones tiene estándares estrictos de control de calidad para todos sus contratistas de componentes y ha informado a Amalgamated que el acero de cada bastidor debe tener el siguiente contenido:

MATERIAL	PORCENTAJE MÍNIMO	PORCENTAJE MÁXIMO
Manganeso	2.1	2.3
Silicio	4.3	4.6
Carbono	5.05	5.35

Amalgamated mezcla lotes de ocho materiales disponibles diferentes para producir una tonelada de acero que se usa en los bastidores. La tabla correspondiente da los detalles de los materiales.

Formule y resuelva el modelo de PL que indicará cuánto de cada uno de los ocho materiales debería mezclarse en una carga de 1 tonelada de acero, de manera que Amalgamated cumpla con los requisitos a un costo mínimo.

8-17 Consulte el problema 8-16. Encuentre la causa de la dificultad y recomiende cómo ajustarla. Después, resuelva el problema de nuevo.

8-18 (*Problema de expansión de un hospital*) El hospital Mt. Sinai en Nueva Orleans es una instalación privada grande con 600 camas, equipada con laboratorios, quirófanos y dispositivos de rayos X. En busca de mayores ingresos, la gerencia de Mt. Sinai ha decidido hacer un anexo de 90 camas en una parte de terreno adyacente que, por lo pronto, se usa para estacionamiento del personal. Los gerentes piensan que los laboratorios, los quirófanos y el departamento de rayos X no se utilizan totalmente en la actualidad y no necesitan expandirse para manejar pacientes adicionales. Sin embargo, agregar 90 camas implica decidir cuántas deberían asignarse al personal médico para los pacientes médicos y cuántas al personal de cirugía para pacientes quirúrgicos.

La contabilidad del hospital y los departamentos de registros médicos ofrecen la siguiente información pertinente. El promedio de estancia en el hospital para un paciente médico es de 8 días y el paciente médico promedio genera $2,280 en ingresos. La estancia promedio para pacientes quirúrgicos es de 5 días y recibe una cuenta de $1,515. El laboratorio es capaz de manejar anualmente 15,000 pruebas más que las que manejaba. El paciente médico promedio requiere 3.1 pruebas de laboratorio, y el quirúrgico promedio necesita 2.6 pruebas. Más aún, el paciente médico promedio necesita una placa de rayos X, en tanto que el paciente quirúrgico promedio requiere de dos. Si se expande el hospital en 90 camas, el departamento de rayos X podría manejar hasta 7,000 rayos X sin costo adicional significativo. Por último, la gerencia estima que se pueden realizar hasta 2,800 operaciones adicionales en los quirófanos existentes. Los pacientes médicos, desde luego, no re-

Datos para el problema 8-16

MATERIAL DISPONIBLE	MANGANESO (%)	SILICIO (%)	CARBONO (%)	LIBRAS DISPONIBLES	COSTO POR LIBRA ($)
Aleación 1	70.0	15.0	3.0	Sin límite	0.12
Aleación 2	55.0	30.0	1.0	300	0.13
Aleación 3	12.0	26.0	0	Sin límite	0.15
Hierro 1	1.0	10.0	3.0	Sin límite	0.09
Hierro 2	5.0	2.5	0	Sin límite	0.07
Carburo 1	0	24.0	18.0	50	0.10
Carburo 2	0	25.0	20.0	200	0.12
Carburo 3	0	23.0	25.0	100	0.09

quieren cirugía, mientras que los pacientes quirúrgicos generalmente se operan una vez.

Formule este problema para determinar cuántas camas médicas y cuántas camas quirúrgicas deberían agregarse, con la finalidad de maximizar los ingresos. Suponga que el hospital está abierto 365 días al año. Luego, resuelva el problema.

8-19 Prepare un informe escrito para el director general del hospital Mt. Sinai del problema 8-18 sobre la expansión del hospital. Redondee sus respuestas al *entero* más cercano. El formato de presentación de los resultados es importante. El director general es una persona ocupada y quiere poder encontrar la solución óptima con rapidez en su reporte. Cubra todas las áreas dadas en los siguientes incisos, pero no mencione variables ni precios sombra.

a) ¿Cuál es el máximo ingreso por año, cuántos pacientes médicos/año hay y cuántos pacientes quirúrgicos/año hay? ¿Cuántas camas médicas y cuántas quirúrgicas de la adición de 90 camas deberían agregarse?

b) ¿Hay muchas camas vacías con esta solución óptima? Si es así, ¿cuántas son? Analice el efecto de adquirir más camas, si es necesario.

c) ¿Los laboratorios se utilizan a toda su capacidad? ¿Es posible realizar más pruebas de laboratorio por año? Si es así, ¿cuántas más? Analice el efecto de adquirir más espacio de laboratorio, si es necesario.

d) ¿La instalación de rayos X se usa a su máximo? ¿Es posible hacer más pruebas de rayos X por año? Si es así, ¿cuántas más? Analice el efecto de adquirir más instalaciones de rayos X, si es necesario.

e) ¿El quirófano se usa a toda su capacidad? ¿Es posible realizar más operaciones/año? Si es así, ¿cuántas más? Analice el efecto de adquirir más quirófanos, si es necesario. (**Fuente:** profesor Chis Vertullo).

8-20 En el problema de mezclas de la compañía Low Knock Oil, se supuso que un barril de crudo daría un barril de gasolina como producto final. Al procesar un barril de crudo, el rendimiento típico de gasolina es de cerca de 0.46 barriles, aunque sería mayor o menor, dependiendo del crudo en particular y del procesamiento utilizado. Sin embargo, otros productos como el diesel, el combustible para aviación, el petróleo doméstico y el asfalto también vienen del mismo barril. Suponga que tan solo 46% del crudo se convierte en gasolina, modifique el ejemplo de programación lineal de la compañía Low Knock Oil para tomar en cuenta esto. Resuelva el programa lineal en una computadora.

8-21 (***Problema de transportes de alimentos de un hospital***) El Northeast General, un hospital grande en Providence, Rhode Island, ha iniciado un nuevo procedimiento para asegurar que los pacientes reciban sus comidas cuando todavía estén tan calientes como sea posible. El hospital continuará preparando los alimentos en su cocina, pero ahora la entregará sin servir (a granel) a una de las tres nuevas estaciones de servicio en el edificio. De ahí, la comida se recalentará y luego se servirá en las charolas individuales, se cargará en los carritos, y se distribuirá a los diferentes pisos y alas del hospital.

Las tres nuevas estaciones de servicio están localizadas tan eficientemente como sea posible para llegar a los diferentes pasillos del hospital. El número de charolas que puede servir cada estación se indica en la tabla.

LOCALIZACIÓN	CAPACIDAD (COMIDAS)
Estación 5A	200
Estación 3G	225
Estación 1S	275

Hay seis alas en el Northeast General que deben atenderse. El número de pacientes en cada ala es:

ALA	1	2	3	4	5	6
Pacientes	80	120	150	210	60	80

La finalidad del nuevo procedimiento es aumentar la temperatura de las comidas calientes que recibe el paciente. Por lo tanto, el tiempo necesario para entregar una charola desde una estación de servicio determinará la distribución adecuada de la comida desde la estación de servicio hasta el ala. La siguiente tabla resume el tiempo (en minutos) asociado con cada canal de distribución posible.

¿Cuál es su recomendación para manejar la distribución de las charolas desde las tres estaciones de servicio?

HASTA DESDE	ALA 1	ALA 2	ALA 3	ALA 4	ALA 5	ALA 6
Estación 5A	12	11	8	9	6	6
Estación 3G	6	12	7	7	5	8
Estación 1S	8	9	6	6	7	9

8-22 (***Problema de selección de portafolios***) Daniel Grady es el asesor financiero de varios atletas profesionales. El resultado de un análisis de las metas a largo plazo de muchos de ellos es una recomendación para comprar acciones con la parte de su ingreso que deja para invertir. Se han identificado cinco acciones que tienen expectativas favorables para su desempeño futuro. Aunque el rendimiento esperado es importante en estas inversiones, el riesgo, medido por la beta de la acción, también es importante. (Un alto valor de beta indica que la acción tiene un riesgo relativamente alto). El rendimiento esperado y las betas para cinco acciones son los siguientes:

ACCIONES	1	2	3	4	5
Rendimiento esperado (%)	11.0	9.0	6.5	15.0	13.0
Beta	1.20	0.85	0.55	1.40	1.25

Daniel quiere minimizar la beta del portafolios de acciones (calculada usando un promedio ponderado de las cantidades que se colocan en las diferentes acciones), al mismo tiempo que mantiene un rendimiento esperado de por lo menos 11%. Como las condiciones futuras podrían cambiar, Daniel decide que no más de 35% del portafolios debería invertirse en una acción.

a) Formule esto como un programa lineal. (*Sugerencia:* Defina las variables como la proporción de la inversión total que se colocaría en cada acción. Incluya una restricción que limite la suma de estas variables a 1).

b) Resuelva este problema. ¿Cuál es el rendimiento esperado y la beta para este portafolios?

 8-23 (*Problema de combustible para avión*) Coast-to-Coast Airlines investiga la posibilidad de reducir el costo de las compras de combustible aprovechando los costos más bajos en ciertas ciudades. Como las compras de combustible representan una parte sustancial de los gastos operativos para una aerolínea, es importante vigi-

lar esos costos con cuidado. Por otro lado, el combustible agrega peso al avión y, en consecuencia, el exceso de combustible eleva el costo de llegar de una ciudad a la otra. Al evaluar un plan de vuelo específico, un avión comienza en Atlanta, vuela a Los Ángeles, luego a Houston y de ahí a Nueva Orleans, para regresar a Atlanta. Cuando el avión llega a Atlanta se dice que se completó el plan de vuelo y luego comienza otra vez. Así, cuando llega a Atlanta el combustible en el avión debe tomarse en cuenta cuando inicia el vuelo. A lo largo de cada etapa de esta ruta, hay una cantidad mínima y una máxima de combustible que debe cargarse. Esta y otra información se proporcionan en la tabla correspondiente a este problema.

El consumo normal de combustible se basa en el avión con la carga mínima de combustible. Si se lleva más, la cantidad de combustible consumido es mayor. En particular, por cada 1,000 galones de combustible por arriba del mínimo, 5% (o 50 galones por 1,000 galones adicionales de combustible) se pierde debido al exceso en el consumo de combustible. Por ejemplo, si se llevan 25,000 galones de combustible cuando el avión despega en Atlanta, el combustible consumido en esta ruta será 12 + 0.05 = 12.05 miles de galones. Si el avión lleva 26 mil galones, el combustible consumido se incrementaría en otros 0.05 miles, lo cual da un total de 12.1 miles de galones.

Formule este problema como uno de PL, de modo que minimice el costo. ¿Cuántos galones debería comprar en cada ciudad? ¿Cuál es el costo total?

Datos para el problema 8-23

ETAPA	COMBUSTIBLE MÍNIMO REQUERIDO (1,000 GAL.)	COMBUSTIBLE MÁXIMO PERMITIDO (1,000 GAL.)	CONSUMO NORMAL DE COMBUSTIBLE (1,000 GAL.)	PRECIO DEL COMBUSTIBLE POR GALÓN
Atlanta-Los Ángeles	24	36	12	$4.15
Los Ángeles-Houston	15	23	7	$4.25
Houston-Nueva Orleans	9	17	3	$4.10
Nueva Orleans-Atlanta	11	20	5	$4.18

Problemas de tarea en Internet

Nuestra página de Internet en **www.pearsonenespañol.com/render** contiene problemas de tarea adicionales, problemas 8-24 a 8-26.

Estudio de caso

Chase Manhattan Bank

La carga de trabajo en muchas áreas de operaciones del banco tiene la característica de una distribución no uniforme respecto a la hora del día. Por ejemplo, en el Chase Manhattan Bank de Nueva York, el número de peticiones nacionales de transferencias de dinero recibidas de los clientes, si se grafican contra la hora del día, parecerá una curva con forma de U invertida con el pico alrededor de la 1 P.M. Para que el uso de recursos sea eficiente, el personal disponible debería, por lo tanto, variar de acuerdo con eso. La figura 8.2 muestra una curva de carga de trabajo típica, así como los requerimientos correspondientes de personal a las diferentes horas del día.

Una capacidad variable se puede lograr de manera efectiva empleando personal de tiempo parcial. Debido a que los trabajadores de tiempo parcial no tienen derecho a prestaciones laborales, con frecuencia son más económicos que los de tiempo completo. Otras consideraciones, sin embargo, limitarían el grado en que se puede contratar personal de tiempo parcial en cierto departamento. El problema es encontrar un programa de fuerza de trabajo óptima que cumpla con los requerimientos de personal a cualquier hora del día y que también sea económico.

Algunos factores que afectan la asignación de personal se listan a continuación:

1. Por política corporativa, las horas del personal de tiempo parcial están limitadas a un máximo de 40% del requerimiento laboral total del día.
2. Los empleados de tiempo completo trabajan 8 horas (1 hora para almuerzo incluida) por día. Así, el tiempo productivo de un trabajador de tiempo completo es de 35 horas por semana.
3. Los trabajadores de tiempo parcial trabajan por lo menos 4 horas diarias pero menos de 8 horas y no tienen descanso para el almuerzo.
4. De los trabajadores de tiempo completo, 50% toma el almuerzo entre 11 A.M. y 12 P.M., y el restante 50% lo hace entre las 12 P.M. y la 1 P.M.
5. El turno comienza a las 9 A.M. y termina a las 7 P.M. (es decir, el tiempo extra se limita a 2 horas). El trabajo que no se termina a las 7 P.M. se guarda para el día siguiente.

FIGURA 8.2

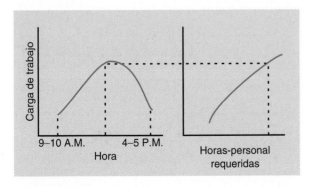

6. Un empleado de tiempo completo no puede trabajar más de 5 horas de tiempo extra por semana. El pago que recibe es la tasa normal de tiempo extra, *no* una y media veces la tasa normal aplicable a horas excedentes a las 40 horas por semana. Las prestaciones laborales no se aplican a las horas de tiempo extra.

Además, son pertinentes los siguientes costos:

1. El costo promedio por hora de empleado de tiempo completo (con las prestaciones incluidas) es de $10.11.
2. El costo promedio por hora extra para los trabajadores de tiempo completo (tasa directa sin prestaciones) es de $8.08.
3. El costo promedio de la hora del personal de tiempo parcial es de $7.82.

Las horas de personal requeridas, por hora del día, están dadas en la tabla 8.9.

La meta del banco es lograr el costo mínimo posible del personal sujeto a cumplir o exceder los requerimientos de fuerza de trabajo, al igual que todas las restricciones sobre los trabajadores dadas antes.

Preguntas para análisis

1. ¿Cuál es el programa de costo mínimo para el banco?
2. ¿Cuáles son las limitaciones del modelo usado para contestar la pregunta 1?
3. Los costos se pueden reducir si se relaja la restricción de que no más de 40% de los requerimientos diarios se cumplan con trabajadores de tiempo parcial. ¿Será significativa la reducción de los costos, si se cambia 40% por un valor más alto?

Fuente: Adaptado de Shyam L. Moondra. "An L. P. Model for Work Force Scheduling for Banks", *Journal of Bank Research* (invierno de 1976): 299-301.

TABLA 8.9 Requerimientos de fuerza de trabajo

PERIODO	NÚMERO DE PERSONAS REQUERIDO
9–10 A.M.	14
10–11	25
11–12	26
12–1 P.M.	38
1–2	55
2–3	60
3–4	51
4–5	29
5–6	14
6–7	9

Bibliografía

Véase la bibliografía al final del capítulo 7.

CAPÍTULO 9

Modelos de transporte y asignación

OBJETIVOS DE APRENDIZAJE

Al terminar de estudiar este capítulo, el alumno será capaz de:

1. Estructurar problemas de PL para modelos de transporte, trasbordo y asignación.
2. Utilizar el método de la esquina noroeste y el método del salto de piedra en piedra.
3. Resolver problemas de localización de instalaciones y otras aplicaciones con los modelos de transporte.
4. Resolver problemas de asignación con el método húngaro (reducción de matriz).

CONTENIDO DEL CAPÍTULO

Resumen • Glosario • Problemas resueltos • Autoevaluación • Preguntas y problemas para análisis • Problemas de tarea en Internet • Estudio de caso: Andrew-Carter, Inc. • Estudio de caso: Tienda Old Oregon Wood • Estudios de caso en Internet • Bibliografía

Apéndice 9.1: Uso de QM para Windows

9.1 Introducción

En este capítulo exploramos tres tipos especiales de problemas de programación lineal: el problema de transporte (introducido en el capítulo 8), el problema de asignación y el problema de trasbordo. Todos pueden modelarse como *problemas de flujo en red*, empleando nodos (puntos) y arcos (líneas). En el capítulo 11 se estudiarán otros modelos de redes.

La primera parte de este capítulo explica estos problemas y brinda sus representaciones en redes, así como sus modelos de programación lineal. Las soluciones se encontrarán usando software estándar de programación lineal. Los problemas de transporte y asignación tienen una estructura especial que permite resolverlos con algoritmos muy eficientes. La última parte del capítulo presenta los algoritmos especiales para obtener las soluciones.

9.2 Problema de transporte

El **problema de transporte** maneja la distribución de bienes desde varios puntos de oferta (*orígenes* o **fuentes**) hasta varios puntos de demanda (**destinos**). En general, se tiene la capacidad (oferta) de bienes en cada fuente, un requerimiento (demanda) de bienes en cada destino, y el costo de envío por unidad de cada fuente a cada destino. La figura 9.1 ilustra un ejemplo. El objetivo de este problema es programar los envíos de manera que se minimice el costo total de transporte. Algunas veces, también se incluyen los costos de producción.

Los modelos de transporte sirven también cuando una empresa intenta decidir dónde localizar una nueva instalación. Antes de abrir un nuevo almacén, fábrica u oficina de ventas, se recomienda considerar varios sitios alternativos. Las buenas decisiones financieras respecto a la localización de instalaciones también intentan minimizar los costos totales de transporte y producción para el sistema completo.

Programación lineal para el ejemplo de transporte

La corporación Executive Furniture tiene el problema de transporte que se ilustra en la figura 9.1. La compañía desea minimizar los costos de transporte al tiempo que cubre la demanda en cada destino, sin exceder la oferta en cada fuente. Para la formulación de este con programación lineal, hay tres

FIGURA 9.1

Representación en red de un problema de transporte con costos, demandas y ofertas

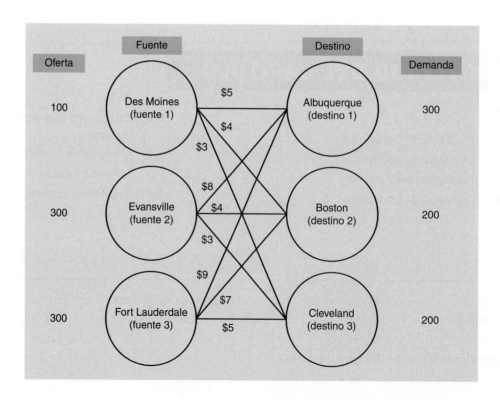

restricciones de oferta (una para cada fuente) y tres restricciones de demanda (una para cada destino). Las decisiones que deben tomarse son el número de unidades a enviar por cada ruta, de manera que existe una variable de decisión para cada arco (flecha) en la red. Sea:

$$X_{ij} = \text{número de unidades enviadas de la fuente } i \text{ al destino } j$$

donde,

$i = 1, 2, 3$, con 1 = Des Moines, 2 = Evansville y 3 = Fort Lauderdale

$j = 1, 2, 3$, con 1 = Albuquerque, 2 = Boston y 3 = Cleveland

La formulación de PL es:

$$\text{Minimizar el costo total} = 5X_{11} + 4X_{12} + 3X_{13} + 8X_{21} + 4X_{22} \\ + 3X_{23} + 9X_{31} + 7X_{32} + 5X_{33}$$

sujeto a:

$$X_{11} + X_{12} + X_{13} \le 100 \quad \text{(oferta en Des Moines)}$$
$$X_{21} + X_{22} + X_{23} \le 300 \quad \text{(oferta en Evansville)}$$
$$X_{31} + X_{32} + X_{33} \le 300 \quad \text{(oferta en Fort Lauderdale)}$$
$$X_{11} + X_{21} + X_{31} = 300 \quad \text{(demanda en Albuquerque)}$$
$$X_{12} + X_{22} + X_{32} = 200 \quad \text{(demanda en Boston)}$$
$$X_{13} + X_{23} + X_{33} = 200 \quad \text{(demanda en Cleveland)}$$
$$X_{ij} \ge 0 \text{ para toda } i \text{ y } j$$

Las soluciones a este problema de PL se encuentran con Solver de Excel 2010, ingresando estas restricciones en la hoja de cálculo, como en el capítulo 7. Sin embargo, la estructura especial de este problema lleva a un formato más sencillo y más intuitivo, como se indica en el programa 9.1. Solver se utiliza todavía, pero como todos los coeficientes de las restricciones son 1 o 0, el lado izquierdo de cada restricción es simplemente la suma de las variables de una fuente específica o para un destino dado. En el programa 9.1 estas celdas son E10:E12 y B13:D13.

Un modelo general de PL para problemas de transporte

En este ejemplo, había 3 fuentes y 3 destinos. La programación lineal tenía $3 \times 3 = 9$ variables y $3 + 3 = 6$ restricciones. En general, para un problema de transporte con m fuentes y n destinos, el número de variables es mn y el número de restricciones es $m + n$. Por ejemplo, si hay 5 restricciones (es decir, $m = 5$) y 8 variables (es decir, $n = 8$), con programación lineal tendrá $5(8) = 40$ variables y $5 + 8 = 13$ restricciones.

El número de variables y restricciones para un problema de transporte típico se determina por el número de fuentes y destinos.

Los subíndices dobles en las variables hacen que sea fácil expresar la forma general del problema con programación lineal, para un problema de transporte con m fuentes y n destinos. Sean:

x_{ij} = número de unidades enviadas de la fuente i al destino j

c_{ij} = costo de enviar una unidad de la fuente i al destino j

s_i = oferta en la fuente i

d_j = demanda en el destino j

El modelo de programación lineal es:

$$\text{Minimizar el costo} = \sum_{j=1}^{n} \sum_{i=1}^{m} c_{ij}x_{ij}$$

sujeto a

$$\sum_{j=1}^{n} x_{ij} \le s_i \quad i = 1, 2, \ldots, m$$
$$\sum_{i=1}^{m} x_{ij} = d_j \quad j = 1, 2, \ldots, n$$
$$x_{ij} \ge 0 \quad \text{para toda } i \text{ y } j$$

PROGRAMA 9.1

Solución del problema de Executive Furniture en Excel 2010

	A	B	C	D	E	F
1		**Shipping Cost Per Unit**				
2	**From\To**	Albuquerque	Boston	Cleveland		
3	Des Moines	5	4	3		
4	Evansville	8	4	3		
5	Fort Lauderdale	9	7	5		
6						
7						
8		**Solution - Number of units shipped**				
9		Albuquerque	Boston	Cleveland	**Total shipped**	**Supply**
10	Des Moines	100	0	0	100	100
11	Evansville	0	200	100	300	300
12	Fort Lauderdale	200	0	100	300	300
13	**Total received**	300	200	200		
14	**Demand**	300	200	200		
15						
16	Total cost =	3900				

Registro de parámetros y opciones en Solver

Set Objective: B16
By Changing cells: B10:D12
To: Min
Subject to the Constraints:
        E10:E12 <= F10:F12
        B13:D13 = B14:D14
Solving Method: Simplex LP
☑   **Make Variables Non-Negative**

Fórmulas clave

	E
9	**Total shipped**
10	=SUM(B10:D10)

Copy E10 to E11:E12

	B
13	=SUM(B10:B12)

Copy B13 to C13:D13

	B
16	=SUMPRODUCT(B3:D5,B10:D12)

9.3   Problema de asignación

El problema de asignación se refiere a la clase de problemas de programación lineal que implica determinar la asignación más eficiente de individuos a proyectos, vendedores a territorios, auditores a compañías para auditarlas, contratos a licitadores, trabajos a máquinas, equipo pesado (como grúas) a labores de construcción, etcétera. El objetivo es casi siempre minimizar el costo total o el tiempo total para realizar las tareas. Una característica importante de los problemas de asignación es que tan solo un trabajo o empleado se asigna a una máquina o un proyecto.

La figura 9.2 es una representación en red de un problema de asignación. Observe que esta red es muy similar a la red para el problema de transporte. De hecho, un problema de asignación se puede ver como un tipo especial de problema de transporte, donde la oferta en cada fuente y la demanda en cada destino son iguales a uno. Cada individuo se asigna nada más a un puesto de trabajo o proyecto y cada puesto de trabajo únicamente necesita una persona.

Un problema de asignación es equivalente a un problema de transporte, donde cada oferta y cada demanda son iguales a 1.

FIGURA 9.2

Ejemplo de un problema de asignación en el formato de una red de transporte

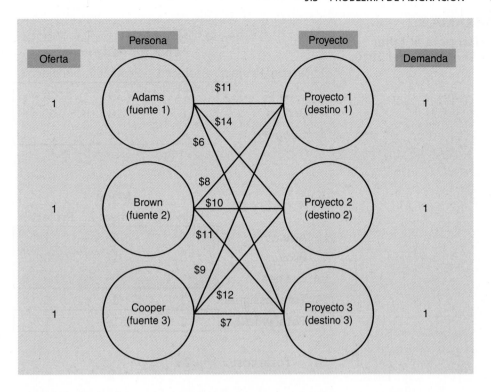

Programación lineal para el ejemplo de asignación

La red de la figura 9.2 ilustra el problema que enfrenta Fix-It Shop, que acaba de recibir tres nuevos proyectos de reparación que deben terminarse pronto: **1.** un radio, **2.** un horno tostador y **3.** una mesa de café. Se dispone de tres personas que reparan, cada una con talentos diferentes, para realizar los trabajos. El dueño del taller estima el costo en salarios, si los empleados se asignan a cada uno de los tres proyectos. Los costos difieren debido al talento de cada trabajador en cada uno de los puestos de trabajo. El dueño quiere asignar los trabajos, de manera que se minimice el costo total y cada trabajo debe tener una persona asignada; cada persona puede asignarse a tan solo un trabajo.

Al formular este con programación lineal, se utiliza la forma general de PL para el problema de transporte. La definición de las variables es:

Las variables especiales 0-1 se utilizan en el modelo de asignación.

$$X_{ij} = \begin{cases} 1 \text{ si la persona } i \text{ se asigna al proyecto } j \\ 0 \text{ de otra manera} \end{cases}$$

donde,

$i = 1, 2, 3$, con $1 =$ Adams, $2 =$ Brown y $3 =$ Cooper

$j = 1, 2, 3$, con $1 =$ proyecto 1, $2 =$ proyecto 2 y $3 =$ proyecto 3

La formulación de PL es:

$$\text{Minimizar el costo total} = 11X_{11} + 14X_{12} + 6X_{13} + 8X_{21} + 10X_{22} \\ + 11X_{23} + 9X_{31} + 12X_{32} + 7X_{33}$$

sujeto a

$$X_{11} + X_{12} + X_{13} \leq 1$$
$$X_{21} + X_{22} + X_{23} \leq 1$$
$$X_{31} + X_{32} + X_{33} \leq 1$$
$$X_{11} + X_{21} + X_{31} = 1$$
$$X_{12} + X_{22} + X_{32} = 1$$
$$X_{13} + X_{23} + X_{33} = 1$$
$$x_{ij} = 0 \text{ para toda } i \text{ y } j$$

La solución se muestra en el programa 9.2. De ahí, $X_{13} = 1$, de manera que Adams se asigna al proyecto 3; $X_{22} = 1$, de modo que Brown se asigna al proyecto 2 y $X_{31} = 1$, por lo que Cooper se asigna al proyecto 1. Todas las demás variables son 0. El costo total es 25.

PROGRAMA 9.2

Solución para el taller
Fix-It Shop en Excel 2010

	A	B	C	D	E	F
1		\multicolumn{3}{c}{**Cost for Assignments**}			
2	Person\Project	Project 1	Project 2	Project 3		
3	Adams	11	14	6		
4	Brown	8	10	11		
5	Cooper	9	12	7		
6						
7						
8			**Made**			
9		Project 1	Project 2	Project 3	**Total projects**	**Supply**
10	Adams	0	0	1	1	1
11	Brown	0	1	0	1	1
12	Cooper	1	0	0	1	1
13	**Total assigned**	1	1	1		
14	**Total workers**	1	1	1		
15						
16	**Total cost =**	25				

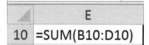

Registro de parámetros y opciones en Solver

Set Objective: B16
By Changing cells: B10:D12
To: Min
Subject to the Constraints:
  E10:E12 <= F10:F12
  B13:D13 = B14:D14
Solving Method: Simplex LP
☑ **Make Variables Non-Negative**

Fórmulas clave

	E
10	=SUM(B10:D10)

Copy E10 to E11:E12

	B
13	=SUM(B10:B12)

Copy B13 to C13:D13

	B
16	=SUMPRODUCT(B3:D5,B10:D12)

En el problema de asignación, se requiere que las variables tomen el valor 0 o 1. Por la estructura especial de este problema con coeficientes de las restricciones como 0 o 1, y todos los lados derechos iguales a 1, el problema se resuelve con programación lineal. La solución a este tipo de problemas (si existe una) siempre tendrá variables iguales a 0 o 1. Hay otro tipo de problemas donde es deseable usar variables 0-1, pero su solución con métodos normales de programación lineal no necesariamente tiene solo ceros y unos. En tales casos, deberían aplicarse métodos especiales para forzar a las variables a que sean 0 o 1; esto se analizará como un tipo especial de problema de programación entera que se verá en el capítulo 10.

9.4   Problema de trasbordo

En un problema de transporte, si los artículos deben pasar por un punto intermedio (llamado *punto de trasbordo*) antes de llegar al destino final, se trata de un *problema de trasbordo*. Por ejemplo, una compañía fabrica un producto en varias fábricas que tiene que enviarse a un conjunto de centros de distribución regionales. Desde estos centros, los artículos se envían a las tiendas que son los destinos

FIGURA 9.3

Representación en red de un ejemplo de trasbordo

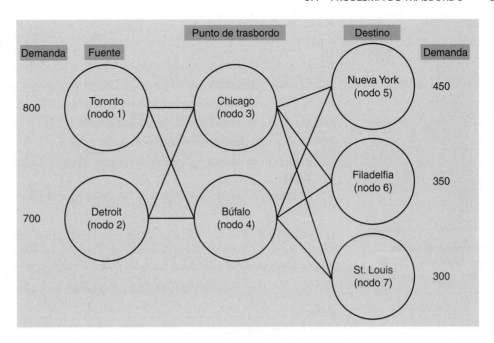

Un problema de transporte con puntos intermedios es un problema de trasbordo.

finales. La figura 9.3 ilustra una representación en red de un problema de trasbordo. En este ejemplo, hay dos fuentes, dos puntos de trasbordo y tres destinos finales.

Programación lineal para el ejemplo de trasbordo

Frosty Machines fabrica barredoras de nieve en fábricas localizadas en Toronto y Detroit. Los productos se envían a centros de distribución regionales en Chicago y Búfalo, desde donde se reparten a las casas de oferta en Nueva York, Filadelfia y St. Louis, como se ilustra en la figura 9.3.

La oferta disponible en las fábricas, la demanda en los destinos finales y los costos de envío se muestran en la tabla 9.1. Observe que es posible que las barredoras de nieve no se envíen directamente desde Toronto o Detroit a cualquiera de los destinos finales, sino que deben ir primero a Chicago o a Búfalo. Este es el motivo por el que Chicago y Búfalo están listados no solo como destinos sino también como fuentes.

Frosty quiere minimizar los costos de transporte asociados con el envío de suficientes barredoras de nieve, para cumplir con la demanda en los tres destinos sin exceder la oferta en cada fábrica. Entonces, se tienen restricciones de oferta y demanda similares a las del problema de transporte, pero también se tiene una restricción para cada punto de trasbordo, que indica que todo lo que se envía desde estos a un destino final debe haberse enviado a ese punto de trasbordo desde una de las fuentes. El enunciado verbal de este problema sería como sigue:

TABLA 9.1   Datos para el trasbordo de Frosty Machine

DE	CHICAGO	BÚFALO	A NUEVA YORK	FILADELFIA	ST. LOUIS	OFERTA
Toronto	$4	$7	—	—	—	800
Detroit	$5	$7	—	—	—	700
Chicago	—	—	$6	$4	$5	—
Búfalo	—	—	$2	$3	$4	—
Demanda	—	—	450	350	300	

Minimizar el costo

sujeto a

1. El número de unidades enviadas desde Toronto no es mayor que 800
2. El número de unidades enviadas desde Detroit no es mayor que 700
3. El número de unidades enviadas a Nueva York es de 450
4. El número de unidades enviadas a Filadelfia es de 350
5. El número de unidades enviadas a St. Louis es de 300
6. El número de unidades que salen de Chicago es igual al número de unidades que llegan a Búfalo
7. El número de unidades que salen de Búfalo es igual al número de unidades que llegan a Búfalo

Las restricciones especiales de trasbordo forman parte del problema con programación lineal.

Las variables de decisión deberían representar el número de unidades enviadas desde cada fuente hasta cada punto de trasbordo, y el número de unidades enviadas de cada punto de trasbordo a cada destino final, ya que son las decisiones que deben tomar los gerentes. Las variables de decisión son:

$$x_{ij} = \text{número de unidades enviadas del sitio (nodo) } i \text{ al sitio (nodo) } j$$

donde,

$$i = 1, 2, 3, 4$$
$$j = 3, 4, 5, 6, 7$$

Los números indican los nodos mostrados en la figura 9.3 y hay una variable para cada arco (ruta) en la figura.

El modelo de PL es:

$$\text{Minimizar el costo total} = 4X_{13} + 7X_{14} + 5X_{23} + 7X_{24} + 6X_{35} + 4X_{36} + 5X_{37} + 2X_{45} + 3X_{46} + 4X_{47}$$

sujeto a

$$X_{13} + X_{14} \leq 800 \qquad \text{(oferta en Toronto [nodo 1])}$$
$$X_{23} + X_{24} \leq 700 \qquad \text{(oferta en Detroit [nodo 2])}$$
$$X_{35} + X_{45} = 450 \qquad \text{(demanda en Nueva York [nodo 5])}$$
$$X_{36} + X_{46} = 350 \qquad \text{(demanda en Filadelfia [nodo 6])}$$
$$X_{37} + X_{47} = 300 \qquad \text{(demanda en St. Louis [nodo 7])}$$
$$X_{13} + X_{23} = X_{35} + X_{36} + X_{37} \quad \text{(envío por Chicago [nodo 3])}$$
$$X_{14} + X_{24} = X_{45} + X_{46} + X_{47} \quad \text{(envío por Búfalo [nodo 4])}$$
$$x_{ij} \geq 0 \text{ para toda } i \text{ y } j$$

La solución encontrada con Solver en Excel 2010 se muestra en el programa 9.3. El costo total es de $9,550 si se envían 650 unidades de Toronto a Chicago, 150 unidades de Toronto a Búfalo, 300 unidades de Detroit a Búfalo, 350 unidades de Chicago a Filadelfia, 300 de Chicago a St. Louis y 450 de Búfalo a Nueva York.

Aunque este problema con programación lineal se puede resolver usando un software de programación lineal, hay algoritmos especiales, sencillos de usar y rápidos para los problemas de transporte y asignación. El resto de este capítulo se dedica a dichos algoritmos especiales.

9.5 Algoritmo de transporte

El algoritmo de transporte es un procedimiento iterativo donde se encuentra y evalúa una solución a un problema de transporte, mediante un procedimiento especial para determinar si la solución es óptima. Si lo es, el proceso se detiene. Si no es óptima, se genera una nueva solución. Esta nueva solución es al menos tan buena como la anterior y suele ser mejor. Esta nueva solución se evalúa y si no es óptima, se genera otra solución. El proceso continúa hasta que se encuentra la solución óptima.

PROGRAMA 9.3

Solución para el
problema de trasbordo
de Frosty Machines

	A	B	C	D	E	F	G	H
1	Frosty Machines Transshipment Problem							
2								
3				Shipping Cost Per Unit				
4	From\To	Chicago	Buffalo	NYC	Phil.	St.Louis		
5	Toronto	4	7					
6	Detroit	5	7					
7	Chicago			6	4	5		
8	Buffalo			2	3	4		
9								
10				Solution - Number of units shipped				
11		Chicago	Buffalo	NYC	Phil.	St.Louis	Total shipped	Supply
12	Toronto	650	150				800	800
13	Detroit	0	300				300	700
14	Chicago			0	350	300	650	
15	Buffalo			450	0	0	450	
16	Total received	650	450	450	350	300		
17	Demand			450	350	300		
18								
19	Total cost =	9550						

Registro de parámetros y opciones en Solver

Set Objective: B19
By Changing cells: B12:C13, D14:F15
To: Min
Subject to the Constraints:
   G12:G13 <= H12:H13
   D16:F16 = D17:F17
   B16:C16 = G14:G15
Solving Method: Simplex LP
☑ **Make Variables Non-Negative**

Fórmulas clave

	G
11	Total shipped
12	=SUM(B12:C12)

Copy to G13

	G
14	=SUM(D14:F14)

Copy to G15

	B
16	=SUM(B12:B13)

Copy to C16

	D
16	=SUM(D14:D15)

Copy to E16:F16

	B
19	=SUMPRODUCT(B5:F8,B12:F15)

Este proceso se ilustrará con el ejemplo de la corporación Executive Furniture mostrado en la figura 9.1. Se presenta de nuevo en un formato especial en la tabla 9.2.

En la tabla 9.2 vemos que la oferta total disponible de la fábrica es exactamente igual a la demanda total del almacén. Cuando ocurre esta situación de demanda y oferta iguales (algo que más bien resulta inusual en la vida real), se dice que existe un *problema balanceado*. Más adelante en este capítulo veremos cómo tratar los problemas desbalanceados, es decir, aquellos que tienen requerimientos en los destinos que pueden ser mayores o menores que las capacidades originales.

La demanda y la oferta balanceadas ocurren cuando la demanda total es igual a la oferta total.

Desarrollo de una solución inicial: Regla de la esquina noroeste

Cuando tenemos arreglados los datos en forma tabular, debemos establecer una solución factible inicial al problema. Un procedimiento sistemático, conocido como la **regla de la esquina noroeste**, requiere que comencemos en la celda de la esquina superior izquierda (o esquina noroeste) de la tabla, y asignemos unidades a las rutas de embarque de acuerdo con los siguientes pasos:

1. Agotar la oferta (capacidad de la fábrica) en cada fila, antes de moverse a la siguiente fila hacia abajo.
2. Agotar los requerimientos (almacén) de cada columna antes de moverse hacia la columna siguiente a la derecha.
3. Verificar que se cumplan todas las ofertas y demandas.

Ahora utilizamos la regla de la esquina noroeste para encontrar una solución inicial factible al problema de la corporación Executive Furniture que se muestra en la tabla 9.2.

TABLA 9.2 Tabla de transporte para la corporación Executive Furniture

DE \ A	ALMACÉN EN ALBUQUERQUE	ALMACÉN EN BOSTON	ALMACÉN EN CLEVELAND	CAPACIDAD DE LA FÁBRICA
FÁBRICA DE DES MOINES	$5	$4	$3	100
FÁBRICA DE EVANSVILLE	$8	$4	$3	300
FÁBRICA DE FORT LAUDERDALE	$9	$7	$5	300
REQUERIMIENTOS DEL ALMACÉN	300	200	200	700

Restricción de capacidad de Des Moines

Celda que representa una asignación de embarque "fuente a destino" (de Evansville a Cleveland) que se puede hacer

Demanda del almacén de Cleveland

Demanda total y oferta total

Costo de enviar una unidad de la fábrica de Fort Lauderdale al almacén Boston

TABLA 9.3

Solución inicial para el problema de Executive Furniture con el método de la esquina noroeste

DE \ A	ALBUQUERQUE (A)		BOSTON (B)		CLEVELAND (C)		CAPACIDAD DE LA FÁBRICA
DES MOINES (D)	100	$5		$4		$3	100
EVANSVILLE (E)	200	$8	100	$4		$3	300
FORT LAUDERDALE (F)		$9	(100)	$7	200	$5	300
REQUERIMIENTOS DEL ALMACÉN	300		200		200		700

Significa que la empresa envía 100 unidades
por la ruta Fort Lauderdale-Boston

Esta es una explicación de los cinco pasos necesarios para hacer una asignación de envío inicial para Executive Furniture.

Este ejemplo necesita cinco pasos para realizar la asignación inicial de envíos (véase la tabla 9.3):

1. Comenzando en la esquina noroeste, se asignan 100 unidades desde Des Moines a Albuquerque. Esto agota la capacidad o la oferta en la fábrica de Des Moines; pero deja al almacén en Albuquerque con 200 escritorios menos. Se pasa al segundo renglón en la misma columna.

2. Se asignan 200 unidades de Evansville a Albuquerque. Esto cumple la demanda de Albuquerque con un total de 300 escritorios. La fábrica de Evansville tiene 100 unidades restantes, de manera que nos movemos a la derecha a la siguiente columna del segundo renglón.

3. Se asignan 100 unidades de Evansville a Boston. La oferta en Evansville ahora está agotada, pero al almacén de Boston le faltan 100 escritorios. En este punto nos movemos hacia abajo por la columna de Boston al siguiente renglón.

4. Se asignan 100 unidades de Fort Lauderdale a Boston. Este embarque satisfará la demanda de Boston para un total de 200 unidades. Vemos que la fábrica de Fort Lauderdale todavía tiene 200 unidades disponibles que no se han enviado.

5. Se asignan 200 unidades de Fort Lauderdale a Cleveland. Este movimiento final agota la demanda de Cleveland y la oferta de Fort Lauderdale. Así ocurre siempre en los problemas balanceados. Ahora se tiene un programa de embarque inicial terminado.

Es sencillo calcular el costo de esta asignación de envíos:

RUTA DE	A	UNIDADES ENVIADAS	×	COSTO POR UNIDAD ($)	=	COSTO TOTAL ($)
D	A	100		5		500
E	A	200		8		1,600
E	B	100		4		400
F	B	100		7		700
F	C	200		5		1,000
					Total	4,200

Se llega a una solución factible cuando se cumplen todas las restricciones de demanda y de oferta.

Esta solución es factible, ya que se satisfacen todas las restricciones de demanda y de oferta. También fue muy rápido y sencillo llegar a ella. Sin embargo, tendríamos mucha suerte si esta solución tuviera el costo de transporte óptimo para el problema, ya que este método de ruta-carga ignoró por completo los costos de embarque en cada ruta.

Después de encontrar la solución inicial, debe evaluarse para saber si es óptima. Calculamos el índice de mejora para cada celda vacía usando el método de salto de piedra en piedra. Si este indica que es posible obtener una solución mejor, usamos la ruta del salto de piedra en piedra para cambiar esta solución a una mejorada hasta que encontremos una solución óptima.

Método del salto de piedra en piedra: Encontrar la solución de menor costo

El **método del salto de piedra en piedra** es una técnica iterativa para movernos de una solución factible inicial a una solución factible óptima. Este proceso tiene dos partes distintas: La primera se trata de probar la solución actual para determinar si es posible mejorarla, y la segunda implica hacer cambios a la solución actual con la finalidad de obtener una solución mejorada. Este proceso continúa hasta que se alcanza la solución óptima.

Para aplicar el método del salto de piedra en piedra a un problema de transporte, debe observarse primero una regla sobre el número de rutas de embarque: *El número de rutas (o cuadros) ocupada(o)s siempre debe ser igual a la suma del número de renglones más el número de columnas menos uno.* En el problema de Executive Furniture, esto significa que la solución inicial debe tener $3 + 3 - 1 = 5$ cuadros usados. Así,

Rutas (cuadros) de envío ocupada(o)s = núm. de renglones + núm. de columnas – 1

$$5 = 3 + 3 - 1$$

Cuando el número de rutas ocupadas es menor que esto, la solución se llama *degenerada*. Más adelante en el capítulo hablaremos de qué hacer si el número de cuadros usados es menor que el número de columnas más el número de filas menos 1.

PRUEBA DE MEJORAS POSIBLES A LA SOLUCIÓN ¿Cómo funciona el método del salto de piedra en piedra? Su enfoque consiste en evaluar la efectividad de costos de los bienes enviados por las rutas de transporte que no están en la solución. Cada ruta (o cuadro) de embarque no usada en la **tabla de transporte** se prueba haciendo la siguiente pregunta: "¿Qué pasaría si el costo de embarque total de una unidad de producto (en el ejemplo, un escritorio) se envía tentativamente por una ruta no usada?".

Esta prueba de cada cuadro no usado se realiza mediante los cinco pasos siguientes:

El método del salto de piedra en piedra implica probar cada ruta que no se usa para saber si el envío de una unidad por esa ruta aumentaría o disminuiría el costo total.

Cinco pasos para probar los cuadros no usados con el método del salto de piedra en piedra

Observe que cada renglón y cada columna tendrán dos cambios o ninguno.

1. Seleccionar un cuadro no usado para evaluar.
2. Comenzando en este cuadro, trazar una trayectoria cerrada por los cuadros asignados, moviéndose en sentido horizontal o vertical, y regresando al cuadro inicial.
3. Comenzando con un signo más (+) en el cuadro no usado, colocar signos menos (−) y más (+) alternados en cada cuadro de esquina de la trayectoria cerrada que se trazó.
4. Calcular el *índice de mejora* sumando los costos unitarios en cada cuadro con signo más y, luego, restando los costos unitarios de los cuadros con signo menos.
5. Repetir los pasos 1 a 4, hasta tener calculados todos los índices de mejora de todos los cuadros sin usar. Si todos los índices calculados son mayores que o iguales a cero, la solución encontrada es óptima. Si no lo son, es posible mejorar la solución actual y disminuir el costo total de embarque.

Para saber cómo funciona el método del salto de piedra en piedra, se aplicarán estos pasos a los datos de la corporación Executive Furniture de la tabla 9.3, para evaluar las rutas de envío no usadas. Las cuatro rutas no asignadas actualmente son Des Moines a Boston, Des Moines a Cleveland, Evansville a Cleveland y Fort Lauderdale a Albuquerque.

Pasos 1 y 2. Comenzamos con la ruta de Des Moines a Boston, primero trazamos una trayectoria cerrada usando tan solo cuadros ocupados (véase la tabla 9.4) y, luego, colocamos signos más y menos alternados en las equinas de la trayectoria. Para indicar con más claridad el significado de una *trayectoria cerrada*, vemos que tan solo se pueden usar cuadros asignados para el envío en las equinas de la ruta que se traza. Por lo tanto, no sería aceptable la trayectoria Des Moines-Boston a Des Moines-Albuquerque a Fort Lauderdale-Albuquerque a Fort Lauderdale-Boston a Des Moines-

Las trayectorias cerradas sirven para colocar signos más y menos alternados.

MODELADO EN EL MUNDO REAL — Transporte de caña de azúcar en Cuba

Definición del problema

Desarrollo de un modelo

Recolección de datos

Pruebas de la solución

Análisis de los resultados

Implementación de resultados

Definición del problema

El mercado de la caña de azúcar ha estado en crisis por más de una década. Los precios bajos del azúcar y la demanda decreciente se suman a un mercado ya inestable. Los productores de azúcar necesitan minimizar los costos. Decidieron analizar el mayor costo unitario en la manufactura de azúcar en bruto; a saber, los costos de transporte de la caña de azúcar.

Desarrollo de un modelo

Para resolver el problema, los investigadores desarrollaron un programa lineal con algunas variables de decisión enteras (como el número de camiones), algunas variables de decisiones continuas (lineales) y variables de decisión lineales (como toneladas de caña de azúcar).

Recolección de datos

Al desarrollar el modelo, los datos recolectados fueron las demandas de operación en los ingenios incluidos, las capacidades de las instalaciones de almacenaje intermedio, los costos de transporte por unidad por ruta, y las capacidades de producción de los campos de azúcar.

Pruebas de la solución

Los investigadores probaron primero una versión pequeña de su formulación matemática usando una hoja de cálculo. Después de ver buenos resultados, implementaron la versión completa de su modelo en una computadora más potente. Los resultados para este modelo complejo y grande (del orden de 40,000 variables de decisión y 10,000 restricciones) se obtuvieron en unos cuantos milisegundos.

Análisis de los resultados

La solución obtenida contenía información sobre la cantidad de caña entregada en cada ingenio, el campo donde debería recogerse y los medios de transporte (camión, tren, etcétera), así como algunos otros atributos operativos vitales.

Implementación de resultados

Mientras que la solución de problemas grandes con algunas variables enteras pudo haber sido imposible hace tan solo una década, la solución de estos problemas ahora sin duda es posible. Para implantar los resultados, los investigadores trabajaron para desarrollar una interfaz de usuario más amigable, de manera que los gerentes no tuvieran problemas al usar este modelo para ayudarles a tomar decisiones.

Fuente: Basada en E. L. Milan, S. M. Fernández y L. M. Pla Aragones. "Sugar Cane Transportation in Cuba: A Case Study", *European Journal of Operational Research*, 174, 1 (2006): 374-386.

Boston, ya que el cuadro de Fort Lauderdale-Albuquerque está vacío. Ocurre que *solamente una* ruta cerrada es posible para cada cuadro que queramos probar.

Cómo asignar los signos + y −.

Paso 3. ¿Cómo decidimos en qué cuadros colocar signos más y en cuáles signos menos? La respuesta es sencilla. Como estamos probando la efectividad en costos de la ruta de envío Des Moines-Boston, suponemos que estamos enviando un escritorio de Des Moines a Boston. Esto es una unidad más de lo que *estábamos* enviando entre las dos ciudades, de manera que anotamos un signo más en el cuadro. Pero si enviamos una unidad *más* que antes por esa ruta, estamos enviando 101 escritorios desde la fábrica de Des Moines.

La capacidad de esa fábrica es tan solo de 100 unidades; entonces, debemos enviar un escritorio *menos* de Des Moines a Albuquerque; este cambio se hace para evitar transgredir la restricción de capacidad de la fábrica. Para indicar que el envío Des Moines-Albuquerque se reduce, colocamos un signo menos en ese cuadro. Continuamos por la trayectoria cerrada, y observamos que ya no cumplimos el requerimiento del almacén de Albuquerque de 300 unidades. De hecho, si el envío Des Moines-Albuquerque se reduce a 99 unidades, la carga Evansville-Albuquerque debe aumentar 1 unidad, a 201 escritorios. Por consiguiente, colocamos un signo más en ese cuadro para indicar el incremento. Por último, notamos que si se asignan 201 escritorios a la ruta Evansville-Albuquerque, la

TABLA 9.4   Evaluación de la ruta sin usar Des Moines-Boston

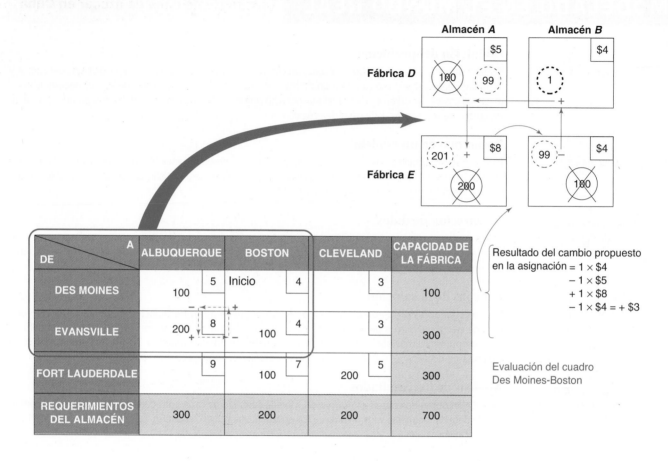

Resultado del cambio propuesto
en la asignación = 1 × $4
−1 × $5
+1 × $8
−1 × $4 = + $3

Evaluación del cuadro
Des Moines-Boston

DE \ A	ALBUQUERQUE	BOSTON	CLEVELAND	CAPACIDAD DE LA FÁBRICA
DES MOINES	100 · 5	Inicio · 4	3	100
EVANSVILLE	200 · 8	100 · 4	3	300
FORT LAUDERDALE	9	100 · 7	200 · 5	300
REQUERIMIENTOS DEL ALMACÉN	300	200	200	700

ruta Evansville-Boston debe reducirse 1 unidad, a 99 escritorios, para cumplir la restricción de capacidad de la fábrica de Evansville de 300 unidades. Entonces, colocamos un signo menos en el cuadro Evansville-Boston. Observamos en la tabla 9.4 que las cuatro rutas de la trayectoria cerrada están balanceadas en términos de las limitaciones de demanda y oferta.

El cálculo del índice de mejora incluye sumar los costos en cuadros con signos más y restar los costos en cuadros con signo menos. I_{ij} es el índice de mejora de la ruta de la fuente i al destino j.

Paso 4. Ahora se calcula un **índice de mejora** (I_{ij}) para la ruta Des Moines-Boston sumando los costos unitarios de los cuadros con signos más, y restando los costos unitarios de los cuadros con signos menos. Por lo tanto,

$$\text{Índice Des Moines-Boston} = I_{DB} = +\$4 - \$5 + \$8 - \$4 = +\$3$$

Esto significa que por cada escritorio enviado por la ruta Des Moines-Boston, el costo total de transporte *aumentará* $3 sobre su nivel actual.

Paso 5. Ahora examinemos la ruta no usada Des Moines-Cleveland, que es un poco más difícil de trazar con una trayectoria cerrada. Recuerde que las vueltas en las equinas tan solo están en cuadros que tiene rutas existentes. La trayectoria puede ir *por* el cuadro Evansville-Cleveland, pero no puede dar vuelta en la esquina ni tener ahí un signo + o un signo −. Únicamente se utilizan cuadros ocupados como piedra (tabla 9.5).

Una trayectoria puede pasar por cualquier cuadro pero tan solo puede dar vuela en un cuadro o celda que esté ocupado.

La trayectoria cerrada que usamos es $+ DC - DA + EA - EB + FB - FC$:

$$\text{Índice de mejora Des Moines-Cleveland} = I_{DC}$$
$$= +\$3 - \$5 + \$8 - \$4 + \$7 - \$5$$
$$= +\$4$$

Entonces, abrir esta ruta tampoco reduciría el costo total del embarque.

TABLA 9.5

Evaluación de la ruta de embarque Des Moines-Cleveland (*D–C*)

DE \ A	(A) ALBUQUERQUE	(B) BOSTON	(C) CLEVELAND	CAPACIDAD DE LA FÁBRICA
(D) DES MOINES	$5 — 100◄┈┈	$4	$3 Inicio +	100
(E) EVANSVILLE	$8 + 200	$4 — 100	$3	300
(F) FORT LAUDERDALE	$9	$7 100	$5	300
	+ 100	200		
REQUERIMIENTOS DEL ALMACÉN	300	200	200	700

Las otras dos rutas se evalúan de manera similar:

$$\text{Índice Evansville-Cleveland} = I_{EC} = +\$3 - \$4 + \$7 - \$5$$
$$= +\$1$$

(trayectoria cerrada: $+ EC - EB + FB - FC$)

$$\text{Índice Fort Lauderdale-Albuquerque} = I_{FA} = +\$9 - \$7 + \$4 - \$8$$
$$= -\$2$$

(trayectoria cerrada: $+ FA - FB + EB - EA$)

Como este último índice de mejora (I_{FA}) es negativo, puede lograrse un ahorro en costos usando la ruta Fort Lauderdale-Albuquerque (por ahora sin usar).

OBTENCIÓN DE UNA SOLUCIÓN MEJORADA Cada índice negativo calculado por el método del salto de piedra en piedra representa la cantidad en que podrían reducirse los costos totales de transporte, si se envía 1 unidad o 1 producto por esa ruta. Encontramos tan solo un índice negativo en el problema de Executive Furniture, que es –$2 para la ruta fábrica de Fort Lauderdale al almacén de Albuquerque. Sin embargo, si hubiera más de un índice de mejora negativo, nuestra estrategia sería elegir la ruta (cuadro sin usar) con el índice negativo que indique la mejora más grande.

Para reducir el costo total, queremos seleccionar la ruta con el índice negativo que indique la mejora más grande.

El siguiente paso, entonces, consiste en enviar el número máximo permitido de unidades (o escritorios en este caso) por la nueva ruta (Fort Lauderdale a Albuquerque). ¿Cuál es la cantidad máxima que se puede enviar por la ruta que ahorra dinero? Esa cantidad se encuentra observando los signos más y menos en la trayectoria cerrada y seleccionando el *número más pequeño* encontrado en los cuadros que contienen *signos menos*. Para obtener una nueva solución, se suma ese número a todos los cuadros en la trayectoria cerrada con signo más y se resta de todos los cuadros en la trayectoria con signos menos asignados. Los otros cuadros permanecen sin cambio.

El máximo que se puede enviar por la nueva ruta se encuentra observando los signos menos de la trayectoria cerrada. Seleccionamos el menor número encontrado en los cuadros con signos menos.

Veamos cómo ayuda este proceso a mejorar la solución de Executive Furniture. Repetimos la tabla de transporte (tabla 9.6) del problema. Note que se acorta la ruta de las piedras de Fort Lauderdale a Albuquerque (*F-A*). La cantidad máxima que puede enviarse por la ruta recién abierta (*F-A*) tiene el menor número de los cuadros con signos menos; en este caso, 100 unidades. ¿Por qué 100 unidades? Como el costo total disminuye $2 por unidad enviada, queremos enviar el máximo número posible de unidades. La tabla 9.6 indica que cada unidad enviada por la ruta *F-A* da un aumento de 1 unidad enviada de *E* a *B*, así como una disminución de 1 unidad tanto en las cantidades enviadas de *F* a *B* (ahora 100 unidades) como de *E* a *A* (ahora 200 unidades). Por consiguiente, el máximo que podemos enviar por la ruta *F-A* son 100 unidades. Esto da como resultado 0 unidades enviadas de *F* a *B*.

Cambiar la ruta de embarque implica sumar a los cuadros de la trayectoria cerrada con signos más y restar en los cuadros con signos menos.

TABLA 9.6

Trayectoria del salto de piedra en piedra usada para evaluar la ruta *F–A*

DE \ A	A	B	C	CAPACIDAD DE LA FÁBRICA
D	$5 100	$4	$3	100
E	$8 −200 ← ---- +100	$4	$3	300
F	$9 + ---- → −100	$7	$5 200	300
REQUERIMIENTOS DEL ALMACÉN	300	200	200	700

Agregamos 100 unidades a las que ahora se envían por la ruta *F-A*; luego, restamos 100 unidades a la ruta *F-B*, dejando 0 en ese cuadro (pero balanceando el total de la fila para *F*); después, sumamos 100 a la ruta *E-B*, que da 200; y por último, restamos 100 de la ruta *E-A*, dejando 100 unidades enviadas. Note que los nuevos números todavía producen los totales correctos por fila y por columna, como se requiere. La nueva solución se muestra en la tabla 9.7.

El costo total del embarque se redujo en (100 unidades) × ($2 ahorrados por unidad) = $200 y ahora es de $4,000. Desde luego, este costo se deriva también multiplicando cada costo por unidad enviada por el número de unidades transportadas por su ruta; a saber, (100 × $5) + (100 × $8) + (200 × $4) + (100 × $9) + (200 × $5) = $4,000.

La solución que se muestra en la tabla 9.7 quizá no sea óptima. Para determinar si es posible mejorarla, regresamos a los primeros cinco pasos dados antes para probar cada cuadro que *ahora* está sin usar. Los cuatro índices de mejora —donde cada uno representa una ruta de envío disponible— son los siguientes:

Los índices de mejora para cada una de las cuatro rutas de envío sin usar deben probarse para saber si alguno es negativo.

$$D\ a\ B = I_{DB} = +\$4 - \$5 + \$8 - \$4 = +\$3$$
$$\text{(trayectoria cerrada: } +DB - DA + EA - EB)$$

$$D\ a\ C = I_{DC} = +\$3 - \$5 + \$9 - \$5 = +\$2$$
$$\text{(trayectoria cerrada: } +DC - DA + FA - FC)$$

$$E\ a\ C = I_{EC} = +\$3 - \$8 + \$9 - \$5 = -\$1$$
$$\text{(trayectoria cerrada: } +EC - EA + FA - FC)$$

$$F\ a\ B = I_{FB} = +\$7 - \$4 + \$8 - \$9 = +\$2$$
$$\text{(trayectoria cerrada: } +FB - EB + EA - FA)$$

Entonces, puede lograrse una mejora enviando la cantidad máxima permitida de unidades de *E* a *C* (véase la tabla 9.8). Tan solo los cuadros *E-A* y *F-C* tienen signos menos en la trayectoria cerrada; como el número más pequeño de estos dos cuadros es 100, agregamos 100 unidades a *E-C* y a *F-A*, y

TABLA 9.7

Segunda solución del problema Executive Furniture

DE \ A	A	B	C	CAPACIDAD DE LA FÁBRICA
D	$5 100	$4	$3	100
E	$8 100	$4 200	$3	300
F	$9 100	$7	$5 200	300
REQUERIMIENTOS DEL ALMACÉN	300	200	200	700

TABLA 9.8
Trayectoria para evaluar la ruta _E–C_

DE \ A	A	B	C	CAPACIDAD DE LA FÁBRICA
D	$5 — 100	$4	$3	100
E	$8 — 100 ←	$4 — 200	$3 — Inicio +	300
F	$9 — 100 +	$7	$5 — 200 −	300
REQUERIMIENTOS DEL ALMACÉN	300	200	200	700

restamos 100 unidades de _E-A_ y _F-C_. El nuevo costo para esta tercera solución, $3,900, se calcula en la siguiente tabla:

Costo total de la tercera solución

RUTA DE	RUTA A	ESCRITORIOS ENVIADOS	×	COSTO POR UNIDAD ($)	=	COSTO TOTAL ($)
D	A	100		5		500
E	B	200		4		800
E	C	100		3		300
F	A	200		9		1,800
F	C	100		5		500
						Total 3,900

La tabla 9.9 contiene las asignaciones de embarque óptimas, porque todos los índices de mejora que se pueden calcular en este punto son mayores que o iguales a cero, como se indica en las siguientes ecuaciones. Los índices de mejora para la tabla son:

Como los cuatro índices de mejora son mayores que o iguales a cero, llegamos a una solución óptima.

$$D \text{ a } B = I_{DB} = +\$4 - \$5 + \$9 - \$5 + \$3 - \$4$$
$$= +\$2 \text{ (trayectoria: } +DB - DA + FA - FC + EC - EB)$$
$$D \text{ a } C = I_{DC} = +\$3 - \$5 + \$9 - \$5 = +\$2 \text{ (trayectoria: } +DC - DA + FA - FC)$$
$$E \text{ a } A = I_{EA} = +\$8 - \$9 + \$5 - \$3 = +\$1 \text{ (trayectoria: } +EA - FA + FC - EC)$$
$$F \text{ a } B = I_{FB} = +\$7 - \$5 + \$3 - \$4 = +\$1 \text{ (trayectoria: } +FB - FC + EC - EB)$$

TABLA 9.9
Tercera solución y óptima

DE \ A	A	B	C	CAPACIDAD DE LA FÁBRICA
D	$5 — 100	$4	$3	100
E	$8	$4 — 200	$3 — 100	300
F	$9 — 200	$7	$5 — 100	300
REQUERIMIENTOS DEL ALMACÉN	300	200	200	700

Veamos un resumen de los pasos del algoritmo de transporte:

Resumen de los pasos del algoritmo de transporte (minimización)

El algoritmo de transporte tiene cuatro pasos básicos.

1. Establecer una tabla de transporte balanceada.
2. Desarrollar una solución inicial con el método de la esquina noroeste.
3. Calcular un índice de mejora para cada celda vacía con el método del salto de piedra en piedra. Si los índices de mejora son todos no negativos, hay que detenerse; se encontró la solución óptima. Si hay algún índice negativo, se debe continuar al paso 4.
4. Seleccionar la celda con el índice de mejora que indique la mayor disminución en el costo. Llenar este cuadro con la trayectoria del salto de piedra en piedra e ir al paso 3.

La siguiente sección presenta algunas situaciones especiales que pueden ocurrir al aplicar este algoritmo.

9.6 Situaciones especiales con el algoritmo de transporte

Cuando se aplica el algoritmo de transporte, quizá surjan algunas situaciones especiales, que incluyen problemas desbalanceados, soluciones degeneradas, soluciones óptimas múltiples y rutas inaceptables. Este algoritmo se puede modificar para maximizar la utilidad total, en vez de minimizar el costo total. Todas estas situaciones se estudiarán y se presentarán otras modificaciones del algoritmo de transporte.

Problemas de transportes desbalanceados

Se usan fuentes o destinos ficticios o artificiales para balancear los problemas donde la demanda no sea igual a la oferta.

Una situación que ocurre con frecuencia en los problemas de la vida real es el caso en que la demanda total no es igual a la oferta total. Estos *problemas desbalanceados* se manejan con facilidad con los procedimientos de solución anteriores, si primero introducimos las **fuentes ficticias** o los **destinos ficticios**. En el caso de que la oferta total sea mayor que la demanda total, se crea un destino (almacén) ficticio con demanda exactamente igual que el excedente. Si la demanda total es mayor que la oferta total, se introduce una fuente (fábrica) ficticia con una oferta igual al exceso de demanda sobre la oferta. En cualquier caso, se asignan coeficientes de costo de envío iguales a cero a cada sitio o ruta ficticia, ya que en realidad no se harán envíos desde una fábrica ficticia o a un almacén ficticio. Cualesquiera unidades asignadas a un destino ficticio representan exceso de capacidad y las unidades asignadas a una fuente ficticia representan demanda no satisfecha.

CA EN ACCIÓN — Respuestas a preguntas de almacenaje en la corporación San Miguel

La corporación San Miguel, con sede en las Filipinas, se enfrenta a retos de distribución únicos. Con más de 300 productos que incluyen cerveza, bebidas alcohólicas, jugos, agua embotellada, alimentos, carnes de aves y de res que deben distribuirse a todos los rincones del archipiélago de las Filipinas, los costos de envío y almacenaje forman una gran parte de costo total del producto.

La compañía ha lidiado con las siguientes preguntas:

- ¿Qué productos deberían producirse en cada planta y en cuál almacén tendrían que guardarse?
- ¿Qué almacenes deberían mantenerse y donde tendrían que localizarse los nuevos?
- ¿Cuándo deben cerrarse o abrirse los almacenes?
- ¿A cuáles centros de demanda debería dar servicio cada almacén?

Recurriendo al modelo de transporte de PL, San Miguel pudo responder a tales preguntas. La empresa usa los siguientes tres tipos de almacenes: de su propiedad y administrados por ella misma, rentados y administrados por ella misma, y subcontratados (es decir, que no son de su propiedad ni los administra con su personal).

El departamento de investigación de operaciones de San Miguel calculó que la compañía ahorra $7.5 millones anuales con las configuraciones óptimas de almacenes de cerveza sobre las configuraciones nacionales existentes. Además, el análisis del almacenaje de helado y otros productos congelados indicó que la configuración óptima de almacenes, comparada con la existente, produjo un ahorro de $2.17 millones.

Fuente: Basada en Elise del Rosario. "Logistical Nightmare", *OR/MS Today* (abril de 1999): 44-46.

TABLA 9.10 Solución inicial para un problema no balanceado donde la demanda es menor que la oferta

DE \ A	ALBUQUERQUE (A)	BOSTON (B)	CLEVELAND (C)	ALMACÉN FICTICIO	CAPACIDAD DE FÁBRICA
DES MOINES (D)	5 · 250	4	3	0	250
EVANSVILLE (E)	8 · 50	4 · 200	3 · 50	0	300
FORT LAUDERDALE (F)	9	7 · 150	5 · 150	0	300
REQUERIMIENTOS DEL ALMACÉN	300	200	200	150	850

Nueva capacidad de Des Moines

Costo total = 250($5) + 50($8) + 200($4) + 50($3) + 150($5) + 150($0) = $3,350

DEMANDA MENOR QUE OFERTA Considere el problema original de la corporación Executive Furniture, y suponga que la fábrica de Des Moines incrementa su tasa de producción a 250 escritorios. (La capacidad de esa fábrica solía ser de 100 escritorios por periodo de producción). La empresa ahora puede abastecer un total de 850 escritorios cada periodo. No obstante, los requerimientos del almacén siguen igual (en 700 escritorios), de manera que no están balanceados los totales por renglón y fila.

Para balancear este tipo de problema, sencillamente agregamos una columna ficticia que represente un requerimiento de almacén falso de 150 escritorios. Esto de alguna manera es similar a agregar una variable de holgura al resolver un problema de PL. Igual que se asignaba a las variables de holgura un valor de cero dólares en la función objetivo de PL, los costos de envío para estos almacenes ficticios son todos iguales a cero.

La regla de la esquina noroeste se utiliza de nuevo (tabla 9.10) para encontrar una solución inicial a este problema de Executive Furniture modificado. Para completar la tarea de encontrar una solución óptima, puede usar el método del salto de piedra en piedra.

Observe que 150 unidades de Fort Lauderdale al almacén ficticio representan 150 unidades que *no* salen de Fort Lauderdale.

DEMANDA MÁS GRANDE QUE LA OFERTA El segundo tipo de condición de desbalance ocurre cuando la demanda total es mayor que la oferta total, lo cual significa que habrá clientes o almacenes que requieran más productos de los que las fábricas de la compañía pueden abastecer. En este caso, necesitamos agregar una fila ficticia que represente una fábrica falsa.

La nueva fábrica tendrá una oferta justo igual a la diferencia entre la demanda total y la oferta real total. Los costos de envío de esta fábrica ficticia para cada destino serán cero.

Establecemos este problema no balanceado para la compañía Happy Sound Stereo, que ensambla sistemas estereofónicos de alta fidelidad en tres plantas, y los distribuye a través de tres almacenes regionales. Las capacidades de producción en cada planta, la demanda en cada almacén y los costos unitarios de envío se muestran en la tabla 9.11.

Como se observa en la tabla 9.12, una planta ficticia agrega una fila adicional, balancea el problema y nos permite aplicar la regla de la esquina noroeste, para encontrar la solución inicial mostrada. Esta solución inicial indica que se envían 50 unidades de la planta ficticia al almacén *C*. Ello significa que el almacén *C* tendrá 50 unidades menos de las que necesita. En general, cualesquiera unidades enviadas desde una fuente ficticia representan demanda no satisfecha en el destino respectivo.

Degeneración en los problemas de transporte

La degeneración surge cuando el número de cuadros ocupados es menor que la suma de renglones + columnas − 1.

Mencionamos brevemente el tema de la **degeneración** antes en este capítulo. Ocurre cuando el número de cuadros ocupados o rutas asignadas en una tabla de solución de transporte es menor que el número de filas más el número de columnas menos 1. Esta situación puede surgir en la solución inicial o en cualquier solución subsecuente. La degeneración requiere un procedimiento especial para

TABLA 9.11

Tabla de transporte no balanceada para la compañía Happy Sound Stereo

DE \ A	ALMACÉN A	ALMACÉN B	ALMACÉN C	OFERTA DE LA PLANTA
PLANTA W	$6	$4	$9	200
PLANTA X	$10	$5	$8	175
PLANTA Y	$12	$7	$6	75
DEMANDA DEL ALMACÉN	250	100	150	450 / 500

Los totales no están balanceados

TABLA 9.12

Solución inicial para un problema desbalanceado donde la demanda es mayor que la oferta

DE \ A	ALMACÉN A	ALMACÉN B	ALMACÉN C	OFERTA DE LA PLANTA
PLANTA W	6 / 200	4	9	200
PLANTA X	10 / 50	5 / 100	8 / 25	175
PLANTA Y	12	7	6 / 75	75
PLANTA FICTICIA	0	0	0 / 50	50
DEMANDA DEL ALMACÉN	250	100	150	500

Costo total de la solución inicial = 200($6) + 50($10) + 100($5) + 25($8) + 75($6) + 50($0) = $2,850

corregir el problema. Sin suficientes cuadros ocupados para trazar la trayectoria cerrada para cada ruta sin usar, sería imposible aplicar el método del salto de piedra en piedra. Quizás usted recuerde que en este capítulo ningún problema analizado hasta ahora haya sido degenerado.

Para manejar estos problemas degenerados, creamos una celda ocupada ficticiamente, es decir, colocamos un cero (que representa un envío falso) en uno de los cuadros sin usar y, luego, tratamos esos cuadros como si estuvieran ocupados. El cuadro elegido debe estar en una posición tal que permita que se cierren *todas* las trayectorias del salto de piedra en piedra, aunque suele haber bastante flexibilidad para seleccionar el cuadro sin usar para colocar el cero.

DEGENERACIÓN EN UNA SOLUCIÓN INICIAL La degeneración puede ocurrir al aplicar la regla de la esquina noroeste para encontrar una solución inicial, como vemos en el caso de la compañía Martin Shipping. Martin tiene tres almacenes desde los cuales abastece tres tiendas minoristas en San José, que son sus clientes más importantes. Los costos de envío de Martin, la oferta en sus almacenes y las demandas de sus clientes se muestran en la tabla 9.13. Observe que los orígenes de este problema son los almacenes y los destinos son las tiendas. Las asignaciones del envío inicial se hacen en la tabla aplicando la regla de la esquina noroeste.

Esta solución inicial está degenerada porque contraviene la regla de que el número de cuadros usados debe ser igual al número de filas más el número de columnas menos 1 (esto es, 3 + 3 – 1 = 5 es mayor que el número de cuadros ocupados). En este problema en concreto, la degeneración surge porque la oferta de una columna y el requerimiento de una fila (columna 1 y fila 1) se satisfacen al mismo tiempo. Esto rompe la regla del patrón de escalera que por lo general vemos en la solución de la esquina noroeste.

Para corregir el problema colocamos un cero en un cuadro sin usar. Con el método de la esquina noroeste, este cero debería estar en una de las celdas adyacentes a la última celda que se llenó, de ma-

TABLA 9.13

Solución inicial de un problema degenerado

DE \ A	CLIENTE 1	CLIENTE 2	CLIENTE 3	OFERTA DEL ALMACÉN
ALMACÉN 1	8 100	2	6	100
ALMACÉN 2	10	9 100	9 20	120
ALMACÉN 3	7	10	7 80	80
DEMANDA DEL CLIENTE	100	100	100	300

nera que continúe el patrón escalonado. En este caso, funcionará uno de los cuadros que representan la ruta de envío del almacén 1 al cliente 2 o la del almacén 2 al cliente 1. Si ahora se trata el nuevo cuadro con cero igual que los otros cuadros ocupados, se puede utilizar el método regular de solución.

DEGENERACIÓN DURANTE LAS ÚLTIMAS ETAPAS DE SOLUCIÓN Un problema de transporte se puede degenerar después de la etapa de la solución inicial, si al llenar un cuadro sin usar se obtienen dos (o más) celdas que se vacían al mismo tiempo, en vez de solo una. Este problema ocurre cuando dos o más cuadros con signos menos asignados en una trayectoria cerrada están empatados respecto a la cantidad más baja. Para corregir el problema, debería colocarse un cero en uno (o más) de los cuadros que antes estaban ocupados, para que únicamente se vacíe un cuadro de los que antes se llenaron.

Ejemplo de Bagwell Paint. Después de una iteración del método del salto de piedra en piedra, el análisis de costos en Bagwell Paint generó el problema de transporte que se muestra en la tabla 9.14. Vemos que la solución en esa tabla no es degenerada, pero tampoco es óptima. El índice de mejora indica que los cuatro cuadros no usados actualmente son

índice fábrica A – almacén 2 = +2

índice fábrica A – almacén 3 = +1

índice fábrica B – almacén 3 = –15 ◄——— *Única ruta con índice negativo*

índice fábrica C – almacén 2 = +11

Entonces, se obtiene una solución mejorada abriendo la ruta de la fábrica B al almacén 3. Seguimos los pasos del procedimiento del salto de piedra en piedra para encontrar la siguiente solución al problema de Bagwell Paint. Comenzamos por trazar una trayectoria cerrada para el cuadro no usado que representa fábrica B-almacén 3. Esto se muestra en la tabla 9.15, que es una versión abreviada de la tabla 9.14 y contiene tan solo las fábricas y almacenes necesarios para cerrar la trayectoria.

TABLA 9.14

Tabla de transporte de Bagwell Paint

DE \ A	ALMACÉN 1	ALMACÉN 2	ALMACÉN 3	CAPACIDAD DE LA FÁBRICA
FÁBRICA A	8 70	5	16	70
FÁBRICA B	15 50	10 80	7	130
FÁBRICA C	3 30	9	10 50	80
REQUERIMIENTOS DEL ALMACÉN	150	80	50	280

Costo total del embarque = $2,700

TABLA 9.15

Trazo de la trayectoria cerrada para la ruta fábrica *B*-almacén 3

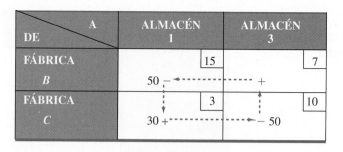

La cantidad menor en un cuadro que contiene un signo menos es 50, de modo que agregamos 50 unidades a las rutas fábrica *B*-almacén 3 y fábrica *C*-almacén 1, y restamos 50 unidades en los dos cuadros con signos menos. Sin embargo, esto ocasiona que dos cuadros que estaban ocupados disminuyan a 0. Significa también que no hay suficientes cuadros ocupados en la nueva solución y que será degenerada. Tendremos que colocar un cero ficticio en uno de los cuadros que antes estaban llenos (en general, el que tiene el menor costo de envío) para manejar el problema de la degeneración.

Más de una solución óptima

Las soluciones múltiples son posibles cuando uno o más índices de mejora en la etapa de solución óptima son iguales a cero.

Al igual que en los problemas de PL, es posible que un problema de transporte tenga soluciones óptimas múltiples. Una situación de estas se indica cuando uno o más índices de mejora calculados para cada cuadro sin usar es cero en la solución óptima, lo cual significa que es posible diseñar otras rutas de embarque con el mismo costo total de envío. La solución óptima alterna se determina enviando la mayoría de este cuadro sin usar con el método del salto de piedra en piedra. Hablando en términos prácticos, las soluciones óptimas múltiples brindan a la gerencia mayor flexibilidad en la selección y uso de los recursos.

Maximización en problemas de transporte

La solución óptima para un problema de maximización se encuentra cuando todos los índices de mejora son negativos o cero.

Si en un problema de transporte el objetivo es maximizar la utilidad, se requiere un cambio menor en el algoritmo de transporte. Como el índice de mejora para una celda vacía indica el cambio en el valor de la función objetivo, si se coloca una unidad en esa celda vacía, la solución óptima se logra cuando todos los índices de mejora son negativos o cero. Si algún índice es positivo, se selecciona la celda con la mejora positiva más grande para usarse con el método del salto de piedra en piedra. La nueva solución se evalúa y el proceso continúa hasta que no haya índices de mejora positivos.

Rutas prohibidas o inaceptables

Se asigna una ruta prohibida a un costo muy alto para evitar que se utilice.

Existen *problemas de transporte* donde una de las fuentes no puede enviar a uno o más destinos. Cuando esto ocurre, se dice que el problema tiene *rutas prohibidas* o *inaceptables*. En un problema de minimización, se asigna a una ruta prohibida un costo muy alto, para evitar que se use en la solución óptima. Este costo se coloca luego en la tabla de transporte y se resuelve el problema con las técnicas ya presentadas. En un problema de maximización, el costo muy alto usado en los problemas de minimización tendrá un signo negativo, que lo convierte en una muy mala utilidad.

Otros métodos de transporte

Mientras que el método de la esquina noroeste es muy sencillo, hay otros métodos para encontrar una solución inicial a un problema de transporte. Dos de ellos son el método del menor costo y el método de aproximación de Vogel. De manera similar, el método del salto de piedra en piedra sirve para evaluar las celdas vacías, pero existe otra técnica llamada método de distribución modificada (MODI), que puede evaluar celdas vacías. Para problemas muy grandes, el método MODI suele ser mucho más rápido que el del salto de piedra en piedra.

9.7 Análisis de localización de instalaciones

La localización de una nueva instalación dentro de un sistema de distribución general es auxiliada por el método de transporte.

El método de transporte ha probado ser útil en especial para ayudar a una empresa a decidir dónde ubicar una nueva fábrica o un nuevo almacén. Como una nueva localización es un aspecto de gran importancia financiera para una compañía, deben considerarse y evaluarse varios sitios alternativos. Aun cuando se toman en cuenta una amplia gama de factores subjetivos, que incluyen calidad de la oferta de mano de obra, presencia de sindicatos laborales, actitudes y apariencia de la comunidad, servicios de luz, agua, gas, e instalaciones educativas y recreativas para los trabajadores, una decisión final también involucra la minimización del costo total de embarque y de producción. Esto significa que cada instalación posible debería analizarse dentro del marco de referencia de un sistema de distribución *general*. El nuevo lugar que dará el costo mínimo para el *sistema completo* será el recomendado. Consideremos el caso de la compañía Hardgrave Machine.

Localización de una nueva fábrica para la compañía Hardgrave Machine

Hardgrave Machine fabrica componentes para computadora en sus plantas de Cincinnati, Salt Lake City y Pittsburgh. Estas plantas no logran satisfacer la demanda de las órdenes de los cuatro almacenes de Hardgrave en Detroit, Dallas, Nueva York y Los Ángeles. Como resultado, la empresa ha decidido construir una nueva planta para aumentar su capacidad productiva. Los dos sitios considerados son Seattle y Birmingham; ambas ciudades son atractivas en términos de abasto de mano de obra, servicios municipales y facilidades financieras para la fábrica.

La tabla 9.16 presenta los costos de producción y los requerimientos para cada una de las tres plantas existentes, la demanda en cada uno de los cuatro almacenes y los costos de producción estimados de las nuevas plantas propuestas. Los costos de transporte de cada planta a cada almacén se resumen en la tabla 9.17.

TABLA 9.16

Datos de demanda y oferta para Hardgrave

ALMACÉN	DEMANDA MENSUAL (UNIDADES)	PLANTA DE PRODUCCIÓN	OFERTA MENSUAL	COSTO DE PRODUCIR UNA UNIDAD ($)
Detroit	10,000	Cincinnati	15,000	48
Dallas	12,000	Salt Lake City	6,000	50
Nueva York	15,000	Pittsburgh	14,000	52
Los Ángeles	9,000		35,000	
	46,000			

Oferta necesaria para la nueva planta = 46,000 – 35,000 = 11,000 unidades por mes

COSTO DE PRODUCCIÓN ESTIMADO POR UNIDAD EN LAS PLANTAS PROPUESTAS	
Seattle	$53
Birmingham	$49

TABLA 9.17

Costos de embarque para Hardgrave

DE \ A	DETROIT	DALLAS	NUEVA YORK	LOS ÁNGELES
CINCINNATI	$25	$55	$40	$60
SALT LAKE CITY	35	30	50	40
PITTSBURGH	36	45	26	66
SEATTLE	60	38	65	27
BIRMINGHAM	35	30	41	50

TABLA 9.18

Solución óptima de la planta de Birmingham: el costo total para Hardgrave es $3,741,000

DE \ A	DETROIT	DALLAS	NUEVA YORK	LOS ÁNGELES	OFERTA MENSUAL
CINCINNATI	73	103	88	108	15,000
	10,000		1,000	4,000	
SALT LAKE CITY	85	80	100	90	6,000
		1,000		5,000	
PITTSBURGH	88	97	78	118	14,000
			14,000		
BIRMINGHAM	84	79	90	99	11,000
		11,000			
DEMANDA MENSUAL	10,000	12,000	15,000	9,000	46,000

La pregunta importante que ahora debe responder Hardgrave es: ¿cuál de las nuevas localizaciones dará el costo mínimo para la empresa, en combinación con las plantas y almacenes existentes? Note que el costo de cada ruta individual planta a almacén se determina sumando los costos de embarque (en el cuerpo de la tabla 9.17) a los costos de producción unitarios respectivos (de la tabla 9.16). Entonces, el costo total de producción más embarque de un componente de computadora de Cincinnati a Detroit es de $73 ($25 de envío más $48 de producción).

Resolvemos los dos problemas de transporte para encontrar la nueva planta con el menor costo del sistema.

Para determinar qué planta nueva (Seattle o Birmingham) muestra el menor costo total del sistema de distribución y producción, resolvemos dos problemas de transporte: uno para cada una de las dos combinaciones posibles. Las tablas 9.18 y 9.19 presentan las dos soluciones óptimas resultantes con el costo total de cada una. Parece que debería seleccionarse Seattle como el lugar para la nueva planta: su costo total de $3,704,000 es menor que el costo de $3,741,000 en Birmingham.

USO DE EXCEL QM COMO HERRAMIENTA DE SOLUCIÓN Podemos usar Excel QM para resolver cada uno de los dos problemas de la compañía Hardgrave Machine. Para ello, seleccione *Excel QM* en la pestaña *Add-Ins* de Excel 2010 y baje para elegir *Transportation*. Cuando se abra la ventana, ingrese el número de orígenes (*sources*) y destinos (*destinations*), especifique Minimize, dé un título si lo desea y oprima *OK*. Luego, simplemente ingrese los costos, las ofertas y las demandas en la tabla de datos (*Data*), como se muestra en el programa 9.4. Luego, elija *Solver* en la pestaña *Data* y haga clic en el botón *Solve*. No es necesario ingresar más datos, ya que Excel QM especifica en forma automática los parámetros y selecciones necesarios. También prepara las fórmulas para las restricciones que usa Solver. La solución aparecerá en la tabla etiquetada Envíos (*Shipments*) y el costo se especifica abajo de esta tabla.

TABLA 9.19

Solución óptima para la planta de Seattle: el costo total para Hardgrave es $3,704,000

DE \ A	DETROIT	DALLAS	NUEVA YORK	LOS ÁNGELES	OFERTA MENSUAL
CINCINNATI	73	103	88	108	15,000
	10,000	4,000	1,000		
SALT LAKE CITY	85	80	100	90	6,000
		6,000			
PITTSBURGH	88	97	78	118	14,000
			14,000		
SEATTLE	113	91	118	80	11,000
		2,000		9,000	
DEMANDA MENSUAL	10,000	12,000	15,000	9,000	46,000

PROGRAMA 9.4

Solución de Excel QM para el ejemplo de localización de instalaciones

	A	B	C	D	E	F	G	H
1	Birmingham							
2			En la pestaña Data seleccione Solver y haga clic en Solve.					
3	Transportation							
4		Ingrese los datos de transporte en el área sombreada. Luego, vaya a la pestaña Data, oprima Solver						
5		en el Data Analysis Group y luego haga clic en SOLVE.						
6		Si SOLVER no está en la pestaña Data, por favor vea las instrucciones en la Ayuda de Solver.						
7					Ingrese costos, ofertas y demandas en esta tabla.			
8	Data							
9	COSTS	Dest 1	Dest 2	Dest 3	Dest 4	Supply		
10	Origin 1	73	103	88	108	15000		
11	Origin 2	85	80	100	90	6000		
12	Origin 3	88	97	78	118	14000		
13	Origin 4	84	79	90	99	11000		
14	Demand	10000	12000	15000	9000	46000 \ 46000		
15					Solver coloca la solución aquí.			
16	Shipments							
17	Shipments	Dest 1	Dest 2	Dest 3	Dest 4	Row Total		
18	Origin 1	10000		1000	4000	15000		
19	Origin 2		1000		5000	6000		
20	Origin 3			14000		14000		
21	Origin 4		11000			11000		
22	Column Total	10000	12000	15000	9000	46000 \ 46000		
23								
24	Total Cost	3741000						

9.8   Algoritmo de asignación

El segundo algoritmo de PL con fines específicos que se estudia en este capítulo es el método de asignación. Cada problema de asignación está asociado con una tabla o matriz. En general, los renglones contienen los objetos o las personas que deseamos asignar, en tanto que las columnas comprenden las tareas o cosas que queremos asignar a esos objetos o personas. Los números en la tabla son los costos asociados con cada asignación específica.

Un problema de asignación se puede ver como un problema de transporte, donde la capacidad de cada fuente (o persona que se vaya a asignar) es 1 y la demanda de cada destino (o trabajo que debe hacerse) es 1. Esta formulación se resuelve usando el algoritmo de transporte, pero tendría problemas severos de degeneración. Sin embargo, resolver este tipo de problemas es muy sencillo si se aplica el método de asignación.

Como ilustración del método de asignación, considere el caso de Fix-It Shop que acaba de recibir tres proyectos urgentes de reparación: **1.** un radio, **2.** un horno tostador y **3.** una mesa para café rota. Las tres personas que reparan, cada una con talentos y habilidades distintas, están disponibles para hacer estos trabajos. El dueño de Fix-It Shop estima lo que le costará en salarios asignar a cada trabajador a cada uno de los tres proyectos. Los costos, que se muestran en la tabla 9.20, difieren porque el dueño cree que cada trabajador tendrá velocidad y habilidades distintas en estos trabajos tan variados.

La meta es asignar proyectos a personas (un proyecto a una persona), de manera que se minimice el costo total.

El objetivo del dueño es asignar los tres proyectos a los tres trabajadores, de manera que el costo total sea el más bajo. Note que la asignación de personas a proyectos debe ser una relación uno a uno; cada proyecto se asignará exclusivamente a un solo trabajador. Así, el número de filas siempre debe ser igual al número de columnas en la tabla de costos de un problema de asignación.

TABLA 9.20

Costos de proyectos de reparación estimados para el problema de asignación de Fix-It Shop

	PROYECTO		
PERSONA	**1**	**2**	**3**
Adams	$11	$14	$6
Brown	8	10	11
Cooper	9	12	7

TABLA 9.21

Resumen de las alternativas y los costos de asignación para Fix-It Shop

ASIGNACIÓN DE PROYECTOS			COSTOS DE MANO DE OBRA ($)	COSTOS TOTALES ($)
1	2	3		
Adams	Brown	Cooper	11 + 10 + 7	28
Adams	Cooper	Brown	11 + 12 + 11	34
Brown	Adams	Cooper	8 + 14 + 7	29
Brown	Cooper	Adams	8 + 12 + 6	26
Cooper	Adams	Brown	9 + 14 + 11	34
Cooper	Brown	Adams	9 + 10 + 6	25

Una manera de resolver problemas (pequeños) es numerar todos los resultados posibles.

Como el problema de Fix-It consiste en únicamente tres trabajadores y tres proyectos, una manera sencilla de encontrar la mejor solución es numerar todas las asignaciones posibles y sus costos respectivos. Por ejemplo, si Adams se asigna al proyecto 1, Brown al proyecto 2 y Cooper al proyecto 3, el costo total será $11 + $10 + $7 = $28. La tabla 9.21 resume las seis opciones de asignación. También muestra que la solución de menor costo sería asignar a Cooper al proyecto 1, a Brown al proyecto 2 y a Adams al proyecto 3, con un costo total de $25.

La obtención de soluciones por numeración funciona bien en problemas pequeños, aunque muy pronto se vuelve ineficiente conforme los problemas de asignación se hacen más grandes. Por ejemplo, un problema que implica asignar cuatro trabajadores a cuatro proyectos requiere que consideremos 4! (= 4 × 3 × 2 × 1), o 24 alternativas. En un problema con 8 trabajadores y ocho tareas, que en realidad no es tan grande en una situación verdadera, tenemos 8! (= 8 × 7 × 6 × 5 × 4 × 3 × 2 × 1) o bien ¡40,320 soluciones posibles! Es evidente que es poco práctico comparar tantas alternativas, por lo que es necesario un método de solución más eficiente.

Método húngaro (técnica de Flood)

La reducción de matrices reduce la tabla a un conjunto de costos de oportunidad. Estos muestran la penalización por no hacer la asignación de menor costo (o la mejor).

El **método húngaro** de asignación brinda un medio eficiente para encontrar la solución óptima sin tener que hacer una comparación directa de todas las opciones. Funciona sobre el principio de **reducción de matrices**, que significa que restando y sumando los números adecuados en la tabla o matriz de costos, podemos reducir el problema a una matriz de **costos de oportunidad**. Los costos de oportunidad muestran la penalización relativa asociada con asignar a *cualquier* persona a un proyecto, en comparación con hacer la *mejor* asignación o la de menor costo. Nos gustaría hacer asignaciones cuyo costo de oportunidad para cada asignación sea cero. El método húngaro indica cuándo es posible hacer tales asignaciones.

Hay tres pasos básicos en el método de asignación:[*]

Los tres pasos del método de asignación

Estos son los tres pasos del método de asignación.

1. *Encontrar la tabla del costo de oportunidad*:
   a) Restando el número menor en cada fila de la tabla o matriz original de costos de todos los números en esa fila.
   b) Restando luego el número más pequeño de cada columna de la tabla obtenida en el inciso a) de todos los números en esa columna.

2. *Probar la tabla obtenida en el paso 1 para saber si se puede realizar una asignación óptima.* El procedimiento es dibujar el número mínimo de líneas rectas verticales y horizontales, necesarias para cubrir todo los ceros en la tabla. Si el número de líneas es igual al número de filas o bien al número de columnas en la tabla, se puede hacer una asignación óptima. Si el número de líneas es menor que el número de filas o columnas, procedemos al paso 3.

3. *Revisar la tabla de costos de oportunidad actual.* Esto se hace restando el número más pequeño que no está cubierto por una línea de todos los números sin cubrir. Este mismo número más pequeño también se suma a los números que están en la intersección de las líneas verticales y horizontales. Después, regresar al paso 2 y continuar el ciclo hasta que sea posible llegar a una asignación óptima.

---

[*]Los pasos se aplican si podemos suponer que la matriz está balanceada, es decir, si el número de filas en la matriz es igual al número de columnas. En la sección 9.9 se estudia cómo manejar los problemas no balanceados.

FIGURA 9.4   Pasos del método de asignación

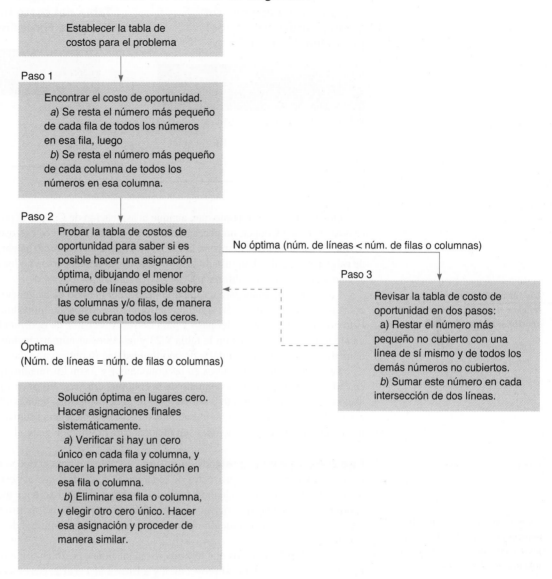

Estos pasos se grafican en la figura 9.4. Ahora los aplicaremos.

Paso 1: Encontrar la tabla del costo de oportunidad. Como ya se mencionó, el costo de oportunidad de cualquier decisión que tomemos en la vida consiste en las oportunidades que se sacrifican al tomar esa decisión. Por ejemplo, el costo de oportunidad del tiempo no pagado que pasa un individuo que inicia un nuevo negocio es el salario que esa persona ganaría por esas horas que pudo haber trabajado en otro empleo. Este concepto importante en el método de asignación se ilustra mejor al aplicarlo a un problema. Por conveniencia, la tabla del costo original para el problema de Fix-It Shop se repite en la tabla 9.22.

Los costos de oportunidad de fila y columna reflejan el costo que sacrificamos al no hacer la selección del menor costo.

Suponga que decidimos asignar a Cooper al proyecto 2. La tabla muestra que el costo de esta asignación es de $12. Según el concepto del costo de oportunidad, esta no es la mejor decisión, ya que Cooper puede realizar el proyecto 3 por tan solo $7. Entonces, la asignación de Cooper al proyecto 2 implica un costo de oportunidad de $5 (= $12 – $7), cantidad sacrificada al hacer esta asignación en vez de la de menor costo. De igual manera, asignar a Cooper al proyecto 1 representa un costo de oportunidad de $9 – $7 = $2. Por último, como la asignación de Cooper al proyecto 3 es la mejor, podemos decir que el costo de oportunidad de esta asignación es cero ($7 – $7). Los resultados de esta operación para cada una de las filas en la tabla 9.22 se llaman costos de oportunidad por fila y se muestran en la tabla 9.23.

TABLA 9.22

Costo de cada asignación persona-proyecto para el problema de Fix-It Shop

PERSONA	PROYECTO		
	1	2	3
Adams	$11	$14	$6
Brown	8	10	11
Cooper	9	12	7

TABLA 9.23

Tabla del costo de oportunidad por fila para Fix-It Shop, paso 1, inciso a)

PERSONA	PROYECTO		
	1	2	3
Adams	$5	$8	$0
Brown	0	2	3
Cooper	2	5	0

Observamos en este punto que, aunque la asignación de Cooper al proyecto 3 es la forma menos costosa de usar a Cooper, no necesariamente es el enfoque menos costoso para terminar el proyecto 3. Adams puede realizar la misma tarea por solamente $6. En otras palabras, si vemos este problema de asignación desde el ángulo de los proyectos y no de las personas, los costos de oportunidad por *columna* quizá sean muy diferentes.

Los costos de oportunidad totales reflejan el análisis del costo de oportunidad por fila y columna.

Lo que necesitamos para terminar el paso 1 del método de asignación es una tabla de costos de oportunidad *totales*, es decir, aquella que refleje los costos de oportunidad por fila y por columna. Esto nos lleva al inciso b) del paso 1 para derivar los costos de oportunidad por columna.* Simplemente tomamos los costos en la tabla 9.23 y restamos el número menor en cada columna de cada número en ella. Los costos totales de oportunidad que se obtienen se dan en la tabla 9.24.

Se observa que los números en las columnas 1 y 3 son los mismos que en la tabla 9.23, ya que en cada caso el ingreso más pequeño de la columna era cero. Entonces, podría resultar que la asignación de Cooper al proyecto 3 sea parte de la solución óptima, debido a la naturaleza relativa de los costos de oportunidad. Lo que intentamos medir es la eficiencia relativa de la tabla del costo completa y encontrar qué asignaciones son mejores para la solución general.

Paso 2: Prueba para una asignación óptima. El objetivo para el dueño de Fix-It Shop es asignar a los tres trabajadores a los proyectos de reparación, de manera que el costo total de mano de obra se mantenga en un mínimo. Cuando se traduce a efectuar asignaciones usando la tabla del costo de oportunidad total, ello significa que nos gustaría tener un costo de oportunidad asignado total de cero. En otros términos, una solución óptima tiene costos de oportunidad de cero para todas las asignaciones.

Cuando se encuentra un costo de oportunidad de cero para todas las asignaciones, se puede hacer una asignación óptima.

En la tabla 9.24 vemos que hay cuatro asignaciones posibles con costo de oportunidad de cero. Podemos asignar a Adams al proyecto 3, y a Brown al 1 o al 2. No obstante, esto deja a Cooper sin una asignación con costo de oportunidad cero. Recuerde que no debe darse la misma tarea a dos trabajadores: cada uno debe hacer uno y solo un proyecto, y cada proyecto debe asignarse a únicamente un individuo. Así, aunque aparezcan cuatro ceros en esta tabla de costos, aún no es posible hacer una asignación que dé un costo de oportunidad total de cero.

Esta prueba de línea se usa para saber si una solución es óptima.

Tiene que diseñarse una prueba sencilla para ayudar a determinar si se puede hacer una asignación óptima. El método consiste en encontrar el número *mínimo* de líneas rectas (verticales y horizontales) necesarias para cubrir todos los ceros en la tabla de costos. (Cada línea se traza de manera que cubra el mayor número de ceros posible a la vez). Si el número de líneas es igual al número de filas o columnas en la tabla, entonces, se puede hacer una asignación óptima. Por otro lado, si el número de líneas es menor que el número de filas o columnas, no es posible hacer una asignación óptima. En este caso, debemos proceder al paso 3 y desarrollar una nueva tabla del costo de oportunidad total.

La tabla 9.25 ilustra que es posible cubrir los cuatro elementos que son cero en la tabla 9.24 con tan solo dos líneas. Como hay tres filas, todavía no se puede lograr una asignación óptima.

Paso 3: Revisar la tabla del costo de oportunidad. Rara vez se obtiene una solución óptima de la tabla del costo de oportunidad inicial. Con frecuencia debe revisarse la tabla, para cambiar uno (o más) de los ceros de su lugar actual (cubierto por líneas) a un nuevo sitio sin cubrir en la tabla. De forma intuitiva, queremos que este lugar sin cubrir surja con un nuevo costo de oportunidad de cero.

---

* ¿Puede pensar en una situación donde no fuera necesario el inciso b) del paso 1? Vea si puede diseñar una tabla de costos en la cual sea posible obtener una solución óptima al terminar el inciso a) del paso 1.

TABLA 9.24

Tabla del costo de oportunidad para Fix-It Shop, paso 1, inciso *b*)

PERSONA	PROYECTO		
	1	2	3
Adams	$5	$6	$0
Brown	0	0	3
Cooper	2	3	0

TABLA 9.25

Prueba de solución óptima para Fix-It Shop

PERSONA	PROYECTO		
	1	2	3
Adams	$5	$6	$0
Brown	0	0	3
Cooper	2	3	0

Lo que cubre la línea 1

Lo que cubre la línea 2

TABLA 9.26

Tabla del costo de oportunidad revisada para el problema de Fix-It Shop

PERSONA	PROYECTO		
	1	2	3
Adams	$3	$4	$0
Brown	0	0	5
Cooper	0	1	0

TABLA 9.27

Prueba de optimalidad para la tabla del costo de oportunidad revisada de Fix-It Shop

PERSONA	PROYECTO		
	1	2	3
Adams	$3	$4	$0
Brown	0	0	5
Cooper	0	1	0

Lo que cubre la línea 2

Lo que cubre la línea 1   Lo que cubre la línea 3

Esto se logra *restando* el número más pequeño sin cubrir por una línea de todos los números sin cubrir por una línea recta. Este mismo número más pequeño después se suma a todos los números (incluso los ceros) que están en la intersección de cualesquiera dos líneas.

El número más pequeño no cubierto en la tabla 9.25 es 2, cuyo valor se resta de los cuatro números no cubiertos. También se suma 2 al número que está cubierto por la intersección de las líneas vertical y horizontal. El resultado del paso 3 se muestra en la tabla 9.26.

Para probar ahora si la asignación es óptima, regresamos al paso 2 y encontramos el número mínimo de líneas necesario para cubrir todos los ceros en la tabla del costo de oportunidad revisada. Como se requieren tres líneas para cubrir los ceros (tabla 9.27), es posible hacer una asignación óptima.

Hacer la asignación final

Hacer una asignación óptima implica verificar primero las filas y columnas que tengan tan solo una celda con cero.

Es evidente que la asignación óptima del problema de Fix-It Shop es Adams al proyecto 3, Brown al proyecto 2 y Cooper al proyecto 1. Sin embargo, al resolver problemas más grandes, es mejor confiar en un enfoque más sistemático para efectuar asignaciones válidas. Una manera es seleccionar primero una fila o columna que contenga tan solo una celda con cero. Esa situación se encuentra en la primera fila, la de Adams, donde el único cero está en la columna del proyecto 3. Se puede hacer una asignación en esa celda y, luego, trazar líneas por esa fila y esa columna (véase la tabla 9.28). De las filas y columnas no cubiertas, de nuevo elegimos una fila o una columna en la cual tan solo haya una celda con cero. Hacemos esa asignación y continuamos el procedimiento hasta que cada individuo esté asignado a una tarea.

Los costos totales de mano de obra de esta asignación se calculan a partir de la tabla de costos original (véase la tabla 9.22). Los costos son lo siguientes:

ASIGNACIÓN	COSTO ($)
Adams al proyecto 3	6
Brown al proyecto 2	10
Cooper al proyecto 1	9
Costo total	25

TABLA 9.28   Asignaciones finales para Fix-It Shop

	(A) PRIMERA ASIGNACIÓN				(B) SEGUNDA ASIGNACIÓN				(C) TERCERA ASIGNACIÓN		
	1	2	3		1	2	3		1	2	3
Adams	3	4	0	Adams	3	4	0	Adams	3	4	0
Brown	0	0	5	Brown	0	0	5	Brown	0	0	5
Cooper	0	1	0	Cooper	0	1	0	Cooper	0	1	0

USO DE EXCEL QM PARA EL PROBLEMA DE ASIGNACIÓN DE FIX-IT SHOP El módulo de asignación de Excel QM sirve para resolver el problema de Fix-It. Únicamente elija *Excel QM* de la pestaña *Add-Ins* en Excel 2010 y luego seleccione *Assignment*. Cuando se abra la ventana, dé un título al problema, ingrese el número de asignaciones (filas o columnas) y especifique Minimize. Excel QM inicia una hoja de cálculo donde se ingresan los costos, como se muestra en el programa 9.5. Luego, seleccione *Solver* de la pestaña *Data* y haga clic en *Solve*. La solución aparecerá en el área de asignaciones de la hoja de cálculo como se muestra en el programa 9.5. Adams se asignará al trabajo 3, Brown se asignará al trabajo 2 y Cooper al trabajo 1. El costo total es de $25.

PROGRAMA 9.5

Solución de Excel QM para el problema de asignación de Fix-It Shop

	A	B	C	D	E	F
1	**Fix-It Shop Assignment**					
2			En la pestaña Data elija Solver y haga clic en Solve.			
3	**Assignment**					
4		Ingrese los costos de asignación en el área sombreada. Luego, vaya a la pestaña Data y haga				
5		clic en Solver en Data Analysis Group y oprima SOLVE.				
6		Si SOLVER no está en la pestaña Data, por favor, consulte las instrucciones en el archivo Help (Solver).				
7		Ingrese los costos.				
8	**Data**					
9	COSTS	Project 1	Project 2	Project 3		
10	Adams	11	14	6		
11	Brown	8	10	11		
12	Cooper	9	12	7		
13			Solver coloca las asignaciones óptimas en esta área.			
14	**Assignments**					
15	**Shipments**	**Project 1**	**Project 2**	**Project 3**	**Row Total**	
16	**Adams**			1	1	
17	**Brown**		1		1	
18	**Cooper**	1			1	
19	**Column Total**	1	1	1	3	
20						
21	**Total Cost**	25				

9.9 Situaciones especiales con el algoritmo de asignación

Hay dos situaciones especiales que requieren procedimientos especiales cuando usemos el algoritmo húngaro para problemas de asignación. La primera incluye problemas no balanceados; y la segunda, resolver un problema de maximización en vez de minimización.

Problemas de asignación no balanceados

En un problema de asignación balanceado, el número de filas es igual al número de columnas.

El procedimiento de solución de los problemas de asignación que se acaba de describir requiere que el número de filas en la tabla sea igual al número de columnas. Este tipo de problema se llama **problema de asignación balanceado**. No obstante, con frecuencia el número de individuos u objetos que deben asignarse no es igual al número de tareas, clientes o máquinas listadas en las columnas, y el problema se considera *no balanceado*. Cuando esto ocurre y tenemos más filas que columnas, simplemente agregamos una **columna** o una tarea **ficticia** (igual que como manejamos los problemas de transporte no balanceados antes en este capítulo). Si el número de tareas que deben realizarse excede el número de personas disponibles, agregamos una **fila ficticia**. Esto crea una tabla de dimensiones iguales y nos permite resolver el problema como antes. Como la tarea o la persona ficticia en realidad no existen, es razonable ingresar ceros en su columna o fila, como el costo o tiempo estimados.

Suponga que el dueño de Fix-It Shop se da cuenta de que un cuarto trabajador, Davis, también está disponible para laborar en uno de los tres trabajos urgentes que recién llegaron. Davis puede hacer el primer proyecto por $10, el segundo por $13 y el tercero por $8. El dueño del taller todavía tiene el mismo problema básico, es decir, cuál trabajador asignar a qué proyecto, de modo que se minimice el costo total de la mano de obra. Aunque no tenemos un cuarto proyecto, simplemente agregamos una columna ficticia o un proyecto ficticio. La tabla de costos inicial se muestra en la tabla 9.29. Se debe tener en cuenta que uno de los trabajadores se asignará al proyecto ficticio; en otras palabras, en realidad no tendrá una tarea asignada.

Problemas de asignación de maximización

Es muy sencillo convertir los problemas de maximización en problemas de minimización. Esto se hace restando cada clasificación de la mayor clasificación en la tabla.

Algunos problemas de asignación están establecidos en términos de maximización del pago, la utilidad o la efectividad de una asignación, en vez de minimización de costos. Es sencillo obtener un problema de minimización equivalente si convertimos todos los números de la tabla en costos de oportunidad. Esto se logra restando cada número de la tabla de pagos original del número mayor que hay en la tabla. Los elementos transformados representan costos de oportunidad; resulta que al maximizar dichos costos de oportunidad se produce la misma asignación que el problema de maximización original. Una vez calculada la asignación óptima para este problema transformado, la ganancia o la utilidad total se encuentran sumando los pagos originales de las celdas que están en la asignación óptima.

Consideremos el siguiente ejemplo. La marina inglesa desea asignar cuatro barcos a patrullar cuatro sectores del Mar del Norte. En algunas áreas, los barcos pueden estar en busca de botes pesqueros ilegales; mientras que en otros sectores, vigilan que no se acerquen submarinos enemigos, de manera que el comandante califica cada barco en términos de su eficiencia probable en cada sector. Estas eficiencias relativas se ilustran en la tabla 9.30. Con base en las calificaciones mostradas, el comandante quiere determinar las asignaciones de patrullaje que produzcan la mayor eficiencia general.

TABLA 9.29

Costos estimados del proyecto de reparación para Fix-It Shop con Davis incluido

PERSONA	PROYECTO 1	2	3	FICTICIO
Adams	$11	$14	$6	$0
Brown	8	10	11	0
Cooper	9	12	7	0
Davis	10	13	8	0

TABLA 9.30
Eficiencia de los barcos ingleses en los sectores de patrullaje

BARCO	SECTOR			
	A	B	C	D
1	20	60	50	55
2	60	30	80	75
3	80	100	90	80
4	65	80	75	70

TABLA 9.31
Costos de oportunidad de los barcos ingleses

BARCO	SECTOR			
	A	B	C	D
1	80	40	50	45
2	40	70	20	25
3	20	0	10	20
4	35	20	25	30

Restas por fila: el número menor en cada fila se resta de los otros números en esa fila.

Restas por columna: el número menor en cada columna se resta de los otros números en esa columna.

Paso por paso, el procedimiento de solución es el siguiente. Primero convertimos la tabla de eficiencia para maximizar en una tabla del costo de oportunidad para minimizar, lo cual se logra restando cada puntuación de 100, la más alta en toda la tabla. Los costos de oportunidad que se obtienen están dados en la tabla 9.31.

Ahora seguimos los pasos 1 y 2 del algoritmo de asignación. El número más pequeño en cada fila se resta de todos los números en esa fila (véase la tabla 9.32); luego, el número menor en cada columna se resta de cada número en esa columna (como se indica en la tabla 9.33).

El número mínimo de líneas necesario para cubrir todos los ceros en esta tabla del costo total de oportunidad es cuatro. Entonces, ya se puede hacer una asignación óptima. Para este momento, debería poder descubrir la mejor solución; a saber, el barco 1 al sector D, el barco 2 al sector C, el barco 3 al sector B y el barco 4 al sector A.

La eficiencia general, calculada de los datos de eficiencia originales de la tabla 9.30, se observa en la siguiente tabla:

ASIGNACIÓN	EFICIENCIA
Barco 1 a sector D	55
Barco 2 a sector C	80
Barco 3 a sector B	100
Barco 4 a sector A	65
Eficiencia total	300

TABLA 9.32
Costos de oportunidad por fila para el problema de la marina inglesa

BARCO	SECTOR			
	A	B	C	D
1	40	0	10	5
2	20	50	0	5
3	20	0	10	20
4	15	0	5	10

TABLA 9.33
Costos de oportunidad totales para el problema de la marina

BARCO	SECTOR			
	A	B	C	D
1	25	0	10	0
2	5	50	0	0
3	5	0	10	15
4	0	0	5	5

La localización de instalaciones lleva a mejorar en la confiabilidad de la cadena de suministro

Las cadenas de suministro son, en su nivel físico, una red interconectada de rutas de entrega (carreteras, puentes, vías marítimas, etcétera) que salen de diversas fuentes (almacenes, fábricas, refinerías, etcétera) a múltiples destinos (tiendas, puntos de descuento, otros almacenes, etcétera), a lo largo de la cual viajan los bienes y mercancías. En la mayoría de los casos, se conoce la asignación de destinos específicos a fuentes específicas, y es más o menos constante.

Los investigadores, al tratar de ayudar a las compañías a planear las emergencias, han investigado el problema de la ruptura de la cadena de suministro. ¿Qué pasaría si una de las fuentes fallara de manera catastrófica debido a un terremoto, un tornado o algo peor? La respuesta está en el área del problema de localización de instalaciones. Qué almacenes deberían entregar a cuáles tiendas: de eso trata esa cuestión. Al analizar el problema de transporte con las fuentes actuales eliminadas una a una, los analistas lograron medir el impacto de tales rupturas. Los investigadores concluyen que "asignaciones de respaldo" de almacenes a tiendas tienen que planearse con antelación, para ayudar a mitigar el impacto de catástrofes potenciales. ¡Siempre es recomendable planear por adelantado!

Fuente: Basada en L. Snyder y M. Daskin. "Reliability Models for Facility Location: The Expected Failure Cost Case", *Transportation Science* 39, 3 (2005): 400-416.

Resumen

En este capítulo exploramos el modelo de transporte y el modelo de asignación. Vimos cómo desarrollar una solución inicial al problema de transporte con el método de la esquina noroeste. El método del salto de piedra en piedra se usó para calcular los índices de mejora en las celdas vacías. Se desarrollaron soluciones mejoradas con el método del salto de piedra en piedra. Los casos especiales de problemas de transporte incluyeron degeneración, problemas desbalanceados y soluciones óptimas múltiples. Se demostró cómo utilizar el modelo de transporte para el análisis de localización de instalaciones.

Vimos la forma en que el problema de asignación se puede considerar un caso especial del problema de transporte. Se presentó el método húngaro para resolver problemas de asignación. Cuando los problemas de asignación están desbalanceados, se agregan filas o columnas ficticias para balancearlos. También se presentaron problemas de asignación donde el objetivo debe maximizarse.

Glosario

Análisis de localización de instalaciones. Aplicación del método de transporte para ayudar a una empresa a decidir dónde localizar una nueva fábrica, almacén u otra instalación.

Columnas o filas ficticias. Filas o columnas adicionales agregadas para "balancear" un problema de asignación, de modo que el número de filas sea igual al número de columnas.

Costo de oportunidad. En problemas de asignación, es el costo adicional en que se incurre, cuando no se elige la asignación con el menor costo posible en una fila o una columna.

Degeneración. Condición que ocurre cuando el número de cuadros ocupados en cualquier solución es menor que el número de filas más el número de columnas menos 1, en una tabla de transporte.

Destino. Punto de demanda en un problema de transporte.

Destino ficticio. Destino artificial agregado a una tabla de transporte, cuando la oferta total es mayor que la demanda total. La demanda en el destino ficticio se establece de manera que la oferta total sea igual a la demanda total. El costo de transporte para las celdas de destinos ficticios es cero.

Fuente. Lugar de un origen o una oferta en un problema de transporte.

Fuente ficticia. Fuente artificial agregada a una tabla de transporte cuando la demanda total es mayor que la oferta total. La oferta en una fuente ficticia se establece de modo que la demanda y oferta totales sean iguales. El costo de transporte para las celdas de la fuente ficticia es cero.

Índice de mejora. Costo neto de enviar una unidad por una ruta no usada en la solución actual de un problema de transporte.

Método del salto de piedra en piedra. Técnica iterativa para moverse de una solución inicial factible a una solución óptima, en un problema de transporte.

Método húngaro. Enfoque de reducción de matrices para resolver el problema de asignación.

Problema de asignación balanceado. Problema de asignación donde el número de filas es igual número de columnas.

Problema de transporte. Caso específico de PL que se refiere a la programación de envíos de fuentes a destinos, de manera que se minimicen los costos de transporte totales.

Problema de transporte balanceado. Condición en la cual la demanda total (todos los destinos) es igual a la oferta total (todas las fuentes).

Reducción de matrices. Enfoque de un método de asignación que reduce los costos originales de asignación a una tabla de costos de oportunidad.

Regla de la esquina noroeste. Procedimiento sistemático para establecer una solución factible inicial al problema de transporte.

Tabla de transporte. Tabla que resume todos los datos de transporte para ayudar a tener un registro de todos los cálculos del algoritmo. Almacena información de demandas, ofertas, costos de embarque, unidades enviadas, orígenes y destinos.

Técnica de flujo. Otro nombre para el método húngaro.

Problemas resueltos

Problema resuelto 9-1

Don Yale, presidente de la compañía Hardrock Concrete, tiene plantas en tres lugares y actualmente trabaja en tres proyectos de construcción importantes, ubicados en sitios diferentes. El costo de envío por camión cargado de concreto, las capacidades de las plantas y los requerimientos de los proyectos se muestran en la tabla siguiente.

a) Formule una solución factible inicial para el problema de transporte de Hardrock con la regla de la esquina noroeste.

b) Evalúe después cada ruta de envío sin usar (cada celda vacía) aplicando el método del salto de piedra en piedra y calculando todos los índices de mejora. Recuerde hacer lo siguiente:

1. Verificar que la oferta y la demanda sean iguales.

2. Cargar la tabla según el método de la esquina noroeste.

3. Verificar que haya el número adecuado de celdas ocupadas para una solución "normal"; a saber, número de filas + número de columnas – 1 = número de celdas ocupadas.

4. Encontrar una trayectoria cerrada para cada celda vacía.

5. Determinar el índice de mejora para cada celda vacía.

6. Mover el mayor número de unidades posible a la celda que dé la máxima mejora (si hay una).

7. Repetir los pasos 3 a 6 hasta que ya no se logre una mejora.

DE \ A	PROYECTO *A*	PROYECTO *B*	PROYECTO *C*	CAPACIDAD DE PLANTA
PLANTA 1	$10	$4	$11	70
PLANTA 2	$12	$5	$8	50
PLANTA 3	$9	$7	$6	30
REQUERIMIENTOS DEL PROYECTO	40	50	60	150

Solución

a) Solución de la esquina noroeste:

$$\text{Costo inicial} = 40(\$10) + 30(\$4) + 20(\$5) + 30(\$8) + 30(\$6) = \$1,040$$

DE ╲ A	PROYECTO A	PROYECTO B	PROYECTO C	CAPACIDAD DE PLANTA
PLANTA 1	$10	$4	$11	
	40	30		70
PLANTA 2	$12	$5	$8	
		20	30	50
PLANTA 3	$9	$7	$6	
			30	30
REQUERIMIENTOS DEL PROYECTO	40	50	60	150

b) Usando el método del salto de piedra en piedra, se calculan los siguientes índices de mejora:

Trayectoria: planta 1 a proyecto C = $11 − $4 + $5 − $8 = +$4

(trayectoria cerrada: $1C$ a $1B$ a $2B$ a $2C$)

DE ╲ A	PROYECTO A	PROYECTO B	PROYECTO C	CAPACIDAD DE PLANTA
PLANTA 1	10	4	11	
	40	30		70
PLANTA 2	12	5	8	
		20	30	50
PLANTA 3	9	7	6	
			30	30
REQUERIMIENTOS DEL PROYECTO	40	50	60	150

Trayectoria: planta 1 a proyecto C

Trayectoria: planta 2 a proyecto A = \$12 − \$5 + \$4 − \$10 = +\$1
(trayectoria cerrada: 2A a 2B a 1B a 1A)

DE \\ A	PROYECTO A	PROYECTO B	PROYECTO C	CAPACIDAD DE PLANTA
PLANTA 1	40 ⎡10⎤	30 ⎡4⎤	⎡11⎤	70
PLANTA 2	⎡12⎤	20 ⎡5⎤	30 ⎡8⎤	50
PLANTA 3	⎡9⎤	⎡7⎤	30 ⎡6⎤	30
REQUERIMIENTOS DEL PROYECTO	40	50	60	150

Trayectoria: planta 2 a proyecto A

Trayectoria: planta 3 a proyecto A = \$9 − \$6 + \$8 − \$5 + \$4 − \$10 = \$0
(trayectoria cerrada: 3A a 3C a 2C a 2B a 1B a 1A)

DE \\ A	PROYECTO A	PROYECTO B	PROYECTO C	CAPACIDAD DE PLANTA
PLANTA 1	40 ⎡10⎤	30 ⎡4⎤	⎡11⎤	70
PLANTA 2	⎡12⎤	20 ⎡5⎤	30 ⎡8⎤	50
PLANTA 3	⎡9⎤	⎡7⎤	30 ⎡6⎤	30
REQUERIMIENTOS DEL PROYECTO	40	50	60	150

Trayectoria: planta 2 a proyecto A

Trayectoria: planta 3 a proyecto $B = \$7 - \$6 + \$8 - \$5 = +\$4$

(trayectoria cerrada: $3B$ a $3C$ a $2C$ a $2B$)

DE \ A	PROYECTO A	PROYECTO B	PROYECTO C	CAPACIDAD DE PLANTA
PLANTA 1	10 — 40	4 — 30	11	70
PLANTA 2	12	5 — 20	8 — 30	50
PLANTA 3	9	7	6 — 30	30
REQUERIMIENTOS DEL PROYECTO	40	50	60	150

Trayectoria: planta 3 a proyecto B

Como todos los índices son mayores que o iguales a cero (todos son positivos o cero), esta solución inicial da el programa de transporte óptimo; a saber, 40 unidades de 1 a A, 30 unidades de 1 a B, 20 unidades de 2 a B, 30 unidades de 2 a C y 30 unidades de 3 a C.

Si hubiéramos encontrado una trayectoria que permitiera una mejora, moveríamos todas las unidades posibles a esa celda y, luego, verificaríamos de nuevo todas las celdas vacías. Como el índice de mejora de la planta 3 al proyecto A es igual a cero, notamos que existen soluciones óptimas múltiples.

Problema resuelto 9-2

La solución inicial encontrada en el problema resuelto 9-1 era óptima, pero el índice de mejora para una de las celdas vacías fue cero, lo cual indica otra solución óptima. Utilice el método del salto de piedra en piedra para desarrollar esta otra solución óptima.

Solución

Usando el método del salto de piedra en piedra, vemos que el menor número de unidades en una celda donde debe hacerse una resta es de 20 unidades de la planta 2 al proyecto B. Por lo tanto, se restan 20 unidades de cada celda con signo menos y se suman a cada celda con signo más. El resultado es el siguiente:

DE \ A	PROYECTO A	PROYECTO B	PROYECTO C	CAPACIDAD DE PLANTA
PLANTA 1	10 — 20	4 — 50	11	70
PLANTA 2	12	5	8 — 50	50
PLANTA 3	9 — 20	7	6 — 10	30
REQUERIMIENTOS DEL PROYECTO	40	50	60	150

Problema resuelto 9-3

Resuelva el problema de localización de instalaciones de la compañía Hardgrave Machine mostrado en la tabla 9.19, de la página 364, con una formulación de PL.

Solución

Primero debemos formular este problema de transporte como un modelo de PL introduciendo variables de decisión con doble subíndice. Sea X_{11} el número de unidades enviadas del origen 1 (Cincinnati) al destino 1 (Detroit), X_{12} los envíos del origen 1 (Cincinnati) al destino 2 (Dallas), etcétera. En general, las variables de decisión para un problema de transporte con m orígenes y n destinos se escribe como:

$$X_{ij} = \text{número de unidades enviadas del origen } i \text{ al destino } j$$

donde,

$$i = 1, 2, \ldots, m$$
$$j = 1, 2, \ldots, n$$

Dado que el objetivo del modelo de transporte es minimizar los costos totales de transporte, desarrollamos la siguiente expresión de costos:

$$\begin{aligned}
\text{Minimizar} = {} & 73X_{11} + 103X_{12} + 88X_{13} + 108X_{14} \\
& + 85X_{21} + 80X_{22} + 100X_{23} + 90X_{24} \\
& + 88X_{31} + 97X_{32} + 78X_{33} + 118X_{34} \\
& + 113X_{41} + 91X_{42} + 118X_{43} + 80X_{44}
\end{aligned}$$

Ahora establecemos restricciones de oferta para cada una de las cuatro plantas:

$$X_{11} + X_{12} + X_{13} + X_{14} \leq 15{,}000 \text{ (oferta en Cincinnati)}$$
$$X_{21} + X_{22} + X_{23} + X_{24} \leq 6{,}000 \quad \text{(oferta en Salt Lake)}$$
$$X_{31} + X_{32} + X_{33} + X_{34} \leq 14{,}000 \text{ (oferta en Pittsburgh)}$$
$$X_{41} + X_{42} + X_{43} + X_{44} \leq 11{,}000 \text{ (oferta en Seattle)}$$

Con cuatro almacenes como destinos, necesitamos las siguientes cuatro restricciones de demanda:

$$X_{11} + X_{21} + X_{31} + X_{41} = 10{,}000 \text{ (demanda en Detroit)}$$
$$X_{12} + X_{22} + X_{32} + X_{42} = 12{,}000 \text{ (demanda en Dallas)}$$
$$X_{13} + X_{23} + X_{33} + X_{43} = 15{,}000 \text{ (demanda den Nueva York)}$$
$$X_{14} + X_{24} + X_{34} + X_{44} = 9{,}000 \quad \text{(demanda en Los Ángeles)}$$

Una solución de computadora confirmará que los costos totales de envío serán $3,704,000. Aunque sin duda se pueden usar paquetes de PL en los problemas de transporte, el módulo especial de Excel QM (mostrado antes) y QM para Windows (mostrados en el apéndice 9.1) tiende a ser más sencillo de ingresar, correr e interpretar.

Problema resuelto 9-4

Prentice Hall, Inc., un editor con sede en New Jersey, desea asignar a tres graduados universitarios recién contratados, Jones, Smith y Wilson a distritos de ventas regionales en Omaha, Dallas y Miami. No obstante, la empresa también tiene un puesto en Nueva York y mandaría a uno de los tres, si fuera más económico que moverlo a Omaha, Dallas o Miami. Le costaría $1,000 reasignar a Jones a Nueva York, $800 reasignar a Smith ahí y $1,500 mover a Wilson. ¿Cuál es la asignación óptima de personal a las oficinas?

CONTRATADO \ OFICINA	OMAHA	MIAMI	DALLAS
JONES	$800	$1,100	$1,200
SMITH	$500	$1,600	$1,300
WILSON	$500	$1,000	$2,300

Solución

a) La tabla de costos tiene una cuarta columna que representa a Nueva York. Para balancear el problema, agregamos una fila (persona) ficticia con costos de reasignación de cero para cada ciudad.

OFICINA CONTRATADO	OMAHA	MIAMI	DALLAS	NUEVA YORK
JONES	$800	$1,100	$1,200	$1,000
SMITH	$500	$1,600	$1,300	$800
WILSON	$500	$1,000	$2,300	$1,500
FICTICIO	0	0	0	0

b) Restamos el número menor en cada fila y cubrimos los ceros (la resta en las columnas dará los mismos números y, por lo tanto, no es necesaria).

OFICINA CONTRATADO	OMAHA	MIAMI	DALLAS	NUEVA YORK
JONES	0	300	400	200
SMITH	0	1,100	800	300
WILSON	0	500	1,800	1,000
FICTICIO	0	0	0	0

c) Restamos el número menor descubierto (200), lo agregamos a cada cuadro donde se cruzan dos líneas y cubrimos todos los ceros.

OFICINA CONTRATADO	OMAHA	MIAMI	DALLAS	NUEVA YORK
JONES	0	100	200	0
SMITH	0	900	600	100
WILSON	0	300	1,600	800
FICTICIO	200	0	0	0

d) Restamos el número menor descubierto (100), lo sumamos a cada cuadro con dos líneas que se cruzan y cubrimos todos los ceros.

OFICINA CONTRATADO	OMAHA	MIAMI	DALLAS	NUEVA YORK
JONES	0	0	100	0
SMITH	0	800	500	100
WILSON	0	200	1,500	800
FICTICIO	300	0	0	100

e) Restamos el número menor descubierto (100), lo sumamos en cada cuadro con dos líneas cruzadas y cubrimos todos los ceros

OFICINA CONTRATADO	OMAHA	MIAMI	DALLAS	NUEVA YORK
JONES	100	0	100	0
SMITH	0	700	400	0
WILSON	0	100	1,400	700
FICTICIO	400	0	0	100

f) Como se necesitan cuatro líneas para cubrir todos los ceros, se puede hacer una asignación óptima en los cuadros con ceros. Asignamos

Ficticio (nadie) a Dallas

Wilson a Omaha

Smith a Nueva York

Jones a Miami

Costo = $0 + $500 + $800 + $1,100 = $2,400

Autoevaluación

- Antes de resolver la autoevaluación, consulte los objetivos de aprendizaje al inicio del capítulo, las notas al margen y el glosario al final del capítulo.
- Utilice la solución al final del libro para corregir sus respuestas.
- Estudie de nuevo las páginas que correspondan a cualquier pregunta cuya respuesta sea incorrecta o al material con el cual se sienta inseguro.

1. Si en un problema de transporte la demanda total es igual a la oferta total, el problema
   a) está degenerado.
   b) está balanceado.
   c) está desbalanceado.
   d) no es factible.

2. Si un problema de transporte tiene 4 fuentes y 5 destinos, con programación lineal tendrá
   a) 4 variables y 5 restricciones.
   b) 5 variables y 4 restricciones.
   c) 9 variables y 20 restricciones.
   d) 20 variables y 9 restricciones.

3. En un problema de transporte, ¿qué indica que se haya encontrado la solución de costo mínimo?
   a) todos los índices de mejora son negativos o cero.
   b) todos los índices de mejora son positivos o cero.
   c) todos los índices de mejora son iguales a cero.
   d) todas las celdas en la fila ficticia están vacías.

4. Un problema de asignación se puede ver como un problema de transporte con
   a) un costo de $1 para todas las rutas de envío.
   b) todas las ofertas y demandas son iguales a 1.
   c) solo restricciones de demanda.
   d) solo restricciones de oferta.

5. Si el número de celdas llenas en una tabla de transporte no es igual al número de filas más el número de columnas menos 1, entonces, se dice que el problema es
   a) desbalanceado
   b) degenerado
   c) óptimo.
   d) de maximización.

6. Si una solución a un problema de transporte es degenerada, entonces,
   a) será imposible evaluar todas las celdas vacías sin eliminar la degeneración.
   b) debe agregarse una fila o una columna ficticias.
   c) habrá más de una solución óptima.
   d) el problema no tiene una solución factible.

7. Si la demanda total es mayor que la capacidad total en un problema de transporte, entonces,
   a) la solución óptima será degenerada.
   b) debe agregarse una fuente ficticia.
   c) debe agregarse un destino ficticio.
   d) deben agregarse una fuente y un destino ficticios.

8. Al resolver un problema de localización de instalaciones donde se están considerando dos lugares posibles, se puede usar el algoritmo de transporte. Al hacerlo,
   a) se agregarán dos filas (fuentes) a las existentes y se resuelve el problema aumentado.

b) se resolverán dos problemas de transporte separados.

c) se usarán costos de cero para cada una de las nuevas instalaciones.

d) el problema será un problema de trasbordo.

9. El método húngaro

    a) es una manera de desarrollar una solución inicial para un problema de transporte.

    b) se utiliza para resolver problemas de asignación.

    c) también se llama método de aproximación de Vogel.

    d) tan solo se usa para problemas donde el objetivo es maximizar las utilidades.

10. En un problema de asignación, quizá sea necesario agregar más de una fila en la tabla.

    a) Verdadero

    b) Falso

11. Con el método húngaro, siempre se puede hacer una asignación óptima cuando cada fila y cada columna tengan por lo menos un cero.

    a) Verdadero

    b) Falso

12. Un problema de asignación se puede ver como un tipo especial de problema de transporte, ¿con cuáles de las siguientes características?

    a) la capacidad de cada fuente y la demanda de cada destino son iguales entre sí.

    b) el número de filas es igual al número de columnas.

    c) el costo de cada ruta de envío es igual a uno.

    d) todas las anteriores.

Preguntas y problemas para análisis

Preguntas para análisis

9-1 ¿El modelo de transporte es un ejemplo de toma de decisiones con certidumbre o de toma de decisiones con incertidumbre? ¿Por qué?

9-2 Explique cómo determinar el número de variables y restricciones que habría en un problema de transporte, simplemente conociendo el número de fuentes y el número de destinos.

9-3 ¿Qué es un problema de transporte *balanceado*? Describa el enfoque que usaría para resolver un problema *no balanceado*.

9-4 El método del salto de piedra en piedra sirve para resolver un problema de transporte. La cantidad menor en una celda con signo menos 35, pero dos celdas diferentes con signo menos tienen 35 unidades en ellas. ¿Qué problema ocasionará esto y cómo debería resolverse?

9-5 El método del salto de piedra en piedra se utiliza para resolver un problema de transporte. Hay solo una celda vacía que tiene un índice de mejora negativo, que es –2. La trayectoria del salto de piedra en piedra para esta celda indica que la cantidad menor para las celdas con menos es de 80 unidades. Si el costo total para la solución actual es $900, ¿cuál será el costo total para la solución mejorada? ¿Qué puede concluir acerca de cuánto disminuirá el costo total cuando se desarrolle cada nueva solución para cualquier problema de transporte?

9-6 Explique qué sucede cuando la solución a un problema de transporte no tiene $m + n - 1$ cuadros ocupados (donde m = número de filas en la tabla y n = número de columnas en la tabla).

9-7 ¿Cuál es el enfoque de numeración para resolver problemas de asignación? ¿Es una manera práctica de resolver un problema de 5 filas × 5 columnas o uno de 7 × 7? ¿Por qué?

9-8 ¿Cómo puede resolverse un problema de asignación usando el enfoque de transporte? ¿Qué condición hará que la solución a este problema sea difícil?

9-9 Usted es el supervisor de planta y es responsable de programar a los trabajadores para las tareas que se tengan. Después de estimar el costo de asignar a cada uno de los cinco trabajadores disponibles en su planta a cinco proyectos que deben terminarse de inmediato, resuelve el problema aplicando el método húngaro. Se logra la siguiente solución y usted coloca un letrero con las siguientes asignaciones:

    Jones al proyecto *A*

    Smith al proyecto *B*

    Thomas al proyecto *C*

    Gibbs al proyecto *D*

    Heldman al proyecto *E*

Se encontró que el costo óptimo era $492 para estas asignaciones. El gerente general de la planta inspecciona sus estimaciones de costo originales y le informa que los beneficios incrementados a los empleados significan que cada uno de los 25 números de su tabla de costos están $5 por debajo del valor que deben tener. Sugiere que de inmediato vuelva a trabajar el problema y publique las nuevas asignaciones.

¿Es esto necesario? ¿Por qué? ¿Cuál será el nuevo costo óptimo?

9-10 La empresa de investigación de mercados de Sue Simmons tiene representantes locales en todos menos cinco estados. Ella decide expandirse para cubrir todo el país, transfiriendo a cinco voluntarios experimentados de sus ubicaciones actuales a las nuevas oficinas en cada uno de los cinco estados. La meta de Simmons es reasignar a los cinco representantes al menor costo total. En consecuencia, establece una tabla de costos de relocalización de 5 × 5 y se prepara a obtener la mejor asignación con el método húngaro. A último momento, Simmons recuerda que aunque los primeros cuatro voluntarios no pusieron objeciones a ningunas de las cinco ciudades, el quinto *sí* puso una restricción. Esta persona se rehúsa a que la asignen a la oficina de Tallahassee, Florida (por miedo a los insectos del sur, ¡según aseguró!) ¿Cómo debe Sue alterar la matriz de costos para asegurar que esta asignación no se incluye en la solución óptima?

Problemas*

9-11 La gerencia de la corporación Executive Furniture decidió expandir la capacidad de producción en su fábrica de Des Moines y disminuir la producción en sus otras fábricas. También reconoce un cambio de mercado para sus escritorios y revisa los requerimientos en sus tres almacenes.

a) Utilice la regla de la esquina noroeste para establecer un programa de envíos factible inicial y calcular su costo.

b) Utilice el método del salto de piedra en piedra para probar si es posible obtener una solución mejorada.

c) Explique el significado y las implicaciones de un índice de mejora que sea igual a 0. ¿Qué decisiones podría tomar la gerencia con esta información? ¿Exactamente cómo afecta esto la solución final?

9-12 Formule el problema de transporte en el problema 9-11 con programación lineal y resuélvalo usando un software.

9-13 La compañía Hardrock Concrete tiene plantas en tres lugares y trabaja actualmente en tres proyectos de construcción importantes, cada uno ubicado en un sitio diferente. El costo de envío por camión cargado de concreto, las capacidades diarias y los requerimientos diarios se muestran en la tabla correspondiente.

a) Formule una solución factible inicial para el problema de transporte de Hardrock con la regla de la esquina noroeste. Luego, evalúe cada ruta de envío no utilizada calculando todos los índices de mejora. ¿Es óptima la solución? ¿Por qué?

b) ¿Hay más de una solución óptima para este problema? ¿Por qué?

Datos para el problema 9-11

NUEVOS REQUERIMIENTOS DEL ALMACÉN		NUEVAS CAPACIDADES DE FÁBRICA	
Albuquerque (A)	200 escritorios	Des Moines (D)	300 escritorios
Boston (B)	200 escritorios	Evansville (E)	150 escritorios
Cleveland (C)	300 escritorios	Fort Lauderdale (F)	250 escritorios

Tabla para el problema 9-11

DE \ A	ALBUQUERQUE	BOSTON	CLEVELAND
DES MOINES	5	4	3
EVANSVILLE	8	4	3
FORT LAUDERDALE	9	7	5

Datos para el problema 9-13

DE \ A	PROYECTO A	PROYECTO B	PROYECTO C	CAPACIDAD DE PLANTA
PLANTA 1	$10	$4	$11	70
PLANTA 2	12	5	8	50
PLANTA 3	9	7	6	30
REQUERIMIENTOS DEL PROYECTO	40	50	60	150

Nota: ⚙ significa que el problema se resuelve con QM para Windows, ✖ indica que el problema se resuelve con Excel QM y ⚙ quiere decir que el problema se resuelve con QM para Windows o con Excel QM.

Tabla para el problema 9-16

DE \ A	PUNTO DE OFERTA 1	PUNTO DE OFERTA 2	PUNTO DE OFERTA 3	CAPACIDAD DE MOLINO (TONS)
PINEVILLE	$3	$3	$2	25
OAK RIDGE	4	2	3	40
MAPLETOWN	3	2	3	30
DEMANDA DE PUNTO DE OFERTA (TONS)	30	30	35	95

9-14 El dueño de Hardrock Concrete decidió aumentar la capacidad de su planta más pequeña (véase el problema 9.13). En vez de producir 30 cargas de concreto al día en la planta 3, duplicó su capacidad a 60 cargas. Encuentre la nueva solución óptima con la regla de la esquina noroeste y el método del salto de piedra en piedra. ¿Cómo alteró la asignación óptima de envío el cambio en la capacidad de la planta 3? Analice los conceptos de degeneración y soluciones óptimas múltiples respecto a este problema.

9-15 Formule el problema de transporte de la compañía Hardrock Concrete del problema 9-13 con programación lineal y resuélvalo usando un software. ¿Qué cambiaría en la programación lineal, si se implementara el cambio en el problema 9-14?

9-16 La compañía Saussy Lumber envía pisos de pino a tres tiendas de artículos para construcción desde sus madererías en Pineville, Oak Ridge y Mapletown. Determine el mejor programa de transporte para los datos dados en la tabla. Utilice la regla de la esquina noroeste y el método del salto de piedra en piedra.

9-17 La compañía Krampf Lines Railway se especializa en manejo de carbón. El viernes 13 de abril, Krampf tenía vagones vacíos en los siguientes pueblos en las cantidades indicadas:

PUEBLO	VAGONES DISPONIBLES
Morgantown	35
Youngstown	60
Pittsburgh	25

Para el lunes 16 de abril, los siguientes pueblos necesitarán vagones de carbón como sigue:

PUEBLO	DEMANDA DE VAGONES
Coal Valley	30
Coaltown	45
Coal Junction	25
Coalsburg	20

Usando una gráfica de distancias de ciudad a ciudad para ferrocarriles, el despachador elabora una tabla de millas para los pueblos anteriores. El resultado se muestra en la tabla correspondiente. Calcule el mejor envío de vagones de carbón que minimice las millas totales de los carros que se mueven a los nuevos lugares.

9-18 Formule la situación de la compañía Krampf Lines Railway (problema 9-17) con programación lineal y resuélvalo usando un software.

9-19 Un fabricante de acondicionadores de aire elabora sus productos para habitaciones en sus plantas de Houston, Phoenix y Memphis. Los envía a distribuidores regionales en Dallas, Atlanta y Denver. Los costos de envío varían y la compañía desea encontrar la manera menos costosa de cumplir con las demandas de cada centro de distribución. Dallas necesita recibir 800 acondicionadores de aire por mes, Atlanta necesita 600 y Denver 200. Houston tiene disponibles 850 de ellos cada mes, Phoenix tiene 650 y Memphis 300. El costo de envío por unidad de Houston a Dallas es de $8, a Atlanta es

Tabla para el problema 9-17

DE \ A	COAL VALLEY	COALTOWN	COAL JUNCTION	COALSBURG
MORGANTOWN	50	30	60	70
YOUNGSTOWN	20	80	10	90
PITTSBURGH	100	40	80	30

de $12, y a Denver de $10. El costo por unidad de Phoenix a Dallas es de $10, a Atlanta es de $14 y a Denver es de $9. El costo por unidad de Memphis a Dallas es de $11, a Atlanta es de $8, y a Denver de $12. ¿Cuántas unidades deberían enviarse de cada planta a cada centro de distribución regional? ¿Cuál es el costo total de esto?

9-20 Formule la situación de acondicionadores de aire del problema 9-18 con programación lineal y resuélvalo usando un software.

9-21 Finnish Furniture fabrica mesas en instalaciones localizadas en tres ciudades: Reno, Denver y Pittsburgh. Las mesas se envían luego a tres tiendas ubicadas en Phoenix, Cleveland y Chicago. La gerencia desea desarrollar un programa de distribución que cumpla con las demandas al menor costo posible. Los costos de envío por unidad de cada fuente a cada destino se muestran en la siguiente tabla:

DE \ A	PHOENIX	CLEVELAND	CHICAGO
RENO	10	16	19
DENVER	12	14	13
PITTSBURGH	18	12	12

La oferta disponible es de 120 unidades en Reno, 200 en Denver y 160 en Pittsburgh. Phoenix tiene una demanda de 140 unidades, Cleveland una demanda de 160 unidades y Chicago de 180 unidades. ¿Cuántas unidades deberían enviarse de cada instalación de manufactura a cada tienda si se quiere minimizar el costo? ¿Cuál es el costo total?

9-22 Finnish Furniture ha experimentado una disminución en la demanda de mesas en Chicago; la demanda cayó a 150 unidades (véase el problema 9-21). ¿Qué condición especial existiría? ¿Cuál es la solución de costo mínimo? ¿Habrá unidades que se queden en alguna de las fábricas?

9-23 Formule la situación de Finnish Furniture (problema 9-21) con programación lineal y resuélvalo utilizando un software.

9-24 El estado de Missouri tiene tres compañías importantes generadoras de energía (A, B y C). Durante los meses de máxima demanda, las autoridades de Missouri autorizan a estas compañías a unir sus excesos de oferta y distribuirla a compañías de energía independientes, que no tienen generadores suficientemente grandes para manejar la demanda. La oferta excesiva se distribuye con base en el costo por kilowatt-hora transmitido. La siguiente tabla presenta la demanda y la oferta en millones de kilowatts-hora, así como el costo por kilowatt-hora de transmitir energía eléctrica a cuatro compañías pequeñas en la ciudades W, X, Y y Z:

DE \ A	W	X	Y	Z	EXCESO DE OFERTA
A	12¢	4¢	9¢	5¢	55
B	8¢	1¢	6¢	6¢	45
C	1¢	12¢	4¢	7¢	30
DEMANDA DE ENERGÍA NO SATISFECHA	40	20	50	20	

Encuentre la asignación de transmisión inicial de la oferta de energía en exceso. Después, encuentre el sistema de distribución de costo mínimo.

9-25 Considere la tabla de transporte dada enseguida. Encuentre la solución inicial con la regla de la esquina noroeste. ¿Qué condición especial existe? Explique cómo procedería a resolver el problema.

Tabla para el problema 9-25

DE \ A	DESTINO A	DESTINO B	DESTINO C	OFERTA
FUENTE 1	$8	$9	$4	72
FUENTE 2	5	6	8	38
FUENTE 3	7	9	6	46
FUENTE 4	5	3	7	19
DEMANDA	110	34	31	175

9-26 Los tres bancos de sangre en Franklin County están coordinados por una oficina central que facilita la entrega de sangre a cuatro hospitales en la región. El costo por enviar un contenedor estándar de sangre de cada banco a cada hospital se indica en la tabla correspondiente. Además, se dan las cifras cada dos semanas de los contenedores en cada banco y cifras cada dos semanas de los contenedores necesarios en cada hospital. ¿Cuántos envíos deberían hacer cada dos semanas de cada banco a cada hospital, de manera que se minimicen los costos de envío totales?

9-27 Formule la situación del banco de sangre de Franklin County (problema 9-26) con programación lineal y resuélvalo con un software.

9-28 La corporación B. Hall de bienes raíces ha identificado cuatro pequeños edificios de apartamentos donde le gustaría invertir. La señora Hall se acerca a tres compañías para sondear el financiamiento. Como Hall ha sido un buen cliente en el pasado y ha mantenido una puntuación de crédito alta en la comunidad, todas están dispuestas a considerar parte o todo el préstamo de hipoteca necesario para cada propiedad. Los ejecutivos de crédito han establecido diferentes tasas de interés sobre cada propiedad (las tasas difieren por las áreas donde se encuentra el edificio, las condiciones de la propiedad y el deseo de cada compañía de financiar edi-

ficios de diferentes tamaños) y cada compañía ha asignado un tope sobre el total que prestaría a Hall. Esta información se resume en la tabla correspondiente.

Cada edificio de apartamentos es igualmente atractivo como inversión para Hall, de modo que ha decidido comprar todos los edificios posibles con la menor tasa de interés. ¿Con cuál de las compañías crediticias debería tramitar su préstamo para comprar qué edificios? Puede tener financiamientos de más de una compañía sobre la misma propiedad.

9-29 Formule el problema de inversión en bienes raíces de B. Hall (problema 9-28) con programación lineal y resuélvalo con un software.

9-30 El gerente de producción de la compañía J. Mehta está planeando una serie de periodos de producción de 1 mes para tarjas (fregaderos) de acero inoxidable. La demanda de los siguientes cuatro meses se muestra en la tabla que sigue:

MES	DEMANDA DE TARJAS DE ACERO INOXIDABLE
1	120
2	160
3	240
4	100

Tabla para el problema 9-26

DE \ A	HOSPITAL 1	HOSPITAL 2	HOSPITAL 3	HOSPITAL 4	OFERTA
BANCO 1	$8	$9	$11	$16	50
BANCO 2	12	7	5	8	80
BANCO 3	14	10	6	7	120
DEMANDA	90	70	40	50	250

Tabla para el problema 9-28

COMPAÑÍA FINANCIERA	PROPIEDAD (TASA DE INTERÉS, %)				
	HILL ST.	BANKS ST.	PARK AVE.	DRURY LANE	CRÉDITO MÁXIMO ($)
FIRST HOMESTEAD	8	8	10	11	80,000
COMMONWEALTH	9	10	12	10	100,000
WASHINGTON FEDERAL	9	11	10	9	120,000
PRÉSTAMO REQUERIDO PARA COMPRAR EL EDIFICIO	$60,000	$40,000	$130,000	$70,000	

La empresa Metha normalmente fabrica 100 tarjas de acero inoxidable en un mes. Esto se hace durante las horas de producción regulares a un costo de $100 por tarja. Si la demanda en cualquier mes no puede satisfacerse con la producción regular, el gerente de producción tiene otras tres opciones: **1.** puede producir hasta 50 tarjas más por mes con tiempo extra, pero a un costo de $130 por tarja; **2.** puede comprar un número limitado de tarjas a un competidor amistoso para reventa (el número máximo de compras externas durante cuatro meses es de 450 tarjas, a un costo de $150 cada una); o bien, **3.** puede satisfacer la demanda de lo que tiene en su almacén. El costo mensual de mantener el inventario es de $10 por tarja. No se permiten órdenes sin surtir (pendientes) por faltantes. El inventario disponible al inicio del mes 1 es de 40 tarjas. Establezca este problema de "afinación de la producción" como un problema de transporte que minimice costos. Utilice la regla de la esquina noroeste para encontrar un nivel inicial de producción y de compras externas durante los cuatro meses.

9-31 Formule el problema de producción de J. Metha (véase el problema 9-30) con programación lineal y resuélvalo con un software.

9-32 Auto Top Carriers de Ashley mantiene actualmente plantas en Atlanta y Tulsa, que abastecen centros de distribución importantes en Los Ángeles y Nueva York. Debido a una demanda creciente, Ashley decidió abrir una tercera planta y limitó sus opciones a una de dos ciudades: Nueva Orleans o Houston. Los costos de producción y distribución pertinentes, al igual que las capacidades de las plantas y las demandas de los centros se muestran en la tabla correspondiente. ¿Cuál de las posibles plantas nuevas debería abrirse?

9-33 Formule y resuelva los programas lineales para ayudar a Auto Top Carriers de Ashley (véase el problema 9-32)

a determinar dónde abrir la nueva planta. ¿Cuál es la diferencia en costos para las dos ciudades?

9-34 Marc Smith, vicepresidente de operaciones de HHN, Inc., un fabricante de gabinetes para conexiones telefónicas, no podrá cumplir con el pronóstico de 5 años debido a la capacidad limitada en las tres plantas existentes, que están en Waterloo, Pusan y Bogotá. Usted, como su eficaz asistente, recibe la información de que por las restricciones de capacidad existentes y la expansión del mercado global de gabinetes HHN, se agregará una nueva planta a las tres actuales. El departamento de bienes raíces recomienda a Marc dos sitios como buenos por su estabilidad política y tasa de cambio aceptable: Dublín, Irlanda, y Fontainebleau, Francia. Marc le sugiere que tome los datos correspondientes (de la siguiente página) y determine dónde ubicar la cuarta planta con base en los costos de producción y los costos de transporte. ¿Cuál es el mejor lugar?

9-35 La corporación Don Levine está considerando agregar una planta adicional a sus tres instalaciones actuales en Decatur, Minneapolis y Carbondale. Considera tanto San Louis como San Louis Este. Evaluando tan solo los costos de transporte por unidad mostrados en las tablas correspondientes de la siguiente página, ¿qué lugar es mejor?

A	DESDE LAS PLANTAS EXISTENTES			
	DECATUR	MINNEAPOLIS	CARBONDALE	DEMANDA
Blue Earth	$20	$17	$21	250
Ciro	25	27	20	200
Des Moines	22	25	22	350
Capacidad	300	200	150	

Datos para el problema 9-32

DE PLANTAS \ A CENTROS DE DISTRIBUCIÓN	LOS ÁNGELES	NUEVA YORK	PRODUCCIÓN REGULAR	COSTO UNITARIO DE PRODUCCIÓN ($)
ATLANTA	$8	$5	600	6
TULSA	$4	$7	900	5
NUEVA ORLEANS	$5	$6	500	4 *(anticipado)*
HOUSTON	$4	($6)	500	3 *(anticipado)*
PRONÓSTICO DE DEMANDA	800	1,200	2,000	

Plantas existentes → ATLANTA, TULSA

Lugares propuestos → NUEVA ORLEANS, HOUSTON

Indica que el costo de distribución (envío, manejo, almacenaje) será de $6 por envío de Houston a Nueva York

Datos para el problema 9-34

ÁREA DE MERCADO	LOCALIZACIÓN DE PLANTA				
	WATERLOO	PUSAN	BOGOTÁ	FONTAINEBLEAU	DUBLÍN
Canadá					
Demanda, 4,000					
Costo de producción	$50	$30	$40	$50	$45
Costo de transporte	10	25	20	25	25
Sudamérica					
Demanda, 5,000					
Costo de producción	50	30	40	50	45
Costo de transporte	20	25	10	30	30
Cuenca del Pacífico					
Demanda, 10,000					
Costo de producción	50	30	40	50	45
Costo de transporte	25	10	25	40	40
Europa					
Demanda, 5,000					
Costo de producción	50	30	40	50	45
Costo de transporte	25	40	30	10	20
Capacidad	8,000	2,000	5,000	9,000	9,000

A	DESDE PLANTAS PROPUESTAS	
	SAN LOUIS DEL ESTE	SAN LOUIS
Blue Earth	$29	$27
Ciro	30	28
Des Moines	30	31
Capacidad	150	150

TAREA	MÁQUINA			
	W	X	Y	Z
A12	10	14	16	13
A15	12	13	15	12
B2	9	12	12	11
B9	14	16	18	16

9-36 Con los datos del problema 9-35 y los costos unitarios de producción mostrados en la siguiente tabla, ¿qué lugar da el menor costo?

LUGAR	COSTOS DE PRODUCCIÓN
Decatur	$50
Minneapolis	60
Carbondale	70
San Louis del Este	40
San Louis	50

9-37 En un taller en operación se pueden realizar cuatro trabajos en cualquiera de cuatro máquinas. Las horas requeridas para cada trabajo en cada máquina se presentan en la siguiente tabla. El supervisor de planta desea asignar trabajos, de manera que se minimice el tiempo total. Encuentre la mejor solución.

9-38 Llegan cuatro automóviles al taller de reparación de Bubba para varios tipos de trabajos: desde una transmisión averiada hasta un ajuste de frenos. El nivel de experiencia de los mecánicos varía considerablemente y Bubba quiere minimizar el tiempo requerido para completar todos los trabajos. Estima el tiempo en minutos para que cada mecánico termine cada trabajo. Billy puede terminar el trabajo 1 en 400 minutos, el trabajo 2 en 90 minutos, el trabajo 3 en 60 minutos y el trabajo 4 en 120 minutos. Taylor terminará el trabajo 1 en 650 minutos, el trabajo 2 en 120 minutos, el trabajo 3 en 90 minutos y el trabajo 4 en 180 minutos. Mark puede terminar trabajo 1 en 480 minutos, el trabajo 2 en 120 minutos, el trabajo 3 en 80 minutos y el trabajo 4 en 180 minutos. John terminará el trabajo 1 en 500 minutos, el trabajo 2 en 110 minutos, el trabajo 3 en 90 minutos y el trabajo 4 en 150 minutos. Cada mecánico debe asignarse a solo uno de los trabajos. ¿Cuál es el tiempo total mínimo requerido para terminar los cuatro trabajos? ¿Quién debería asignarse a cada trabajo?

9-39 Los equipos de ampáyeres de béisbol se encuentran en cuatro ciudades donde darán inicio series de tres juegos. Cuando los juegos terminen, los ampáyeres deberán trabajar en juegos en otras cuatro ciudades. Las distancias (en millas) de cada ciudad donde se encuentran trabajando los equipos a las ciudades donde comenzarán los nuevos juegos se indican en la siguiente tabla:

	A			
DE	KANSAS	CHICAGO	DETROIT	TORONTO
Seattle	1,500	1,730	1,940	2,070
Arlington	460	810	1,020	1,270
Oakland	1,500	1,850	2,080	X
Baltimore	960	610	400	330

La X indica que el equipo que está en Oakland no se puede enviar a Toronto. Determine cuál equipo debería ir a cada ciudad para minimizar la distancia total recorrida. ¿Cuántas millas se recorrerán si se realizan estas asignaciones?

9-40 En el problema 9-39 se encontró la distancia mínima recorrida. Para saber cuánto mejor es esta solución que las asignaciones que pudieran hacerse, encuentre las asignaciones que darían la distancia máxima recorrida. Compare esta distancia total con la distancia encontrada en el problema 9-39.

9-41 Roscoe Davis, presidente del departamento de negocios de una universidad, ha decidido aplicar un método nuevo para asignar a profesores a los cursos del siguiente semestre. Como criterio para juzgar quién debe enseñar cada curso, el señor Davis revisa las evaluaciones de profesores (hechas por estudiantes) de los dos años anteriores. Como cada uno de los cuatro profesores ha enseñado los cuatro cursos en algún momento durante los dos años, Davis puede registrar una puntuación del curso para cada profesor. Las puntuaciones se muestran en la tabla que sigue. Encuentre la mejor asignación de profesores para los cursos que maximice la puntuación general de enseñanza.

	CURSO			
PROFESOR	ESTADÍSTICA	ADMINISTRACIÓN	FINANZAS	ECONOMÍA
Anderson	90	65	95	40
Sweeney	70	60	80	75
Williams	85	40	80	60
McKinney	55	80	65	55

9-42 La gerente del hospital St. Charles General debe asignar jefe de enfermería en cuatro departamentos recién establecidos: urología, cardiología, ortopedia y obstetricia. Anticipando este problema de asignación de personal, contrató a cuatro enfermeros(as): Hawkins, Condriac, Bardot y Hoolihan. Por su confianza en el análisis cuantitativo para resolver problemas, la gerente entrevista a cada enfermero(a); considera sus antecedentes, personalidad y talentos; y desarrolla una escala de costos de 0 a 100 que usará en la asignación. Un 0 para Bardot al asignarse a la unidad de cardiología implica que su desempeño sería perfectamente adecuado para la tarea. Por otro lado, un valor cercano a 100 implica que no es la adecuada para esa unidad. La tabla siguiente presenta todo el conjunto de cifras de costos que la gerente del hospital sintió que representaban todas las asignaciones posibles. ¿Cuál enfermero(a) debe asignarse a qué unidad?

ENFER-MERO(A)	DEPARTAMENTO			
	UROLOGÍA	CARDIOLOGÍA	ORTOPEDIA	OBSTETRICIA
Hawkins	28	18	15	75
Condriac	32	48	23	38
Bardot	51	36	24	36
Hoolihan	25	38	55	12

9-43 La compañía Gleaming acaba de desarrollar un nuevo jabón líquido para losa y está preparando una campaña promocional en televisión nacional. La empresa decidió programar una serie de comerciales de 1 minuto durante las horas pico de audiencia de amas de casa, entre 1 y 5 P.M. Para llegar a la audiencia más amplia posible, Gleaming quiere programar un comercial en cada una de las cuatro cadenas televisivas durante cada bloque de 1 hora. La exposición de cada hora, que representa el número de televidentes por cada $1,000 gastados, se indica en la siguiente tabla. ¿Cuáles cadenas deberían programarse cada hora para proporcionar la máxima audiencia?

HORAS	CADENA			
	A	B	C	INDEPENDIENTE
1–2 P.M.	27.1	18.1	11.3	9.5
2–3 P.M.	18.9	15.5	17.1	10.6
3–4 P.M.	19.2	18.5	9.9	7.7
4–5 P.M.	11.5	21.4	16.8	12.8

9-44 Fix-It Shop (sección 9.8) agregó a una cuarta persona, Davis, para las reparaciones. Resuelva la taba de costos que sigue para la nueva asignación óptima de trabajadores a los proyectos. ¿Por qué se dio esta solución?

TRABAJADOR	PROYECTO		
	1	2	3
Adams	$11	$14	$6
Brown	8	10	11
Cooper	9	12	7
Davis	10	13	8

Datos para el problema 9-45

COMPONENTE ELECTRÓNICO	PLANTA							
	1	2	3	4	5	6	7	8
C53	$0.10	$0.12	$0.13	$0.11	$0.10	$0.06	$0.16	$0.12
C81	0.05	0.06	0.04	0.08	0.04	0.09	0.06	0.06
D5	0.32	0.40	0.31	0.30	0.42	0.35	0.36	0.49
D44	0.17	0.14	0.19	0.15	0.10	0.16	0.19	0.12
E2	0.06	0.07	0.10	0.05	0.08	0.10	0.11	0.05
E35	0.08	0.10	0.12	0.08	0.09	0.10	0.09	0.06
G99	0.55	0.62	0.61	0.70	0.62	0.63	0.65	0.59

9-45 La compañía Patricia García fabrica siete productos médicos nuevos. Cada una de las ochos plantas de García puede agregar un producto más a sus líneas actuales de dispositivos médicos. Los costos unitarios de manufactura para producir las partes en las ocho plantas se muestran en la tabla correspondiente. ¿Cómo debería García asignar los nuevos productos a las plantas para minimizar los costos de manufactura?

9-46 Haifa Instruments, un productor israelí de unidades portátiles de diálisis y otros productos médicos, desarrolló un plan agregado para 8 meses. La demanda y la capacidad (en unidades) se pronostican según los datos de la tabla correspondiente.

El costo de producir cada unidad de diálisis es de $1,000 en tiempo regular, $1,300 con tiempo extra y $1,500 si se subcontrata. El costo mensual por mantener inventario es de $1000 por unidad. No hay inventario disponible al inicio y al final del periodo.

a) Usando el modelo de transporte, establezca un plan de producción que minimice el costo. ¿Cuál es el costo de este plan?

b) Mediante una planeación mejor, la producción en tiempo regular puede establecerse justo al mismo valor, 275 por mes. ¿Altera esto la solución?

c) Si los costos de tiempo extra se elevan de $1,300 a $1,400, ¿cambia esto la respuesta al inciso a)? ¿Qué sucede si disminuyen a $1,200?

9-47 La tripulación de astronautas de la NASA en la actualidad incluye a 10 especialistas de misión con doctorado en astrofísica o astromedicina. Se asignará uno de ellos a cada uno de 10 vuelos programados en los siguientes nueve meses. Los especialistas de misión son responsables de realizar experimentos científicos y médicos en el espacio; o bien, de lanzar, retirar o reparar satélites. El jefe de astronautas, un antiguo miembro de la tripulación con tres misiones en su haber, tiene que decidir quién debería asignarse y capacitarse para cada una de las muy diferentes misiones. Está claro que los astronautas con educación médica son más apropiados para las misiones con experimentos biológicos o médicos; en tanto que quienes tienen orientación de ingeniería o física son más adecuados para otros tipos de misiones. El jefe da a cada astronauta una puntuación en una escala de 1 a 10 para cada misión posible, donde 10 es un ajuste perfecto para la tarea y 1 es nada adecuado. Tan solo se asigna un especialista a cada vuelo y ninguno se asigna de nuevo, hasta que todos los demás hayan volado por lo menos una vez.

a) ¿Quién debería asignarse a qué vuelo?

b) La NASA acaba de recibir la notificación de que Anderson se casa en febrero y ese mes le otorgan un recorrido publicitario muy buscado por Europa. (Su intención es llevar a su esposa y aprovechar el viaje

Datos para el problema 9-46

FUENTE DE CAPACIDAD	ENE.	FEB.	MAR.	ABR.	MAY.	JUN.	JUL.	AGO.
Mano de obra								
Tiempo regular	235	255	290	300	300	290	300	290
Tiempo extra	20	24	26	24	30	28	30	30
Subcontratación	12	15	15	17	17	19	19	20
Demanda	255	294	321	301	330	320	345	340

Datos para el problema 9-47

ASTRONAUTA	12-ENE	27-ENE	5-FEB	26-FEB	26-MAR	12-ABR	1-MAY	9-JUN	20-AGO	19-SEP
Vincze	9	7	2	1	10	9	8	9	2	6
Veit	8	8	3	4	7	9	7	7	4	4
Anderson	2	1	10	10	1	4	7	6	6	7
Herbert	4	4	10	9	9	9	1	2	3	4
Schatz	10	10	9	9	8	9	1	1	1	1
Plane	1	3	5	7	9	7	10	10	9	2
Certo	9	9	8	8	9	1	1	2	2	9
Moses	3	2	7	6	4	3	9	7	7	9
Brandon	5	4	5	9	10	10	5	4	9	8
Drtina	10	10	9	7	6	7	5	4	8	8

La columna de la tabla corresponde a MISIÓN.

también como luna de miel). ¿Qué cambios provoca esto en el programa final?

c) Certo se queja de que no calificaron bien sus misiones de enero. Ambas calificaciones deberían ser 10, le asegura al jefe, que está de acuerdo y recalcula el programa. ¿Ocurren cambios en el programa establecido en el inciso b)?

d) ¿Cuáles son las fortalezas y las debilidades de este enfoque de programación?

 9-48 La corporación XYZ está expandiendo su mercado para incluir Texas. Cada persona de ventas se asigna a dis-

tribuidores potenciales en una de cinco áreas diferentes. Se prevé que la persona de ventas dedicará cerca de tres o cuatro semanas en cada área. Una campaña de marketing en todo el país comenzará una vez que el producto se haya entregado a los distribuidores. Las cinco personas de ventas que se asignarán a estas áreas (una persona para cada área) han calificado las áreas en cuanto a lo deseable de la asignación, como se muestra en la siguiente tabla. La escala es de 1 (la menos deseable) a 5 (la más deseable). ¿Qué asignaciones deberían hacerse si se quiere maximizar la calificación total?

	AUSTIN/SAN ANTONIO	DALLAS/FT. WORTH	EL PASO/OESTE DE TEXAS	HOUSTON/ GALVESTON	CORPUS CHRISTI/ VALLE DE RÍO GRANDE
Erica	5	3	2	3	4
Louis	3	4	4	2	2
María	4	5	4	3	3
Paul	2	4	3	4	3
Orlando	4	5	3	5	4

Problemas de tarea en Internet

Visite nuestra página de Internet en **www.pearsonenespañol.com/render** para problemas de tarea adicionales, los problemas 9-49 a 9-55.

Estudio de caso

Andrew–Carter, Inc.

Andrew-Carter, Inc. (A-C) es un importante productor y distribuidor canadiense de accesorios de iluminación para exteriores. Sus mercancías se distribuyen por todo Estados Unidos y Canadá, y han tenido una alta demanda durante varios años. La compañía opera tres plantas que fabrican los accesorios y los envían a cinco centros de distribución (almacenes).

Durante la recesión actual, A-C ha tenido una baja importante en la demanda de sus accesorios, a causa del desplome del mercado de bienes raíces. Con base en el pronóstico de las tasas de interés, el jefe de operaciones siente que la demanda de casas y, por ende, de su producto permanecerá deprimida en el futuro cercano. A-C está considerando cerrar una de sus plantas, ya que ahora operan con un exceso de capacidad pronosticado de 34,000 unidades semanales. Las demandas pronosticadas semanales para el año próximo son:

Almacén 1	9,000 unidades
Almacén 2	13,000 unidades
Almacén 3	11,000 unidades
Almacén 4	15,000 unidades
Almacén 5	8,000 unidades

Las capacidades de planta en unidades por semana son

Planta 1, tiempo regular	27,000 unidades
Planta 1, tiempo extra	7,000 unidades
Planta 2, tiempo regular	20,000 unidades
Planta 2, tiempo extra	5,000 unidades
Plana 3, tiempo regular	25,000 unidades
Planta 3, tiempo extra	6,000 unidades

Si A-C cierra cualquier planta, sus costos semanales cambiarán, ya que los costos fijos son más bajos por la planta que no opera. La tabla 9.34 muestra los costos de producción en cada planta, tanto en tiempo regular como en tiempo extra, así como los costos fijos cuando opera y cuando cierra. La tabla 9.35 muestra los costos de distribución de cada planta a cada almacén (centro de distribución).

Preguntas para análisis

1. Evalúe las distintas configuraciones de operación y cierre de las plantas que cumplirán con la demanda semanal. Determine cuál configuración minimiza los costos totales.
2. Analice las implicaciones de cerrar una planta.

Fuente: Profesor Michael Ballot, University of the Pacific.

TABLA 9.34

Costos semanales variables y fijos de producción para Andrew-Carter, Inc.

PLANTA	COSTO VARIABLE	COSTO FIJO POR SEMANA	
		SI OPERA	SI NO OPERA
Núm. 1, tiempo regular	$2.80/unidad	$14,000	$6,000
Núm. 1, tiempo extra	3.52		
Núm. 2, tiempo regular	2.78	12,000	5,000
Núm. 2, tiempo extra	3.48		
Núm. 3, tiempo regular	2.72	15,000	7,500
Núm. 3, tiempo extra	3.42		

TABLA 9.35

Costos de distribución por unidad para Andrew-Carter, Inc.

DESDE LA PLANTA	AL CENTRO DE DISTRIBUCIÓN				
	S1	S2	S3	S4	S5
Núm. 1	$0.50	$0.44	$0.49	$0.46	$0.56
Núm. 2	0.40	0.52	0.50	0.56	0.57
Núm. 3	0.56	0.53	0.51	0.54	0.35

Estudio de caso

Tienda Old Oregon Wood

En 1992 George Brown abrió su tienda Old Oregon Wood para fabricar mesas Old Oregon. Cada mesa se construye a mano con todo cuidado usando roble de la más alta calidad. Las mesas Old Oregon pueden soportar más de 500 libras y, desde el inicio de Old Oregon Wood, nunca han regresado una por defectos en su hechura o problemas estructurales. Además de que son mesas fuertes, cada una recibe un hermoso terminado con un barniz de uretano, desarrollado por George durante 20 años de trabajo con materiales de terminado de madera.

El proceso de manufactura consiste en cuatro pasos: preparación, ensamble, terminado y empaque. Cada paso lo realiza una persona. Para supervisar toda la operación, además, George hace todos los terminados. Tom Surowski realiza el paso de preparación, que incluye el corte y la formación básica de los componentes de las mesas. León Davis está a cargo del ensamble y Cathy Stark del empaque.

Aunque en el proceso de manufactura cada persona es responsable de solamente un paso, todos pueden realizar cualquiera de ellos. La política de George es que ocasionalmente cada uno termine varias mesas por sí mismo sin ayuda. Se hace una pequeña competencia para saber quién logra terminar una mesa completa en el menor tiempo. George registra los tiempos promedio parciales y totales. Los datos se muestran en la figura 9.5.

Cathy tarda más que los otros empleados en construir una mesa Old Oregon. Además de hacerlo más lento que los otros, Cathy no está contenta con su responsabilidad actual de empaque, que la deja ociosa la mayoría del día. Su primera preferencia es el terminado, y la segunda es la preparación.

Además de la calidad, George está preocupado por los costos y la eficiencia. Cuando uno de los empleados falta un día, ocasiona problemas graves de programación. En algunos casos, George asigna a otro empleado tiempo extra para terminar el trabajo necesario. En otros, simplemente espera hasta que el empleado regrese al trabajo para completar su paso en el proceso de manufactura. Ambas soluciones dan problemas. El tiempo extra es costoso y la espera ocasiona retrasos; y algunas veces se detiene todo el proceso de manufactura.

Para superar algunos de estos problemas contrató a Randy Lane. Las obligaciones principales de Randy son realizar diferentes trabajos y ayudar si uno de los empleados está ausente. George capacitó a Randy en todas las etapas del proceso y está contento con su rapidez de aprendizaje en el ensamble completo de las mesas Old Oregon. Los tiempos de terminación, parciales y totales, se dan en la figura 9.6.

FIGURA 9.5
Tiempo de manufactura en minutos

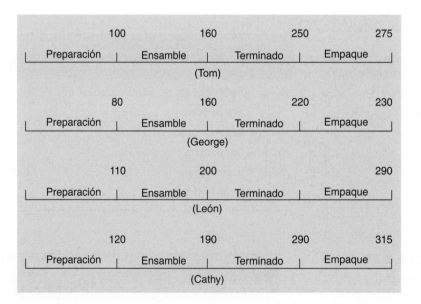

FIGURA 9.6
Tiempo de terminación de Randy, en minutos

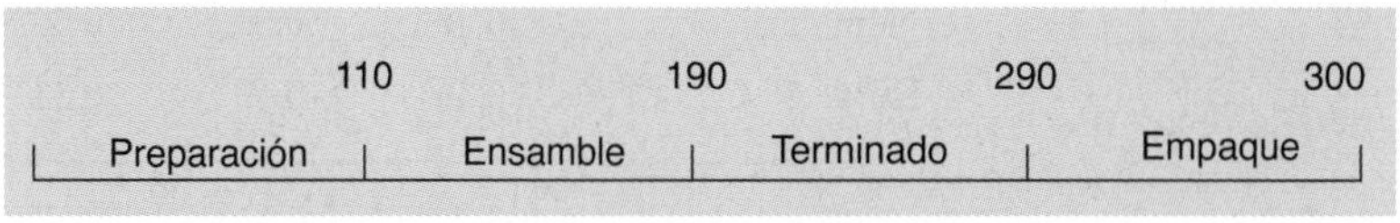

Preguntas para análisis

1. ¿Cuál es la manera más rápida de fabricar las mesas Old Oregon si se usa al equipo original? ¿Cuántas podrían hacerse por día?

2. ¿Cambian de manera significativa las tasas y las cantidades de producción, si George permite que Randy realice una de las cuatro funciones y convierta a uno del equipo original en la persona de reserva?

3. ¿Cuál es el menor tiempo para fabricar una mesa con el equipo original, si se mueve a Cathy a la preparación o al terminado?

4. Quien sea que realice la función de empaque está severamente subutilizado. ¿Puede encontrar una mejor manera de utilizar al equipo de cuatro o cinco personas, que dar a cada uno una sola tarea o dejar que cada uno elabore una mesa completa? ¿Cuántas mesas podrían fabricarse por día con este esquema?

Estudios de caso en Internet

Visite nuestra página en **www.pearsonenespañol.com/render**, donde encontrará estudios de caso adicionales:

1. **Northwest General Hospital:** Este caso implica mejorar el sistema de distribución de alimentos en un hospital, para reducir la posibilidad de que se enfríe antes de entregarla a los pacientes.

2. **Custom Vans, Inc.:** Este caso incluye encontrar la mejora localización de una planta que fabrica regaderas para campers personalizados.

Bibliografía

Adlakha, V. y K. Kowalski. "Simple Algorithm for the Source-Induced Fixed-Charge Transportation Problem", *Journal of the Operational Research Society* 55, 12 (2004): 1275-1280.

Awad, Rania M. y John W. Chinneck. "Proctor Assignment at Carleton University", *Interfaces* 28, 2 (marzo-abril de 1998): 58-71.

Bowman, E. "Production Scheduling by the Transportation Method of Linear Programming", *Operations Research* 4 (1956).

Dawid, Herbert, Johannes Konig y Christine Strauss. "An Enhanced Rostering Model for Airline Crews", *Computers and Operations Research* 28, 7 (junio de 2001): 671-688.

Domich, P. D., K. L. Hoffman, R. H. F. Jackson y M. A. McClain. "Locating Tax Facilities: A Graphics-Based Microcomputer Optimization Model", *Management Science* 37 (agosto de 1991): 960-979.

Hezarkhani, Behzad y Wieslaw Kubiak. "A Coordinating Contract for Transshipment in a Two-Company Supply Chain", *European Journal of Operational Research* 207, I (2010): 232-237.

Koksalan, Murat y Haldun Sural. "Efes Beverage Group Makes Location and Distribution Decisions for Its Malt Plants", *Interfaces* 29, 2 (marzo-abril de 1999): 89-103.

Liu, Shiang-Tai. "The Total Cost Bounds of the Transportation Problem with Varying Demand and Supply", *Omega* 31, 4 (2003): 247-251.

Martello, Silvano. "Jeno Egervary: From the Origins of the Hungarian Algorithm to Satellite Communication", *Central European Journal of Operations Research* 18, 1 (2010): 47-58.

McKeown, P. y B. Workman. "A Study in Using Linear Programming to Assign Students to Schools", *Interfaces* 6, 4 (agosto de 1976).

Pooley, J. "Integrated Production and Distribution Facility Planning at Ault Foods", *Interfaces* 24, 4 (julio-agosto de 1994): 113-121.

Render, B. y R. M. Stair. *Introduction to Management Science.* Boston: Allyn & Bacon, Inc., 1992.

Apéndice 9.1: Uso de QM para Windows

QM para Windows tiene un módulo de transporte y un módulo de asignación en su menú. El uso de ambos es sencillo en términos de ingreso de datos, al igual que la interpretación en términos de su salida. El programa 9.6A muestra la pantalla de entrada para el ejemplo de transporte de Executive Furniture. Se puede especificar la técnica para la solución inicial. Los resultados se muestran en la figura 9.6B. Al hacer clic en *Window*, tiene la opción de ver las iteraciones realizadas para llegar a la solución final. El programa 9.7A ilustra la pantalla de entrada para el ejemplo de asignación de Fix-It Shop. Tan solo ingrese los costos y luego dé clic en *Solve*. El programa 9.7B da la solución de este problema.

PROGRAMA 9.6A

Entrada de QM para Windows para el ejemplo de transporte de Executive Furniture

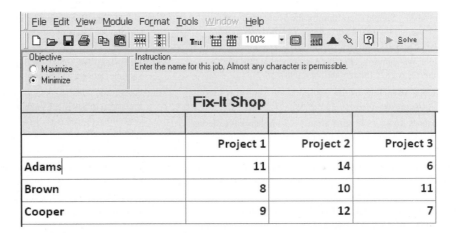

File Edit View Module Format Tools Window Help

Objective
○ Maximize
◉ Minimize

Starting method
Northwest Corner Method ▼

Instruction
Use these option buttons to set the objective.

Executive Furniture Corporation

	Albuquerque	Boston	Cleveland	SUPPLY
Des Moines	5	4	3	100
Evansville	8	4	3	300
Fort Lauderdale	9	7	5	300
DEMAND	300	200	200	

PROGRAMA 9.6B

Solución de QM para Windows para el ejemplo de transporte de Executive Furniture

Objective
○ Maximize
◉ Minimize

Starting method
Any starting method ▼

Instruction
There are more results available in additional windows. These may be opened by using the WINDOW option in the Main Menu.

Transportation Shipments

Executive Furniture Corporation Solution

Optimal cost = $3900	Albuquerque	Boston	Cleveland
Des Moines	100		
Evansville		200	100
Fort Lauderdale	200		100

PROGRAMA 9.7A

Entrada de QM para Windows para el ejemplo de asignación de Fix-It Shop

File Edit View Module Format Tools Window Help

Objective
○ Maximize
◉ Minimize

Instruction
Enter the name for this job. Almost any character is permissible.

Fix-It Shop

	Project 1	Project 2	Project 3
Adams	11	14	6
Brown	8	10	11
Cooper	9	12	7

PROGRAMA 9.7B

Solución de QM para Windows para el ejemplo de asignación de Fix-It Shop

Objective
○ Maximize
◉ Minimize

Instruction
There are more results available in additional windows. These may be opened by using the WINDOW option in the Main Menu.

Assignments

Fix-It Shop Solution

Optimal cost = $25	Project 1	Project 2	Project 3
Adams	11	14	Assign 6
Brown	8	Assign 10	11
Cooper	Assign 9	12	7

CAPÍTULO 10

Programación entera, programación por metas y programación no lineal

OBJETIVOS DE APRENDIZAJE

Al terminar de estudiar este capítulo, el alumno será capaz de:

1. Entender la diferencia entre PL y programación entera.

2. Entender y resolver los tres tipos de problemas de programación entera.

3. Formular y resolver problemas de programación por metas usando Excel y QM para Windows.

4. Formular problemas de programación no lineal y resolverlos con Excel.

CONTENIDO DEL CAPÍTULO

Resumen • Glosario • Problemas resueltos • Autoevaluación • Preguntas y problemas para análisis • Problemas de tarea en Internet • Estudio de caso: Schank Marketing Research • Estudio de caso: Puente sobre el río Oakton • Bibliografía

10.1   Introducción

La programación entera es una extensión de la programación lineal que resuelve problemas que requieren soluciones enteras.

Este capítulo presenta una serie de otros importantes modelos de programación matemática que surgen cuando algunas de las suposiciones básicas de PL se vuelven más o menos restrictivas. Por ejemplo, una suposición de la PL es que las variables de decisión pueden tomar valores fraccionarios como $X_1 = 0.33$, $X_2 = 1.57$ o bien $X_3 = 109.4$. No obstante, un gran número de problemas de negocios se resolverían tan solo si las variables tuvieran valores *enteros*. Cuando una aerolínea decide cuántos Boeing 757 o 777 comprar, no se puede colocar un pedido por 5.38 aviones; se deben pedir 4, 5, 6, 7 o alguna otra cantidad entera. En este capítulo se presenta el tema de programación entera y se considera específicamente el uso de variables especiales que deben ser ya sea 0 o 1.

Una mayor limitante de la PL es que obliga a quienes toman decisiones a establecer solamente un objetivo. Pero, ¿qué sucedería si un negocio tiene varios objetivos? Tal vez la gerencia en verdad quiera maximizar la utilidad, pero también podría desear maximizar su participación en el mercado, mantener sus fuerzas de trabajo completas y minimizar los costos. Muchos de estos objetivos tal vez sean conflictivos y difíciles de cuantificar. South States Power and Light, por ejemplo, quiere construir una planta nuclear en Taft, Louisiana. Sus objetivos son maximizar la energía generada, la confiabilidad y la seguridad, y minimizar tanto el costo de operación del sistema como los efectos ambientales en la comunidad. La programación por metas es una extensión de la PL que permite objetivos múltiples como estos.

La programación por metas es la extensión de la programación lineal que permite establecer más de un objetivo.

Desde luego, la programación lineal se puede aplicar únicamente a casos donde las restricciones y la función objetivo son lineales. Sin embargo, en muchas situaciones este no es el caso. El precio de varios productos, por ejemplo, quizá sea una función del número de unidades producidas. A medida que se fabrican más, el precio por unidad va disminuyendo. Por consiguiente, una función objetivo se escribe como:

La programación no lineal es el caso donde los objetivos o las restricciones son no lineales.

$$\text{Maximizar la utilidad} = 25X_1 - 0.4X_1^2 + 30X_2 - 0.5X_2^2$$

Debido a los términos cuadráticos, se trata de un problema de programación no lineal.

Examinemos cada una de estas extensiones de PL: entera, por metas y no lineal.

10.2   Programación entera

En la programación entera los valores de la solución deben ser números enteros.

Un modelo de **programación entera** es un modelo que tiene restricciones y una función objetivo idénticas a las formuladas por la PL. La única diferencia es que una o más de las variables de decisión tienen que tomar un valor entero en la solución final. Existen tres tipos de problemas de programación entera:

Hay tres tipos de programación entera: pura, mixta y 0-1.

1. Los problemas de programación entera pura son casos donde se requiere que todas las variables tengan valores enteros.

2. Los problemas de programación entera mixta son casos en los cuales se requiere que algunas variables de decisión, aunque no todas, tengan valores enteros.

3. Los problemas de programación entera cero-uno son casos especiales donde todas las variables de decisión deben tener valores de solución enteros de 0 o 1.

La solución de un problema de programación entera es mucho más difícil de resolver que un problema de PL. El tiempo de solución requerido para resolver algunos de ellos suele ser extenso aun con la computadora más veloz.

Ejemplo de programación entera de la compañía Harrison Electric

La compañía Harrison Electric, localizada en el área antigua de Chicago, fabrica dos productos que son populares con los restauradores de casas: candelabros y ventiladores de techo de estilo antiguo. Tanto los candelabros como los ventiladores requieren un proceso de producción de dos pasos, que implica cableado y ensamble. Se requieren 2 horas para cablear cada candelabro y 3 para cablear un ventilador de techo. El ensamble final de los candelabros y los ventiladores requiere de 6 y 5 horas, respectivamente. La capacidad de producción es tal que solamente están disponibles 12 horas de cableado y 30 horas de ensamble. Si cada candelabro producido reditúa a la empresa $7 y cada ventilador $6, la decisión de mezcla de producción de Harrison se formula con PL como sigue:

$$\text{Maximizar la utilidad} = \$7X_1 + \$6X_2$$

$$\text{sujeta a:} \qquad 2X_1 + 3X_2 \leq 12 \text{ (horas de cableado)}$$

$$6X_1 + 5X_2 \leq 30 \text{ (horas de ensamble)}$$

$$X_1, X_2 \geq 0$$

Aun cuando la numeración es factible en algunos problemas sencillos de programación entera, podría ser difícil o imposible en los grandes.

donde

X_1 = número de candelabros producidos

X_2 = número de ventiladores de techo producidos

Con únicamente dos variables y dos restricciones, el planificador de producción de la compañía Harrison, Wes Wallace, utilizó el método de PL gráfico (véase la figura 10.1) para generar la solución óptima de $X_1 = 3.75$ candelabros y $X_2 = 1.5$ ventiladores de techo, durante el ciclo de producción. Como la compañía no puede fabricar ni vender una fracción de un producto, Wes decidió que se trataba de un problema de programación entera.

El redondeo es una forma de obtener valores de solución enteros, pero con frecuencia no genera la mejor solución.

A Wes le parecería que el método más sencillo era redondear las soluciones fraccionarias óptimas para X_1 y X_2 a valores enteros de $X_1 = 4$ candelabros y $X_2 = 2$ ventiladores. Por desgracia, el redondeo puede generar dos problemas. En primer lugar, la nueva solución entera quizá no esté en la región factible y, por lo tanto, tal vez no sea una respuesta práctica. Este es el caso si se redondea a $X_1 = 4$, $X_2 = 2$. En segundo lugar, aun si se redondea a una solución factible, como $X_1 = 4$, $X_2 = 1$, podría no ser la solución entera factible *óptima*.

Elaborar una lista de todas las soluciones factibles y seleccionar aquella con el mejor valor de la función objetivo se llama método de *numeración*. Evidentemente, este sería demasiado tedioso incluso para manejar problemas pequeños y es casi imposible para problemas grandes, ya que el número de soluciones enteras factibles es extremadamente grande.

FIGURA 10.1
Problema de Harrison Electric

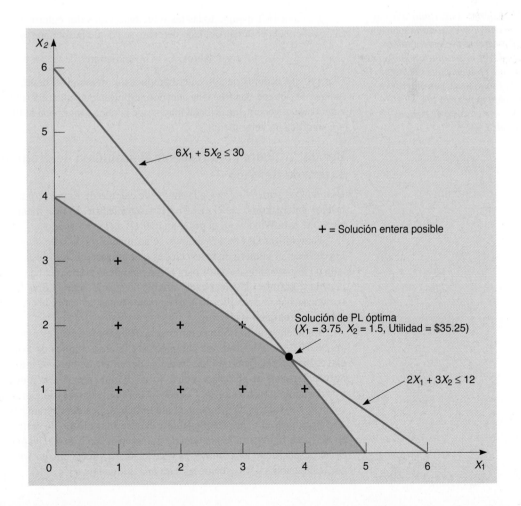

TABLA 10.1

Soluciones enteras del problema de la compañía Harrison Electric

CANDELABROS (X_1)	VENTILADORES DE TECHO (X_2)	UTILIDAD $(\$7X_1 + \$6X_2)$	
0	0	$0	
1	0	7	
2	0	14	
3	0	21	
4	0	28	
5	0	35	← *Solución óptima de un problema de programación entera*
0	1	6	
1	1	13	
2	1	20	
3	1	27	
4	1	34	← *Solución si se utiliza redondeo*
0	2	12	
1	2	19	
2	2	26	
3	2	33	
0	3	18	
1	3	25	
0	4	24	

Un concepto importante que hay que entender es que una solución de programación entera nunca puede ser mejor que la solución del mismo problema que se obtiene con PL. El problema con enteros en general es peor en función de mayores costos o de menor utilidad.

La tabla 10.1 incluye todas las soluciones con valor entero en el problema de Harrison Electric. Si se observa la columna del lado derecho, se ve que la solución *entera* óptima es:

$$X_1 = 5 \text{ candelabros}, X_2 = 0 \text{ ventiladores de techo, con una utilidad de } \$35$$

Observe que esta restricción entera produce un menor nivel de utilidad que la solución óptima original que se obtiene con PL. Una cuestión importante es que una solución obtenida con programación entera *nunca* genera una utilidad mayor que la que se logra con la PL del mismo problema; *casi siempre* significa un valor menor.

Uso de software para resolver el problema de programación entera de Harrison

Usando QM para Windows y las hojas de cálculo de Excel se puede manejar problemas de programación entera, como el del caso de Harrison Electric. El programa 10.1A ilustra los datos de entrada para QM para Windows y el programa 10.1B da los resultados.

Para utilizar QM para Windows, seleccione el módulo de *Integer & Mixed Integer Programming*. Especifique el número de restricciones y el número de variables. El programa 10.1A ilustra la pantalla de introducción de datos para el ejemplo de la compañía Harrison Electric. El último renglón de la tabla le permite clasificar cada variable de acuerdo con el tipo de variable (entera, real o 0-1). Una vez que se hayan especificado correctamente todas las variables, haga clic en *Solve* y verá los resultados en el programa 10.1B.

También se utiliza Solver en Excel 2010 para resolver este problema, como se indica en el programa 10.2. Se muestran los parámetros y las selecciones de Solver, y se presentan las fórmulas clave. Para especificar que las variables deben ser enteras, se introduce una restricción especial en Solver. Después de abrir la ventana Solver Parameters, seleccione *Add* del mismo modo en que introduciría otras restricciones. Cuando se abre la ventana Add Constraint, introduzca el intervalo que contiene los valores de solución, como se muestra en el programa 10.2. Después haga clic en la pestaña para abrir el menú desplegable y así cambiar el tipo de restricción a *int* para entera. Haga clic en *OK* para regresar a la ventana de parámetros de Solver. Después introduzca las demás restricciones, especifique los parámetros y selecciones, y haga clic en *Solve*. La solución que se muestra es de 5 candelabros y 0 ventiladores para una utilidad de $35.

PROGRAMA 10.1A

Pantalla de datos de QM
para Windows del
problema de la compañía
Harrison Electric

Objective		Maximum number of iterations		Maximum level (depth) in procedure	
● Maximize		◄ ▬▬▬ ►	1000	◄ ▬▬▬ ►	50
○ Minimize					

Harrison Electric Integer Programming Problem

	X1	X2		RHS	Equation form
Maximize	7	6			Max 7X1 + 6X2
Constraint 1	2	3	<=	12	2X1 + 3X2 <= 12
Constraint 2	6	5	<=	30	6X1 + 5X2 <= 30
Variable type	Integ ▾	Integer			

Integer
Real
0/1

PROGRAMA 10.1B

Pantalla de solución con
QM para Windows del
problema de la compañía
Harrison Electric

Objective		Maximum number of iterations		M.
● Maximize		◄ ▬▬▬ ►	1000	◄
○ Minimize				

Integer & Mixed Integer Programming Results

Variable	Type	Value
X1	Integer	5
X2	Integer	0
Solution value		35

PROGRAMA 10.2

Solución con Solver de
Excel 2010 para el
problema de la compañía
Harrison Electric

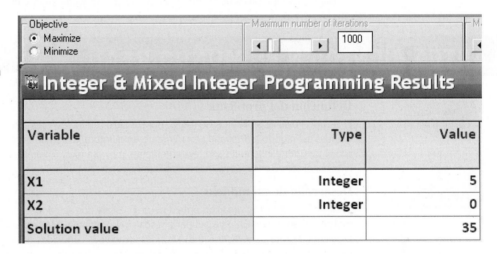

	A	B	C	D	E	F
1	Harrison Electric Integer Programming Analysis					
2		Chandeliers	Fans			
3	Variables	X1	X2			
4	Values	5	0	Total Profit		
5	Profit	7	6	35		
6						
7	Constraints			LHS	Sign	RHS
8	Wiring hours	2	3	10	≤	12
9	Assembly hours	6	5	30	≤	30

Add Constraint

Cell Reference: $B$4:$C$4   <=   Constraint:
<=
=
>=
int
bin
dif

OK   Cancel

Registro de parámetros y opciones en Solver	Fórmulas claves

Set Objective: D5
By Changing cells: B4:C4
To: Max
Subject to the Constraints:
    D8:D9 <= F8:F9
    B4:C4 = integer
Solving Method: Simplex LP
☑ **Make Variables Non-Negative**

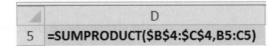

	D
5	=SUMPRODUCT($B$4:$C$4,B5:C5)

Copy D5 to D8:D9

Ejemplo de problema de programación entera mixta

Aun cuando el ejemplo de Harrison Electric fue un problema de enteros puro, hay muchas situaciones en las cuales algunas de las variables están restringidas a ser enteros y otras no. El siguiente es un ejemplo de un problema de programación entera mixta.

La compañía Bagwell Chemical, en Jackson, Mississippi, elabora dos productos químicos industriales. El primero, xyline, se debe producir en sacos de 50 libras; en tanto que el segundo, hexall, se vende por libras a granel en seco y, por consiguiente, se puede elaborar en cualquier cantidad. Tanto el xyline como el hexall se componen de tres ingredientes (A, B y C) como sigue:

CANTIDAD POR SACO DE 50 LIBRAS DE XYLINE (LB)	CANTIDAD POR LIBRA DE HEXALL (LB)	CANTIDAD DE INGREDIENTES DISPONIBLE
30	0.5	2,000 lb—ingrediente A
18	0.4	800 lb—ingrediente B
2	0.1	200 lb—ingrediente C

Bagwell vende sacos de 50 libras de xyline en $85 y cualquier cantidad de hexall a $1.50 cada libra.

PLANTEAMIENTO EN EL MUNDO REAL

Programación entera en el USPS

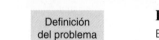

Definición del problema

Desarrollo de un modelo

Recolección de datos

Pruebas de la solución

Análisis de los resultados

Implementación de resultados

Definición del problema

El Servicio Postal Estadounidense (USPS, por sus siglas en inglés) opera una de las redes de transporte más grandes del mundo, entregando anualmente un quinto de billón de artículos. Los problemas relacionados con el transporte inherentes son, evidentemente, muy grandes. Sin embargo, el problema de USPS es cómo entregar el correo en la forma más rentable posible.

Desarrollo de un modelo

Se desarrolló una programación entera de gran escala que se conoce como programa analítico de la autopista-corredor (PAAC), para ayudar a resolver el problema. Más específicamente, el PAAC resuelve un problema de ruta de vehículos (PRV) con las locaciones conocidas de recolección y entrega. Es decir, el modelo toma en cuenta todos los modos diferentes de transporte, las capacidades inherentes al sistema, todas las localizaciones de recolección, y todos los lugares de entrega, para después asignar camiones a las rutas como la variable de decisión (binaria) de interés.

Recolección de datos

Los datos del sistema de información geográfica (SIG) de todas las ubicaciones de recolección y entrega se integran en un modelo. Se introdujeron en el modelo las restricciones reales de tiempo y distancia, con la finalidad de evitar que a los conductores se les asigne la recolección en una área y la entrega en una zona muy lejana.

Pruebas de la solución

El modelo se ha cargado en un software de programación matemática a gran escala. Se probaron varias versiones y modelos.

Análisis de los resultados

La decisión indica mejoras en varias áreas. Por ejemplo, uno de los modelos da como resultado una reducción de 20% en viajes redundantes.

Implementación de resultados

El USPS ya ha obtenido más de $5 millones en ahorros de transporte gracias a la implementación del modelo de optimización de programación entera PAAC. Se han hecho esfuerzos para buscar más eficiencias con el uso del PAAC.

Fuente: Basada en A. Pajunas, E. J. Matto, M. Trick y L. F. Zuluaga. "Optimizing Highway Transportation at the United States Postal Service", *Interfaces* 37, 6(2007): 515-525.

Si X = número de sacos de 50 libras de xyline producido y Y = número de libras de hexall (a granel en seco), entonces, el problema de Bagwell se describe como programación entera mixta:

$$\text{Maximizar la utilidad} = \$85X + \$1.50Y$$

$$\text{sujeta a} \qquad 30X + 0.5Y \leq 2{,}000$$

$$18X + 0.4Y \leq 800$$

$$2X + 0.1Y \leq 200$$

$$X, Y \geq 0 \text{ y } X \text{ enteros.}$$

Observe que Y representa peso a granel de hexall y no se requiere que tenga un valor entero.

USO DE QM PARA WINDOWS Y EXCEL PARA RESOLVER EL MODELO DE PROGRAMACIÓN ENTERA DE BAGWELL La solución del problema de Bagwell es producir 44 sacos de xyline y 20 libras de hexall, con una utilidad de $3,770. (Por cierto, la solución lineal óptima es producir 44.444 sacos de xyline y 0 libras de hexall, con una utilidad de $3,777.78). Este resultado se ilustra por primera vez en el programa 10.3, que utiliza el módulo Mixed Integer Programming de QM para Windows. Observe que la variable X se identifica como Integer (entera), mientras que la variable Y es Real en el programa 10.3.

En el programa 10.4 se utiliza Excel para dar un método de solución alternativo.

PROGRAMA 10.3

Solución de QM para Windows en el problema de Bagwell Chemical

Objective					
⦿ Maximize		Maximum number of iterations	◄ 1000 ►	Maximum level (depth) in procedure ◄ 50 ►	Ins Oth
○ Minimize					

Se usan límites y se presenta la mejor solución disponible después de un tiempo dado.

Observe que tan solo X debe ser entero, mientras que Y puede ser cualquier número real.

Bagwell Chemical Company Solution

		Y			RHS
	85	1.5			
	30	0.5		<=	2000
Constraint 2	18	0.4		<=	800
Constraint 3	2	0.1		<=	200
Variable type	Integer	Real			
Solution->	44	20		Optimal Z->	3770

EN ACCIÓN | **Programación entera mixta en la cadena de suministro de IBM**

La fabricación de semiconductores es una operación muy costosa que a menudo requiere inversiones de miles de millones de dólares. El grupo de sistemas y tecnología de IBM ha utilizado la programación entera mixta (PEM), junto con otras técnicas de investigación de operaciones para planear y optimizar su cadena de suministro de semiconductores. El negocio de la optimización de la cadena de suministro (OCS) se ha considerado negocio crítico y debe incorporar una variedad de criterios y restricciones de planeación.

IBM utiliza un motor de planeación central (MPC) para balancear los recursos de la cadena de suministro contra la demanda de semiconductores. La PEM es una parte importante de este MPC. El modelo de PEM es un problema de minimización de costos con restricciones relacionadas con el flujo de materiales y otros aspectos de la cadena de suministro.

Algunos de los modelos que participan en la OCS incluyen el abastecimiento entre múltiples plantas, la logística de transporte entre plantas y el desarrollo de planes de producción para todas las plantas dentro del sistema. Estos pueden implicar un horizonte de planeación de unos días, unos meses o incluso años, dependiendo del tipo específico de aplicación. Mientras que la PL se uti-

liza comúnmente en el modelado de la cadena de suministro, se necesitan usar modelos en los cuales algunas de las variables deban ser enteras. Los modelos de PEM resultantes son tan grandes (con millones de variables) que no se puede resolver aun con las computadoras más rápidas. Por consiguiente, el grupo de sistemas y tecnología de IBM desarrolló métodos heurísticos para resolver los modelos de optimización, como parte de los sistemas de planeación avanzada de la compañía.

Los beneficios del MPC son muchos. Se observó, como resultado del modelo, que las entregas puntuales mejoraron un 15%, así como una reducción de 25% a 30% en inventarios. La compañía también notó una mejora en la asignación de activos de entre 2% y 4% de los costos. Este modelo permite preguntas con respuesta rápida del tipo "qué sucedería si": un proceso que no era posible anteriormente. También con el MPC se facilitó la planeación estratégica. IBM se benefició mucho con el uso de la PEM en la administración de la cadena de suministro de semiconductores.

Fuente: Basada en Brian T. Denton, John Forrest y R. John Milne. "IBM Solves a Mixed-Integer Program to Optimize Its Semiconductor Supply Chain", *Interfaces* 36, 5 (septiembre-octubre de 2006): 386-399.

PROGRAMA 10.4

Solución en Solver de Excel 2010 para el problema de Bagwell Chemical

	A	B	C	D	E	F
1	Bagwell Chemical Company					
2		Xyline (bags)	Hexall (lbs)			
3	Variables	X	Y			
4	Values	44	20	Total Profit		
5	Profit	85	1.5	3770		
6						
7	Constraints			LHS	sign	RHS
8	Ingredient A	30	0.5	1330	≤	2000
9	Ingredient B	18	0.4	800	≤	800
10	Ingredient C	2	0.1	90	≤	200

Registro de parámetros y opciones en Solver

Set Objective: D5
By Changing cells: B4:C4
To: Max
Subject to the Constraints:
 D8:D10 <= F8:F10
 B4 = integer
Solving Method: Simplex LP
☑ **Make Variables Non-Negative**

Fórmulas clave

	E
5	=SUMPRODUCT($B$4:$D$4,B5:D5)

Copy D5 to D8:D10

10.3 Planteamiento con variables 0-1 (binarias)

En esta sección se demuestra cómo se utilizan las variables 0-1 para modelar diversas situaciones. En general, a una variable 0-1 se le asigna un valor de 0 si no se satisface una cierta condición, y 1 si se satisface la condición. Otro nombre de una variable 0-1 es *variable binaria*. Un problema común de este tipo es el problema de asignación, que implica decidir qué individuos asignar a un conjunto de trabajos. (Este tema se analizó en el capítulo 9). En este problema de asignación, un valor de 1 indica que una persona es asignada a un trabajo específico, y un valor de 0 indica que no se hizo la asignación. Se presentan otros tipos de problemas 0-1 para demostrar la amplia aplicabilidad de esta técnica de planteamiento.

Ejemplo de presupuesto de capital

Una decisión de presupuesto de capital común implica seleccionar de entre un conjunto de posibles proyectos, cuando las limitaciones de presupuesto hacen imposible seleccionar todos. Se puede definir una variable 0-1 distinta para cada proyecto. En el siguiente ejemplo se presenta tal situación.

La compañía Quemo Chemical está considerando tres posibles proyectos para mejorar su planta: un nuevo convertidor catalítico, un nuevo software para controlar las operaciones y la expansión del almacén. Los requerimientos de capital y las limitaciones del presupuesto en los dos años siguientes impiden que la firma emprenda todos los proyectos en este momento. El valor presente neto (el valor futuro del proyecto descontado al del momento actual) de cada uno de los proyectos, los requerimientos de capital y los fondos disponibles para los dos años siguientes se presentan en la tabla 10.2.

Para formular este como un problema de programación entera, se identifican la función objetivo y las restricciones de la siguiente manera:

Maximizar el valor presente neto de los proyectos emprendidos

sujeto a: Fondos totales utilizados en el año 1 ≤ $20,000

Fondos totales utilizados en el año 2 ≤ $16,000

TABLA 10.2

Información de la compañía Quemo Chemical

PROYECTO	VALOR PRESENTE NETO	AÑO 1	AÑO 2
Convertidor catalítico	$25,000	$8,000	$7,000
Software	$18,000	$6,000	$4,000
Ampliación del almacén	$32,000	$12,000	$8,000
Fondos disponibles		$20,000	$16,000

Las variables de decisión se definen como

$$X_1 = \begin{cases} 1 \text{ si se financia el proyecto del convertidor catalítico} \\ 0 \text{ de otra manera} \end{cases}$$

$$X_2 = \begin{cases} 1 \text{ si se financia el proyecto del software} \\ 0 \text{ de otra manera} \end{cases}$$

$$X_3 = \begin{cases} 1 \text{ si se financia el proyecto de expansión del almacén} \\ 0 \text{ de otra manera} \end{cases}$$

El planteamiento matemático del problema de programación entera será:

$$\text{Maximizar el VPN} = 25,000X_1 + 18,000X_2 + 32,000X_3$$
$$\text{sujeto a} \quad 8,000X_1 + 6,000X_2 + 12,000X_3 \leq 20,000$$
$$7,000X_1 + 4,000X_2 + 8,000X_3 \leq 16,000$$
$$X_1, X_2, X_3 = 0 \text{ o } 1$$

El programa 10.5 muestra la solución de Solver de Excel 2010. Se especifican las variables como binarias (0-1) seleccionando bin de la ventana Add Constraint. La solución óptima es $X_1 = 1$, $X_2 = 0$, $X_3 = 1$ con un valor de la función objetivo de 57,000, lo cual significa que la compañía Quemo

PROGRAMA 10.5

Solución con Solver de Excel 2010 para el problema de Quemo Chemical

	A	B	C	D	E	F	G
1	Quemo Chemical Company						
2		Catalytic Conv.	Software	Warehouse Expan.			
3	Variables	X1	X2	X3			
4	Values	1	0	1	NPV		
5	Net Present Value	25000	18000	32000	57000		
6							
7	Constraints				LHS	sign	RHS
8	Year 1	8000	6000	12000	20000	≤	20000
9	Year 2	7000	4000	8000	15000	≤	16000
10							
11		**Add Constraint**					
12							
13		Cell Reference:		Constraint:			
14		$B$4:$D$4	<=				
15			<=				
16		OK	=	Cancel			
17			>=				
18			int				
			bin				
			dif				

Registro de parámetros y opciones en Solver

Set Objective: E5
By Changing cells: B4:D4
To: Max
Subject to the Constraints:
    E8:E9 <= G8:G9
    B4:D4 = binary
Solving Method: Simplex LP
☑ **Make Variables Non-Negative**

Fórmulas clave

	E
5	=SUMPRODUCT($B$4:$D$4,B5:D5)

Copy E5 to E8:E9

deberá financiar el proyecto del convertidor catalítico y el de la expansión del almacén, pero no el del software nuevo. El valor presente neto de dichas inversiones será de $57,000.

Limitación del número de alternativas seleccionadas

Un uso común de las variables 0-1 implica limitar el número de proyectos o elementos seleccionados de un grupo. Suponga que en el ejemplo de la compañía Quemo Chemical se requiere que la compañía elija no más de dos de los tres proyectos, *sin importar* los fondos disponibles. Esto se podría modelar si se agrega la siguiente restricción al problema:

$$X_1 + X_2 + X_3 \leq 2$$

Si se deseara forzar la selección a *exactamente* dos de los tres proyectos para financiar, se debería utilizar la siguiente restricción:

$$X_1 + X_2 + X_3 = 2$$

lo cual forzaría a que exactamente dos de las variables tengan valores de 1, en tanto que la otra debe tener un valor de 0.

Selecciones dependientes

En ocasiones, la selección de un proyecto depende en cierto modo de la selección de otro proyecto. Esta situación se puede modelar con el uso de variables 0-1. Ahora suponga que, en el problema de la compañía Quemo Chemical, el nuevo convertidor catalítico podría comprarse tan solo si también se adquiere el software. La siguiente restricción haría que esto ocurra:

$$X_1 \leq X_2$$

o, de forma equivalente,

$$X_1 - X_2 \leq 0$$

Por lo tanto, si no se compra el software, el valor de X_2 es 0 y el de X_1 también tiene que ser 0 debido a esta restricción. No obstante, si se compra el software ($X_2 = 1$), entonces, es posible que el convertidor catalítico también se pueda adquirir ($X_1 = 1$), aun cuando este no se requiera.

Si se quiere que ambos proyectos, el del convertidor catalítico y el del software, se seleccionen o no se seleccionen, se debería utilizar la siguiente restricción:

$$X_1 = X_2$$

o, de forma equivalente,

$$X_1 - X_2 = 0$$

Por consiguiente, si cualquiera de estas variables es igual a 0, la otra también debe ser 0. Si cualquiera de ellas es igual a 1, la otra también debe ser igual a 1.

Ejemplo de problema de cargo fijo

Con frecuencia, los negocios enfrentan decisiones que implican un cargo fijo que afectará el costo de operaciones futuras. La construcción de una nueva fábrica o la firma de un contrato de arrendamiento a largo plazo de una instalación existente implicarían un costo fijo que podría variar, según el tamaño de la instalación y la ubicación. Una vez que se construye la fábrica, los costos de producción variables se verán afectados por el costo de la mano de obra en la ciudad específica donde esté localizada. A continuación se presenta un ejemplo.

Sitka Manufacturing planea construir por lo menos una nueva planta, y está considerando alguna(s) de las siguientes tres ciudades: Baytown, Texas; Lake Charles, Louisiana; y Mobile, Alabama. Una vez que se haya(n) construido la(s) planta(s), la compañía desea tener suficiente capacidad para producir anualmente por lo menos 38,000 unidades. Los costos asociados con las posibles ubicaciones se presentan en la tabla 10.3.

Al modelar este problema como uno de programación entera, la función objetivo es minimizar el total de los costos fijos y los costos variables. Las restricciones son: **1.** que la capacidad de producción total sea de por lo menos 38,000; **2.** que el número de unidades producidas en la planta de Baytown sea 0 si la planta no se construye, y de no más de 21,000 si se construye la planta; **3.** que el número de unidades producidas en la planta de Lake Charles sea 0 si la planta no se construye y de no más de 20,000 si se construye; **4.** que el número de unidades producidas en la planta de Mobile sea 0 si la planta no se construye y de no más de 19,000 si la planta se construye.

TABLA 10.3

Costos fijos y variables de Sitka Manufacturing

SITIO	COSTO FIJO ANUAL	COSTO VARIABLE POR UNIDAD	CAPACIDAD ANUAL
Baytown, TX	$340,000	$32	21,000
Lake Charles, LA	$270,000	$33	20,000
Mobile, AL	$290,000	$30	19,000

Entonces, las variables de decisión se definen como:

$$X_1 = \begin{cases} 1 \text{ si la fábrica se construye en Baytown} \\ 0 \text{ de otra manera} \end{cases}$$

$$X_2 = \begin{cases} 1 \text{ si la fábrica se construye en Lake Charles} \\ 0 \text{ de otra manera} \end{cases}$$

El número de unidades producidas debe ser 0 si no se construye la planta.

$$X_3 = \begin{cases} 1 \text{ si la fábrica se construye en Mobile} \\ 0 \text{ de otra manera} \end{cases}$$

X_4 = número de unidades producidas en planta de Baytown

X_5 = número de unidades producidas en planta de Lake Charles

X_6 = número de unidades producidas en planta de Mobile

La formulación del problema de programación entera será:

Minimizar el costo $= 340,000X_1 + 270,000X_2 + 290,000X_3 + 32X_4 + 33X_5 + 30X_6$

$$\text{sujeto a} \quad X_4 + X_5 + X_6 \geq 38,000$$
$$X_4 \leq 21,000X_1$$
$$X_5 \leq 20,000X_2$$
$$X_6 \leq 19,000X_3$$
$$X_1, X_2, X_3 = 0 \text{ o bien 1}; X_4, X_5, X_6 \geq 0 \text{ y entero}$$

Observe que si $X_1 = 0$ (que significa que no se construyó la planta de Baytown), entonces, X_4 (número de unidades producidas en Baytown) también debe ser cero debido a la segunda restricción. Si $X_1 = 1$, entonces, X_4 puede ser cualquier entero menor que o igual al límite de 21,000. La tercera y la cuarta restricciones se utilizan de manera similar para garantizar que ninguna unidad se produzca en las otras ubicaciones, si las plantas no se construyen. La solución óptima que se muestra en el programa 10.6 es:

$$X_1 = 0, \quad X_2 = 1, \quad X_3 = 1, \quad X_4 = 0, \quad X_5 = 19,000, \quad X_6 = 19,000$$

Valor de la función objetivo $= 1,757,000$

Esto significa que se construirán fábricas en Lake Charles y Mobile y cada una de ellas producirá 19,000 unidades al año y el costo anual total será de $1,757,000.

Ejemplo de inversión financiera

Existen muchas aplicaciones financieras con variables 0-1. Un tipo muy común es el problema que implica seleccionar de un grupo de oportunidades de inversión. El ejemplo siguiente muestra esta aplicación.

Aquí hay un ejemplo de análisis de una cartera de acciones con programación 0-1.

La firma de inversiones Simkin, Simkin and Steinberg, con sede en Houston, se especializa en recomendar carteras de acciones petroleras a clientes ricos. Uno de sus clientes hizo las siguientes especificaciones: **1.** por lo menos dos firmas petroleras tejanas deben estar en la cartera, **2.** no se puede hacer más de una inversión en compañías petroleras extranjeras, **3.** se tiene que adquirir una de las dos carteras de acciones de empresas petroleras californianas. El cliente dispone hasta de $3 millones para invertir, e insiste en adquirir grandes bloques de acciones de cada compañía en la que invierte. La tabla 10.4 describe varias acciones que Simkin considera. El objetivo es maximizar el rendimiento anual sobre la inversión sujeta a las restricciones.

PROGRAMA 10.6

Solución con Solver de Excel 2010 para el problema de Sitka Manufacturing

	A	B	C	D	E	F	G	H	I	J
1	Sitka Manufacturing Company									
2		Baytown	Lake Charles	Mobile	Baytown units	L. Charles units	Mobile units			
3	Variables	X1	X2	X3	X4	X5	X6			
4	Values	0	1	1	0	19000	19000	Cost		
5	Cost	340000	270000	290000	32	33	30	1757000		
6										
7	Constraints							LHS	Sign	RHS
8	Minimum capacity				1	1	1	38000	≥	38000
9	Maximum in Baytown	-21000			1			0	≤	0
10	Maximum in L. C.		-20000			1		-1000	≤	0
11	Maximum in Mobile			-19000			1	0	≤	0

Registro de parámetros y opciones en Solver

Set Objective: H5

By Changing cells: B4:G4

To: Min

Subject to the Constraints:

   H8 >= J8

   H9:H11 <= J9:J11

   B4:D4 = binary

Solving Method: Simplex LP

☑   **Make Variables Non-Negative**

Fórmulas clave

	H
5	=SUMPRODUCT($B$4:$G$4,B5:G5)

Copy H5 to H8:H11

TABLA 10.4

Oportunidades de inversión en petróleo

CARTERA DE ACCIONES	NOMBRE DE LA COMPAÑÍA	RENDIMIENTO ANUAL ESPERADO (EN MILES)	COSTO POR BLOQUE DE ACCIONES (EN MILES)
1	Trans-Texas Oil	50	480
2	British Petroleum	80	540
3	Dutch Shell	90	680
4	Houston Drilling	120	1,000
5	Texas Petroleum	110	700
6	San Diego Oil	40	510
7	California Petro	75	900

Para formular este como un problema de programación entera 0-1, Simkin hace que X_i sea una variable entera 0-1, donde $X_i = 1$ si se compra la acción i y $X_i = 0$ si no se compra la acción i.

$$\text{Maximizar el rendimiento} = 50X_1 + 80X_2 + 90X_3 + 120X_4 + 110X_5 + 40X_6 + 75X_7$$

sujeto a
$$X_1 + X_4 + X_5 \geq 2 \quad \text{(restricción de Texas)}$$
$$X_2 + X_3 \leq 1 \quad \text{(restricción de petróleo extranjero)}$$
$$X_6 + X_7 = 1 \quad \text{(restricción de California)}$$
$$480X_1 + 540X_2 + 680X_3 + 1,000X_4 + 700X_5 + 510X_6 + 900X_7 \leq 3,000$$
$$\text{(límite de \$3 millones)}$$
$$X_i = 0 \text{ o } 1 \text{ para toda } i$$

En el programa 10.7 se muestra la solución usando Solver en Excel 2010.

10.4   Programación por metas

En general, las empresas tienen más de una meta.

En el ambiente de negocios de la actualidad, la maximización de las utilidades o la minimización de los costos no siempre son los únicos objetivos que establece una compañía. Con frecuencia, la maximización de la utilidad total es tan solo una de varias metas, incluidos objetivos contradictorios como maximizar la participación de mercado, mantener el pleno empleo, ofrecer una administración ecológica de calidad, minimizar el nivel de ruido en el vecindario y satisfacer otras metas no económicas.

PROGRAMA 10.7

Solución con Solver de Excel 2010 para el problema de inversión financiera

	A	B	C	D	E	F	G	H	I	J	K
1	Simkin, Simkin and Steinberg										
2											
3	**Variables**	X1	X2	X3	X4	X5	X6	X7			
4	**Values**	0	0	1	1	1	1	0	**Return**		
5	**Return ($1,000s)**	50	80	90	120	110	40	75	**360**		
6	**Constraints**								LHS	Sign	RHS
7	**Texas**	1			1	1			2	≥	2
8	**Foreigh Oil**		1	1					1	≤	1
9	**California**						1	1	1	=	1
10	**$3 Million**	480	540	680	1000	700	510	900	2890	≤	3000

Registro de parámetros y opciones en Solver

Set Objective: I5

By Changing cells: B4:H4

To: Max

Subject to the Constraints:

      I7 >= K7

      I8 <= K8

      I9 = K9

      I10 <= K10

      B4:H4 = binary

Solving Method: Simplex LP

☑ **Make Variables Non-Negative**

Fórmulas clave

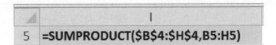

	I
5	=SUMPRODUCT($B$4:$H$4,B5:H5)

Copy I5 to I7:I10

EN ACCIÓN   Continental Airlines ahorra $40 millones con CrewSolver

Las aerolíneas utilizan los procesos más avanzados y herramientas automatizadas para desarrollar itinerarios que maximicen las utilidades. Dichos itinerarios asignan aviones a rutas específicas y, luego, programan a los pilotos y sobrecargos a cada una de estas aeronaves. Cuando ocurren interrupciones, con frecuencia los aviones y el personal quedan en una posición donde no pueden cumplir con las asignaciones del siguiente día. Las aerolíneas enfrentan interrupciones de itinerarios debido a varias razones inesperadas, tales como mal clima, problemas mecánicos e indisponibilidad de tripulaciones.

En 1993, Continental Airlines inició un esfuerzo para desarrollar un sistema para tratar las interrupciones en tiempo real. En colaboración con CALEB Technologies, Continental desarrolló los sistemas CrewSolver y OptSolver (basados en modelos de programación entera 0-1) para producir soluciones de recuperación amplias tanto para aeronaves como para tripulaciones. Las soluciones retienen el ingreso y promueven la satisfacción del cliente mediante la disminución de las cancelaciones de vuelos y la minimización de las demoras. Las soluciones de recuperación de tripulaciones son de bajo costo, al mismo tiempo que mantienen una alta calidad de vida de los pilotos y sobrecargos.

A finales del año 2000 y a lo largo de 2001, Continental y otras aerolíneas experimentaron cuatro importantes interrupciones. Las dos primeras fueron originadas por severas tormentas de nieve a principios de enero y en marzo de 2001. Las inundaciones de Houston causadas por la tormenta tropical Allison cerraron un importante centro de distribución de pasajeros en junio de 2001 y dejaron a los aviones en ubicaciones no programadas. Los ataques terroristas del 11 de septiembre de 2001 hicieron que los aviones y las tripulaciones quedaran diseminados y desorganizaron por completo los horarios de vuelos. El sistema CrewSolver proporcionó una recuperación más rápida y más eficiente de la que hubiera sido posible en el pasado. Se estimó que el sistema CrewSolver ahorró aproximadamente $40 millones ante esas importantes interrupciones en 2001. Este sistema también ahorró dinero adicional y facilitó la recuperación cuando ocurrieron interrupciones menores provocadas por problemas climáticos locales en otras ocasiones durante el año.

Fuente: Basada en Gang Yu, Michael Arguello, Gao Song, Sandra M. McCowan y Anna White. "A New Era for Crew Recovery at Continental Airlines", en *Interfaces* 33 (enero-febrero de 2003): 5-22.

La programación por metas permite buscar diversas metas.

La desventaja de las técnicas de programación matemáticas como la programación lineal y entera es que su función objetivo se mide solamente en una dimensión. No es posible que la programación lineal tenga *múltiples metas*, a menos que todas estén medidas en las mismas unidades (como dólares), una situación bastante inusual. Una técnica importante que se ha desarrollado para complementar la PL se llama **programación por metas**.

La programación por metas "satisface", en comparación con la programación lineal, la cual intenta "optimizar". Ello significa acercarse tanto como sea posible al logro de las metas.

La programación por metas puede manejar problemas de decisión que implican diversas metas. Un concepto antiguo de cuatro décadas, que comenzó con el trabajo de Chames y Cooper en 1961, fue perfeccionado y ampliado por Lee e Ignizio en las décadas de 1970 y 1980 (véase la bibliografía).

En situaciones comunes de toma de decisiones, las metas establecidas por la gerencia se pueden lograr tan solo a expensas de otras. Es necesario establecer una jerarquía de importancia entre ellas, de modo que las de menor prioridad se enfrenten únicamente después de que se satisfagan las de mayor prioridad. Como no siempre es posible alcanzar todas las metas al grado en que desea quien toma las decisiones, la programación por metas intenta alcanzar un nivel satisfactorio de múltiples objetivos, lo cual, desde luego, difiere de la programación lineal, que trata de encontrar el mejor resultado posible con un *solo* objetivo. El ganador del premio Nobel de Economía, Herbert A. Simon, de la Carnegie-Mellon University, afirma que posiblemente los gerentes modernos no sean capaces de optimizar, sino que en cambio quizá tengan que "**satisfacer**" o "acercarse tanto como sea posible" al logro de sus metas. Es el caso con modelos tales como la programación por metas.

La función objetivo es la principal diferencia entre la programación por metas y la programación lineal.

¿Específicamente cómo difiere la programación por metas de la programación lineal? La función objetivo es la diferencia principal. En vez de intentar maximizar o minimizar directamente la función objetivo, la programación por metas trata de minimizar las *desviaciones* entre las metas establecidas y las que en realidad se pueden lograr dentro de las restricciones dadas. En el método símplex de programación lineal, tales desviaciones reciben el nombre de variables de holgura y excedentes. Ya que el coeficiente de cada una de estas en la función objetivo es cero, las variables de holgura y las excedentes no afectan la solución óptima. En la programación por metas, las variables de desviación en general son las únicas variables en la función objetivo, y el objetivo es minimizar el total de esas **variables de desviación**.

En la programación por metas se desean minimizar las variables de desviación, las cuales son los únicos términos en la función objetivo.

Cuando se formula el modelo de programación por metas, el algoritmo computacional es casi el mismo que el de un problema de minimización resuelto por el método símplex.

Ejemplo de programación por metas: Una revisión a la compañía Harrison Electric

Para ilustrar la formulación de un problema de programación por metas, regresaremos al caso de la compañía Harrison Electric, que se presentó antes en este capítulo como un problema de programación entera. La formulación en PL de ese problema, si recuerda, es:

$$\text{Maximizar la utilidad} = \$7X_1 + \$6X_2$$

$$\text{sujeta a} \qquad 2X_1 + 3X_2 \leq 12 \quad \text{(horas de cableado)}$$

$$6X_1 + 5X_2 \leq 30 \quad \text{(horas de ensamble)}$$

$$X_1, X_2 \geq 0$$

donde:

X_1 = número de candelabros fabricados

X_2 = número de ventiladores de techo fabricados

Vimos que si la gerencia de Harrison tenía un solo objetivo, por ejemplo las utilidades, se podía utilizar PL para encontrar la solución óptima. Sin embargo, suponga que la firma se va a mudar a otro lugar durante cierto periodo de producción y considera que la maximización de las utilidades no es una meta realista. La gerencia establece que un nivel de utilidades de $30 sería satisfactorio durante el periodo de ajuste. Ahora se tiene un problema de programación por metas, en el cual se desea encontrar la mezcla de producción que alcance esta meta tan cerca como sea posible, dadas las restricciones de tiempo de producción. Este caso sencillo es un buen punto de inicio para enfrentar programas con metas más complicados.

Primero se definen dos variables de desviación:

d_1^- = resultado por debajo del objetivo de utilidad

d_1^+ = resultado por arriba del objetivo de utilidad

Ahora se establece el problema de Harrison Electric como un modelo de programación de *una sola meta:*

$$\text{Minimizar el resultado por debajo o por arriba del objetivo de utilidad} = d_1^- + d_1^+$$

$$\text{sujeta a} \qquad \$7X_1 + \$6X_2 + d_1^- - d_1^+ = \$30 \quad \text{(restricción de meta de utilidad)}$$

$$2X_1 + 3X_2 \qquad\qquad \leq 12 \quad \text{(restricción de horas de cableado)}$$

$$6X_1 + 5X_2 \qquad\qquad \leq 30 \quad \text{(restricción de horas de ensamble)}$$

$$X_1, X_2, d_1^-, d_1^+ \geq 0$$

Observe que la primera restricción establece que la utilidad obtenida, $7X_1 + 6X_2$, más cualquier resultado por debajo de la utilidad esperada menos cualquier resultado por arriba de la utilidad esperada, tiene que ser igual al objetivo de $30. Por ejemplo, si $X_1 = 3$ candelabros y $X_2 = 2$ ventiladores de techo, entonces se obtiene una utilidad de $33 que excede los $30 en $3, de modo que d_1^+ debe ser igual a 3. Puesto que se *superó* la restricción de la meta de utilidades, Harrison no logró un resultado menor a lo esperado y d_1^- claramente será igual a cero. Este problema ya está listo para ser resuelto mediante un algoritmo de programación por metas.

Las variables de desviación son iguales a cero si una meta se logra por completo.

Si la utilidad objetivo de $30 se logra con exactitud, vemos que tanto d_1^+ como d_1^- son iguales a cero. La función objetivo también se minimizará a cero. Si a la gerencia de Harrison le preocupara tan solo el *resultado por debajo de lo esperado* de la meta buscada, ¿cómo cambiaría la función objetivo? Sería como sigue: minimice el resultado por debajo de los esperado $= d_1^-$. Esta también es una meta razonable puesto que probablemente a la firma no le molestaría un resultado por arriba de lo esperado en el logro de su objetivo.

En general, una vez que se identifican todas las metas y restricciones en un problema, la gerencia debería analizar cada meta para saber si el resultado por abajo o por arriba de lo esperado en esa meta es una situación aceptable. Si el resultado excedente en el logro es aceptable, la variable d^+ adecuada se puede eliminar de la función objetivo. Si es aceptable el resultado por debajo de lo esperado, la variable d^- debería eliminarse. Si la gerencia busca alcanzar una meta con exactitud, tanto d^- como d^+ tienen que aparecer en la función objetivo.

Extensión a metas múltiples igualmente importantes

Se necesita una definición clara de las variables de desviación como esta.

Ahora veamos la situación en que la gerencia de Harrison busca alcanzar varias metas, cada una con igual prioridad.

Meta 1: generar una utilidad de $30 si es posible durante el periodo de producción

Meta 2: utilizar por completo las horas disponibles en el departamento de cableado

Meta 3: evitar el tiempo extra en el departamento de ensamble

Meta 4: satisfacer el requisito contractual de fabricar por lo menos siete ventiladores de techo

Las variables de desviación se definen como:

$$d_1^- = \text{resultado por debajo de la utilidad objetivo}$$
$$d_1^+ = \text{resultado por arriba de la utilidad objetivo}$$
$$d_2^- = \text{tiempo ocioso del departamento de cableado (subutilización)}$$
$$d_2^+ = \text{tiempo extra del departamento de cableado (sobreutilización)}$$
$$d_3^- = \text{tiempo ocioso del departamento de ensamble (subutilización)}$$
$$d_3^+ = \text{tiempo extra del departamento de ensamble (sobreutilización)}$$
$$d_4^- = \text{resultado por debajo de la meta de ventiladores de techo}$$
$$d_4^+ = \text{resultado por arriba de la meta de ventiladores de techo}$$

A la gerencia no le preocupan que el resultado esté por arriba de la meta de utilidad, el tiempo extra del departamento de cableado, el tiempo ocioso del departamento de ensamble, o que se fabriquen más de siete ventiladores de techo: por lo tanto, d_1^+, d_2^+, d_3^- y d_4^+ se pueden omitir de la función objetivo. La nueva función objetivo y las restricciones son:

$$\text{Minimizar la desviación total} = d_1^- + d_2^- + d_3^+ + d_4^-$$

$$\begin{aligned}
\text{sujeta a} \quad & 7X_1 + 6X_2 + d_1^- - d_1^+ = 30 \ (\text{restricción de utilidades}) \\
& 2X_1 + 3X_2 + d_2^- - d_2^+ = 12 \ (\text{restricción de horas de cableado}) \\
& 6X_1 + 5X_2 + d_3^- - d_3^+ = 30 \ (\text{restricción de ensamble}) \\
& X_2 + d_4^- - d_4^+ = 7 \ (\text{restricción de ventiladores de techo})
\end{aligned}$$

Todas las variables $X_i, d_i \geq 0$.

Clasificación de metas por niveles de prioridad

Una idea clave en la programación por metas es que una meta es más importante que otra. Se asignan prioridades a cada variable de desviación.

En la mayoría de los problemas de programación por metas, una será más importante que otra, la que a su vez será más importante que una tercera. La idea es que las metas se pueden clasificar en cuanto a su importancia ante los ojos de la gerencia. Las metas de menor grado se consideran tan solo después de que se satisfacen las de mayor grado. Se asignan prioridades (P_i) a cada variable de desviación, donde P_1 es la meta más importante, P_2 la siguiente más importante, en seguida P_3 y así sucesivamente.

Supongamos que Harrison Electric establece las prioridades que se muestran en la tabla siguiente:

META	PRIORIDAD
Alcanzar la mayor utilidad posible por arriba de $30	P_1
Uso completo de las horas disponibles en el departamento de cableado	P_2
Evitar tiempo extra en el departamento de ensamble	P_3
Fabricar al menos siete ventiladores de techo	P_4

La prioridad 1 es infinitamente más importante que la prioridad 2, la cual es infinitamente más importante que la siguiente meta, y así sucesivamente.

Lo anterior significa que, en efecto, la prioridad de satisfacer la meta de utilidades (P_1) es infinitamente más importante que la meta de cableado (P_2) que, a su vez, es infinitamente más importante que la meta de ensamble (P_3), que es infinitamente más importante que fabricar por lo menos siete ventiladores de techo (P_4).

Con base en la clasificación de metas considerada, la nueva función objetivo es:

$$\text{Minimizar la desviación total} = P_1 d_1^- + P_2 d_2^- + P_3 d_3^+ + P_4 d_4^-$$

Las restricciones permanecen idénticas a las anteriores.

Programación por metas con metas ponderadas

Cuando los niveles de prioridad se utilizan en la programación por metas, cualquier meta en el nivel de prioridad superior es infinitamente más importante que los objetivos en los niveles de menor prioridad. Sin embargo, quizás haya ocasiones en que una de las metas o uno de los objetivos sea más importante que otra(o), pero tan solo puede ser dos o tres veces más importante. En vez de colocar estas metas en niveles de prioridad diferentes, se colocarían en el mismo nivel de prioridad aunque con diferentes pesos. Cuando se utiliza programación por metas ponderadas, los coeficientes de la función objetivo para las variables de desviación incluyen tanto el nivel de prioridad como el peso. Si todas las metas están en el mismo nivel de prioridad, simplemente es suficiente utilizar las ponderaciones de los coeficientes de la función objetivo.

Considere el ejemplo de Harrison Electric, donde la meta menos importante es la 4 (fabricar por lo menos siete ventiladores de techo). Supongamos que Harrison decide agregar otra meta de producir al menos dos candelabros. La meta de siete ventiladores de techo se considera dos veces más

EN ACCIÓN   Uso de programación por metas para asignar un medicamento contra la tuberculosis en Manila

La asignación de recursos es fundamental cuando se aplica a la industria de la salud. Es una cuestión de vida o muerte cuando ni el suministro adecuado ni la cantidad correcta están disponibles para satisfacer la demanda de los pacientes. Fue el caso que tuvo que enfrentar el Centro de Salud de Manila (Filipinas), cuyo suministro de fármacos a pacientes con tuberculosis (TB) categoría I no se estaba asignando con eficiencia entre sus 45 centros de salud regionales. Cuando el medicamento contra la tuberculosis no llega a los pacientes a tiempo, la enfermedad empeora y el resultado puede ser la muerte. Tan solo 74% de los pacientes con TB eran bien atendidos en Manila, es decir, 11% por debajo de la tasa de curación meta de 85% establecida por el gobierno. A diferencia de otras enfermedades, la tuberculosis únicamente se puede tratar con cuatro fármacos y no hay medicamentos alternativos.

Investigadores del Mapka Institute of Technology crearon un modelo, usando programación por metas, para optimizar la asignación de recursos para tratar la tuberculosis, al mismo tiempo que consideraron las restricciones de suministro. La función objetivo del modelo fue satisfacer la tasa de curación meta de 85%

(que es equivalente a minimizar el resultado por debajo de lo esperado en la asignación de fármacos antituberculosis a los 45 centros). Cuatro restricciones de metas consideraron las interrelaciones entre las variables del sistema de distribución. La meta 1 era satisfacer el requerimiento de medicación (un régimen de seis meses) para cada paciente. La meta 2 era suministrar a cada centro de salud la asignación adecuada. La meta 3 era satisfacer la tasa de curación de 85%. La meta 4 era satisfacer los requerimientos de medicamento en cada centro de salud.

El modelo de programación por metas se ocupó con éxito de todas estas metas y elevó la tasa de curación de la tuberculosis a 88%, una mejora de 13% en la asignación del medicamento sobre el método de distribución previo. Esto significa que se salvaron anualmente 335 vidas gracias al uso razonado de la programación por metas.

Fuente: Basada en G. J. C. Esmeria, "An Application of Goal Programming in the Allocation of Anti-TB Drugs in Rural Health Centers in the Philippines", en *Proceedings of the 12th Annual Conference of the Production and Operations Management Society* (marzo de 2001), Orlando, FL: 50.

PROGRAMA 10.8A

Introducción de datos para el análisis de programación por metas de Harrison Electric con QM para Windows

Harrison Electric Company								
	Wt(d+)	Prty(d+)	Wt(d-)	Prty(d-)	X1	X2		RHS
Constraint 1	0	0	1	1	7	6	=	30
Constraint 2	0	0	1	2	2	3	=	12
Constraint 3	1	3	0	0	6	5	=	30
Constraint 4	0	0	1	4	0	1	=	7

PROGRAMA 10.8B

Pantalla del resumen de la solución del problema de programación por metas de Harrison Electric con QM para Windows

◇ Summary				_ □ ×
Harrison Electric Company Solution				
Item				
Decision variable analysis	Value			
X1	0.			
X2	6.			
Priority analysis	Nonachievement			
Priority 1	0.			
Priority 2	0.			
Priority 3	0.			
Priority 4	1.			
Constraint Analysis	RHS	d+ (row i)	d- (row i)	
Constraint 1	30.	6.	0.	
Constraint 2	12.	6.	0.	
Constraint 3	30.	0.	0.	
Constraint 4	7.	0.	1.	

importante que esta meta, por lo que ambos deberían estar en el mismo nivel de prioridad. A la meta de 2 candelabros se le asigna un peso de 1, en tanto que a la meta de los 7 ventiladores de techo se le dará un peso de 2. Ambas metas tendrán un nivel de prioridad 4. Se agregaría una nueva restricción (meta):

$$X_1 + d_5^- - d_5^+ = 2 \quad \text{(candelabros)}$$

El valor de la nueva función objetivo sería:

$$\text{Minimizar la desviación total} = P_1 d_1^- + P_2 d_2^- + P_3 d_3^+ + P_4(2d_4^-) + P_4 d_5^-$$

Observe que la meta de ventiladores de techo tiene un peso de 2. El peso de la meta de candelabros es 1. Técnicamente, en los demás niveles de prioridad a todas las metas también se les asignan pesos de 1.

USO DE QM PARA WINDOWS PARA RESOLVER EL PROBLEMA DE HARRISON El módulo de programación por metas de QM para Windows se ilustra en los programas 10.8A y 10.8B. La pantalla de introducción de datos se muestra en primer lugar en el programa 10.8A. Observe que en esta primera pantalla hay dos columnas de nivel de prioridad para cada restricción. En este ejemplo, la prioridad de las desviaciones positivas o negativas será cero, ya que la función objetivo no contiene ambos tipos de variables de desviación para cualquiera de estas metas. Si un problema tiene una meta con ambas variables de desviación en la función objetivo, ambas columnas del nivel de prioridad para esta meta (restricción) deberían contener valores diferentes de cero. Asimismo, el peso de cada variable de desviación que contiene la función objetivo aparece como 1. (Es 0 si la variable no aparece en la función objetivo). Si se utilizan pesos diferentes, se colocarían en la columna de peso adecuada dentro de un nivel de prioridad.

En el programa 10.8B se muestra la solución con un análisis de las desviaciones y el logro de las metas. Se observa que las primeras dos restricciones tienen variables de desviación negativas iguales a 0, lo cual indica un logro total de esas metas. De hecho, ambas variables de desviación positivas tienen valores de 6, que indica que cada una las metas se superó por 6 unidades. La meta (restricción) 3 tiene ambas variables de desviación iguales a 0, lo cual indica su logro completo, mientras que la meta 4 tiene una variable de desviación negativa, que indica que no se alcanzó por 1 unidad.

10.5 Programación no lineal

La programación lineal, entera y por metas suponen que la función objetivo y las restricciones del problema son lineales. Esto significa que no contienen términos no lineales como X_1^3, $1/X_2$, $\log X_3$, o bien, $5X_1X_2$. Sin embargo, en muchos problemas de programación matemática, la función objetivo y/o una o más de las restricciones no son lineales.

A diferencia de los métodos de programación lineal, los procedimientos computacionales para resolver muchos problemas de programación no lineal (PNL) no siempre dan la solución óptima. En muchos de los problemas de PNL, quizás una solución específica sea mejor que cualquier otro punto cercano, aunque podría no ser el mejor punto en general. Este se llama **óptimo local**, en tanto que la mejor solución general se llama **óptimo global**. Entonces, para un problema particular, una técnica de solución podría indicar que se encontró la solución óptima pero tan solo es un óptimo local, de manera que es posible que un óptimo global sea mejor. Las matemáticas implicadas en la solución de tales problemas están fuera del alcance de este libro. Nos basaremos en Solver en Excel para resolver los problemas no lineales que se presentan en esta sección.

En esta sección examinaremos tres categorías de problemas de PNL y mostraremos la forma en que se utiliza Excel para buscar la solución de esos problemas. En el problema resuelto 10-3, se verá cómo la PNL en Excel ayuda a encontrar el mejor parámetro para su uso en un modelo de pronóstico de suavizado exponencial.

Función objetivo no lineal y restricciones lineales

Aquí hay un ejemplo de una función objetivo no lineal.

La compañía Great Western Appliance comercializa dos modelos de hornos tostadores, el microtostador (X_1) y el horno con autolimpieza (X_2). La firma obtiene una utilidad de \$28 por cada microtostador sin importar el número vendido. No obstante, las utilidades del modelo de autolimpieza se incrementan conforme se venden más unidades, a causa de los costos indirectos fijos. En este modelo, la utilidad se expresa como $21X_2 + 0.25X_2^2$.

Por consiguiente, la función objetivo de la firma no es lineal:

$$\text{Maximizar la utilidad} = 28X_1 + 21X_2 + 0.25X_2^2$$

La utilidad de Great Western está sujeta a dos restricciones lineales: una de capacidad de producción y otra del tiempo de ventas disponible:

$$X_1 + X_2 \leq 1,000 \quad \text{(unidades de capacidad de producción)}$$
$$0.5X_1 + 0.4X_2 \leq 500 \quad \text{(horas de tiempo de ventas disponibles)}$$
$$X_1, X_2 \geq 0$$

La programación cuadrática contiene términos cuadráticos en la función objetivo.

Cuando una función objetivo contiene términos cuadráticos (como $0.25X_2^2$) y las restricciones del problema son lineales, se llama problema de *programación cuadrática*. Un número de problemas útiles en el campo de selección de carteras de inversión cae dentro de esta categoría. Los programas cuadráticos se resuelven con un método modificado del método símplex, el cual está fuera del alcance de este libro, aunque se puede consultar en las fuentes que aparecen en la bibliografía.

En el programa 10.9 se muestra la solución al problema de programación no lineal de la Great Western Appliance. Se encontró utilizando Solver en Excel 2010, y esta hoja de cálculo tiene dos

EN ACCIÓN — **Modelo de programación por metas para el manejo de gastos en prisiones de Virginia**

En Estados Unidos las prisiones están sobrepobladas y existe la necesidad de una expansión inmediata en su capacidad, así como de remplazo o renovación de instalaciones obsoletas. Este estudio demuestra cómo se utilizó la programación por metas en el problema de asignación de capital que enfrentó el Departamento Correccional de Virginia.

Las partidas de gastos consideradas por el Departamento Correccional de Virginia incluían instalaciones de máxima, media y mínima seguridades nuevas y renovadas; programas de diversión para la comunidad, e incrementos de personal. La técnica de programación por metas obligó a que todos los proyectos de la prisión fueran aceptados o rechazados por completo.

Las variables del modelo definían la construcción, la renovación o el establecimiento del tipo particular de instalación correccional para un lugar o propósito específicos, e indicaban el personal requerido por las instalaciones. Las restricciones de metas caían dentro de cinco categorías: la capacidad adicional para albergar internos creada por instalaciones correccionales nuevas y renovadas; los costos de operación y de personal asociados con cada partida de gastos; el efecto de la construcción y renovación de instalaciones en la reclusión, la duración de las sentencias, y las preliberaciones y la libertad bajo palabra; la combinación de diferentes tipos de instalación requeridos por el sistema, y los requerimientos de personal a consecuencia de los diversos gastos de capital en las instalaciones correccionales.

Los resultados se concretaron en una nueva instalación de máxima seguridad para el tratamiento de drogas, alcohol y psiquiátrico; una nueva instalación de mínima seguridad para delincuentes juveniles; dos instalaciones regulares nuevas de mínima seguridad; dos programas nuevos de diversión para la comunidad en áreas urbanas, la renovación de una instalación existente de mediana seguridad y una de mínima seguridad; 250 custodios nuevos; cuatro nuevos administradores; 46 nuevos asesores/especialistas en tratamiento de adicciones, y seis médicos nuevos.

Fuente: Basada en R. Russell, B. Taylor y A. Keown, *Computer Environmental Urban Systems* 11, 4 (1986): 135-146.

PROGRAMA 10.9

Solución con Solver de Excel 2010 para el problema de programación no lineal de Great Western Appliance

	A	B	C	D	E	F	G
1	**Great Western Appliance**						
2		**Micro**	**Self-Clean**				
3	**Variables**	**X1**	**X2**				
4	**Values**	0	1000				
5							
6	**Terms**	**X1**	**X2**	**X2²**			
7	**Calculated Values**	0	1000	1000000	**Profit**		
8	**Profit**	28	21	0.25	**21000**		
9							
10	**Constraints**				**LHS**	**Sign**	**RHS**
11	**Capacity**	1	1		1000	≤	1000
12	**Hours Available**	0.5	0.4		400	≤	500

Registro de parámetros y opciones en Solver

Set Objective: E8
By Changing cells: B4:C4
To: Max
Subject to the Constraints:
      E11:E12 <= G11:G12
Solving Method: GRG Nonlinear
☑   **Make Variables Non-Negative**

Fórmulas clave

	E
8	=SUMPRODUCT($B$7:$D$7,B8:D8)
9	
10	**LHS**
11	=SUMPRODUCT($B$4:$C$4,B11:C11)
12	=SUMPRODUCT($B$4:$C$4,B12:C12)

	B	C	D
7	=B4	=C4	=C4^2

características importantes, que son diferentes de los ejemplos anteriores de programación lineal y entera. Primero, el *método de solución* para este en Solver es GRG Nonlinear en vez de Simplex LP. El segundo cambio implica la función objetivo y las celdas que se modifican. Para tener coherencia, los valores de X_2 (celda C4) y X_2^2 (celda D7) se muestran en el programa 10.9. No obstante, la celda D7 es simplemente la celda C4 al cuadrado. Entonces, cuando se cambia la celda C4, D7 se modificará automáticamente, y las celdas que cambian especificadas en Solver son B4:C4, mientras que D7 no se incluye.

Función objetivo no lineal y restricciones no lineales

Un ejemplo donde el objetivo y las restricciones son no lineales.

La utilidad anual de un hospital de tamaño mediano (200 a 400 camas), propiedad de Hospicare Corporation, depende del número de pacientes admitidos (X_1) y del número de pacientes admitidos que se someterán a cirugía (X_2). La función objetivo no lineal de Hospicare es:

$$\$13X_1 + \$6X_1X_2 + \$5X_2 + \$1/X_2$$

Un ejemplo de restricciones no lineales.

La corporación identifica tres restricciones que afectan las operaciones, dos de las cuales también son no lineales, que son:

$$2X_1^2 + 4X_2 \leq 90 \quad \text{(capacidad de cuidado de enfermos, en miles de días de trabajo)}$$
$$X_1 + X_2^3 \leq 75 \quad \text{(capacidad de rayos X, en miles)}$$
$$8X_1 - 2X_2 \leq 61 \quad \text{(presupuesto de ventas requerido, en miles de \$)}$$

PROGRAMA 10.10

Solución de Excel 2010 para el problema de PNL de Hospicare

	A	B	C	D	E	F	G	H	I	J
1	Hospicare Corp									
2										
3	Variables	X1	X2							
4	Values	6.0663	4.1003							
5										
6	Terms	X1	X1²	X1*X2	X2	X2³	1/X2			
7	Calculated Values	6.0663	36.7995	24.8732	4.1003	68.9337	0.2439	Total Profit		
8	Profit	13	0	6	5		1	248.8457		
9										
10	Constraints							LHS	Sign	RHS
11	Nursing		2		4			90.00	≤	90
12	X-Ray	1				1		75.00	≤	75
13	Budget	8			-2			40.33	≤	61

Registro de parámetros y opciones en Solver

Set Objective: H8
By Changing cells: B4:C4
To: Max
Subject to the Constraints:
  H11:H13 <= J11:J13
Solving Method: GRG Nonlinear
☑ **Make Variables Non-Negative**

Fórmulas clave

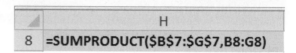

	H
8	=SUMPRODUCT($B$7:$G$7,B8:G8)

Copy H8 to H11:H13

	B	C	D	E	F	G
7	=B4	=B4^2	=B4*C4	=C4	=C4^3	=1/C4

Solver de Excel formula el problema y la solución óptima se muestra en el programa 10.10.

Función objetivo lineal con restricciones no lineales

Thermlock Corp. fabrica en masa arandelas y juntas de caucho como las utilizadas para sellar uniones en los transbordadores espaciales de la NASA. Para ello, combina dos ingredientes: caucho (X_1) y aceite (X_2). El costo del caucho de calidad industrial que utiliza es de \$5 por libra; y el costo del aceite de alta viscosidad, de \$7 por libra. Dos de las tres restricciones que Thermlock enfrenta son no lineales. La función objetivo de la firma y las restricciones son:

$$\text{Minimizar costos} = \$5X_1 + \$7X_2$$

sujetos a

$$3X_1 + 0.25X_1^2 + 4X_2 + 0.3X_2^2 \geq 125 \quad \text{(restricción de dureza)}$$
$$13X_1 + X_1^3 \geq 80 \quad \text{(resistencia a la tensión)}$$
$$0.7X_1 + X_2 \geq 17 \quad \text{(elasticidad)}$$

Para resolver este programa no lineal, regresamos de nuevo a Excel. El resultado se ilustra en el programa 10.11.

PROGRAMA 10.11

Solución de Excel 2010
para el problema de PNL
de Thermlock

	A	B	C	D	E	F	G	H	I
1	Thermlock Gaskets								
2									
3	Variables	X1	X2						
4	Values	3.325	14.672	Total Cost					
5	Cost	5	7	119.333					
6									
7		X1	X1^2	X1^3	X2	X2^2			
8	Value	3.325	11.058	36.771	14.672	215.276			
9	Constraints						LHS	Sign	RHS
10	Hardness	3	0.25		4	0.3	136.012	≥	125
11	Tensile Strengt	13		1			80	≥	80
12	Elasticity	0.7			1		17	≥	17

Registro de parámetros y opciones en Solver

Set Objective: D5
By Changing cells: B4:C4
To: Min
Subject to the Constraints:
   G10:G12 >= I10:I12
Solving Method: GRG Nonlinear
☑ **Make Variables Non-Negative**

Fórmulas clave

	D
5	=SUMPRODUCT($B$4:$C$4,B5:C5)

	G
10	=SUMPRODUCT($B$8:$F$8,B10:F10)

Copy G10 to G11:G12

	B	C	D	E	F
8	=B4	=B4^2	=B4^3	=C4	=C4^2

Resumen

En este capítulo se estudian tres tipos especiales de problemas de PL. El primero, programación entera, examina problemas de PL que no pueden tener respuestas fraccionarias. También se observa que hay tres tipos de problemas de programación entera: **1.** programas puros o totalmente de enteros; **2.** problemas mixtos, en los cuales *algunas* variables de la solución no necesitan ser enteras; y **3.** problemas 0-1, donde todas las soluciones son 0 o 1. También se demuestra cómo se utilizan las variables 0 o 1 para modelar situaciones especiales como problemas de cargos fijos. QM para Windows y Excel sirven para ilustrar métodos computarizados para resolver tales problemas.

La última parte del capítulo trata acerca de la programación por metas, que es una extensión de la PL y permite que los problemas tengan metas múltiples. De nuevo, un software como QM para Windows es una poderosa herramienta para la solución de esta rama de la PL. Finalmente, se presentó el tema avanzado de programación no lineal, como un problema especial de programación matemática. Se vio que Excel es una herramienta muy útil para la solución de modelos de PNL simples.

Sin embargo, es importante recordar que la solución que se encuentra para un problema de PNL podría ser un óptimo local y no un óptimo global.

Glosario

Óptimo global   La mejor solución general a un problema de programación no lineal.

Óptimo local   Solución a un problema de programación no lineal que es mejor que cualquier punto cercano, pero que quizá no sea el óptimo global.

Programación entera   Técnica de programación matemática que produce soluciones enteras de problemas de programación lineal.

Programación entera 0-1   Problemas donde todas las variables de decisión deben tener valores enteros de 0 o 1. Esto también se llama variable binaria.

Programación no lineal   Categoría de técnicas de programación matemática que permite que la función objetivo y/o las restricciones sean no lineales.

Programación por metas   Técnica de programación matemática que permite a las personas que toman las decisiones establecer y priorizar objetivos múltiples.

Satisfacción   Proceso de acercarse tanto como sea posible al logro de los objetivos.

Variables de desviación   Términos que se minimizan en un problema de programación por metas. Al igual que las variables de holgura en la programación lineal, son reales y son los únicos términos de la función objetivo.

Problemas resueltos

Problema resuelto 10-1

Considere el siguiente problema de programación entera 0-1:

$$\text{Maximizar} \quad 50X_1 + 45X_2 + 48X_3$$
$$\text{sujeto a} \quad 19X_1 + 27X_2 + 34X_3 \leq 80$$
$$22X_1 + 13X_2 + 12X_3 \leq 40$$
$$X_1, X_2, X_3 \text{ deben ser 0 o 1}$$

Ahora se reformula este problema con restricciones adicionales, de manera que no más de dos de las tres variables puedan tomar un valor igual a 1 en la solución. Además, asegúrese de que si $X_1 = 1$, entonces, también $X_2 = 1$. Después, resuelva el nuevo problema con Excel.

Solución

Excel puede manejar problemas totalmente de enteros, de enteros mixtos y de enteros 0-1. El programa 10.12 muestra dos nuevas restricciones para manejar el problema reformulado:

$$X_1 + X_2 + X_3 \leq 2$$

y

$$X_1 - X_2 \quad \leq 0$$

La solución óptima es $X_1 = 1$, $X_2 = 1$, $X_3 = 0$ con un valor de la función objetivo de 95.

PROGRAMA 10.12

Solución con Excel 2010 para el problema resuelto 10-1

	A	B	C	D	E	F	G
1	Solved Problem 10-1						
2							
3	Variables	X1	X2	X3			
4	Values	1	1	0	Total		
5	Maximize	50	45	48	95		
6							
7	Constraints				LHS	Sign	RHS
8	Constraint 1	19	27	34	46	≤	80
9	Constraint 2	22	13	12	35	≤	40
10	Constraint 3	1	1	1	2	≤	2
11	Constraint 4	1	-1	0	0	≤	0

Registro de parámetros y opciones en Solver

Set Objectives: E5
By Changing cells: B4:D4
To: Max
Subject to the Constraints:
      E8:E11 <= G8:G11
      B4:D4 = binary
Solving Method: Simplex LP
☑ **Make Variables Non-Negative**

Fórmulas clave

	E
5	=SUMPRODUCT($B$4:$D$4,B5:D5)

Copy E5 to E8:E11

Problema resuelto 10-2

Recuerde el problema de programación por metas de la compañía Harrison Electric que se presentó en la sección 10.4. Su formulación de programación lineal fue:

$$\text{Maximizar la utilidad} = \$7X_1 + \$6X_2$$

$$\text{sujeta a} \qquad 2X_1 + 3X_2 \leq 12 \quad \text{(horas de cableado)}$$

$$6X_1 + 5X_2 \leq 30 \quad \text{(horas de ensamble)}$$

$$X_1, X_2 \geq 0$$

donde

X_1 número de candelabros fabricados

X_2 número de ventiladores de techo fabricados

Reformule el problema de Harrison Electric como un modelo de programación por metas usando las siguientes metas:

Prioridad 1: Fabricar por lo menos 4 candelabros y 3 ventiladores de techo.

Prioridad 2: Limitar el tiempo extra en el departamento de ensamble a 10 horas y en el departamento de cableado a 6 horas.

Prioridad 3: Maximizar la utilidad.

Solución

$$\text{Minimizar } P_1(d_1^- + d_2^-) + P_2(d_3^+ + d_4^+) + P_3 d_5^-$$

$$\left.\text{sujeta a} \quad \begin{array}{l} X_1 + d_1^- - d_1^+ = 4 \\ X_2 + d_2^- - d_2^+ = 3 \end{array}\right\} \textit{Prioridad 1}$$

$$\left.\begin{array}{l} 2X_1 + 3X_2 + d_3^- - d_3^+ = 18 \\ 6X_1 + 5X_2 + d_4^- - d_4^+ = 40 \end{array}\right\} \textit{Prioridad 2}$$

$$7X_1 + 6X_2 + d_5^- - d_5^+ = 99{,}999 \} \textit{Prioridad 3}$$

En la restricción de la meta con prioridad 3, los 99,999 representan una utilidad altamente irreal. Es tan solo un artificio matemático que se utiliza como objetivo para acercarse tanto como sea posible a la utilidad máxima.

Problema resuelto 10-3

En el capítulo 5, se presentó el método de suavizamiento exponencial para el pronóstico de series de tiempo. El programa 10.13A ofrece un ejemplo de este, con la constante de suavizamiento (α) seleccionada como 0.1. Se supone que el pronóstico en el periodo de tiempo 1 es perfecto, por lo que tanto el error como el valor absoluto del error son iguales a cero. La desviación absoluta de la media (DAM) es la medida de exactitud y el error del primer periodo de tiempo no se utiliza en el cálculo, ya que simplemente se supone que es perfecto. La DAM es muy dependiente del valor de α. Utilice Excel para encontrar el valor de α que minimizará la DAM. Sugerencia: En vez de escribir toda la función objetivo, simplemente se utiliza la celda que ya está desarrollada en Excel para la DAM. Recuerde que α debe estar entre 0 y 1.

Solución

La DAM es una función no lineal, por lo que se puede utilizar Solver de Excel para resolverlo. Hay tan solo una restricción: la constante de suavizamiento, α, debe ser menor o igual a 1. Esta se introduce directamente en la ventana *Add Constraint* en Solver, con un 1 en el lado derecho de la desigualdad. El programa 10.13B brinda la información y la solución final. El valor para α que minimiza la DAM es 0.3478 y con ella se obtiene una DAM de 16.70.

Nota: Solver se puede utilizar del mismo modo para encontrar los mejores pesos para utilizarlos en un pronóstico de promedio móvil ponderado.

PROGRAMA 10.13A

Hoja de cálculo de Excel 2010 para el problema resuelto 10-3

	A	B	C	D	E
1	Forecasting - Exponential Smoothing				
2					
3	α =	0.1000	$F_{t+1} = F_t + \alpha(Y_t-F_t)$		
4	Time Period (t)	Demand (Y_t)	Forecast (F_t)	Error = $Y_t - F_t$	|error|
5	1	110	110	0	-
6	2	156	110	46.000	46.000
7	3	126	114.6	11.400	11.400
8	4	138	115.74	22.260	22.260
9	5	124	117.966	6.034	6.034
10	6	125	118.5694	6.431	6.431
11	7	160	119.21246	40.788	40.788
12	8		123.291214	MAD=	22.152
13					
14	F_1 is assumed to be a perfect forecast.				
15	MAD is based on time periods 2 through 7				

PROGRAMA 10.13B

Solución de hoja de cálculo de Excel 2010 para el problema resuelto 10-3

	A	B	C	D	E
1	Forecasting - Exponential Smoothing				
2					
3	α =	0.3478	$F_{t+1} = F_t + \alpha(Y_t-F_t)$		
4	Time Period (t)	Demand (Y_t)	Forecast (F_t)	Error = $Y_t - F_t$	|error|
5	1	110	110	0	-
6	2	156	110	46.000	46.000
7	3	126	125.9999985	0.000	0.000
8	4	138	125.999999	12.000	12.000
9	5	124	130.173912	-6.174	6.174
10	6	125	128.0264646	-3.026	3.026
11	7	160	126.9737813	33.026	33.026
12	8		138.4611607	MAD=	16.704
13					
14	F_1 is assumed to be a perfect forecast.				
15	MAD is based on time periods 2 through 7				

Registro de parámetros y opciones en Solver

Set Objectives: E12
By Changing cells: B3
To: Min
Subject to the Constraints:
  B3 <= 1
Solving Method: GRG Nonlinear
☑ **Make Variables Non-Negative**

Fórmulas clave

	C	D	E
6	=C5+$B$3*D5	=B6-C6	=ABS(B6-C6)

Copy C6:E6 to C7:E11

	E
12	=AVERAGE(E6:E11)

Autoevaluación

- Antes de realizar la autoevaluación, consulte los objetivos de aprendizaje al inicio del capítulo, las notas al margen y el glosario del final del capítulo.
- Utilice la solución del final del libro para corregir sus respuestas.
- Estudie de nuevo las páginas que corresponden a cualquier pregunta cuya respuesta sea incorrecta o al material con el que se sienta inseguro.

1. Si todas las variables de decisión requieren soluciones enteras, el problema es
   a) un tipo de problema de programación entera pura.
   b) un tipo de problema del método símplex.
   c) un tipo de problema de programación entera mixta.
   d) un tipo de problema de Gorsky.
2. En un problema de programación entera mixta
   a) algunos enteros deben ser pares y otros impares.
   b) algunas variables de decisión deben requerir tan solo resultados enteros y otras deben permitir resultados continuos.
   c) se combinan diferentes objetivos aun cuando en ocasiones tengan prioridades relativas establecidas.
3. Un modelo que contiene una función objetivo lineal y restricciones lineales, pero que requiere que una o más de las variables de decisión tomen un valor entero en la solución final, se llama
   a) problema de programación entera.
   b) problema de programación por metas.
   c) problema de programación no lineal.
   d) problema de PL con objetivos múltiples.
4. Una solución que se obtiene con programación entera nunca puede generar una mayor utilidad que la solución que se logra con programación lineal del mismo problema.
   a) Verdadero
   b) Falso
5. En la programación por metas, si se alcanzan todas las metas, el valor de la función objetivo siempre será cero.
   a) Verdadero
   b) Falso
6. El objetivo en un problema de programación por metas con nivel de prioridad uno consiste en maximizar la suma de las variables de desviación.
   a) Verdadero
   b) Falso
7. El ganador del premio Nobel de Economía Herbert A. Simon, de la Carnegie Mellon University, sostiene que los gerentes siempre deberían optimizar, no satisfacer.
   a) Verdadero
   b) Falso
8. En general, el problema de cargo fijo se clasifica como
   a) un problema de programación por metas.
   b) un problema de enteros 0-1.
   c) un problema de programación cuadrático.
   d) un problema de asignación.
9. El problema de programación entera 0-1
   a) requiere que las variables de decisión tengan valores entre 0 y 1.
   b) requiere que todas las restricciones tengan coeficientes entre 0 y 1.
   c) requiere que las variables de decisión tengan coeficientes entre 0 y 1.
   d) requiere que las variables de decisión sean iguales a 0 o l.
10. La programación por metas
   a) tan solo requiere que usted conozca si la meta es la maximización de la utilidad directa o la minimización del costo.
   b) le permite tener múltiples metas.
   c) es un algoritmo con la meta de solución más rápida del problema de programación entera puro.
   d) es un algoritmo con la meta de la solución más rápida del problema de programación entera mixta.
11. La programación no lineal incluye problemas
   a) donde la función objetivo es lineal pero algunas restricciones no son lineales.
   b) donde las restricciones son lineales pero la función objetivo no es lineal.
   c) donde la función objetivo y todas las restricciones no son lineales.
   d) soluble con programación cuadrática.
   e) todo lo anterior.

Preguntas y problemas para análisis

Preguntas para análisis

10-1 Compare las similitudes y diferencias entre la programación lineal y la programación por metas.

10-2 Se desarrolló un problema de programación lineal, y se encontró la región factible. Si se agregara al problema la restricción adicional de que todas las variables deban ser enteras, ¿cuál sería el cambio en el tamaño de la región factible? ¿Cuál sería el cambio en el valor óptimo de la función objetivo?

10-3 Mencione las ventajas y desventajas de resolver problemas de programación entera con a) redondeo y b) numeración.

10-4 ¿Cuál es la diferencia entre los tres tipos de problemas de programación entera? ¿Cuál piensa que sea la más común y por qué?

10-5 ¿Qué se quiere decir con "satisfacer" y por qué con frecuencia se utiliza el término en conjunto con la programación por metas?

10-6 ¿Qué son las variables de desviación? ¿Cómo difieren de las variables de decisión en problemas de PL tradicional?

10-7 Si fuera el rector de una universidad y empleara programación por metas como auxiliar en la toma de decisiones,

¿cuáles serían ser sus metas? ¿Qué clases de restricciones incluiría en su modelo?

10-8 ¿Qué significa clasificar las metas en la programación por metas? ¿Cómo afecta esto la solución del problema?

10-9 ¿Cuáles de los siguientes son problemas de PNL y por qué?

a) Maximizar utilidad $= 3X_1 + 5X_2 + 99X_3$

sujeta a
$$X_1 \geq 10$$
$$X_2 \leq 5$$
$$X_3 \geq 18$$

b) Maximizar costo $= 25X_1 + 30X_2 + 8X_1X_2$

sujeto a
$$X_1 \geq 8$$
$$X_1 + X_2 \geq 12$$
$$0.0005X_1 - X_2 = 11$$

c) Maximizar $Z = P_1d_1^- + P_2d_2^+ + P_3^+$

sujeta a
$$X_1 + X_2 + d_1^- - d_1^+ = 300$$
$$X_2 + d_2^- - d_2^+ = 200$$
$$X_1 + d_3^- - d_3^+ = 100$$

d) Maximizar utilidad $= 3X_1 + 4X_2$

sujeta a
$$X_1^2 - 5X_2 \geq 8$$
$$3X_1 + 4X_2 \geq 12$$

e) Minimizar costo $= 18X_1 + 5X_2 + X_2^2$

sujeto a
$$4X_1 - 3X_2 \geq 8$$
$$X_1 + X_2 \geq 18$$

¿Son cuadráticos algunos de estos problemas de programación?

Problemas*

10-10 Elizabeth Bailey es la propietaria y gerente general de Princess Brides, que ofrece servicios de planeación de bodas en el suroeste de Louisiana. Utiliza publicidad en radio para promover su negocio. Están disponibles dos tipos de anuncios: aquellos que se difunden durante las horas de mayor audiencia y los que se transmiten en otras horas. Cada anuncio durante el tiempo de audiencia máxima cuesta $390 y llega a 8,200 personas; mientras que los anuncios en las horas de menor audiencia cuestan $240 cada uno y llegan a 5,100 personas. Bailey ha presupuestado $1,800 semanales para publicidad. Basada en comentarios de sus clientes, desea tener por lo menos dos anuncios en horas de máxima audiencia y no más de 6 en horas no pico.

a) Formule el problema como uno de programación lineal.

b) Encuentre una buena solución u óptima de enteros del inciso a) redondeando o suponiendo la respuesta.

c) Resuelva el problema como un problema de programación entera utilizando computadora.

10-11 Un grupo de estudiantes universitarios planea un viaje de campamento durante las siguientes vacaciones. El grupo debe caminar varias millas por el bosque para llegar al sitio del campamento; además, todo lo que se requiere en este viaje debe ser empacado en una mochila y transportado al sitio. Una estudiante, Tina Shawl, identificó ocho artículos que le gustaría llevar en el viaje, pero el peso combinado es demasiado grande para llevarlos todos. Decidió valorar la utilidad de cada artículo en una escala de 1 a 100, con 100 como el más útil. Los pesos de los artículos en libras y sus valores de utilidad se dan a continuación.

ARTÍCULO	1	2	3	4	5	6	7	8
PESO	8	1	7	6	3	12	5	14
UTILIDAD	80	20	50	55	50	75	30	70

Reconociendo que la caminata al sitio del campamento es larga, se estableció un límite de 35 libras como el peso total máximo de los artículos que se pueden transportar.

a) Formule este problema como un problema de programación 0-1 para maximizar la utilidad total de los artículos transportados. Resuelva este problema de mochila con una computadora.

b) Suponga que el artículo número 3 es un paquete extra de baterías, que se podrían utilizar con varios de los otros artículos. Tina decidió que únicamente llevará el artículo número 5, un reproductor de CD, si también lleva el número 3. Por otro lado, si lleva el artículo número 3, quizá lleve o no el número 5. Modifique el problema para reflejar estos cambios y resuelva el nuevo problema.

10-12 Student Enterprises vende dos tamaños de carteles: uno grande de 3 por 4 pies y uno más pequeño de 2 por 3 pies. La utilidad que se obtiene con la venta de cada cartel grande es de $3; y con cada cartel pequeño se ganan $2. La firma, que aunque es rentable no es grande, está integrada por una estudiante de arte, Jan Meising, de la Universidad de Kentucky. Por su horario de clases, Jan tiene las siguientes restricciones semanales: **1.** se pueden vender hasta tres carteles grandes, **2.** se pueden vender hasta cinco carteles pequeños, **3.** se pueden utilizar hasta 10 horas en los carteles durante la semana; además, cada cartel grande requiere 2 horas de trabajo y cada pequeño 1 hora. Con el semestre casi por finalizar, Jan planea irse tres meses de vacaciones de verano a Inglaterra y no quiere dejar carteles inconclusos. Encuentre la solución entera que maximizará su utilidad.

10-13 Una aerolínea posee una vieja flota de aviones Boeing 737 y está considerando comprar 17 Boeing nuevos modelo 757 y 767. La decisión debe considerar varios factores de costo y capacidad, incluidos los siguientes:

1. la aerolínea puede financiar hasta $1,600 millones de la compra; **2.** cada Boeing 757 costará $80 millones, y cada Boeing 767, $110 millones; **3.** por lo menos un tercio de los aviones que se adquieran deberían ser el 757 de largo alcance; **4.** el presupuesto de mantenimiento anual no tiene que ser de más de $8 millones; **5.** el costo de mantenimiento anual de cada 757 se estima que es de $800,000; y de $500,000 por cada 767 adquirido; y **6.** cada 757 puede transportar anualmente 125,000 pasajeros, en tanto que cada 767 puede transportar 81,000 pasajeros en el mismo lapso. Formule este como un problema de programación entera, para maximizar la capacidad anual de transporte de pasajeros. ¿Qué categoría de problema de programación entera es este? Resuelva el problema.

: 10-14 Trapeze Investments es una firma de capital de riesgo que en la actualidad está evaluando seis diferentes oportunidades de inversión. No dispone de suficiente capital para invertir en todas ellas, pero elegirá más de una. Se planea un modelo de programación entera 0-1 para determinar cuáles de las seis oportunidades debe elegir. Las variables X_1, X_2, X_3, X_4, X_5 y X_6 representan las seis opciones. Para cada una de las siguientes situaciones, escriba una restricción (o varias) que se deberían utilizar.

a) Se tienen que seleccionar al menos tres de estas opciones.

b) Debe elegirse la inversión 1 o la 4, pero no ambas.

c) Si se selecciona la inversión 4, entonces también se debe seleccionar la 6. Sin embargo, si no se elige la inversión 4, aún es posible elegir la número 6.

d) La inversión 5 no se puede elegir a menos que también se elijan la 2 y la 3.

e) La inversión 5 se debe seleccionar si también se eligen la 2 y la 3.

: 10-15 Horizon Wireless, una compañía telefónica celular, se está expandiendo hacia una nueva era. Se requieren torres de retransmisión para dar cobertura de telefonía inalámbrica a las diferentes áreas de la ciudad. Se superpone una cuadrícula en un mapa de la ciudad para determinar dónde se deberán localizar las torres. La cuadrícula se compone de 8 áreas rotuladas de la A a la H. Se han identificado seis posibles ubicaciones para las torres (1 a 6), y cada una podría dar servicio a varias áreas. La tabla siguiente indica las áreas atendidas por cada una de las torres.

UBICACIÓN DE LA TORRE	1	2	3	4	5	6
ÁREAS ATENDIDAS	A, B, D	B, C, G	C, D, E, F	E, F, H	E, G, H	A, D, F

Formule este problema como un modelo de programación 0-1 para minimizar el número total de torres requeridas para cubrir todas las áreas. Resuelva el problema con una computadora.

· 10-16 La compañía Innis Construction se especializa en construir casas de precio moderado en Cincinnati, Ohio.

Tom Innis ha identificado ocho lugares potenciales para construir nuevas viviendas unifamiliares, pero no puede construirlas en todos los sitios porque tan solo dispone de $300,000 para invertir en todos los proyectos. La tabla adjunta muestra el costo de construir casas en cada área y la utilidad esperada por la venta de cada una. Observe que los costos de construcción de las casas difieren considerablemente debido al costo de los terrenos, la preparación del sitio y las diferencias entre los modelos que se construirán. Observe también que no se puede construir una fracción de una casa.

UBICACIÓN	COSTO DE CONSTRUCCIÓN EN ESTE SITIO ($)	UTILIDAD ESPERADA ($)
Clifton	60,000	5,000
Mt. Auburn	50,000	6,000
Mt. Adams	82,000	10,000
Amberly	103,000	12,000
Norwood	50,000	8,000
Covington	41,000	3,000
Roselawn	80,000	9,000
Eden Park	69,000	10,000

a) Formule el problema de Innis usando programación entera 0-1.

b) Resuelva con QM para Windows o Excel.*

: 10-17 Un desarrollador de bienes raíces estudia tres posibles proyectos: un pequeño complejo de apartamentos, un pequeño centro comercial y un minialmacén. Cada uno de ellos requiere diferente financiamiento a lo largo de los siguientes dos años, y también varía el valor presente neto de las inversiones. La siguiente tabla proporciona las cantidades de inversión requeridas (en miles), así como el valor presente neto (VPN) de cada una (también expresado en miles):

		INVERSIÓN	
	VPN	AÑO 1	AÑO 2
Apartamento	18	40	30
Centro comercial	15	30	20
Minialmacén	14	20	20

La compañía dispone de $80,000 para invertir en el año 1 y $50,000 para invertir en el año 2.

a) Desarrolle un modelo de programación entera para maximizar el VPN en esta situación.

b) Resuelva el inciso *a)* del problema con software. ¿Cuál de los tres proyectos se emprendería si se maximiza el VPN? ¿Cuánto dinero se utilizaría cada año?

: 10-18 Consulte la situación de inversión del problema 10-17.

a) Suponga que el centro comercial y el complejo de apartamentos estarían en propiedades adyacentes, y el centro comercial tan solo se consideraría si también se construyera el complejo de apartamentos. Formule la restricción que establecería esta situación.

b) Formule una restricción que fuerce a que se emprendan exactamente dos de los tres proyectos.

10-19 Triangle Utilities abastece electricidad a tres ciudades. La compañía tiene cuatro generadores que se utilizan para proporcionar electricidad. El generador principal funciona 24 horas al día, con interrupciones ocasionales para mantenimiento. Los otros tres generadores (1, 2 y 3) están disponibles para suministrar energía adicional cuando se requiera. Se incurre en un costo de arranque cada vez que uno de estos generadores comienza a funcionar. Los costos de arranque son de $6,000 en el caso del generador 1, de $5,000 en el del 2 y de $4,000 en el del 3. Se utilizan estos generadores de la siguiente manera: Un generador puede iniciar a las 6:00 A.M. y funcionar durante 8 horas o 16 horas, o bien, puede comenzar a las 2:00 P.M. y funcionar durante 8 horas (hasta las 10:00 P.M.). Todos los generadores, excepto el principal, se apagan a las 10:00 P.M. Los pronósticos indican la necesidad de contar con 3,200 megawatts más que los provistos por el generador principal antes de las 2:00 P.M., y esta necesidad se eleva hasta 5,700 megawatts entre las 2:00 y las 10:00 P.M. El generador 1 puede suministrar hasta 2,400 megawatts, el 2 hasta 2,100 megawatts y el generador 3 hasta 3,300 megawatts. El costo por megawatt utilizado durante un periodo de ocho horas es de $8 para el 1, de $9 para el 2 y de $7 para el 3.

a) Formule este como un problema de programación entera para determinar la manera de menor costo de satisfacer las necesidades del área.

b) Resuelva el problema con software.

10-20 El director de campaña de un político que busca reelegirse para un cargo público planea la estrategia que utilizará para lograr su objetivo. Se han elegido cuatro formas de publicidad: anuncios de TV, anuncios de radio, carteles y anuncios en periódicos. Los costos son: $900 por cada anuncio de TV, $500 por cada anuncio de radio, $600 por un cartel durante un mes, $180 por cada anuncio de periódico. La audiencia alcanzada se ha estimado en 40,000 por cada anuncio de TV; 32,000 por cada anuncio de radio; 34,000 por cada cartel; y 17,000 por cada anuncio de periódico. El presupuesto total de publicidad mensual es de $16,000. Se establecieron y clasificaron las siguientes metas:

1. El número de personas alcanzadas debería ser de por lo menos 1,500,000.
2. No deberá excederse el presupuesto total de publicidad mensual.
3. Juntos, el número de anuncios de TV o radio deberán ser de por lo menos 6.
4. No se deberán utilizar más de 10 anuncios de cualquier tipo de publicidad.

a) Formule este como un problema de programación por metas.

b) Resuélvalo usando software.

c) ¿Cuáles metas pueden lograrse por completo y cuáles no?

10-21 Geraldine Shawhan es presidente de Shawhan File Works, una empresa que fabrica dos tipos de archiveros metálicos. La demanda de su modelo de dos cajones es hasta de 600 archiveros por semana; la demanda del archivero de tres cajones está limitada a 400 por semana. La capacidad semanal de operación de Shawhan File Works es de 1,300 horas y el archivero de dos cajones requiere 1 hora para fabricarse y el archivero de tres cajones requiere 2 horas. Cada modelo de dos cajones que se vende genera una utilidad de $10 y la utilidad del modelo grande es de $15. Shawhan listó las siguientes metas en orden de importancia:

1. Alcanzar una utilidad semanal tan cercana a los $11,000 como sea posible.
2. Evitar la subutilización de la capacidad de producción de la empresa.
3. Vender tantos archiveros de dos y tres cajones conforme la demanda lo indique.

Formule este como un problema de programación por metas.

10-22 Resuelva el problema 10-21. En esta solución, ¿algunas de las metas son inalcanzables? Explique su respuesta.

10-23 Hilliard Electronics fabrica chips de computadora especialmente codificados para cirugía láser en tamaños de 64MB, 256MB y 512MB. (1MB significa que el chip tiene 1 millón de bytes de información). Fabricar un chip de 64MB requiere 8 horas de trabajo, un chip de 256MB requiere 13 horas y un chip de 512MB requiere 16 horas. La capacidad de producción mensual de Hilliard es de 1,200 horas. El Sr. Blank, gerente de ventas de la firma, estima que las ventas mensuales máximas de los chips de 64MB, 256MB y 512MB serán respectivamente de 40, 50 y 60 unidades. La compañía estableció las siguientes metas (clasificadas de la más a la menos importante):

1. Satisfacer un pedido del mejor cliente de treinta chips de 64MB, y treinta y cinco chips de 256MB.
2. Fabricar suficientes chips para, por lo menos, igualar las estimaciones de ventas que estableció el Sr. Blank.
3. Evitar la subutilización de la capacidad de producción.

Formule este problema usando programación por metas.

10-24 Un fabricante de Oklahoma elabora dos productos: teléfonos con altavoz (X_1) y teléfonos digitales sencillos (X_2). Se formuló el siguiente modelo de programación por metas para encontrar el número de cada uno que se debe producir cada día y satisfacer así las metas de la empresa:

Minimizar $P_1 d_1^- + P_2 d_2^- + P_3 d_3^+ + P_4 d_1^+$

sujeta a

$$2X_1 + 4X_2 + d_1^- - d_1^+ = 80$$
$$8X_1 + 10X_2 + d_2^- - d_2^+ = 320$$
$$8X_1 + 6X_2 + d_3^- - d_3^+ = 240$$

todas las $X_i, d_i \geq 0$

Obtenga la solución óptima utilizando la computadora.

10-25 Al mayor Bill Bligh, director del nuevo programa de entrenamiento agregado de 6 meses de la Army War College, está preocupado por la forma en que los 20 oficiales inscritos en el curso utilizan su precioso tiempo mientras están a su cargo. El mayor Bligh reconoce que hay 168 horas a la semana y piensa que sus cadetes las han estado utilizando bastante ineficientemente. Bligh establece:

X_1 = número de horas de sueño requeridas por semana

X_2 = número de horas personales (alimentación, higiene personal, lavandería, etcétera)

X_3 = número de horas de clase y estudio

X_4 = número de horas de socialización fuera de la base (citas, deportes, visitas familiares, etcétera)

Piensa que sus cadetes deberían estudiar 30 horas por semana para tener tiempo de asimilar el material. Esta es su meta más importante. Bligh considera que sus cadetes necesitan cuando mucho 7 horas para dormir por noche, en promedio, y que esta meta es la número 2. Cree que la meta 3 tiene que proporcionar al menos 20 horas por semana de tiempo para socializar.

a) Formule el problema como un problema de programación por metas.

b) Resuélvalo utilizando software.

⚲:10-26 A Mick García, un planeador financiero certificado (PFC) lo visitó una cliente que quiere invertir $250,000. Este dinero se puede colocar en acciones, bonos o fondos de inversión en bienes raíces. El rendimiento sobre la inversión esperado es de 13% de las acciones, 8% para los bonos y 10% para los bienes raíces. La cliente, a quien le agradaría tener una muy alta rentabilidad esperada, estaría satisfecha con un rendimiento esperado de 10% de su dinero. Debido a consideraciones de riesgo, se han establecido varios objetivos para mantener el riesgo en un nivel aceptable. Una de las metas es poner al menos el 30% del dinero en bonos. Otra meta es que la cantidad de dinero en bienes raíces no debería superar el 50% del dinero invertido en acciones y en bonos combinados. Además de estas metas, hay una restricción absoluta. En ninguna circunstancia se tienen que invertir más de $150,000 en un área.

a) Formule este como un problema de programación por metas. Suponga que todas las metas son igualmente importantes.

b) Utilice cualquier software disponible para resolver este problema. ¿Cuánto dinero se debería poner en cada una de las opciones de inversión? ¿Cuál es el rendimiento total? ¿Qué metas no se logran?

✖:10-27 La Hinkel Rotary Engine, Ltd., fabrica motores automotrices de cuatro y seis cilindros. La utilidad de la firma por cada motor de cuatro cilindros que vende durante su ciclo de producción trimestral es de $1,800 – 50X_1$ donde X_1 es el número vendido. Hinkel obtiene $2400 – 70X_2$ por cada uno de los motores de seis cilindros que vende, donde X_2 es igual al número de motores vendidos de seis cilindros. Hay 5,000 horas de tiempo de producción disponibles durante cada ciclo de producción. Un motor de cuatro cilindros requiere 100 horas de tiempo de producción, mientras que el de seis cilindros requiere 130 horas para fabricarse. Formule este problema de planeación de la producción para Hinkel.

✖:10-28 Motorcross de Winconsin fabrica dos modelos de motocicletas para nieve, el XJ6 y el XJ8. En cualquier semana de planeación de producción Motorcross dispone de 40 horas en su área de prueba final. Cada XJ6 requiere 1 hora de prueba y cada XJ8 requiere 2 horas. El ingreso (en miles) de la firma es no lineal y se establece como (número de XJ6)(4 − 0.1 número de XJ6) + (número de XJ8)(5 − 0.2 número de XJ8).

a) Formule este problema.

b) Resuélvalo con Excel.

✖:10-29 Durante la estación más ocupada del año, Green-Gro Fertilizer elabora dos tipos de fertilizantes. El tipo estándar (X) es tan solo fertilizante y el otro tipo (Y) es una combinación de desyerbador y fertilizante especial. Se desarrolló el siguiente modelo para determinar cuánto de cada tipo se debería elaborar para maximizar la utilidad sujeta a una restricción de mano de obra:

Maximizar utilidad = $12X − 0.04X^2 + 15Y − 0.06Y^2$

sujeta a $\qquad 2X + 4Y \leq 160 \text{ horas}$

$\qquad\qquad\qquad X, Y \geq 0$

Encuentre la solución óptima de este problema.

✖:10-30 Pat McCormack, asesor financiero de Investors R Us, está evaluando dos acciones de cierta industria. Desea minimizar la variación de una cartera compuesta por estas dos acciones, pero también quiere obtener un rendimiento esperado de al menos 9%. Después de obtener datos históricos sobre la variación y los rendimientos, desarrolla el siguiente programa no lineal:

Minimizar la variación de la cartera = $0.16X^2 + 0.2XY + 0.09Y^2$

sujeta a $\qquad X + Y = 1 \qquad$ (todos los fondos deben ser invertidos)

$\qquad 0.11X + 0.08Y \geq 0.09 \quad$ (rendimiento sobre la inversión)

$\qquad\qquad X, Y \geq 0$

donde

$\qquad X$ = proporción de dinero invertido en la acción 1

$\qquad Y$ = proporción de dinero invertido en la acción 2

Resuelva el problema con Excel y determine cuánto invertir en cada una de las dos acciones. ¿Cuál es el rendimiento de esta cartera? ¿Cuál es la variación de esta cartera?

✖:10-31 Summertime Tees vende dos estilos muy populares de camisetas bordadas en el sur de Florida: una sin mangas y una regular. El costo de la que no tiene mangas es de $6, y el de la regular, $8. Su demanda es sensible al precio y datos históricos indican que las demandas semanales están dadas por

$\qquad X_1 = 500 − 12P_1$

$\qquad X_2 = 400 − 15P_2$

donde

$\qquad X_1$ = demanda de camisetas sin mangas

$\qquad P_1$ = precio de una camiseta sin mangas

$\qquad X_1$ = demanda de camisetas regulares

$\qquad P_2$ = precio de una camiseta regular

a) Desarrolle la ecuación de la utilidad total.

b) Use Excel para encontrar la solución óptima del siguiente problema de programación no lineal. Use la función de utilidad desarrollada en el inciso *a)*.

Maximizar utilidad

sujeta a
$$X_1 = 500 - 12P_1$$
$$X_2 = 400 - 15P_2$$
$$P_1 \leq 20$$
$$P_2 \leq 25$$
$$X_1, P_1, X_2, P_2 \geq 0$$

10-32 El problema de programación entera que se presenta en el siguiente recuadro se desarrolló para ayudar al First National Bank a decidir dónde, entre 10 sitios posibles, localizar cuatro nuevas sucursales:

donde X_i representa a Winter Park, Maitland, Osceola, Downtown, South Orlando, Airport, Winter Carden, Apopka, Lake Mary y Cocoa Beach, con *i* igual de 1 a 10, respectivamente.

a) ¿Dónde deberían localizarse los cuatro nuevos sitios, y cuál será el rendimiento esperado?

b) Si por lo menos una nueva sucursal *debe* abrirse en Maitland u Osceola, ¿cambiará esto las respuestas? Agregue la nueva restricción y resuelva de nuevo el problema.

c) El rendimiento esperado en Apopka fue sobreestimado. El valor anual correcto es de $160,000 (es decir, 160). Con los supuestos originales (esto es, si se pasa por alto *b*), ¿cambia su respuesta el inciso *a*)?

10-33 En el problema resuelto 10-3, se utilizó programación no lineal para encontrar el mejor valor para la constante de suavización, α, en un problema de pronóstico de suavizamiento exponencial. Para saber cuánto puede variar la DAM debido a la selección de la constante de suavizamiento, utilice Excel y los datos del programa 10.13A para encontrar el valor de la constante de suavizamiento que maximizaría la DAM. Compare esta DAM con la DAM mínima encontrada en el problema resuelto.

10-34 Utilice los datos del problema resuelto 10-3, desarrolle una hoja de cálculo con un pronóstico de promedio móvil ponderado de 2 periodos con pesos de $0.6(w_1)$ para el periodo más reciente y de $0.4(w_2)$ para el otro periodo. Observe que estos pesos suman 1, de modo que el pronóstico es simplemente:

Pronóstico para el periodo siguiente = w_1 (valor en el periodo actual) + w_2 (valor en el último periodo)

Encuentre los pesos para este promedio móvil ponderado de 2 periodos que minimizaría la DAM. (*Sugerencia*: los pesos deben sumar 1).

Programación entera del problema 10-32

Maximizar los rendimientos esperados = $120X_1 + 100X_2 + 110X_3 + 140X_4 + 155X_5 + 128X_6 + 145X_7 + 190X_8 + 170X_9 + 150X_{10}$

sujetos a

$$20X_1 + 30X_2 + 20X_3 + 25X_4 + 30X_5 + 30X_6 + 25X_7 + 20X_8 + 25X_9 + 30X_{10} \leq 110$$
$$15X_1 + 5X_2 + 20X_3 + 20X_4 + 5X_5 + 5X_6 + 10X_7 + 20X_8 + 5X_9 + 20X_{10} \leq 50$$
$$X_2 + X_6 + X_7 + X_9 + X_{10} \leq 3$$
$$X_2 + X_3 + X_5 + X_8 + X_9 \geq 2$$
$$X_1 + X_3 + X_{10} \geq 1$$
$$X_1 + X_2 + X_3 + X_4 + X_5 + X_6 + X_7 + X_8 + X_9 + X_{10} \leq 4$$

para toda $X_i = 0$ o 1

PROBLEMAS DE TAREA EN INTERNET

Visite nuestra página de Internet en **www.pearsonenespañol.com/render** para ver los problemas adicionales de tarea 10-35 a 10-40.

Estudio de caso

Schank Marketing Research

Schank Marketing Research acaba de firmar contratos para realizar estudios para cuatro clientes. En este momento, tres gerentes de proyectos están libres para ser asignados a las tareas. Aunque todos son capaces de manejar cada asignación, los tiempos y los costos para completar los estudios dependen de la experiencia y los conocimientos de cada uno de ellos. Con base en su experiencia, John Schank, el presidente, estableció un costo para cada posible asignación. Tales costos, que en realidad son los salarios que cada gerente devengaría en cada tarea, se resumen en la siguiente tabla.

Schank está muy indeciso sobre atender o no a la NASA, que ha sido un cliente muy importante en el pasado (la NASA ha empleado a la firma para estudiar la actitud del público hacia el transbordador espacial y la Estación Espacial propuesta.) Asimismo, Schank prometió a Ruth, una de sus gerentes, un salario mínimo de $3,000 para su próxima asignación. También sabe, por contratos anteriores, que Gardener, otra gerente, no se lleva bien con la gerencia de CBT Televisión, así que espera evitar asignarla a CBT. Por último, como la corporación Hines también es un an-

tiguo y valioso cliente, Schank piensa que es dos veces más importante asignar de inmediato a un gerente de proyecto a la tarea de Hines, que proporcionar uno a General Foundry, un cliente nuevo. Schank desea minimizar los costos totales de todos los proyectos al mismo tiempo que considera todas estas metas. Siente que todas ellas son importantes pero si tuviera que clasificarlas, su primera opción será la NASA, su preocupación por Gardener la segunda, su necesidad por mantener contenta a la corporación Hines la tercera, su promesa a Ruth la cuarta y su interés en minimizar todos los costos la última.

Cada gerente de proyecto puede ocuparse, cuando mucho, de un cliente nuevo.

Preguntas para análisis

1. Si a Schank no le interesaran las metas que no implican costos, ¿cómo formularía este problema de modo que pudiera resolverse cuantitativamente?
2. Desarrolle una formulación que incorpore los cinco objetivos.

DE PROYECTO	CLIENTE			
	HINES CORP.	NASA	GENERAL FOUNDRY	CBT TELEVISIÓN
Gardener	$3,200	$3,000	$2,800	$2,900
Ruth	2,700	3,200	3,000	3,100
Hardgraves	1,900	2,100	3,300	2,100

Estudio de caso

Puente sobre el río Oakton

Por mucho tiempo, el río Oakton se había considerado un impedimento para el desarrollo de cierta área metropolitana de tamaño mediano en el sureste de Estados Unidos. Situado al este de la ciudad, el río dificultaba que las personas que vivían en su margen este se trasladaran a sus trabajos dentro y en los alrededores de la ciudad, y que fueran de compras y aprovecharán las atracciones culturales que la ciudad ofrecía. Asimismo, el río impedía a quienes vivían en su margen oeste el acceso a lugares de recreo ubicados en la playa a una hora hacia el este. El puente sobre el río Oakton se construyó antes de la Segunda Guerra Mundial y era bastante inadecuado para manejar el tráfico existente, y mucho menos el creciente tráfico que acompañaría el crecimiento pronosticado en el

área. Una delegación de congresistas del estado convenció al gobierno federal para que financiara una parte importante de un nuevo puente de cuota sobre el río Oakton, en tanto que la legislatura estatal aportó el resto del dinero necesario para el proyecto.

El avance en la construcción del puente ha sido congruente con lo que se había anticipado al inicio de la construcción. La comisión estatal de autopistas, que tendrá la jurisdicción operativa sobre el puente, ha concluido que la apertura del puente al público es probable que ocurra a principios del siguiente verano, como se había programado. Se estableció una fuerza de tarea de personal para reclutar, capacitar y programar a los trabajadores requeridos para operar el puente de cuota.

La fuerza de tarea de personal está bastante consciente de los problemas presupuestarios que enfrenta el estado. Han tomado como parte de su mandato el requerimiento de que los costos de personal se mantengan tan bajos como sea posible. Una área particular de interés es el número de casetas de cobro que se requerirán. Los administradores han programado tres turnos de cobradores: el turno A, de medianoche a 8 A.M., el B de 8 A.M. a 4 P.M. y el C de 4 P.M. a medianoche. No hace mucho, el sindicato de empleados estatales negoció un contrato con el gobierno que dispone que todos los cobradores sean trabajadores permanentes de tiempo completo. Además, todos los cobradores deben laborar cinco días y descansar dos en el mismo turno. Así pues, por ejemplo, un trabajador podría asignarse a laborar martes, miércoles, jueves, viernes y sábado en el turno A, y descansar el domingo y el lunes. Un trabajador no podría programarse para laborar, por ejemplo, martes en el turno A y luego el miércoles, jueves, viernes y sábado en el turno B, o en cualquier otra combinación de turnos durante un bloque de cinco días. Los empleados elegirían sus asignaciones de acuerdo con su antigüedad.

La fuerza de tarea ha recibido proyecciones del flujo de tránsito en el puente por día y hora. Tales proyecciones están basadas en extrapolaciones de los patrones de tránsito existentes, esto es, el patrón de tránsito para ir al trabajo, de compras y a la playa actualmente experimentado junto con proyecciones de crecimiento incluidas. Datos estándar de otras instalaciones de cuota operadas por el estado han permitido que la fuerza de tarea convierta estos flujos de tránsito en requerimientos de cobradores, es decir, el número mínimo de cobradores requerido por turno, por día, para manejar la carga de tránsito anticipada. Estos requerimientos de los cobradores se resumen en la tabla siguiente.

Número mínimo de cobradores requeridos por turno

TURNO	DOM.	LUN.	MAR.	MIER.	JUEV.	VIER.	SAB.
A	8	13	12	12	13	13	15
B	10	10	10	10	10	13	15
C	15	13	13	12	12	13	8

Los números en la tabla incluyen a uno o dos cobradores extra por turno para tomar el lugar de aquellos que se reporten enfermos, o bien, de quienes estén en sus descansos programados. Observe que cada uno de los cobradores requeridos en el turno A del domingo, por ejemplo, podría haber venido de cualquiera de los turnos A programados para comenzar el miércoles, jueves, viernes, sábado o domingo.

Preguntas para análisis

1. Determine el número mínimo de cobradores que tendrían que contratarse para satisfacer los requerimientos que se expresan en la tabla.
2. El sindicato declaró que podría descartar su oposición a la mezcla de turnos en un bloque de cinco días a cambio de una remuneración y prestaciones adicionales. ¿En cuánto se podría reducir el número de cobradores requerido, si se logra ese acuerdo?

Fuente: Basada en B. Render, R. M. Stair e I. Greenberg. *Cases and Readings in Management Science,* 2a. ed., 1990, págs. 55-56. Reimpreso con el permiso de Prentice-Hall, Upper Saddle River, Nueva Jersey.

Bibliografía

Aköz, Onur y Dobrila Petrovic. "A Fuzzy Goal Programming Method with Imprecise Goal Hierarchy", *European Journal of Operational Research* 181, 3 (septiembre de 2007): 1427-1433.

Araz Ceyhun, Pinar Mizrak Ozfirat e Irem Ozkarahan. "An Integrated Multicriteria Decision-Making Methodology for Outsourcing Management", *Computers & Operations Research* 34, 12 (diciembre de 2007): 3738-3756.

Bertsimas, Dimitas, Christopher Darnell y Robert Soucy. "Portfolio Construction through Mixed-Integer Programming at Grantharn, Mayo, Van Otterloo and Company", *Interfaces* 29, 1 (enero de 1999): 49-66.

Chang, Ching-Ter. "Multi-Choice Goal Programming", *Omega* 25, 4 (agosto de 2007): 389-396.

Charnes, A. y W. W. Cooper. *Management Models and Industrial Applications of Linear Programming,* vols. I y II. Nueva York: John Wiley and Sons, Inc.,1961.

Dawid, Herbert, Johannes Konig y Christine Strauss. "An Enhanced Rostering Model for Airline Crews", en *Computers and Operations Research* 28,7 (junio de 2001): 671-688.

Drees, Lawrence David y Wilbert E. Wilhelm. "Scheduling Experiments on a Nuclear Reactor Using Mixed Integer Programming", en *Computers and Operations Research* 28, 10 (septiembre de 2001): 1013-1037.

Hueter, Jackie y William Swart. "An Integrated Labor-Management System for Taco Bell", *Interfaces* 28, 1 (enero-febrero de 1998): 75-91.

Ignizio, James P. *Introduction to linear Goal Programming.* Beverly Hills: Sage Publications, 1985.

Katok, Elena y Dennis Ott. "Using Mixed-Integer Programming to Reduce Label Changes in the Coors Aluminum Can Plant", *Interfaces* 30, 2 (marzo de 2000): 1-12.

Land, Alisa y Sussan Powell. "A Survey of the Operational Use of ILP Models", *Annals of Operations Research* 149, 1 (2007): 147-156.

Lee, Sang M. y Marc J. Schniederjans. "A Multicriterial Assignment Problem: A Goal Programming Approach", *Interfaces* 13, 4 (agosto de 1983): 75-79.

Pati, Rupesh Kumar, Prem Vrat y Pradeep Kumar. "A Goal Programming Model for a Paper Recycling System", *Omega* 36, 3 (junio de 2008): 405-417.

Reyes, Pedro M., y Gregory V. Frazier. "Goal Programming Model for Grocery Shelf Space Allocation", *European journal of Operational Research* 181, 2 (septiembre de 2007): 634-644.

Wadhwa, Vijay y A. Ravi Ravidran. "Vendor Selection in Outsourcing", *Computers & Operations Research* 34, 12 (diciembre de 2007): 3725-3737.

Zangwill,W. I. *NonlinearProgramming. A Unified Approach.* Upper Saddle River, NJ: Prentice Hall, 1969.

CAPÍTULO 11

Modelos de redes

Al terminar de estudiar este capítulo, el alumno será capaz de:

1. Conectar todos los puntos de una red, minimizando la distancia total mediante la técnica del árbol de expansión mínima.

2. Determinar el flujo máximo que pasa por una red con la técnica del flujo máximo y con programación lineal.

3. Encontrar la ruta más corta en una red con la técnica de la ruta más corta y con programación lineal.

4. Entender la importante función del software en la solución de los modelos de redes.

CONTENIDO DEL CAPÍTULO

Resumen • Glosario • Problemas resueltos • Autoevaluación • Preguntas y problemas para análisis • Problemas de tarea en Internet • Estudio de caso: Binder's Beverage • Estudio de caso: problemas de tránsito en Southwestern University • Estudio de caso en Internet • Bibliografía

11.1 Introducción

En este capítulo se cubre tres modelos de redes.

Las redes sirven para modelar una amplia gama de problemas. En el capítulo 9 vimos los problemas de transporte, trasbordo y asignación modelados como redes. Se utilizó programación lineal para resolverlos y se presentaron también otras técnicas. En este capítulo se estudiarán los siguientes problemas de redes: el problema del árbol de expansión mínima, el problema del flujo máximo y el problema de la ruta más corta. Se mostrarán técnicas de solución especiales y, cuando sea adecuado, se dará una formulación de programación lineal. La *técnica del árbol de expansión mínima* determina el camino a través de la red que conecta todos los puntos, al tiempo que minimiza la distancia total. Cuando los puntos representan casas en una sección, esta técnica es útil para determinar la mejor forma de conectarlas a la energía eléctrica, al sistema de agua, etcétera, de modo que se minimice la distancia total o la longitud de los cables o las tuberías. La *técnica del flujo máximo* encuentra el máximo flujo de cualquier cantidad o sustancia que pasa por la red. Esta técnica puede determinar, por ejemplo, el número máximo de vehículos (autos, camiones y otros) que pueden transitar por la red de carreteras de un lugar a otro. Por último, la *técnica de la ruta más corta* calcula la trayectoria más corta a través de una red. Por ejemplo, la ruta más corta de una ciudad a otra por la red de carreteras.

Todos los ejemplos que describen las diferentes técnicas de redes en este capítulo son pequeños y sencillos comparados con problemas reales. Lo hacemos así para facilitar la comprensión de las técnicas. En muchos casos, los problemas de redes más pequeños se resuelven por inspección o de manera intuitiva. Sin embargo, en problemas más grandes, encontrar la solución puede ser difícil y requerir técnicas de redes poderosas. Los problemas más grandes quizá requieran cientos e incluso miles de iteraciones. La computarización de tales técnicas necesita el enfoque sistemático que presentamos.

Los círculos en las redes se llaman nodos. Las líneas que los conectan se llaman arcos.

En este capítulo se verán varios tipos de redes. Aunque representan cuestiones distintas, cierta terminología es común a todas. Los puntos en una red se conocen como **nodos**. En general, se presentan como círculos, aunque algunas veces se emplean cuadros o rectángulos para los nodos. Las líneas que conectan los nodos se llaman **arcos**.

11.2 Problema del árbol de expansión mínima

La técnica del árbol de expansión mínima conecta los nodos con una distancia mínima.

La técnica del árbol de expansión mínima implica conectar todos los puntos de una red, al tiempo que minimiza la distancia entre ellos. Se aplica, por ejemplo, en las compañías telefónicas para conectar entre sí varios teléfonos minimizando la longitud total del cable.

Considere la compañía Lauderdale Construction, que desarrolla un proyecto habitacional de lujo en Panama City Beach, Florida. Melvin Lauderdale, dueño y presidente de Lauderdale Construction, tiene que determinar la forma menos costosa de suministrar agua y electricidad a cada casa. La red de viviendas se muestra en la figura 11.1.

Como se observa en la figura 11.1, hay ocho casas en el golfo y la distancia entre cada una se muestra en la red, en cientos de pies. La distancia entre las casas 1 y 2, por ejemplo, es de 300 pies. (Hay un número 3 entre los nodos 1 y 2). Entonces, la técnica del árbol de expansión mínima sirve para determinar la distancia mínima para conectar todos los nodos. El enfoque se describe como sigue:

Pasos para la técnica del árbol de expansión mínima

La solución del problema del árbol de expansión mínima consiste en cuatro pasos.

1. Seleccionar cualquier nodo en la red.
2. Conectar este nodo con el nodo más cercano que minimice la distancia total.
3. Considerar todos los nodos que están conectados, encontrar y conectar el nodo más cercano que no esté conectado. Si hay un empate en el nodo más cercano, seleccionar uno de manera arbitraria. Un empate sugiere que existe más de una solución óptima.
4. Repetir el paso 3 hasta que todos los nodos estén conectados.

FIGURA 11.1

Red para Lauderdale Construction

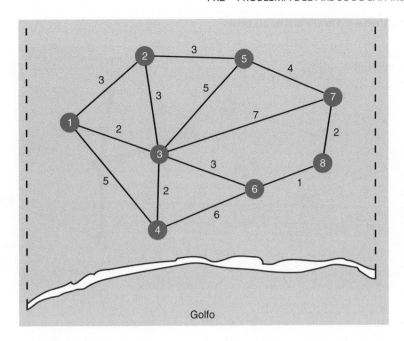

Ahora resolvemos la red de la figura 11.1 para Melvin Lauderdale. Comenzamos con la selección arbitraria del nodo 1. Como el nodo más cercano es el nodo 3, a una distancia de 2 (200 pies), conectamos el nodo 1 al nodo 3, lo cual se muestra en la figura 11.2.

Paso 1: Seleccionar el nodo 1.
Paso 2: Conectar el nodo 1 con el nodo 3.

Consideramos los nodos 1 a 3 y buscamos el siguiente nodo más cercano. Es el nodo 4, que es el más cercano al nodo 3. La distancia es 2 (200 pies). De nuevo conectamos esos nodos (véase la figura 11.3, inciso *a*).

Paso 3: Conectar el siguiente nodo más cercano.

Continuamos buscando el nodo más cercano entre los nodos no conectados 1, 3 y 4. Son el nodo 2 o el nodo 6, ambos a una distancia de 3 del nodo 3. Elegimos el nodo 2 y lo conectamos al nodo 3 (véase la figura 11.3, inciso *b*).

Paso 4: Repetir el proceso.

Continuamos el proceso. Hay otro empate para la siguiente iteración con una distancia mínima de 3 (nodo 2–nodo 5 y nodo 3–nodo 6). Debería observar que no consideramos el arco nodo 1–nodo 2 con distancia de 3, porque esos nodos ya están conectados. Seleccionamos arbitrariamente el nodo 5

FIGURA 11.2

Primera iteración para Lauderdale Construction

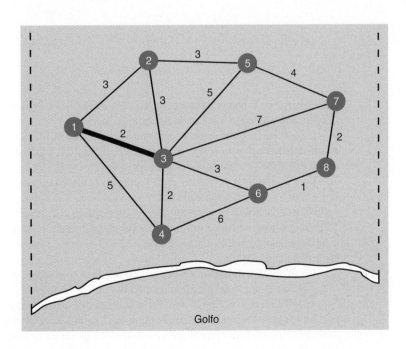

FIGURA 11.3 Segunda y tercera iteraciones

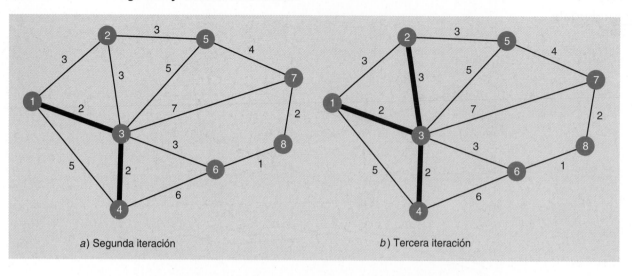

a) Segunda iteración   b) Tercera iteración

FIGURA 11.4 Cuarta y quinta iteraciones

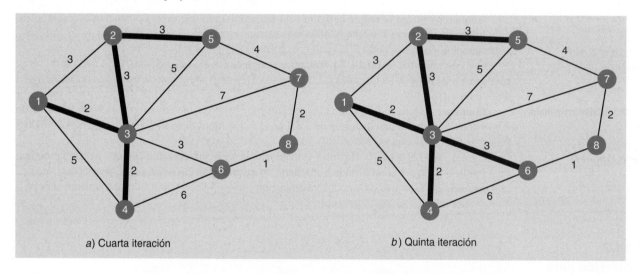

a) Cuarta iteración   b) Quinta iteración

y lo conectamos al nodo 2 (véase la figura 11.4, inciso a). El siguiente nodo más cercano es el nodo 6 y lo conectamos al nodo 3 (véase la figura 11.4, inciso b).

En este punto, quedan tan solo dos nodos sin conectar. El nodo 8 es el más cercano al nodo 6, con una distancia de 1 y lo conectamos (véase la figura 11.5, inciso a). Luego conectamos el nodo 7 restante al nodo 8 (véase la figura 11.5, inciso b).

La solución final se observa en la séptima y la última iteraciones (véase la figura 11.5, inciso b). Los nodos 1, 2, 4 y 6 están conectados todos al nodo 3. El nodo 2 está conectado con el nodo 5. El nodo 6 está conectado al nodo 8 y el 8 está conectado al 7. Ahora todos los nodos están conectados. La distancia total se encuentra sumando las distancias de los arcos utilizados en el árbol de expansión. En este ejemplo, la distancia es 2 + 2 + 3 + 3 + 3 + 1 + 2 = 16 (o 1,600 pies). Esto se resume en la tabla 11.1.

Un **problema del árbol de expansión mínima** se resuelve con QM para Windows. Seleccione *Networks* en el menú desplegable de módulos. Luego haga clic en *File-New* y seleccione *Minimal Spanning Tree* como el tipo de red. En la ventana que aparece, ingrese el número de arcos y oprima OK. La ventana de entrada le permite ingresar el nodo inicial, el nodo final y el costo (distancia) para cada arco, los cuales se reproducen en la ventana de salida mostrada en el programa 11.1. Observe que existen soluciones óptimas múltiples, como se establece en la salida.

FIGURA 11.5   Iteraciones sexta y séptima (final)

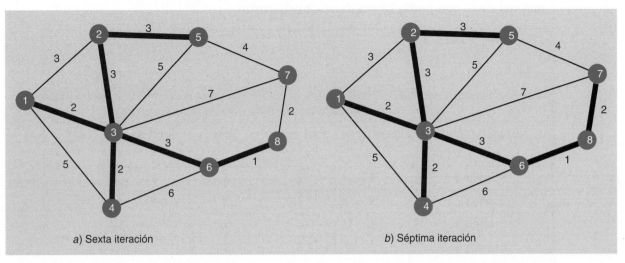

a) Sexta iteración   b) Séptima iteración

TABLA 11.1   Resumen de los pasos en el problema del árbol de expansión mínima de Lauderdale Construction

PASO	NODOS CONECTADOS	NODOS NO CONECTADOS	NODO NO CONECTADO MÁS CERCANO	ARCO SELECCIONADO	LONGITUD DEL ARCO	DISTANCIA TOTAL
1	1	2, 3, 4, 5, 6, 7, 8	3	1–3	2	2
2	1, 3	2, 4, 5, 6, 7, 8	4	3–4	2	4
3	1, 3, 4	2, 5, 6, 7, 8	2 o 6	2–3	3	7
4	1, 2, 3, 4	5, 6, 7, 8	5 o 6	2–5	3	10
5	1, 2, 3, 4, 5	6, 7, 8	6	3–6	3	13
6	1, 2, 3, 4, 5, 6	7, 8	8	6–8	1	14
7	1, 2, 3, 4, 5, 6, 8	7	7	7–8	2	16

11.3   Problema del flujo máximo

La técnica del flujo máximo encuentra la mayor cantidad que puede fluir a través de una red.

El **problema del flujo máximo** implica determinar la cantidad máxima de material que en una red puede fluir de un punto (**el origen**) a otro (el **destino final**). Los ejemplos de este tipo de problema incluyen determinar el número máximo de autos que circulan por un sistema de carreteras, la cantidad máxima de líquido que fluye por una red de tuberías y la cantidad máxima de datos que pueden fluir por una red de cómputo.

Para encontrar el flujo máximo desde el origen o el inicio de una red hasta el sumidero o final de la red, se utilizan dos métodos comunes: la técnica del flujo máximo y la programación lineal. Comenzamos por presentar un ejemplo y demostrar el primero de los dos métodos.

Técnica del flujo máximo

Waukesha, un pequeño pueblo en Wisconsin, está en el proceso de desarrollar un sistema de caminos para el área del centro. Bill Blackstone, uno de los planeadores de la ciudad, quiere determinar el número máximo de automóviles que pueden fluir por el pueblo de oeste a este. La red de caminos se ilustra en la figura 11.6.

PROGRAMA 11.1 **Solución de QM para Windows para el problema del árbol de expansión mínima de la compañía Lauderdale Construction**

Starting node for iterations

1

Note
Multiple optimal solutions exist

Networks Results

Branch name	Start node	End node	Cost	Include	Cost
Lauderdale Construction Company Solution					
Branch 1	1	2	3	Y	3
Branch 2	1	3	2	Y	2
Branch 3	1	4	5		
Branch 4	2	3	3		
Branch 5	2	5	3	Y	3
Branch 6	3	4	2	Y	2
Branch 7	3	5	5		
Branch 8	3	6	3	Y	3
Branch 9	3	7	7		
Branch 10	4	6	6		
Branch 11	5	7	4		
Branch 12	6	8	1	Y	1
Branch 13	7	8	2	Y	2
Total					16

Las calles se indican mediante sus respectivos nodos. Observe la calle entre los nodos 1 y 2. Los números al lado de los nodos indican el número máximo de automóviles (en cientos de unidades por hora) que pueden fluir *desde* los diferentes nodos. El número 3 al lado del nodo 1 indica que pueden ir 300 vehículos por hora *desde* el nodo 1 hasta el nodo 2. Véase los números 1, 1 y 2 al lado del nodo 2.

FIGURA 11.6

Red de caminos para Waukesha

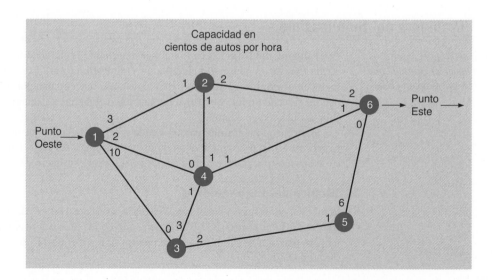

Análisis del árbol de expansión de una red de telecomunicaciones

Los modelos de redes se han utilizado para resolver una variedad de problemas en muchas compañías. En telecomunicaciones, siempre se tiene la necesidad de conectar los sistemas de cómputo y los dispositivos, de manera eficiente y efectiva. Digital Equipment Corporation (DEC), por ejemplo, estaba preocupada por la forma de conectar los sistemas de cómputo y los dispositivos a una red de área local (LAN) mediante una tecnología llamada Ethernet. El departamento de enrutamiento de redes de DEC era responsable de esta y otras soluciones de redes y telecomunicaciones.

Debido al número de dificultades técnicas, era importante contar con una manera efectiva de transportar los paquetes de información por toda la red LAN. La solución era usar un algoritmo del árbol de expansión. El éxito de dicho enfoque se aprecia en un poema escrito por los desarrolladores:

"Creo que nunca veré una gráfica más hermosa que un árbol.
Un árbol cuya propiedad crítica es conectividad sin lazos.
Un árbol que debe expandirse, de modo que los datos
lleguen a toda LAN.

Primero debe elegirse la ruta, se elige por ID.
Se trazan desde la raíz trayectorias de menor costo.
En el árbol se colocan estas rutas.
Hago una malla para todos, luego los puentes encuentran un
árbol de expansión."

Fuente: Basada en Radia Perlman, *et al.* "Spanning the LAN", *Data Communications* (21 de octubre de 1997): 68-70.

Estos números indican el flujo máximo *desde* el nodo 2 hasta los nodos 1, 4 y 6, respectivamente. Como se observa, el flujo máximo de regreso del nodo 2 al nodo 1 es de 100 automóviles por hora (1). Cien autos por hora (1) pueden fluir del nodo 2 al nodo 4 y 200 autos (2) pueden fluir al nodo 6. Note que el tránsito fluye en ambas direcciones por una calle. Un cero (0) significa que no hay flujo o que es una calle de un sentido.

El tráfico puede fluir en ambas direcciones.

La técnica del flujo máximo no es difícil. Implica los siguientes pasos:

Cuatro pasos de la técnica del flujo máximo.

Cuatro pasos de la técnica del flujo máximo

1. Elegir cualquier ruta del inicio (origen) al final (destino) con algún flujo. Si no existe una trayectoria con flujo, entonces, se encontró la solución óptima.
2. Determinar el arco en esta ruta con la menor capacidad de flujo disponible. Llamar *C* a tal capacidad, lo cual representa la capacidad adicional máxima que puede asignarse a esta ruta.
3. Para cada nodo en esta ruta, disminuir en la cantidad *C* la capacidad del flujo en la dirección del flujo. Para cada nodo en esta ruta, incrementar la capacidad del flujo en la cantidad *C* en la dirección contraria.
4. Repetir los pasos anteriores hasta que no sea posible aumentar el flujo.

Comenzamos por elegir arbitrariamente una trayectoria y ajustar el flujo.

Comenzamos eligiendo arbitrariamente la trayectoria 1–2–6, en la parte superior de la red. ¿Cuál es el flujo máximo de oeste a este? Es 2 porque tan solo 2 unidades (200 autos) pueden fluir del nodo 2 al 6. Ahora ajustamos las capacidades de flujo (véase la figura 11.7). Como se observa, restamos el flujo máximo de 2 a lo largo de la ruta 1–2–6 en la dirección del flujo (oeste a este) y sumamos 2 a la trayectoria en la dirección contraria al flujo (este a oeste). El resultado es la nueva ruta en la figura 11.7.

Es importante destacar que la nueva trayectoria en la figura 11.7 refleja la nueva capacidad relativa en esta etapa. El número del flujo al lado de cada nodo representa dos factores. Un factor es el flujo que puede venir *desde* ese nodo. El segundo factor es el flujo que se puede *reducir* al *llegar* a ese nodo. Primero considere el flujo de oeste a este. Vea la ruta que va del nodo 1 al nodo 2. El número 1 al lado del nodo 1 indica que pueden fluir 100 automóviles *desde* el nodo 1 al nodo 2. Al ver la trayectoria del nodo 2 al 6, el número 0 al lado del nodo 2 significa que 0 autos pueden fluir *desde* el nodo 2 hasta el 6. Ahora considere el flujo de este a oeste mostrado en la nueva trayectoria de la figura 11.7. Primero considere la ruta del nodo 6 al 2. El número 4 al lado del nodo 6 indica el total en el que se puede reducir el flujo del nodo 2 al nodo 6, o aumentar el flujo del nodo 6 al 2 (o alguna combinación de estos flujos que llegan o salen del nodo 6), dependiendo del estado actual de los flujos. Como se señaló que por ahora tan solo hay 2 unidades (200 autos) que fluyen del nodo 2 al nodo 6, el máximo posible que se reduce esto es 2, lo cual deja una capacidad que también permite

FIGURA 11.7

Ajuste de capacidad para la trayectoria 1-2-6, iteración 1

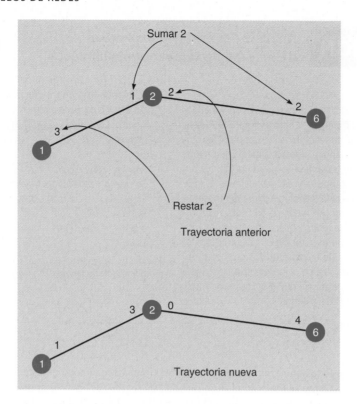

Trayectoria anterior

Trayectoria nueva

EN ACCIÓN   Sistema de control de tránsito en la autopista Hanshin

La autopista Hanshin comenzó con una sección de camino de 2.3 kilómetros en la ciudad de Osaka, Japón, en la década de 1960. Este pequeño tramo fue la primera vía rápida urbana de cuota en Osaka. El flujo aproximado de tránsito era de 5,000 autos por día. En la actualidad, la autopista incluye cerca de 200 kilómetros de carretera en un sistema que conecta Osaka con Kobe, Japón. El flujo de tráfico a principios de la década de 1990 era de más de 800,000 vehículos diarios, con un flujo pico que excedía 1 millón de autos por día.

Como se señala en este capítulo, maximizar el flujo de tránsito a través de una red incluye una investigación de la capacidad actual y futura de las diferentes ramas de la red. Además del análisis de capacidad, Hanshin decidió usar un sistema de control de tráfico automatizado para maximizar el flujo por la autopista existente, así como para reducir el congestionamiento y los cuellos de botella ocasionados por accidentes, mantenimiento de las vías o autos descompuestos. Se esperaba que el sistema de control también aumentara el ingreso de la autopista.

La administración de Hanshin investigó el número de accidentes y descomposturas en la vía rápida para ayudar a reducir

problemas y aumentar más el flujo vehicular. El sistema de control de tráfico proporciona un control tanto directo como indirecto. El control directo incluye registrar el número de vehículos que entran a la autopista por las rampas de acceso. El control indirecto incluye brindar información completa y al minuto con respecto a los flujos de tránsito y a las condiciones generales del flujo vehicular en la autopista, la cual se obtiene usando detectores de vehículos, cámaras de TV, detectores ultrasónicos e identificadores automáticos de vehículos que leen la información de las matrículas. Los datos reunidos con tales dispositivos dan a las personas que están en casa o van conduciendo la información que requieren para determinar si usarán la autopista Hanshin.

Esta aplicación revela que una solución a un problema tiene muchos componentes, incluyendo análisis cuantitativos, equipo y otros elementos, como proporcionar información a los conductores.

Fuente: Basada en T. Yoshino, *et al*. "The Traffic-Control System on the Hanshin Expressway", *Interfaces* 25 (enero-febrero de 1995): 94-108.

un flujo de 2 unidades del nodo 6 al 2 (para un cambio total de 4 unidades). Al observar la ruta del nodo 2 al 1, vemos el número 3 al lado del nodo 2. Esto indica que el cambio total posible en esa dirección es 3, y ello vendría de reducir los flujos del nodo 1 al 2, o bien, de aumentar los flujos del nodo 2 al 1. Como el flujo actual del nodo 1 al 2 es 2, podemos reducir esto en 2, dejando una capaci-

FIGURA 11.8 **Segunda iteración para el sistema de caminos de Waukesha**

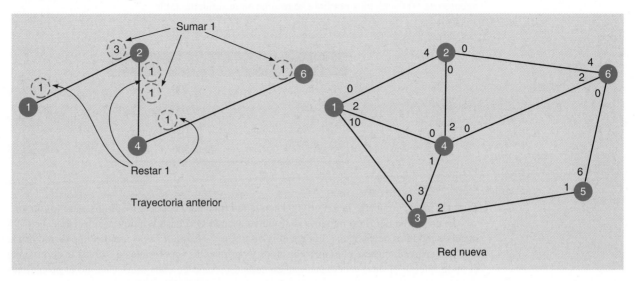

El proceso se repite.

dad que también permite un flujo de 1 unidad del nodo 2 al nodo 1 (que da un cambio total de 3 unidades). En este punto tenemos un flujo de 200 automóviles a través de la red del nodo 1 al nodo 2 al nodo 6. También se refleja la nueva capacidad relativa, como se indica en la figura 11.7.

Ahora repetimos el proceso eligiendo otra ruta con capacidad existente. Elegimos de manera arbitraria la ruta 1–2–4–6. La capacidad máxima en esta trayectoria es 1. De hecho, la capacidad en todos los nodos de esta trayectoria (1–2–4–6) de oeste a este es 1. Recuerde que la capacidad de la rama 1–2 es ahora 1, porque ya fluyen 2 unidades (200 autos por hora) por la red. Entonces, aumentamos en 1 el flujo en la trayectoria 1–2–4–6 y ajustamos su capacidad (véase la figura 11.8).

Ahora tenemos un flujo de 3 unidades (300 autos): 200 automóviles por hora en la ruta 1–2–6 más 100 autos por hora en la ruta 1–2–4–6. ¿Podemos todavía aumentar el flujo? Sí, a través de la trayectoria 1-3-5-6 que es la trayectoria inferior. Consideramos la capacidad máxima de cada nodo en esta ruta. La capacidad del nodo 1 al nodo 3 es de 10 unidades; la capacidad del 3 al 5 es de 2 unidades, y la capacidad del nodo 5 al 6 es de 6 unidades. Estamos limitados por la menor capacidad, que es 2 unidades de flujo del nodo 3 al 5. El incremento de 2 unidades en el flujo a lo largo de esta ruta se muestra en la figura 11.9.

Continuamos hasta que no haya más trayectorias con capacidad sin utilizar.

De nuevo, repetimos el proceso, intentamos encontrar una ruta con capacidad sin usar en la red. Si verifica con cuidado la última iteración en la figura 11.9, verá que no hay más trayectorias del nodo

FIGURA 11.9

Tercera y última iteración para el sistema de caminos de Waukesha

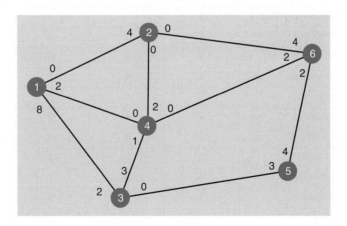

1 al 6 con capacidad sin usar, aun cuando varias ramas en esta red tienen capacidad sin usar. El flujo máximo de 500 vehículos por hora se resume en la siguiente tabla:

RUTA	FLUJO (AUTOS POR HORA)
1–2–6	200
1–2–4–6	100
1–3–5–6	200
	Total 500

También puede comparar la red original con la red final para conocer los flujos entre los nodos.

El problema del flujo máximo se resuelve usando QM para Windows. Seleccione *Networks* del menú de módulos desplegable. Luego, elija *File-New* y *Maximal Flow* como el tipo de red. En la ventana que aparece, ingrese el número de arcos y oprima *OK*. La ventana de entrada le permite ingresar el nodo inicial, el final y la capacidad en cada dirección de cada arco. Cuando el problema se resuelve, se agrega una columna adicional a la tabla con título *Flow* (Flujo) y esta columna contiene la solución óptima, como se ilustra en el programa 11.2.

Programación lineal para flujo máximo

El problema del flujo máximo se puede modelar como programación lineal. Esta clase de problema puede verse como un tipo especial de problema de trasbordo con un origen, un destino y cierto número de puntos de trasbordo. Las cantidades enviadas por la red se llamaran *flujos*.

El objetivo es maximizar el flujo en la red. Existen dos tipos de restricciones. El primer conjunto de restricciones limita la cantidad del flujo en cualquier arco a la capacidad de ese arco. El segundo conjunto indica que la cantidad de flujo que sale de un nodo será igual a la cantidad que llega a ese nodo. Son las mismas restricciones que las de los puntos de trasbordo.

PROGRAMA 11.2 **Solución de QM para Windows para el problema del flujo máximo en el sistema de caminos de Waukesha**

Source [◄ | | ►] 1   Sink [◄ | | ►] 6

Networks Results

Waukesha Road Network Solution					
Branch name	Start node	End node	Capacity	Reverse capacity	Flow
Maximal Network Flow	5				
Branch 1	1	2	3	1	3
Branch 2	1	3	10	0	2
Branch 3	1	4	2	0	0
Branch 4	2	4	1	1	1
Branch 5	2	6	2	2	2
Branch 6	3	4	3	1	0
Branch 7	3	5	2	1	2
Branch 8	4	6	1	1	1
Branch 9	5	6	6	0	2

Las variables se definen como:

$$X_{ij} = \text{flujo del nodo } i \text{ al nodo } j$$

Se agregará un arco adicional a la red, el cual irá de regreso del destino (nodo 6) al origen (nodo 1). El flujo por este arco representa el flujo total en la red.

El programa lineal es:

Maximizar el flujo $= X_{61}$

sujeto a:

$$X_{12} \leq 3$$
$$X_{13} \leq 10$$
$$X_{14} \leq 2$$
$$X_{21} \leq 1$$
$$X_{24} \leq 1$$
$$X_{26} \leq 2$$
$$X_{34} \leq 3$$
$$X_{35} \leq 2$$
$$X_{42} \leq 1$$
$$X_{43} \leq 1$$
$$X_{46} \leq 1$$
$$X_{53} \leq 1$$
$$X_{56} \leq 1$$
$$X_{62} \leq 2$$
$$X_{64} \leq 1$$

$$X_{61} = X_{12} + X_{13} + X_{14} \quad \text{o bien} \quad X_{61} - X_{12} - X_{13} - X_{14} = 0$$
$$X_{12} + X_{42} + X_{62} = X_{21} + X_{24} + X_{26} \quad \text{o bien} \quad X_{12} + X_{42} + X_{62} - X_{21} - X_{24} - X_{26} = 0$$
$$x_{13} + X_{43} + X_{53} = X_{34} + X_{35} \quad \text{o bien} \quad X_{13} + X_{43} + X_{53} - X_{34} - X_{35} = 0$$
$$x_{14} + X_{24} + X_{34} + X_{64} = X_{42} + X_{43} + X_{46} \quad \text{o bien} \quad X_{14} + X_{24} + X_{34} + X_{64} - X_{42} - X_{43} - X_{46} = 0$$
$$X_{35} = X_{56} + X_{53} \quad \text{o bien} \quad X_{35} - X_{56} - X_{53} = 0$$
$$X_{26} + X_{46} + X_{56} = X_{61} \quad \text{o bien} \quad X_{26} + X_{46} + X_{56} = X_{61}$$
$$X_{ij} \geq 0 \text{ y enteros}$$

Las últimas seis restricciones igualan el flujo que sale de un nodo con el que llega al nodo. El problema está listo para resolverse usando el módulo de programación lineal en QM para Windows o Solver de Excel.

11.4 Problema de la ruta más corta

La técnica de la ruta más corta minimiza la distancia a través de una red.

El objetivo del **problema de la ruta más corta** es encontrar la menor distancia para ir de un lugar a otro. En una red, esto suele implicar la determinación de la ruta más corta de un nodo a cada uno de los otros nodos. Este problema se resuelve con la técnica de la ruta más corta, o bien, planteándolo como un programa lineal con variables 0–1. Se presentará un ejemplo para demostrar primero la técnica de la ruta más corta y, luego, se desarrollará un programa lineal.

Técnica de la ruta más corta

Todos los días, Ray Design debe transportar camas, sillas y otros muebles de la fábrica al almacén; necesita pasar por varias ciudades y Ray desea encontrar la ruta con la distancia más corta. La red de carreteras se muestra en la figura 11.10.

FIGURA 11.10

Carreteras de la planta de Ray al almacén

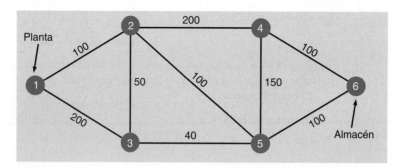

EN ACCIÓN   **Mejoras al transporte escolar**

A principios de la década de 1990, Carolina del Norte gastaba casi $150 millones en transportar estudiantes a las escuelas. El sistema de transporte escolar del estado tenía 13,000 autobuses, 100 distritos escolares y 700,000 estudiantes. En 1989 la Asamblea General del estado decidió investigar cómo podían ahorrar dinero con el desarrollo de una mejor forma de transportar estudiantes. La Asamblea General tenía el compromiso de asignar fondos para los distritos que transportaban estudiantes de manera eficiente; mientras que tan solo reembolsaban los gastos justificados a los distritos que no eran eficientes en la forma en que transportaban a los estudiantes hacia las escuelas públicas y de regreso.

Los datos de entrada para el modelo de redes de Carolina del Norte incluían el número de autobuses usados y los gastos de operación totales que, a su vez, incluían salarios de conductores, salarios del personal de transporte, pagos a gobiernos locales, costos de combustible, costos de refacciones y reparaciones, y otros costos relacionados. Estos datos se utilizaron para calcular una calificación de eficiencia para los diferentes distritos. Después, las calificaciones de eficiencia servían para ayudar en la asignación de fondos a los distritos. Aquellos que tenían una calificación de 0.9 o más recibían los fondos completos. Al principio, la conversión de calificaciones de eficiencia en fondos se recibió con escepticismo; sin embargo, después de varios años más funcionarios del estado se dieron cuenta de la utilidad del enfoque. En 1994 y 1995, el enfoque basado en la eficiencia se usaba únicamente para la asignación de fondos.

El uso de la asignación de fondos con base en la eficiencia dio como resultado la eliminación de cientos de autobuses de escuela, con ahorros de más de $25 millones durante un periodo de tres años.

Fuente: Basada en T. Sexton *et al.* "Improving Pupil Transportation in North Carolina", *Interfaces* 24 (enero-febrero de 1994): 87-103.

La técnica de la ruta más corta se utiliza para minimizar la distancia total de un nodo inicial a un nodo final. La técnica se resume en los siguientes pasos:

Pasos de la técnica de la ruta más corta.

Pasos de la técnica de la ruta más corta

1. Encontrar el nodo más cercano al origen (planta). Colocar la distancia en un cuadro al lado del nodo.
2. Encontrar el siguiente nodo más cercano al origen (planta) y poner la distancia en un cuadro al lado del nodo. En algunos casos, deberán revisarse varias rutas para encontrar el nodo más cercano.
3. Repetir este proceso hasta que se haya revisado la red completa. La última distancia en el nodo final será la distancia de la ruta más corta. Debería observar que la distancia colocada en el cuadro al lado de cada nodo será la distancia de la ruta más corta a ese nodo. Tales distancias se usan como resultados parciales para encontrar el siguiente nodo más cercano.

Buscamos el nodo más cercano al origen.

Si observa la figura 11.10, verá que el nodo más cercano a la planta es el nodo 2, con una distancia de 100 millas. Se conectan entonces los dos nodos. Esta primera iteración se muestra en la figura 11.11.

Ahora se busca el siguiente nodo más cercano al origen. Verificamos los nodos 3, 4 y 5. El nodo 3 es el más cercano, pero existen dos trayectorias posibles. La ruta 1–2–3 es la más cercana al origen, con una distancia total de 150 millas (véase la figura 11.12).

Repetimos el proceso. El siguiente nodo más cercano es el nodo 4 o el 5. El nodo 4 está a 200 millas del nodo 2, y el nodo 2 está a 100 millas del nodo 1. Entonces, el nodo 4 está a 300 millas del origen. Hay dos trayectorias para el nodo 5, 2–5 y 3–5, desde el origen. Advierta que no tenemos que regresar hasta el origen, porque ya conocemos la ruta más corta de los nodos 2 y 3 al origen. Las dis-

FIGURA 11.11

Primera iteración para Ray Design

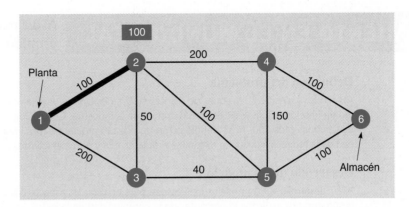

FIGURA 11.12

Segunda iteración para Ray Design

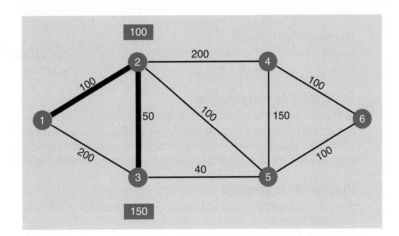

tancias mínimas se colocan en cuadros al lado de estos nodos. La ruta 2–5 tiene 100 millas y el nodo 2 está a 100 millas del origen. Entonces, la distancia total es de 200 millas. De manera similar, determinamos que la trayectoria del nodo 5 al origen por el nodo 3 tiene 190 millas (40 entre el nodo 5 y el 3 más 150 del nodo 3 al origen). Así, elegimos el nodo 5 que pasa por el nodo 3 desde el origen (véase la figura 11.13).

El siguiente nodo más cercano será el nodo 4 o el 6, como los últimos nodos que quedan. El nodo 4 está a 300 millas del origen (300 = 200 del 4 al 2 más 100 del 2 al origen). El nodo 6 está a 290 millas del origen (290 = 100 + 190). El nodo 6 tiene la menor distancia y como es el nodo final, el proceso termina (véase la figura 11.14). La ruta más corta es 1–2–3–5–6, con una distancia mínima de 290 millas. Este problema se resuelve en QM para Windows. La ventana de entrada se ilustra en el programa 11.3A. La solución se muestra en el programa 11.3B. Se dispone de información adicional para la solución óptima, si se hace clic en *Window* una vez resuelto el problema.

Programación lineal para el problema de la ruta más corta

El proceso se repite.

El problema de la ruta más corta se puede ver como un tipo especial de problema de trasbordo con un origen que tiene oferta de 1, un destino con demanda 1 y varios puntos de trasbordo. Esta clase de problemas se modela como un programa lineal con variables 0-1. Las variables indicarán si se elige un arco específico como parte de la ruta tomada.

Para el ejemplo de Ray Design, el objetivo es minimizar la distancia total (costo) de inicio a fin. Las variables se definen como:

$$X_{ij} = 1 \text{ si se elige el arco del nodo } i \text{ al nodo } j \text{ y } X_{ij} = 0 \text{ de otra manera}$$

Como el punto de inicio es el nodo 1, no se incluye una variable que vaya del nodo 2 o 3 de regreso al 1. De manera similar, como el nodo 6 es el destino final, no se incluyen variables que comiencen en el nodo 6.

PLANTEAMIENTO EN EL MUNDO REAL

AT&T resuelve problemas de redes

Definición del problema

Al atender a más de 80 millones de clientes en Estados Unidos y requerir más de 40 mil millas de cable, la red de fibra óptica de AT&T es la más grande de la industria. Con su volumen de cerca de 80 mil millones de llamadas cada año, AT&T definió como uno de sus problemas más importantes mantener la confiabilidad de la red, a la vez que se maximiza el flujo en ella y se minimizan sus costos.

Desarrollo de un modelo

AT&T desarrolló varios modelos exhaustivos para analizar los aspectos de confiabilidad. Tales modelos investigaron dos aspectos importantes de la confiabilidad de la red: 1. prevención de fallas y 2. respuesta rápida cuando surgen las fallas. Los modelos incluyeron enrutamiento de la red en tiempo real (RTNR), restablecimiento automático rápido (FASTAR) y red óptica sincrónica (SONET).

Recolección de datos

Se dedicaron más de 10 meses a la recolección de datos para los modelos. Debido a la vasta cantidad de datos, AT&T usó suma de datos para reducir el tamaño del problema de redes y facilitar la solución.

Desarrollo de una solución

La solución utilizó una rutina de optimización para encontrar la mejor manera de enrutar la voz y el tráfico de datos por la red, para minimizar tanto el número de fallas de mensaje como los recursos de red necesarios. Debido a la enorme cantidad de datos y el gran tamaño del problema, se generó una solución de optimización para cada conjunto de demanda de tráfico posible y las posibilidades de falla.

Pruebas de la solución

AT&T realizó pruebas comparando las soluciones obtenidas por el nuevo enfoque de optimización con las obtenidas con las herramientas de planeación anteriores. Se establecieron expectativas de mejora de 5 a 10%. La compañía también utilizó simulación por computadora para probar la solución en condiciones variables.

Análisis de los resultados

Para analizar los resultados, AT&T tuvo que invertir los pasos de agregación durante la recolección de datos. Una vez terminado el proceso de desagregación, pudo determinar el mejor enfoque de enrutamiento a través de su vasta red. El análisis de resultados incluyó una investigación de la capacidad integrada y de la capacidad sobrante proporcionada por la solución.

Implementación de resultados

Cuando se implementó, el nuevo enfoque logró reducir los recursos utilizados por la red en más de 30%, al tiempo que mantuvo un alto nivel en su confiabilidad. Durante el estudio, 99.98% de las llamadas se completaron con éxito en el primer intento. La implementación exitosa también dio como resultado ideas para cambios y mejoras, incluyendo un enfoque de optimización completo que podría identificar la capacidad sin usar e incluirla en la operación.

Fuente: Basada en Ken Ambs, *et al.* "Optimizing Restoration Capacity at the AT&T Network", *Interfaces* 30, 1 (enero-febrero de 2000): 26-44.

FIGURA 11.13

Tercera iteración para Ray Design

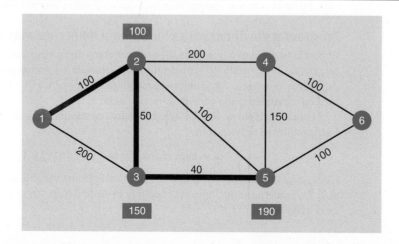

FIGURA 11.14
Cuarta y última iteración
para Ray Design

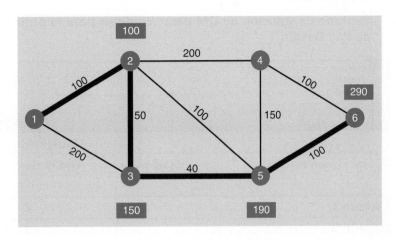

Al considerar este como un problema de trasbordo, el nodo origen (nodo 1) debe tener una unidad que se envía desde ahí:

$$X_{12} + X_{13} = 1$$

El nodo destino final (nodo 6) debería tener una unidad enviada ahí y esto se escribe como:

$$X_{46} + X_{56} = 1$$

Cada nodo intermedio tendrá una restricción que requiere que la cantidad que llega al nodo sea igual a la cantidad que sale del nodo. Para el nodo 2, esto sería

$$X_{12} + X_{32} = X_{23} + X_{24} + X_{25} \quad \text{o bien} \quad X_{12} + X_{32} - X_{23} - X_{24} - X_{25} = 0$$

PROGRAMA 11.3A   **Ventana de entrada de QM para Windows para el problema de la ruta más corta de Ray Desgin**

		Start node	End node	Distance
Ray Design, Inc.				
Branch 1		1	2	100
Branch 2		1	3	200
Branch 3		2	3	50
Branch 4		2	4	200
Branch 5		2	5	100
Branch 6		3	5	40
Branch 7		4	5	150
Branch 8		4	6	100
Branch 9		5	6	100

Network type: Undirected / Directed   Origin: 1   Destination: 6

PROGRAMA 11.3B Ventana de solución de QM para Windows para el problema de la ruta más corta de Ray Desgin

Network type	Origin	Destination
⦿ Undirected ○ Directed	◄ ▶ 1	◄ ▶ 6

Networks Results

Ray Design, Inc. Solution				
Total distance = 290	Start node	End node	Distance	Cumulative Distance
Branch 1	1	2	100	100
Branch 3	2	3	50	150
Branch 6	3	5	40	190
Branch 9	5	6	100	290

Las otras restricciones se construyen de forma similar. El modelo completo es

$$\text{Minimizar la distancia} = 100X_{12} + 200X_{13} + 50X_{23} + 50X_{32} + 200X_{24} + 200X_{42}$$
$$+ 100X_{25} + 100X_{52} + 40X_{35} + 40X_{53} + 150X_{45}$$
$$+ 150X_{54} + 100X_{46} + 100X_{56}$$

sujeta a:

$$X_{12} + X_{13} = 1 \qquad \text{nodo 1}$$
$$X_{12} + X_{32} - X_{23} - X_{24} - X_{25} = 0 \qquad \text{nodo 2}$$
$$X_{13} + X_{23} - X_{32} - X_{35} = 0 \qquad \text{nodo 3}$$
$$X_{24} + X_{54} - X_{42} - X_{45} - X_{46} = 0 \qquad \text{nodo 4}$$
$$X_{25} + X_{35} + X_{45} - X_{52} - X_{53} - X_{54} - X_{56} = 0 \qquad \text{nodo 5}$$
$$X_{46} + X_{56} = 1 \qquad \text{nodo 6}$$
$$\text{todos las variables} = 0 \text{ o } 1$$

Esto ahora se resuelve con Solver de Excel o con QM para Windows.

Resumen

Se presentaron tres problemas de redes importantes: el árbol de expansión mínima, el flujo máximo y la ruta más corta. Todos ellos se representaron como redes y se mostraron técnicas de solución específicas. El problema del flujo máximo y el de la ruta más corta se consideran casos especiales del problema de trasbordo, y ambos se modelaron usando programación lineal con variables que deben ser enteras o 0–1. Los tres problemas de redes tienen una amplia gama de aplicaciones; existen muchos otros tipos de problemas de redes.

Glosario

Arco Línea en una red que puede representar una trayectoria o ruta. Un arco o rama se usa para conectar los nodos de una red.

Destino Nodo final o destino en una red.

Nodo Punto en una red, con frecuencia representado por un círculo, que marca el inicio y el fin de un arco.

Origen Nodo del origen o inicio en una red.

Problema de la ruta más corta Problema de redes con el objetivo de encontrar la distancia más corta entre dos lugares.

Problema del árbol de expansión mínima Problema de redes con el objetivo de conectar todos los nodos de una red, minimizando la distancia total requerida para hacerlo.

Problema del flujo máximo Problema de redes cuyo objetivo es determinar la cantidad máxima que puede fluir del origen al destino final.

Problemas resueltos

Problema resuelto 11-1

Roxie LaMothe es dueña de una granja grande donde cría caballos cerca de Orlando. Está planeando instalar un sistema de agua integral que conecte todos los establos y graneros. La ubicación de las instalaciones y las distancias entre ellas se dan en la red mostrada en la figura 11.15. Roxie tiene que determinar la forma menos costosa de suministrar agua a cada instalación. ¿Qué recomendaría usted?

FIGURA 11.15

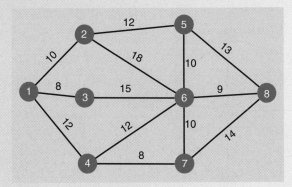

Solución

Se trata de un problema típico del árbol de expansión mínima que es posible resolver a mano. Se elige el nodo 1 y se conecta con el nodo más cercano, que es el nodo 3. Los nodos 1 y 2 son los siguientes que se conectan, seguidos de los nodos 1 y 4. Ahora se conecta el nodo 4 al nodo 7, y el nodo 7 al nodo 6. En este punto, los únicos puntos restantes para conectar son el nodo 6 al nodo 8, y el nodo 6 al nodo 5. La solución final se observa en la figura 11.16. La tabla 11.2 resume los pasos.

FIGURA 11.16

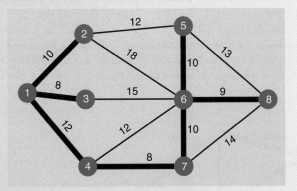

TABLA 11.2   Resumen de los pasos en el problema resuelto 11-1 del árbol de expansión mínima

PASO	NODOS CONECTADOS	NODOS SIN CONECTAR	NODO MÁS CERCANO SIN CONECTAR	ARCO SELECCIONADO	LONGITUD DEL ARCO	DISTANCIA TOTAL
1	1	2, 3, 4, 5, 6, 7, 8	3	1–3	8	8
2	1, 3	2, 4, 5, 6, 7, 8	2	1–2	10	18
3	1, 2, 3	4, 5, 6, 7, 8	4 o 5	1–4	12	30
4	1, 2, 3, 4	5, 6, 7, 8	7	4–7	8	38
5	1, 2, 3, 4, 7	5, 6, 8	6	7–6	10	48
6	1, 2, 3, 4, 6, 7	5, 8	8	6–8	9	57
7	1, 2, 3, 4, 6, 7, 8	5	5	6–5	10	67

Problema resuelto 11-2

PetroChem, una refinería de petróleo localizada en el río Mississippi al sur de Baton Rouge, Luisiana, está diseñando una nueva planta para producir combustible diesel. La figura 11.17 muestra la red de los principales centros de procesamiento y la tasa del flujo existente (en miles de galones de combustible). La gerencia de PetroChem busca determinar la cantidad máxima de combustible que puede fluir a través de la planta, del nodo 1 al nodo 7.

FIGURA 11.17

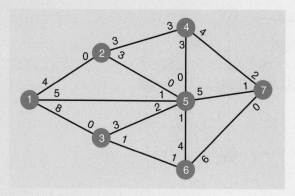

Solución

Mediante la técnica del flujo máximo, elegimos de manera arbitraria la ruta 1−5−7, que tiene un flujo máximo de 5. Se ajustan las capacidades y quedan capacidades de 0 en 1 a 5, y la capacidad de 5 a 7 también de 0. La siguiente trayectoria arbitraria que se selecciona es 1−2−4−7 y el flujo máximo es 3. Después del ajuste, las capacidades de 1 a 2 y la de 4 a 7 son 1; en tanto que la capacidad de 2 a 4 es 0. La siguiente ruta seleccionada es 1−3−6−7 con un flujo máximo de 1, y la capacidad de 3 a 6 se ajusta a 0. La siguiente trayectoria que se elige es 1−2−5−6−7 con un flujo máximo de 1. Después de esto ya no hay más trayectorias con capacidad disponible. El arco 5−7 tiene capacidad 0; mientras que el arco 4−7 tiene capacidad 1, ambos arcos 2−4 y 5−4 tienen capacidad 0, de modo que no se dispone de más flujo por el nodo 4. De manera similar, en tanto que al arco 6−7 le queda una capacidad de 4, la capacidad del arco 3−6 y la del arco 5−6 son 0. Entonces, el flujo máximo es 10 (5 + 3 + 1+ 1). Los flujos se muestran en la figura 11.18.

FIGURA 11.18

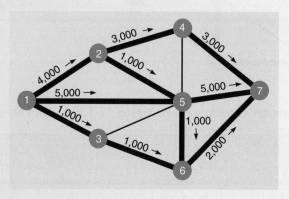

Problema resuelto 11-3

La red de la figura 11.19 ilustra las carreteras y las ciudades cercanas a Leadville, Colorado. Leadville Tom, un fabricante de cascos para bicicleta, debe transportar sus artículos a un distribuidor en Dillon, Colorado. Para hacerlo, tiene que pasar por varias ciudades. Tom quiere encontrar la ruta más corta para ir de Leadville a Dillon. ¿Qué le recomendaría?

FIGURA 11.19

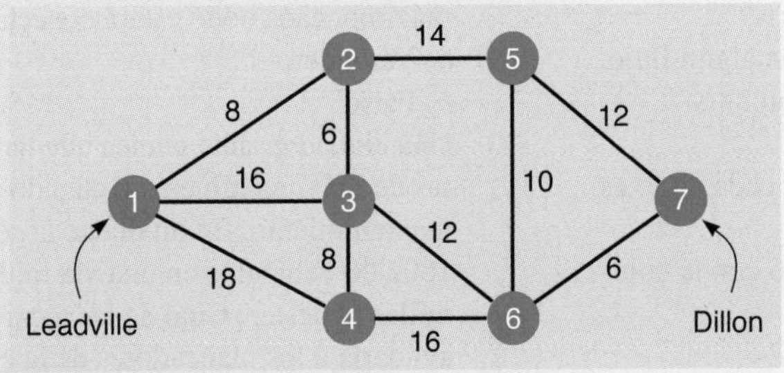

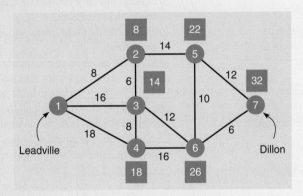

Solución

El problema se resuelve con la técnica de la ruta más corta. El nodo más cercano al origen (nodo 1) es el nodo 2. La distancia de 8 se coloca en un cuadro junto al nodo 2. Después, considere los nodos 3, 4 y 5, ya que hay un arco a cada uno desde el nodo 1 o el 2, y ambos tienen sus distancias establecidas. El nodo más cercano al origen es el nodo 3, por lo que la distancia que se coloca en un cuadro al lado del nodo 3 es 14 (8 + 6). Entonces, considere los nodos 4, 5 y 6. El nodo más cercano al origen es el nodo 4, con una distancia de 18 (directamente del nodo 1). Luego, considere los nodos 5 y 6. El nodo con la menor distancia desde el origen es el nodo 5 (que pasa por el nodo 2) y esta distancia es 22. Ahora vea los nodos 6 y 7 y se selecciona el nodo 6, ya que la distancia es 26 (pasando por el nodo 3). Por último, se toma en cuenta el nodo 7 y la distancia más corta desde el origen es 32 (pasando por el nodo 6). La ruta que da la distancia más corta es 1−2−3−6−7 y la distancia es 32. Véase la solución en la figura 11.20.

FIGURA 11.20

Autoevaluación

- Antes de resolver la autoevaluación, consulte los objetivos de aprendizaje al inicio del capítulo, las notas al margen y el glosario al final del capítulo.
- Utilice la solución al final del libro para corregir sus respuestas.
- Estudie de nuevo las páginas que corresponden a cualquier pregunta cuya respuesta sea incorrecta o al material con el que se sienta inseguro.

1. ¿Cuál técnica se utiliza para conectar todos los puntos de una red, minimizando la distancia entre ellos?
   a) flujo máximo
   b) flujo mínimo
   c) árbol de expansión mínima
   d) ruta más corta
   e) mayor expansión

2. El primer paso de la técnica del árbol de expansión mínima es
   a) seleccionar el nodo con la mayor distancia a otro nodo.
   b) elegir el nodo con la menor distancia a otro nodo.
   c) seleccionar el nodo más cercano al origen.
   d) elegir el cualquier arco que conecte dos nodos.
   e) seleccionar cualquier nodo.

3. El primer paso de la técnica del flujo máximo es
   a) seleccionar cualquier nodo.
   b) elegir cualquier trayectoria de inicio a fin con algún flujo.
   c) seleccionar la trayectoria con el flujo máximo.
   d) elegir la ruta con el flujo mínimo.
   e) seleccionar la ruta donde el flujo que llega a cada nodo es mayor que el flujo que sale de cada nodo.

4. ¿En qué técnica se conecta el nodo más cercano con la solución existente que aún no está conectada?
   a) árbol máximo
   b) ruta más corta
   c) árbol de expansión mínima
   d) flujo máximo
   e) flujo mínimo

5. En la técnica de la ruta más corta, el objetivo es determinar la ruta de un origen a un destino que pase por el menor número de otros nodos.
   a) Verdadero
   b) Falso

6. ¿De cuál técnica es un paso importante ajustar los números de la capacidad del flujo en una trayectoria?
   a) flujo máximo
   b) flujo mínimo
   c) árbol de expansión máxima
   d) árbol de expansión mínima
   e) ruta más corta

7. ¿Cuál de los siguientes se considera un problema de trasbordo donde tan solo hay un origen con oferta de 1?
   a) problema del flujo máximo
   b) problema del árbol de expansión mínima
   c) problema del flujo mínimo
   d) problema de la ruta más corta

8. Si el problema del flujo máximo se formula como un programa lineal, el objetivo es
   a) maximizar el flujo del destino al origen.
   b) minimizar la distancia total.
   c) minimizar el flujo del destino al origen.
   d) encontrar la distancia más corta del origen al destino.

9. Cuando se llega a la solución óptima con la técnica del flujo máximo, cada nodo estará conectado con al menos otro nodo.
   a) Verdadero
   b) Falso

10. Una ciudad grande planea que haya retrasos durante las horas de máxima afluencia, cuando los caminos se cierran por mantenimiento. En un día de la semana normal, viajan 160,000 vehículos en una vía rápida del centro a un punto 15 millas al oeste. ¿Cuál de las técnicas estudiadas en el capítulo ayudaría a los planeadores de la ciudad, a determinar si otras rutas cuentan con la capacidad suficiente para todo el tráfico?
    a) la técnica del árbol de expansión mínima
    b) la técnica del flujo máximo
    c) la técnica de la ruta más corta

11. El centro de cómputo en una universidad importante está instalando nuevos cables de fibra óptica para una red de cómputo en todo el campus. ¿Cuál de las técnicas estudiadas ayudaría a determinar la menor cantidad de cable necesario para conectar 20 edificios en el campus?
    a) árbol de expansión mínima
    b) flujo máximo
    c) ruta más corta

12. En un problema del árbol de expansión mínima, se encuentra la solución óptima cuando
    a) el nodo inicial y el nodo final están conectados por una trayectoria continua.
    b) el flujo desde nodo inicial es igual al flujo que llega al nodo final.
    c) todos los arcos se seleccionaron como parte del árbol.
    d) se conectaron todos los nodos y son parte del árbol.

13. _____ es una técnica que se utiliza para encontrar cómo una persona o un artículo puede viajar de un lugar a otro minimizando la distancia total recorrida.

14. La técnica que permite determinar la cantidad máxima de un material que puede fluir por una red se llama _____.

15. La técnica _____ sirve para conectar todos los puntos de una red minimizando la distancia entre ellos.

Preguntas y problemas para análisis

Preguntas para análisis

11-1 ¿Qué es la técnica del árbol de expansión mínima? ¿Qué clases de problemas se resuelven con esta técnica de análisis cuantitativo?

11-2 Describa los pasos de la técnica del flujo máximo.

11-3 Dé varios ejemplos de problemas que se resuelvan con la técnica del flujo máximo.

11-4 ¿Cuáles son los pasos de la técnica de la ruta más corta?

11-5 Describa un problema que se resuelva con la técnica de la ruta más corta.

11-6 ¿Es posible obtener soluciones óptimas alternativas con la técnica de la ruta más corta? ¿Hay una forma automática de saber si se tiene otra solución óptima?

11-7 Describa cómo se modela el problema del flujo máximo como un problema de trasbordo.

11-8 Describa cómo se modela el problema de la ruta más corta como un problema de trasbordo.

Problemas*

Q: 11-9 Bechtold Construction está en proceso de instalar líneas de energía eléctrica en un desarrollo habitacional grande. Steve Bechtold quiere minimizar la longitud total de cable, lo cual minimizará sus costos. El desarrollo habitacional se muestra en la red de la figura 11.21. Cada casa se numeró y las distancias entre ellas se dan en cientos de pies. ¿Qué le recomienda?

Q: 11-10 La ciudad de Nuevo Berlín está considerando hacer de un sentido varias de sus calles. ¿Cuál es el número máximo de automóviles por hora que pueden viajar de este a oeste? La red se presenta en la figura 11.22.

Q: 11-11 Se contrató a Transworld Moving para trasladar mobiliario y equipo de oficina de Cohen Properties a sus nuevas instalaciones. ¿Qué ruta le recomienda? La red de caminos se ilustra en la figura 11.23.

Q• 11-12 Debido a una economía lenta, Bechtold Construction se ha visto forzada a modificar sus planes para el desarrollo habitacional del problema 11-9. El resultado es que la trayectoria del nodo 6 al 7 ahora tiene una distancia de 7. ¿Qué impacto tiene esto en la longitud total de cable necesario para su instalación?

Q• 11-13 Por un incremento en los impuestos prediales y un plan de desarrollo de carreteras dinámico, la ciudad de Nuevo Berlín ha podido aumentar la capacidad de dos de sus carreteras (véase el problema 11-10). La capacidad de la carretera representada por la ruta del nodo 1 al nodo 2 ha aumentado de 2 a 5. Además, la capacidad del nodo 1 al 4 ha aumentado de 1 a 3. ¿Qué impacto tendrán estos cambios en el número de automóviles por hora que pueden viajar de este a oeste?

Q: 11-14 El director de seguridad desea conectar cámaras de video de seguridad, desde cinco lugares de problemas potenciales hasta el centro de control principal. Por lo común, el cable simplemente se corre desde cada sitio al centro de control. Sin embargo, como el entorno es potencialmente explosivo, el cable debe correr por un conducto especial que continuamente se purga con aire. Este conducto es muy costoso pero lo suficientemente grande como para manejar cinco cables (el máximo que podría requerirse). Utilice la técnica del árbol de expansión mínima para encontrar una ruta con distancia mínima para los conductos entre los lugares marcados en la figura 11.24. (Note que no afecta la localización del centro de control.)

Q: 11-15 Uno de nuestros mejores clientes tuvo una descompostura importante en su planta y quiere que hagamos tantos aparatos como podamos durante los próximos días, hasta que tenga las reparaciones necesarias. Con

FIGURA 11.21
Red para el problema 11-9

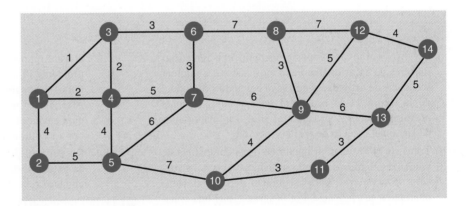

FIGURA 11.22
Red para el problema 11-10

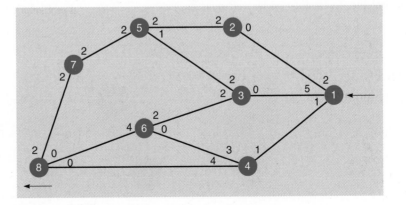

---

*Nota: Q significa que el problema se resuelve con QM para Windows.

FIGURA 11.23
Red para el problema 11-11

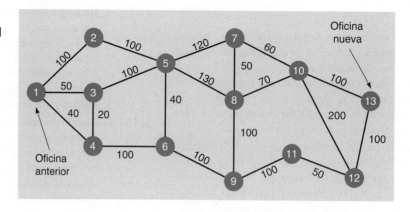

FIGURA 11.24
Red para el problema 11-14

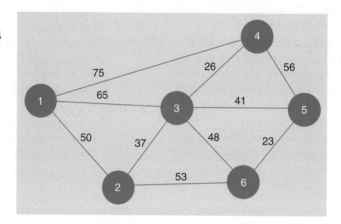

nuestro equipo de propósito general existen varias maneras de hacerlos (ignorando los costos). Cualquier secuencia de actividades que vaya del nodo 1 al nodo 6 de la figura 11.25 producirá un aparato. ¿Cuántos aparatos podemos producir al día? Las cantidades dadas son el número de aparatos por día.

• 11-16 Transworld Moving, al igual que otras compañías de mudanzas, sigue de cerca la influencia de la construcción de carreteras, para asegurarse de que las rutas mantienen su eficiencia. Por desgracia, hay una construcción inesperada debido a la falta de planeación del mantenimiento de caminos en las cercanías de New

Haven, representada por el nodo 9 en la red (véase el problema 11-11). Ninguno de los caminos que llevan al nodo 9, excepto el del nodo 9 al nodo 11, se puede usar. ¿Tiene esto influencia en la ruta que debería usarse para enviar el mobiliario y el equipo de Cohen Properties a su nueva oficina?

⚲: 11-17 Resuelva el problema del árbol de expansión mínima de la red mostrada en la figura 11.26. Suponga que los números representan distancia en cientos de yardas.

⚲: 11-18 Consulte el problema 11-17. ¿Qué impacto tendría cambiar el valor del arco 6-7 a 500 yardas sobre la solución al problema y la distancia total?

FIGURA 11.25
Red para el problema 11-15

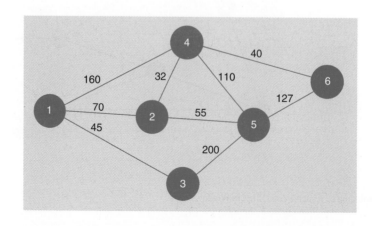

FIGURA 11.26
Red para el problema 11.17

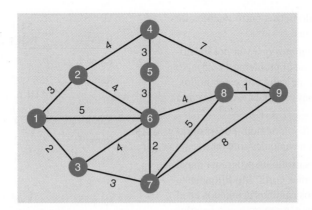

11-19 El sistema de caminos alrededor del complejo hotelero en International Drive (nodo 1) hacia Disney World (nodo 11) en Orlando, Florida, se muestra en la red de la figura 11.27. Los números al lado de los nodos representan el tráfico en cientos de automóviles por hora. ¿Cuál es el máximo flujo de autos del complejo hotelero a Disney World?

11-20 Un proyecto de construcción aumentaría la capacidad en los caminos alrededor del International Drive a Disney World en 200 automóviles por hora (véase el problema 11–19). Las dos rutas afectadas serían 1–2–6–9–11 y 1–5–8–10–11. ¿Qué impacto tendría esto en el flujo total de automóviles? ¿Aumentaría el flujo total de autos en 400 unidades por hora?

11-21 Consulte el problema 11-19 y modele este problema con programación lineal. Resuélvalo con cualquier software.

11-22 En el problema 11.21 se desarrolló un programa lineal para el sistema de caminos en Disney World. Modifique este programa lineal para hacer los cambios detallados en el problema 11-20. Resuélvalo y compárelo con la solución sin los cambios.

11-23 Resuelva el problema del flujo máximo presentado en la red de la figura 11.28. Los números en la red representan miles de galones por hora que fluyen por una planta de procesamiento químico.

11-24 Dos terminales en la planta de procesamiento químico, representadas por los nodos 6 y 7, requieren reparaciones urgentes (véase el problema 11-23). No puede fluir materia hacia o desde estos nodos. ¿Qué influencia tiene esto sobre la capacidad de la red?

11-25 Resuelva el problema de la ruta más corta presentado en la red de la figura 11.29, del nodo 1 al nodo 16. Todos

FIGURA 11.27
Red para el problema 11-19

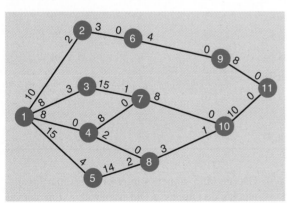

FIGURA 11.28
Red para el problema 11-23

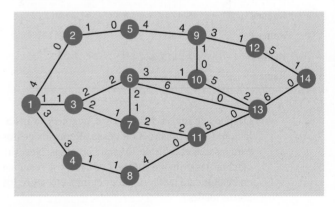

FIGURA 11.29
Red para el problema 11-25

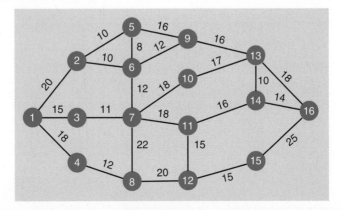

los números representan kilómetros entre pueblos de Alemania cerca de Black Forest.

11-26 Debido al mal tiempo, los caminos que van por los nodos 7 y 8 están cerrados (véase el problema 11-25). No pasa el tráfico de entrada ni de salida de estos nodos. Describa su impacto (si lo hay) sobre la ruta más corta de esta red.

11-27 Consulte el problema 11-25 y modélelo con programación lineal. Resuélvalo con cualquier software.

11-28 En el problema 11-27, se desarrolló un programa lineal para el problema de la ruta más corta. Modifique este programa lineal para hacer los cambios detallados en el problema 11-26. Resuélvalo y compárelo con la solución antes de los cambios.

11-29 Grey Construction quiere determinar la forma menos costosa de conectar las casas que está construyendo con TV por cable. Ha identificado 11 ramas o rutas posibles para conectar las casas. El costo en cientos de dólares y las ramas se resumen en la siguiente tabla.

a) ¿Cuál es la manera menos costosa de cablear las casas?

RAMA	NODO INICIAL	NODO FINAL	COSTO (CIENTOS)
Rama 1	1	2	5
Rama 2	1	3	6
Rama 3	1	4	6
Rama 4	1	5	5
Rama 5	2	6	7
Rama 6	3	7	5
Rama 7	4	7	7
Rama 8	5	8	4
Rama 9	6	7	1
Rama 10	7	9	6
Rama 11	8	9	2

b) Después de revisar los costos del cable y la instalación, Grey Construction desea alterar los costos para instalar el cable de TV entre las casas. Necesita cambiar las primeras ramas. Los costos se resumen en la siguiente tabla. ¿Cuál es el impacto sobre los costos totales?

RAMA	NODO INICIAL	NODO FINAL	COSTO (CIENTOS)
Rama 1	1	2	5
Rama 2	1	3	1
Rama 3	1	4	1
Rama 4	1	5	1
Rama 5	2	6	7
Rama 6	3	7	5
Rama 7	4	7	7
Rama 8	5	8	4
Rama 9	6	7	1
Rama 10	7	9	6
Rama 11	8	9	2

11-30 Hay 10 caminos posibles que puede tomar George Olin para ir de Quincy a Old Bainbridge. Cada camino se puede considerar una rama en el problema de la ruta más corta.

a) Determine la mejor ruta para ir de Quincy (nodo 1) a Old Bainbridge (nodo 8), que minimizará la distancia total recorrida. Todas las distancias están en cientos de millas.

RAMA	NODO INICIAL	NODO FINAL	DISTANCIA (CIENTOS DE MILLAS)
Rama 1	1	2	3
Rama 2	1	3	2
Rama 3	2	4	3
Rama 4	3	5	3
Rama 5	4	5	1
Rama 6	4	6	4
Rama 7	5	7	2
Rama 8	6	7	2
Rama 9	6	8	3
Rama 10	7	8	6

b) George Olin cometió un error al estimar las distancias de Quincy a Old Bainbridge. Las nuevas distancias se presentan en la siguiente tabla. ¿Qué impacto tiene esto sobre la ruta más corta de Quincy a Old Bainbridge?

RAMA	NODO INICIAL	NODO FINAL	DISTANCIA (CIENTOS DE MILLAS)
Rama 1	1	2	3
Rama 2	1	3	2
Rama 3	2	4	3
Rama 4	3	5	1
Rama 5	4	5	1
Rama 6	4	6	4
Rama 7	5	7	2
Rama 8	6	7	2
Rama 9	6	8	3
Rama 10	7	8	6

11-31 South Side Oil and Gas, una nueva compañía en Texas, desarrolló una red de oleoductos para transportar petróleo de los campos de exploración a las refinerías y otros lugares. Cuenta con 10 oleoductos (ramas) en la red. El flujo de petróleo en cientos de galones y la red de tuberías están dados en la siguiente tabla.

a) ¿Cuál es el máximo que puede fluir a través de la red?

RAMA	NODO INICIAL	NODO FINAL	CAPA-CIDAD	CAPACIDAD INVERTIDA	FLUJO
Rama 1	1	2	10	4	10
Rama 2	1	3	8	2	5
Rama 3	2	4	12	1	10
Rama 4	2	5	6	6	0
Rama 5	3	5	8	1	5
Rama 6	4	6	10	2	10
Rama 7	5	6	10	10	0
Rama 8	5	7	5	5	5
Rama 9	6	8	10	1	10
Rama 10	7	8	10	1	5

b) South Side Oil and Gas necesita modificar los patrones de flujo en su red de oleoductos. Los nuevos datos están en la siguiente tabla. ¿Qué impacto tiene esto sobre el flujo máximo a través de la red?

RAMA	NODO INICIAL	NODO FINAL	CAPA-CIDAD	CAPACIDAD INVERTIDA	FLUJO
Rama 1	1	2	10	4	10
Rama 2	1	3	8	2	5
Rama 3	2	4	12	1	10
Rama 4	2	5	0	0	0
Rama 5	3	5	8	1	5
Rama 6	4	6	10	2	10
Rama 7	5	6	10	10	0
Rama 8	5	7	5	5	5
Rama 9	6	8	10	1	10
Rama 10	7	8	10	1	5

11-32 La siguiente tabla representa una red con los arcos identificados por sus nodos inicial y final. Dibuje la red y use el árbol de expansión mínima para encontrar la distancia mínima requerida para conectar estos nodos.

ARCO	DISTANCIA
1–2	12
1–3	8
2–3	7
2–4	10
3–4	9
3–5	8
4–5	8
4–6	11
5–6	9

11-33 La red en la figura 11.30 representa las calles de una ciudad e indica el número de automóviles por hora que pueden circular por dichas calles. Encuentre el número máximo de autos que pueden viajar por el sistema. ¿Cuántos automóviles circularían por cada calle (arco) para permitir este flujo máximo?

11-34 Consulte el problema 11-33. ¿Cómo se afectaría el número máximo de autos, si la calle del nodo 3 al nodo 6 se cerrara temporalmente?

11-35 Utilice el algoritmo de la ruta más corta para determinar la distancia mínima del nodo 1 al nodo 7 en la figura 11.31. ¿Cuáles nodos están incluidos en esta ruta?

FIGURA 11.30
Red para el problema 11-33

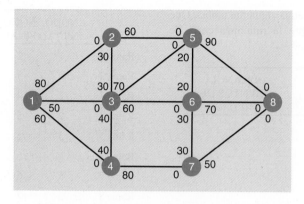

FIGURA 11.31
Red del problema 11-35

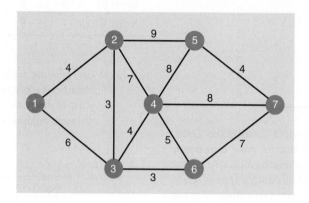

11-36 Northwest University está en proceso de completar una red de cómputo que conectará las instalaciones de computadoras de toda la universidad. El objetivo principal es cablear desde un extremo del campus a los otros (nodos 1 a 25) por conductos subterráneos existentes, los cuales se muestran en la red de la figura 11.32. La distancia entre ellos está en cientos de pies. Por fortuna, los conductos tienen capacidad sobrante para colocar el cable.

a) Dada la red de este problema, ¿qué distancia (en cientos de pies) tiene la ruta más corta del nodo 1 al nodo 25?

b) Además de la red de cómputo, se planea un nuevo sistema telefónico que usaría los mismos conductos subterráneos. Si se instalara el sistema telefónico, las siguientes trayectorias a lo largo de los conductos ya no tendrían capacidad ni estarían disponibles para la red de computadoras: 6–11, 7–12 y 17–20. ¿Qué cambios (si acaso) habría que hacer en la trayectoria usada para las computadoras, si se instala el sistema telefónico?

c) La universidad *sí* decidió instalar el nuevo sistema telefónico antes que el cable para la red de computadoras. Debido a la demanda inesperada de las instalaciones de la red de cómputo, se necesita un cable adicional del nodo 1 al 25. Por desgracia, el cable para la primera red u original usó toda la capacidad a lo largo de su trayectoria. Dada esta situación, ¿cuál es la mejor ruta para el segundo cable de la red?

FIGURA 11.32
Red para el problema 11-36

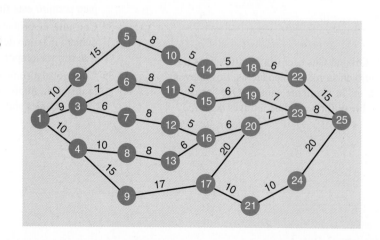

Problemas de tarea en Internet

Visite nuestra página de Internet en **www.pearsonenespañol.com/render** para problemas de tarea adicionales, los problemas 11-37 a 11-41.

Estudio de caso

Binder's Beverage

El negocio de Bill Binder casi se termina cuando el estado de Colorado estuvo cerca de aprobar la ley de la botella. Binder's Beverage elabora bebidas gaseosas para muchas tiendas de abarrotes grandes en el área. Después de que se descartó la ley de la botella, Binder's Beverage floreció. En unos cuantos años, la compañía tuvo una planta más grande en Denver con un almacén al este de la ciudad. El problema era llevar el producto terminado al almacén, aunque Bill no era bueno con las distancias, sí lo era con los tiempos. Denver es una ciudad grande con numerosas rutas que podrían usarse de la planta al almacén, las cuales se indican en la figura 11.33.

La planta de bebidas gaseosas está localizada en la esquina de North Street y Columbine Street. High Street también interseca a North y Columbine donde está la planta. Veinte minutos al norte de la planta por North Street está la I-70, la carretera más importante de este a oeste de Denver.

North Street cruza la I-70 en la salida 135. Toma cinco minutos manejar al este por la I-70 para llegar a la salida 136. Esta salida conecta la I-70 con High Street y la 6th Avenue. Diez minutos al este por la I-70 está la salida 137. Esta salida conecta la I-70 con Rose Street y South Avenue.

Desde la planta, toma 20 minutos por High Street, que va en dirección noreste, llegar a West Street. Lleva otros 20 minutos por High Street llegar a la I-70 y a la salida 136.

Toma 30 minutos por Columbine Street llegar a West Street desde la planta. Columbine Street va hacia el este y ligeramente al norte.

West Street va de este a oeste. Desde High Street, toma 15 minutos llegar a 6th Avenue por West Street. Columbine también llega a esta intersección. Desde esta intersección, toma otros 20 minutos por West Street llegar a Rose Street y otros 15 minutos llegar a South Avenue.

Desde la Salida 136 a 6th Avenue, toma 5 minutos llegar a West Street. 6th Avenue continúa a Rose Street, para lo cual se requieren 25 minutos. 6th Avenue luego va directamente al almacén. Desde Rose Street, toma 40 minutos llegar al almacén por 6th Avenue.

En la Salida 137, Rose Street va al suroeste. Toma 20 minutos llegar al cruce con West Street y otros 20 minutos llegar a 6th Avenue. Desde la Salida 137, South Avenue va hacia el sur. Toma 10 minutos llegar a West Street y otros 15 minutos llegar al almacén.

Pregunta para análisis

1. ¿Qué ruta recomienda usted?

FIGURA 11.33

Mapa de calles para el caso Binder's Beverage

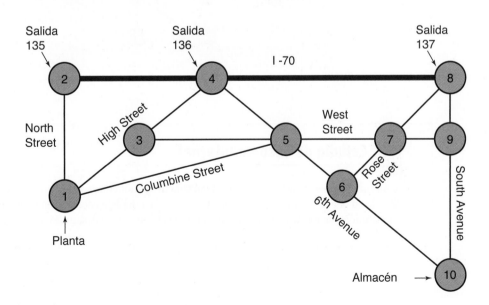

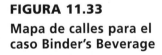

Estudio de caso

Problemas de tránsito en Southwestern University

La Southwestern University (SWU) está localizada en el pequeño pueblo de Stephenville, Texas, y está experimentando un interés creciente en su programa de fútbol ahora que han contratado a un entrenador con renombre en el deporte. El incremento en la venta de boletos para la próxima temporada representa ingresos adicionales, pero también significa un mayor número de quejas por los problemas de tráfico vehicular asociados con los juegos. Cuando se construya un nuevo estadio, esto solo empeorará. Marty Starr, el presidente de la SWU, solicitó al comité de planeación de la universidad que estudie el problema.

Con base en las proyecciones de tránsito, el doctor Starr desea tener capacidad suficiente para que puedan circular 35,000 automóviles por hora del estadio a la autopista interestatal. Para aliviar los problemas de tráfico anticipados, se está considerando ampliar algunas de las calles que van de la universidad a la carreta interestatal para aumentar la capacidad. La capacidad actual con el número de automóviles (en miles) por hora se muestra en la figura 11.34. Como el problema principal será después del juego, únicamente se indican los flujos que salen del estadio, los cuales incluyen la transformación de algunas calles cercanas al estadio en calles de un solo sentido, por un periodo corto después de cada juego y con oficiales de policía que dirijan el tránsito.

Alexander Lee, un miembro del comité de planeación de la universidad, señala que una verificación rápida de las capacidades de tráfico mostradas en el diagrama de la figura 11.34 indica que el número total de automóviles por hora que pueden salir del estadio (nodo 1) es de 33,000. El número de autos que pueden pasar

por los nodos 2, 3 y 4 es de 35,000 por hora y el número de autos que pueden pasar por los nodos 5, 6 y 7 es aún mayor. Por lo tanto, el doctor Lee sugiere que la capacidad actual es de 33,000 vehículos por hora. También sugiere que ha hecho una recomendación al alcalde de la ciudad para ampliar una de las rutas del estadio a la autopista, permitiendo así el paso de los 2,000 automóviles adicionales por hora. Recomienda ampliar la ruta que sea menos costosa. Si la ciudad elige no ampliar las calles, piensa que los problemas de tráfico serán una molestia pero serán manejables.

Con base en la experiencia, se cree que mientras que la capacidad de la calle esté dentro de 2,500 autos por hora del número que sale del estadio, el problema no es tan severo. Sin embargo, la gravedad del problema crece de manera drástica por cada 1,000 automóviles que se agreguen a las calles.

Preguntas para análisis

1. Si no hay ampliación, ¿cuál será el número máximo de autos que en realidad pueden circular del estadio a la interestatal por hora? ¿Por qué este número es diferente de 33,000 como sugiere el doctor Lee?

2. Si el costo de la ampliación de una calle fuera el mismo para cada una de ellas, ¿qué calle(s) recomendaría que se ampliara(n) para incrementar la capacidad a 33,000? ¿Qué calles recomendaría ampliar para obtener una capacidad total del sistema de 35,000 autos por hora?

FIGURA 11.34

Calles del estadio a la interestatal

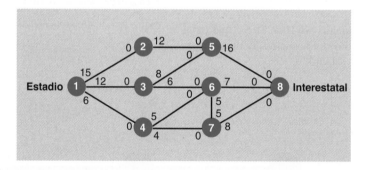

Estudio de caso en Internet

Visite nuestra página de Internet en **www.pearsonenespañol.com/render** donde encontrará el estudio de caso adicional de Ranch Development Project, que implica encontrar la manera menos costosa de suministrar servicios de agua y drenaje a las casas de un nuevo desarrollo habitacional.

Bibliografía

Ahuja, R. K., T. L. Magnanti y J. B. Orlin. *Network Flows: Theory, Algorithms, and Applications.* Upper Saddle River, NJ: Prentice Hall, 1993.

Bazlamacci, Cuneyt F y Khalil S. Hindi. "Minimum-Weight Spanning Tree Algorithms: A Survey and Empirical Study," *Computers and Operations Research* 28, 8 (julio de 2001): 767-785.

Current, J. "The Minimum-Covering/Shortest Path Problem," *Decision Sciences* 19 (verano de 1988): 490-503.

Erel, Erdal y Hadi Gokcen. "Shortest-Route Formulation of Mixed-Model Assembly Line Balancing Problem", *European Journal of Operational Research* 116, 1 (1999): 194-204.

Jacobs, T., B. Smith y E. Johnson. "Incorporating Network Flow Effects into the Airline Fleet Assignment Process," *Transportation Science* 42, 4 (2008): 514-529.

Jain, A. y J. W. Marner. "Approximations for the Random Minimal Spanning Tree with Application to Network Provisioning", *Operations Research* 36 (julio-agosto de 1988): 575-584.

Johnsonbaugh, Richard. *Discrete Mathematics,* 5a ed. Upper Saddle River, NJ: Prentice Hall, 2001.

Kawatra, R., y D. Bricker. "A Multiperiod Planning Model for the Capacitated Minimal Spanning Tree Problem", *European Journal of Operational Research* 121,2 (2000): 412-419.

Liu, Jinming y Fred Rahbar. "Project Time-Cost Trade-off Optimization by Maximal Flow Theory", *Journal of Construction Engineering & Management* 130, 4 (julio/agosto de 2004): 607-609.

Onal, Hayri, *et al.* "Two Formulations of the Vehicle Routing Problem", *The Logistics and Transportation Review* (junio de 1996): 177-191.

Sancho, N. G. F. "On the Maximum Expected Flow in a Network", *Journal of Operational Research Society* 39 (mayo de 1988): 481-485.

Sedeño-Noda, Antonio, Carlos González-Martin y Sergio Alonso. "A Generalization of the Scaling Max-Flow Algorithm", *Computers & Operations Research* 31, 13 (noviembre de 2004): 2183-2198.

Troutt, M. D. y G. P. White. "Maximal Flow Network Modeling of Production Bottleneck Problems", *Journal of the Operational Research Society* 52, 2 (febrero de 2001): 182-187.

CAPÍTULO 12

Administración de proyectos

12.1 Introducción

La administración de proyectos es útil en proyectos complejos.

La mayoría de los proyectos reales que emprenden organizaciones como Microsoft, General Motors o el Departamento de Defensa de Estados Unidos son grandes y complejos. Un constructor que erige un edificio de oficinas, por ejemplo, debe completar miles de actividades que cuestan millones de dólares. La NASA tiene que inspeccionar un sinfín de componentes antes de lanzar un cohete espacial. Avondale Shipyards en Nueva Orleans requiere decenas de miles de pasos para construir un remolcador náutico. Casi todas las industrias se preocupan por cómo administrar de manera efectiva proyectos complicados y de gran escala similares. Se trata de un problema difícil y el riesgo es grande. Se han desperdiciado millones de dólares en sobrecostos a causa de la planeación deficiente de los proyectos. Han ocurrido retrasos innecesarios por la programación incorrecta. ¿Cómo se resuelven tales problemas?

El primer paso en la planeación y programación de un proyecto consiste en desarrollar la **estructura desglosada del trabajo**, lo cual requiere identificar las actividades que tienen que realizarse en el proyecto. Una **actividad** es un trabajo o una tarea que forma parte de un proyecto. El inicio o final de una actividad se llama **evento**. Puede haber varios niveles de detalle y cada actividad debe desglosarse en sus componentes más básicas. Para cada actividad se identifican tiempo, costo, recursos requeridos, predecesoras e individuos responsables. Después, se desarrolla una programación para el proyecto.

PERT es probabilística, mientras que CPM es determinístico.

La **técnica de revisión y evaluación del programa** (PERT, *program evaluation and review technique*) y el **método de la ruta crítica** (CPM, *critical path method*) son dos técnicas de análisis cuantitativo que ayudan a los gerentes a planear, programar, supervisar y controlar proyectos grandes y complejos. Fueron desarrolladas porque existía una necesidad importante de una mejor forma de administrar (véase el cuadro de Historia).

Cuando se desarrollaron por primera vez, PERT y CPM eran similares en su enfoque básico, aunque diferían en la manera de estimar los tiempos de la actividad. Para cualquier actividad con PERT, se combinan tres estimaciones del tiempo, con la finalidad de determinar el tiempo de terminación esperado de la actividad. Así, PERT es una técnica probabilística. Por otro lado, CPM es un método determinístico, ya que se supone que se conocen con certidumbre los tiempos. Aunque tales diferencias aún se observan, ambas técnicas son tan similares que con frecuencia se usa el término PERT/CPM para describir el enfoque general. Esta referencia se utiliza en este capítulo y las diferencias se harán notar donde sea pertinente.

Existen seis pasos comunes para ambos, PERT y CPM. El procedimiento es el siguiente:

Seis pasos de PERT/CPM

1. Definir el proyecto y todas sus actividades o tareas significativas.
2. Desarrollar la relación entre las actividades. Decidir qué actividades deben preceder a otras.
3. Dibujar la **red** que conecta todas las actividades.
4. Asignar estimaciones de tiempos y/o costos a cada actividad.
5. Calcular la trayectoria con el tiempo más largo a través de la red; se llama **ruta crítica**.
6. Usar la red para ayudar a planear, programar, supervisar y controlar el proyecto.

La ruta crítica es importante debido a que sus actividades podrían retrasar todo el proyecto.

Encontrar la ruta crítica es una parte importante para el control de un proyecto. Las actividades en la ruta crítica representan tareas que demorarán todo el proyecto si ellas se retrasan. Los gerentes obtienen flexibilidad al identificar las actividades no críticas y replanear, reprogramar y reasignar recursos de personal y financieros.

12.2 PERT/CPM

Casi cualquier proyecto grande puede subdividirse en una serie de actividades o tareas más pequeñas para que se analicen con PERT/CPM. Cuando se reconoce que los proyectos podrían tener miles de actividades específicas, se ve por qué es tan importante contestar preguntas como las siguientes:

Preguntas que responde PERT.

1. ¿Cuándo quedará terminado todo el proyecto?
2. ¿Cuáles son las actividades o tareas *críticas* en el proyecto, es decir, las que demorarán todo el proyecto si se retrasan?

HISTORIA Cómo fue el inicio de PERT y CPM

Durante cientos de años los gerentes han planeado, programado, supervisado y controlado proyectos de gran escala, pero tan solo durante los últimos 50 años se han aplicado técnicas de análisis cuantitativo a los proyectos importantes. Una de las primeras técnicas fue el *diagrama de Gantt*, que muestra el inicio y la terminación de una o más actividades, como se ilustra en la siguiente gráfica.

En 1958 la Oficina de Proyectos Especiales de la Marina de Estados Unidos desarrolló la técnica de revisión y evaluación de programas (PERT) para planear y controlar el programa del misil Polaris. Este proyecto implicaba la coordinación de miles de contratistas. En la actualidad PERT se usa todavía para supervisar un sin número de programas contratados del gobierno. Aproximadamente en la misma época (1957), J. E. Kelly de Remington Rand y M.R. Walker de du Pont desarrollaron el método de la ruta crítica (CPM). En un principio, el CPM se utilizó para ayudar en la construcción y mantenimiento de las plantas químicas en du Pont.

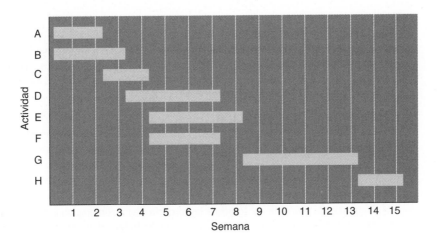

3. ¿Cuáles son las actividades *no críticas*, es decir, aquellas que pueden demorarse sin retrasar la terminación de todo el proyecto?

4. Si hay tres estimaciones de tiempo, ¿cuál es la probabilidad de que el proyecto se termine en una fecha específica?

5. En una fecha dada, ¿el proyecto está a tiempo, retrasado o adelantado?

6. En una fecha específica, ¿el dinero gastado es igual a, menor que o mayor que la cantidad presupuestada?

7. ¿Hay suficientes recursos disponibles para terminar el proyecto a tiempo?

Ejemplo de General Foundry: PERT/CPM

General Foundry, Inc., una planta fundidora de metales en Milwaukee, desde hace mucho ha intentado evitar el gasto de instalar el equipo para control de la contaminación atmosférica. El grupo de protección del ambiente de su área acaba de dar a la fundidora 16 semanas para instalar un sistema complejo de filtración de aire en su chimenea principal. Se advirtió a General Foundry que sería obligada a cerrar, a menos que instalara el dispositivo en el periodo estipulado. Lester Harky, el socio administrador, desea asegurar que la instalación del sistema de filtros progrese sin problemas y a tiempo.

El primer paso es definir el proyecto y todas sus actividades.

Cuando inicia el proyecto, pueden comenzar la construcción de las componentes internas del dispositivo (actividad *A*) y las modificaciones necesarias en el piso y el techo (actividad *B*). La construcción del fuste de recolección (actividad *C*) puede comenzar una vez que las componentes internas estén terminadas; en tanto que el colado del nuevo piso de concreto y la instalación del bastidor (actividad *D*) pueden terminarse en cuanto se hayan modificado el techo y el piso. Después de construir el fuste de recolección, puede hacerse el quemador de alta temperatura (actividad *E*) e iniciar la instalación del sistema de control de contaminación (actividad *F*). El dispositivo contra la contaminación del aire puede instalarse (actividad G) después de que se construye el quemador de alta temperatura,

MODELADO EN EL MUNDO REAL

PERT ayuda a cambiar la imagen de British Airways

Definición del problema

British Airways (BA) quería rejuvenecer su imagen contratando consultores internacionales de diseño para ayudar a desarrollar su nueva identidad. La "renovación" debería terminar lo más pronto posible en todas las áreas de la imagen pública de BA.

Desarrollo de un modelo

Utilizando el paquete de administración de proyectos por computadora PERTMASTER de Abex Software, un equipo de BA construyó un modelo de PERT de todas las tareas implicadas.

Recolección de datos

Se recabaron datos en cada departamento relevante. Se pidió a los impresores que desarrollaran estimaciones de los tiempos para obtener papel membretado, boletos, horarios y etiquetas para equipaje; lo mismo con los proveedores de uniformes y con Boeing Corp. para todas las tareas que debían realizar para renovar el interior y el exterior de las aeronaves de BA.

Desarrollo de una solución

Todos los datos se ingresaron en PERTMASTER para obtener una programación y la ruta crítica.

Pruebas de la solución

La programación obtenida no agradó a la gerencia de BA. Boeing no podía preparar un enorme 747 a tiempo para la fecha del almuerzo de gala el 4 de diciembre. El diseño de los uniformes también iba a retrasar todo el proyecto.

Análisis de los resultados

Un análisis de la fecha más cercana posible en que podían estar listos todos los artículos para un avión renovado (pintura, tapicería, alfombras, accesorios y demás) reveló que había justo los materiales suficientes para convertir por completo un 737 más pequeño que estaba disponible en la planta de Seattle. El análisis de la ruta crítica también demostró que los uniformes –trabajo del diseñador inglés Roland Klein– tendrían que lanzarse seis meses después en una ceremonia especial.

Implementación de resultados

El más pequeño 737 se renovó a tiempo para una brillante ceremonia en un auditorio especialmente construido en un hangar del aeropuerto Heathrow. Los vehículos terrestres también se prepararon a tiempo.

Fuente: Basada en *Industrial Management and Data Systems* (marzo-abril de 1986): 6-7.

---

se cuela el piso y se instala el bastidor. Por último, después de la instalación del sistema de control y del dispositivo contra la contaminación, el sistema se inspecciona y se prueba (actividad *H*).

Todas estas actividades parecen más bien confusas y complejas, hasta que se colocan en una red. Primero, deben listarse todas las actividades. La información se muestra en la tabla 12.1. Vemos en la tabla que antes de poder construir el fuste de recolección (actividad *C*), las componentes internas deben construirse (actividad *A*). Así, la actividad *A* es la predecesora inmediata de la actividad *C*. De manera similar, ambas actividades *D* y *E* tienen que realizarse justo antes de la instalación del dispositivo contra la contaminación (actividad *G*).

Las predecesoras inmediatas se determinan en el segundo paso.

Cómo dibujar la red PERT/CPM

La red se puede dibujar (paso 3) una vez que se hayan especificado todas las actividades (paso 1 del procedimiento de PERT) y la gerencia haya decidido qué actividades deberían preceder a otras (paso 2).

Las actividades y los eventos se dibujan conectados en el tercer paso.

TABLA 12.1
Actividades y
predecesoras inmediatas
para General Foundry,
Inc.

ACTIVIDAD	DESCRIPCIÓN	PREDECESORAS INMEDIATAS
A	Construir componentes internas	—
B	Modificar techo y piso	—
C	Construir fuste de recolección	A
D	Colar concreto e instalar bastidor	B
E	Construir quemador de alta temperatura	C
F	Instalar sistema de control	C
G	Instalar dispositivo contra contaminación	D, E
H	Inspeccionar y probar	F, G

Existen dos técnicas comunes para dibujar redes de PERT. La primera se llama **actividad en el nodo (AON),** donde los nodos representan las actividades. La segunda se conoce como **actividad en el arco (AOA)** donde se usan los arcos para representar las actividades. En este libro presentamos la técnica AON, ya que es más sencilla y con frecuencia se emplea en el software comercial.

Al construir una red AON, debe haber un nodo que represente el inicio del proyecto, y otro que represente la terminación del mismo. Habrá un nodo (dibujado como rectángulo en este capítulo) para cada actividad. La figura 12.1 muestra la red completa para General Foundry. Los arcos (las flechas) se usan para mostrar las predecesoras de cada actividad. Por ejemplo, las flechas que llevan a la actividad G indican que tanto D como E son predecesoras inmediatas de G.

Tiempos de las actividades

El siguiente paso tanto en CPM como en PERT consiste en asignar las estimaciones del tiempo requerido para completar cada actividad. En algunos proyectos como los de construcción, el tiempo para terminar cada actividad se suele conocer con certidumbre. Los desarrolladores de CPM asignaron tan solo una estimación de tiempo para cada actividad. Estos tiempos se utilizan para encontrar la ruta crítica, como se describe en las secciones que siguen.

El cuarto paso es asignar los tiempos de las actividades.

No obstante, para proyectos especiales o para trabajos nuevos, proporcionar las **estimaciones de los tiempos para las actividades** no siempre resulta sencillo. Sin datos históricos sólidos, los gerentes muchas veces tienen incertidumbre acerca de los tiempos de las actividades. Por ello, los desarrolladores de PERT utilizaron una distribución de probabilidad basada en tres estimaciones para cada

FIGURA 12.1
Red para General
Foundry, Inc.

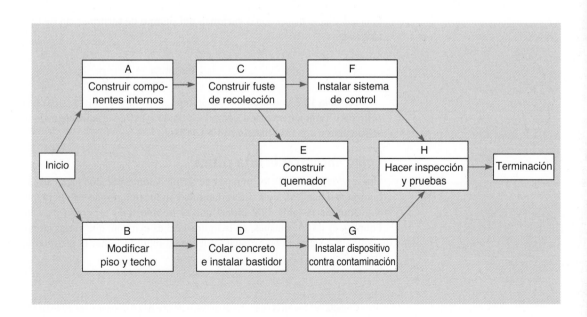

FIGURA 12.2

Distribución de
probabilidad beta
con tres
estimaciones de
tiempos

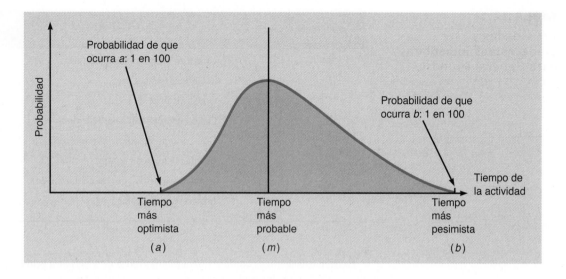

*La distribución de probabilidad
beta se usa con frecuencia.*

actividad. Después se obtiene un promedio ponderado de estos tiempos para usarlo con PERT, en vez de una sola estimación del tiempo que se necesita en CPM; estos promedios se emplean para encontrar la ruta crítica. Las estimaciones de tiempo con PERT son:

Tiempo optimista (a) = tiempo que tomaría una actividad si todo sale tan bien como sea posible. Debería haber únicamente una pequeña probabilidad (digamos, $^{1}/_{100}$) de que esto ocurra.

Tiempo pesimista (b) = tiempo que tomaría una actividad suponiendo condiciones muy desfavorables. Tiene que haber únicamente una pequeña probabilidad de que la actividad tome tanto tiempo.

Tiempo más probable (m) = estimación de tiempo más realista para completar la actividad.

PERT con frecuencia supone que las estimaciones de tiempo siguen la **distribución de probabilidad beta** (véase la figura 12.2). Se ha encontrado que esta distribución continua es adecuada, en muchos casos, para determinar un valor esperado y la varianza de los tiempos de terminación de las actividades.

Para encontrar el **tiempo esperado de la actividad** (t), la distribución beta lo estima como sigue:

$$t = \frac{a + 4m + b}{6} \tag{12-1}$$

Para calcular la dispersión o **varianza del tiempo de terminación de la actividad**, se usa la siguiente fórmula:*

$$\text{Varianza} = \left(\frac{b - a}{6}\right)^2 \tag{12-2}$$

La tabla 12.2 muestra las estimaciones de tiempo optimista, más probable y pesimista para cada actividad. También revela el tiempo esperado (t) y la varianza de cada una de las actividades, según se calcularon con las ecuaciones 12-1 y 12-2.

Cómo encontrar la ruta crítica

Una vez determinados los tiempos de terminación esperados para cada actividad, se aceptan como el tiempo real para esa tarea. La variabilidad en los tiempos se estudiará más adelante.

Aunque la tabla 12.2 indica que el tiempo total esperado para las 8 actividades de General Foundry es de 25 semanas, en la figura 12.3 es evidente que varias tareas pueden realizarse en forma simultánea. Para encontrar cuánto tiempo tomará terminar el proyecto, realizamos un análisis de la ruta crítica para la red.

---

*Esta fórmula se basa en el concepto estadístico de que hay 6 desviaciones estándar (± 3 desviaciones estándar a partir de la media) de una orilla a la otra de la distribución beta. Como $b - a$ son 6 desviaciones estándar, 1 desviación estándar es $(b - a)/6$. Así, la varianza es $[(b - a)/6]^2$.

TABLA 12.2 Estimaciones de tiempos (semanas) para General Foundry, Inc.

ACTIVIDAD	OPTIMISTA, a	MÁS PROBABLE, m	PESIMISTA, b	TIEMPO ESPERADO, $t = [(a + 4m + b)/6]$	VARIANZA $[(b - a)/6]^2$
A	1	2	3	2	$\left(\dfrac{3-1}{6}\right)^2 = \dfrac{4}{36}$
B	2	3	4	3	$\left(\dfrac{4-2}{6}\right)^2 = \dfrac{4}{36}$
C	1	2	3	2	$\left(\dfrac{3-1}{6}\right)^2 = \dfrac{4}{36}$
D	2	4	6	4	$\left(\dfrac{6-2}{6}\right)^2 = \dfrac{16}{36}$
E	1	4	7	4	$\left(\dfrac{7-1}{6}\right)^2 = \dfrac{36}{36}$
F	1	2	9	3	$\left(\dfrac{9-1}{6}\right)^2 = \dfrac{64}{36}$
G	3	4	11	5	$\left(\dfrac{11-3}{6}\right)^2 = \dfrac{64}{36}$
H	1	2	3	$\underline{2}$	$\left(\dfrac{3-1}{6}\right)^2 = \dfrac{4}{36}$
				25	

El quinto paso es calcular la ruta más larga a través de la red: la ruta crítica.

La *ruta crítica* es la trayectoria con el tiempo más largo en la red. Si Lester Harky quiere reducir el tiempo total del proyecto, para General Foundry, tendrá que reducir el tiempo de alguna actividad en la ruta crítica. En cambio, cualquier demora de una actividad en la ruta crítica retrasará la terminación de todo el proyecto.

FIGURA 12.3
Red para General Foundry con los tiempos esperados de las actividades

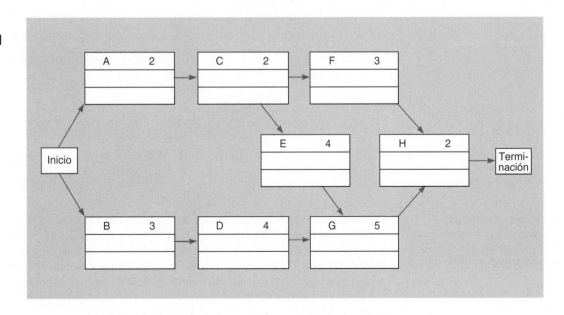

Para encontrar la ruta crítica, necesitamos determinar las siguientes cantidades para cada actividad en la red:

1. **Tiempo de inicio más cercano (IC):** lo más pronto que se puede comenzar una actividad sin contravenir los requerimientos de precedencia inmediata.
2. **Tiempo de terminación más cercana (TC):** lo más pronto que se puede terminar una actividad.
3. **Tiempo de inicio más lejano (IL):** lo más tarde que se puede comenzar una actividad sin retrasar todo el proyecto.
4. **Tiempo de terminación más lejana (TL):** lo más tarde que se puede terminar una actividad sin retrasar todo el proyecto.

Estos tiempos se representan en los nodos de la red, al igual que los tiempos de las actividades (t), como se indica en seguida:

ACTIVIDAD	t
IC	TC
IL	TL

Primero se muestra cómo determinar los tiempos más cercanos. Cuando se encuentran, es posible calcular los tiempos lejanos.

TIEMPOS MÁS CERCANOS Existen dos reglas básicas al calcular los tiempos IC y TC. La primera es para el tiempo de terminación más cercana, que se calcula como sigue:

Terminación más cercana = inicio más cercano + tiempo esperado de la actividad

$$TC = IC + t \qquad (12\text{-}3)$$

Además, antes de que una actividad pueda comenzar, todas sus actividades predecesoras deben estar terminadas. En otras palabras, buscamos la mayor TC de todas las predecesoras inmediatas para determinar el IC. La segunda regla es para el tiempo de inicio más cercano, que se calcula como sigue:

El IC es la TC mayor entre las predecesoras inmediatas.

Inicio cercano = el mayor tiempo de terminación cercana de predecesoras inmediatas

$$IC = TC \text{ mayor entre las predecesoras inmediatas}$$

El inicio de todo el proyecto se establece en el tiempo cero. Por lo tanto, cualquier actividad que no tenga predecesoras tendrá un inicio cercano en el tiempo cero. Entonces, IC = 0 para A y B en el problema de General Foundry:

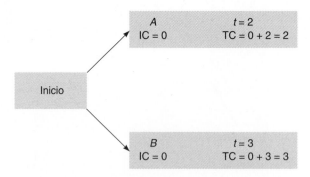

Los tiempos más cercanos se encuentran a partir del inicio del proyecto haciendo una revisión hacia adelante por toda la red.

El resto de los tiempos más cercanos para General Foundry se muestran en la figura 12.4. Se encuentran con la **revisión hacia adelante** por la red. En cada paso, TC = IC + t e IC es la TC mayor entre todas las predecesoras. Observe que la actividad G tiene un tiempo de inicio más cercano de 8, ya que tanto D (con TC = 7) como E (con TC = 8) son predecesoras inmediatas. La actividad G no puede iniciar sino hasta que ambas predecesoras estén terminadas, por lo que elegimos el mayor de los tiempos de terminación más cercana para ellas. Así, G tiene IC = 8. El tiempo de terminación del proyecto será de 15 semanas, que es el TC de la actividad H.

FIGURA 12.4

Tiempos de inicio cercano (IC) y terminación cercana (TC) para General Foundry

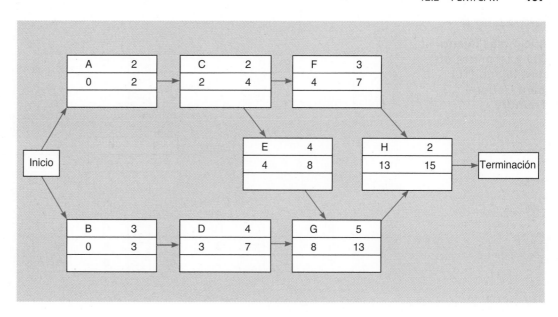

TIEMPOS MÁS LEJANOS El siguiente paso para encontrar la ruta crítica es calcular el tiempo de inicio más lejano (IL) y el tiempo de terminación más lejana (TL) para cada actividad. Hacemos esto mediante una **revisión hacia atrás** por la red, es decir, comenzamos en la terminación del proyecto y trabajamos hacia a atrás.

Hay que tener en cuenta dos reglas básicas al calcular los tiempos más lejanos. La primera regla implica el tiempo de inicio más lejano, que se calcula como:

Los tiempos más lejanos se encuentran comenzando en la terminación del proyecto y haciendo una revisión hacia atrás por toda la red.

Tiempo de inicio más lejano = Tiempo de terminación más lejana − tiempo de la actividad

$$IL = TL - t \tag{12-4}$$

Asimismo, como todas las predecesoras inmediatas deben estar terminadas antes de que pueda comenzar la actividad, el tiempo de inicio más lejano de una actividad determina el tiempo de terminación más lejana de sus predecesoras inmediatas. Si una actividad es predecesora inmediata de dos o más actividades, debe terminar para que todas las actividades siguientes comiencen en su tiempo de inicio más lejano. Entonces, la segunda regla incluye el tiempo de terminación más lejana, que se calcula como:

La TL es el IL más pequeño entre todas las actividades que son sucesoras inmediatas.

Terminación más lejana = inicio más lejano menor entre todas las actividades que siguen, o bien,

$$TL = IL \text{ menor entre las siguientes actividades}$$

Para calcular los tiempos más lejanos, comenzamos en el nodo de terminación y trabajamos hacia atrás. Como el tiempo de terminación para el proyecto de General Foundry es 15, la actividad *H* tiene TL = 15. El inicio lejano para la actividad *H* es:

$$IL = TL - t = 15 - 2 = 13 \text{ semanas}$$

Continuando hacia atrás, este tiempo de inicio más lejano de 13 semanas se convierte en el tiempo de terminación más lejano para las actividades predecesoras inmediatas *F* y *G*. Todos los tiempos más lejanos se muestran en la figura 12.5. Note que para la actividad *C*, que es predecesora inmediata de dos actividades (*E* y *F*), el tiempo de terminación más lejano es el menor de los tiempos de inicio más lejanos (4 y 10) de las actividades *E* y *F*.

El tiempo de holgura es el tiempo libre para una actividad.

CONCEPTO DE HOLGURA EN LOS CÁLCULOS DE LA RUTA CRÍTICA Una vez que se determinan IC, IL, TC y TL, es sencillo encontrar la cantidad de **tiempo de holgura**, o tiempo libre, que tiene cada actividad. La holgura es el tiempo que se puede demorar una actividad sin que se retrase todo el proyecto. Matemáticamente,

$$\text{Holgura} = IL - IC, \qquad \text{de otra manera,} \qquad \text{holgura} = TL - TC \tag{12-5}$$

La tabla 12.3 resume los tiempos de IC, TC, IL, TL y de holgura para todas las actividades de General Foundry. La actividad *B*, por ejemplo, tiene holgura de 1 semana, ya que IL − IC = 1 − 0 = 1 (o, de manera similar, TL − TC = 4 − 3 = 1). Esto significa que se podría retrasar hasta 1 semana sin ocasionar que el proyecto dure más de lo esperado.

FIGURA 12.5

Inicio más lejano (IL) y terminación más lejana (TL) para General Foundry

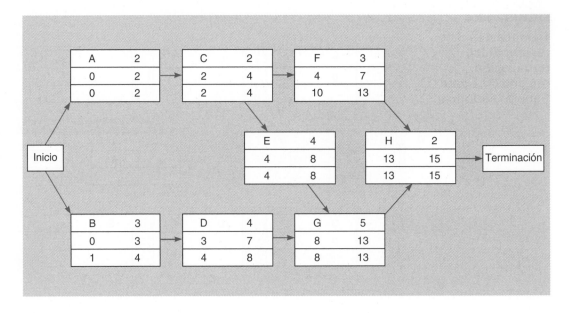

EN ACCIÓN

La brigada terrestre de Delta dirige un despegue sin problemas

Los tres motores del vuelo 199 rugían al llegar cuando el ancho avión avanzaba hacia el aeropuerto de Orlando con 200 pasajeros procedentes de San Juan. En una hora el avión debería estar en el aire de nuevo.

Antes de que esta aeronave vuelva a partir, tienen que atenderse varias cuestiones: cientos de pasajeros y toneladas de equipaje y carga por cargar y descargar; cientos de comidas, miles de galones de gasolina para avión, numerosas gaseosas y botellas de licor que resurtir; cabina y baños que limpiar; tanques sanitarios que drenar; y motores, alas y tren de aterrizaje que inspeccionar.

La brigada terrestre de 12 personas sabe que un descuido en cualquier lado –un cargador roto, una maleta perdida, pasajeros con direcciones equivocadas– significaría que el avión salga tarde y se desencadene una reacción de dolores de cabeza de Orlando a Dallas, y hacia todos los destinos de un vuelo de conexión.

A Dennis Dettiro, el gerente de operaciones de Delta en el Aeropuerto Internacional de Orlando, le gusta llamar a la operación de entrega del avión "una sinfonía bien dirigida". Al igual que una brigada en los pits espera el auto de carreras, las brigadas capacitadas están en su lugar para el vuelo 199 con carros y tractores para equipaje, cargadores hidráulicos, un camión que suministra alimentos y bebidas, otro para llevar al personal de limpieza, otro para cargar combustible y un cuarto para llevarse el agua. La "orquesta" por lo general toca sin problemas y la mayoría de los pasajeros nunca sospechan la magnitud del esfuerzo. PERT y los diagramas de Gantt ayudan a Delta y otras aerolíneas con la asignación de personal y la programación necesarias para que esta sinfonía se oiga.

Fuente: Basada en *New York Times* (21 de enero de 1997): C1, C20; y *Wall Street Journal* (agosto de 1994): B1.

TABLA 12.3

Programación y tiempos de holgura para General Foundry

ACTIVIDAD	INICIO MÁS CERCANO, IC	TERMINACIÓN MÁS CERCANA, TC	INICIO MÁS LEJANO, IL	TERMINACIÓN MÁS LEJANA, TL	HOLGURA, IL – IC	¿EN LA RUTA CRÍTICA?
A	0	2	0	2	0	Sí
B	0	3	1	4	1	No
C	2	4	2	4	0	Sí
D	3	7	4	8	1	No
E	4	8	4	8	0	Sí
F	4	7	10	13	6	No
G	8	13	8	13	0	Sí
H	13	15	13	15	0	Sí

FIGURA 12.6
Ruta crítica para
General Foundry
(A-C-E-G-H)

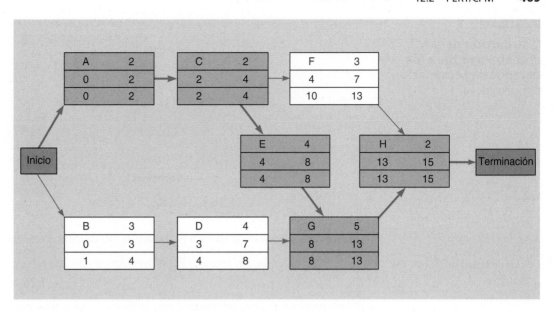

Las actividades críticas no tienen tiempo de holgura.

Por otro lado, las actividades *A, C, E, G* y *H no* tienen tiempo de holgura, lo cual significa que ninguna se puede demorar sin retrasar todo el proyecto. Por ello, se llaman *actividades críticas* y se dice que están en la ruta crítica. La ruta crítica de Lester Harky se muestra en la red de la figura 12.6. El tiempo total de terminación del proyecto (T), 15 semanas, se ve como el número más grande en las columnas de TC y TL de la tabla 12.3. Los gerentes industriales señalan que esta es una tabla de horarios frontera.

Probabilidad de terminación de un proyecto

El **análisis de la ruta crítica** ayudó a determinar que el tiempo esperado de terminación del proyecto de la fundidora es de 15 semanas. Sin embargo, Harky sabe que si el proyecto no termina en 16 semanas, los inspectores ambientales lo forzarán a cerrar General Foundry. También está consciente de que existe una variación significativa en las estimaciones de los tiempos para diversas actividades. La variación en las actividades que están en la ruta crítica llega a afectar la terminación del proyecto completo y quizás a retrasarlo. Este es un suceso que preocupa a Harky considerablemente.

El cálculo de la varianza del proyecto se hace sumando las varianzas de las actividades que están en la ruta crítica.

PERT utiliza la varianza de las actividades de la ruta crítica para ayudar a determinar la varianza de todo el proyecto. Si los tiempos de las actividades son estadísticamente independientes, la varianza del proyecto se calcula sumando las varianzas de las actividades críticas:

$$\text{Varianza del proyecto} = \sum \text{varianzas de las actividades en la ruta crítica} \quad \text{(12-6)}$$

De la tabla 12.2, sabemos que:

ACTIVIDAD CRÍTICA	VARIANZA
A	$4/36$
C	$4/36$
E	$36/36$
G	$64/36$
H	$4/36$

Entonces, la varianza del proyecto es:

$$\text{Varianza del proyecto} = \frac{4}{36} + \frac{4}{36} + \frac{36}{36} + \frac{64}{36} + \frac{4}{36} = \frac{112}{36} = 3.111$$

FIGURA 12.7
Distribución de probabilidad para los tiempos de terminación del proyecto

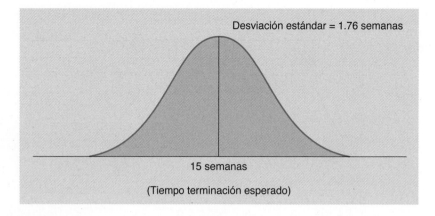

Desviación estándar = 1.76 semanas

15 semanas
(Tiempo terminación esperado)

Sabemos que la desviación estándar es tan solo la raíz cuadrada de la varianza, así que:

Cálculo de la desviación estándar.

$$\text{Desviación estándar del proyecto} = \sigma_T = \sqrt{\text{varianza del proyecto}}$$
$$= \sqrt{3.11} = 1.76 \text{ semanas}$$

¿Cómo puede ser útil esta información para contestar las preguntas con respecto a la probabilidad de terminar el proyecto a tiempo? Además de suponer que los tiempos de las actividades son independientes, también suponemos que el tiempo total de terminación del proyecto completo sigue una distribución de probabilidad normal. Con tales supuestos, la curva en forma de campana mostrada en la figura 12.7 representaría las fechas de terminación del proyecto completo. También significa que hay una posibilidad de 50% de que todo el proyecto se termine en menos de 15 semanas y de 50% de que exceda las 15 semanas.[*]

PERT tiene dos supuestos.

Para que Harky encuentre la probabilidad de que su proyecto termine en 16 semanas o menos, necesita determinar el área adecuada bajo la curva normal. Se puede aplicar la ecuación normal estándar como sigue:

Cálculo de la probabilidad de terminación del proyecto.

$$Z = \frac{\text{Fecha de entrega} - \text{fecha esperada de terminación}}{\sigma_T} \qquad \textbf{(12-7)}$$
$$= \frac{16 \text{ semanas} - 15 \text{ semanas}}{1.76 \text{ semanas}} = 0.57$$

donde:

Z es el número de desviaciones estándar a las que la fecha de entrega o la fecha meta se separa de la media o fecha esperada.

Si consultamos la tabla normal del apéndice *A*, encontramos una probabilidad de 0.71566. Entonces, hay una posibilidad de 71.6% de que el equipo de control de la contaminación se instale en 16 semanas o menos. Esto se ilustra en la figura 12.8.

FIGURA 12.8
Probabilidad de que General Foundry cumpla con la fecha de entrega de 16 semanas

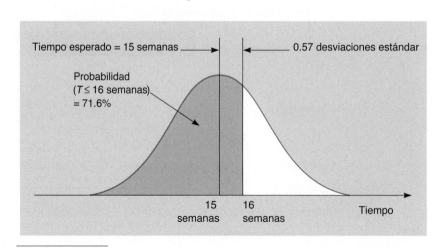

Tiempo esperado = 15 semanas

0.57 desviaciones estándar

Probabilidad
($T \le 16$ semanas)
= 71.6%

15 semanas   16 semanas   Tiempo

---

[*]Se debe estar consciente de que las actividades no críticas también tienen variabilidad (como se muestra en la tabla 12.2). De hecho, puede surgir una ruta crítica diferente debido a la situación probabilística, lo que también ocasionaría que las estimaciones de probabilidad sean poco confiables. En tales casos, es mejor usar simulación para determinar las probabilidades.

Qué proporcionó PERT

Hasta ahora, PERT dio a Lester Harky cierta información administrativa valiosa:

El sexto y último paso es la supervisión y el control del proyecto utilizando la información proporcionada por PERT.

1. La fecha esperada de terminación del proyecto es de 15 semanas.
2. Existen 71.6% de posibilidades de que el equipo esté instalado dentro del plazo de entrega de 16 semanas. PERT puede encontrar con facilidad la probabilidad de terminar dentro de cualquier plazo que interese a Harky.
3. Cinco actividades (*A, C, E, G, H*) están en la ruta crítica. Si una de ellas se demora por cualquier motivo, todo el proyecto se retrasará.
4. Tres actividades (*B, D, F*) no son críticas pues cuentan con cierta holgura de tiempo. Esto significa que Harky podría tomar en préstamo algunos de sus recursos, si es necesario, para quizás acelerar el proyecto completo.
5. Se puede obtener un programa detallado de las fechas de inicio y terminación de las actividades (véase la tabla 12.3).

Uso de Excel QM para el ejemplo de General Foundry

Este ejemplo también se trabaja con Excel QM. Para ello, seleccione *Excel QM* en la pestaña *Add-Ins* en Excel 2010, como se indica en el programa 12.1A. En el menú desplegable, coloque el cursor sobre *Project Management* y aparecerán las opciones a la derecha. Para ingresar un problema que se presenta en una tabla con las predecesoras inmediatas y tres estimaciones de tiempo, elija *Predecessors List (AON)*, y aparecerá la ventana de inicio. Especifique el número de actividades, el número máximo de predecesoras inmediatas para las actividades y selecciones la opción *3 Time Estimate*. Si desea ver una gráfica de Gantt, active *Graph*. Oprima *OK* cuando termine y obtendrá una hoja de cálculo con las filas y columnas necesarias etiquetadas. Para este ejemplo, ingrese las tres estimaciones de tiempo en la celdas B8:D15 y, luego, ingrese las predecesoras inmediatas en las celdas C18:D25, como se ilustra en el programa 12.1B. No se requieren otros datos o pasos.

Conforme se ingresan los datos, Excel QM calcula los tiempos esperados y las varianzas para todas las actividades y, de manera automática, se despliega una tabla con los tiempos más cercanos, más lejanos y de holgura para las actividades. Se despliega una gráfica de Grantt que muestra la ruta crítica y el tiempo de holgura para las actividades.

Análisis de sensibilidad y administración de proyectos

Durante la realización de un proyecto, el tiempo requerido para completar una actividad suele variar con respecto a los tiempos estimados o proyectados. Si la actividad está en la ruta crítica, el tiempo total de terminación del proyecto cambiará, como ya se analizó. Además de tener un impacto en el tiempo total de terminación del proyecto, también hay un impacto en los tiempos de inicio más cercano, terminación más cercana, inicio más lejano, terminación más lejana y de holgura para otras actividades. El impacto exacto depende de la relación entre las diferentes actividades.

En las secciones anteriores definimos una actividad *inmediatamente predecesora* como aquella que ocurre justo antes de una actividad dada. En general, una *actividad predecesora* es la que debe terminarse antes de que pueda comenzar la actividad dada. Considere la actividad *G* (instalar el dispositivo contra contaminación) en el ejemplo de General Foundry. Como se vio, esta actividad está en la ruta crítica. Las actividades predecesoras son *A, B, C, D* y *E*. Todas ellas deben estar terminadas antes de iniciar *G*. Una *actividad sucesora* es aquella que puede comenzar tan solo después de que termina una actividad dada. La actividad *H* es la única sucesora de la actividad *G*. Una *actividad paralela* es la que no depende directamente de la actividad dada. De nuevo considere la actividad *G*. ¿Hay actividades paralelas a esta? Vemos la red para General Foundry y se observa que la actividad *F* es una actividad paralela a *G*.

Después de definir las actividades predecesoras, sucesoras y paralelas, exploramos la influencia que un aumento (disminución) en el tiempo de una actividad en la ruta crítica tendría sobre otras actividades en la red. Los resultados se resumen en la tabla 12.4. Si aumenta el tiempo que toma completar la actividad *G*, habrá un incremento en el inicio más cercano, la terminación más cercana, el inicio más lejano y la terminación más lejana, para todas las actividades sucesoras. Puesto que estas actividades siguen a la actividad *G*, los tiempos también aumentarán. Como el tiempo de holgura es igual al tiempo de terminación más lejana menos el de terminación más cercana (el tiempo de inicio más lejano menos el de inicio más cercano; TL – TC o bien, IL – IC), no habrá cambio en la holgura de las actividades sucesoras. Como la actividad *G* está en la ruta crítica, un incremento en el tiempo

PROGRAMA 12.1A

Pantalla de inicio en Excel QM para el ejemplo de General Foundry con tres estimaciones de tiempo

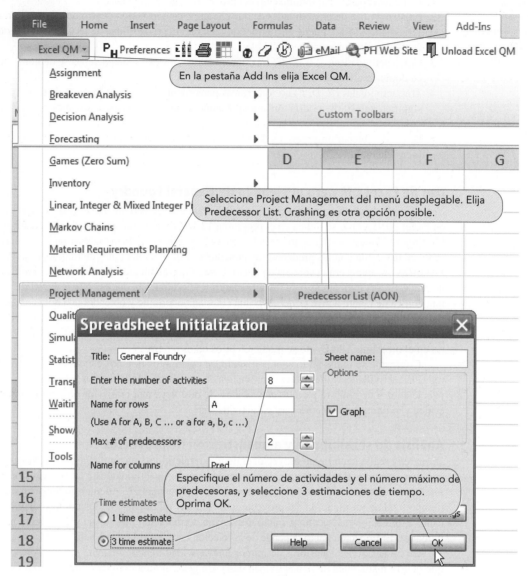

de la actividad aumentará el tiempo de terminación de todo el proyecto. Ello significaría que el tiempo de terminación más lejana, de inicio más lejano y de holgura también aumentarán para todas las actividades paralelas. Esto se prueba por sí mismo completando una revisión hacia atrás por la red, usando un tiempo de terminación mayor para todo el proyecto. No hay cambios en las actividades predecesoras.

TABLA 12.4

Impacto de un aumento (disminución) en el tiempo de una actividad que está en la ruta crítica

TIEMPO DE ACTIVIDAD	ACTIVIDAD SUCESORA	ACTIVIDAD PARALELA	ACTIVIDAD PREDECESORA
Inicio más cercano	Aumento (disminución)	Sin cambio	Sin cambio
Terminación más cercana	Aumento (disminución)	Sin cambio	Sin cambio
Inicio más lejano	Aumento (disminución)	Aumento (disminución)	Sin cambio
Terminación más lejana	Aumento (disminución)	Aumento (disminución)	Sin cambio
Holgura	Sin cambio	Aumento (disminución)	Sin cambio

PROGRAMA 12.1B   Ventana de ingreso de datos en Excel QM y solución para el ejemplo de General Foundry con tres estimaciones de tiempo

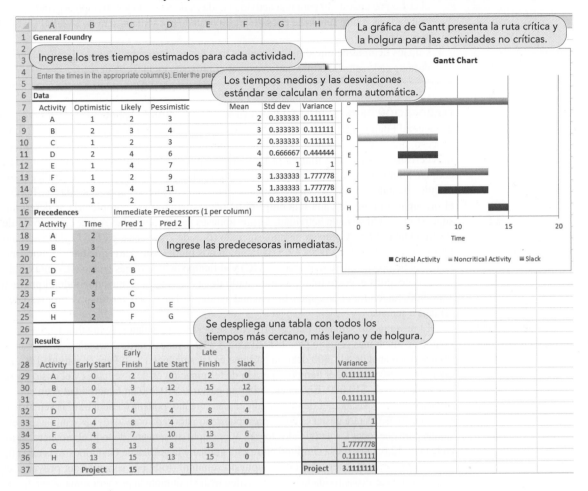

12.3 PERT/costo

La aplicación de PERT/costo para planear, programar, supervisar y controlar el costo del proyecto ayuda a lograr el sexto y último paso del PERT.

Aunque el PERT es un excelente método para supervisar y controlar la duración de un proyecto, no considera otro factor muy importante: el *costo* del proyecto. **PERT/costo** es una modificación del PERT que permite al administrador planear, programar, supervisar y controlar tanto el costo como el tiempo.

Comenzamos esta sección por investigar cómo se planean y programan los costos. Luego, vemos cómo se supervisan y controlan.

Planeación y programación de los costos de un proyecto: proceso de elaboración del presupuesto

El enfoque global en el proceso de elaboración del presupuesto de un proyecto es determinar cuánto se va a gastar cada semana o mes. Esto se logra como sigue:

Cuatro pasos para el proceso de presupuesto

1. Identificar los costos asociados con cada actividad y, luego, sumar tales costos para obtener un costo estimado o presupuesto para cada actividad.
2. Si se trata de un proyecto grande, se pueden combinar varias actividades en paquetes de trabajo más grandes. Un *paquete* de trabajo es simplemente una colección lógica de actividades. Como el proyecto de General Foundry que se ha estudiado es pequeño, una actividad será un paquete de trabajo.

3. Convertir el costo presupuestado por actividad en un costo por periodo. Para hacerlo, suponemos que el costo por completar cualquier actividad se gasta a una tasa uniforme en el tiempo. Así, si el costo presupuestado para una actividad dada es de $48,000 y el tiempo esperado para realizarla es cuatro semanas, el costo presupuestado por semana será de $12,000 (= $48,000/4 semanas).

4. Con los tiempos de inicio más cercano y más lejano, determinar cuánto dinero debería gastarse durante cada semana o mes para terminar el proyecto en la fecha deseada.

ELABORACIÓN DE PRESUPUESTO PARA GENERAL FOUNDRY Apliquemos el proceso al problema de General Foundry. La gráfica de Gantt para este problema, mostrada en la figura 12.9, ilustra este proceso, donde una barra horizontal muestra cuándo se realizará cada actividad según los tiempos más cercanos. Para desarrollar un programa presupuestal, determinamos cuánto se gastará en cada actividad durante cada semana y ponemos estas cantidades en las barras de la gráfica. Lester Harky calculó con todo cuidado los costos asociados con cada una de sus ocho actividades. También dividió el presupuesto total de cada una entre el tiempo esperado para completarla al determinar el presupuesto semanal de cada actividad. El presupuesto para la actividad A, por ejemplo, es de $22,000 (véase la tabla 12.5). Como su tiempo esperado (t) es de 2 semanas, gasta $11,000 cada semana para terminar la actividad. La tabla 12.5 da también dos bloques de datos que encontramos antes con el PERT: el tiempo de inicio más cercano (IC) y el tiempo de inicio más lejano (IL) para cada actividad.

Observamos el costo total presupuestado de la actividad y vemos que todo el proyecto costará $308,000. Encontrar el presupuesto semanal ayudará a Harky a determinar el progreso del proyecto semana a semana.

Se calcula un presupuesto usando el IC.

El presupuesto semanal para el proyecto se deriva de los datos de la tabla 12.5. Por ejemplo, el tiempo de inicio más cercano para la actividad A es 0. Como A tarda 2 semanas en terminarse, su presupuesto semanal de $11,000 debería gastarse en las semanas 1 y 2. Para la actividad B, el tiempo de inicio más cercano es 0, el tiempo esperado de terminación es de 3 semanas y el costo presupuestado por semana es de $10,000. Entonces, deberían gastarse $10,000 en la actividad B en cada una de las semanas 1, 2 y 3. Usando el tiempo de inicio más cercano, podemos encontrar las semanas exactas en las cuales se necesitará gastar el costo presupuestado para cada actividad. Las cantidades semanales se suman para que todas las actividades logren el presupuesto semanal de todo el proyecto. Esto se ilustra en la tabla 12.6. Observe la similitud entre esta gráfica y la gráfica de Gantt mostrada en la figura 12.9.

¿Nota cómo se determinó el presupuesto semanal (total por semana) del proyecto en la tabla 12.6? Las únicas dos actividades que se pueden realizar durante la primera semana son las actividades

EN ACCIÓN Presupuesto de proyectos en Nortel

Muchas compañías, incluyendo Nortel, una empresa grande de telecomunicaciones, se benefician con la administración de proyectos. Con más de 20,000 proyectos activos con valor total de $2 mil millones, la administración efectiva de los proyectos ha sido un reto en Nortel. Obtener los datos de entrada requeridos, incluyendo tiempos y costos, suele resultar difícil.

Al igual que muchas otras organizaciones, Nortel tiene prácticas de contabilidad estándar para supervisar y controlar los costos. Esto incluye generalmente la asignación de costos a cada departamento. Sin embargo, la mayoría de los proyectos se extiende a varios departamentos, lo cual puede hacer que obtener la información de costos oportuna sea muy difícil. Los gerentes de proyectos con frecuencia obtienen los datos de los costos del proyecto más tarde de lo que desearían. Puesto que los datos de costos se asignan a los departamentos, con frecuencia no tienen el detalle suficiente para que los gerentes de proyectos se hagan una idea clara de los costos reales.

Para contar con datos de costos más precisos para los gerentes de proyectos, Nortel adoptó un método de "costo basado en la ac-

tividad" (ABC, por *activity-based-costing*) que con frecuencia se utiliza en las operaciones de manufactura. Además de los datos estándar de costos, cada actividad del proyecto se codificó con un número de identificación, y un número de ubicación regional de investigación y desarrollo. Esto mejoró mucho la capacidad del gerente del proyecto para controlar los costos. Como se simplificaron algunos procesos para determinar costos al final de mes, el enfoque también redujo los costos del proyecto en casi todos los casos. Los gerentes de proyectos también pudieron obtener información de costos más detallada. Como los datos de costos se codificaron para cada proyecto fue posible obtener retroalimentación oportuna. En este caso, obtener buenos datos de entrada disminuyó los costos del proyecto, redujo el tiempo necesario para obtener retroalimentación de los proyectos críticos y logró que los proyectos se administraran con mayor precisión.

Fuente: Basada en Chris Dorey. "The ABCs of R&D at Nortel", *CMA Magazine* (marzo de 1998): 19-23.

FIGURA 12.9

Gráfica de Gantt para el ejemplo de General Foundry

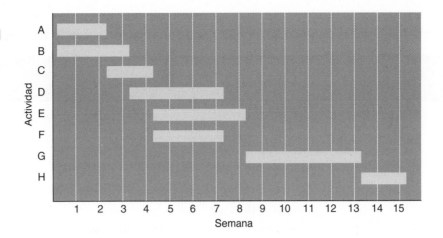

A y *B* porque sus tiempos de inicio más cercano son 0. Así, durante la primera semana debería gastarse un total de $21,000. Como las actividades *A* y *B* continúan durante la segunda semana, el gasto de ese periodo también es de $21,000. El tiempo de inicio más cercano para la actividad *C* es al final de la semana 2 (IC = 2 para la actividad *C*). Entonces, se gastan $13,000 en la actividad *C* en las semanas 3 y 4. Como la actividad *B* continúa en la semana 3, el presupuesto total en la semana 3 es de $23,000. Se realizan cálculos similares con todas las actividades para determinar el presupuesto total de cada semana para el proyecto completo. Luego, esos totales semanales se suman para determinar la cantidad total gastada (a la fecha). Esta información se despliega en la fila inferior de la tabla.

Se calcula otro presupuestos con los IL.

Las actividades en la ruta crítica deben gastar sus presupuestos en los tiempos mostrados en la tabla 12.6. Sin embargo, las actividades que *no* están en la ruta crítica pueden comenzar en una fecha posterior. Este concepto está incorporado en el tiempo de inicio más lejano, IL, para cada actividad. Entonces, Si se usan los *tiempos de inicio más lejanos*, se puede obtener otro presupuesto que retrasaría el gasto de fondos hasta el último momento posible. Los procedimientos para calcular el presupuesto con los IL son los mismos que con los IC. Los resultados de los nuevos cálculos se muestran en la tabla 12.7.

Compare los presupuestos dados en las tablas 12.6 y 12.7. La cantidad que debería gastarse hasta la fecha (total a la fecha), según el presupuesto de la tabla 12.7, utiliza menos recursos financieros en las primeras semanas. Esto se debe a que se preparó el presupuesto con los tiempos de inicio más lejanos. Así, el presupuesto en la tabla 12.7 muestra el tiempo más *tardío* posible en que

TABLA 12.5

Costo de las actividades para General Foundry, Inc.

ACTIVIDAD	TIEMPO DE INICIO MÁS CERCANO, IC	TIEMPO DE INICIO MÁS LEJANO, IL	TIEMPO ESPERADO, *t*	COSTO TOTAL PRESUPUESTADO	COSTO PRESUPUESTADO POR SEMANA ($)
A	0	0	2	22,000	11,000
B	0	1	3	30,000	10,000
C	2	2	2	26,000	13,000
D	3	4	4	48,000	12,000
E	4	4	4	56,000	14,000
F	4	10	3	30,000	10,000
G	8	8	5	80,000	16,000
H	13	13	2	16,000	8,000
				Total 308,000	

TABLA 12.6

Costo presupuestado (en miles de dólares) para General Foundry, Inc., usando tiempos de inicio más cercanos

ACTIVIDAD	SEMANA															TOTAL
	1	2	3	4	5	6	7	8	9	10	11	12	13	14	15	
A	11	11														22
B	10	10	10													30
C			13	13												26
D				12	12	12	12									48
E					14	14	14	14								56
F					10	10	10									30
G									16	16	16	16	16			80
H														8	8	16
																308
Total por semana	21	21	23	25	36	36	36	14	16	16	16	16	16	8	8	
Total a la fecha	21	42	65	90	126	162	198	212	228	244	260	276	292	300	308	

se pueden gastar los fondos y todavía terminar el proyecto a tiempo. El presupuesto de la tabla 12.6 revela el tiempo más *temprano* posible en que se pueden gastar los fondos. Por consiguiente, un administrador puede elegir cualquier presupuesto que esté entre los dos presentados en esas tablas. Ambas constituyen los rangos de presupuestos factibles, cuyo concepto se ilustra en la figura 12.10.

Los rangos de presupuestos para General Foundry se establecieron graficando los presupuestos totales a la fecha para IC e IL. Lester Harky puede usar cualquier presupuesto entre dichos rangos factibles y terminar a tiempo el proyecto contra la contaminación. Los presupuestos como los mostrados en la figura 12.10 suelen elaborarse antes de iniciar el proyecto. Así, conforme se realiza el proyecto se van supervisando y controlando los fondos gastados.

TABLA 12.7

Costo presupuestado (en miles de dólares) para General Foundry, Inc., con los tiempos de inicio más lejanos

ACTIVIDAD	1	2	3	4	5	6	7	8	9	10	11	12	13	14	15	TOTAL
A	11	11														22
B		10	10	10												30
C			13	13												26
D					12	12	12	12								48
E					14	14	14	14								56
F											10	10	10			30
G									16	16	16	16	16			80
H														8	8	16
																308
Total por semana	11	21	23	23	26	26	26	26	16	16	26	26	26	8	8	
Total a la fecha	11	32	55	78	104	130	156	182	198	214	240	266	292	300	308	

FIGURA 12.10

Rangos de presupuesto
para General Foundry

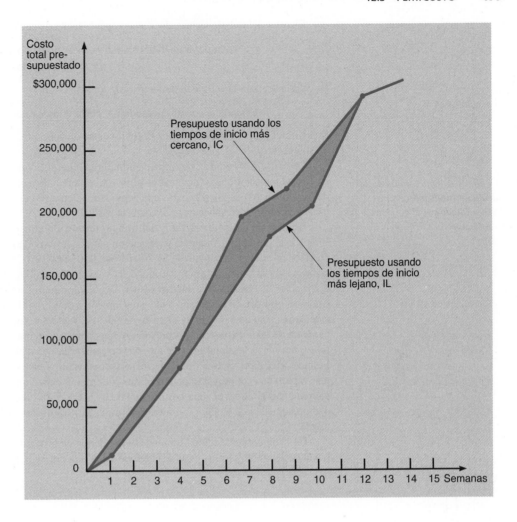

Costo total presupuestado

$300,000

Presupuesto usando los tiempos de inicio más cercano, IC

250,000

200,000

Presupuesto usando los tiempos de inicio más lejano, IL

150,000

100,000

50,000

0

1 2 3 4 5 6 7 8 9 10 11 12 13 14 15 Semanas

¿El proyecto va a tiempo y dentro del presupuesto?

Aunque existen ventajas de flujo de efectivo y manejo del dinero al retrasar las actividades hasta sus tiempos de inicio más lejanos, dichos retrasos podrían crear problemas con la terminación del proyecto a tiempo. Si una actividad no comienza sino hasta su inicio más lejano, no quedará holgura. Cualquier demora subsecuente en esa actividad retrasará el proyecto. Por ello, tal vez no sea deseable programar todas las actividades para que comiencen en su inicio más lejano.

Supervisión y control de los costos del proyecto

El propósito de supervisar y controlar los costos es asegurar que el proyecto avance a tiempo y que los sobrecostos se mantengan al mínimo. El estado de todo el proyecto tiene que verificarse periódicamente.

Lester Harky desea saber cómo va su proyecto contra la contaminación. Está en la sexta semana de las 15 del proyecto. Las actividades *A, B* y *C* ya se terminaron. Estas actividades incurrieron en costos de $20,000, $36,000 y $26,000, respectivamente. La actividad *D* tiene solo un avance de 10% y hasta ahora el gasto ha sido de $6,000. La actividad *E* tiene 20% de avance con un costo de $20,000 y la actividad *F* ha avanzado 20% con un costo de $4,000. Las actividades *G* y *H* todavía no comienzan. ¿Va a tiempo el proyecto anticontaminación? ¿Cuál es el valor del trabajo terminado? ¿Ha habido algún costo excedido?

El valor del trabajo terminado, o el costo a la fecha de cualquier actividad, se calcula como:

$$\text{Valor del trabajo terminado} = (\text{porcentaje de trabajo terminado})$$
$$\times\ (\text{presupuesto de toda la actividad}) \qquad \textbf{(12-8)}$$

La diferencia para la actividad también es de interés:

$$\text{Diferencias para la actividad} = \text{costo real} - \text{valor del trabajo terminado} \qquad \textbf{(12-9)}$$

Si la diferencia para una actividad es negativa, hay un subcosto, pero si el número es positivo, se tiene un sobrecosto.

El valor de trabajo terminado se calcula multiplicando el costo presupuestado por el porcentaje de terminación.

La tabla 12.8 brinda esta información para General Foundry. La segunda columna contiene el costo total presupuestado (de la tabla 12.6) y la tercera indica el porcentaje de terminación. Con estos datos y el costo real gastado para cada actividad, calculamos el valor del trabajo terminado, así como los sobrecostos o los subcostos para cada actividad.

Una forma de medir el valor del trabajo terminado consiste en multiplicar el costo total presupuestado por el porcentaje de terminación para cada actividad.[*] La actividad *D*, por ejemplo, tiene un valor de trabajo terminado de $4,800 (=$48,000 por 10%1). Para determinar la cantidad de sobrecosto o subcosto de cualquier actividad, el valor del trabajo terminado se resta del costo real. Las diferencias que resultan se pueden sumar para determinar el sobrecosto o el subcosto del proyecto. Como se observa, en la semana 6 hay un sobrecosto de $12,000. Más aún, el valor de trabajo completado es tan solo de $100,000 y el costo real del proyecto a la fecha es de $112,000. ¿Cuál es la comparación de tales costos con los presupuestados para la semana 6? Si Harky hubiera decidido usar el presupuesto con los tiempos de inicio más cercano (véase la tabla 12.6), veríamos que debían haberse gastado $162,000. Entonces, el proyecto está atrasado y hay sobrecostos. Harky necesita moverse más rápido en este proyecto para terminar a tiempo y debe controlar los costos futuros con cuidado para intentar eliminar el sobrecosto actual de $12,000. Para supervisar y controlar los costos, la cantidad presupuestada, el valor del trabajo terminado y los costos reales deberían calcularse periódicamente.

En la siguiente sección veremos cómo acortar un proyecto gastando más dinero. La técnica se llama aceleración y forma parte del método de la ruta crítica (CPM).

TABLA 12.8
Supervisión y control del costo presupuestado

ACTIVIDAD	COSTO TOTAL PRESUPUESTADO ($)	PORCENTAJE DE AVANCE	VALOR DEL TRABAJO TERMINADO ($)	COSTO REAL ($)	DIFERENCIA EN LA ACTIVIDAD ($)
A	22,000	100	22,000	20,000	−2,000
B	30,000	100	30,000	36,000	6,000
C	26,000	100	26,000	26,000	0
D	48,000	10	4,800	6,000	1,200
E	56,000	20	11,200	20,000	8,800
F	30,000	20	6,000	4,000	−2,000
G	80,000	0	0	0	0
H	16,000	0	0	0	0
Total			100,000	112,000	12,000 *Sobrecosto*

[*]El porcentaje de avance para cada actividad también puede medirse de otras formas, por ejemplo, combinando la razón de horas de mano de obra utilizadas entre las horas totales de mano de obra estimadas.

EN ACCIÓN — Administración de proyectos y desarrollo de software

Aunque las computadoras revolucionaron la manera en que las compañías hacen negocios, y permitieron que algunas lograran una ventaja competitiva a largo plazo en el mercado, el software que controla tales computadoras a menudo es más costoso de lo previsto y desarrollarlo toma más tiempo de lo que se espera. En algunos casos, los grandes proyectos de software nunca se terminan por completo. La Bolsa de Londres, por ejemplo, tenía un proyecto de software ambicioso llamado TAURUS que debía mejorar las operaciones en la computadora de la Bolsa. El proyecto TAURUS, que costó cientos de millones de dólares, nunca se terminó. Después de muchos retrasos y sobrecostos, se canceló el proyecto al final. El sistema FLORIDA, un gran proyecto de desarrollo de software para el Departamento de Servicios de Salud y Rehabilitación (HRS) del estado de Florida, también se retrasó, costó más de lo esperado y nunca funcionó como se deseaba. Aunque no todos los proyectos de desarrollo de software se retrasan o cuestan más, se ha estimado que más de la mitad de todos los proyectos de software cuestan más de 189% de sus proyecciones originales.

Para controlar los grandes proyectos de software, muchas compañías ahora usan técnicas de administración de proyectos. Ryder Systems, Inc., American Express Financial Advisors y United Airlines han creado departamentos de administración de proyectos para sus sistemas de información y software, los cuales tienen la autoridad para supervisar los grandes proyectos de software y hacer cambios en las fechas de entrega, los presupuestos y los recursos utilizados para completar los desarrollos de software.

Fuente: Basada en Julia King. "Tough Love Reins in IS Projects", Computerworld (19 de junio de 1995): 1-2.

12.4 Aceleración del proyecto

Acortar el proyecto se conoce como aceleración.

Algunas veces los proyectos tienen fechas de entrega que quizá sean imposibles de cumplir con los procedimientos normales de terminación. No obstante, si se recurre a las horas extra, el trabajo del fin de semana, la contratación de trabajadores adicionales o el uso de más equipo, tal vez sería posible terminar un proyecto en menos tiempo del requerido en general. Por otro lado, el costo del proyecto suele aumentar como resultado. Cuando se desarrolló CPM, se reconoció la posibilidad de reducir el tiempo de terminación de un proyecto; este proceso se llama **aceleración**.

Al acelerar un proyecto, se emplea el *tiempo normal* de cada actividad para encontrar la ruta crítica. El *costo normal* es el costo para terminar la actividad con los procedimientos normales. Si el tiempo de terminación de un proyecto con los procedimientos normales cumple con la fecha de entrega impuesta, no hay problema. Sin embargo, cuando la fecha de entrega es anterior a la terminación normal del proyecto, deben tomarse algunas medidas extraordinarias. Se desarrolla otro conjunto de tiempos y costos para cada actividad. El *tiempo acelerado* es el tiempo más corto posible para la actividad y requiere recursos adicionales. El *costo acelerado* es el precio para completar la actividad en un tiempo menor que el normal. Si es necesario acelerar un proyecto, será deseable hacerlo al menor costo adicional.

La aceleración de proyectos con CPM implica cuatro pasos:

Cuatro pasos para acelerar un proyecto

1. Encontrar la ruta crítica normal e identificar las actividades críticas.
2. Calcular el costo de aceleración por semana (u otro periodo) para todas las actividades de la red. Este proceso usa la siguiente fórmula:[*]

$$\text{Costo acelerado/Periodo de tiempo} = \frac{\text{costo acelerado } - \text{ costo normal}}{\text{tiempo normal } - \text{ tiempo acelerado}} \quad \text{(12-10)}$$

3. Seleccionar la actividad en la ruta crítica con el menor costo de aceleración por semana. Acelerar esta actividad lo máximo posible o al punto donde se logre la fecha de entrega deseada.
4. Verificar que la trayectoria crítica que se acelera todavía sea crítica. Con frecuencia, una reducción en el tiempo de una actividad en la ruta crítica ocasiona que otra u otras trayectorias no críticas se conviertan en críticas. Si la ruta crítica todavía es la ruta más larga a través de la red, regresar al paso 3. Si no, encontrar la nueva ruta crítica y regresar al paso 3.

---

[4]Esta fórmula supone que los costos acelerados son lineales. Si no los son, deben hacerse ajustes.

Ejemplo de General Foundry

Suponga que General Foundry tiene 14 semanas en vez de 16 para instalar el nuevo equipo de control de contaminación, o enfrentar una orden de cierre por parte de los tribunales. Como recuerda, el tiempo de la ruta crítica de Lester Harky era de 15 semanas. ¿Qué puede hacer? Vemos que no es posible que Harky cumpla con la fecha de entrega, a menos que logre acortar los tiempos de las actividades.

Los tiempos y los costos normales y acelerados para General Foundry se muestran en la tabla 12.9. Note, por ejemplo, que el tiempo normal de la actividad B es de 3 semanas (esta estimación también se utilizó con PERT) y su tiempo acelerado es de 1 semana. Ello significa que la actividad se podría acortar dos semanas, si se le asignan recursos adicionales. El costo normal es de $30,000 y el costo acelerado es de $34,000, lo cual implica que acelerar la actividad B costará a General Foundry $4,000 adicionales. Se supone que los costos acelerados son lineales. Como se ilustra en la figura 12.11, el costo acelerado de la actividad B es de $2,000 por semana. Los costos acelerados para las demás actividades se calculan de manera similar. Luego, se aplican los pasos 3 y 4 para reducir el tiempo de terminación del proyecto.

Las actividades A, C y E están en la ruta crítica y cada una tiene un costo mínimo de aceleración por semana de $1,000. Harky puede acelerar la actividad A una semana para reducir el tiempo de terminación del proyecto a 14 semanas. El costo es de $1,000 más.

Existen dos rutas críticas.

En esta fase, hay dos rutas críticas. La ruta crítica original consiste en las actividades A, E, G y H, con un tiempo total de terminación de 14 semanas. La nueva ruta crítica consiste en las actividades B, D, G y H, también con un tiempo total de terminación de 14 semanas. Cualquier otra aceleración debe hacerse en las dos rutas críticas. Por ejemplo, si Harky desea reducir la terminación del proyecto 2 semanas más, ambas rutas deben reducirse. Esto se logra recortando la actividad G, que está en ambas rutas críticas, 2 semanas por un costo adicional de $2,000 por semana. El tiempo total de terminación sería de 12 semanas y el costo total de aceleración sería de $5,000 ($1,000 para reducir una semana la actividad A y $4,000 para dos semanas reducir la actividad G).

En las redes pequeñas, como la de General Foundry, es posible aplicar el procedimiento de cuatro pasos para encontrar el costo mínimo de reducir el tiempo de terminación del proyecto; pero para redes más grandes, este enfoque es difícil e impráctico, y deberían emplearse técnicas más avanzadas como programación lineal.

Aceleración del proyecto con programación lineal

La programación lineal (véanse los capítulos 7 y 8) es otro enfoque para encontrar el mejor programa de aceleración del proyecto. Ilustramos esto con la red de General Foundry. Los datos necesarios se extraen de la tabla 12.9 y la figura 12.12.

El primer paso es definir las variables de decisión para el programa lineal.

Empezamos definiendo las variables de decisión. Si X es el tiempo de terminación más cercano para una actividad, entonces,

$$X_A = \text{TC para la actividad } A$$
$$X_B = \text{TC para la actividad } B$$
$$X_C = \text{TC para la actividad } C$$
$$X_D = \text{TC para la actividad } D$$
$$X_E = \text{TC para la actividad } E$$
$$X_F = \text{TC para la actividad } F$$
$$X_G = \text{TC para la actividad } G$$
$$X_H = \text{TC para la actividad } H$$
$$X_{\text{inicio}} = \text{tiempo de inicio para el proyecto (usualmente 0)}$$
$$X_{\text{terminación}} = \text{tiempo más cercano de terminación para el proyecto}$$

Aunque el nodo inicial tiene una variable (X_{inicio}) asociada, no es necesaria pues tendrá un valor de 0 que se puede usar en lugar de la variable.

Y se define como el número de semanas que cada actividad se acelera. Y_A es el número de semanas que se acelera la actividad A, Y_B es el tiempo de aceleración para la actividad B, y así sucesivamente, hasta Y_H.

El siguiente paso es determinar la función objetivo.

FUNCIÓN OBJETIVO Como el objetivo es minimizar el costo de aceleración del proyecto total, la función objetivo del programa lineal es:

Minimizar el costo de aceleración $= 1,000Y_A + 2,000Y_B + 1,000Y_C + 1,000Y_D + 1,000Y_E$
$$+ 500Y_F + 2,000Y_G + 3,000Y_H$$

(Estos coeficientes de costos se obtuvieron en la sexta columna de la tabla 12.9).

TABLA 12.9
Datos normales y acelerados para General Foundry, Inc.

ACTIVIDAD	TIEMPO (SEMANAS)		COSTO ($)		COSTO DE ACELERACIÓN POR SEMANA ($)	¿RUTA CRÍTICA?
	NORMAL	ACELERADO	NORMAL	ACELERADO		
A	2	1	22,000	23,000	1,000	Sí
B	3	1	30,000	34,000	2,000	No
C	2	1	26,000	27,000	1,000	Sí
D	4	3	48,000	49,000	1,000	No
E	4	2	56,000	58,000	1,000	Sí
F	3	2	30,000	30,500	500	No
G	5	2	80,000	86,000	2,000	Sí
H	2	1	16,000	19,000	3,000	Sí

FIGURA 12.11
Tiempos normales y acelerados, y costos para la actividad B

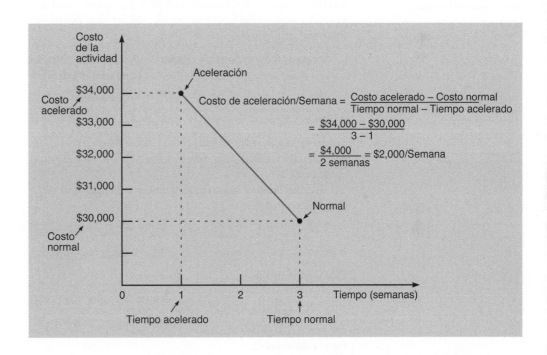

FIGURA 12.12
Red con tiempos de actividades para General Foundry

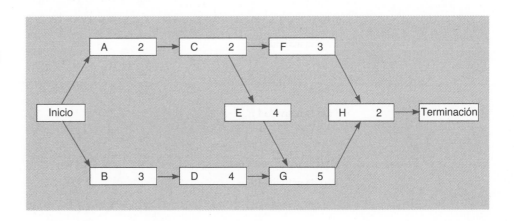

Ahora se determinan las restricciones de aceleración.

RESTRICCIONES DE TIEMPO DE ACELERACIÓN Las restricciones se requieren para asegurar que cada actividad no se acelere más que el tiempo de aceleración máximo permitido. El máximo para cada variable Y es la diferencia entre el tiempo normal y el tiempo acelerado (de la tabla 12.9):

$$Y_A \leq 1$$
$$Y_B \leq 2$$
$$Y_C \leq 1$$
$$Y_D \leq 1$$
$$Y_E \leq 2$$
$$Y_F \leq 1$$
$$Y_G \leq 3$$
$$Y_H \leq 1$$

RESTRICCIÓN DE TERMINACIÓN DEL PROYECTO Esta restricción especifica que el último evento debe ocurrir antes de la fecha de entrega del proyecto. Si el proyecto de Harky tiene que acelerarse a 12 semanas, entonces,

$$X_{\text{terminación}} \leq 12$$

El paso final es determinar las restricciones del evento.

RESTRICCIONES QUE DESCRIBEN LA RED El conjunto final de restricciones describe la estructura de la red. Cada actividad tendrá una restricción por cada una de sus predecesoras. La forma de estas restricciones es:

Tiempo de terminación más cercano ≥ Tiempo de terminación más cercano de la predecesora + tiempo de la actividad

$$EF \geq EF_{\text{predecesora}} + (t - Y)$$

o bien,

$$X \geq X_{\text{predecesora}} + (t - Y)$$

tiempo de la actividad está dado como $t - Y$, es decir, el tiempo normal de la actividad menos el tiempo ahorrado con la aceleración. Sabemos que TC = IC + tiempo de la actividad, e IC = mayor TC de las predecesoras.

Establecemos el inicio del proyecto en el tiempo cero: $X_{\text{inicio}} = 0$.

Para la actividad A,

$$X_A \geq X_{\text{inicio}} + (2 - Y_A)$$

o bien

$$X_A - X_{\text{inicio}} + Y_A \geq 2$$

Para la actividad B,

$$X_B \geq X_{\text{inicio}} + (3 - Y_B)$$

o bien

$$X_B - X_{\text{inicio}} + Y_B \geq 3$$

Para la actividad C,

$$X_C \geq X_A + (2 - Y_C)$$

o bien

$$X_C - X_A + Y_C \geq 2$$

Para la actividad D,

$$X_D \geq X_B + (4 - Y_D)$$

o bien

$$X_D - X_B + Y_D \geq 4$$

Para la actividad E,

$$X_E \geq X_C + (4 - Y_E)$$

o bien

$$X_E - X_C + Y_E \geq 4$$

Para la actividad F,

$$X_F \geq X_C + (3 - Y_F)$$

o bien

$$X_F - X_C + Y_F \geq 3$$

Para la actividad G, necesitamos dos restricciones, ya que hay dos predecesoras. La primera restricción para la actividad G es:

$$X_G \geq X_D + (5 - Y_G)$$

o bien,

$$X_G - X_D + Y_G \geq 5$$

La segunda restricción para la actividad G es:

$$X_G \geq X_E + (5 - Y_G)$$

o bien,

$$X_G - X_E + Y_G \geq 5$$

Para la actividad H necesitamos dos restricciones, ya que tiene dos predecesoras. La primera restricción para la actividad H es:

$$X_H \geq X_F + (2 - Y_H)$$

o bien,

$$X_H - X_F + Y_H \geq 2$$

La segunda restricción para la actividad H es:

$$X_H \geq X_G + (2 - Y_H)$$

o bien,

$$X_H - X_G + Y_H \geq 2$$

Para indicar que el proyecto está terminado cuando finalice la actividad H,

$$X_{\text{final}} \geq X_H$$

Después de agregar las restricciones de no negatividad, este problema de PL se resuelve para obtener los valores óptimos de Y, lo cual se hace con QM para Windows o Excel QM. El programa 12.2 da la solución de Excel QM para este problema.

PROGRAMA 12.2
Solución al problema de acelerado con Solver de Excel

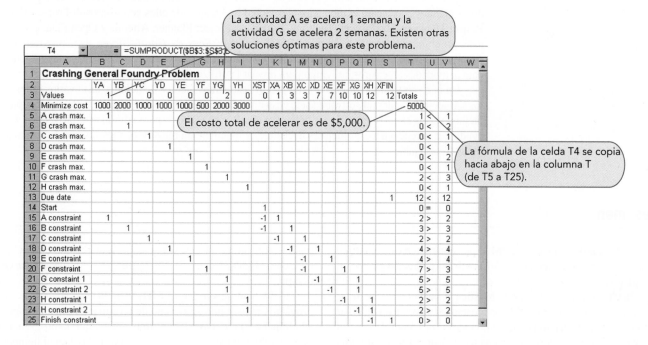

La actividad A se acelera 1 semana y la actividad G se acelera 2 semanas. Existen otras soluciones óptimas para este problema.

El costo total de acelerar es de $5,000.

La fórmula de la celda T4 se copia hacia abajo en la columna T (de T5 a T25).

12.5 Otros temas de administración de proyectos

Vimos cómo programar un proyecto y desarrollar el presupuesto. Sin embargo, existen otros conceptos que son importantes para el gerente de proyectos. Daremos una introducción breve.

Subproyectos

Para proyectos en extremo grandes, se recomienda formar una actividad con varias subactividades pequeñas. Cada actividad se vería como un proyecto más pequeño o subproyecto del proyecto original. La persona a cargo de la actividad podría crear un diagrama de PERT/CPM para administrar el subproyecto. Muchos paquetes de software tienen la capacidad de incluir varios niveles de subproyectos.

Hitos o momentos importantes

Eventos importantes en un proyecto con frecuencia reciben el nombre de **hitos**, los cuales suelen reflejarse en las gráficas de Gantt y de PERT para destacar la importancia de llegar a tales eventos.

Nivelación de recursos

Además de administrar el tiempo y los costos involucrados en un proyecto, un gerente debe también preocuparse por los recursos que utiliza. Los recursos pueden ser equipos o individuos. Al planear un proyecto (y a menudo como parte de la estructura de trabajo desglosada), el gerente debe identificar qué recursos se necesitan con cada actividad. Por ejemplo, en un proyecto de construcción quizás haya varias actividades que requieran usar equipo pesado como una grúa. Si la compañía constructora tiene tan solo una grúa, entonces, ocurrirán conflictos si dos actividades que requieren usarla están programadas para el mismo día. Para aliviar problemas como este, se usa la **nivelación de recursos**. Significa que una o más actividades se mueven de su tiempo de inicio más cercano a otro momento (no más tarde que el tiempo de inicio más lejano), de manera que la utilización del recurso se distribuya con más uniformidad en el tiempo. Si los recursos son las brigadas de construcción, habría el beneficio de mantener a las brigadas ocupadas y minimizar el tiempo extra.

Software

En el mercado existen numerosos paquetes de software para administrar proyectos, tanto para servidores grandes como para computadoras personales. Algunos de ellos son Microsoft Project, Harvard Project Manager, MacProject, Timeline, Primavera Project Planner, Artemis y Open Plan. Casi todos esos programas trazan la gráfica de PERT y las *gráficas de Gantt*. Sirven para programar presupuestos, ajustar automáticamente tiempos de inicio futuros con base en los tiempos de inicio reales para actividades anteriores, así como para nivelar la utilización de recursos.

Un buen software para PC varía en precio desde unos cientos de dólares hasta varios miles. Para los servidores grandes, el software suele costar significativamente más. Algunas compañías han pagado incluso varios cientos de miles de dólares por software y apoyo para administrar proyectos, ya que ayuda a la gerencia a tomar mejores decisiones y mantiene un registro de factores que de otra manera serían inmanejables.

Resumen

Los fundamentos de PERT y CPM se presentaron en este capítulo. Ambas técnicas son excelentes para controlar proyectos grandes y complejos.

PERT es una técnica probabilística y permite tres estimaciones para cada actividad. Tales estimaciones sirven para calcular el tiempo de terminación esperado, la varianza y la probabilidad de que el proyecto se termine en una fecha dada. PERT/costo, una extensión de PERT estándar, se utiliza para planear, programar, supervisar y controlar los costos del proyecto. Con PERT/costo es posible determinar si hay sobrecostos o subcostos en cualquier momento. También es posible determinar si el proyecto marcha a tiempo.

CPM, aunque similar a PERT, tiene la capacidad de acelerar proyectos reduciendo su tiempo de terminación mediante gastos adicionales en recursos. Por último, vimos que la programación lineal también puede usarse para acelerar una red en el tiempo deseado a costo mínimo.

Glosario

Aceleración   Proceso de reducir el tiempo total que toma terminar el proyecto gastando fondos en recursos adicionales.

Actividad   Trabajo o tarea que consume tiempo como una subparte del proyecto total.

Actividad en el arco (AOA)   Red donde las actividades se representan con arcos.

Actividad en el nodo (AON)   Red donde las actividades se representan con nodos. Es el modelo ilustrado en el libro.

Análisis de ruta crítica   Análisis que determina el tiempo de terminación de todo el proyecto, la ruta crítica para el mismo, holguras, IC, TC, IL y TL para cualquier actividad.

CPM   Método de la ruta crítica. Técnica determinística de redes similar a la PERT, pero que permite acelerar el proyecto.

Diagrama de Gantt   Gráfica de barras que indica cuándo se realizan las actividades (representadas por barras) de un proyecto.

Distribución de probabilidad beta   Distribución de probabilidad que a menudo se emplea en el cálculo de los tiempos esperados de terminación de la actividad y las varianzas en las redes.

Estimaciones de los tiempos de las actividades   Tres estimaciones utilizadas para determinar el tiempo esperado de terminación y la varianza de las actividades en una red de PERT.

Estructura de trabajo desglosada   Lista de las actividades que deben realizarse en un proyecto.

Evento   Momento que marca el inicio o la terminación de una actividad.

Hito   Evento importante en un proyecto.

Nivelación de recursos   Proceso de suavizado de la utilización de los recursos de un proyecto.

PERT   Técnica de revisión y evaluación de proyectos. Es una técnica de redes que permite tres estimaciones de tiempo de cada actividad en un proyecto.

PERT/costo   Técnica que permite al tomador de decisiones planear, programar, supervisar y controlar el *costo* de un proyecto, al igual que el tiempo.

Predecesora inmediata   Actividad que debe terminar antes que otra actividad pueda iniciar.

Red   Despliegue gráfico de un proyecto que contiene actividades y eventos.

Revisión hacia adelante   Procedimiento que se mueve del inicio de una red al final de la misma. Sirve para determinar el tiempo de inicio más cercano y el tiempo de terminación más cercana de una actividad.

Revisión hacia atrás   Procedimiento que se mueve del final al inicio de la red. Se utiliza al determinar los tiempos de terminación e inicio más lejanos.

Ruta crítica   Serie de actividades que tienen holgura cero. Es la trayectoria con el tiempo más largo a través de la red. Una demora en cualquier actividad que está en la ruta crítica retrasará la terminación de todo el proyecto.

Tiempo de holgura   Tiempo que se puede demorar una actividad sin retrasar todo el proyecto. La holgura es igual al tiempo de inicio más lejano menos el tiempo de inicio más cercano, o bien, el tiempo de terminación más lejana menos el tiempo de terminación más cercana.

Tiempo de inicio más cercano (IC)   Tiempo más cercano en que puede iniciar una actividad sin transgredir los requerimientos de precedencia.

Tiempo de inicio más lejano (IL)   Tiempo más lejano en que puede iniciar una actividad sin retrasar todo el proyecto.

Tiempo de terminación más cercano (TC)   Tiempo más cercano en que puede terminar una actividad sin contravenir los requerimientos de precedencias.

Tiempo de terminación más lejano (TL)   Tiempo más lejano en que puede terminar una actividad sin retrasar todo el proyecto.

Tiempo esperado de una actividad   Tiempo promedio que debería tomar la terminación de una actividad, $t = (a + 4m + b)/6$.

Tiempo más probable (*m*)   Tiempo que se espera que tome una actividad para quedar terminada.

Tiempo optimista (*a*)   Tiempo más corto que puede requerirse para terminar una actividad.

Tiempo pesimista (*b*)   Tiempo más largo que puede requerirse para terminar una actividad.

Varianza del tiempo de terminación de una actividad   Medida de la dispersión del tiempo de terminación de una actividad. Varianza $= [(b - a)/6]^2$.

Ecuaciones clave

(12-1) $t = \dfrac{a + 4m + b}{6}$

Tiempo esperado de terminación de una actividad.

(12-2)   Varianza $= \left(\dfrac{b - a}{6}\right)^2$

Varianza de una actividad.

(12-3) $TC = IC + t$

Tiempo de terminación más cercana.

(12-4) $IL = TL - t$

Tiempo de inicio más lejano.

(12-5)   Holgura $= IL - IC$ u holgura $= TL - TC$

Tiempo de holgura de una actividad.

(12-6)   Varianza del proyecto = Σvarianzas de las actividades en la ruta crítica

(12-7) $Z = \dfrac{\text{fecha de entrega} - \text{fecha de terminación esperada}}{\sigma_T}$

Número de desviaciones estándar que la fecha meta se separa de la fecha esperada, según la distribución normal.

(12-8)   Valor del trabajo terminado = (porcentaje de trabajo terminado) $\times$ (presupuesto total de la actividad)

(12-9)   Diferencia en la actividad = costo real $-$ valor del trabajo terminado

(12-10)   Costo acelerado/periodo $= \dfrac{\text{costo acelerado} - \text{costo normal}}{\text{tiempo normal} - \text{tiempo acelerado}}$

Costo en CPM por reducir la duración de una actividad por periodo.

Problemas resueltos

Problema resuelto 12-1

Para terminar el ensamble del ala de un avión experimental, Scott DeWitte esboza los pasos más importantes y las siete actividades que incluye. Tales actividades están rotuladas de la A a la G en la siguiente tabla, que también indica sus tiempos de terminación estimados (en semanas) y las predecesoras inmediatos. Determine el tiempo esperado y la varianza de cada actividad.

ACTIVIDAD	a	m	b	PREDECESORES INMEDIATOS
A	1	2	3	—
B	2	3	4	—
C	4	5	6	A
D	8	9	10	B
E	2	5	8	C, D
F	4	5	6	B
G	1	2	3	E

Solución

Aunque no se pide para este problema, un diagrama de todas las actividades suele ser útil. En la figura 12.13 se muestra un diagrama de PERT para el ensamble del ala.

FIGURA 12.13

Diagrama de PERT para Scott De Witte (problema resuelto 12-1)

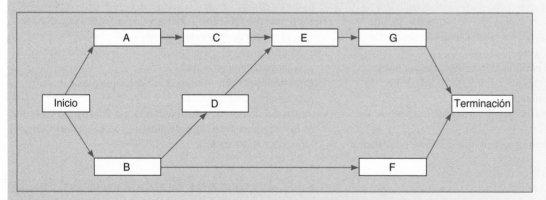

Los tiempos esperados y las varianzas se calculan con las fórmulas presentadas en el capítulo. Los resultados se resumen en la siguiente tabla:

ACTIVIDAD	TIEMPO ESPERADO (SEMANAS)	VARIANZA
A	2	$\frac{1}{9}$
B	3	$\frac{1}{9}$
C	5	$\frac{1}{9}$
D	9	$\frac{1}{9}$
E	5	1
F	5	$\frac{1}{9}$
G	2	$\frac{1}{9}$

Problema resuelto 12-2

Consulte el problema 12-1, ahora a Scott le gustaría determinar la ruta crítica de todo el proyecto de ensamble del ala, al igual que el tiempo de terminación esperado para todo el proyecto. Asimismo, quiere determinar los tiempos de inicio y terminación más cercanos y más lejanos para todas las actividades.

Solución

La ruta crítica, los tiempos de inicio más cercano, de terminación más cercana, de inicio más lejano y de terminación más lejana se determinan con el procedimiento descrito en el capítulo. Los resultados se resumen en la siguiente tabla.

	TIEMPO DE LA ACTIVIDAD				
ACTIVIDAD	IC	TC	IL	TL	HOLGURA
A	0	2	5	7	5
B	0	3	0	3	0
C	2	7	7	12	5
D	3	12	3	12	0
E	12	17	12	17	0
F	3	8	14	19	11
G	17	19	17	19	0

Duración esperada del proyecto = 19 semanas

Varianza de la ruta crítica = 1.333

Desviación estándar de la ruta crítica = 1.155 semanas

Las actividades de la ruta crítica son *B*, *D*, *E* y *G*. Estas actividades tienen holgura cero, como se indica en la tabla. El tiempo de terminación esperado del proyecto es de 19. Los tiempos de inicio y terminación más cercanos y más lejanos se muestran en la tabla.

Autoevaluación

- Antes de resolver la autoevaluación, consulte los objetivos de aprendizaje al inicio del capítulo, las notas al margen y el glosario al final del capítulo.
- Utilice la solución al final del libro para corregir sus respuestas.
- Estudie de nuevo las páginas que corresponden a cualquier pregunta cuya respuesta sea incorrecta o al material con el que se sienta inseguro.

1. Los modelos de redes como PERT y CPM se usan para:
   a) planear proyectos grandes y complejos.
   b) programar proyectos grandes y complejos.
   c) supervisar proyectos grandes y complejos.
   d) controlar proyectos grandes y complejos.
   e) todo lo anterior.

2. La diferencia principal entre PERT y CPM es que:
   a) PERT utiliza una estimación de tiempo.
   b) CPM utiliza tres estimaciones de tiempo.
   c) PERT tiene tres estimaciones de tiempo.
   d) CPM supone que todas las actividades se pueden realizar al mismo tiempo.

3. El tiempo de inicio más cercano para una actividad es igual a:
   a) la mayor TC de las predecesoras inmediatas.
   b) la menor TC de las predecesoras inmediatas.
   c) el mayor IC de las predecesoras inmediatas.
   d) el menor IC de las predecesoras inmediatas.

4. El tiempo de terminación más lejana para una actividad se encuentra durante la revisión hacia atrás por la red. El tiempo de terminación más lejana es igual:
   a) a la mayor TL de las actividades de las que es predecesora inmediata.
   b) a la menor TL de las actividades de las que es predecesora inmediata.
   c) al mayor IL de las actividades de las que es predecesora inmediata.
   d) al menor IL de las actividades de las que es predecesora inmediata.

5. Cuando se aplica PERT y se encuentran las probabilidades, una de las suposiciones que se hace es que:
   a) todas las actividades están en la ruta crítica.
   b) los tiempos para las actividades son independientes.
   c) todas las actividades tienen la misma varianza.
   d) la varianza del proyecto es igual a la suma de las varianzas de todas las actividades en el proyecto.
   e) todas las anteriores.

6. En PERT, la estimación del tiempo b representa
   a) el tiempo más optimista.
   b) el tiempo más probable.
   c) el tiempo más pesimista.
   d) el tiempo esperado.
   e) ninguna de las anteriores.

7. En PERT, el tiempo de holgura es igual a
   a) IC + t.
   b) IL − IC
   c) 0.
   d) TL − IC.
   e) none of the above.

8. La desviación estándar para el proyecto PERT es aproximadamente
   a) la raíz cuadrada de la suma de las varianzas en la ruta crítica.
   b) la suma de las desviaciones estándar de las actividades de la ruta crítica.
   c) la raíz cuadrada de la suma de las varianzas de las actividades del proyecto.
   d) todas las anteriores.
   e) ninguna de las anteriores.

9. La ruta crítica es:
   a) la ruta más corta en la red.
   b) la ruta más larga en la red.
   c) la ruta con la varianza más pequeña.
   d) la ruta con la varianza más grande.
   e) ninguna de las anteriores.

10. Si el tiempo de terminación del proyecto sigue una distribución normal y la fecha de entrega para el proyecto es mayor que el tiempo de terminación esperado, entonces, la probabilidad de que el proyecto termine para la fecha de entrega es

a) menor que 0.50.
b) mayor que 0.50.
c) igual a 0.50.
d) indeterminada sin más información.

11. Si la actividad A no está en la ruta crítica, entonces, la holgura para A es igual a
    a) TL − TC.
    b) TC − IC.
    c) 0.
    d) todas las anteriores.

12. Si un proyecto debe acelerarse por el costo adicional mínimo posible, entonces, la primera actividad que tiene que acelerarse debería
    a) estar en la ruta crítica.
    b) tener el tiempo más corto para la actividad.
    c) tener el tiempo más largo para la actividad.
    d) ser la que tiene el menor costo.

13. Las actividades_____ son la que demorarán todo el proyecto si se retrasan.

14. PERT es una técnica de _____.

15. La aceleración del proyecto se puede realizar utilizando _____.

16. PERT puede usar tres estimaciones para el tiempo de las actividades, las cuales son _____, _____, y _____.

17. El tiempo de inicio más lejano menos el tiempo de inicio más cercano se llama tiempo de _____ para una actividad.

18. El porcentaje de terminación del proyecto, el valor del trabajo completado y los costos reales de la actividad se utilizan para _____ proyectos.

Preguntas y problemas para análisis

Preguntas para análisis

12-1 ¿Cuáles son algunas preguntas que se responden con PERT y CPM?

12-2 ¿Cuál es la diferencia más importante entre PERT y CPM?

12-3 ¿Qué es una actividad? ¿Qué es un evento? ¿Qué es una predecesora inmediata?

12-4 Describa cómo se calculan los tiempos esperados de las actividades y las varianzas en una red PERT.

12-5 Examine brevemente el significado del análisis de ruta crítica. ¿Cuáles son las actividades de la ruta crítica y por qué son importantes?

12-6 ¿Cuáles son el tiempo de inicio más cercano y el tiempo de inicio más lejano de una actividad? ¿Cómo se calculan?

12-7 Describa el significado de holgura y describa cómo se determina.

12-8 ¿Cómo podemos determinar la probabilidad de que un proyecto se termine en una fecha dada? ¿Qué suposiciones se hacen en este cálculo?

12-9 Haga una descripción breve de PERT/costo y de cómo se usa.

12-10 ¿Qué es aceleración y cómo se hace a mano?

12-11 ¿Por qué es útil la programación lineal en la aceleración de CPM?

Problemas*

⁞ 12-12 Sid Davidson es el director de personal de Babson y Willcount, una compañía que se especializa en consultoría e investigación. Uno de los programas de capacitación que Sid está considerando para los gerentes de nivel medio de Babson y Willcount es sobre liderazgo. Sid tiene una lista de varias actividades que deben completarse antes de que pueda realizarse un programa de

*Nota: ⚲ significa que el problema se resuelve con QM para Windows, ✖ indica que el problema se resuelve con Excel QM y ⚲✖ quiere decir que el problema se resuelve con QM o con Excel QM.

capacitación de esta naturaleza. Las actividades y las predecesoras inmediatas aparecen en la siguiente tabla:

ACTIVIDAD	PREDECESORA INMEDIATA
A	—
B	—
C	—
D	B
E	A, D
F	C
G	E, F

Desarrolle una red para este problema.

• 12-13 Sid Davidson pudo determinar los tiempos de las actividades para el programa de capacitación en liderazgo. Ahora quiere determinar el tiempo total de terminación del proyecto y la ruta crítica. Los tiempos de las actividades se dan en la siguiente tabla (véase el problema 12-12):

ACTIVIDAD	TIEMPO (DÍAS)
A	2
B	5
C	1
D	10
E	3
F	6
G	8
	35

• 12-14 Jean Walker está haciendo planes para las vacaciones de verano en las playas de Florida. Al aplicar las técnicas que aprendió en su clase de métodos cuantitativos, identificó las actividades necesarias para preparar su viaje. La siguiente tabla lista las actividades y sus predecesoras inmediatas. Dibuje una red para este proyecto.

ACTIVIDAD	PREDECESORA INMEDIATA
A	—
B	—
C	A
D	B
E	C, D
F	A
G	E, F

• 12-15 Los siguientes son los tiempos de las actividades del proyecto del problema 12-14. Encuentre los tiempos más cercano, más lejano y de holgura para cada actividad. Luego determine la ruta crítica.

ACTIVIDAD	TIEMPO (DÍAS)
A	3
B	7
C	4
D	2
E	5
F	6
G	3

• 12-16 Monohan Machinery se especializa en el desarrollo de equipo para deshierbar que se utiliza para limpiar lagos pequeños. George Monohan, presidente de la compañía, está convencido de que deshierbar es mucho mejor que utilizar sustancias químicas para erradicar la hierba. Los químicos contaminan y las hierbas parecen crecer más rápido después de utilizarlos. George está pensando construir una máquina que deshierbe en ríos angostos y canales. Las actividades necesarias para construir una de estas máquinas experimentales se presentan en la siguiente tabla. Construya una red para estas actividades.

ACTIVIDADES	PREDECESORES INMEDIATOS
A	—
B	—
C	A
D	A
E	B
F	B
G	C, E
H	D, F

• 12-17 Después de consultar con Butch Radner, George Monohan pudo determinar los tiempos de las actividades para la construcción de máquina para deshierbar en ríos angostos. George quiere determinar IC, TC, IL, TL y la holgura para cada actividad. El tiempo total de terminación del proyecto y la ruta crítica también deberían determinarse. (Véase los detalles en el problema 12-16.) Los tiempos de las actividades se muestran en la siguiente tabla:

ACTIVIDAD	TIEMPO (SEMANAS)
A	6
B	5
C	3
D	2
E	4
F	6
G	10
H	7

12-18 Un proyecto se planeó utilizando PERT con tres estimaciones de tiempo. El tiempo esperado de terminación del proyecto se determinó en 40 semanas. La varianza de la ruta crítica es 9.

a) ¿Cuál es la probabilidad de que el proyecto se termine en 40 semanas o menos?

b) ¿Cuál es la probabilidad de que el proyecto dure más de 40 semanas?

c) ¿Cuál es la probabilidad de que el proyecto se termine en 46 semanas o menos?

d) ¿Cuál es la probabilidad de que el proyecto se termine en más de 46 semanas?

e) El gerente del proyecto desea establecer una fecha de entrega para la terminación del proyecto, de modo que haya 90% de posibilidades de terminar a tiempo. Así, tan solo habría 10% de posibilidades de que el proyecto tome más tiempo. ¿Cuál debería ser esta fecha de entrega?

12-19 Tom Schriber, el director de personal de Management Resources, Inc., está en proceso de diseñar un programa que utilicen sus clientes en el proceso de búsqueda de empleo. Algunas actividades incluyen preparar el currículum, escribir cartas, concertar citas para visitar prospectos de empleadores, etcétera. Parte de la información de las actividades se incluye en la siguiente tabla:

ACTIVIDAD	DÍAS			PREDECESOR INMEDIATO
	a	m	b	
A	8	10	12	—
B	6	7	9	—
C	3	3	4	—
D	10	20	30	A
E	6	7	8	C
F	9	10	11	B, D, E
G	6	7	10	B, D, E
H	14	15	16	F
I	10	11	13	F
J	6	7	8	G, H
K	4	7	8	I, J
L	1	2	4	G, H

a) Construya una red para este problema.

b) Determine el tiempo esperado y la varianza para cada actividad.

c) Calcule IC, TC, IL, TL y la holgura para cada actividad.

d) Determine la ruta crítica y el tiempo de terminación del proyecto.

e) Calcule la probabilidad de que el proyecto se termine en 70 días o menos.

f) Determine la probabilidad de que el proyecto se termine en 80 días o menos.

g) Determine la probabilidad de que el proyecto se termine en 90 días o menos.

12-20 Con PERT, Ed Rose pudo determinar que el tiempo esperado de terminación del proyecto para la construcción de un yate recreativo es de 21 meses y la varianza del proyecto es de 4.

a) ¿Cuál es la probabilidad de que el proyecto se termine en 17 meses o menos?

b) ¿Cuál es la probabilidad de que el proyecto se termine en 20 meses o menos?

c) ¿Cuál es la probabilidad de que el proyecto se termine en 23 meses o menos?

d) ¿Cuál es la probabilidad de que el proyecto se termine en 25 meses o menos?

12-21 El proyecto de control de la contaminación del aire estudiado en el capítulo ha progresado durante varias semanas y ahora está al final de la semana 8. Lester Harky quiere saber el valor del trabajo completado, la cantidad de los sobrecostos o subcostos para el proyecto, y el grado en que el proyecto está adelantado o retrasado. Por ello, desarrolla una tabla como la tabla 12.8. Las cifras de costo revisadas se muestran en la siguiente tabla:

ACTIVIDAD	PORCENTAJE COMPLETADO	COSTO REAL ($)
A	100	20,000
B	100	36,000
C	100	26,000
D	100	44,000
E	50	25,000
F	60	15,000
G	10	5,000
H	10	1,000

12-22 Fred Ridgeway tiene la responsabilidad de administrar un programa de capacitación y desarrollo. Conoce el tiempo de inicio más cercano, el tiempo de inicio más lejano y los costos totales para cada actividad. Esta información se da en la tabla que sigue.

a) Utilice los tiempos de inicio más cercano para determinar el presupuesto mensual total de Fred.

b) Utilice los tiempos de inicio más lejano para determinar el presupuesto mensual total de Fred.

ACTIVIDAD	IC	IL	t	COSTO TOTAL (EN MILES)
A	0	0	6	10
B	1	4	2	14
C	3	3	7	5
D	4	9	3	6
E	6	6	10	14
F	14	15	11	13
G	12	18	2	4
H	14	14	11	6
I	18	21	6	18
J	18	19	4	12
K	22	22	14	10
L	22	23	8	16
M	18	24	6	18

12-23 Los datos de la aceleración del proyecto de General Foundry se presentan en la tabla 12.29. Acelere este proyecto a 13 semanas con CPM. ¿Cuáles son los tiempos finales para cada actividad después del aceleramiento?

12-24 Bowman Builders fabrica casetas de acero para almacenamiento de uso comercial. Joe Bowman, presidente de la compañía, está pensando fabricar casetas para uso doméstico. Las actividades necesarias para construir un modelo experimental y los datos relacionados se dan en la tabla que sigue:

a) ¿Cuál es la fecha de terminación del proyecto?
b) Formule un programa lineal para acelerar este proyecto a 10 semanas.

ACTIVIDAD	TIEMPO NORMAL	TIEMPO ACELERADO	COSTO NORMAL ($)	COSTO ACELERADO ($)	PREDECESORES INMEDIATOS
A	3	2	1,000	1,600	—
B	2	1	2,000	2,700	—
C	1	1	300	300	—
D	7	3	1,300	1,600	A
E	6	3	850	1,000	B
F	2	1	4,000	5,000	C
G	4	2	1,500	2,000	D, E

12-25 Bender Construction Co. interviene en la construcción de edificios municipales y otras estructuras que utiliza principalmente el gobierno de la ciudad y el estado. Esto requiere elaborar documentos legales, desarrollar estudios de factibilidad, obtener calificación de bonos, etcétera. Bender recibió hace poco una petición para someter una propuesta para la construcción de un edificio municipal. El primer paso es desarrollar los documentos legales y realizar todos los pasos necesarios, antes de firmar el contrato de construcción, lo cual requiere más de 20 actividades diferentes que deben terminarse. Las

actividades, sus predecesoras inmediatas y los requerimientos de tiempo se dan en la tabla 12.10 en la siguiente página.

Como se observa, se dan las estimaciones de tiempo optimista (a), más probable (m) y pesimista (b), para todas las actividades descritas en la tabla. Utilice los datos para determinar el tiempo total de terminación del proyecto para este paso preliminar, la ruta crítica y el tiempo de holgura de todas las actividades.

12-26 Obtener un título universitario puede ser una tarea larga y difícil. Deben completarse ciertos cursos antes de poder tomar otros. Desarrolle un diagrama de red donde cada actividad sea un curso específico que deba tomarse dentro de un plan de estudios. Los predecesores inmediatos son los prerrequisitos de los cursos. No olvide incluir todos los requisitos de cursos de la universidad, facultad y departamento. Luego, intente agruparlos en semestres o trimestres para su escuela en particular. ¿Cuánto tiempo cree que le llevará graduarse? ¿Qué cursos, si no los toma en la secuencia adecuada, podrían retrasar su graduación?

12-27 Dream team Productions está en la fase del diseño final de su nueva película, *Mujer detective*, que saldrá el próximo verano. Market Wise, la empresa contratada para coordinar lanzamiento de los juguetes de *Mujer detective*, identificó 16 tareas críticas a realizar antes del estreno de la película.

a) ¿Cuántas semanas antes del estreno debería Market Wise iniciar su campaña de marketing? ¿Cuáles son las actividades de la ruta crítica? Las tareas son las siguientes:

Tabla para el problema 12-27

ACTIVIDAD	PREDECESOR INMEDIATO	TIEMPO OPTIMISTA	TIEMPO MÁS PROBABLE	TIEMPO PESIMISTA
Tarea 1	—	1	2	4
Tarea 2	—	3	3.5	4
Tarea 3	—	10	12	13
Tarea 4	—	4	5	7
Tarea 5	—	2	4	5
Tarea 6	Tarea 1	6	7	8
Tarea 7	Tarea 2	2	4	5.5
Tarea 8	Tarea 3	5	7.7	9
Tarea 9	Tarea 3	9.9	10	12
Tarea 10	Tarea 3	2	4	5
Tarea 11	Tarea 4	2	4	6
Tarea 12	Tarea 5	2	4	6
Tarea 13	Tareas 6, 7, 8	5	6	6.5
Tarea 14	Tareas 10, 11, 12	1	1.1	2
Tarea 15	Tareas 9, 13	5	7	8
Tarea 16	Tarea 14	5	7	9

TABLA 12.10
Datos para el problema 12-25, compañía Bender Construction

ACTIVIDAD	TIEMPO REQUERIDO (SEMANAS)			DESCRIPCIÓN DE LA ACTIVIDAD	PREDECESORES INMEDIATOS
	a	*m*	*b*		
1	1	4	5	Borrador de los documentos legales	—
2	2	3	4	Preparación de estados financieros	—
3	3	4	5	Borrador histórico	—
4	7	8	9	Borrador de parte de demanda del estudio de factibilidad	—
5	4	4	5	Revisión y aprobación de los documentos legales	1
6	1	2	4	Revisión y aprobación del borrador histórico	3
7	4	5	6	Revisión de estudio de factibilidad	4
8	1	2	4	Borrador final de parte financiera de estudio de factibilidad	7
9	3	4	4	Borrador de hechos relevantes de la transacción de bonos	5
10	1	1	2	Revisión y aprobación de estados financieros	2
11	18	20	26	Recepción del precio del proyecto de la empresa	—
12	1	2	3	Revisión y terminación de parte financiera de estudio de factibilidad	8
13	1	1	2	Terminación de borradores	6, 9, 10, 11, 12
14	.10	.14	.16	Envío de todo el material al servicio de calificación de bonos	13
15	.2	.3	.4	Impresión y distribución de estados a todas las partes interesadas	14
16	1	1	2	Calificación de bonos	14
17	1	2	3	Recepción de calificación de bonos	16
18	3	5	7	Comercialización de bonos	15, 17
19	.1	.1	.2	Contrato de compra ejecutado	18
20	.1	.14	.16	Autorización y terminación de estados finales	19
21	2	3	6	Contrato de compra	19
22	.1	.1	.2	Disponibilidad de fondos	20
23	0	.2	.2	Firma de contrato de construcción	21, 22

b) Si las tareas 9 y 10 no fueran necesarias, ¿qué impacto tendría eso en la ruta crítica y en el número de semanas requeridas para terminar la campaña de comercialización?

Q: 12-28 Los tiempos estimados (en semanas) y las predecesoras inmediatas para las actividades de un proyecto se dan en la siguiente tabla. Suponga que los tiempos de las actividades son independientes.

ACTIVIDAD	PREDECESOR INMEDIATO	*a*	*m*	*b*
A	—	9	10	11
B	—	4	10	16
C	A	9	10	11
D	B	5	8	11

a) Calcule el tiempo esperado y la varianza de cada actividad.

b) ¿Cuál es el tiempo esperado de terminación para la ruta crítica? ¿Cuál es el tiempo esperado de terminación de la otra ruta en la red?

c) ¿Cuál es la varianza de la ruta crítica? ¿Cuál es la varianza de la otra ruta en la red?

d) Si el tiempo de terminación de la ruta *A-C* tiene distribución normal, ¿cuál es la probabilidad de que esta ruta se complete en 22 semanas o menos?

e) Si el tiempo para terminar la ruta *B-D* tiene distribución normal, ¿cuál es la probabilidad de que esta ruta se complete en 22 semanas o menos?

f) Explique por qué la probabilidad de que la ruta crítica esté terminada en 22 semanas o menos no necesariamente es la probabilidad de que el proyecto se termine en 22 semanas o menos.

12-29 Se han estimado los siguientes costos para las actividades de un proyecto:

ACTIVIDAD	PREDECESORES INMEDIATOS	TIEMPO	COSTO ($)
A	—	8	8,000
B	—	4	12,000
C	A	3	6,000
D	B	5	15,000
E	C, D	6	9,000
F	C, D	5	10,000
G	F	3	6,000

a) Desarrolle un programa de costos basado en los tiempos de inicio más cercanos.
b) Desarrolle un programa de costos basado en los tiempos de inicio más lejanos.
c) Suponga que se determinó que los $6,000 para la actividad G no se distribuyen de manera uniforme en las tres semanas. Más bien, el costo en la primera semana es de $4,000 y el costo por semana es de $1,000 en las últimas dos. Modifique el programa de costos con base en los tiempos de inicio más cercanos para reflejar esta situación.

12-30 La empresa contable Scott Corey está instalando un nuevo sistema de cómputo. Debe hacer varias cosas para asegurarse de que el sistema funciona en forma adecuada, antes de ingresar todas las cuentas al nuevo sistema. La siguiente tabla brinda información acerca de este proyecto. ¿Cuánto tiempo tomará instalar el sistema? ¿Cuál es la ruta crítica?

ACTIVIDAD	PREDECESOR INMEDIATO	TIEMPO (SEMANAS)
A	—	3
B	—	4
C	A	6
D	B	2
E	A	5
F	C	2
G	D, E	4
H	F, G	5

12-31 El socio administrativo de la empresa contable Scott Corey (véase el problema 12-30) ha decidido que el sistema debe estar terminado y funcionando en 16 semanas. En consecuencia, se reunió la información acerca de acelerar el proyecto que se muestra en la tabla siguiente:

ACTIVIDAD	PREDECESOR INMEDIATO	TIEMPO NORMAL (SEMANAS)	TIEMPO ACELERADO (SEMANAS)	COSTO NORMAL ($)	COSTO ACELERADO ($)
A	—	3	2	8,000	9,800
B	—	4	3	9,000	10,000
C	A	6	4	12,000	15,000
D	B	2	1	15,000	15,500
E	A	5	3	5,000	8,700
F	C	2	1	7,500	9,000
G	D, E	4	2	8,000	9,400
H	F, G	5	3	5,000	6,600

a) Si el proyecto debe quedar terminado en 16 semanas, ¿cuál(es) actividad(es) debe(n) acelerarse, de manera que el costo adicional sea el menor? ¿Cuál es el costo total de la aceleración?
b) Liste las trayectorias en esta red. Después de la aceleración del inciso a), ¿cuánto tiempo se requiere para cada trayectoria? Si la terminación del proyecto debe reducirse otra semana para terminar en un total de 15 semanas, ¿cuál(es) actividad(es) debería(n) acelerarse? Resuelva esto por inspección. Observe que algunas veces es mejor acelerar una actividad que no tiene el menor costo si está en varias trayectorias, en vez de acelerar varias actividades en trayectorias separadas cuando se tiene más de una ruta crítica.

12-32 La corporación L. O. Gystics necesita un nuevo centro de distribución regional. La planeación está en las primeras fases del proyecto, aunque ya se han identificado las actividades con sus predecesores y sus tiempos en semanas. La siguiente tabla presenta la información. Desarrolle un programa lineal para determinar la duración de la ruta crítica (es decir, el tiempo mínimo requerido para terminar el proyecto). Resuelva este programa lineal para encontrar la ruta crítica y el tiempo que requiere el proyecto.

ACTIVIDAD	PREDECESORA INMEDIATA	TIEMPO (SEMANAS)
A	—	4
B	—	8
C	A	5
D	B	11
E	A, B	7
F	C, E	10
G	D	16
H	F	6

Problemas de tarea en Internet

Visite nuestra página de Internet en **www.pearsonenespañol.com/render** para problemas de tarea adicionales, problemas 12-33 a 12-40.

Estudio de caso

Construcción del estadio en la Southwestern University

Después de seis meses de estudio, muchas discusiones políticas y algunos estudios financieros serios, el doctor Martin Starr, rector de la Southwestern University (SWU), llegó a una decisión. Para deleite de sus alumnos y desilusión de sus impulsores atléticos, SWU no construirá un estadio de futbol en otro lado, aunque sí expandirá la capacidad de su estadio en el campus.

Agregar 21,000 asientos, incluyendo docenas de palcos de lujo, no agradará a todos. El influyente entrenador, Bo Pitterno, llevaba mucho tiempo destacando la necesidad de un estadio de primera clase, uno con dormitorios integrados para sus jugadores y una oficina palaciega adecuada para el entrenador de un equipo futuro campeón de la NCAA. No obstante, la decisión se tomó y *todos*, incluyendo el entrenador, aprenderían a vivir con ella.

El trabajo ahora es iniciar la construcción en cuanto finalice la temporada actual, lo cual daría 270 días hasta el juego inaugural de la siguiente temporada. El contratista, Hill Construction (Bob Hill es ex alumno, desde luego) firmó el contrato; vio las tareas que sus ingenieros habían delineado y miró a los ojos al rector Starr: "Garantizo que el equipo podrá estar en el campo de juego el próximo año", aseguró con un gran sentido de confianza. "Así lo espero", respondió Starr. "La penalización contractual de $10,000 por día de retraso no es nada comparada con lo que el en-

trenador Pitterno te haría si nuestro juego inaugural contra Penn State se retrasa o se cancela." Hill, un poco nervioso, no respondió. En la locura por el futbol de Texas, Hill Construction se convertiría en *fango* si no se cumpliera la fecha meta da 270 días.

De regreso en su oficina, Hill de nuevo revisó los datos. (Consulte la tabla 12.11 y note que las estimaciones de tiempo optimistas se pueden usar como tiempos acelerados). Después, reunió a sus capataces. "Señores, no tenemos una seguridad de 75% de que terminaremos el estadio en menos de 270 días. ¡Quiero que aceleren este proyecto! Denme las cifras de costos para una fecha meta de 250 días; y también para 240 días. ¡Quiero estar seguro de que terminemos *antes*, no justo a tiempo!"

Preguntas para análisis

1. Desarrolle una red para Hill Construction y determine la ruta crítica. ¿Cuánto tiempo se espera que tome el proyecto?
2. ¿Cuál es la probabilidad de terminar en 270 días?
3. Si fuera necesario acelerar el proyecto a 250 o 240 días, ¿cómo tendría que hacerlo Hill y a qué costo? Como se observa en el caso, suponga que las estimaciones de tiempo optimistas se pueden usar como tiempos acelerados.

Estudio de caso

Centro de investigación de planeación familiar en Nigeria

El doctor Adinombe Watage, director adjunto del centro de investigación de planeación familiar en Nigeria en la Provincia Sobre el Río, tiene la tarea de organizar y capacitar a cinco equipos de trabajadores de campo, para realizar actividades educativas y de difusión, como pate de un proyecto grande para demostrar la aceptación de un nuevo método de control natal. Estos trabajadores ya tienen capacitación en educación sobre planeación familiar, pero deben recibir entrenamiento específico en el nuevo método anticonceptivo. También necesitan prepararse dos tipos de materiales: **1.** aquellos que se usarán en la capacitación de los trabajadores, y **2.** los que se distribuirán en el campo. Deben traerse instructores, y hacer arreglos para el transporte y alojamiento de los participantes.

El doctor Watage hizo primero una junta en su oficina. Juntos identificaron las actividades que deben realizarse, las secuencias necesarias y el tiempo que requerirían. Sus resultados se muestran en la tabla 12.12.

Loius Odaga, el jefe de proyectos, observó que el proyecto debía terminar en 60 días y desenfundó rápidamente su calculadora de luz solar; sumó el tiempo necesario. El resultado fue de 94 días. "Entonces es una tarea imposible", señaló. "No", contestó el doctor Watage, "algunas de estas tareas pueden realizarse en paralelo". "Pero tengan cuidado", advirtió el señor Oglagadu, jefe de enfermeros, "no somos tantos para ir a todos lados. Únicamente somos 10 en esta oficina".

"Puedo verificar si tenemos suficientes cabezas y manos, una vez que haya hecho una programación tentativa de las actividades", contestó el doctor Watage. "Si el programa está demasiado apretado, tengo permiso del Fondo Pathminder de gastar algo más para acelerarlo, siempre que pueda probar que se puede hacer al menor costo necesario. ¿Pueden ayudarme a probar eso? Aquí tenemos los costos para las actividades con el tiempo que planeamos, así como los costos y los tiempos si se acortan a un mínimo absoluto." Tales datos se presentan en la tabla 12.13.

TABLA 12.11

Proyecto del estadio de Southwestern University

ACTIVIDAD	DESCRIPCIÓN	PREDECESORES	OPTIMISTA	MÁS PROBABLE	PESIMISTA	COSTO ACELERADO/DÍA
				ESTIMACIONES DE TIEMPO (DÍAS)		
A	Bonos, seguros, estructura de impuestos	—	20	30	40	1,500
B	Cimientos, base de concreto para palcos	A	20	65	80	3,500
C	Remodelación de palcos y asientos	A	50	60	100	4,000
D	Remodelación de pasillos, escaleras, elevadores	C	30	50	100	1,900
E	Cableado interior, tornos	B	25	30	35	9,500
F	Inspección de aprobación	E	1	1	1	0
G	Plomería	D, E	25	30	35	2,500
H	Pintura	G	10	20	30	2,000
I	Equipo, aire acondicionado, trabajos de metal	H	20	25	60	2,000
J	Azulejos, alfombras, ventanas	H	8	10	12	6,000
K	Inspección	J	1	1	1	0
L	Trabajos de acabados, limpieza	I, K	20	25	60	4,500

Fuente: Adaptado de J. Heizer y B. Render. *Operations Management,* 6a. ed. Upper Saddle River, NJ: Prentice Hall, 2000: 693-694.

TABLA 12.12

Actividades del Centro de Investigación y planeación familiar

ACTIVIDAD	DEBE SEGUIR	TIEMPO (DÍAS)	PERSONAL NECESARIO
A. Identificar instructores y sus horarios	—	5	2
B. Arreglos de transporte a la base	—	7	3
C. Identificar y recolectar material de capacitación	—	5	2
D. Arreglos de alojamiento	A	3	1
E. Identificar al equipo	A	7	4
F. Traer al equipo	B, E	2	1
G. Transportar a los instructores a la base	A, B	3	2
H. Imprimir materiales del programa	C	10	6
I. Entregar los materiales del programa	H	7	3
J. Realizar el programa de capacitación	D, F, G, I	15	0
K. Efectuar capacitación en campo	J	30	0

Preguntas para análisis

1. Algunas tareas en este proyecto se pueden realizar en paralelo. Elabore un diagrama que muestre la red del proyecto y defina la ruta crítica. ¿Cuánto dura el proyecto sin acelerar?

2. En este punto, ¿puede realizarse el proyecto dada la restricción de personal a 10 individuos?

3. Si la ruta crítica es más larga que 60 días, ¿cuál es la menor cantidad que el doctor Watage puede gastar para lograr este objetivo de programa? ¿Cómo puede probar a la Fundación Pathminder que ésta es la alternativa del costo mínimo?

Fuente: Professor Curtis P. McLaughlin, Kenan-Flagler Business School, University of North Carolina at Chapel Hill.

TABLA 12.13

Costos para el centro de investigación y planeación familiar

ACTIVIDAD	NORMAL TIEMPO	NORMAL COSTO ($)	MÍNIMO TIEMPO	MÍNIMO COSTO ($)	COSTO PROMEDIO POR DÍA AHORRADO ($)
A. Identificar instructores y sus horarios	5	400	2	700	100
B. Arreglos de transporte a la base	7	1,000	4	1,450	150
C. Identificar y recolectar material de capacitación	5	400	3	500	50
D. Arreglos de alojamiento	3	2,500	1	3,000	250
E. Identificar al equipo	7	400	4	850	150
F. Traer al equipo	2	1,000	1	2,000	1,000
G. Transportar a instructores	3	1,500	2	2,000	500
H. Imprimir materiales	10	3,000	5	4,000	200
I. Entregar los materiales	7	200	2	600	80
J. Capacitar equipo	15	5,000	10	7,000	400
K. Realizar capacitación en campo	30	10,000	20	14,000	400

Estudios de caso en Internet

Visite nuestra página en **www.pearsonenespañol.com/render**, para estudios de caso adicionales:

1. **Alpha Beta Gamma Record:** Este caso trata de la publicación mensual de una revista para una asociación estudiantil.

2. **Bay Community Hospital:** Incluye la adquisición e instalación de equipo que se utilizará en un nuevo procedimiento médico.

3. **Compañía Cranston Construction:** Expone la construcción de un nuevo edificio en una universidad.

4. **Compañía Haygood Brothers Construction:** Trata sobre la planeación de la construcción de una casa.

5. **Compañía Shale Oil:** Incluye la planeación del cierre de una planta petroquímica para mantenimiento de rutina.

Bibliografía

Ahuja, V. y V. Thiruvengadam. "Project Scheduling and Monitoring: Current Research Status", *Construction Innovation* 4, 1 (2004): 19-31.

Griffith, Andrew F. "Scheduling Practices and Project Success", *Cost Engineering* 48, 9 (2006): 24-30.

Herroelen, Willy y Roel Leus. "Project Scheduling Under Uncertainty: Survey and Research Potentials", *European Journal of Operational Research* 165, 2 (2005): 289-306.

Jorgensen, Trond y Stein W. Wallace. "Improving Project Cost Estimation by Taking into Account Managerial Flexibility", *European Journal of Operational Research* 127, 2 (2000): 239-251.

Lancaster, John y Mustafa Ozbayrak. "Evolutionary Algorithms Applied to Project Scheduling Problems-A Survey of the State-of-the-art", *International Journal of Production Research* 45, 2 (2007): 425-450.

Lu, Ming y Heng Li. "Resource-Activity Critical-Path Method for Construction Planning", *Journal of Construction Engineering & Management* 129, 4 (2003): 412-420.

Mantel. Samuel J., Jack R. Meredith, Scott M. Shafer y Margaret M. Sutton. *Project Management in Practice.* Nueva York: John Wiley & Sons, Inc., 2001.

Premachandra, I. M. "An Approximation of the Activity Duration Distribution in PERT", *Computers and Operations Research* 28, 5 (abril, 200 I): 443-452.

Roe, Justin. "Bringing Discipline to Project Management", *Harvard Business Review* (abril 1998): 153-160.

Sander, Wayne. "The Project Manager's Guide", *Quality Progress* (enero, 1998): 109.

Vaziri, Kabeh, Paul G. Carr y Linda K. Nozick. "Project Planning for Construction under Uncertainty with Limited Resources", *Journal of Construction Engineering & Management* 133, 4 (2007): 268-276.

Walker II, Edward D. "Introducing Project Management Concepts Using a Jewelry Store Robbery", *Decision Sciences Journal of Innovative Education* 2, 1 (2004): 65-69.

Apéndice 12.1   Administración de proyectos con QM para Windows

PERT es una las técnicas más populares de administración de proyectos. En este capítulo, exploramos el ejemplo de General Foundry, Inc. Cuando se calculan los tiempos esperados y las varianzas para cada actividad, se pueden usar los datos para determinar la holgura, la ruta crítica y el tiempo de terminación de todo el proyecto. El programa 12.3A ilustra la pantalla de inicio de QM para Windows del problema de General Foundry. Al seleccionar la lista de precedencias como el tipo de red, es posible ingresar los datos sin siquiera construir la red. El método indicado es para tres estimaciones de tiempo, aunque esto puede cambiarse a una sola estimación de tiempo, aceleración o presupuesto de costos. El programa 12.3B muestra la salida para el problema de General Foundry. La ruta crítica consiste en las actividades con holgura cero.

PROGRAMA 12.3A

Ventana de ingreso en QM para Windows para el problema de General Foundry, Inc.

	Optimistic time	Most Likely time	Pessimistic time	Prec 1	Prec 2	Prec 3	Prec 4	Prec 5	Pr
A	1	2	3						
B	2	3	4						
C	1	2	3	A					
D	2	4	6	B					
E	1	4	7	C					
F	1	2	9	C					
G	3	4	11	D	E				
H	1	2	3	F	G				

PROGRAMA 12.3B

Ventana de solución de QM para Windows para el problema de General Foundry, Inc.

General Foundry Solution

	Activity time	Early Start	Early Finish	Late Start	Late Finish	Slack	Standard Deviation
Project	15.						1.7638
A	2.	0.	2.	0.	2.	0.	0.3333
B	3.	0.	3.	1.	4.	1.	0.3333
C	2.	2.	4.	2.	4.	0.	0.3333
D	4.	3.	7.	4.	8.	1.	0.6667
E	4.	4.	8.	4.	8.	0.	1.
F	3.	4.	7.	10.	13.	6.	1.3333
G	5.	8.	13.	8.	13.	0.	1.3333
H	2.	13.	15.	13.	15.	0.	0.3333

Además de administración de proyectos básica, QM para Windows también permite acelerar el proyecto, donde se utilizan recursos adicionales para reducir el tiempo de terminación. El programa 12.4A ilustra la ventana de inicio para los datos de General Foundry de la tabla 12.9. La salida se muestra en el programa 12.4B. Indica que el tiempo normal es de 15 semanas, pero el proyecto se podría terminar en 7 semanas si es necesario; quizá se termine en cualquier número de semanas entre 7 y 15. Seleccionar *Windows–Crash Schedule* brinda información adicional respecto a estos otros tiempos.

PROGRAMA 12.4A

Ventana de ingreso de QM para Windows para acelerar el proyecto de General Foundry

Network type: ● Precedence list ○ Start/end node numbers — Method: Crashing

General Foundry

	Normal time	Crash time	Normal Cost	Crash Cost	Prec 1	Prec 2	Prec 3	Prec 4	Pr
A	2	1	22,000	23,000					
B	3	1	30,000	34,000					
C	2	1	26,000	27,000	A				
D	4	3	48,000	49,000	B				
E	4	2	56,000	58,000	C				
F	3	2	30,000	30,500	C				
G	5	2	80,000	86,000	D	E			
H	2	1	16,000	19,000	F	G			

PROGRAMA 12.4B

Ventana de salida de QM para Windows para acelerar el proyecto de General Foundry

Network type: ● Precedence list ○ Start/end node numbers — Method: Crashing

Project Management (PERT/CPM) Results

General Foundry Solution

	Normal time	Crash time	Normal Cost	Crash Cost	Crash cost/pd	Crash by	Crashing cost
Project	15.	7.					
A	2.	1.	22,000.	23,000.	1,000.	1.	1,000.
B	3.	1.	30,000.	34,000.	2,000.	2.	4,000.
C	2.	1.	26,000.	27,000.	1,000.	1.	1,000.
D	4.	3.	48,000.	49,000.	1,000.	1.	1,000.
E	4.	2.	56,000.	58,000.	1,000.	2.	2,000.
F	3.	2.	30,000.	30,500.	500.	0.	0.
G	5.	2.	80,000.	86,000.	2,000.	3.	6,000.
H	2.	1.	16,000.	19,000.	3,000.	1.	3,000.
TOTALS			308,000.				18,000.

Supervisar y controlar proyectos siempre es una cuestión importante en la administración de proyectos. En este capítulo se demostró cómo elaborar presupuestos usando los tiempos de inicio más cercanos y más lejanos. Los programas 12.5 y 12.6 indican cómo QM para Windows desarrolla presupuestos con los tiempos de inicio más cercano y más lejano de un proyecto. Los datos son los del ejemplo de General Foundry en las tablas 12.6 y 12.7.

PROGRAMA 12.5

QM para Windows para el presupuesto con los tiempos inicio más cercanos de General Foundry

Network type: ● Precedence list ○ Start/end node numbers — Method: Cost Budgeting

General Foundry Solution

	Period 1	Period 2	Period 3	Period 4	Period 5	Period 6	Period 7	Period 8	Period 9	Period 10	Period 11	Period 12	Period 13	Period 14	Period 15
A	11.	11.													
B	10.	10.	10.												
C			13.	13.											
D				12.	12.	12.	12.								
E					14.	14.	14.	14.							
F					10.	10.	10.								
G									16.	16.	16.	16.	16.		
H														8.	8.
Total in	21.	21.	23.	25.	36.	36.	36.	14.	16.	16.	16.	16.	16.	8.	8.
Cumulative	21.	42.	65.	90.	126.	162.	198.	212.	228.	244.	260.	276.	292.	300.	308.

PROGRAMA 12.6

QM para Windows para el presupuesto con los tiempos de inicio más lejanos de General Foundry

Network type: ● Precedence list ○ Start/end node numbers — Method: Cost Budgeting

General Foundry Solution

	Period 1	Period 2	Period 3	Period 4	Period 5	Period 6	Period 7	Period 8	Period 9	Period 10	Period 11	Period 12	Period 13	Period 14	Period 15
A	11.	11.													
B		10.	10.	10.											
C			13.	13.											
D					12.	12.	12.	12.							
E					14.	14.	14.	14.							
F											10.	10.	10.		
G									16.	16.	16.	16.	16.		
H														8.	8.
Total in	11.	21.	23.	23.	26.	26.	26.	26.	16.	16.	26.	26.	26.	8.	8.
Cumulative	11.	32.	55.	78.	104.	130.	156.	182.	198.	214.	240.	266.	292.	300.	308.

CAPÍTULO 13

Modelos de teorías de colas y de líneas de espera

Resumen • Glosario • Ecuaciones clave • Problemas resueltos • Autoevaluación • Preguntas y problemas para análisis • Problemas de tarea en Internet • Estudio de caso: New England Foundry • Estudio de caso: Hotel Winter Park • Estudio de caso en Internet • Bibliografía

Apéndice 13.1: Uso de QM para Windows

13.1 Introducción

El estudio de *líneas de espera*, llamado **teoría de colas**, es una de las técnicas de análisis cuantitativo más antiguas y que se utilizan con mayor frecuencia. Las líneas de espera son un suceso cotidiano, que afecta a las personas que van de compras a las tiendas de abarrotes, a cargar gasolina, a hacer depósitos bancarios, o bien, a quienes esperan en el teléfono a que conteste la primera operadora disponible para hacer su reservación en una aerolínea. Las colas, otro término de las líneas de espera, también podrían tomar la forma de máquinas que esperan a ser reparadas, camiones que esperan para descargar o aeroplanos formados en una pista que aguardan la autorización para despegar. Los tres componentes básicos de un proceso de colas son las llegadas, las instalaciones de servicio y la línea de espera real.

En este capítulo se analiza la forma en que los modelos analíticos de líneas de espera ayudan a los gerentes a evaluar el costo y la eficacia del sistema de servicio. Se comienza con una mirada a los costos de la línea de espera y, después, se describen las características de las líneas de espera y las suposiciones matemáticas subyacentes, que se utilizan para desarrollar los modelos de colas. También se presentan las ecuaciones necesarias para calcular las características de operación de un sistema de servicio y se dan ejemplos de cómo utilizarlo. Posteriormente, en este capítulo se verá cómo ahorrar tiempo de computadora mediante la aplicación de las tablas de colas y la ejecución de software de líneas de espera.

13.2 Costos de líneas de espera

Una de las metas del análisis de colas es encontrar el mejor nivel de servicio para una organización.

La mayoría de los problemas de **líneas de espera** se centran en la cuestión de encontrar el nivel ideal de servicio que debería proporcionar una empresa. Los supermercados deben decidir cuántas cajas registradoras tener abiertas. Las estaciones de gasolina tienen que decidir cuántas bombas de servicio abrir y cuántos empleados asignar al turno. Las plantas de manufactura deben determinar el número óptimo de mecánicos que tienen que cubrir cada turno, para reparar las máquinas que se descomponen. Los bancos deberán decidir cuántas ventanillas o cajas mantener funcionando para atender a los clientes durante los diversos horarios del día. En la mayoría de los casos, este nivel de servicio es una opción sobre la cual la administración tiene cierto control. Un cajero adicional, por ejemplo, se podría tomar prestado de otra actividad, o bien, contratar y entrenar rápidamente si la demanda así lo requiere. Sin embargo, tal vez este no siempre sea el caso. Una planta quizá no sea capaz de localizar o contratar a mecánicos con habilidades para reparar maquinaria electrónica avanzada.

Cuando una organización *en verdad* tiene el control, por lo general, su objetivo es encontrar un feliz punto medio entre los dos extremos. Por un lado, una organización puede tener un gran número de personal y ofrecer *muchas* instalaciones de servicio. Tales factores suelen dar como resultado un excelente servicio al cliente, y que rara vez haya más de una o dos personas en una cola. Los clientes se mantienen contentos con la respuesta rápida y aprecian la comodidad. Sin embargo, esto quizá resulte demasiado costoso.

El otro extremo es tener el *mínimo* número posible de cajas registradoras, bombas de gasolina o ventanillas abiertas, lo cual reduce el **costo del servicio**, aunque podría resultar en la insatisfacción en los clientes. ¿Cuántas veces regresaría usted a un gran almacén de descuento que cuenta con tan solo una sola caja registradora abierta en el día que va de compras? Conforme aumenta la longitud promedio de la cola, y como resultado se da un servicio deficiente, se podrían perder clientes y su buena voluntad.

Los gerentes deben manejar el equilibrio entre el costo de dar un buen servicio y el costo del tiempo de espera del cliente. Esto último podría ser difícil de cuantificar.

La mayoría de los gerentes reconoce que se debe alcanzar el equilibrio entre el costo de dar un buen servicio y el costo del tiempo de espera de los clientes. Quieren colas que sean lo suficientemente cortas como para que los clientes no se sientan insatisfechos y se vayan enfadados sin haber comprado, o que compren pero que jamás regresen. Sin embargo, están dispuestos a hacerlos pasar algún tiempo en la fila de espera, si ello se equilibra con ahorros significativos en los costos del servicio.

HISTORIA · Cómo iniciaron los modelos de colas

La teoría de colas tuvo su origen en el trabajo de investigación de un ingeniero danés llamado A. K. Erlang. En 1909 Erlang experimentó con la demanda fluctuante en el tráfico telefónico. Ocho años después, publicó un informe acerca de los retrasos causados por el equipo de marcado automático. Al final de la Segunda Guerra Mundial, los primeros trabajos de Erlang se extendieron hacia problemas más generales y hacia aplicaciones de negocios de las colas de espera.

FIGURA 13.1

Costos de las colas y
niveles de servicio

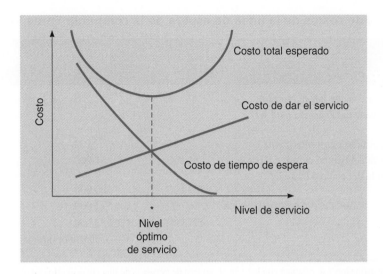

El costo total esperado es la suma
de los costos de servicio más los
costos de espera.

Uno de los medios para evaluar una instalación de servicio consiste en observar el *costo total esperado*, un concepto que se ilustra en la figura 13.1, que es la suma de los *costos de servicio* esperados más los **costos de espera**.

Los costos de servicio parecen aumentar conforme la empresa trata de elevar su nivel de servicio. Por ejemplo, si se utilizan tres cuadrillas de estibadores en vez de dos para descargar un buque de carga, los costos de servicio aumentan en la medida que lo hacen los montos del salario. No obstante, al mejorar la rapidez del servicio, disminuye el costo del tiempo que se pasa esperando en la fila. El costo de espera podría reflejar pérdidas de productividad de los trabajadores mientras sus herramientas o maquinaria esperan ser reparadas, o bien, podría simplemente ser una estimación de los costos de clientes perdidos debido al mal servicio y a las largas colas.

Ejemplo de la compañía Three Rivers Shipping

Como ilustración, veamos el caso de la compañía Three Rivers Shipping, la cual opera una enorme instalación portuaria ubicada en el río Ohio cerca de Pittsburgh. Aproximadamente cinco barcos llegan a descargar sus cargamentos de acero y minerales, durante cada turno de trabajo de 12 horas. Cada hora que un barco permanece ocioso esperando en la fila para descargar cuesta mucho dinero a la empresa, aproximadamente $1,000 por hora. Por su experiencia, la gerencia estima que si una cuadrilla de estibadores está de turno para manejar el trabajo de descarga, cada barco esperará un promedio de siete horas para descargar. Si dos cuadrillas están trabajando, el tiempo de espera promedio disminuye a 4 horas; para tres cuadrillas, es de 3 horas; y cuando hay cuatro cuadrillas de estibadores, es de solo 2 horas. Sin embargo, cada cuadrilla adicional de estibadores también es una propuesta cara, debido a los contratos del sindicato.

La meta es encontrar el nivel de
servicio que minimice el costo total
esperado.

El superintendente de Three Rivers quiere determinar el número óptimo de cuadrillas de estibadores en turno para cada horario. El objetivo es minimizar los costos totales esperados. Este análisis se resume en la tabla 13.1. Para minimizar la suma de costos de servicio y costos de espera, la empresa toma la decisión de emplear a dos cuadrillas de estibadores en cada turno.

13.3 Características de un sistema de colas

En esta sección se verán las tres partes de un sistema de colas: **1.** las llegadas o entrada al sistema (que a veces se conocen como **población potencial**), **2.** la cola o línea de espera misma, y **3.** la instalación de servicio. Los tres componentes tienen ciertas características que deberían examinarse, antes de que se desarrollen modelos matemáticos de colas.

Características de llegada

La fuente de entrada que genera las llegadas o los clientes al sistema de servicio muestra tres características principales. Es importante considerar el *tamaño* de la población potencial, el *patrón* de llegadas al sistema de colas y el *comportamiento* de las llegadas.

TABLA 13.1 Análisis de costos de la línea de espera de la compañía Three Rivers Shipping

		NÚMERO DE CUADRILLAS DE ESTIBADORES QUE TRABAJAN			
		1	2	3	4
a)	Número promedio de barcos que llegan por turno	5	5	5	5
b)	Tiempo promedio que cada barco espera para ser descargado (horas)	7	4	3	2
c)	Total de horas-barco perdidas por turno ($a \times b$)	35	20	15	10
d)	Costo estimado por hora del tiempo ocioso del barco	$1,000	$1,000	$1,000	$1,000
e)	Valor del tiempo perdido del barco o costo de espera ($c \times d$)	$35,000	$20,000	$15,000	$10,000
f)	Salario de la cuadrilla de estibadores,* o costo del servicio	$6,000	$12,000	$18,000	$24,000
g)	Costo total esperado ($e + f$)	$41,000	$32,000	$33,000	$34,000

Costo óptimo

*Los salarios de los equipos de estibadores se calculan con base en el número de personas de una cuadrilla típica (supuestamente de 50 individuos), multiplicado por el número de horas que cada persona trabaja por día (12 horas), multiplicado por un salario por hora de $10 la hora. Si se emplean dos cuadrillas, simplemente se duplica la cifra.

En la mayoría de los modelos de colas, se suponen poblaciones potenciales ilimitadas (o infinitas).

TAMAÑO DE LA POBLACIÓN POTENCIAL Los tamaños de las poblaciones se consideran **ilimitados** (esencialmente *infinitos*) o **limitados** (*finitos*). Cuando el número de clientes o llegadas disponibles en cualquier momento dado es tan solo una pequeña parte de las llegadas potenciales, la población potencial se considera ilimitada. Para fines prácticos, los ejemplos de poblaciones ilimitadas incluyen automóviles que llegan a una caseta de cobro en una autopista, compradores que llegan al supermercado o estudiantes que se registran para tomar una clase en una universidad grande. La mayoría de los modelos de colas suponen una población potencial infinita como las anteriores. Cuando este no es el caso, el modelado se vuelve mucho más complejo. Un ejemplo de una población finita es un taller con solamente ocho máquinas que se podrían descomponer y requerir servicio.

Las llegadas son aleatorias cuando son independientes entre sí y no pueden predecirse con exactitud.

PATRÓN DE LLEGADAS AL SISTEMA Los clientes llegan a la instalación de servicio de acuerdo con algún patrón conocido (por ejemplo, un paciente cada 15 minutos o un estudiante a quien asesorar cada media hora), o bien, llegan *aleatoriamente*. Las llegadas se consideran aleatorias cuando son independientes entre sí y su ocurrencia no se predice con exactitud. En los problemas de colas, con frecuencia el número de llegadas por unidad de tiempo se calcula mediante una distribución de probabilidad conocida como la **distribución de Poisson**. Consulte la sección 2.14 para detalles acerca de esta distribución.

COMPORTAMIENTO DE LAS LLEGADAS La mayoría de los modelos de colas suponen que un cliente que llega es un cliente paciente. Los clientes pacientes son personas o máquinas que esperan en la cola hasta que se les atiende y no se cambian de fila. Por desgracia, la vida y el análisis cuantitativo se complican por el hecho de que es bien conocido que la gente trata de eludir la espera o se rehúsa a aceptarla.

Los conceptos de eludir y rehusar.

Eludir se refiere a clientes que rechazan incorporarse a la fila de espera porque es demasiado larga para adaptarse a sus necesidades o intereses. Los clientes que se **rehúsan** son aquellos que entran a la cola pero les gana la impaciencia y se retiran sin completar su transacción. Realmente, ambas situaciones sirven tan solo para acentuar la necesidad de aplicar la teoría de las colas y realizar el análisis de líneas de espera. ¿Cuántas veces ha visto a un comprador con una canasta llena de abarrotes, que incluyen productos perecederos como leche, alimentos congelados o carnes, simplemente abandonar el carrito de las compras antes de pagar, debido a que la fila era demasiado larga? Este suceso tan costoso para la tienda hace que los gerentes estén muy atentos a la importancia de las decisiones de nivel de servicio.

Características de las líneas de espera

La línea de espera en sí misma es el segundo componente de un sistema de colas. La longitud de la fila puede ser *limitada* o *ilimitada*. Una cola es limitada cuando no puede, por la ley de las restricciones físicas, aumentar hasta un tamaño infinito. Este sería el caso en un restaurante pequeño que únicamente tiene 10 mesas y no puede atender a más de 50 comensales en una noche. En este capítulo, los modelos analíticos de colas se estudian con la suposición de una **longitud de cola ilimitada**. Una cola es ilimitada cuando su tamaño no está restringido, como en el caso de la caseta de pago en la autopista que atiende automóviles.

Los modelos en este capítulo suponen colas de longitud ilimitada.

Una segunda característica de las líneas de espera está relacionada con la **disciplina en la cola**, que se refiere a la regla con la cual los clientes que están en la línea van a recibir el servicio. La mayoría de los sistemas utilizan la disciplina en la cola conocida como regla de **primeras entradas**, **primeras salidas** (PEPS). Sin embargo, en una sala de urgencias de un hospital o en la fila de la caja rápida del super-

La mayoría de los modelos de colas usan la regla de PEPS. Evidentemente esto no es adecuado en todos los sistemas de servicios, sobre todo en aquellos donde se enfrentan emergencias.

mercado, varias prioridades asignadas podrían reemplazar las PEPS. Los pacientes que están heridos de gravedad deben tener una prioridad de tratamiento mayor que los pacientes con la nariz o los dedos rotos. Los compradores con menos de 10 artículos pueden entrar a la fila de la caja rápida pero *entonces* se les atiende según el criterio de primeros en llegar, primeros en salir. La ejecución de programas de software es otro ejemplo de sistemas de colas que funcionan con programación de prioridades. En la mayoría de las empresas grandes, cuando los cheques de nómina elaborados por computadora deben estar listos en una fecha determinada, el programa de nóminas tiene la prioridad mayor, sobre las demás corridas.[*]

Características de las instalaciones de servicio

La tercera parte de cualquier sistema de colas son las instalaciones de servicio. Es importante examinar dos propiedades básicas: **1.** la configuración del sistema de servicio y **2.** el patrón de los horarios de servicio.

El número de servidores es el número de canales de servicio de un sistema de colas.

CONFIGURACIONES BÁSICAS DE LOS SISTEMAS DE COLAS Los sistemas de servicio generalmente se clasifican en términos del número de canales, o del número de servidores, y el número de fases o de número de paradas de servicio, que deben realizarse. Un **sistema de un solo canal**, con un solo servidor, se tipifica como la ventanilla del banco para atender a los automóviles que solamente tiene una caja abierta, o como el tipo de restaurante de comida rápida tan popular en Estados Unidos donde hay servicio en el vehículo. Si, por otro lado, el banco tuviera varios cajeros atendiendo y cada cliente esperara su turno en una fila común para pasar con el primer cajero disponible, se tendría en funcionamiento un **sistema multicanal**. Actualmente, muchos bancos son sistemas de servicio multicanal, así como muchas grandes peluquerías y varios mostradores de aerolíneas.

Sistema de una sola fase significa que el cliente recibe servicio en una sola estación antes de abandonar el sistema. El sistema multifase implica dos o más paradas antes de salir del sistema.

Un **sistema de una sola fase** es aquel donde el cliente recibe el servicio en una sola estación y luego sale del sistema. Un restaurante de comida rápida en el cual la persona que toma la orden también entrega la comida y cobra, es un sistema de una sola fase. También lo es una agencia de licencias de manejo donde la persona que recibe la solicitud también califica el examen y cobra el pago de la licencia. Pero, si el restaurante requiere que usted haga su pedido en una estación, pague en la segunda y recoja la comida en una tercera parada de servicio, este será un **sistema multifase**. Asimismo, si la agencia de licencias de manejo es grande o muy concurrida, quizá tenga que esperar en una fila para llenar la solicitud (la primera parada de servicio), luego hacer otra fila para que le apliquen el examen (segunda parada de servicio) y, por último, ir a un tercer mostrador de servicio para pagar la tarifa. Para ayudarle a relacionar los conceptos de canales y fases, en la figura 13.2 se presentan cuatro configuraciones posibles.

CONFIGURACIONES BÁSICAS DE LOS SISTEMAS DE COLAS Los patrones de servicio son como los patrones de llegadas en el sentido de que pueden ser constantes o aleatorios. Si el tiempo de servicio es constante, le toma la misma cantidad de tiempo atender a cada uno de los clientes. Este es el caso en una operación de servicio realizada por una máquina, como un lavado automático de automóviles. Sin embargo, con frecuencia los tiempos de servicio se distribuyen aleatoriamente. En muchos casos, es posible suponer que los tiempos de servicio aleatorios se describen con la **distribución de probabilidad exponencial negativa**. Véase la sección 2.13 para detalles acerca de esta distribución

Con frecuencia, los tiempos de servicio siguen la distribución exponencial negativa.

Es importante confirmar que las suposiciones de Poisson acerca de las colas de llegadas y servicios exponenciales sean válidas antes de aplicar el modelo.

La distribución exponencial es importante en el proceso de construcción de los modelos matemáticos de colas, debido a que muchos de los respaldos teóricos del modelo se basan en la suposición de llegadas de tipo Poisson y de servicios de tipo exponencial. Sin embargo, antes de aplicarlos, el analista cuantitativo debe observar, recolectar y graficar datos de tiempos de servicio para determinar si estos se ajustan a la distribución exponencial.

Identificación de modelos usando notación de Kendall

D. G. Kendall desarrolló una notación ampliamente aceptada para especificar el patrón de las llegadas, la distribución del tiempo de servicio y el número de canales en un modelo de colas. Con frecuencia esta notación se encuentra en el software de modelos de colas. La **notación de Kendall** básica de tres símbolos tiene la forma:

Distribución de llegadas/Distribución de tiempos de servicio/Número de canales de servicio abiertos

donde se utilizan letras específicas para representar las distribuciones de probabilidad. Las siguientes letras se utilizan comúnmente en la notación de Kendall:

M = distribución de Poisson del número de ocurrencias (o tiempos exponenciales)

D = tasa constante (determinística)

G = distribución general con media y varianza conocidas

---

[*]El término PLPA (*primero en llegar, primero en atenderse*) con frecuencia se utiliza en vez de PEPS. Otra disciplina, ULPA (*último en llegar, primero en atender*) es común cuando el material se apila y los artículos de la parte superior se utilizan primero.

FIGURA 13.2   **Cuatro configuraciones básicas de sistemas de cola**

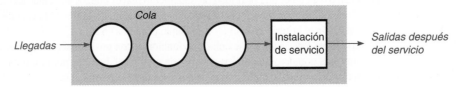

Sistema de un solo canal, una sola fase

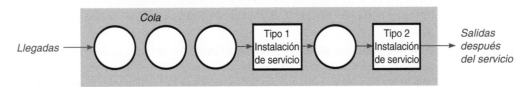

Sistema de un solo canal, multifase

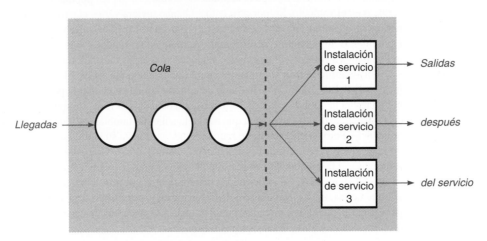

Sistema multicanal de una sola fase

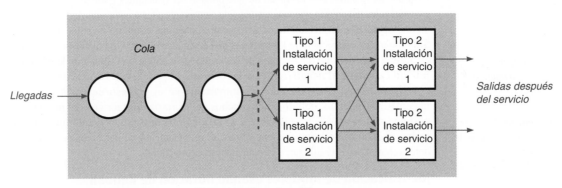

Sistema multicanal, multifase

Así, un modelo de un solo canal con llegadas de Poisson y tiempos de servicio exponenciales se representaría por:

$$M/M/1$$

Un modelo M/M/2 tiene llegadas de Poisson, tiempos de servicio exponenciales y dos canales.

Cuando se agrega un segundo canal:

$$M/M/2$$

Si hay *m* canales de servicio distintos dentro del sistema de colas con llegadas de Poisson y tiempos de servicio exponenciales, la notación de Kendall sería *M/M/m*. Un sistema de tres canales con llegadas de Poisson y tiempo de servicio constante se identificaría como *M/D/*3. Un sistema de cuatro canales con llegadas de Poisson y tiempos de servicio que están normalmente distribuidos se identificaría como *M/G/*4.

MODELADO EN EL MUNDO REAL

Servicios de salud públicos del condado de Montgomery

Definición del problema

Desarrollo de un modelo

Recolección de datos

Desarrollo de una solución

Prueba de la solución

Análisis de los resultados

Implementación de resultados

Definición del problema

En 2002 los centros para el control y prevención de enfermedades de Estados Unidos empezaron a exigir que los departamentos de salud pública crearan planes de vacunación contra la viruela. Un condado debe estar preparado para vacunar a todas las personas en una zona infectada en pocos días. Esto fue motivo de especial preocupación después de los ataques terroristas del 11 de septiembre de 2001.

Desarrollo de un modelo

Se han desarrollado modelos de colas para la planeación de la capacidad y simulación de modelos de eventos discretos mediante un esfuerzo conjunto del servicio de salud público del condado de Montgomery (Maryland) y la Universidad de Maryland, College Park.

Recolección de datos

Los datos se recabaron en el tiempo requerido para que se obtengan las vacunas o para que se suministre la medicina. Se utilizaron ejercicios clínicos para tal finalidad.

Desarrollo de una solución

Los modelos indican el número de miembros del personal necesario para lograr las capacidades específicas y evitar así la saturación en las clínicas.

Prueba de la solución

El plan de vacunación contra la viruela se probó usando una simulación de una clínica de vacunación ficticia, en un ejercicio a gran escala, implicando a los residentes que pasaban por la clínica. Esto puso de manifiesto la necesidad de modificar algunas áreas. Entonces, se desarrolló un modelo de simulación por computadora para realizar pruebas adicionales.

Análisis de los resultados

Los resultados de la planeación de la capacidad y el modelo de colas dan muy buenas estimaciones del desempeño real del sistema. Los planeadores y gerentes de la clínica rápidamente pueden estimar la capacidad y la congestión, conforme se desarrolle la situación.

Implementación de resultados

Los resultados de este estudio están disponibles en un sitio Web para que los profesionales de la salud pública los descarguen y los utilicen. Las directrices incluyen sugerencias para operar estaciones de trabajo. El mejoramiento del proceso aún continúa.

Fuente: Basada en Kay Aaby y colaboradores "Montgomery County's Public Health Service Operations Research to Plan Emergency Mass Dispensing and Vaccination Clinics", *Interfaces* 36, 6 (noviembre-diciembre de 2006): 569-579.

 EN ACCIÓN Frenar el teleférico para hacer las filas más cortas

En un pequeño centro vacacional de esquí, con un teleférico de cinco plazas, el gerente estaba preocupado de que las colas para el teleférico fueran demasiado largas. Si bien tener este problema en ocasiones es agradable, pues significa que el negocio está creciendo, es una cuestión que podría resultar contraproducente. Si se corre la voz de que las filas para el teleférico son demasiado largas, los clientes quizás elijan esquiar en otros lugares, donde las filas sean más cortas.

Debido a que la construcción de nuevos teleférico requiere una inversión financiera significativa, la gerencia decidió contratar a un consultor externo con experiencia en sistemas de colas para estudiar el problema. Después de varias semanas de investigar el problema, recopilar datos y medir la longitud de las filas para el teleférico varias veces, el consultor presentó recomendaciones a la gerencia del centro de esquí.

Sorprendentemente, en vez de construir nuevos teleférico, el consultor propuso a la gerencia reducir a la mitad la velocidad del teleférico del centro actual y duplicar el número de sillas en cada uno de los elevadores. Esto significa, por ejemplo, que en vez de 40 pies de espacio entre las sillas que se elevan, habría tan solo 20 pies de distancia entre ellas, pero como se mueven más lentamente, permanecerían elevadas el mismo tiempo. Así, si a una silla particular, antes le tomaba 4 minutos llegar a la cima, ahora le tomaría 8 minutos. Se pensó que los esquiadores no notarían la diferencia en el tiempo porque estarían en las sillas y disfrutando de la vista en el camino a la cima, lo que resultó ser una suposición válida. Por otro lado, en un momento dado, el doble de usuarios en realidad podría estar en el teleférico, y menos personas estarían haciendo fila para subir. ¡El problema se solucionó!

Fuente: Estación de esquí y campo de golf anónimos de una empresa de consultoría, comunicación privada, 2009.

Existe una notación más detallada con términos adicionales que indican el número máximo dentro del sistema y del tamaño de la población. Cuando estos se omiten, se supone que no hay límite en la longitud de la cola o en el tamaño de la población. Muchos de los modelos que se estudian tendrán dichas propiedades.

13.4 Modelo de colas de un solo canal con llegadas de Poisson y tiempos de servicio exponenciales (*M/M/*1)

En esta sección se presenta un método analítico para determinar medidas importantes del desempeño de un sistema de servicio común. Después de haber calculado estas medidas numéricas, será posible agregar los datos de costo y comenzar a tomar decisiones, que equilibren los niveles de servicio con los costos de servicio de la línea de espera.

Suposiciones del modelo

Se deben cumplir estas siete suposiciones si se aplica el modelo de un solo canal y de una sola fase.

El modelo de un solo canal y una sola fase que se considera aquí es uno de los modelos de colas más sencillos y más ampliamente utilizados. Implica suponer que existen siete condiciones:

1. Las llegadas se atienden sobre una base de PEPS.
2. Cada llegada espera a ser atendida independientemente de la longitud de la fila; es decir, no se elude ni se rehúsa.
3. Las llegadas son independientes de las llegadas anteriores, pero su número promedio (la tasa de llegadas) no cambia a lo largo del tiempo.
4. Las llegadas se describen con una distribución de probabilidad de Poisson y provienen de una población infinita o muy grande.
5. Los tiempos de servicio también varían de un cliente al siguiente y son independientes entre sí, pero se conoce su tasa promedio.
6. Los tiempos de servicio ocurren de acuerdo con una distribución de probabilidad exponencial negativa.
7. La tasa de servicio promedio es mayor que la tasa de llegadas promedio.

Cuando se cumplen las siete condiciones, se pueden desarrollar una serie de ecuaciones que definen las **características de operación** de la cola. Las matemáticas que se utilizan para deducir cada ecuación son más bien complejas y están más allá del alcance de este libro, por lo que a continuación tan solo se presentaran las fórmulas.

Ecuaciones de colas

Sea:

$$\lambda = \text{número medio de llegadas por periodo (por ejemplo, por hora)}$$

$$\mu = \text{número medio de personas o artículos que se atienden por periodo}$$

Cuando se determina la tasa de llegada (λ) y la tasa de servicio (μ), se debe utilizar el mismo periodo. Por ejemplo, si λ es el número promedio de llegadas por hora, entonces μ debe indicar el número promedio que podría atenderse por hora.

Las ecuaciones de colas se presentan a continuación.

Las siete ecuaciones de colas para el modelo de un solo canal y una sola fase describen las características de operación importantes del sistema de servicio.

1. El número promedio de clientes o unidades en el sistema, *L*, es decir, el número en la fila más el número que se está atendiendo:

$$L = \frac{\lambda}{\mu - \lambda} \tag{13-1}$$

2. El tiempo promedio que un cliente pasa en el sistema, *W*, es decir, el tiempo que pasa en la fila más el tiempo en que se le atiende:

$$W = \frac{1}{\mu - \lambda} \tag{13-2}$$

3. El número promedio de clientes en la cola, L_q:

$$L_q = \frac{\lambda^2}{\mu(\mu - \lambda)}$$ (13-3)

4. El tiempo promedio que pasa un cliente esperando en la cola, W_q:

$$W_q = \frac{\lambda}{\mu(\mu - \lambda)}$$ (13-4)

5. El **factor de utilización** del sistema, ρ (la letra griega rho), es decir, la probabilidad de que se esté utilizando la instalación de servicio:

$$\rho = \frac{\lambda}{\mu}$$ (13-5)

6. Porcentaje de tiempo ocioso, P_0, es decir, la probabilidad de que nadie esté en el sistema:

$$P_0 = 1 - \frac{\lambda}{\mu}$$ (13-6)

7. La probabilidad de que el número de clientes en el sistema sea mayor que k, $P_{n>k}$:

$$P_{n>k} = \left(\frac{\lambda}{\mu}\right)^{k+1}$$ (13-7)

Caso del taller de silenciadores (mofles) Arnold

Ahora se aplicarán estas fórmulas al caso del taller de silenciadores de Arnold, en Nueva Orleans. El mecánico de Arnold, Reid Blank, es capaz de instalar nuevos silenciadores a una tasa promedio de 3 por hora, o aproximadamente 1 cada 20 minutos. Los clientes que necesitan el servicio llegan al taller a un promedio de 2 por hora. Larry Arnold, el dueño del taller, estudió modelos de colas en un programa de maestría en administración de negocios y siente que se cumplen todas las siete condiciones para el modelo de un solo canal. Entonces, procede a calcular los valores numéricos de las características de operación anteriores.

λ = llegan 2 automóviles por hora

μ = se atienden 3 autos por hora

$$L = \frac{\lambda}{\mu - \lambda} = \frac{2}{3 - 2} = \frac{2}{1} = 2 \text{ autos en el sistema en promedio}$$

$$W = \frac{1}{\mu - \lambda} = \frac{1}{3 - 2} = 1 \text{ hora que en promedio pasa el auto en el sistema}$$

$$L_q = \frac{\lambda^2}{\mu(\mu - \lambda)} = \frac{2^2}{3(3 - 2)} = \frac{4}{3(1)} = \frac{4}{3} = 1.33 \text{ autos esperan en promedio en la fila}$$

$$W_q = \frac{\lambda}{\mu(\mu - \lambda)} = \frac{2}{3(3 - 2)} = \frac{2}{3} \text{ de hora} = 40 \text{ minutos} = \text{tiempo de espera promedio por auto}$$

Observe que W y W_q están en *horas*, ya que λ se definió como el número de llegadas por *hora*.

$$\rho = \frac{\lambda}{\mu} = \frac{2}{3} = 0.67 = \begin{array}{l} \text{porcentaje de tiempo que el mecánico esta ocupado, o} \\ \text{probabilidad de que el servidor esté ocupado} \end{array}$$

$$P_0 = 1 - \frac{\lambda}{\mu} = 1 - \frac{2}{3} = 0.33 = \text{probabilidad de que haya 0 autos en el sistema}$$

Probabilidad de que más de k autos estén en el sistema

k	$P_{n>k} = \left(\frac{2}{3}\right)^{k+1}$	
0	(0.667) ←	*Observe que esto es igual a $1 - P_0 = 1 - 0.33 = 0.667$.*
1	0.444	
2	0.296	
3	(0.198) ←	*Implica que hay una posibilidad de 19.8% de que haya más de 3 autos en el sistema.*
4	0.132	
5	0.088	
6	0.058	
7	0.039	

USO DE EXCEL QM EN LA COLA DEL TALLER DE SILENCIADORES DE ARNOLD Para utilizar Excel QM en este problema, del menú de Excel QM, seleccione *Waiting Lines - Single Channel (M/M/1)*. Cuando se despliegue la hoja de cálculo, introduzca la tasa del tiempo de llegada **2**. y la tasa de servicio **3.** Todas las características de operación se calcularán automáticamente, como se muestra en el programa 13.1.

INTRODUCCIÓN DE COSTOS EN EL MODELO Ahora que se han calculado las características del sistema de colas, Arnold decide hacer un análisis económico de su impacto. El modelo de línea de es-

PROGRAMA 13.1 Solución con Excel QM para el ejemplo del taller de silenciadores de Arnold

	A	B	C	D	E
1	**Arnold's Muffler Shop**				
2					
3	**Waiting Lines**		**M/M/1 (Single Server Model)**		
4	Deben estimarse tanto la TASA de llegada (*arrival rate*) como la TASA de servicio (*service rate*) y utilizar la				
5	misma unidad de tiempo. Dado un tiempo de 10 minutos, se convierten en una tasa como 6 por hora.				
6	**Data**			**Results**	
7	Arrival rate (λ)	2		Average server utilization(ρ)	0.6666667
8	Service rate (μ)	3		Average number of customers in the queue(L_q)	1.3333333
9				Average number of customers in the system(L_s)	2
10				Average waiting time in the queue(W_q)	0.6666667
11				Average time in the system(W_s)	1
12				Probability (% of time) system is empty (P_0)	0.3333333
13					
14					
15	**Probabilities**				
16	**Number**	**Probability**	**Cumulative Probability**		
17	0	0.333333	0.333333		
18	1	0.222222	0.555556		
19	2	0.148148	0.703704		
20	3	0.098765	0.802469		
21	4	0.065844	0.868313		
22	5	0.043896	0.912209		

La realización de un análisis económico es el siguiente paso. Esto permite que se incluyan factores de costo.

pera fue valioso para predecir los tiempos de espera, la longitud de las colas, los tiempos ociosos potenciales, etcétera. Pero no identificó las decisiones óptimas ni consideró factores de costo. Como se señaló anteriormente, la solución al problema de colas podría requerir que la gerencia haga un balance entre el costo aumentado de ofrecer mejor servicio y los costos reducidos de espera que se derivan de dar el servicio. Ambos costos se conocen como costo de espera y costo del servicio.

El costo total del servicio es:

$$\text{Costo total del servicio} = (\text{Número de canales}) (\text{Costo por canal})$$

$$\text{Costo total del servicio} = mC_s \tag{13-8}$$

donde:

m = número de canales

C_s = costo de servicio (costo de mano de obra) de cada canal

Cuando el costo de tiempo de espera se basa en el tiempo en el sistema, el costo de espera es:

$$\text{Costo total de espera} = (\text{Tiempo total pasado en espera por todas las llegadas})(\text{costo de la espera})$$

$$= (\text{Número de llegadas})(\text{Espera promedio por llegada})C_w$$

así,

$$\text{Costo total de espera} = (\lambda W)C_w \tag{13-9}$$

Si el costo del tiempo de espera se basa en el tiempo en la cola, lo anterior será

$$\text{Costo total de espera} = (\lambda W_q)C_w \tag{13-10}$$

Estos costos se basan en cualesquiera unidades de tiempo (frecuentemente horas) que se utilicen para determinar λ. Cuando se suma el costo del servicio total con el costo de espera total, se obtiene el costo total del sistema de colas. Cuando el costo de espera se basa en el tiempo en el sistema, este es:

$$\text{Costo total} = \text{Costo total de servicio} + \text{Costo total de espera}$$

$$\text{Costo total} = mC_s + \lambda WC_w \tag{13-11}$$

Cuando el costo de espera se basa en el tiempo en la cola, el costo total es:

$$\text{Costo total} = mC_s + \lambda W_q C_w \tag{13-12}$$

A veces se busca determinar el costo diario y, entonces, simplemente se encuentra el número total de llegadas por día. Consideremos la situación en el taller de silenciadores de Arnold.

Arnold estima que el costo del tiempo de espera de los clientes, en términos de insatisfacción de estos y la pérdida de buena voluntad, es de $50 por hora del tiempo que *esperan* en la fila. (Después de que los automóviles de los clientes están en reparación, a los clientes parece no importarles la espera). Debido a que en promedio un auto espera $2/3$ de hora y aproximadamente se atienden 16 autos por día (2 por hora multiplicados por 8 horas de trabajo diarias), el número total de horas que los clientes pasan esperando que se instalen sus silenciadores cada día es $2/3 \times 16 = {}^{32}/_3$, o bien, 10 $2/3$ horas. Por lo tanto, en este caso:

Con frecuencia el tiempo de espera de los clientes se considera el factor más importante.

$$\text{Costo total de espera diario} = (8 \text{ horas por día})\lambda W_q C_w = (8)(2)\left({}^2\!/_3\right)(\$50) = \$533.33$$

El único costo adicional que Larry Arnold puede identificar en esta situación de colas es la remuneración de Reid Blank, el mecánico. A Blank se le pagan $15 por hora:

$$\text{Costo total del servicio diario} = (8 \text{ horas por día})mC_s = 8(1)(\$15) = \$120$$

La suma de los costos de espera más los costos de servicio es igual al costo total.

Como está configurado actualmente, el costo total diario del sistema es el total del costo de espera y el costo de servicio, de lo que se obtiene:

$$\text{Costo total diario del sistema de colas} = \$533.33 + \$120 = \$653.33$$

Ahora hay que tomar una decisión. Arnold se entera a través de sus contactos de negocios de que un competidor que se encuentra al otro lado de la ciudad, Rusty Muffler, emplea a un mecánico llamado Jimmy Smith, quien puede instalar eficientemente silenciadores nuevos a un ritmo de 4 por hora. Larry Arnold contacta a Smith y le pregunta si le interesaría cambiar de empleo. Smith dice que consideraría dejar Rusty Muffler tan solo si se le pagara un salario de $20 por hora. Arnold, que es un hombre de negocios hábil, decide que probablemente valga la pena despedir a Blank y reemplazarlo con Smith, quien es tanto más rápido como más caro.

Primero vuelve a calcular todas las características de operación utilizando una nueva tasa de servicio de 4 silenciadores por hora.

$\lambda = 2$ autos que llegan por hora

$\mu = 4$ autos atendidos por hora

$L = \dfrac{\lambda}{\mu - \lambda} = \dfrac{2}{4 - 2} = 1$ auto en el sistema en promedio

$W = \dfrac{1}{\mu - \lambda} = \dfrac{1}{4 - 2} = \dfrac{1}{2}$ hora en el sistema en promedio

$L_q = \dfrac{\lambda^2}{\mu(\mu - \lambda)} = \dfrac{2^2}{4(4 - 2)} = \dfrac{4}{8} = \dfrac{1}{2}$ autos en promedio que esperan en la fila

$W_q = \dfrac{\lambda}{\mu(\mu - \lambda)} = \dfrac{2}{4(4 - 2)} = \dfrac{2}{8} = \dfrac{1}{4}$ de hora $= 15$ minutos en promedio de tiempo de espera por auto en la cola

$\rho = \dfrac{\lambda}{\mu} = \dfrac{2}{4} = 0.5 =$ porcentaje de tiempo que el mecánico está ocupado

$P_0 = 1 - \dfrac{\lambda}{\mu} = 1 - 0.5 = 0.5 =$ probabilidad de que haya 0 autos en el sistema

Probabilidad de que más de k automóviles se encuentren en el sistema

k	$P_{n>k} = \left(\dfrac{2}{4}\right)^{k+1}$
0	0.500
1	0.250
2	0.125
3	0.062
4	0.031
5	0.016
6	0.008
7	0.004

Es bastante claro que la velocidad de Smith dará como resultado colas y tiempos de espera considerablemente más cortos. Por ejemplo, un cliente ahora pasaría un promedio de $\frac{1}{2}$ hora en el sistema y $\frac{1}{4}$ de hora esperando en la cola, en comparación con 1 hora en el sistema y $\frac{2}{3}$ de hora en la cola con Blank como mecánico. El costo diario de tiempo de espera total, si emplea a Smith como mecánico sería:

Costo total de espera diario $= (8 \text{ horas por día})\lambda W_q C_w = (8)(2)\left(\dfrac{1}{4}\right)(\$50) = \$200$ por día

Observe que el tiempo total que los 16 clientes pasan en espera por día es ahora de:

$(16 \text{ autos por día}) \times \left(\frac{1}{4} \text{ de hora por auto}\right) = 4 \text{ horas}$

en vez de las 10.67 horas con Blank. En consecuencia, la espera es mucho menos de la mitad de lo que era antes, aunque la tasa de servicio tan solo cambió de 3 a 4 por hora.

Se presenta una comparación de los costos totales usando a dos mecánicos diferentes.

El costo del servicio aumentará debido al salario más alto, pero el costo general bajará, como se observa aquí:

Costo del servicio de Smith $= 8 \text{ horas/día} \times \$20/\text{hora} = \$160$ por día

Costo total esperado $=$ Costo de espera $+$ Costo de servicio $= \$200 + \$160$

$= \$360$ por día

Puesto que el costo total diario esperado con Blank como mecánico era de $653.33, Arnold muy probablemente decida contratar a Smith y reducir sus costos en $653.33 $-$ $360 = $293.33 por día.

EN ACCIÓN

Evaluación y mejoramiento de las ambulancias en Chile tomando medidas de su desempeño según la teoría de colas

Los investigadores en Chile utilizaron teoría de colas para evaluar y mejorar los servicios de ambulancia. Investigaron los indicadores de desempeño claves que son importantes para el gerente de una compañía de ambulancias (por ejemplo, el número de ambulancias movilizadas, las ubicaciones de base de la ambulancia, los costos operativos) y los indicadores de desempeño fundamentales que son importantes para el cliente (como tiempo de espera hasta que se atienda, sistema de priorización de colas).

El resultado un tanto sorprendente que los investigadores sacaron a la luz fue que parecía que medidas simples tales como el tiempo de espera en la cola, W_q, eran lo más importante para las operaciones de la ambulancia. Al reducir los tiempos de espera se ahorra dinero a la empresa de ambulancias en los costos de la gasolina y el transporte y, lo más importante, puede salvar vidas de sus clientes. En otras palabras, a veces lo más sencillo es mejor.

Fuente: Basada en Marcos Singer y Patricio Donoso. "Assessing an Ambulance Service with Queuing Theory", *Computers & Operations Research* 35, 8 (2008): 2549-2560.

Mejora del entorno de la cola

Aunque la reducción del tiempo de espera es un factor importante para reducir el costo del tiempo de espera, un gerente puede encontrar otras formas de reducirlo. El costo del tiempo de espera total se basa en la cantidad total de tiempo que se pasa en espera (basado en W o en W_q) y el costo de espera (C_w). Cuando se reduce cualquiera de ellos, se disminuye el costo general de espera. La mejora del entorno de la cola al hacer que la espera sea menos desagradable podría reducir C_w ya que los clientes no estarán tan enfadados por tener que esperar. Hay revistas en las salas de espera de los consultorios médicos para que los pacientes lean mientras aguardan su turno. También hay periódicos sensacionalistas en las filas de las cajas registradoras en las tiendas de autoservicio, donde los clientes pueden leer los encabezados para pasar el tiempo mientras esperan. Frecuentemente se escucha música mientras quienes llaman por teléfono esperan en la línea. En parques de diversiones importantes hay pantallas de video y televisores en algunas de las filas para que la espera sea más interesante. En algunos de estos casos, la línea de espera es tan entretenida que casi es una atracción en sí misma.

Todas estas cuestiones se diseñan para mantener ocupado al cliente y así mejorar las condiciones alrededor de la espera, de manera que parezca que el tiempo pasa más rápido de lo que en realidad sucede. En consecuencia, el costo de la espera (C_w) se reduce, lo cual también ocurre con el costo total del sistema de colas. A veces, reducir el costo total de esta forma es más fácil que disminuir el costo total mediante la reducción de W o W_q. En el caso del taller de Arnold, su propietario podría considerar la posibilidad de colocar un televisor en la sala de espera y remodelarla para que los clientes se sientan más cómodos mientras esperan a que se atiendan sus automóviles.

13.5   Modelo de colas de canales múltiples con llegadas de Poisson y tiempos de servicio exponenciales (*M/M/*m)

El siguiente paso lógico es estudiar un *sistema de colas de canales múltiples*, donde dos o más servidores o canales se encuentran disponibles para atender a los clientes que llegan. Se supone que los clientes esperan el servicio en una sola fila y, luego, se dirigen al primer servidor disponible. Un ejemplo de este tipo de línea de espera de una sola fase y multicanal se encuentra actualmente en muchos bancos. Se forma una fila común y el cliente que se encuentra al principio de la cola se dirige al primer cajero disponible (consulte la figura 13.2 para una configuración multicanal típica).

El modelo multicanal también supone llegadas de Poisson y tiempos de servicio exponenciales.

El sistema multicanal que aquí se presenta supone nuevamente que las llegadas siguen una distribución de probabilidad de Poisson y que los tiempos de servicio están distribuidos de forma exponencial. El primero en llegar es el primero en ser atendido, y se supone que todos los servidores funcionan al mismo ritmo. También se aplican otras suposiciones que se presentaron anteriormente para el modelo de un solo canal.

Ecuaciones del modelo de colas multicanal

Si se hace que

$$m = \text{número de canales abiertos,}$$

$$\lambda = \text{tasa de llegadas promedio, y}$$

$$\mu = \text{tasa de servicio promedio en cada canal}$$

se pueden utilizar las siguientes fórmulas en el análisis de la línea de espera:

1. La probabilidad de que haya cero clientes o unidades en el sistema es:

$$P_0 = \frac{1}{\left[\displaystyle\sum_{n=0}^{n=m-1} \frac{1}{n!}\left(\frac{\lambda}{\mu}\right)^n\right] + \frac{1}{m!}\left(\frac{\lambda}{\mu}\right)^m \frac{m\mu}{m\mu - \lambda}} \quad \text{para } m\mu > \lambda \tag{13-13}$$

2. El número promedio de clientes o unidades en el sistema es:

$$L = \frac{\lambda\mu(\lambda/\mu)^m}{(m-1)!(m\mu - \lambda)^2}P_0 + \frac{\lambda}{\mu} \tag{13-14}$$

3. El tiempo promedio que una unidad pasa en la línea de espera o recibiendo servicio (es decir, dentro del sistema) es:

$$W = \frac{\mu(\lambda/\mu)^m}{(m-1)!(m\mu - \lambda)^2}P_0 + \frac{1}{\mu} = \frac{L}{\lambda} \tag{13-15}$$

4. El número promedio de clientes o unidades que se encuentran en la línea esperando ser atendidos:

$$L_q = L - \frac{\lambda}{\mu} \tag{13-16}$$

5. El tiempo promedio que un cliente o unidad pasa en la cola esperando ser atendido:

$$W_q = W - \frac{1}{\mu} = \frac{L_q}{\lambda} \tag{13-17}$$

6. Tasa de utilización:

$$\rho = \frac{\lambda}{m\mu} \tag{13-18}$$

Evidentemente, tales ecuaciones son más complicadas que las que se utilizaron en el modelo de un solo canal, aunque se utilizan de la misma forma y dan el mismo tipo de información que el modelo más sencillo.

Nueva visita al taller de silenciadores de Arnold

Para aplicar el modelo de colas multicanal, volvamos al caso del taller de silenciadores de Arnold. Anteriormente, Larry Arnold había examinado dos opciones. Podría mantener a su mecánico actual, Reid Blank, a un costo total esperado de $653 por día, o despedirlo y contratar a un mecánico un poco más caro pero más rápido llamado Jerry Smith. Con Smith a bordo, los costos del sistema de servicio podrían reducirse a $360 por día.

El taller de silenciadores considera abrir un segundo canal de servicio de silenciadores que operará con la misma rapidez que el primero.

Ahora se explorará una tercera opción. Arnold encuentra que con un costo mínimo después impuestos puede abrir un *segundo* sitio de atención (bahía) en el taller, en el cual se pueden instalar silenciadores. En vez de despedir a su primer mecánico, Blank, contrataría a un segundo trabajador. Se podría esperar que el nuevo mecánico instalara los silenciadores a la misma tasa que Blank, aproximadamente $\mu = 3$ por hora. Los clientes, que seguirían llegando a la tasa de $\lambda = 2$ por hora, esperarían en una sola fila hasta que uno de los dos mecánicos se desocupara. Para saber cómo se compara esta opción con el anterior sistema de línea de espera de un solo canal, Arnold calcula varias características de operación para el sistema de canales $m = 2$.

$$P_0 = \frac{1}{\left[\displaystyle\sum_{n=0}^{1}\frac{1}{n!}\left(\frac{2}{3}\right)^n\right] + \frac{1}{2!}\left(\frac{2}{3}\right)^2\left(\frac{2(3)}{2(3) - 2}\right)}$$

$$= \frac{1}{1 + \frac{2}{3} + \frac{1}{2}\left(\frac{4}{9}\right)\left(\frac{6}{6 - 2}\right)} = \frac{1}{1 + \frac{2}{3} + \frac{1}{3}} = \frac{1}{2} = 0.5$$

= probabilidad de 0 autos en el sistema

$$L = \left(\frac{(2)(3)\left(\frac{2}{3}\right)^2}{1!\left[2(3) - 2\right]^2}\right)\left(\frac{1}{2}\right) + \frac{2}{3} = \frac{\frac{8}{3}}{16}\left(\frac{1}{2}\right) + \frac{2}{3} = \frac{3}{4} = 0.75$$

= número promedio de autos en el sistema

$$W = \frac{L}{\lambda} = \frac{\frac{3}{4}}{2} = \frac{3}{8} \text{ horas } = 22\frac{1}{2} \text{ minutos}$$

= tiempo promedio que un auto pasa dentro del sistema

$$L_q = L - \frac{\lambda}{\mu} = \frac{3}{4} - \frac{2}{3} = \frac{1}{12} = 0.083$$

= número promedio de autos en la cola

$$W_q = \frac{L_q}{\lambda} = \frac{0.083}{2} = 0.0415 \text{ horas } = 2\frac{1}{2} \text{ minutos}$$

= tiempo promedio que un auto se encuentra dentro de la cola

Resulta un tiempo de espera drásticamente menor si se abre el segundo lugar de servicio.

Estos datos se comparan con las características de operación anteriores de la tabla 13.2. El incremento de servicio que se obtiene si se abre el segundo canal tiene un efecto drástico en casi todas las características. Sobre todo, el tiempo que se pasa esperando en la fila disminuye de 40 minutos con un mecánico (Blank) o 15 minutos con Smith ¡a solamente $2\frac{1}{2}$ minutos! De manera similar, el número promedio de autos en la cola disminuye a 0.083 (aproximadamente $\frac{1}{12}$ de auto).* Pero, ¿significa esto que debería abrirse un segundo lugar?

Para terminar su análisis económico, Arnold supone que el segundo mecánico recibiría el mismo sueldo que el actual, Blank, a saber, $15 por hora. Ahora el costo de espera diario sería de:

Costo de espera total diario = (8 horas por día)/$\lambda W_q C_w$ = (8)(2)(0.0415)($50) = $33.20

TABLA 13.2 Efecto del nivel de servicio en las características de operación de Arnold

	NIVEL DE SERVICIO		
CARACTERÍSTICAS DE OPERACIÓN	UN MECÁNICO (REID BLANK) $\mu = 3$	DOS MECÁNICOS $\mu = 3$ PARA CADA UNO	UN MECÁNICO RÁPIDO (JIMMY SMITH) $\mu = 4$
Probabilidad de que el sistema esté desocupado (P_0)	0.33	0.50	0.50
Número de autos promedio en el sistema (L)	2 autos	0.75 autos	1 autos
Tiempo promedio que se pasa en el sistema (W)	60 minutos	22.5 minutos	30 minutos
Número promedio de autos en la cola (L_q)	1.33 autos	0.083 autos	0.50 autos
Tiempo promedio que pasa en la cola (W_q)	40 minutos	2.5 minutos	15 minutos

---

*Puede observar que agregar un segundo mecánico no tan solo reduce a la mitad el tiempo de espera o la longitud de la cola, sino que lo reduce aún más. Esto se debe a las llegadas *aleatorias* y a los procesos de servicio. Cuando solamente hay un mecánico y llegan dos clientes con diferencia de un minuto entre sí, el segundo tendrá una larga espera. El hecho de que el mecánico haya estado ocioso durante 30 a 40 minutos antes de que ambos llegaran, no cambia este tiempo de espera promedio. Así, los modelos de un solo canal con frecuencia tienen tiempos de espera más altos con respecto a los modelos multicanal.

PROGRAMA 13.2

Solución con Excel QM para el ejemplo multicanal de los silenciadores Arnold

	A	B	C	D	E
1	Arnold's Muffler Shop Multichannel				
2					
3	Waiting Lines		M/M/s		
4	Deben estimarse tanto la TASA de llegada como la TASA de servicio y usar la misma unidad de tiempo. Dado un				
5					
6	Data			Results	
7	Arrival rate (λ)	2		Average server utilization(ρ)	0.33333
8	Service rate (μ)	3		Average number of customers in the queue	0.08333
9	Number of servers(s)	2		Average number of customers in the system	0.75
10				Average waiting time in the queue(W_q)	0.04167
11				Average time in the system(W_s)	0.375
12	Introduzca la tasa de llegada, la tasa de servicio y el número de servidores (canales).			Probability (% of time) system is empty (P_0)	0.5
13					
14	Probabilities				
15	Number	Probability	Cumulative Probability		
16	0	0.500000	0.500000		
17	1	0.333333	0.833333		
18	2	0.111111	0.944444		
19	3	0.037037	0.981481		

Observe que el costo total de espera de los 16 autos por día es de (16 autos/día) × (0.0415 hora/auto) = 0.664 horas por día en vez de 10.67 horas con tan solo un mecánico.

El costo del servicio se duplica, ya que hay dos mecánicos, así sería de:

$$\text{Costo total diario del servicio} = (8 \text{ horas por día})mC_s = (8)2(\$15) = \$240$$

El costo total diario del sistema como está configurado actualmente se compone del total del costo de espera y del costo del servicio, que es:

$$\text{Costo total diario del sistema de colas} = \$33.20 + \$240 = \$273.20$$

Como recordará, el costo total con un solo mecánico (Blank) era de $653 por día. El costo con únicamente Smith era de $360. La apertura de un segundo lugar de servicio ahorraría aproximadamente $380 por día, en comparación con el sistema actual, y este ahorraría aproximadamente $87 diarios en comparación con el sistema con el mecánico más rápido. Entonces, como el costo después de impuestos de un segundo lugar es muy bajo, la decisión de Arnold es abrir una segunda bahía de servicio y contratar a un segundo mecánico a quien le pague lo mismo que a Blank. Esto tendría beneficios adicionales porque se puede correr la voz de que el tiempo de espera es muy corto en el taller de silenciadores de Arnold, y ello aumentaría el número de clientes que optan por utilizar los servicios de Arnold.

USO DE EXCEL QM PARA ANALIZAR EL MODELO DE COLAS MULTICANAL DE ARNOLD Para usar Excel QM en este problema, del menú de Excel QM, seleccione *Waiting Lines - Multiple Channel Model (M/M/s)*. Cuando se despliegue la hoja de cálculo, introduzca la tasa de llegadas **2.** la tasa de servicio **3.** y el número de servidores **2.** Una vez que los haya introducido, se presentará la solución que se muestra en el programa 13.2.

13.6   Modelo de tiempo de servicio constante (*M/D/1*)

Las tasas de servicio constantes aceleran el proceso en comparación con los tiempos de servicio exponencialmente distribuidos con el mismo valor de μ.

Algunos sistemas tienen tiempos de servicio constante en vez de tiempos exponencialmente distribuidos. Cuando los clientes o los equipos se procesan de acuerdo con un ciclo fijo, como en el caso de un lavado de autos automático o el de un juego en un parque de diversiones, son adecuadas las tasas de servicio constante. Ya que las tasas constantes son ciertas, los valores de L_q, W_q, L y W siempre son menores de lo que serían en los modelos que acabamos de presentar, que tienen tiempos de servicio variables. En realidad, tanto la longitud promedio de la cola como el tiempo de espera promedio en la cola *disminuyen a la mitad* con el modelo de tasa de servicio constante.

EN ACCIÓN   Cola en las urnas

Las largas colas en las urnas en las recientes elecciones presidenciales han causado cierta preocupación. En 2000 los votantes de Florida esperaban en la fila más de 2 horas para emitir su voto. El resultado final favoreció al ganador por 527 votos de los casi 6 millones de votos emitidos en ese estado. Algunos electores se cansaban cada vez más de esperar y simplemente dejaban la fila sin sufragar, y esto es lo que pudo haber afectado el resultado. Un cambio de 0.01% podría haber ocasionado resultados diferentes. En 2004 hubo informes de los electores en Ohio que esperaron en la fila 10 horas para votar. Si tan solo 19 posibles electores en cada distrito electoral en los 12 condados más grandes de Ohio se cansaron de esperar y se fueron sin votar, el resultado de las elecciones pudo haber sido diferente. Hubo problemas obvios con el número de máquinas disponibles en algunas de los recintos. Un recinto necesitaba 13 máquinas, pero solo tenía 2. Inexplicablemente, había 68 máquinas para votar en los almacenes que nunca fueron utilizadas. Otros estados también tuvieron algunas filas largas.

El problema básico se deriva de no tener suficientes máquinas para votar en muchos de los distritos, aunque en algunos de ellos había máquinas suficientes y sin problemas. ¿Por qué hubo dificultades en algunos de los distritos electorales? Parte de la razón está relacionada con la deficiente previsión de la participación electoral en distintos recintos. Cualquiera que sea la causa, la mala asignación de las máquinas para votar entre los recintos parece ser una de las principales causas de las largas filas en las elecciones nacionales. Los modelos de colas ayudarían a ofrecer una manera científica de analizar las necesidades y anticiparse a las filas para votar con base en el número de máquinas proporcionadas.

El recinto básico para votar se puede modelar como un sistema de colas multicanal. Al evaluar un rango de valores para el número previsto de los votantes en los distintos momentos del día, se puede determinar qué tan largas serán las colas, en función del número de máquinas para votar disponibles. Aunque aún podría haber algunas filas si el estado no tiene suficientes máquinas para votar que satisfagan las necesidades previstas, la distribución adecuada de esas máquinas ayudaría a mantener los tiempos de espera razonables.

Fuente: Basada en Alexander S. Belenky y Richard C. Larson. "To Queue or Not to Queue", *OR/MS Today* 33, 3 (junio de 2006): 30-34.

Ecuaciones para el modelo del tiempo de servicio constante

Las fórmulas del modelo de servicio constante son las siguientes:

1. Longitud promedio de la cola:

$$L_q = \frac{\lambda^2}{2\mu(\mu - \lambda)} \tag{13-19}$$

2. Tiempo de espera promedio en la cola:

$$W_q = \frac{\lambda}{2\mu(\mu - \lambda)} \tag{13-20}$$

3. Número promedio de clientes en el sistema:

$$L = L_q + \frac{\lambda}{\mu} \tag{13-21}$$

4. Tiempo promedio en el sistema:

$$W = W_q + \frac{1}{\mu} \tag{13-22}$$

Compañía García-Golding Recycling

La compañía García-Golding Recycling recolecta y compacta latas de aluminio y botellas de vidrio en la ciudad de Nueva York. Los conductores de sus camiones, quienes llegan a descargar dichos materiales para su reciclaje, esperan actualmente un promedio de 15 minutos antes de vaciar sus cargas. El costo del salario del conductor y el tiempo inactivo del camión mientras están en la cola se valoró en $60 por hora. Se puede comprar un nuevo compactador automático, que procesaría las cargas de los camiones a una tasa constante de 12 vehículos por hora (es decir, 5 minutos por camión). Los camiones llegan de acuerdo con una distribución de Poisson a una tasa promedio de 8 por hora. Si se utiliza el nuevo compactador, su costo se amortizaría a una tasa de $3 por camión descargado. En verano

PROGRAMA 13.3 Solución de Excel QM para el modelo del tiempo de servicio constante con el ejemplo de García-Golding Recycling

	A	B	C	D	E
1	**Garcia-Golding Recycling**				
2					
3	**Waiting Lines**			**M/D/1 (Constant Service Times)**	
4	Deben estimarse tanto la TASA de llegada como la TASA de servicio, y usar la misma unidad de tiempo. Dado un tiempo				
5					
6	**Data**			**Results**	
7	Arrival rate (λ)	8		**Average server utilization(ρ)**	**0.66667**
8	Service rate (μ)	12		**Average number of customers in the queue(L_q)**	**0.66667**
9				**Average number of customers in the system(L_s)**	**1.33333**
10				**Average waiting time in the queue(W_q)**	**0.08333**
11				**Average time in the system(W_s)**	**0.16667**
12				**Probability (% of time) system is empty (P_0)**	**0.33333**

un becario de una universidad local hizo el siguiente análisis para evaluar los costos en comparación con los beneficios de dicha compra:

$$\text{Costo de espera } actual/\text{viaje} = \left(\tfrac{1}{4} \text{ de hora en espera ahora}\right)(\$60/\text{costo por hora})$$
$$= \$15/\text{viaje}$$

$$Nuevo \text{ sistema: } \lambda = \text{llegan 8 camiones/hora}$$

$$\mu = 12 \text{ camiones/hora atendidos}$$

Análisis de costos para el ejemplo de reciclaje.

$$\text{Tiempo de espera promedio en la cola} = W_q = \frac{\lambda}{2\mu(\mu - \lambda)} = \frac{8}{2(12)(12 - 8)}$$
$$= \frac{1}{12} \text{ de hora}$$

$$\text{Costo de espera/viaje con el nuevo compactador} = \left(\tfrac{1}{12} \text{ de hora de espera}\right)(\$60/\text{costo por hora}) = \$5/\text{viaje}$$
$$\text{Ahorros con el nuevo equipo} = \$15 \text{ (sistema actual)} - \$5 \text{ (sistema nuevo)}$$
$$= \$10/\text{viaje}$$
$$\text{Costo amortizado del equipo nuevo} = \underline{\$3/\text{viaje}}$$
$$\text{Ahorro neto} = \$7/\text{viaje}$$

USO DE EXCEL QM PARA EL MODELADO DEL TIEMPO DE SERVICIO CONSTANTE EN GARCÍA-GOLDING Para usar Excel QM en este problema, del menú de Excel QM, seleccione *Waiting Lines - Constant Service Time Model (M/D/1)*. Cuando se despliegue la hoja de cálculo, introduzca la tasa de llegadas (8) y la tasa de servicio (12). Una vez que las haya introducido, se presentará la solución que se muestra en el programa 13.3.

13.7 Modelo de población finita (*M/M/*1 con fuente finita)

Cuando existe una población limitada de clientes potenciales para una instalación de servicio, es necesario considerar un modelo diferente de colas. Este modelo se utilizaría, por ejemplo, si se consideraran reparaciones del equipo en una fábrica que tiene cinco máquinas, si se estuviera a cargo del mantenimiento de una flota de 10 aviones de uso intensivo, o si se administrara una sala de hospital con 20 camas. El modelo de población limitada permite que se considere cualquier número de personas que realizan reparaciones (servidores).

La razón por la que este modelo difiere de los tres modelos de colas anteriores es que ahora existe una relación de *dependencia* entre la longitud de la cola y la tasa de llegadas. Para ilustrar la situación extrema, si una fábrica tuviera cinco máquinas y todas estuvieran descompuestas y en espera de ser reparadas, la tasa de llegadas caería a cero. En general, conforme la línea de espera se hace más larga en el modelo de población limitada, la tasa de llegada de clientes o máquinas se reduce.

En esta sección se describe un modelo de población potencial finita que se apoya en las siguientes suposiciones:

1. Solamente hay un servidor.
2. La población de unidades que buscan servicio es finita.[*]
3. Las llegadas siguen una distribución de Poisson y los tiempos de servicio se distribuyen exponencialmente.
4. Los clientes son atendidos con base en el principio de primero en llegar, primero en ser atendido.

Ecuaciones para el modelo de población finita

Utilizando

$$\lambda = \text{tasa de llegadas promedio}, \ \mu = \text{tasa de servicio promedio}, \ N = \text{tamaño de la población}$$

las características operativas de este modelo de población finita con un único canal o servidor en turno son las siguientes:

1. Probabilidad de que el sistema esté vacío:

$$P_0 = \frac{1}{\displaystyle\sum_{n=0}^{N} \frac{N!}{(N-n)!} \left(\frac{\lambda}{\mu} \right)^n} \tag{13-23}$$

2. Longitud promedio de la cola:

$$L_q = N - \left(\frac{\lambda + \mu}{\lambda} \right)(1 - P_0) \tag{13-24}$$

3. Número promedio de clientes (unidades) dentro del sistema:

$$L = L_q + (1 - P_0) \tag{13-25}$$

4. Tiempo de espera promedio en la cola:

$$W_q = \frac{L_q}{(N - L)\lambda} \tag{13-26}$$

5. Tiempo promedio en el sistema:

$$W = W_q + \frac{1}{\mu} \tag{13-27}$$

6. Probabilidad de *n* unidades en el sistema:

$$P_n = \frac{N!}{(N-n)!} \left(\frac{\lambda}{\mu} \right)^n P_0 \quad \text{for } n = 0, 1, \ldots, N \tag{13-28}$$

Ejemplo del departamento de comercio

Los registros existentes indican que cada una de las cinco impresoras "planas" de alta velocidad del Departamento de Comercio de Estados Unidos en Washington, D.C., necesitan reparación después de aproximadamente 20 horas de uso. Se ha determinado que las descomposturas tienen distribución de Poisson. El único técnico que está de turno puede dar servicio a una impresora en un promedio de dos horas, siguiendo una distribución exponencial.

---

[*]Aunque no hay un número definitivo que se pueda utilizar para dividir a las poblaciones en finitas e infinitas, una regla general sería esta: Si el número en la cola es una proporción significativa de la población potencial, utilice un modelo de colas finitas. *Finite Queuing Tables*, de L. G. Peck y R. N. Hazelwood (Nueva York: John Wiley & Sons, Inc. 1958) elimina muchas de las operaciones matemáticas implicadas en el cálculo de las características operativas de dicho modelo.

Para calcular las características de operación del sistema, primero se observa que la tasa promedio de llegadas es $\lambda = {}^{1}/_{20} = 0.05$ impresoras/hora. La tasa promedio de servicio es $\mu = {}^{1}/_{2} = 0.50$ impresoras/hora. Entonces,

1. $P_0 = \dfrac{1}{\sum\limits_{n=0}^{5}\dfrac{5!}{(5-n)!}\left(\dfrac{0.05}{0.5}\right)^n} = 0.564$ (se dejan estos cálculos para que usted los confirme)

2. $L_q = 5 - \left(\dfrac{0.05 + 0.5}{0.05}\right)(1 - P_0) = 5 - (11)(1 - 0.564) = 5 - 4.8$

   $= 0.2$ impresora,

3. $L = 0.2 + (1 - 0.564) = 0.64$ impresora,

4. $W_q = \dfrac{0.2}{(5 - 0.64)(0.05)} = \dfrac{0.2}{0.22} = 0.91$ horas,

5. $W = 0.91 + \dfrac{1}{0.50} = 2.91$ hora

Si los costos de los tiempos muertos por impresora son de $120 por hora y al técnico se le pagan $25 por hora, también se puede calcular el costo total por hora:

Costo total por hora = (Número promedio de impresoras descompuestas) (Costo por hora descompuesta) + Costo por hora de técnico

$= (0.64)(\$120) + \$25 = \$76.80 + \$25.00 = \$101.80$

SOLUCIÓN DEL MODELO DE POBLACIÓN FINITA DEL DEPARTAMENTO DE COMERCIO CON EXCEL QM Para utilizar Excel QM en este problema, del menú Excel, seleccione *Waiting Lines - Limited Population Model (M/M/s)*. Cuando se despliegue la hoja de cálculo, introduzca la tasa de llegadas (8), la tasa de servicio (12), el número de servidores y el tamaño de la población. Una vez que se han introducido, se presenta la solución que se muestra en el programa 13.4. También está disponible un resultado adicional.

PROGRAMA 13.4   Excel QM para el modelo de población finita con el ejemplo del Departamento de Comercio

	A	B	C	D	E
1	**Department of Commerce**				
2					
3	**Waiting Lines**		**M/M/s with a finite population**		
4	La tasa de llegada es para cada miembro de la población. Si van a servicio cada 20				
5					
6	**Data**			**Results**	
7	Arrival rate (λ) per customer	0.05		**Average server utilization(ρ)**	0.43605
8	Service rate (μ)	0.5		**Average number of customers in the queue(L_q)**	0.20347
9	Number of servers	1		**Average number of customers in the system(L_s)**	0.63952
10	Population size (N)	5		**Average waiting time in the queue(W_q)**	0.93326
11				**Average time in the system(W_s)**	2.93326
12				**Probability (% of time) system is empty (P_0)**	0.56395
13				**Effective arrival rate**	0.21802

13.8   Algunas relaciones características de operación generales

Un estado estable es la condición de operación normal del sistema de colas.

Un sistema de colas se encuentra en un estado transitorio antes de llegar al estado estable.

Existen ciertas relaciones entre las características operativas específicas de cualesquier sistema de colas en **estado estable**. Hay una condición de estado estable cuando un sistema de colas está en condición operativa estable normal, generalmente después de un **estado transitorio** o inicial que puede ocurrir (por ejemplo, que haya clientes esperando en la puerta cuando un negocio abre en la mañana). Tanto la tasa de llegadas como la tasa de servicio deberían ser estables en este estado. Se da el crédito a John D. C. Little por las primeras dos relaciones, de manera que se conocen como **ecuaciones de flujo de Little**.

$$L = \lambda W \text{ (o bien } W = L/\lambda) \tag{13-29}$$

$$L_q = \lambda W_q \text{ (o bien } W_q = L_q/\lambda) \tag{13-30}$$

Una tercera condición que siempre debe cumplirse es:
Tiempo promedio en el sistema = tiempo promedio en la cola + tiempo promedio al recibir el servicio

$$W = W_q + 1/\mu \tag{13-31}$$

La ventaja de estas fórmulas es que una vez que se conocen estas cuatro características, las otras son fáciles de encontrar, lo cual es importante debido a que en ciertos modelos de colas, algunas de ellas son mucho más fáciles de determinar que otras. Estas son aplicables a todos los sistemas de colas que se analizan en este capítulo, excepto el modelo de población finita.

13.9   Modelos de colas más complejos y uso de simulación

Hay modelos más avanzados para manejar las variaciones en las suposiciones básicas, pero incluso cuando estas no se apliquen podemos recurrir a la simulación por computadora, tema que se tratará en el capítulo 14.

Muchos problemas prácticos de líneas de espera que ocurren en sistemas de servicio de producción y operaciones tienen características como las del taller de silenciadores de Arnold, de la compañía García-Golding Recycling o del Departamento de Comercio. Esto es cierto cuando la situación requiere líneas de espera de un solo canal o multicanal, con llegadas de Poisson y tiempos de servicio exponenciales o constantes, una población potencial infinita y servicio de PEPS.

Sin embargo, con frecuencia dentro de un análisis, están presentes *variaciones* de este caso específico. Los tiempos de servicio en un taller de reparaciones de automóviles, por ejemplo, tienden a seguir una distribución de probabilidad normal en vez de exponencial. Un sistema de inscripciones a una universidad, en el cual los estudiantes de último año tienen la primera elección de cursos y horarios, por encima de todos los demás alumnos, es un ejemplo de un modelo de primero en llegar, primero en ser atendido con una disciplina de colas de prioridad preferente. Un examen físico para los reclutas militares es un ejemplo de un sistema multifase, que difiere de los modelos de una sola fase que se analizaron en este capítulo. El recluta primero se forma para que se le tomen la muestra de sangre en una estación, luego espera a que le practiquen un examen de la vista en la siguiente, en la tercera habla con un psiquiatra y en la cuarta es examinado por un doctor por problemas médicos. En cada fase, el recluta debe entrar en una cola y esperar su turno.

Los modelos que manejan estos casos se han desarrollado por investigadores de operaciones. Los cálculos de las fórmulas matemáticas resultantes son un tanto más complicadas que los que se presentaron en este capítulo,[*] y muchas aplicaciones reales de las colas son demasiado complicadas para modelarse analíticamente. Cuando así sucede, los analistas cuantitativos generalmente recurren a la *simulación por computadora*.

La simulación, tema del capítulo 14, es una técnica donde se utilizan números aleatorios para obtener inferencias acerca de las distribuciones de probabilidad (como llegadas y servicios). Con este método, muchas horas, días o meses de datos se pueden desarrollar en unos cuantos segundos usando una computadora. Esto permite analizar factores controlables, como agregar otro canal de servicio sin que esto suceda en realidad de forma física. Básicamente, siempre que un modelo de colas estándar analítico proporcione tan solo una aproximación deficiente del sistema de servicio real, es sensato desarrollar un modelo de simulaciones en su lugar.

---

[*]Con frecuencia, los resultados *cualitativos* de los modelos de colas son tan útiles como los resultados cuantitativos. Los resultados muestran que es intrínsecamente más eficiente hacer un fondo común de recursos, utilizar envíos centrales y suministrar sistemas únicos de servidores múltiples, en vez de sistemas múltiples de un solo servidor.

Resumen

Las líneas de espera y los sistemas de servicio son partes importantes del mundo de los negocios. En este capítulo se describieron varias situaciones comunes de colas de espera y para analizarlas se presentaron modelos matemáticos basados en ciertas suposiciones. Dichas suposiciones son que **1.** las llegadas proceden de una población infinita o muy grande, **2.** las llegadas tienen una distribución de Poisson, **3.** las llegadas se manejan con una base de PEPS y no hay rechazo ni rehúse, **4.** los tiempos de servicio siguen la distribución exponencial negativa o son constantes, y **5.** la tasa de servicio promedio es más rápida que la tasa promedio de llegadas.

Los modelos ilustrados en este capítulo son para resolver problemas de una sola fase, de una sola fase y multicanal, y de un solo canal. Después de haber calculado una serie de características operativas, se estudian los costos totales esperados. Como se muestra de manera gráfica en la figura 13.1, el costo total es la suma del costo de dar el servicio más el costo del tiempo de espera.

Se sabe que las características operativas fundamentales de un sistema son **1.** la tasa de utilización, **2.** el porcentaje de tiempo ocioso, **3.** el tiempo promedio que se pasa en espera dentro del sistema y en la cola, **4.** el número promedio de clientes dentro del sistema y en la cola y **5.** las probabilidades de varias cantidades de clientes en el sistema.

El capítulo enfatiza que existe una variedad de modelos de colas que no cumplen con todas las suposiciones de los modelos tradicionales. En estos casos, se utilizan modelos matemáticos más complejos o se recurre a la técnica conocida como simulación por computadora. La aplicación de las simulaciones en los problemas de sistemas de colas, control de inventarios, descomposturas de maquinaria y otras situaciones de análisis cuantitativo se estudian en el capítulo 14.

Glosario

Características operativas   Características descriptivas de un sistema de colas, incluyendo el número promedio de clientes en una línea y en el sistema, los tiempos de espera promedio en una línea y en el sistema, y el porcentaje de tiempo ocioso.

Costo de espera   Costo para la empresa de tener clientes u objetos que esperan ser atendidos.

Costo del servicio   Costo de proporcionar un determinado nivel de servicio.

Disciplina de cola   Regla por la cual los clientes de una línea reciben servicio.

Distribución de Poisson   Distribución de probabilidad que con frecuencia se utiliza para describir las llegadas al azar en una cola.

Distribución de probabilidad exponencial negativa   Distribución de probabilidad que se utiliza a menudo para describir tiempos de servicio aleatorios en un sistema de servicio.

Ecuaciones de flujo de Little   Conjunto de relaciones que existen para cualquier sistema de colas en un estado estable.

Eludir   Caso donde los clientes que llegan se niegan a unirse a la línea de espera.

Estado estable   Condición de operación normal estabilizada de un sistema de colas.

Estado transitorio   Condición inicial de un sistema de colas, antes de que se alcance un estado estable.

Factor de utilización (ρ)   Proporción del tiempo que están en uso las instalaciones de servicios.

Línea de espera (cola)   Uno o más clientes u objetos que esperan ser atendidos.

Longitud de cola ilimitada   Cola que puede aumentar a un tamaño infinito.

Longitud limitada de la cola   Línea de espera que no se puede aumentar más allá de un tamaño específico.

M/D/1   Notación de Kendall para el modelo del tiempo de servicio constante.

M/M/1   Notación de Kendall para el modelo de un solo canal con llegadas de Poisson y tiempos de servicio exponenciales.

M/M/m   Notación de Kendall para el modelo de colas multicanal (con m servidores) y llegadas de Poisson y tiempos de servicio exponenciales.

Notación de Kendall   Método de clasificación de sistemas de colas que se basa en la distribución de las llegadas, la distribución de los tiempos de servicio y el número de canales de servicio.

PEPS   Disciplina de colas (que significa, primero en entrar, primero en salir) en la cual los clientes se atienden en el estricto orden de llegada.

Población ilimitada o infinita   Población potencial demasiado grande en relación con el número de clientes que actualmente están en el sistema.

Población limitada o finita   Caso donde el número de clientes en el sistema es una parte importante de la población potencial.

Población potencial   La población de elementos que llegan al sistema de colas.

Rehusar   Caso donde los clientes entran en una cola, pero luego se van antes de ser atendidos.

Sistema de colas de un solo canal   Sistema de colas con un servidor alimentado por una sola cola.

Sistema de colas multicanal   Sistema que tiene más de una instalación de servicio, todos alimentados por la misma cola única.

Sistema de una sola fase   Sistema de colas donde el servicio se recibe de una sola estación.

Sistema multifase   Sistema donde el servicio se recibe de más de una estación, una tras otra.

Teoría de colas   Estudio matemático de las líneas de espera o colas.

Ecuaciones clave

λ = número promedio de llegadas por periodo de tiempo

μ = número promedio de personas u objetos atendidos por periodo de tiempo

Las ecuaciones 13-1 a 13-7 describen características operativas en el modelo de un solo canal que tiene llegadas de Poisson y tasas de servicio exponenciales.

(13-1) L = número promedio de unidades (clientes) en el sistema

$$= \frac{\lambda}{\mu - \lambda}$$

(13-2) W = número promedio que una unidad pasa dentro del sistema (tiempo de espera + tiempo de servicio)

$$= \frac{1}{\mu - \lambda}$$

(13-3) L_q = número promedio de unidades en la cola

$$= \frac{\lambda^2}{\mu(\mu - \lambda)}$$

(13-4) W_q = tiempo promedio que una unidad pasa esperando en la cola

$$= \frac{\lambda}{\mu(\mu - \lambda)}$$

(13-5) ρ = factor de utilización para el sistema $= \dfrac{\lambda}{\mu}$

(13-6) P_0 = probabilidad de 0 unidades en el sistema (es decir, la unidad de servicio está ociosa o inactiva)

$$= 1 - \frac{\lambda}{\mu}$$

(13-7) $P_{n>k}$ = probabilidad de más de k unidades estén en el sistema

$$= \left(\frac{\lambda}{\mu}\right)^{k+1}$$

Las ecuaciones 13-8 a 13-12 se utilizan para encontrar los costos de un sistema de colas

(13-8) Costo total del servicio $= mC_s$

donde

m = número de canales

C_s = costo de servicio (costo de mano de obra) de cada canal

(13-9) Costo total por periodo de tiempo de espera $= (\lambda W)\,C_w$

C_w = costo de espera

Costo de tiempo basado en el tiempo en el sistema.

(13-10) Costo total por periodo de tiempo de espera $= (\lambda W_q)\,C_w$

Costo del tiempo de espera en función del tiempo en la cola.

(13-11) Costo total $= mC_s + \lambda W C_w$

Costo del tiempo de espera en función del tiempo en el sistema.

(13-12) Costo total $= mC_s + \lambda W_q C_w$

Costo del tiempo de espera en función del tiempo en la cola.

Las ecuaciones 13-13 a 13-18 describen las características operativas en los modelos multicanal que tienen llegadas de Poisson y tasas de servicio exponenciales, donde m = el número de canales abiertos.

(13-13) $$P_0 = \frac{1}{\left[\displaystyle\sum_{n=0}^{n=m-1} \frac{1}{n!}\left(\frac{\lambda}{\mu}\right)^n\right] + \frac{1}{m!}\left(\frac{\lambda}{\mu}\right)^m \frac{m\mu}{m\mu - \lambda}}$$

para $m\mu > \lambda$

Probabilidad de que no haya personas o unidades en el sistema.

(13-14) $$L = \frac{\lambda\mu(\lambda/\mu)^m}{(m-1)!(m\mu - \lambda)^2}P_0 + \frac{\lambda}{\mu}$$

Número promedio de personas o unidades en el sistema.

(13-15) $$W = \frac{\mu(\lambda/\mu)^m}{(m-1)!(m\mu - \lambda)^2}P_0 + \frac{1}{\mu} = \frac{L}{\lambda}$$

Tiempo promedio que pasa una unidad en la línea de espera o recibiendo servicio (a saber, en el sistema).

(13-16) $$L_q = L - \frac{\lambda}{\mu}$$

Número promedio de clientes o unidades en que esperan en la fila para recibir servicio.

(13-17) $$W_q = W - \frac{1}{\mu} = \frac{L_q}{\lambda}$$

Tiempo promedio que pasa una persona o una unidad en la cola para recibir servicio.

(13-18) $$\rho = \frac{\lambda}{m\mu}$$

Tasa de utilización.

Las ecuaciones 13-19 a 13-22 describen las características operativas de los modelos de un solo canal que tienen llegadas de Poisson y tasas de servicio constantes.

(13-19) $$L_q = \frac{\lambda^2}{2\mu(\mu - \lambda)}$$

Longitud promedio de la cola.

(13-20) $$W_q = \frac{\lambda}{2\mu(\mu - \lambda)}$$

Tiempo de espera promedio en la cola

(13-21) $$L = L_q + \frac{\lambda}{\mu}$$

Número promedio de clientes en el sistema.

(13-22) $$W = W_q + \frac{1}{\mu}$$

Tiempo de espera promedio en el sistema.

Las ecuaciones 13-23 a 13-28 describen las características operativas de los modelos de un solo canal que tienen llegadas de Poisson y tasas de servicio exponenciales, así como población potencial finita.

$$(13\text{-}23) \quad P_0 = \frac{1}{\displaystyle\sum_{n=0}^{N} \frac{N!}{(N-n)!}\left(\frac{\lambda}{\mu}\right)^n}$$

Probabilidad de que el sistema esté vacío.

$$(13\text{-}24) \quad L_q = N - \left(\frac{\lambda + \mu}{\lambda}\right)(1 - P_0)$$

Longitud promedio de la cola.

$$(13\text{-}25) \quad L = L_q + (1 - P_0)$$

Número promedio de unidades en el sistema.

$$(13\text{-}26) \quad W_q = \frac{L_q}{(N-L)\lambda}$$

Tiempo promedio en la cola.

$$(13\text{-}27) \quad W = W_q + \frac{1}{\mu}$$

Tiempo promedio en el sistema.

$$(13\text{-}28) \quad P_n = \frac{N!}{(N-n)!}\left(\frac{\lambda}{\mu}\right)^n P_0 \quad \text{para } n = 0, 1, \ldots, N$$

Probabilidad de n unidades en el sistema.

Las ecuaciones 13-29 a 13-31 son las ecuaciones de flujo de Little, que se pueden utilizar cuando exista una condición de estado estable.

$$(13\text{-}29) \quad L = \lambda W$$

$$(13\text{-}30) \quad L_q = \lambda W_q$$

$$(13\text{-}31) \quad W = W_q + 1/\mu$$

Problemas resueltos

Problema resuelto 13-1

La tienda Maitland Furniture recibe un promedio de 50 clientes por turno. La gerente de Maitland desea calcular si debería contratar a 1, 2, 3 o 4 vendedores. Ella ha determinado que el tiempo de espera promedio será de 7 minutos con 1 vendedor, 4 minutos con 2 vendedores, 3 minutos con 3 vendedores y 2 minutos con 4 vendedores. Ha estimado el costo por minuto que esperan los clientes en $1. El costo por vendedor por cada turno (con prestaciones incluidas) es de $70.

¿Cuántos vendedores se deberían contratar?

Solución

Los cálculos de la gerente son los siguientes:

		NÚMERO DE VENDEDORES			
		1	**2**	**3**	**4**
a)	Número promedio de clientes por turno	50	50	50	50
b)	Tiempo promedio de espera por cliente (minutos)	7	4	3	2
c)	Tiempo total de espera por turno ($a \times b$) (minutos)	350	200	150	100
d)	Costo por minuto de tiempo de espera (estimado)	$1.00	$1.00	$1.00	$1.00
e)	Valor del tiempo perdido ($c \times d$) por turno	$ 350	$ 200	$ 150	$ 100
f)	Costo del salario por turno	$ 70	$ 140	$ 210	$ 280
g)	Costo total por turno	$ 420	$ 340	$ 360	$ 380

Debido a que el costo total mínimo por turno corresponde a dos vendedores, la estrategia óptima de la gerente es contratar a 2 vendedores.

Problema resuelto 13-2

Marty Schatz es dueño y gerente de un local de hot dogs y bebidas gaseosas cerca del campus. Aunque Marty puede atender en promedio a 30 clientes por hora (μ), tan solo recibe a 20 clientes por hora (λ). Ya que Marty podría esperar un 50% más de clientes que realmente visiten su tienda, pero para él no tiene sentido alguno tener colas de espera.

Marty lo contrata a usted para que le ayude a examinar la situación y para determinar algunas de las características de la cola. Después de estudiar el problema, encuentra que es un sistema *M/M/*1. ¿Cuáles fueron sus resultados?

Solución

$$L = \frac{\lambda}{\mu - \lambda} = \frac{20}{30 - 20} = 2 \text{ clientes en el sistema en promedio}$$

$$W = \frac{1}{\mu - \lambda} = \frac{1}{30 - 20} = 0.1 \text{ horas (6 minutos) que el cliente promedio}$$
$$\text{pasa en todo el sistema}$$

$$L_q = \frac{\lambda^2}{\mu(\mu - \lambda)} = \frac{20^2}{30(30 - 20)} = 1.33 \text{ clientes en promedio que esperan en la fila para ser atendidos}$$

$$w_q = \frac{\lambda}{\mu(\mu - \lambda)} = \frac{20}{30(30 - 20)} = \frac{1}{15} \text{ hora} = (4 \text{ minutos}) = \text{atiempo de espera promedio de un}$$
$$\text{cliente en una cola en espera del servicio}$$

$$\rho = \frac{\lambda}{\mu} = \frac{20}{30} = 0.67 = \text{porcentaje del tiempo que Marty está ocupado atendiendo a los clientes}$$

$$P_0 = 1 - \frac{\lambda}{\mu} = 1 - \rho = 0.33 = \text{probabilidad de que no haya clientes en el sistema (que se estén}$$
$$\text{atendiendo o que estén en la cola) en cualquier momento dado}$$

Probabilidad de k o más clientes en línea de espera y/o siendo atendidos

k	$P_{n>k} = \left(\dfrac{\lambda}{\mu}\right)^{k+1}$
0	0.667
1	0.444
2	0.296
3	0.198

Problema resuelto 13-3

Remítase al problema resuelto 13-2. Marty acordó que estas cifras parecen representar su situación empresarial aproximada. Usted está muy sorprendido por la longitud de las colas y le pregunta el tiempo estimado que el cliente permanece en espera (en la cola, no siendo atendido) a 10 centavos por minuto. Durante las 12 horas en que la tienda está abierta llegan $(12 \times 20) = 240$ clientes. El cliente promedio está en la cola durante 4 minutos, así que el tiempo total que el cliente espera es $(240 \times 4 \text{ minutos}) = 960$ minutos. El valor de 960 minutos es $(\$0.10)(960 \text{ minutos}) = \$96$. Usted le dice a Marty que no solo 10 centavos es un valor bastante conservador, sino que podría ahorrar la mayoría de los \$96 de la mala voluntad del cliente si contratara a otro vendedor. Después de mucho regateo, Marty está de acuerdo en servirle todos los hot dogs que pueda comer durante una semana a cambio de su análisis de tener a dos empleados para atender a los clientes.

Suponiendo que Marty contrató a un vendedor adicional cuyas tasas de servicio igualan la tasa de Marty, termine el análisis.

Solución

Con dos cajas registradoras abiertas, el sistema será de dos canales o $m = 2$. Los cálculos dan:

$$P_0 = \frac{1}{\left[\displaystyle\sum_{n=0}^{n=m-1} \frac{1}{n!}\left[\frac{20}{30}\right]^n\right] + \frac{1}{2!}\left[\frac{20}{30}\right]^2\left[\frac{2(30)}{2(30) - 20}\right]}$$

$$= \frac{1}{(1)(2/3)^0 + (1)(2/3)^1 + (1/2)(4/9)(6/4)} = 0.5$$

$$= \text{probabilidad de que no haya clientes en el sistema}$$

$$L = \left[\frac{(20)(30)(20/30)^2}{(2-1)![(2)(30-20)]^2} \right] 0.5 + \frac{20}{30} = 0.75 \text{ clientes en el sistema en promedio}$$

$$W = \frac{L}{\lambda} = \frac{3/4}{20} = \frac{3}{80} \text{ de hora} = 2.25 \text{ minutos que el cliente promedio pasa en todo el sistema}$$

$$L_q = L - \frac{\lambda}{\mu} = \frac{3}{4} - \frac{20}{30} = \frac{1}{12} = 0.083 \text{ clientes en la fila de espera para recibir servicio en promedio}$$

$$W_q = \frac{L_q}{\lambda} = \frac{1/2}{20} = \frac{1}{240} \text{ de hora} = \frac{1}{4} \text{ de minuto} = \text{tiempo de espera promedio de un cliente que}$$
$$\text{está en la cola (sin ser atendido)}$$

$$\rho = \frac{\lambda}{m\mu} = \frac{20}{2(30)} = \frac{1}{3} = 0.33 = \text{taza de utilización}$$

Ahora tiene (240 clientes) × (1/240 de hora) = 1 hora en total de tiempo de espera de los clientes al día.

Costo total de 60 minutos de tiempo de espera del cliente es (60 minutos)($0.10 por minuto) = $6.

Ahora está listo para indicar a Marty que la contratación de 1 empleado adicional se reflejará en ahorros de $96 − $6 = $90 de mala voluntad del cliente por cada turno de 12 horas. Marty responde que la contratación también debería reducir el número de personas que ven la fila y se van, así como de aquellos que se cansan de estar esperando y también se salen. Usted dice a Marty que está listo para comerse dos hot dogs superpicantes.

Problemas resueltos 13-4

Vacation Inns es una cadena de hoteles que opera en la parte suroeste de Estados Unidos. La compañía utiliza un número telefónico gratuito para hacer reservaciones en cualquiera de sus hoteles. El tiempo promedio para tomar cada llamada es de 3 minutos y se reciben un promedio de 12 llamadas cada hora. No se conoce la distribución de probabilidad que describe las llegadas. Después de cierto tiempo, se determina que la persona que llama emplea 6 minutos, ya sea en espera o recibiendo el servicio. Encuentre el tiempo promedio que se pasa en la cola, el tiempo promedio en el sistema, el número promedio en la cola y el número promedio en el sistema.

Solución

Las distribuciones de probabilidad son desconocidas, pero se da el tiempo promedio en el sistema (6 minutos). Entonces, se utilizan las ecuaciones de Little:

$$W = 6 \text{ minutos} = 6/60 \text{ de hora} = 0.1 \text{ horas}$$
$$\lambda = 12 \text{ por hora}$$
$$\mu = 60/3 = 20 \text{ por hora}$$

$$\text{Tiempo promedio en la cola} = W_q = W - 1/\mu = 0.1 - 1/20 = 0.1 - 0.05 = 0.05 \text{ de hora}$$
$$\text{Número promedio en el sistema} = L = \lambda W = 12(0.1) = 1.2 \text{ personas que llaman}$$
$$\text{Número promedio en la cola} = L_q = \lambda W_q = 12(0.05) = 0.6 \text{ personas que llaman}$$

Autoevaluación

- Antes de realizar la autoevaluación, consulte los objetivos de aprendizaje al inicio del capítulo, las notas en los márgenes y el glosario del final del capítulo.
- Utilice la solución al final del libro para corregir sus respuestas.
- Estudie nuevamente las páginas que correspondan a cualquier pregunta cuya respuesta sea incorrecta o al material con el que se sienta inseguro.

1. La mayoría de los sistemas utilizan la disciplina de las colas conocida como regla de PEPS.
   a) Verdadero
   b) Falso

2. Antes de utilizar la distribución exponencial para construir modelos de colas, el analista cuantitativo debería determinar si los datos del tiempo de servicio se ajustan a la distribución.
   a) Verdadero
   b) Falso

3. En un sistema de colas multicanal de una sola fase, la llegada pasará al menos por dos instalaciones de servicio.
   a) Verdadero
   b) Falso

4. ¿Cuál de las siguientes *no* es una suposición de los modelos *M/M/*1?
   a) Las llegadas vienen de una población muy grande o infinita.
   b) Las llegadas tienen distribuciones de Poisson.
   c) Las llegadas se tratan como un sistema PEPS y no hay rechazo ni rehúse.
   d) Los tiempos de servicio siguen una distribución exponencial.
   e) La tasa de llegadas promedio es más rápida que la tasa de servicio promedio.

5. Un sistema de colas que se describe como *M/D/*2 tendría
   a) tiempos de servicio exponenciales.
   b) dos colas.
   c) tiempos de servicio constantes.
   d) tasas de llegada constantes.

6. Los automóviles llegan a la ventanilla de atención de un restaurante de comida rápida para hacer un pedido y, luego, van a pagar los alimentos y a recoger el pedido. Este es un ejemplo de
   a) un sistema multicanal.
   b) un sistema multifase.
   c) un sistema multicolas.
   d) ninguno de los anteriores.

7. El factor de utilización de un sistema se define como:
   a) el número promedio de individuos atendidos dividido entre el número promedio de llegadas por periodo.
   b) el tiempo promedio que un cliente pasa esperando en una cola.
   c) la proporción del tiempo que las instalaciones de servicio están en uso.
   d) el porcentaje de tiempo ocioso o inactivo.
   e) ninguna de las anteriores.

8. ¿Cuál de los siguientes ejemplos no tendría una disciplina de cola de PEPS?
   a) Restaurante de comida rápida.
   b) Oficina de correos.
   c) Fila de la caja registradora en una tienda de autoservicio.
   d) Sala de urgencias de un hospital.

9. Una compañía tiene un técnico de computadoras responsable de las reparaciones de las 20 computadoras de la empresa. Cuando una de estas se descompone, se llama al técnico para que haga la reparación. Cuando él está ocupado, la máquina debe esperar para ser reparada. Este es un ejemplo de
   a) un sistema multicanal.
   b) un sistema de población finita.
   c) un sistema con tasa de servicio constante.
   d) un sistema multifase.

10. Al llevar a cabo un análisis de costo de un sistema de colas, el costo del tiempo de espera (C_w) algunas veces se basa en el tiempo en la cola; y otras, en el tiempo dentro del sistema. ¿En cuál de las siguientes situaciones, el costo de espera se debería basar en el tiempo dentro del sistema?
    a) esperar en una fila para subir a un juego de un parque de diversiones.
    b) esperar a hablar sobre un problema de salud con el médico.
    c) esperar una foto y autógrafo de una estrella de rock.
    d) esperar a que se repare una computadora para que se pueda volver a utilizar.

11. Los clientes entran en la fila de espera en una cafetería de acuerdo con el principio de primeros en llegar, primeros en ser atendidos. La tasa de llegadas sigue una distribución de Poisson, y los tiempos de servicio, una distribución exponencial. Si el número promedio de llegadas es de 6 por minuto y la tasa de servicio promedio de un solo servidor es de 10 por minuto, ¿cuál es el número promedio de clientes dentro del sistema?
    a) 0.6
    b) 0.9
    c) 1.5
    d) 0.25
    e) ninguno de los anteriores

12. En un modelo de colas estándar, se supone que la disciplina de colas es _____.

13. Se supone que el *tiempo* de servicio en el modelo de cola *M/M/*1 es _____.

14. Cuando los gerentes encuentran que las fórmulas de colas estándar son inadecuadas o que las ecuaciones matemáticas son imposibles de resolver, con frecuencia recurren a _____ para obtener su solución.

Preguntas y problemas para análisis

Preguntas para análisis

13-1 ¿Cuál es el problema de la línea de espera? ¿Cuáles son los componentes de un sistema de línea de espera?

13-2 ¿Cuáles son las suposiciones subyacentes comunes a los modelos de colas?

13-3 Describa las características operativas importantes de un sistema de colas.

13-4 ¿Por qué debe ser mayor la tasa de servicio que la tasa de llegadas en un sistema de colas de un solo canal?

13-5 Describa brevemente tres situaciones donde la regla de disciplina de PEPS no se aplique al análisis de colas.

13-6 Mencione ejemplos de cuatro situaciones en las cuales haya una población limitada o finita.

13-7 ¿Cuáles son los componentes de los siguientes sistemas? Dibuje y explique la configuración de cada uno de ellos.
   a) peluquería
   b) lavado de autos
   c) lavandería automática
   d) tienda de abarrotes pequeña

13-8 Dé un ejemplo de una situación donde el costo del tiempo de espera se base en el tiempo de espera en la cola. Mencione un ejemplo de una situación en la cual el costo del tiempo de espera se base en el tiempo de espera en el sistema.

13-9 ¿Cree usted que la distribución de Poisson, que supone llegadas independientes, es una buena estimación de las tasas de llegada en los siguientes sistemas de colas? En cada caso, defienda su posición.

a) Cafetería en su escuela

b) Peluquería

c) Ferretería

d) Consultorio dental

e) Clase universitaria

f) Cine

Problemas*

: 13-10 La tienda de descuentos departamental Smile recibe aproximadamente 300 clientes los sábados en el lapso de 9 A.M. a 5 P.M. Para decidir cuántas cajas registradoras deberán estar abiertas cada sábado, el gerente de Smile considera dos factores: el tiempo de espera del cliente (y el costo de espera asociado) y los costos de servicio que surgen de la contratación de personal de cajas adicional. Los empleados de las cajas reciben un salario promedio de $8 la hora. Cuando tan solo uno está en servicio, el tiempo de espera por cliente es aproximadamente de 10 minutos (o $1/6$ de hora); cuando son dos, el tiempo promedio de salida es de 6 minutos por persona; 4 minutos cuando tres empleados están en servicio; y 3 minutos cuando hay cuatro empleados en turno.

La gerencia de Smile ha llevado a cabo varias encuestas sobre la satisfacción del cliente y ha tenido la posibilidad de estimar que la tienda sufre de aproximadamente $10 de perdidas en ventas y de buena voluntad, por cada *hora* que los clientes pasan en las filas de las cajas. Usando la información proporcionada, determine el número óptimo de empleados contratados cada sábado para minimizar el costo total esperado de la tienda.

: 13-11 La compañía Rockwell Electronics conserva una cuadrilla de servicio que repara las fallas de las máquinas, que ocurren con un promedio de $\lambda = 3$ al día (aproximadamente de naturaleza de Poisson).

La cuadrilla puede dar servicio a un promedio de $\mu = 8$ máquinas al día con una distribución de tiempo de reparación que se asemeja a la distribución exponencial.

a) ¿Cuál es la tasa de utilización de este sistema de servicio?

b) ¿Cuál es el tiempo de reparación promedio de una máquina que está descompuesta?

c) ¿Cuántas máquinas están en espera de recibir servicio en algún momento dado?

d) ¿Cuál es la probabilidad de que más que una máquina se encuentre en el sistema? ¿Cuál la probabilidad de que más de dos estén descompuestas y en espera de ser reparadas o recibiendo el servicio? ¿Más de tres? ¿Y más de cuatro?

: 13-12 Con base en datos históricos, el autolavado de Harry estima que los automóviles sucios llegan a sus instalaciones a una tasa de 10 por hora durante todo el sábado. Con una cuadrilla que trabaja en la línea de lavado, Harry calcula que los vehículos se pueden lavar a un ritmo de uno cada 5 minutos. Se lava un solo auto a la vez en este ejemplo de una línea de espera de un solo canal.

Suponiendo llegadas de Poisson y tiempos de servicio exponenciales, encuentre:

a) el número promedio de autos en línea.

b) el tiempo promedio que un auto espera antes de ser lavado.

c) el tiempo promedio que un auto pasa en el sistema de servicio.

d) la tasa de utilización del autolavado.

e) la probabilidad de que ningún auto esté en el sistema.

: 13-13 Mike Dreskin administra un gran complejo de cines en Los Ángeles llamado Cinemas I, II, III y IV. Cada uno de los cuatro auditorios proyecta una película distinta. Además, el programa está planeado de manera que los tiempos de inicio están escalonados para evitar las posibles aglomeraciones de personas de que se presentarían si las cuatro películas se iniciaran al mismo tiempo. El cine tiene una sola taquilla y un cajero que puede mantener una tasa promedio de servicio de 280 espectadores por hora. Se supone que los tiempos de servicio siguen una distribución exponencial. Las llegadas en un día activo típico tienen distribución de Poisson y un promedio de 210 por hora.

Para determinar la eficiencia de la operación actual del sistema de boletaje, Mike desea examinar distintas características de operación de la cola.

a) Determine el número promedio de asistentes al cine que esperan en la fila para comprar un boleto.

b) ¿Qué porcentaje de tiempo está ocupado el cajero?

c) ¿Cuál es el tiempo promedio que el cliente pasa en el sistema?

d) ¿Cuál es el tiempo promedio que está en línea de espera para llegar a la taquilla?

e) ¿Cuál es la probabilidad de que haya más de dos personas en el sistema? ¿Más de tres personas? ¿Y más de cuatro?

: 13-14 La línea de la cafetería universitaria ubicada en el centro de recreación de estudiantes es una instalación de autoservicio donde los usuarios seleccionan la comida que desean consumir y hacen una sola fila para pagar en la caja. Los alumnos llegan a una tasa aproximada de cuatro por minuto, de acuerdo con la distribución de Poisson. El tiempo que toma la única cajera en registrar la venta es de 12 segundos por cliente, siguiendo una distribución exponencial.

a) ¿Cuál es la probabilidad de que haya más de dos estudiantes en el sistema? ¿Más de tres estudiantes? ¿Y más de cuatro?

b) ¿Cuál es la probabilidad de que el sistema esté vacío?

c) ¿Cuánto tiempo esperará el alumno promedio antes de llegar a la caja?

d) ¿Cuál es el número esperado de alumnos en la cola?

e) ¿Cuál es el número promedio en el sistema?

f) Si se agrega un segundo cajero (que trabaje al mismo ritmo), ¿cómo cambiarían las características

---

*Nota: ⚲ significa que el problema resuelve con QM para Windows; ✖ indica que el problema se resuelve con Excel QM y ⚲ quiere decir que el problema se resuelve con QM para Windows y/o Excel QM.

operativas que se calcularon en los incisos *b*), *c*), *d*) y *e*)? Suponga que los clientes esperarán en una sola línea e irán con el primer cajero disponible.

13-15 La temporada de cosecha de trigo en el medio oeste estadounidense es corta, y la mayoría de los granjeros entregan sus camiones con cargas del cereal a un silo (granero) central gigantesco en un lapso de dos semanas. Debido a esto, se sabe que los camiones llenos de trigo esperan para descargar y regresar a los campos a una cuadra de distancia del depósito. El silo central es de propiedad cooperativa, por lo cual beneficiaría a cada uno de los granjeros incrementar tanto como sea posible el nivel de eficacia del proceso de descarga y almacenaje. El costo del deterioro del grano causado por los retrasos en la descarga, el costo de la renta de los camiones y el tiempo ocioso del conductor mientras llega su turno son preocupaciones importantes para los miembros de la cooperativa. A pesar de que los granjeros tienen problemas para cuantificar el daño a la cosecha, es fácil asignar un costo de $18 por hora por concepto de espera y descarga por cada camión y conductor. El silo permanece abierto y funciona 16 horas al día, los siete días a la semana, durante la temporada de cosecha, y tiene una capacidad de descarga de 35 camiones por hora de acuerdo con una distribución exponencial. Los camiones llenos llegan a lo largo del día (durante el horario en que el silo está abierto) a una tasa aproximada de 30 camiones por hora, con un patrón de Poisson.

Para ayudar a la cooperativa a atender el problema de la pérdida de tiempo mientras los camiones están en espera en la línea o mientras descargan en el silo, encuentre:

a) el número promedio de camiones en el sistema de descarga.

b) el tiempo promedio por camión en el sistema.

c) la tasa de utilización del área del silo.

d) la probabilidad de que haya más de tres camiones en el sistema en un momento dado.

e) el costo diario total para los granjeros por tener los camiones detenidos en el proceso de descarga.

Como se mencionó, la cooperativa utiliza el silo únicamente dos semanas al año. Los granjeros estiman que ampliar el silo reduciría en 50% los costos de descarga durante el próximo año. Costaría $9,000 hacerlo durante la temporada en que no hay labores. ¿Valdría la pena para la cooperativa ampliar el área de almacenamiento?

13-16 La tienda departamental Ashley, ubicada en la cuidad de Kansas, mantiene una exitosa división de ventas por cátalos, donde un empleado toma los pedidos por teléfono. Si él está ocupado en la línea, las llamadas entrantes para esa división se responden de manera automática con una máquina y se pide a quienes llamen que permanezcan en espera. Tan pronto como el empleado está disponible, el cliente que ha esperado por más tiempo se transfiere y se atiende en primer lugar. Las llamadas llegan a una tasa aproximada de 12 por hora. El empleado puede tomar un pedido en un promedio de 4 minutos. Las llamadas tienden a seguir una distribución Poisson, y los tiempos de servicio suelen ser exponenciales. El empleado recibe un sueldo de $10 por hora, pero debido a la pérdida de buena voluntad por parte de los clientes y a las ventas en general, la tienda Ashley pierde aproximadamente $50 por hora de tiempo del cliente que espera para que el empleado pueda tomar el pedido.

a) ¿Cuál es el tiempo promedio que debe esperar el cliente de catálogos antes de que su llamada se transfiera al empleado que toma los pedidos?

b) ¿Cuál es el número promedio de personas que llaman y esperan para colocar un pedido?

c) Ashley evalúa la contratación de un segundo empleado para tomar las llamadas. La tienda pagaría a esa persona los mismos $10 por hora. ¿Debería contratar a otro empleado? Explique.

13-17 Los automóviles llegan a la ventanilla de atención en una oficina postal a una tasa de 4 cada 10 minutos. El tiempo promedio de servicio es de 2 minutos. La distribución de Poisson es adecuada para la tasa de llegadas y los tiempos de servicio se distribuyen de manera exponencial.

a) ¿Cuál es el tiempo promedio que un auto está en el sistema?

b) ¿Cuál es el número promedio de autos en el sistema?

c) ¿Cuál es el tiempo promedio que los autos pasan en espera de recibir el servicio?

d) ¿Cuál es el número promedio de autos que están en la línea *detrás* del cliente que está recibiendo el servicio?

e) ¿Cuál es la probabilidad de que no haya autos en la ventanilla?

f) ¿Cuál es el porcentaje de tiempo que el empleado postal permanece ocupado?

g) ¿Cuál es la probabilidad de que haya exactamente dos autos en del sistema?

13-18 Se considera que, para agilizar el servicio de la oficina postal del problema 13-17, se debe abrir una segunda ventanilla. Se formaría una sola fila y al llegar un automóvil al frente de ella sería atendido por el primer empleado disponible. El empleado de la nueva ventanilla trabajaría a la misma tasa que el empleado actual.

a) ¿Cuál es el tiempo promedio que está un auto en el sistema?

b) ¿Cuál es el número promedio de autos en el sistema?

c) ¿Cuál es el tiempo promedio que los autos esperan para recibir el servicio?

d) ¿Cuál es el número promedio de autos que están *detrás* del cliente que recibe el servicio en ese momento?

e) ¿Cuál es la probabilidad de que no haya autos en el sistema?

f) ¿Qué porcentaje del tiempo están ocupados los empleados?

g) ¿Cuál es la probabilidad de que haya exactamente dos autos en el sistema?

13-19 Juhn and Sons Wholesale Fruit Distributors contrató a un empleado cuyo trabajo consiste en cargar la fruta en los camiones que salen de la compañía. Los camiones llegan a la plataforma de carga a una tasa promedio de 24 al día, o 3 cada hora, de acuerdo con una distribución de Poisson. El empleado los carga a una tasa promedio de 4 por hora, aproximadamente de acuerdo con una distribución exponencial en los tiempos de servicio.

Determine las características de operación de este problema de plataforma de carga. ¿Cuál es la probabilidad de que haya más de tres camiones en espera o en proceso de carga? Analice los resultados de los cálculos de su modelo de colas.

13-20 Juhn considera que agregar un segundo cargador de fruta mejorará sustancialmente la eficiencia de la empresa. Estima que con una cuadrilla de dos personas en la plataforma de carga, aun actuando como un sistema de un único servidor, duplicaría la tasa de carga a de 4 a 8 camiones por hora. Analice el efecto en la cola con dicho cambio y compare los resultados con los que se encontraron en el problema 13-19.

13-21 Los conductores de camiones que trabajan para Juhn and Sons (véanse los problemas 13-19 y 13-20) reciben un salario de $10 por hora en promedio. Los cargadores de fruta reciben $6 por hora. Los conductores de camiones que están en la cola o en la plataforma de carga cobran su salario, aunque en realidad están inactivos y no generan utilidad en ese momento. ¿Cuáles serían los ahorros en los costos por hora para la empresa asociados con la contratación de un segundo cargador, en vez de que solo haya uno?

13-22 La empresa Juhn and Sons Wholesale Fruit Distributors (del problema 13-19) considera la construcción de una segunda plataforma para acelerar el proceso de carga de la fruta en sus camiones. Se supone que esta medida será incluso más eficaz que simplemente contratar a otro cargador para ayudar en la primera plataforma (como en el problema 13-20).

Suponga que los trabajadores de cada plataforma podrán cargar 4 camiones por hora cada uno, y que los camiones continuarán llegando a una tasa de 3 por hora. Encuentre las nuevas condiciones operativas de la línea de espera. ¿Es este en realidad un método más rápido que los otros dos que se han considerado?

13-23 Bill First, gerente general de la tienda por departamentos Worthmore, ha calculado que cada hora que un cliente pierde esperando en una cola a que el encargado esté disponible cuesta a la tienda $100 en pérdidas de ventas y buena voluntad. Los clientes llegan al mostrador a una tasa de 30 por hora y el tiempo promedio de servicio es de 3 minutos. La distribución de Poisson describe las llegadas, mientras que los tiempos de servicio se distribuyen exponencialmente. El número de encargados puede ser de 2, 3 o 4, trabajando al mismo ritmo. Bill estima que el salario y las prestaciones pagadas a cada empleado corresponden a $10 por hora. Esta tienda está abierta 10 horas al día.

a) Encuentre el tiempo promedio de espera en la fila, si se utilizan 2, 3 y 4 empleados.

b) ¿Cuál es el tiempo total diario que se pasa en espera en la línea, si se utilizan 2, 3 y 4 empleados?

c) Calcule el total del costo diario de espera y el costo de servicio si se utilizan 2, 3 y 4 empleados. ¿Cuál es costo total mínimo diario?

13-24 El Billy's Bank es el único en un pueblo pequeño de Arkansas. En un viernes típico un promedio de 10 clientes por hora llega al banco para realizar transacciones financieras. Hay un solo cajero en el banco y el tiempo promedio requerido para realizar las operaciones es de 4 minutos. Se supone que los tiempos de servicio se pueden describir por medio de una distribución exponencial. A pesar de que este es el único banco del pueblo, algunas personas han empezado a utilizar el banco del pueblo vecino, que se encuentra a cerca de 20 millas de distancia. Se usaría una sola fila y el cliente frente de ella sería atendido por el primer cajero disponible. Si se emplea a un solo cajero en el Billy's Bank, encuentre

a) el tiempo promedio en la línea.

b) el número promedio en la línea.

c) el tiempo promedio en el sistema.

d) el número promedio en el sistema.

e) la probabilidad de que el banco esté vacío.

13-25 Remítase a la situación del Billy's Bank en el problema 13-24. Billy considera la contratación de un segundo cajero (quien trabajaría al mismo ritmo que el primero), con la finalidad de reducir el tiempo de espera de los clientes, con lo cual cree que se reducirá a la mitad dicho tiempo de espera. Si se agrega a un segundo cajero, encuentre

a) el tiempo promedio en la línea.

b) el número promedio en la línea.

c) el tiempo promedio en el sistema.

d) el número promedio en el sistema.

e) la probabilidad de que el banco esté vacío.

13-26 Para la situación de Billy's Bank que se mencionó en los problemas 13-24 y 13-25, el salario y las prestaciones de un cajero equivalen a $12 por hora. El banco está abierto 8 horas cada día. Se estima que el costo del tiempo de espera es de $25 por hora en la cola.

a) ¿Cuántos clientes entrarían al banco en un día típico?

b) ¿Cuánto tiempo en total pasarían los clientes en la fila durante el día completo, si tan solo se empleara a un cajero? ¿Cuál es el costo total del tiempo espera por día?

c) ¿Cuánto tiempo en total esperarían los clientes durante todo el día, si se emplearan dos cajeros? ¿Cuál es el costo total del tiempo de espera?

d) Si Billy desea minimizar el tiempo total de espera y el costo del personal, ¿cuántos cajeros debería emplear?

13-27 Los clientes llegan a una máquina automatizada de venta de café a una tasa de 4 por minuto, siguiendo una distribución de Poisson. La máquina de café despacha una taza de café exactamente en 10 segundos.

a) ¿Cuál es el número promedio de personas que esperan en la fila?

b) ¿Cuál es el número promedio en el sistema?

c) ¿Cuánto espera una persona promedio en la línea antes de recibir el servicio?

13-28 El número promedio de clientes en el sistema del modelo de un solo canal y una sola fase que se describió en la sección 13.4 es:

$$L = \frac{\lambda}{\mu - \lambda}$$

Demuestre que para $m = 1$ servidor, el modelo de colas multicanal de la sección 13.5,

$$L = \frac{\lambda\mu\left(\dfrac{\lambda}{\mu}\right)^m}{(m - 1)!(m\mu - \lambda)^2} P_0 + \frac{\lambda}{\mu}$$

es idéntico al sistema de un solo canal. Observe que la fórmula para P_0 (ecuación 13-13) deberá utilizarse en este ejercicio y aplicar demasiada álgebra.

13-29 Un mecánico da servicio a 5 máquinas taladradoras de un fabricante de placas de acero. Las máquinas se descomponen, en promedio, una vez cada 6 días laborables, y las descomposturas tienden a seguir una distribución de Poisson. El mecánico puede manejar un promedio de una reparación por día. Las reparaciones siguen una distribución exponencial.

a) ¿Cuántas máquinas están esperando recibir servicio en promedio?

b) ¿Cuántas están en el sistema en promedio?

c) ¿Cuántas taladradoras están funcionando adecuadamente en promedio?

d) ¿Cuál es el tiempo de espera promedio en la cola?

e) ¿Cuál es la espera promedio en el sistema?

13-30 Un técnico supervisa un grupo de cinco computadoras que dirigen una instalación de manufactura automatizada. En promedio toma quince minutos (distribuidos exponencialmente) ajustar una computadora que presente algún problema. Las computadoras funcionan un promedio de 85 minutos (distribución de Poisson) sin requerir algún ajuste. ¿Cuál es

a) el número promedio de computadoras en espera de ajuste?

b) el número promedio de computadoras que no funcionan correctamente?

c) la probabilidad de que el sistema esté vacío?

d) el tiempo promedio en la cola?

e) el tiempo promedio en el sistema?

13-31 La típica estación del metro de Washington, D.C., tiene 6 torniquetes, cada uno de los cuales puede ser operado por el gerente de la estación para dirigir la entrada o salida, pero nunca ambas. El gerente debe decidir en diferentes momentos del día que torniquetes utilizar para permitir la entrada de los pasajeros y cuántos deben configurarse para permitir la salida de pasajeros.

En la College Station de Washington, los pasajeros entran en la estación a una tasa de aproximadamente 84 por minuto entre las 7 y las 9 A.M. Los pasajeros que salen de los trenes en la parada llegan a la salida a una tasa de aproximadamente 48 por minuto, durante las mismas horas pico de la mañana. Cada torniquete puede permitir la entrada o salida, en promedio, de 30 pasajeros por minuto. Se piensa que los tiempos de llegadas y de servicio siguen las distribuciones de Poisson y exponencial, respectivamente. Suponga que los pasajeros hacen una fila común en el área de torniquetes, tanto a la entrada como a la salida, y avanzan hacia el primer torniquete vacío.

El gerente de la College Station no desea que el pasajero promedio de esta estación tenga que esperar por más de 6 segundos en una cola para pasar por los torniquetes, ni quiere que más de 8 personas hagan cola en algún tiempo promedio.

a) ¿Cuántos torniquetes deberían abrirse en cada dirección durante la mañana?

b) Comente las suposiciones que implican la solución de este problema usando la teoría de colas.

13-32 La banda de la secundaria Clear Brook tiene un lavado de autos para recaudar fondos para comprar nuevos equipos. El tiempo promedio para lavar un automóvil es de 4 minutos, y el tiempo se distribuye exponencialmente. Los autos llegan a una tasa de uno cada 5 minutos (o 12 por hora), y el número de llegadas por periodo de tiempo se describe por la distribución de Poisson.

a) ¿Cuál es el tiempo medio de espera de los autos en la línea?

b) ¿Cuál es el número promedio de vehículos en la línea?

c) ¿Cuál es el número promedio de vehículos en el sistema?

d) ¿Cuál es el tiempo promedio en el sistema?

e) ¿Cuál es la probabilidad de que haya más de tres autos en el sistema?

13-33 Cuando los miembros adicionales de la banda llegaron para ayudar en el lavado de autos (véase el problema 13-32), se decidió que se deberían lavar dos autos a la vez en lugar de tan solo uno. Ambos equipos de trabajo trabajan al mismo ritmo.

a) ¿Cuál es el tiempo medio de espera de los autos en la línea?

b) ¿Cuál es el número promedio de vehículos en la línea?

c) ¿Cuál es el número promedio de vehículos en el sistema?

d) ¿Cuál es el tiempo promedio en el sistema?

Problemas de tarea en Internet

Visite nuestra página de Internet en **www.pearsonenespañol.com/render** para los problemas adicionales de tarea 13-34 a 13-38.

Estudio de caso

New England Foundry

Por más de 75 años, la compañía New England Foundry, ha fabricado estufas de leña para uso doméstico. En los últimos años, debido al incremento de los precios de la energía, George Mathison, presidente de la New England Foundry, ha visto triplicarse sus ventas. Este drástico incremento en las ventas ha dificultado aún más que George mantenga la calidad en todas las estufas de leña y en los productos relacionados.

A diferencia de otras compañías que fabrican estufas de leña, New England Foundry es la *única* en el negocio que fabrica estufas y productos relacionados con ellas. Sus productos más importantes son: Warmglo I, Warmglo II, Warmglo III y Warmglo IV. La Warmglo I es la estufa de leña más pequeña con salida de calor de 30,000 Btu, en tanto que la Warmglo IV es la más grande con una salida de calor de 60,000 Btu. Además, la compañía New England Foundry, Inc., produce una gran variedad de productos diseñados para utilizarse con alguna de sus cuatro estufas, entre los cuales se pueden mencionar estantes calentadores, termómetros de superficie, conductos para estufas, adaptadores, guantes de cocina, salvamanteles, colgadores para guantes, morillos, chimeneas y aislantes térmicos. New England Foundry también publica un boletín y diversos libros de pasta suave acerca de la instalación, operación y mantenimiento de las estufas, así como de fuentes de leña. George cree que su amplio surtido de productos es uno de los factores que contribuyeron al incremento de las ventas.

La Warmglo III se vende más que las otras estufas por un amplio margen. La salida de calor y los accesorios disponibles son ideales para la casa típica. La Warmglo III también tiene varias características sobresalientes que le han hecho uno de los productos más atractivos y eficientes para generar calor que hay en el mercado. Cada Warmglo III tiene una válvula de entrada primaria de aire con un control termostático que permite que la estufa se ajuste a sí misma automáticamente, para producir la salida de calor correcta para las condiciones cambiantes del clima. Se utiliza una abertura de aire secundaria que incrementa la salida de calor, en caso de que el clima sea demasiado frío. Las partes internas de la estufa dan una trayectoria horizontal de la flama, lo cual permite una combustión más eficaz, y los gases de salida son obligados a seguir una trayectoria en forma de S por la estufa. La trayectoria en forma de S permite la combustión más completa de los gases y una mejor transferencia de calor del fuego y de los gases del hierro colado a las áreas que requieren calentarse. Estas características, junto con los accesorios, dieron como resultado el incremento en las ventas y estimularon a George a construir una nueva fábrica para elaborar las estufas Warmglo III. En la figura 13.3 se muestra un diagrama general de la fábrica.

La nueva fundidora utiliza el equipo más moderno, que incluye una Disamatic nueva que ayuda a fabricar las partes de la estufa. Sin considerar los nuevos equipos o procedimientos, las operaciones de fundición se han conservado básicamente sin cambios durante cientos de años. Para comenzar, se elabora un molde de madera de cada pieza de hierro fundido de la estufa. El molde de madera es un duplicado exacto de la pieza de hierro fundido que debe fabricarse. Todos los moldes de New England Foundry están hechos por la compañía Precision Patterns, y tales moldes se depositan en el almacén de moldes y mantenimiento. Después, con arena especialmente formulada para este proceso, se hace un molde de arena alrededor del molde de madera. Puede haber dos o más moldes de arena de cada uno de los moldes de madera. La mezcla de la arena y la elaboración de los moldes se realizan en el cuarto de moldeo. Cuando se quita el molde de madera, los moldes de arena resultantes forman una imagen negativa de lo que se desea fundir. Luego, los moldes se transportan a un cuarto de colado, donde el hierro fundido se vacía en los moldes y se deja enfriar. Cuando el hierro se solidifica, se llevan los moldes al área de limpieza, pulido y preparación. Luego se colocan en vibradores grandes que eliminan la mayoría de la arena que ha quedado del colado. En esta etapa, los fundidos burdos se someten a un proceso de limpieza con chorro de arena para eliminar el resto de la arena y, posteriormente, a un proceso de pulido de las superficies de los fundidos. Estos se terminan con una pintura especial que resiste el calor, se ensamblan para formar estufas funcionales y se inspeccionan para que no tengan defectos de manufactura que pudieran no haberse detectado. Finalmente, las estufas terminadas se envían a las secciones de almacenamiento y embarque, donde se empacan y envían a los destinos apropiados.

Por el momento, el taller de moldes y el departamento de mantenimiento están ubicados en el mismo recinto. Se utiliza un gran mostrador tanto para que el personal de mantenimiento obtenga herramientas y refacciones, como para los trabajadores encargados de hacer los moldes de arena que necesitan diversos patrones para la operación de moldeado. Peter Nawler y Bob Bryan, que trabajan detrás del mostrador, pueden dar servicio a un total de 10 personas por hora (o aproximadamente 5 por hora cada uno). En promedio, cada hora llegan al mostrador 4 personas de mantenimiento y 3 del departamento de moldes. Los trabajadores de los departamentos de moldes y de mantenimiento llegan de manera aleatoria y hacen una sola fila para que se les atienda. Pete y Bob siempre han mantenido una política de que quien llega primero se atiende en primer lugar. Una persona del departamento de mantenimiento tarda aproximadamente 3 minutos en caminar al taller de mantenimiento y moldes, en tanto que cada persona requiere un minuto para caminar del departamento de moldes al taller de mantenimiento y moldes.

FIGURA 13.3   Panorama general de la fábrica

Después de observar el funcionamiento del taller de moldes y mantenimiento por varias semanas, George decidió hacer algunos cambios en la distribución de la fábrica. Un panorama general de estos cambios se muestra en la figura 13.4.

La separación de los talleres de mantenimiento y de moldes ofrece varias ventajas. A las personas del departamento de mantenimiento les tomaría únicamente 1 minuto en vez de 3 minutos llegar al nuevo taller de mantenimiento. Usando estudios de tiempos y movimientos, George pudo determinar que mejorar la distribución del departamento de mantenimiento permitiría que Bob atendiera a 6 personas del departamento de mantenimiento por hora, y mejoraría la distribución del departamento de moldes, lo cual le permitiría a Pete atender a 7 personas del taller de moldes por hora.

Preguntas para análisis

1. ¿Cuánto tiempo ahorraría la nueva distribución?
2. Si el personal de mantenimiento tuviera un sueldo de $9.50 por hora y el personal de moldes percibiera $11.75 por hora, ¿cuánto se ahorraría por hora con la nueva distribución de la fábrica?

FIGURA 13.4 Panorama general de la fábrica después de cambios

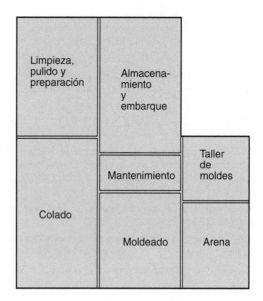

Estudio de caso

Hotel Winter Park

Donna Shader, gerente del hotel Winter Park, desea reestructurar la recepción para lograr un nivel óptimo de eficacia del personal y servicio al cliente. En este momento, el hotel tiene cinco empleados en servicio, cada uno de los cuales atiende una línea de espera por separado, durante el horario de registro con mayor afluencia, de 3:00 P.M. a 5:00 P.M. La observación de las llegadas durante este tiempo muestra que llega un promedio de 90 huéspedes por hora (aunque no existe un límite superior en el número de huéspedes que podrían llegar en un momento dado). A un empleado del mostrador le toma un promedio de 3 minutos registrar a cada huésped.

Donna considera tres planes para mejorar el servicio a los huéspedes mediante la reducción del tiempo que pasan en la línea de espera. En la primera propuesta, designaría a un empleado como agente de servicio rápido para aquellos huéspedes que se registran con cuentas corporativas, un segmento de mercado que abarca aproximadamente el 30% de las reservaciones. Debido a que los huéspedes corporativos están registrados previamente, el proceso de registro en el hotel tan solo requiere dos minutos. Cuando se logra separar a este tipo de clientes del resto, el registro de un huésped típico podría subir a 3.4 minutos. De acuerdo con el plan 1, los huéspedes que no pertenecen a cuentas corporativas podrían seleccionar cualquiera de las otras cuatro filas.

El segundo plan consiste en implementar un sistema de una sola línea. Todos los huéspedes formarían una única fila para ser atendidos por cualquiera de los cinco empleados que estuviera disponible. Esta opción requiere de un espacio suficiente en la recepción para que se forme una fila larga.

La tercera propuesta implica el uso de un cajero automático (ATM) para los registros. Este cajero automático daría aproximadamente la misma tasa de servicio que ofrece un agente. Considerando que el uso inicial de esta tecnología es mínimo, Shader estimó que 20% de los clientes, en especial los más frecuentes, estarían dispuestos a utilizar máquinas. (Este porcentaje podría ser una estimación conservadora si los huéspedes percibieran los beneficios directos que ofrece el uso de un cajero automático, como lo hacen los clientes bancarios. Citibank informa que el 95% de sus clientes en Manhattan emplea sus cajeros automáticos). Donna establecería una única fila para los clientes que prefieren tratar con personal del mostrador. Estos huéspedes podrían ser atendidos por los cinco empleados, aunque Donna tiene la esperanza de que la máquina le ayudara a reducirlos a cuatro.

Preguntas para análisis

1. Determine el tiempo promedio que emplea un huésped en registrarse. ¿Cómo podría cambiarlo con cada una de las opciones establecidas?
2. ¿Cuál de las opciones recomienda usted?

Estudio de caso en Internet

Visite nuestra página en Internet, en **www.pearsonenespañol.com/render**, para este estudio de caso adicional: Pantry Shopper. Este caso implica proporcionar un mejor servicio en una tienda de abarrotes.

Bibliografía

Baldwin, Rusty O., Nathaniel J. Davis IV. Scott F. Midkiff y John E. Kobza. "Queueing Network Analysis: Concepts, Terminology, and Methods", *Journal of Systems & Software* 66, 2 (2003): 99-118.

Barron, K. "Hurry Up and Wait" *Forbes* (16 de octubre de 2000): 158-164.

Cayirli, Tugba y Emre Veral. "Outpatient Scheduling in Health Care: A Review of Literature," *Production & Operations Management* 12, 4 (2003): 519-549.

Cooper, R. B. *Introduction to Queuing Theory*, 2a. ed. Nueva York: Elsevier—North Holland, 1980.

De Bruin, Arnoud M., A. C. van Rossum, M. C. Visser y G. M. Koole. "Modeling the Emergency Cardiac Inpatient Flow: An Application of Queuing Theory", *Health Care Management Science* 10, 2 (2007): 125-137.

Derbala, Ali."Priority Queuing in an Operating System", *Computers & Operations Research* 32. 2(2005): 229-238.

Grassmann, Winfried K. "Finding the Right Number of Servers in Real-World Queuing Systems", *Interfaces* 18. 2 (marzo-abril de 1988): 94-104.

Janic, Milan. "Modeling Airport Congestion Charges", Transportation *Planning & Technology* 28, 1 (2005): 1-26.

Katz, K. B. Larson, y R. Larson. "Prescription for the Waiting-in-Line Blues", *Sloan Management Review* (Winter 1991): 44-53.

Koizumi, Naoru, Eri Kuno, y Tony E. Smith. "Modeling Patient Flows Using a Queuing Network with Blocking", *Health Care Management Science 8*, 1 (2005): 49-60.

Larson, Richard C. "Perspectives on Queues: Social Justice and the Psychology of Queuing", *Operations Research* 35, 6 (noviembre-diciembre de 1987): 895-905.

Murtojärvi, Mika, y colaboradores "Determining the Proper Number and Price of Software Licenses" *IEEE Transactions on Software Engineering* 33, 5 (2007): 305-315.

Prabhu. N. U. *Foundations of Queuing Theory,* Norwell, MA: Kluewer Academic Publishers, 1997.

Regattieri, A., R. Gamberini, F. Lolli, y R. Manzini. "Designing Production and Service Systems Using Queuing Theory: Principles and Application to an Airport Passenger Security Screening System", *International Journal of Services and Operations Management* 6, 2 (2010): 206-225.

Tarko, A. P. "Random Queues in Signalized Road Networks", *Transportation Science* 34, 4 (noviembre de 2000): 415-425.

Apéndice 13.1   Uso de QM para Windows

Para todos estos problemas, del menú Module, seleccione *Waiting Lines* y, luego, seleccione *New* para introducir un problema nuevo. Después seleccione el tipo de modelo que quiere utilizar de los que ahí se presentan.

Este apéndice muestra lo fácil que es utilizar QM para Windows en la solución de problemas de colas. El programa 13.5 representa el análisis del taller de silenciadores Arnold con 2 empleados. Los únicos datos requeridos son la selección del modelo adecuado, un título, si incluye costos, las unidades de tiempo que se utilizan para las tasas de llegadas y de servicio (horas en este ejemplo), la tasa de llegada (2 autos por hora), la tasa de servicio (3 autos por hora), y el número de empleados (2). Como las unidades de tiempo se especifican en horas, W y W_q están dados en horas, pero también se convierten a minutos y segundos, como se observa en el programa 13.5.

El programa 13.6 refleja un modelo de tiempo de servicio constante, que se ilustra en el capítulo por la compañía García-Golding Recycling. Los otros modelos de colas también se resuelven con QM para Windows que, además, ofrece un análisis de costo/economía.

PROGRAMA 13.5

Uso de QM para Windows para resolver el modelo de colas multicanal (datos del taller de silenciadores de Arnold)

Cost analysis: No costs / Use Costs
Time unit (arrival, service rate): hours

Waiting Lines Results — (untitled) Solution

Parameter	Value	Parameter	Value	Minutes	Seconds
M/M/s		Average server utilization	0.3333		
Arrival rate(lambda)	2.	Average number in the queue(Lq)	0.0833		
Service rate(mu)	3.	Average number in the system(Ls)	0.75		
Number of servers	2.	Average time in the queue(Wq)	0.0417	2.5	150.
		Average time in the system(Ws)	0.375	22.5	1,350.

PROGRAMA 13.6

Uso de QM para Windows para resolver el modelo del tiempo de servicio constante (datos de la compañía García-Golding)

Cost analysis: No costs / Use Costs
Time unit (arrival, service rate): hours

Waiting Lines Results — Garcia-Golding Recycling, Inc. Solution

Parameter	Value	Parameter	Value	Minutes	Seconds
Constant service times		Average server utilization	0.6667		
Arrival rate(lambda)	8.	Average number in the queue(Lq)	0.6667		
Service rate(mu)	12.	Average number in the system(Ls)	1.3333		
Number of servers	1.	Average time in the queue(Wq)	0.0833	5.	300.
		Average time in the system(Ws)	0.1667	10.	600.

Modelado con simulación

Resumen • Glosario • Problemas resueltos • Autoevaluación • Preguntas y problemas para análisis • Problemas de tarea en Internet • Estudio de caso: Alabama Airlines • Estudio de caso: Corporación de Desarrollo Estatal • Estudios de caso en Internet • Bibliografía

14.1 Introducción

En nuestro mundo, hasta cierto punto estamos conscientes de la importancia de los modelos de simulación. Boeing Corporation y Airbus Industries, por ejemplo, suelen construir modelos de **simulación** de sus aviones jet propuestos y, luego, probar sus propiedades aerodinámicas. Su organización de defensa civil local puede realizar prácticas de rescate y evacuación, cuando simula las condiciones de desastre natural que dejan un huracán o un tornado. El ejército de Estados Unidos simula ataques enemigos y estrategias de defensa con juegos de guerra en la computadora. Los estudiantes de negocios toman cursos que usan juegos administrativos para simular situaciones de negocios competitivas reales. Miles de empresas, gobiernos y organizaciones de servicio desarrollan modelos de simulación para ayudar en la toma de decisiones respecto a control de inventarios, programas de mantenimiento, distribución de planta, inversiones y pronósticos de ventas.

De hecho, la simulación es una de las herramientas de análisis cuantitativo que más se utiliza. Varias encuestas de las corporaciones estadounidenses más grandes revelan que más de la mitad usan simulación en la planeación corporativa.

La simulación suena como la solución a todos los problemas administrativos. Por desgracia, esto no es cierto de manera alguna. No obstante, al estudiarla pensamos que es una de las técnicas más flexibles y fascinantes del análisis cuantitativo. Comenzaremos el estudio de la simulación con una definición sencilla.

Simular es tratar de duplicar las funciones, apariencia y características de un sistema real. En este capítulo, mostraremos cómo simular un negocio o sistema administrativo construyendo un *modelo matemático*, que se acerque lo más posible a la representación real del sistema. No construiremos modelos *físicos*, como aquellos que se pueden usar en un túnel de viento para hacer pruebas de simulación en un avión; pero al igual que los modelos físicos de aviones se prueban y modifican en condiciones experimentales, nuestros modelos matemáticos sirven para experimentar y estimar los efectos de las diferentes acciones. La idea detrás de la simulación es imitar matemáticamente una situación del mundo real y, luego, estudiar sus propiedades y características operativas, para, por último, obtener conclusiones y tomar decisiones de acción con base en los resultados de la simulación. De esta manera, el sistema real no se toca sino hasta que se miden en el modelo del sistema las ventajas y desventajas de lo que puede ser una decisión de política importante.

La idea detrás de la simulación es imitar una situación real con un modelo matemático que no afecte las operaciones. Los siete pasos de la simulación se ilustran en la figura 14.1.

Cuando se usa simulación, un gerente debe **1.** definir un problema, **2.** introducir las variables asociadas con el problema, **3.** construir un modelo de simulación, **4.** establecer los posibles cursos de acción para probarlos, **5.** efectuar una corrida de simulación del experimento, **6.** considerar los resultados (y quizá decidir modificar el modelo o cambiar los datos de entrada) y **7.** decidir el curso de acción a tomar. Estos pasos se ilustran en la figura 14.1.

Los problemas enfrentados mediante simulación son desde muy sencillos hasta extremadamente complejos, de la fila de espera en una ventanilla de banco a un análisis de la economía de un país. Aunque las simulaciones muy pequeñas se pueden realizar a mano, el uso efectivo de esta técnica requiere algún medio automático de cálculo, como una computadora. Incluso en los modelos de gran escala, la simulación de quizá años de decisiones de negocios se suele manejar en un tiempo razo-

FIGURA 14.1
Proceso de simulación

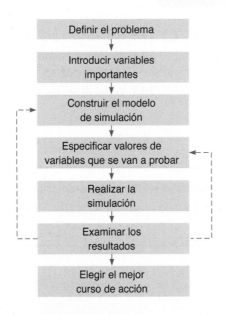

El auge de las computadoras personales ha creado una abundancia de lenguajes de simulación en computadora y ha ampliado las aplicaciones de la simulación. En la actualidad, aun una hoja de cálculo se utiliza para correr simulaciones bastante complejas.

nable en una computadora. Aunque la simulación es una de las herramientas de análisis cuantitativo más antiguas (véase la siguiente sección Historia), no fue sino hasta la introducción de las computadoras (a mediados de la década de 1940 y finales de la de 1950) que se convirtió en un medio práctico para resolver problemas militares y de administración.

Comenzamos este capítulo con una presentación de las ventajas y desventajas de la simulación y seguiremos con una explicación del método de simulación Monte Carlo. Se presentan tres simulaciones como muestra, en las áreas de control de inventarios, colas de espera y planeación de mantenimiento. También se presenta un breve estudio de otros modelos de simulación diferentes al enfoque Monte Carlo. Por último, se ilustra la importante función de las computadoras en la simulación.

14.2   Ventajas y desventajas de la simulación

Estas ocho ventajas de la simulación la hacen una de las técnicas de mayor utilización del análisis cuantitativo en las corporaciones occidentales.

La simulación es una herramienta de amplia aceptación por parte de los gerentes por varias razones:

1. Es relativamente directa y flexible, y se puede utilizar para comparar muchos escenarios diferentes.
2. Los avances recientes en software hacen que sea muy sencillo desarrollar algunos modelos de simulación.
3. Sirve para analizar situaciones reales grandes y complejas, que los modelos convencionales de análisis cuantitativo no pueden resolver. Por ejemplo, no es posible construir un modelo matemático de un sistema gubernamental de una ciudad que incorpore factores económicos, sociales, ambientales y políticos importantes. La simulación se ha empleado con éxito para modelar sistemas urbanos, hospitales, sistemas educativos, economías nacionales y estatales, e incluso sistemas de alimentación mundial.
4. La simulación permite preguntas del tipo ¿qué sucedería si? A los gerentes les gustaría saber de antemano qué opciones son atractivas. Con una computadora, el gerente puede intentar varias decisiones políticas en unos cuantos minutos.
5. Las simulaciones no interfieren con el sistema real. Por ejemplo, quizá sería demasiado perturbador experimentar nuevas políticas o ideas en un hospital, escuela o planta de manufactura. Con simulación, los experimentos se hacen en el modelo no el sistema real.
6. La simulación nos permite estudiar el efecto interactivo de los componentes o variables individuales para determinar cuáles son importantes.
7. El "tiempo de compresión" es posible con simulación. El efecto de ordenar, publicar o aplicar otras políticas durante muchos meses o años se puede obtener con la simulación por computadora en un tiempo muy corto.
8. La simulación acepta la inclusión de complicaciones del mundo real que la mayoría de los modelos de análisis cuantitativo no acepta. Por ejemplo, algunos modelos de líneas de espera requieren una distribución exponencial o de Poisson; en tanto que algunos modelos de inventarios y de redes requieren una distribución normal. Pero la simulación puede usar *cualquier* distribución de probabilidad que defina el usuario; no necesitan una distribución en particular.

HISTORIA   Simulación

La historia de la simulación se remonta 5,000 años en el tiempo, a los juegos de guerra chinos, llamados *weich'i*. Después, en 1780, los prusianos usaron los juegos como apoyo en el entrenamiento militar. Desde entonces, todas las potencias militares importantes han usado juegos de guerra para probar estrategias militares en condiciones simuladas.

A partir del juego militar y de operaciones se desarrolló un nuevo concepto, la *simulación Monte Carlo*, que fue concebida como una técnica cuantitativa por los grandes matemáticos como John von Neumann durante la Segunda Guerra Mundial. Trabajando con neutrones en el laboratorio científico de Los Álamos, Von Neumann usó simulación para resolver problemas de física, cuyo análisis manual o

físico era demasiado complejo o costoso. La naturaleza aleatoria de los neutrones sugirió que una ruleta ayudaría a manejar las probabilidades. Debido a la naturaleza del juego, Von Neumann lo llamó modelo Monte Carlo para estudiar las leyes de probabilidad.

Con el surgimiento y uso común de las computadoras en los negocios en la década de 1950, la simulación creció como una herramienta administrativa. Se desarrollaron lenguajes de computadora especializados en la década de 1960 (GPSS y SIMSCRIPT), para manejar los problemas de gran escala con mayor efectividad. En la década de 1980, se desarrollaron programas preelaborados de simulación para analizar situaciones que iban de una línea de espera a los inventarios. Tenían nombres como Xcell, SLAM, SIMAN, Witness y MAP/1.

Las principales desventajas de la simulación son:

Las cuatro desventajas de la simulación son el costo, su naturaleza de ensayo y error, la necesidad de generar respuestas de las pruebas y su unicidad.

1. Los buenos modelos de simulación para situaciones complejas suelen ser muy costosos. Con frecuencia el desarrollo del modelo es un proceso tardado y complicado. Por ejemplo, un modelo de planeación corporativa tomaría meses o años para desarrollarse.
2. La simulación no genera soluciones óptimas para los problemas como lo hacen otras técnicas de análisis cuantitativo, por ejemplo, la cantidad óptima a ordenar (lote económico), programación lineal o PERT. Es un enfoque de ensayo y error que puede generar diferentes soluciones de una corrida a otra.
3. El gerente debe generar todas las condiciones y restricciones para la solución que desea examinar. El modelo de simulación no produce respuestas por sí mismo.
4. Cada modelo de simulación es único. Sus soluciones e inferencias no suelen transferirse a otros problemas.

14.3   Simulación Monte Carlo

Cuando un sistema contiene elementos que exhiben azar en su comportamiento, se puede aplicar el *método Monte Carlo* de simulación.

La idea básica en la **simulación Monte Carlo** es generar valores de las variables que forman el modelo que se estudia. En los sistemas reales hay muchas variables que tienen naturaleza probabilística y que podemos querer simular. Unos cuantos ejemplo de estas variables son:

Las variables que queremos simular abundan en los problemas de negocios porque muy poco en la vida tiene certeza.

1. La demanda de un inventario diaria o semanal
2. El tiempo de entrega para las órdenes del inventario
3. Los tiempos entre descomposturas de las máquinas
4. Los tiempos entre llegadas a las instalaciones de servicio
5. Los tiempos de servicio
6. Los tiempos para terminar las actividades de un proyecto
7. El número de empleados ausentes en el trabajo cada día

Algunas de estas variables, como la demanda diaria y el número de empleados ausentes, son discretas y deben tener valores enteros. Por ejemplo, la demanda diaria puede ser 0, 1, 2, 3, etcétera; pero no puede ser 4.7362 u otro valor no entero. Otras variables, como las relacionadas con el tiempo, son continuas y no se necesita que sean enteras porque el tiempo puede tomar cualquier valor. Al seleccionar un método para generar valores de una variable aleatoria, esta característica debería tomarse en cuenta. Se darán ejemplos de ambos tipos en la siguiente sección.

La base de la simulación Monte Carlo es la experimentación sobre los elementos posibles (o probabilísticos) mediante el muestreo aleatorio. La técnica se compone de cinco pasos sencillos:

Cinco pasos para la simulación Monte Carlo

El método Monte Carlo se puede utilizar con variables probabilísticas.

1. Establecer las distribuciones de probabilidad para las variables importantes de entrada
2. Elaborar una distribución de probabilidad acumulada para cada variable del paso 1
3. Establecer un intervalo de números aleatorios para cada variable
4. Generar números aleatorios
5. Simular una serie de pruebas

Se examinarán cada uno de estos pasos y se ilustrarán con el siguiente ejemplo.

Ejemplo de Auto Tire de Harry

Auto Tire de Harry vende todo tipo de neumáticos, pero una llanta radial popular es responsable de una gran parte de las ventas generales de Harry. Al reconocer que los costos de inventario pueden ser significativos con este producto, Harry quiere determinar una política para administrar dicho inventario. Para ver cómo estaría la demanda durante un periodo, desea simular la demanda diaria para cierto número de días.

Paso 1: Establecer distribuciones de probabilidad.   Una forma común de establecer una *distribución de probabilidad* es examinar los eventos históricos. La probabilidad o frecuencia relativa para cada resultado posible de una variable se encuentra dividiendo la frecuencia observada entre el

TABLA 14.1

Demanda diaria histórica para llantas radiales en Auto Tire de Harry y la distribución de probabilidad

DEMANDA DE LLANTAS	FRECUENCIA (DÍAS)	PROBABILIDAD DE OCURRENCIA
0	10	10/200 = 0.05
1	20	20/200 = 0.10
2	40	40/200 = 0.20
3	60	60/200 = 0.30
4	40	40/200 = 0.20
5	30	30/200 = 0.15
	200	200/200 = 1.00

Para establecer una distribución de probabilidad para las llantas suponemos que la demanda histórica es un buen indicador de los eventos futuros.

número total de observaciones. La demanda diaria para las llantas radiales en Auto Tire de Harry durante 200 días se muestra en la tabla 14.1. Podemos convertir estos datos en una distribución de probabilidad, si suponemos que las tasas de demanda del pasado se mantendrán en el futuro, dividiendo cada frecuencia de demanda entre la demanda total, 200.

Deberíamos observar que no es necesario que la distribución de probabilidad esté basada tan solo en observaciones históricas. A menudo, las estimaciones de la administración basadas en el juicio y la experiencia se usan para crear una distribución. Algunas veces, una muestra de ventas, las descomposturas de una máquina o las tasas de servicio se usan para crear probabilidades para tales variables. Las distribuciones en sí pueden ser empíricas, como en la tabla 14.1, o basarse en lo que se conoce como patrón normal, binomial, de Poisson o exponencial.

Paso 2: Elaborar una distribución de probabilidad acumulada para cada variable. La conversión de una distribución de probabilidad regular, como en la columna de la derecha de la tabla 14.1, en una *distribución acumulada* es una tarea sencilla. Una probabilidad acumulada es la probabilidad de que una variable (demanda) sea menor o igual que un valor específico. Una distribución acumulada lista todos los valores posibles y las probabilidades. En la tabla 14.2 vemos que la probabilidad acumulada para cada nivel de demanda es la suma del número en la columna de probabilidad (columna central) sumada a la probabilidad acumulada anterior (columna de la derecha). La probabilidad acumulada graficada en la figura 14.2 se utiliza en el paso 3 para ayudar a asignar números aleatorios.

Paso 3: Establecer intervalos de números aleatorios. Después de establecer una distribución de probabilidad acumulada para cada variable incluida en la simulación, queremos asignar un conjunto de números para representar cada valor o resultado posible. Estos se conocen como **intervalos de números aleatorios.** Los números aleatorios se estudian con detalle en el paso 4. Básicamente, un **número aleatorio** es una serie de dígitos (digamos, dos dígitos de 01, 02,…, 98, 99, 00) que se seleccionan mediante un proceso totalmente aleatorio.

Si existe 5% de posibilidades de que la demanda de un producto (como la llanta radial de Harry) sea de 0 unidades por día, queremos que 5% de los números aleatorios disponibles correspondan a una demanda de 0 unidades. Si en la simulación se tiene un total de 100 números de dos dígitos (piense en ellos como en fichas numeradas en un recipiente), podemos asignar la demanda de 0

TABLA 14.2

Probabilidades acumuladas para las llantas radiales

Las probabilidades acumuladas se encuentran sumando todas las probabilidades anteriores hasta la demanda actual.

DEMANDA DIARIA	PROBABILIDAD	PROBABILIDAD ACUMULADA
0	0.05	0.05
1	0.10	0.15
2	0.20	0.35
3	0.30	0.65
4	0.20	0.85
5	0.15	1.00

FIGURA 14.2

Representación gráfica de la distribución de probabilidad acumulada para las llantas radiales

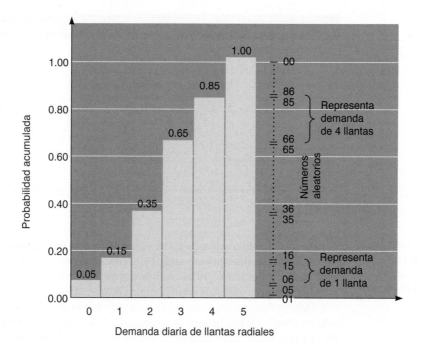

Los números aleatorios en realidad pueden asignarse de muchas formas distintas, siempre que representen la proporción correcta de los resultados.

La relación entre los intervalos y la probabilidad acumulada es que el punto mayor de cada intervalo es igual al porcentaje de la probabilidad acumulada.

unidades a los primeros cinco números aleatorios: 01, 02, 03, 04 y 05.* Entonces, una demanda simulada de 0 unidades se crea cada vez que se obtiene uno de los número 01 a 05. Si también existe 10% de posibilidades de que esa demanda del mismo producto sea 1 unidad por día, podemos hacer que los siguientes 10 números aleatorios (06, 07, 08, 09, 10, 11, 12, 13, 14 y 15) representen esa demanda, y así sucesivamente para otros niveles de demanda.

En general, si se utiliza la distribución de probabilidad acumulada que se calculó y graficó en el paso 2, se puede establecer el intervalo de números aleatorios para cada nivel de demanda de una manera muy sencilla. Note en la tabla 14.3 que el intervalo seleccionado para representar cada demanda diaria posible tiene una relación estrecha con la probabilidad acumulada a su izquierda. El límite superior de cada intervalo es siempre igual al porcentaje de la probabilidad acumulada.

De manera similar, vemos en la figura 14.2 y la tabla 14.3 que la longitud de cada intervalo a la derecha corresponde a la probabilidad de cada una de las posibilidades de la demanda diaria. Por lo tanto, al asignar números aleatorios a la demanda diaria de 3 llantas radiales, el intervalo de números aleatorios (36 a 65) corresponde *exactamente* a la probabilidad (o proporción) de ese resultado. Una demanda diaria de tres llantas radiales ocurre 30% de las veces. Cualesquiera de los 30 números aleatorios mayores que 35 y hasta 65 inclusive se asignan a ese evento.

TABLA 14.3

Asignación de intervalos de números aleatorios para Auto Tire de Harry

DEMANDA DARIA	PROBABILIDAD	PROBABILIDAD ACUMULADA	INTERVALO DE NÚMEROS ALEATORIOS
0	0.05	0.05	01 a 05
1	0.10	0.15	06 a 15
2	0.20	0.35	16 a 35
3	0.30	0.65	36 a 65
4	0.20	0.85	66 a 85
5	0.15	1.00	86 a 00

* De manera alternativa podríamos asignar los números aleatorios 00, 01, 02, 03, 04 para representar una demanda de 0 unidades. Los dos dígitos 00 se pueden tomar como 0 o como 100. Siempre que 5 números de los 100 se asignen a la demanda de 0, no importa cuáles 5 sean.

Paso 4: Generar números aleatorios. Los números aleatorios se pueden generar de varias maneras en los problemas de simulación. Si el problema es muy grande y el proceso que se estudia incluye miles de pruebas de simulación, se dispone de programas de software para generar los números aleatorios necesarios.

Existen varias maneras de elegir números aleatorios: los generadores de números aleatorios (que están integrados en las hojas de cálculo y en muchos lenguajes de computación), tablas (como la tabla 14.4), una ruleta, etcétera.

Si la simulación se hace a mano, como en este libro, los números se pueden seleccionar dando vuelta a una ruleta que tenga 100 ranuras, tomando a ciegas fichas numeradas en un sombrero o con cualquier método que permita hacer una selección aleatoria.* Lo que más se usa es elegir los números de una tabla de dígitos aleatorios como la tabla 14.4.

La tabla 14.4 en sí se generó con un programa por computadora. Tiene la característica de que cada dígito o número ahí tiene la misma posibilidad de ocurrir. En una tabla de números aleatorios muy grande, 10% de los dígitos serán 1, 10% serán 2, 10% serán 3, etcétera. Como *todo* es aleatorio, podemos seleccionar números de cualquier punto en la tabla para utilizarlo en los procedimientos de simulación en el paso 5.

Paso 4: Generar números aleatorios. Podemos simular los resultados de un experimento simplemente seleccionando números aleatorios de la tabla 14.4. Comenzamos en cualquier lado de la tabla y observamos el intervalo donde cae cada número en la tabla 14.4 o en la figura 14.2. Por ejemplo, si

TABLA 14.4
Tabla de números aleatorios

52	06	50	88	53	30	10	47	99	37	66	91	35	32	00	84	57	07
37	63	28	02	74	35	24	03	29	60	74	85	90	73	59	55	17	60
82	57	68	28	05	94	03	11	27	79	90	87	92	41	09	25	36	77
69	02	36	49	71	99	32	10	75	21	95	90	94	38	97	71	72	49
98	94	90	36	06	78	23	67	89	85	29	21	25	73	69	34	85	76
96	52	62	87	49	56	59	23	78	71	72	90	57	01	98	57	31	95
33	69	27	21	11	60	95	89	68	48	17	89	34	09	93	50	44	51
50	33	50	95	13	44	34	62	64	39	55	29	30	64	49	44	30	16
88	32	18	50	62	57	34	56	62	31	15	40	90	34	51	95	26	14
90	30	36	24	69	82	51	74	30	35	36	85	01	55	92	64	09	85
50	48	61	18	85	23	08	54	17	12	80	69	24	84	92	16	49	59
27	88	21	62	69	64	48	31	12	73	02	68	00	16	16	46	13	85
45	14	46	32	13	49	66	62	74	41	86	98	92	98	84	54	33	40
81	02	01	78	82	74	97	37	45	31	94	99	42	49	27	64	89	42
66	83	14	74	27	76	03	33	11	97	59	81	72	00	64	61	13	52
74	05	81	82	93	09	96	33	52	78	13	06	28	30	94	23	37	39
30	34	87	01	74	11	46	82	59	94	25	34	32	23	17	01	58	73
59	55	72	33	62	13	74	68	22	44	42	09	32	46	71	79	45	89
67	09	80	98	99	25	77	50	03	32	36	63	65	75	94	19	95	88
60	77	46	63	71	69	44	22	03	85	14	48	69	13	30	50	33	24
60	08	19	29	36	72	30	27	50	64	85	72	75	29	87	05	75	01
80	45	86	99	02	34	87	08	86	84	49	76	24	08	01	86	29	11
53	84	49	63	26	65	72	84	85	63	26	02	75	26	92	62	40	67
69	84	12	94	51	36	17	02	15	29	16	52	56	43	26	22	08	62
37	77	13	10	02	18	31	19	32	85	31	94	81	43	31	58	33	51

Fuente: Extracto de *A Million Random Digits with 100,000 Normal Deviates* (Nueva York: The Free Press, 1955), p. 7, con autorización de la corporación RAND.

---

*Un método más para generar números aleatorios se llama método del centro del cuadrado de von Neumann, desarrollado en la década de 1940. Funciona como sigue: **1.** se elige un número arbitrario de n dígitos (por ejemplo, $n = 4$), **2.** se eleva el número al cuadrado, **3.** se extraen los n dígitos centrales como el siguiente número aleatorio. Como ejemplo de un número arbitrario de cuatro dígitos, utilice 3,614. El cuadrado de 3,614 es 13,060,996. Los cuatro dígitos centrales de este nuevo número son 0609. Así, 0609 es el siguiente número aleatorio y se repiten los pasos 2 y 3. El método del centro del cuadrado es sencillo y fácil de programar, pero algunas veces los números se repiten con rapidez y ya *no* son aleatorios. Por ejemplo, ¡intente comenzar este método con 6,100 como primer número arbitrario!

EN ACCIÓN

Simulación del sistema OnStar de GM para evaluar alternativas estratégicas

General Motors (GM) tiene un sistema de comunicación en dos sentidos para vehículos, OnStar, es líder en el negocio telemático de servicios de comunicación en los automóviles. La comunicación puede ocurrir con un sistema automatizado (un consejero virtual) o con un consejero humano vía una conexión celular. Esto se usa para cuestiones como notificación de accidentes, navegación, acceso a Internet e información de tráfico. OnStar contesta miles de llamadas de emergencia cada mes y se han salvado muchas vidas con la respuesta rápida a la emergencia.

Al desarrollar el nuevo modelo de negocios para OnStar, GM utilizó un modelo de simulación integrado para analizar la nueva industria de telemática. Se consideraron seis factores en este modelo: adquisición de clientes, elección del cliente, alianzas, servicio al cliente, dinámica financiera y resultados sociales. El equipo respon-

sable del modelo informó que una estrategia dinámica sería la mejor forma de enfrentar esta nueva industria, lo cual incluyó la instalación de OnStar en cada vehículo de GM e incluir el servicio de suscripción gratis el primer año. Esto eliminó el alto costo de instalación del distribuidor, pero significó un costo que no era recuperable, si el comprador elegía no adquirir la suscripción de OnStar.

Se implementó esta estrategia de negocios y el crecimiento subsecuente avanzó como indicaba el modelo. Desde el otoño de 2001, OnStar tenía 80% del mercado con más de dos millones de suscriptores y este número crecía rápidamente. El negocio de OnStar está valuado entre $4 y $10 mil millones.

Fuente: Basada en "A Multimethod Approach for Creating New Business Models: The General Motors OnStar Project", *Interfaces*, 32, 1 (enero-febrero de 2002): 20-34.

el número aleatorio elegido es 81, y el intervalo de 66 a 85 representa una demanda diaria de cuatro llantas, seleccionamos una demanda de cuatro llantas.

Ahora ilustramos el concepto simulando otros 10 días de demanda de llantas radiales en Auto Tire de Harry (véase la tabla 14.5). Elegimos los números aleatorios necesarios en la tabla 14.4, comenzando en la esquina superior izquierda y continuando hacia abajo en la primera columna.

Los resultados simulados pueden diferir de los resultados analíticos en una simulación corta.

Es interesante observar que la demanda promedio de 3.9 llantas en esta simulación de 10 días difiere significativamente de la demanda diaria *esperada*, que podemos calcular a partir de los datos de la tabla 14.2:

$$\text{Demanda esperada diaria} = \sum_{i=0}^{5} (\text{probabilidad de } i \text{ llantas}) \times (\text{demanda de } i \text{ llantas})$$

$$= (0.05)(0) + (0.10)(1) + (0.20)(2) + (0.30)(3)$$
$$+ (0.20)(4) + (0.15)(5)$$

$$= 2.95 \text{ llantas}$$

Si esta simulación se repite cientos o miles de veces, es más probable que la demanda simulada *promedio* sea casi la misma que la demanda *esperada*.

Naturalmente, sería riesgoso sacar conclusiones apresuradas respecto a la operación de una empresa con tan solo una simulación corta. No obstante, esta simulación a mano demuestra los princi-

TABLA 14.5

Simulación de 10 días de demanda de la llanta radial

DÍA	NÚMERO ALEATORIO	DEMANDA DIARIA SIMULADA
1	52	3
2	37	3
3	82	4
4	69	4
5	98	5
6	96	5
7	33	2
8	50	3
9	88	5
10	90	5

39 = demanda total de 10 días

3.9 = demanda diaria promedio de llantas

pios importantes que intervienen; ayuda a entender el proceso de simulación Monte Carlo que se usa en los modelos de simulación computarizados.

La simulación para Auto Tire de Harry contiene solamente una variable. El verdadero poder de simulación se ve cuando se trata de varias variables aleatorias y la situación es más compleja. En la sección 14.4 veremos una simulación de un problema de inventarios, donde pueden variar tanto la demanda como el tiempo de entrega.

Como es de esperarse, la computadora es una herramienta muy útil para llevar a cabo el tedioso trabajo cuando se emprenden simulaciones más grandes. En las dos secciones siguientes, demostramos cómo utilizar QM para Windows y Excel para simulación.

QM para Windows para simulación

El programa 14.1 es una simulación Monte Carlo con el software QM para Windows. Los datos de este modelo son los valores posibles de la variable, el número de pruebas que se van a generar, y la frecuencia asociada o la probabilidad de cada valor. Si se ingresan las frecuencias, QM para Windows calculará las probabilidades, al igual que la distribución de probabilidad acumulada. Vemos que el valor esperado (2.95) se calcula matemáticamente y podemos comparar el promedio de la muestra real (3.02) con este. Si se realiza otra simulación, el promedio de la muestra cambiaría.

Simulación con hojas de cálculo de Excel

La habilidad para generar números aleatorios y, luego, "buscar" estos números en una tabla para asociarlos con un evento específico hace que las hojas de cálculo sean una herramienta excelente para realizar simulaciones. El programa 14.2 ilustra una simulación en Excel para Auto Tire de Harry.

La función RAND() se utiliza para generar un número aleatorio entre 0 y 1. La función VLOOKUP busca el número aleatorio en la columna de la izquierda de la tabla de búsqueda definida ($C$3:$E$8). Se mueve hacia abajo por esta columna hasta que encuentra la celda que es más grande que el número aleatorio. Luego, va al renglón anterior y obtiene el valor de la columna E de la tabla.

PROGRAMA 14.1
Ventana de salida de QM para Windows en la simulación del ejemplo de Auto Tire de Harry

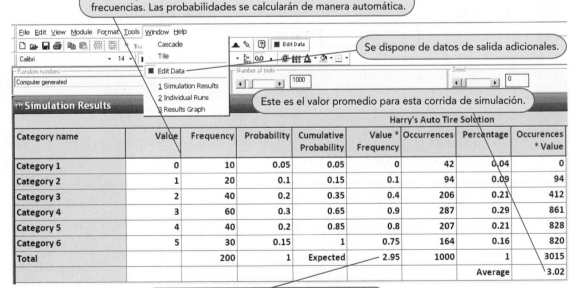

Category name	Value	Frequency	Probability	Cumulative Probability	Value * Frequency	Occurrences	Percentage	Occurences * Value
Category 1	0	10	0.05	0.05	0	42	0.04	0
Category 2	1	20	0.1	0.15	0.1	94	0.09	94
Category 3	2	40	0.2	0.35	0.4	206	0.21	412
Category 4	3	60	0.3	0.65	0.9	287	0.29	861
Category 5	4	40	0.2	0.85	0.8	207	0.21	828
Category 6	5	30	0.15	1	0.75	164	0.16	820
Total		200	1	Expected	2.95	1000	1	3015
							Average	3.02

Cuando aparece la ventana de entrada, ingrese los valores y las frecuencias. Las probabilidades se calcularán de manera automática.

Se dispone de datos de salida adicionales.

Este es el valor promedio para esta corrida de simulación.

El valor esperado se calcula matemáticamente.

PROGRAMA 14.2 Uso de Excel 2010 para simular la demanda de llantas para Auto Tire de Harry

	A	B	C	D	E	F	G	H	I
1		**Harry's Auto Tire Shop**							
2		Probability	Probability Range (Lower)	Cumulative Probability	Tires Demand		Day	Random Number	Simulated Demand
3		0.05	0	0.05	0		1	0.628711	3
4		0.1	0.05	0.15	1		2	0.402931	3
5		0.2	0.15	0.35	2		3	0.419694	3
6		0.3	0.35	0.65	3		4	0.645743	3
7		0.2	0.65	0.85	4		5	0.446755	3
8		0.15	0.85	1	5		6	0.022622	0
9							7	0.216480	2
10							8	0.901222	5
11							9	0.794447	4
12							10	0.530363	3
13								**Average =**	2.9
14		Results (Frequency table)							
15		Tires Demanded	Frequency	Percentage	Cumulative %				
16		0	1	10%	10%				
17		1	0	0%	10%				
18		2	1	10%	20%				
19		3	6	60%	80%				
20		4	1	10%	90%				
21		5	1	10%	100%				
22			10	**=Total**					

Fórmulas clave

	I
13	=AVERAGE(I3:I12)

	C
22	=SUM(C16:C21)

	H	I
3	=RAND()	=VLOOKUP(H3,$C$3:$E$8,3,TRUE)

Copy H3:I3 to H4:I12

	C	D
3	0	=B3
4	=D3	=D3+B4

Copy C4:D4 to C5:D8

	C
16	=FREQUENCY($I$3:$I$12,$B$16:$B$21)

This is entered as an array. Highlight C16:C21, type this formula, then press Ctrl-Shift-Enter.

	D	E
16	=C16/$C$22	=D16
17	=C17/$C$22	=E16+D17

Copy D17:E17 to D18:E21

En el programa 14.2, por ejemplo, el primer número aleatorio que se muestra es 0.628. Excel busca hacia abajo en la columna de la izquierda de la tabla ($C$3:$E$8) del programa 14.2 hasta que encuentra .65. Del renglón anterior obtiene el valor en la columna E, que es 3. Si se oprime la tecla de función F9 se vuelven a calcular los números aleatorios y la simulación.

La función FRECUENCY en Excel (columna C en el programa 14.2) se utiliza para tabular con qué frecuencia ocurre un valor en un conjunto de datos. Esta es una función de arreglo, de manera que se requieren procedimientos especiales para incluirla. Primero, resalte todo el rango donde se localizará esto (C16:C21 en este ejemplo). Luego, ingrese la función, como se ilustra en la celda C16, y presione Ctrl + Shift + Enter. Esto hace que la fórmula entre como un arreglo en todas las celdas resaltadas (celdas C16:C21).

Existen muchos problemas en los cuales la variable que se simula tiene distribución normal y, por lo tanto, es una variable continua. Una función (NORMINV) en Excel facilita generar números aleatorios normales, como se ilustra en el programa 14.3. La media es 40 y la desviación estándar es 5. El formato es

$$=\text{NORMINV} \ (probability, \ mean, \ standar\_deviation)$$

En el programa 14.3, los 200 valores simulados para la variable aleatoria normal se generaron en la columna A. Se desarrolló una gráfica (celdas C3:E19) para mostrar la distribución de los números generados aleatoriamente.

MODELADO EN EL MUNDO REAL El Servicio Postal de Estados Unidos simula la automatización

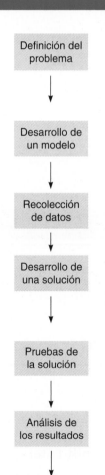

Definición del problema

Desarrollo de un modelo

Recolección de datos

Desarrollo de una solución

Pruebas de la solución

Análisis de los resultados

Implementación de resultados

Definición del problema

El Servicio Postal de Estados Unidos (USPS) reconoce que la tecnología de automatización es la única forma de manejar los incrementos en el volumen de correos, conservar un precio competitivo y satisfacer las metas del servicio. Para hacerlo, necesita evaluar las opciones de automatización: 1. en otros equipos automáticos o semiautomáticos, 2. en la fuerza de trabajo, 3. en las instalaciones y 4. en otros costos de operación.

Desarrollo de un modelo

Se contrató a la corporación Kenan Systems para desarrollar un modelo de simulación nacional llamado META (modelo para evaluar tecnologías alternativas) para cuantificar los efectos de diferentes estrategias de automatización. La versión inicial de META tomó tres meses para su desarrollo.

Recolección de datos

Los datos necesarios se recabaron en los departamentos de servicios de entrega y recursos tecnológicos del USPS. Incluyeron una encuesta nacional que midió 3,200 de las 150,000 rutas de entrega en las ciudades.

Desarrollo de una solución

Los usuarios especificaron datos de entrada para la cantidad y tipo de correo a procesar, la persona/el equipo que usa para clasificar el correo, el flujo del correo y los costos unitarios. META modela cómo funcionaría todo el sistema de correo nacional con tales escenarios o datos. META no es un modelo de optimización, más bien, permite a los usuarios examinar cambios en los resultados que se obtienen al modificar los datos.

Pruebas de la solución

Las simulaciones de META se sometieron a un periodo de prueba de tres meses y validación para asegurar que los escenarios probados producían resultados confiables. Se probaron cientos de escenarios de META.

Análisis de los resultados

USPS utiliza META para analizar el efecto de descuentos, cambios o avances tecnológicos, y cambios en las operaciones de procesamiento actuales.

Implementación de resultados

El Servicio Postal de Estados Unidos estima ahorros desde 1995 de 100,000 años-trabajador cada año, que se traducen en más de $4 mil millones. El modelo de simulación también asegura que las tecnologías futuras se implementarán de manera oportuna y con efectividad en costos.

Fuentes: M. E. Debry, A. H. DeSilva y F. J. DiLisio. "Management Science in Automating Postal Operations: Facility and Equipment Planning in the United States Postal Service", *Interfaces* 22, 1 (enero-febrero de 1992): 110-130 y M. D. Lasky y C. T. Balbach. "Special Delivery: New, Sophisticated Software Helps United States Postal Service Sort Out Complex Problems While Identifying $2 Billion per Year in Potential Savings", *OR/MS Today* 23, 6 (diciembre de 1996): 38-41.

PROGRAMA 14.3
Generación de
números aleatorios
normales en Excel

	A	B	C	D	E
1	**Generating Normal Random Numbers**				
2					
3	Random number		Value	Frenquency	Percentage
4	39.54		26	0	0.0%
5	42.84		28	1	0.5%
6	36.49		30	3	1.5%
7	38.69		32	7	3.5%
8	44.15		34	14	7.0%
9	54.04		36	9	4.5%
10	32.99		38	31	15.5%
11	37.97		40	38	19.0%
12	43.47		42	31	15.5%
13	37.76		44	25	12.5%
14	38.30		46	26	13.0%
15	39.21		48	5	2.5%
16	40.08		50	6	3.0%
17	32.31		52	2	1.0%
18	39.30		54	1	0.5%
19	40.24		56	1	0.5%
20	39.35			**200**	**= Total**
201	41.15				
202	41.03		*(Rows 21-200 are hidden)*		
203	33.02				

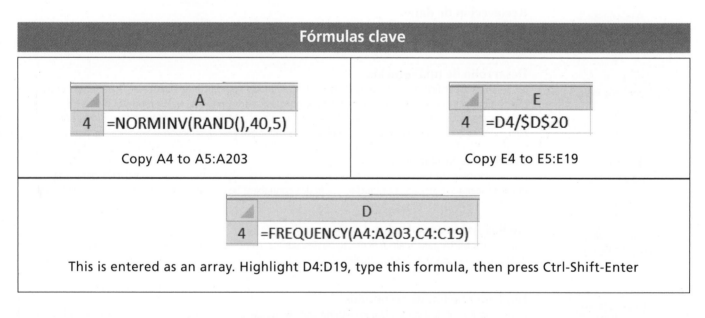

Fórmulas clave

	A
4	=NORMINV(RAND(),40,5)

Copy A4 to A5:A203

	E
4	=D4/$D$20

Copy E4 to E5:E19

	D
4	=FREQUENCY(A4:A203,C4:C19)

This is entered as an array. Highlight D4:D19, type this formula, then press Ctrl-Shift-Enter

Excel QM tiene un módulo de simulación que es muy sencillo de usar. Cuando selecciona *Simulation* en el menú de Excel QM, se abre una ventana de inicio para ingresar el número de categorías y el número de pruebas de simulación que se desea correr. Se desarrollará una hoja de cálculo y ahí se ingresan los valores y las frecuencias, como se indica en el programa 14.4. Los números aleatorios reales y sus valores de demanda asociados también se despliegan en la salida, pero no se muestran en el programa 14.4.

PROGRAMA 14.4 Simulación en Excel QM del ejemplo de Auto Tire de Harry

Ingrese los valores y las frecuencias. Así aparecerán las probabilidades y los resultados de la simulación.

	A	B	C	D	E	F	G	H	I	J	K	L	M
1	Harry's Auto Tire	Enter the values and the frequencies in the top table. Press F9 to run another simulation. If you like, you may enter the random numbers in the column labeled "Random number".											
2													
3	Simulation												
4													
5													
6		Data				Expected Value				Simulation results			
7	Random Number Sorter	Category name	Value	Frequency		Probability	Cumulative Probability	Value * Frequency		Value	Simulation Occurrences	Percentage	Occurences * Value
8	0	Category 1	0	10		0.05	0.05	0		0	6	0.03	0
9	5	Category 2	1	20		0.1	0.15	20		1	22	0.11	22
10	15	Category 3	2	40		0.2	0.35	80		2	34	0.17	68
11	35	Category 4	3	60		0.3	0.65	180		3	63	0.315	189
12	65	Category 5	4	40		0.2	0.85	160		4	49	0.245	196
13	85	Category 6	5	30		0.15	1	150		5	26	0.13	130
14		Total		200			Expected			Totals	200	1	605
15												Average	3.025

14.4 Simulación y análisis de inventarios

La simulación es útil cuando la demanda y el tiempo de entrega son probabilísticos; en este caso, no se pueden aplicar los modelos de inventarios como el lote económico (capítulo 6).

En el capítulo 6, se introdujo el tema de modelos de inventarios "determinísticos". Estos modelos de uso común se basan en la suposición de que tanto la demanda del producto como el tiempo de entrega de la orden son valores constantes conocidos. En muchas situaciones reales de inventarios, la demanda y el tiempo de entrega son variables, y el análisis preciso se vuelve extremadamente difícil con otros medios que no sean simulación.

En esta sección presentamos un problema de inventarios con dos variables de decisión y dos componentes probabilísticos. El dueño de la ferretería descrita en la siguiente sección desea tomar decisiones respecto a la *cantidad a ordenar* y el *punto de reorden*, para un producto específico que tiene demanda diaria y tiempos de entrega probabilísticos (inciertos). Desea hacer una serie de corridas de simulación, intentando varias cantidades de la orden y los puntos de reorden, para minimizar sus costos totales de inventario para el artículo. Los costos de inventario en este caso incluyen costo de ordenar, de mantener en inventario y de faltantes.

Ferretería Simkin

Mark Simkin, dueño y gerente general de la Ferretería Simkin, desea encontrar una política de inventarios adecuada y de bajo costo para un producto en particular: el taladro eléctrico modelo Ace. Debido a la complejidad de esta situación, ha decidido usar simulación como ayuda con su problema. El primer paso en el proceso de simulación que se observa en la figura 14.1 es definir el problema. Simkin lo establece como encontrar una buena política de inventario para el taladro eléctrico Ace.

En el segundo paso de este proceso, Simkin identifica dos tipos de variables: controlables y no controlables. Las variables controlables (o de decisión) son la cantidad a ordenar y el punto de reorden. Simkin debe especificar los valores que desea considerar. Las otras variables importantes son las incontrolables: la demanda diaria fluctuante y el tiempo de entrega variable. Se utilizará la simulación Monte Carlo para simular los valores de ambas.

La demanda diaria para el taladro Ace es relativamente baja, pero está sujeta a variabilidad. Durante los últimos 300 días, Simkin ha observado las ventas mostradas en la columna 2 de la tabla 14.6. Convierte estos datos históricos de frecuencias en una distribución de probabilidad para la variable demanda diaria (columna 3). Forma una distribución de probabilidad acumulada en la columna 4. Por último, Simkin establece un intervalo de números aleatorios para representar cada demanda diaria posible (columna 5).

TABLA 14.6

Probabilidades e intervalos de números aleatorios para la demanda diaria del taladro Ace

(1) DEMANDA DIARIA DEL TALADRO ACE	(2) FRECUENCIA (DÍAS)	(3) PROBABILIDAD	(4) PROBABILIDAD ACUMULADA	(5) INTERVALO DE NÚMEROS ALEATORIOS
0	15	0.05	0.05	01 a 05
1	30	0.10	0.15	06 a 15
2	60	0.20	0.35	16 a 35
3	120	0.40	0.75	36 a 75
4	45	0.15	0.90	76 a 90
5	30	0.10	1.00	91 a 00
	300	1.00		

TABLA 14.7

Probabilidades e intervalos de números aleatorios para el tiempo de entrega de reorden

(1) TIEMPO DE ENTREGA (DÍAS)	(2) FRECUENCIA (ÓRDENES)	(3) PROBABILIDAD	(4) PROBABILIDAD ACUMULADA	(5) INTERVALO DE NÚMEROS ALEATORIOS
1	10	0.20	0.20	01 a 20
2	25	0.50	0.70	21 a 70
3	15	0.30	1.00	71 a 00
	50	1.00		

Cuando Simkin coloca una orden para reabastecer su inventario con taladros Ace, existe un tiempo de entrega de uno a tres días. Esto significa que el tiempo de entrega también se puede considerar una variable probabilística. El número de días que pasan para recibir las últimas 50 órdenes se presenta en la tabla 14.7. De manera similar que para la variable demanda, Simkin establece una distribución de probabilidad para la variable tiempo de entrega (columna 3 de la tabla 14.7), calcula la distribución acumulada (columna 4) y asigna intervalos de números aleatorios para cada tiempo posible (columna 5).

El tercer paso en el proceso de simulación es desarrollar el modelo. Un **diagrama de flujo** es útil en los procedimientos de codificación lógicos para programar este proceso de simulación (véase la figura 14.3).

En los diagramas de flujo, se utilizan símbolos espaciales para representar las diferentes partes de una simulación. Los rectángulos representan las acciones que deben realizarse. Las figuras en forma de diamante representan las ramificaciones donde el siguiente paso depende de la respuesta a la pregunta del diamante. Los puntos inicial y final de la simulación se presentan como óvalos.

El cuarto paso de la simulación es especificar los valores de las variables que deseamos probar.

La primera política de inventarios que la Ferretería Simkin desea simular es una cantidad a ordenar de 10 con un punto de reorden de 5. Es decir, cada vez que el nivel de inventario disponible al final del día sea 5 o menos, Simkin llamará a su proveedor y colocará una orden por 10 taladros o más. Por cierto, si el tiempo de entrega es un día, la orden no llega a la mañana siguiente sino al principio del siguiente día laborable.

El quinto paso del proceso de simulación es de hecho realizar la simulación y utilizar el método Monte Carlo para ello. Todo el proceso se simula para un periodo de 10 días en la tabla 14.8. Podemos suponer que el inventario inicial es de 10 unidades en el día 1. (En realidad, en una simulación larga no hay mucha diferencia debida al nivel de inventario inicial. Como en la vida real tenderíamos a simular cientos o miles de días, los valores iniciales suelen promediarse.) Los números aleatorios para el problema de inventarios de Simkin se seleccionan en la segunda columna de la tabla 14.4.

La tabla 14.8 se llena procediendo un día (o una fila) a la vez, trabajando de izquierda a derecha. Es un proceso de cuatro pasos:

Un retraso en la entrega es el tiempo de espera en la recepción de una orden: el tiempo entre colocar una orden y recibirla.

Pasos para simular el ejemplo de la Ferretería Simkin.

1. Comenzar cada día simulado verificando si acaba de llegar algún inventario ordenado (columna 2). Si es así, aumentar el inventario actual (en la columna 3) en la cantidad de la orden (10 unidades, en este caso).

FIGURA 14.3

Diagrama de flujo para el ejemplo de inventario de Simkin

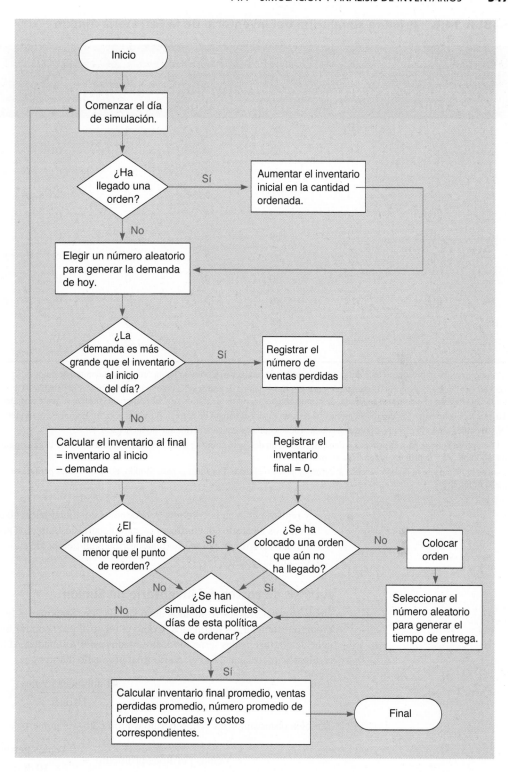

2. Generar una demanda diaria a partir de la distribución de probabilidad de la demanda en la tabla 14.6, seleccionando un número aleatorio. Este número aleatorio se registra en la columna 4. La demanda simulada se registra en la columna 5.

3. Calcular el inventario final cada día y registrarlo en la columna 6. El inventario final es igual al inventario inicial menos la demanda. Si el inventario disponible es insuficiente para cumplir la demanda del día, satisfacer lo más posible y anotar el número de ventas perdidas (en la columna 7).

4. Determinar si el inventario al final del día ha llegado al punto de reorden (5 unidades). Si es así y no hay órdenes pendientes, colocar una orden (columna 8). El tiempo de entrega para una nueva orden se simula una nueva orden, eligiendo primero un número aleatorio de la tabla 14.4

TABLA 14.8 Primera simulación del inventario de la Ferretería Simkin

	**CANTIDAD A ORDENAR = 10 UNIDADES**				**PUNTO DE REORDEN = 5 UNIDADES**				
(1) DÍA	**(2) UNIDADES RECIBIDAS**	**(3) INVENTARIO INICIAL**	**(4) NÚMERO ALEATORIO**	**(5) DEMANDA**	**(6) INVENTARIO FINAL**	**(7) VENTAS PERDIDAS**	**(8) ¿ORDEN?**	**(9) NÚMERO ALEATORIO**	**(10) TIEMPO DE ENTREGA**
1	. . .	10	06	1	9	0	No		
2	0	9	63	3	6	0	No		
3	0	6	57	3	③ᵃ	0	Sí	⓪②ᵇ	1
4	0	3	⑨④ᶜ	5	0	2	Noᵈ		
5	⑩ᵉ	10	52	3	7	0	No		
6	0	7	69	3	4	0	Sí	33	2
7	0	4	32	2	2	0	No		
8	0	2	30	2	0	0	No		
9	⑩ᶠ	10	48	3	7	0	No		
10	0	7	88	4	3	0	Sí	14	1
					Total 41	2			

[a] Primera vez que el inventario baja del punto de reorden de 5 taladros. Como no había órdenes pendientes, se coloca una orden.

[b] Se genera el número aleatorio 02 para representar el primer tiempo de entrega. Se obtuvo en la columna 2 de la tabla 14.4 como el siguiente número en la lista que se usa. Se puede usar una columna separada, de la cual obtener números aleatorios para el tiempo de entrega, si queremos, pero en este ejemplo no lo hicimos.

[c] De nuevo, observe que los dígitos aleatorios 02 se usaron para el tiempo de entrega (véase la nota b). Entonces, el siguiente número en la columna es 94.

[d] No se coloca una orden el día 4 porque hay una orden pendiente del día anterior que no ha llegado.

[e] El tiempo de entrega para la primera orden colocada es un día, pero como se indicó en el texto, una orden no llega la siguiente mañana sino al inicio del siguiente día laborable. Así, la primera orden llega al inicio del día 5.

[f] Esta es la llegada de la orden colocada al cerrar el negocio el día 6. Por fortuna para Simkin, no hubo ventas perdidas en los dos días del tiempo de entrega hasta que la orden llegó.

y registrándolo en la columna 9. (Podemos continuar hacia abajo la misma cadena de la tabla de números aleatorios que utilizamos para generar los números para la demanda variable.) Por último, convertimos este número aleatorio en un tiempo de entrega usando la distribución establecida en la tabla 14.7.

Análisis de costos del inventario de Simkin

Una vez generados los resultados de la simulación, Simkin está listo para proceder al paso 6 de este proceso: examinar los resultados. Como el objetivo es encontrar una solución de bajo costo, Simkin debe determinar cuáles serán los costos, dados estos resultados. Al hacerlo, Simkin encuentra algunos resultados interesantes. El inventario final promedio diario es:

$$\text{Inventario final promedio} = \frac{41 \text{ unidades totales}}{10 \text{ días}} = 4.1 \text{ unidades por día}$$

También observamos las ventas perdidas promedio y el número de órdenes colocadas por día:

$$\text{Ventas perdidas promedio} = \frac{2 \text{ ventas perdidas}}{10 \text{ días}} = 0.2 \text{ unidades por día}$$

$$\text{Número promedio de órdenes colocadas} = \frac{3 \text{ órdenes}}{10 \text{ días}} = 0.3 \text{ órdenes por día}$$

Estos datos son útiles para estudiar los costos de inventario de la política que se simula.

La Ferretería Simkin está abierta 200 días al año. Simkin estima que el costo de colocar cada orden de los taladros Ace es de $10. El costo anual por mantener un taladro en inventario es de $6 por taladro, lo cual también se puede ver como 3 centavos por taladro por día (durante 200 días al año). Por último, Simkin estima que el costo de cada faltante, o venta perdida, es de $8. ¿Cuál es el costo total diario del inventario para Simkin, según la política de la cantidad a ordenar, $Q = 10$ y punto de reorden, PRO = 5?

Examinemos los tres componentes de costos:

$$\text{Costo diario de ordenar} = (\text{costo de colocar una orden})$$
$$\times (\text{número de órdenes colocadas por día})$$
$$= \$10 \text{ por orden} \times 0.3 \text{ órdenes por día} = \$3$$

$$\text{Costo diario por mantener} = (\text{costo por mantener una unidad por día})$$
$$\times (\text{inventario final promedio})$$
$$= \$0.03 \text{ por unidad por día} \times 4.1 \text{ unidades por día}$$
$$= \$0.12$$

$$\text{Costo por faltante diario} = (\text{costo venta perdida})$$
$$\times (\text{número promedio de ventas perdidas por día})$$
$$= \$8 \text{ por faltante} \times 0.2 \text{ ventas perdidas por día}$$
$$= \$1.60$$

$$\text{Costo total de inventario diario} = \text{costo de ordenar diario} + \text{costo por mantener}$$
$$\text{diario} + \text{costo por faltantes diario} = \$4.72$$

Entonces, el costo total de inventario diario para esta simulación es de $4.72. Anualizar esta cifra diaria a 200 días laborales al año sugiere que el costo de esta política de inventarios cuesta aproximadamente $944.

Es importante recordar que la simulación debería realizarse muchos, muchos días antes de que sea válido obtener conclusiones.

Una vez más, queremos hacer hincapié en algo muy importante. Esta simulación debería extenderse muchos más días antes de obtener conclusiones en cuanto al costo de la política de inventarios que se esté probando. Si se realiza una simulación a mano, 100 días darían una mejor representación. Si se hacen los cálculos con una computadora, 1,000 días serían útiles para llegar a estimaciones de costos precisas.

Digamos que Simkin *completa* una simulación de 1,000 días de la política de la cantidad a ordenar = 10 taladros, punto de reorden = 5 taladros. ¿Completa esto su análisis? La respuesta es *no*, ¡esto es tan solo el inicio! Ahora deberíamos verificar que el modelo sea correcto y validar que el modelo en verdad represente la situación en la cual se basa. Como se indica en la figura 14.1, una vez que se examinan los resultados del modelo, sería recomendable regresar y modificar el modelo que desarrollamos. Si estamos satisfechos de que el modelo funciona como esperamos, entonces, podemos especificar otros valores de las variables. Simkin debe ahora comparar *esta* estrategia potencial con otras posibilidades. Por ejemplo, ¿qué pasa si $Q = 10$, PRO = 4; o $Q = 12$, PRO = 6; o $Q = 14$, PRO = 5? Quizá tengan que simularse todas las combinaciones de los valores de Q para 6 a 20 taladros y PRO de 3 a 10. Después de simular todas las combinaciones razonables de cantidades a ordenar y puntos de reorden, Simkin pasará al paso 7 del proceso de simulación y tal vez elegirá el par que dé el menor costo total de inventario.

EN ACCIÓN — La Administración de Aviación Federal utiliza simulación para resolver un problema de asignación

La Administración de Aviación Federal (AAF) es responsable de administrar el transporte por aire, lo cual suele incluir la asignación de vuelos de aerolíneas a rutas de tráfico aéreo específicas en tiempo real. En la superficie, este problema parecería bastante mundano. Sin embargo, como la demanda de tráfico aéreo ha aumentado en los últimos años, el número de rutas de tráfico aéreo disponibles ha disminuido en cualquier tiempo dado. Esto puede hacer que la asignación asociada sea un problema muy difícil. Para confundir más el problema están el clima, ya que una tormenta eléctrica provocaría estragos en la ruta de tráfico aéreo en un momento dado.

En 2005, la AAF desarrolló un modelo de simulación como herramienta para la toma de decisiones, conocido como programa para el flujo en el espacio aéreo (PFEA) con un costo total de cerca de $5 millones. El PFEA integra los datos de los vuelos actuales y por llegar con los datos de una tormenta inminente, y simula varias decisiones diferentes de asignación posibles. Todas estas simulaciones que "ven hacia adelante" se analizan, permitiendo a los tomadores de decisiones de la AAF "prelegir" un conjunto robusto de soluciones de asignación, que minimiza los retrasos del amplio sistema de vuelos. El resultado son vuelos más rápidos y más eficientes, y cientos de millones de dólares en ahorros anuales para las aerolíneas.

Fuente: Basada en V. Sud, M. Tanino, J. Wetherly, M. Brennan, M. Lehky, K. Howard y R. Oisen. "Reducing Flight Delays Through Better Traffic Management", *Interfaces* 39, 1 (2009): 35-45.

14.5 Simulación de un problema de colas

Una área importante de aplicación de la simulación se encuentra en los problemas de análisis de líneas de espera. Como se mencionó, las suposiciones requeridas para resolver problemas de colas analíticamente son bastante restrictivas. Para los sistemas de líneas de espera más realistas, la simulación puede de hecho ser el único enfoque disponible. Esta sección ilustra la simulación en un muelle de descarga grande y su línea de espera.

Puerto de Nueva Orleans

La llegada de barcazas y las tasas de descarga son ambas variables probabilísticas. A menos que sigan la distribución de probabilidad de colas del capítulo 13, será necesario adoptar un enfoque de simulación.

Las barcazas con carga completa llegan en la noche a Nueva Orleans, después de sus largos viajes por el río Mississippi desde las ciudades industriales del medio oeste. El número de barcazas que atracan en una noche cualquiera va de 0 a 5. Las probabilidades de 0, 1, 2, 3, 4 o 5 llegadas se muestran en la tabla 14.9. En la misma tabla se establecieron las probabilidades acumuladas y los intervalos de números aleatorios correspondientes para cada valor posible.

Un estudio realizado por el superintendente del muelle revela que debido a la naturaleza de sus cargas, el número de barcazas descargadas también tiende a variar de un día a otro. Él brinda información con la cual se puede crear una distribución de probabilidad para la variable *tasa de descarga diaria* (véase la tabla 14.10). Al igual que se hizo para la variable llegadas, establecemos un intervalo de números aleatorios para las tasas de descarga.

Las barcazas se descargan según la política de primero en entrar, primero en salir. Una barcaza que no se descarga el día que llega debe esperar al siguiente día. Amarrar una barcaza al muelle es una proposición costosa y el superintendente no puede ignorar las llamadas telefónicas con enojo de los dueños de la línea de barcazas recordándole que "¡el tiempo es dinero!" Decide entonces que antes de ir con el controlador del Puerto de Nueva Orleans para pedirle brigadas de descarga adicionales, debería realizar un estudio de simulación de las llegadas, la descarga y los retrasos. Una simulación de 100 días sería ideal, pero con la finalidad de ilustrar, el superintendente comienza con un análisis más corto de 15 días. Los números aleatorios se obtienen de la fila superior de la tabla 14.4 para generar las tasas de llegadas diarias. Se obtienen números aleatorios de la segunda fila de esa tabla para crear las tasas de descargas diarias. La tabla 14.11 muestra la simulación del puerto día por día.

TABLA 14.9

Tasas de llegadas de barcazas por la noche e intervalos de números aleatorios

NÚMERO DE LLEGADAS	PROBABILIDAD	PROBABILIDAD ACUMULADA	INTERVALO DE NÚMEROS ALEATORIOS
0	0.13	0.13	01 a 13
1	0.17	0.30	14 a 30
2	0.15	0.45	31 a 45
3	0.25	0.70	46 a 70
4	0.20	0.90	71 a 90
5	0.10	1.00	91 a 00

TABLA 14.10

Tasas de descargas e intervalos de números aleatorios

NÚMERO DE LLEGADAS	PROBABILIDAD	PROBABILIDAD ACUMULADA	INTERVALO DE NÚMEROS ALEATORIOS
1	0.05	0.05	01 a 05
2	0.15	0.20	06 a 20
3	0.50	0.70	21 a 70
4	0.20	0.90	71 a 90
5	0.10	1.00	91 a 00
	1.00		

TABLA 14.11 Simulación de la cola en el Puerto de Nueva Orleans para descarga de barcazas

(1) DÍA	(2) NÚMERO DE RETRASOS DEL DÍA ANTERIOR	(3) NÚMERO ALEATORIO	(4) NÚMERO DE LLEGADAS NOCTURNAS	(5) TOTAL A DESCARGAR	(6) NÚMERO ALEATORIO	(7) NÚMERO DE DESCARGAS
1	—[a]	52	3	3	37	3
2	0	06	0	0	63	0[b]
3	0	50	3	3	28	3
4	0	88	4	4	02	1
5	3	53	3	6	74	4
6	2	30	1	3	35	3
7	0	10	0	0	24	0[c]
8	0	47	3	3	03	1
9	2	99	5	7	29	3
10	4	37	2	6	60	3
11	3	66	3	6	74	4
12	2	91	5	7	85	4
13	3	35	2	5	90	4
14	1	32	2	3	73	3[d]
15	0	00	5	5	59	3
	20		41			39
	Retrasos totales		Llegadas totales			Descargas totales

[a]Podemos comenzar sin retrasos del día anterior. En una simulación larga, aunque comenzáramos con 5 retrasos en la noche, esa condición inicial se promediaría.

[b]Se hubieran *podido* descargar tres barcazas en el día 2; pero como no hubo llegadas y no había trabajo atrasado, ocurrieron cero descargas.

[c]La misma situación que en la nota b.

[d]Esta vez se podrían haber descargado 4 barcazas, pero como solo había 3 en la cola, el número de descargas se registra como 3.

El superintendente tal vez esté interesado en al menos tres partes importantes y útiles de la información:

Estos son los resultados de la simulación respecto al promedio de retrasos de barcazas, promedio de llegadas nocturnas y promedio de descargas.

$$\text{Número promedio de retrasos de barcazas al siguiente día} = \frac{20 \text{ retrasos}}{15 \text{ días}}$$

$$= 1.33 \text{ barcazas retrasadas por día}$$

$$\text{Número promedio de llegadas nocturnas} = \frac{41 \text{ llegadas}}{15 \text{ días}} = 2.73 \text{ llegadas}$$

$$\text{Número promedio de barcazas descargadas por día} = \frac{39 \text{ descargas}}{15 \text{ días}} = 2.60 \text{ descargas}$$

Cuando se analizan estos datos en el contexto de costos de retraso, costos de mano de obra ociosa y el costo de contratar brigadas de descarga adicionales, es posible que el superintendente del muelle y el controlador del puerto tomen una mejor decisión en cuanto al personal. Incluso tal vez elijan simular el proceso de nuevo, suponiendo otras tasas de descarga que correspondan a tamaños más grandes de brigadas. Aunque la simulación es una herramienta que no garantiza una solución óptima para problemas como este, ayuda a recrear un proceso y a identificar buenas alternativas de decisión.

Uso de Excel para simular el problema de colas del Puerto de Nueva Orleans

Se utilizó Excel para simular el ejemplo del Puerto de Nueva Orleans y los resultados se muestran en el programa 14.5. La función VLOOKUP se usó igual que en las simulaciones anteriores en Excel. Se simularon diez días de operaciones y los resultados se presentan en los renglones 4 a 13 de la hoja de cálculo.

PROGRAMA 14.5   Modelo de Excel para la simulación de la cola en el Puerto de Nueva Orleans

	A	B	C	D	E	F	G	H	I	J	K
1	**Port of New Orleans Barge Unloadings**										
2											
3	Day	Previously delayed	Random number	Arrivals	Total to be unoaded	Random Number	Possibly unloaded	Unloaded			
4	1	0	0.4122	2	2	0.44942	3	2			
5	2	0	0.1801	1	1	0.89542	4	1			
6	3	0	0.7886	4	4	0.83696	4	4			
7	4	0	0.6198	3	3	0.65745	3	3			
8	5	0	0.7517	4	4	0.65671	3	3			
9	6	1	0.3591	2	3	0.01266	1	1			
10	7	2	0.3651	2	4	0.60660	3	3			
11	8	1	0.2075	1	2	0.77510	4	2			
12	9	0	0.1506	1	1	0.96885	5	1			
13	10	0	0.5876	3	3	0.19753	2	2			
14											
15	**Barge Arrivals**						**Unloading rates**				
16	Demand	Probability	Lower	Cumulative	Demand		Number	Probability	Lower	Cumulative	Unloading
17	0	0.13	0.00	0.13	0		1	0.05	0.00	0.05	1
18	1	0.17	0.13	0.30	1		2	0.15	0.05	0.20	2
19	2	0.15	0.30	0.45	2		3	0.50	0.20	0.70	3
20	3	0.25	0.45	0.70	3		4	0.20	0.70	0.90	4
21	4	0.20	0.70	0.90	4		5	0.10	0.90	1.00	5
22	5	0.10	0.90	1.00	5						

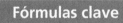

Fórmulas clave

	C	D
17	=0	=B17
18	=C17+B17	=D17+B18

Copy C18:D18 to C19:D22

	I	J
17	=0	=H17
18	=I17+H17	=J17+H18

Copy I18:J18 to I19:J21

	B	C	D	E	F	G	H
4	=RAND()	=VLOOKUP(B4,$C$17:$E$22,3,TRUE)	=C4	=D4	=RAND()	=VLOOKUP(F4,$I$17:$K$19,3,TRUE)	=E4+G4
5	=RAND()	=VLOOKUP(B5,$C$17:$E$22,3,TRUE)	=D4+C5	=MAX(D5,H4)	=RAND()	=VLOOKUP(F5,$I$17:$K$19,3,TRUE)	=E5+G5

Copy B5:H5 to B6:H13

14.6   Modelo de simulación para una política de mantenimiento

Los problemas de mantenimiento son una área donde la simulación se usa ampliamente.

La simulación es una técnica valiosa para analizar diferentes políticas de mantenimiento antes de implementarlas en la realidad. Un empresa puede decidir si agregar más personal de mantenimiento con base en los costos de las descomposturas y de la mano de obra adicional. Puede simular el remplazo de partes que todavía no fallan, para explorar maneras de prevenir descomposturas futuras. Muchas compañías usan modelos de simulación computarizados para decidir si van a cerrar toda una planta para actividades de mantenimiento y cuándo lo harían. Esta sección proporciona un ejemplo del valor de la simulación para establecer políticas de mantenimiento.

Compañía Three Hills Power

La compañía de suministro de energía Three Hills Power ofrece electricidad a una área metropolitana grande mediante una serie de casi 200 generadores hidroeléctricos. La gerencia reconoce que incluso un generador con buen mantenimiento tendrá fallas o descomposturas periódicas. Las demandas de energía durante los últimos tres años han sido constantemente altas y la compañía se preocupa por las descomposturas de los generadores. En la actualidad emplea a cuatro reparadores con capacidades altas y salario alto ($30 por hora). Cada uno trabaja un turno de 8 horas cada cuatro turnos. De esta manera, hay un técnico de reparaciones en servicio las 24 horas del día, siete días a la semana.

Aunque los salarios del personal de mantenimiento son costosos, las descomposturas son todavía más costosas. Por cada hora que se descompone un generador, Three Hills pierde aproximadamente $75. Esta cantidad es el cargo por la reserva de energía que Three Hills debe "pedir prestada" de la compañía de servicios vecina.

Stephanie Robbins ha sido asignada para realizar un análisis de mantenimiento del problema de descomposturas. Determina que la simulación es una herramienta con la que puede trabajar debido a la naturaleza probabilística de este problema. Stephanie decide que su objetivo es determinar **1.** el costo del servicio de mantenimiento, **2.** el costo de la descompostura de la máquina y **3.** los costos totales de estas descomposturas y el mantenimiento (lo cual da el costo total de este sistema). Como se necesita el tiempo de descomposturas total de las máquinas para calcular el costo de las descomposturas, Stephanie debe saber cuándo se descompone cada una y cuándo regresa a servicio. Por lo tanto, tiene que usar un modelo de simulación del siguiente evento. Para la planeación de esta simulación, se desarrolla un diagrama de flujo como el de la figura 14.4.

Stephanie identifica dos componentes importantes del sistema de mantenimiento. Primero, el tiempo entre las descomposturas sucesivas de un generador varía históricamente, desde tan poco como media hora hasta tanto como tres horas. Para las últimas 100 descomposturas, Stephanie tabula la frecuencia de los diferentes tiempos entre descomposturas (véase la tabla 14.12). También crea una distribución de probabilidad y asigna intervalos de números aleatorios a cada intervalo de tiempo esperado.

Robbins observa después que las personas que hacen reparaciones registran su tiempo de mantenimiento en bloques de una hora. Debido al tiempo que toma llegar al generador descompuesto, los tiempos de reparación en general se redondean a una, dos o tres horas. En la tabla 14.13 ella realiza un análisis estadístico de los tiempos de reparación históricos, similar al realizado para los tiempos de descomposturas.

Robbins comienza con la simulación eligiendo una serie de números aleatorios para generar los tiempos simulados entre descomposturas de los generadores, y una segunda serie para simular los tiempos requeridos de reparación. Una simulación de 15 fallas de máquinas se presenta en la tabla 14.14. Ahora examinaremos los elementos de la tabla, una columna a la vez.

TABLA 14.12

Tiempos entre descomposturas de generadores en Three Hills

TIEMPO ENTRE FALLAS DE MÁQUINAS REGISTRADAS (HORAS)	NÚMERO DE VECES OBSERVADO	PROBABILIDAD	PROBABILIDAD ACUMULADA	INTERVALO DE NÚMEROS ALEATORIOS
0.5	5	0.05	0.05	01 a 05
1.0	6	0.06	0.11	06 a 11
1.5	16	0.16	0.27	12 a 27
2.0	33	0.33	0.60	28 a 60
2.5	21	0.21	0.81	61 a 81
3.0	19	0.19	1.00	82 a 00
Total	100	1.00		

FIGURA 14.4

Diagrama de flujo para Three Hills

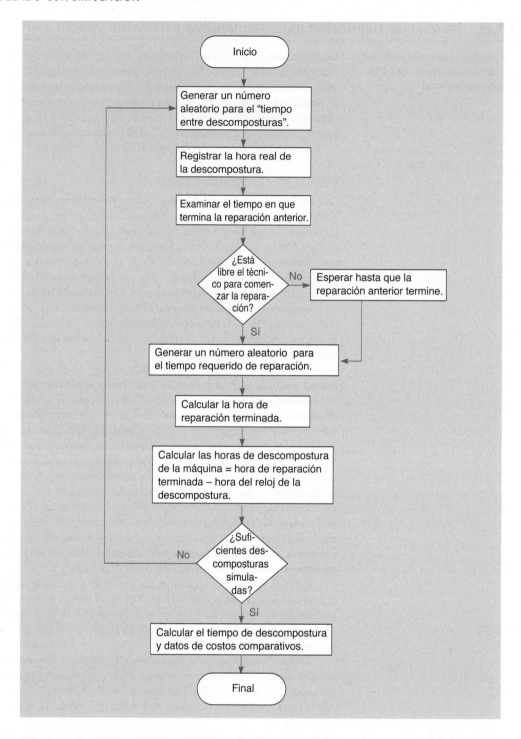

Columna 1: Número de descompostura. Esto es tan solo la cuenta de las descomposturas conforme ocurren y va de 1 a 15.

Columna 2: Número aleatorio para descompostura. Es el número que se usa para simular el tiempo entre descomposturas. Los números en esta columna se seleccionaron en la tabla 14.4, en la segunda columna del lado derecho de la tabla.

Columna 3: Tiempo entre descomposturas. Número generado con el número aleatorio de la columna 2 y los intervalos de números aleatorios definidos en la tabla 14.12. El primer número aleatorio, 57, cae en el intervalo de 28 a 60, que implica un tiempo de 2 horas desde la descompostura anterior.

Columna 4: Tiempo de descompostura. Aquí se convierte el dato en la columna 3 en la hora del día real para cada descompostura. Esta simulación supone que el primer día comienza a la medianoche (00:00 horas). Como el tiempo entre cero descomposturas y la primera descompostura del día es de 2

TABLA 14.13

Tiempos de reparación requeridos del generador

TIEMPO DE REPARACIÓN REQUERIDO (HORAS)	NÚMERO DE VECES OBSERVADO	PROBABILIDAD	PROBABILIDAD ACUMULADA	INTERVALO DE NÚMEROS ALEATORIOS
1	28	0.28	0.28	01 a 28
2	52	0.52	0.80	29 a 80
3	20	0.20	1.00	81 a 00
Total	100	1.00		

horas, la primera falla de una máquina registrada es a las 02:00 del reloj. La segunda descompostura, que se observa, ocurre 1.5 horas después, la hora calculada es 03:30 (o 3:30 A.M.).

Columna 5: Hora en que el técnico está libre para comenzar una reparación. Son las 02:00 horas para la primera reparación, si suponemos que el reparador comenzó a trabajar a las 00:00 horas y no estaba ocupado con la falla del generador anterior. No obstante, antes de registrar esta hora en la segunda columna y todas las horas subsecuentes, debemos verificar la columna 8 para ver la hora en que el técnico termina el trabajo anterior. Véase, por ejemplo, la séptima descompostura. Ocurrió a las 15:00 (o 3:00 P.M.); pero el técnico no termina el trabajo anterior, la sexta descompostura, hasta las 16:00 horas. Entonces, el elemento en la columna 5 es 16:00 horas.

Se hace una suposición más para manejar el hecho de que cada reparador trabaja tan solo un turno de 8 horas: cuando se remplaza cada persona para el siguiente turno, él o ella simplemente entrega las herramientas al nuevo trabajador. El que acaba de llegar continúa laborando en el mismo generador descompuesto hasta terminar el trabajo. No hay tiempo perdido ni hay traslape de trabajadores. Así, los costos de mano de obra por cada 24 horas son exactamente 24 horas × $30 por hora = $720.

Columna 6: Número aleatorio para el tiempo de reparación. Es un número seleccionado de la columna de la derecha de la tabla 14.4. Ayuda a simular los tiempos de reparación.

Columna 7: Tiempo requerido de reparación. Se genera a partir de los números aleatorios de la columna 6 y de la distribución de los tiempos de reparación en la tabla 14.13. El primer número aleatorio, 07, representa el tiempo de reparación de 1 hora pues cae en el intervalo 01 a 28.

Columna 8: Termina el tiempo de reparación. Es la suma del elemento en la columna 5 (hora en que el técnico está libre para comenzar) más el tiempo requerido de reparación en la columna 7. Como la primera reparación comienza a las 02:00 y toma una hora terminarla, la hora en que termina la reparación se registra en la columna 8 como 03:00.

EN ACCIÓN | **Simulación de quirófanos en el Jackson Memorial Hospital**

El Jackson Memorial Hospital de Miami es el más grande de Florida con 1,576 camas; también es uno de los mejores hospitales en Estados Unidos. En junio de 1996, recibió la calificación de acreditación más alta entre los hospitales del sector público en el país. El departamento de ingeniería de sistemas de administración del Jackson busca constantemente maneras de aumentar la eficiencia del hospital y la construcción de nuevos quirófanos impulsó el desarrollo de una simulación de los 31 quirófanos existentes.

El límite de los quirófanos incluye el área de espera y el área de recuperación, las cuales experimentaban problemas debido a la inefectividad de la planeación de los servicios de quirófanos. Un estudio de simulación, modelado con el software ARENA, buscó maximizar el uso actual de los quirófanos y el personal. Los datos del modelo incluyeron 1. el tiempo que un paciente espera en el área correspondiente, 2. el proceso específico al que se somete el paciente, 3. el personal programado, 4. la disponibilidad de habitaciones y 5. la hora del día.

El primer obstáculo que tuvo que enfrentar el equipo de investigación en Jackson fue el gran número de registros que revisar para extraer los datos para el modelo de simulación probabilístico. El segundo obstáculo fue la *calidad* de los datos. Un análisis exhaustivo de los registro determinó cuáles eran buenos y cuáles se debían descartar. Al final, se revisaron con cuidado las bases de datos de Jackson y llevaron a un buen conjunto de datos para el modelo. Luego, la simulación desarrolló con éxito cinco medidas de desempeño de los quirófanos: 1. el número de procedimientos al día, 2. el tiempo promedio por caso, 3. la utilización del personal, 4. la utilización de las habitaciones, y 5. el tiempo promedio en el área de espera.

Fuente: Basada en M. A. Centeno *et al*. "Challenges of Simulating Hospital Facilities", *Proceedings of the 12th Annual Conference of the Production and Operations Management Society*, Orlando. FL (marzo de 2001): 50.

TABLA 14.14 Simulación de descomposturas y reparaciones de generadores

(1) NÚMERO DE DESCOMPOSTURA	(2) NÚMERO ALEATORIO PARA DESCOMPOSTURAS	(3) TIEMPO ENTRE DESCOMPOSTURAS	(4) HORA DE LA DESCOMPOSTURA	(5) HORA EN QUE EL TÉCNICO PUEDE COMENZAR ESTA REPARACIÓN	(6) NÚMERO ALEATORIO PARA TIEMPO DE REPARACIÓN	(7) TIEMPO RE-QUERIDO DE REPARACIÓN	(8) HORA EN QUE TERMINA LA REPARACIÓN	(9) NÚMERO DE HORAS DE DESCOM-POSTURA
1	57	2	02:00	02:00	07	1	03:00	1
2	17	1.5	03:30	03:30	60	2	05:30	2
3	36	2	05:30	05:30	77	2	07:30	2
4	72	2.5	08:00	08:00	49	2	10:00	2
5	85	3	11:00	11:00	76	2	13:00	2
6	31	2	13:00	13:00	95	3	16:00	3
7	44	2	15:00	16:00	51	2	18:00	3
8	30	2	17:00	18:00	16	1	19:00	2
9	26	1.5	18:30	19:00	14	1	20:00	1.5
10	09	1	19:30	20:00	85	3	23:00	3.5
11	49	2	21:30	23:00	59	2	01:00	3.5
12	13	1.5	23:00	01:00	85	3	04:00	5
13	33	2	01:00	04:00	40	2	06:00	5
14	89	3	04:00	06:00	42	2	08:00	4
15	13	1.5	05:30	08:00	52	2	10:00	4.5
								Total 44

Columna 9: Número de horas que la máquina está descompuesta. Es la diferencia entre la columna 4 (hora de descompostura) y la columna 8 (hora en que termina la reparación). En el caso de la primera descompostura, la diferencia es 1 hora (03:00 menos 02:00). En el caso de la décima descompostura, la diferencia es 23:00 horas menos 19:30 horas, es decir, 3.5 horas.

Análisis de costos de la simulación

La simulación de las 15 descomposturas de generadores de la tabla 14.14 abarca un tiempo de 34 horas de operación. El reloj comienza a las 00:00 horas del día 1 y corre hasta la reparación final a las 10:00 horas del día 2.

El factor crítico que interesa a Robbins es el número total de horas que los generadores están fuera de servicio (de la columna 9). Esto se calculó como 44 horas. También observó que, hacia el final del periodo de simulación, comienza a aparecer un rezago. La descompostura número trece ocurrió a las 01:00 horas pero no se pudo trabajar en ella sino hasta las 04:00 horas. Las descomposturas catorce y quince tuvieron retrasos similares. Robbins decide escribir un programa de cómputo para realizar unos cientos más de descomposturas simuladas, pero primero quiere analizar los datos que tiene hasta ahora.

Mide sus objetivos como sigue:

$$\text{Costo de servicio de mantenimiento} = 34 \text{ horas de técnico} \times \$30 \text{ por hora}$$
$$= \$1,020$$

$$\text{Costo de descomposturas simuladas} = 44 \text{ horas totales de descomposturas}$$
$$\times \$75 \text{ de pérdida por hora de descompostura}$$
$$= \$3,300$$

$$\text{Costo total de mantenimiento}$$
$$\text{simulado del sistema actual} = \text{Costo de servicio} + \text{costo de descompostura}$$
$$= \$1,020 + \$3,300$$
$$= \$4,320$$

Un costo total de $4,320 es razonable tan solo cuando se compara con otras opciones de mantenimiento menos o más atractivas. Por ejemplo, ¿debería la compañía Three Hills Power agregar un segundo técnico de reparación de tiempo completo en cada turno? ¿Debe agregar solo un trabajador más y dejarlo que labore un turno cada cuatro para ayudar a poner al corriente los retrasos? Estas son dos alternativas que Robbins puede elegir considerar mediante simulación. Usted puede ayudar resolviendo el problema 14-25 al final de este capítulo.

También se pueden simular las políticas de mantenimiento preventivo.

Como se mencionó al inicio de esta sección, la simulación también se puede aplicar a otros problemas de mantenimiento, incluyendo el análisis de mantenimiento preventivo. Quizá la compañía Three Hills Powers deba considerar estrategias para remplazar motores, válvulas, cables, interruptores y otras partes que suelen fallar. Podría **1.** remplazar todas las partes de cierto tipo cuando una falle en algún generador, o bien, **2.** reparar o remplazar todas las partes después de cierto tiempo de servicio con base en un promedio estimado de vida de servicio. Esto se haría, de nuevo, estableciendo una distribución de probabilidad para las tasas de fallas, eligiendo números aleatorios, y simulando tanto las fallas como sus costos asociados.

ELABORACIÓN DE UN MODELO DE SIMULACIÓN EN EXCEL PARA LA COMPAÑÍA THREE HILLS POWER El programa 14.6 proporciona un enfoque de una hoja de cálculo en Excel para simular el problema de mantenimiento de Three Hills Power.

14.7 Otros aspectos de la simulación

La simulación es una de las herramientas más utilizadas en los negocios. Como se ha visto en secciones anteriores de este capítulo, las aplicaciones abundan pues no hay restricciones por las suposiciones de los modelos matemáticos estudiados antes. En esta sección, veremos algunos otros aspectos relacionados con la simulación, incluyendo algunas herramientas de software disponibles.

Otros dos tipos de modelos de simulación

Los modelos de simulación con frecuencia se clasifican en tres categorías. La primera, el método Monte Carlo que se acaba de presentar, utiliza conceptos de distribuciones de probabilidad y números aleatorios para evaluar las respuestas del sistema a diferentes políticas. Las otras dos categorías son

PROGRAMA 14.6   Modelo en Excel para el problema de mantenimiento de Three Hills

	A	B	C	D	E	F	G	H	I	J	K
1	Three Hills Power Company										
2											
3	Breakdown number	Random number	Time between breakdowns	Time of breakdowns	Time repairperson is free	Random Number	Repair time	Repair ends			
4	1	0.4250	2	2	2	0.5263	2	4			
5	2	0.0279	0.5	2.5	4	0.0466	1	5			
6	3	0.9666	3	5.5	5.5	0.2342	1	6.5			
7	4	0.9527	3	8.5	8.5	0.1482	1	9.5			
8	5	0.2316	1.5	10	10	0.6001	2	12			
9	6	0.3460	2	12	12	0.4528	2	14			
10	7	0.3648	2	14	14	0.1964	1	15			
11	8	0.8095	2.5	16.5	16.5	0.2554	1	17.5			
12	9	0.7553	2.5	19	19	0.6737	2	21			
13	10	0.4003	2	21	21	0.4339	2	23			
14											
15	Demand Table						Repair times				
16	Time between breakdowns	Probability	Lower	Cumulative	Demand			Time	Probability	Lower	Cumulative	Lead time
17	0.5	0.05	0	0.05	0.5			1	0.28	0.00	0.28	1
18	1.0	0.06	0.05	0.11	1			2	0.52	0.28	0.80	2
19	1.5	0.16	0.11	0.27	1.5			3	0.20	0.80	1.00	3
20	2.0	0.33	0.27	0.6	2						
21	2.5	0.21	0.6	0.81	2.5						
22	3.0	0.19	0.81	1	3						

Fórmulas clave

	C	D	E
17	=0	=B17	=A17
18	=C17+B17	=D17+B18	=A18

Copy C18:E18 to C19:E22

	I	J	K
17	=0	=H17	=G17
18	=I17+H17	=J17+H18	=G18
19	=I18+H18	=J18+H19	=G19

	B	C	D	E	F	G	H
4	=RAND()	=VLOOKUP(B4,$C$17:$E$22,3,TRUE)	=C4	=D4	=RAND()	=VLOOKUP(F4,$I$17:$K$19,3,TRUE)	=E4+G4
5	=RAND()	=VLOOKUP(B5,$C$17:$E$22,3,TRUE)	=D4+C5	=MAX(D5,H4)	=RAND()	=VLOOKUP(F5,$I$17:$K$19,3,TRUE)	=E5+G5

Copy B5:H5 to B6:H13

juegos operativos y simulación de sistemas . Aunque en teoría los tres métodos son distintos, el crecimiento de la simulación computarizada ha tendido a crear una base común en los procedimientos y borrar tales diferencias.[*]

JUEGOS OPERATIVOS   Los **juegos operativos** se refieren a la simulación que implica a dos o más jugadores que compiten. Los mejores ejemplos son los juegos militares y los juegos de negocios. Ambos permiten a los participantes competir según sus habilidades gerenciales y de toma de decisiones en situaciones de conflicto hipotéticas.

Los juegos militares se usan en todo el mundo para capacitar a los altos oficiales de la milicia, para probar estrategias ofensivas y defensivas, así como para examinar la efectividad del equipo y los ejércitos. Los juegos de negocios, desarrollados primero por la empresa Booz, Allen and Hamilton en

---

[*]En teoría, los números aleatorios se usan solo en la simulación Monte Carlo. Sin embargo, en algunos juegos complejos o en problemas de simulación de sistemas donde no se pueden definir con exactitud todas las relaciones, quizá sea necesario usar los conceptos de probabilidad del método Monte Carlo.

la década de 1950, son populares tanto entre ejecutivos como entre estudiantes de administración. Ofrecen una oportunidad para probar las habilidades de negocios y de toma de decisiones en un entorno competitivo. Se recompensa a la persona o el equipo que se desempeña mejor al saber que su compañía es la más exitosa al obtener las mayores ganancias, quedarse con un alto porcentaje de mercado o quizás aumentar el valor comercial de la empresa en la bolsa de valores.

Durante cada periodo de competencia, sea una semana, un mes o un trimestre, los equipos responden a las condiciones de mercado codificando sus últimas decisiones administrativas con respecto a inventarios, producción, finanzas, inversión, marketing e investigación. El entorno competitivo de negocios se simula en una computadora y una nueva hoja de salida que resume las condiciones actuales del mercado se presenta a los jugadores. Esto permite a los equipos simular años de condiciones de operación en días, semanas o un semestre.

Los modelos econométricos son simulaciones enormes que incluyen miles de ecuaciones de regresión, todas relacionadas por los factores económicos. Aprovechan la inclusión de preguntas del tipo ¿qué sucedería si? para probar políticas diferentes.

SIMULACIÓN DE SISTEMAS La **simulación de sistemas** es similar al juego de negocios que permite a los usuarios probar varias políticas y decisiones administrativas, para evaluar su efecto sobre el entorno operativo. Esta variación de simulación modela la dinámica de los *sistemas* grandes, que incluyen operaciones corporativas,* la economía nacional, un hospital o el sistema de gobierno de una ciudad.

En un *sistema de operaciones corporativas*, factores como ventas, niveles de producción, políticas de marketing, inversiones, contratos sindicales, tasas de pago de servicios, finanzas y otros se relacionan todos en una serie de ecuaciones matemáticas que examina la simulación. En una simulación de un *gobierno urbano*, la simulación de sistemas se utilizaría para evaluar el impacto de un aumento en los impuestos, los gastos de capital para caminos y edificios, la disponibilidad habitacional, las nuevas rutas de recolección de basura, la inmigración y la emigración, la localización de nuevas escuelas o centros para los adultos mayores, las tasas de nacimiento y muerte, y muchos otros aspectos vitales. Las simulaciones de *sistemas económicos*, muchas veces llamados modelos econométricos, sirven a gobiernos, bancos y grandes organizaciones para predecir las tasas de inflación, las reservas monetarias extranjeras y nacionales, y los niveles de desempleo. La entrada y salida de la simulación de un sistema económico típico se ilustran en la figura 14.5.

El valor de la simulación de sistemas está en permitir preguntas del tipo ¿qué sucedería si?, para probar los efectos de las diferentes políticas. Un grupo de planeación corporativa, por ejemplo, puede cambiar el valor de cualquier dato, como un presupuesto de publicidad, y examinar su influencia en las ventas, el porcentaje de mercado o los costos a corto plazo. La simulación también se utiliza para evaluar diferentes proyectos de investigación y desarrollo, o bien, para determinar horizontes de planeación a largo plazo.

Verificación y validación

En el desarrollo de un modelo de simulación, es importante que el modelo se verifique para saber que está funcionando de manera adecuada y que proporcione una buena representación de la situación real. El proceso de **verificación** incluye determinar que el modelo de computadora es internamente congruente y sigue la lógica del modelo conceptual.

La verificación se relaciona con la elaboración correcta del modelo. La validación se relaciona con la elaboración del modelo correcto.

La **validación** es el proceso de comparar un modelo con el sistema real que representa para asegurar su precisión. Las suposiciones del modelo deberían verificarse para saber que se esté utilizando la distribución de probabilidad adecuada. Tiene que hacerse un análisis de los datos de entrada y las salidas para comprobar que los resultados sean razonables. Si sabemos cuáles son las salidas reales para un conjunto específico de datos, podemos usarlos en el modelo de computadora para verificar que las salidas de la simulación sean congruentes con el sistema real.

Se ha dicho que la verificación responde la pregunta "¿Construimos correctamente el modelo?" Por otro lado, la validación responde a la pregunta "¿Construimos el modelo correcto?" Únicamente cuando estamos convencidos de que el modelo es bueno nos sentimos tranquilos al usar los resultados.

FIGURA 14.5

Entradas y salidas de una simulación de un sistema económico típico

Entradas	Modelo	Salidas
Niveles de impuestos sobre ingresos	Modelo econométrico (en una serie de ecuaciones matemáticas)	Producto interno bruto
Tasas de impuestos corporativos		Tasas de inflación
Tasas de interés		Tasas de desempleo
Gasto del gobierno		Reservas monetarias
Política de comercio exterior		Tasas de crecimiento de la población

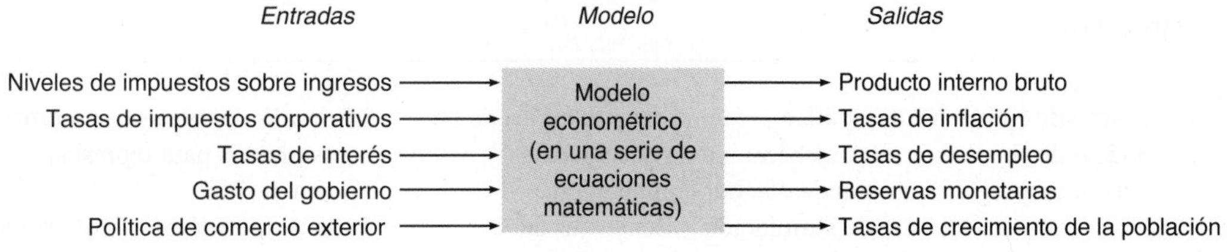

*Algunas veces esto se conoce como *dinámica industrial*, un término acuñado por Jay Forrester. La meta de Forrester era encontrar una forma de "mostrar cómo influyen en conjunto las políticas, las decisiones, la estructura y los retrasos, en el crecimiento y la estabilidad" en los sistemas industriales. Véase Forrester, *Industrial Dynamics* (Cambridge, MA: MIT Press, 1961).

EN ACCIÓN

Simulación de la operación del restaurante Taco Bell

Determinar cuántos empleados programar cada 15 minutos para realizar cada función en el restaurante Taco Bell es un problema complejo y molesto. Así, Taco Bell, el gigante de $5 mil millones con 6,500 sucursales en Estados Unidos y el mundo, decidió elaborar un modelo de simulación. Seleccionó el software MOSDIM para desarrollar un nuevo sistema de administración de la mano de obra llamado LMS.

Para el desarrollo y la utilización del modelo de simulación, Taco Bell había recolectado bastantes datos. Casi todo lo que ocurre en un restaurante, desde los patrones de llegada de los clientes hasta el tiempo que toma envolver un taco, tenía que traducirse en datos confiables y precisos. Tan solo como ejemplo, los analistas habían realizado estudios de tiempos y análisis de datos para todas las tareas que forman parte de la preparación de cada producto en el menú. Para sorpresa del investigador, las horas dedicadas a recolectar datos excedían por mucho a las que, de hecho, tomó la elaboración del modelo LMS.

Los datos de entrada para LMS incluyeron al personal, como el número de individuos y puestos. Las salidas son medidas de desempeño, como tiempo medio en el sistema, tiempo medio en el mostrador, utilización de personas y equipo. El modelo dio resultados. Se ahorraron más de $53 millones en costos de mano de obra durante los primeros cuatro años de aplicación del LMS.

Fuentes: Basada en J. Hueter y W. Swart. "An Integrated Labor-Management System for Taco Bell", *Interfaces* 28, 1 (enero-febrero de 1998): 75-91, y L. Pringle. "The Productivity Engine", *OR/MS Today*, 27 (junio de 2000): 30.

Papel de las computadoras en la simulación

Reconocemos que las computadoras son críticas al simular tareas complejas. Pueden generar números aleatorios, simular miles de periodos en cuestión de segundos o minutos, y proporcionar a la gerencia informes que facilitan la toma de decisiones. De hecho, un enfoque por computadora es casi una necesidad para lograr conclusiones válidas en una simulación. Como requerimos un gran número de simulaciones, sería un problema real confiar solamente en papel y lápiz.

Mientras que los lenguajes de programación generales se utilizan para simulación, se han desarrollado algunas **herramientas de software de simulación** que facilitan mucho el proceso de simulación. Algunas de estas herramientas son Arena, PorModel, SIMUL8, ExtendSim, Proof 5 y muchos otros.* Además de estas herramientas autónomas, existen varios complementos de Excel, como @Risk, Crystal Ball, RskSim y XLSim, que convierten a la simulación en Excel en una tarea sencilla.

Resumen

El propósito de este capítulo es estudiar el concepto y el enfoque de la simulación como una herramienta para resolver problemas. La simulación implica la elaboración de un modelo matemático que intenta describir una situación del mundo real. La meta del modelo es incorporar variables importantes y sus interrelaciones en tal forma que se pueda estudiar el impacto de los cambios administrativos sobre el sistema completo. El enfoque tiene muchas ventajas sobre otras técnicas de análisis cuantitativo y es útil sobre todo cuando un problema es demasiado complejo o difícil para resolverlo por otros medios.

El método Monte Carlo de simulación se desarrolló a través del uso de distribuciones de probabilidad y números aleatorios. Los intervalos de números aleatorios se establecen de manera que representen resultados posibles para cada variable probabilística en el modelo. Después se seleccionan número aleatorios de una tabla de números aleatorios o se generan en la computadora para simular los resultados de las variables. El procedimiento de simulación se lleva a cabo para muchos periodos, con la finalidad de evaluar el impacto a largo plazo de cada valor de la política estudiada. La simulación Monte Carlo a mano se ilustra con problemas de control de inventarios, líneas de espera y mantenimiento de máquinas.

La simulación operativa de sistemas y juegos, las otras dos categorías de la simulación, también se presentaron en este capítulo, el cual concluye con un análisis de la importante función de la computadora en el proceso de simulación.

Glosario

Diagrama de flujo   Medio gráfico para presentar la lógica de un modelo de simulación. Es una herramienta que ayuda a escribir un programa de simulación por computadora.

Herramientas de software de simulación   Lenguajes de programación diseñados en especial para lograr eficiencia en el manejo de problemas de simulación.

Intervalo de números aleatorios   Rango de números aleatorios asignados para representar un resultado posible de una simulación.

Juegos operativos   Utilización de simulación en situaciones competitivas, como juegos militares, y juegos de negocios o gerenciales.

---

*Encontrará una lista de productos de software de simulación en James J, Swain. "To Boldly Go", *OR/MS Today* 36, 5 (octubre de 2009): 50-61.

Número aleatorio Número cuyos dígitos se seleccionan completamente el azar.

Programa de simulación prescrito Programas gráficos que ya están estructurados para manejar diversas situaciones.

Simulación Técnica de análisis cuantitativo que implica elaborar un modelo matemático que represente una situación del mundo real. Luego, el modelo se experimenta para estimar los efectos de varias acciones y decisiones.

Simulación de sistemas Modelos de simulación que tratan con la dinámica de grandes organizaciones o sistemas de gobierno.

Simulación Monte Carlo Las simulaciones que experimentan con elementos probabilísticos de un sistema, generando números aleatorios para crear valores para esos elementos.

Validación Proceso de comparación de un modelo con el sistema real que representa para asegurar su precisión.

Verificación Proceso de determinar que el modelo por computadora es internamente congruente y sigue la lógica del modelo conceptual.

Problemas resueltos

Problema resuelto 14-1

Higgins Plumbing and Heating mantiene un inventario de calentadores de agua de 30 galones que vende e instala para propietarios de casas. Al dueño Jerry Higgins le gusta la idea de tener una gran cantidad disponible para cumplir la demanda de sus clientes, pero también reconoce que es costoso hacerlo. Examina las ventas de calentadores de agua durante las últimas 50 semanas y observa lo siguiente:

VENTAS POR SEMANA DE CALENTADORES DE AGUA	NÚMERO DE SEMANAS QUE SE VENDIÓ ESTA CANTIDAD
4	6
5	5
6	9
7	12
8	8
9	7
10	3
	Total 50

a) Si Higgins mantiene un inventario constante de 8 calentadores de agua en una semana dada, ¿cuántas veces tendrá faltantes durante una simulación de 20 semanas? Usamos números aleatorios de la séptima columna de la tabla 14.4, comenzando con los dígitos aleatorios 10.

b) ¿Cuál es el número promedio de ventas por semana (incluyendo faltantes) durante las 20 semanas?

c) Utilizando una técnica analítica sin simulación, encuentre cuál es el número esperado de ventas por semana. ¿Cómo se compara con la respuesta en el inciso b)?

Solución

La variable de interés es el número de ventas por semana.

VENTAS DE CALENTADORES	PROBABILIDAD	INTERVALOS DE NÚMEROS ALEATORIOS
4	0.12	01 a 12
5	0.10	13 a 22
6	0.18	23 a 40
7	0.24	41 a 64
8	0.16	65 a 80
9	0.14	81 a 94
10	0.06	95 a 00
	1.00	

a)

SEMANA	NÚMERO ALEATORIO	VENTAS SIMULADAS	SEMANA	NÚMERO ALEATORIO	VENTAS SIMULADAS
1	10	4	11	08	4
2	24	6	12	48	7
3	03	4	13	66	8
4	32	6	14	97	10
5	23	6	15	03	4
6	59	7	16	96	10
7	95	10	17	46	7
8	34	6	18	74	8
9	34	6	19	77	8
10	51	7	20	44	7

Con un inventario de 8 calentadores, Higgins tendrá faltantes tres veces durante las 20 semanas (en las semanas 7, 14 y 16).

b) Ventas promedio con simulación $= \dfrac{\text{ventas totales}}{20 \text{ semanas}} = \dfrac{135}{20} = 6.75$ por semana.

c) Utilizando el valor esperado,

$$E(\text{ventas}) = 0.12(4 \text{ calentadores}) + 0.10(5) + 0.18(6) + 0.24(7)$$
$$+ 0.16(8) + 0.14(9) + 0.06(10)$$
$$= 6.88 \text{ calentadores}$$

Con una simulación más larga, estos dos enfoques llevarán a valores aún más cercanos.

Problema resuelto 14-2

El gerente de Denton Savings and Loan intenta determinar cuántos cajeros se necesitan en la ventanilla de servicio en el auto durante las horas de mayor afluencia. Como política general, el gerente desea ofrecer un servicio donde el cliente promedio no espere en la fila más de 2 minutos. Dado el nivel de servicio existente, como se muestra en la siguiente tabla, ¿cumple este criterio la ventanilla de servicio en el auto?

DATOS DEL TIEMPO DE SERVICIO			
TIEMPO DE SERVICIO (MINUTOS)	PROBABILIDAD (FRECUENCIA)	PROBABILIDAD ACUMULADA	INTERVALO DE NÚMEROS ALEATORIOS
0	0.00	0.00	(imposible)
1.0	0.25	0.25	01 a 25
2.0	0.20	0.45	26 a 45
3.0	0.40	0.85	46 a 85
4.0	0.15	1.00	86 a 00

DATOS DE LA LLEGADA DE LOS CLIENTES			
TIEMPO ENTRE LAS LLEGADAS SUCESIVAS DE LOS CLIENTES	PROBABILIDAD (FRECUENCIA)	PROBABILIDAD ACUMULADA	INTERVALO DE NÚMEROS ALEATORIOS
0	0.10	0.10	01 a 10
1.0	0.35	0.45	11 a 45
2.0	0.25	0.70	46 a 70
3.0	0.15	0.85	71 a 85
4.0	0.10	0.95	86 a 95
5.0	0.05	1.00	96 a 00

Solución

El tiempo de espera promedio es la variable de interés.

(1) NÚMERO DE CLIENTE	(2) NÚMERO ALEATORIO	(3) INTERVALO ENTRE LLEGADAS	(4) HORA DE LLEGADA	(5) NÚMERO ALEATORIO	(6) TIEMPO DE SERVICIO	(7) INICIO DE SERVICIO	(8) FINAL DEL SERVICIO	(9) TIEMPO DE ESPERA	(10) TIEMPO OCIOSO
1	50	2	9:02	52	3	9:02	9:05	0	2
2	28	1	9:03	37	2	9:05	9:07	2	0
3	68	2	9:05	82	3	9:07	9:10	2	0
4	36	1	9:06	69	3	9:10	9:13	4	0
5	90	4	9:10	98	4	9:13	9:17	3	0
6	62	2	9:12	96	4	9:17	9:21	5	0
7	27	1	9:13	33	2	9:21	9:23	8	0
8	50	2	9:15	50	3	9:23	9:26	8	0
9	18	1	9:16	88	4	9:26	9:30	10	0
10	36	1	9:17	90	4	9:30	9:34	13	0
11	61	2	9:19	50	3	9:34	9:37	15	0
12	21	1	9:20	27	2	9:37	9:39	17	0
13	46	2	9:22	45	2	9:39	9:41	17	0
14	01	0	9:22	81	3	9:41	9:44	19	0
15	14	1	9:23	66	3	9:44	9:47	21	0

Lea los datos como en el siguiente ejemplo para el primer renglón:

Columna 1: Número de cliente.
Columna 2: De la tercera columna de la tabla 14.4 de números aleatorios.
Columna 3: Intervalo de tiempo correspondiente al número aleatorio (el número aleatorio 50 implica un intervalo de 2 minutos).
Columna 4: Comenzando a las 9 A.M. la primera llegada es a las 9:02
Columna 5: De la primera columna de la tabla 14.4 de números aleatorios.
Columna 6: El tiempo de cajero correspondiente al número aleatorio 52 es 3 minutos.
Columna 7: La ventanilla está disponible y puede comenzar a las 9:02.
Columna 8: El cajero termina su trabajo a las 9:05 (9:02 + 0:03).
Columna 9: El tiempo de espera para el cliente es de 0 pues la ventanilla estaba disponible.
Columna 10: El tiempo ocioso para el cajero es de 2 minutos (9:00 a 9:02).

Es claro que la ventanilla no cumple con el criterio del gerente de un tiempo de espera promedio de 2 minutos. De hecho, podemos observar un incremento en la cola después de simular tan solo unos cuantos clientes. Esta observación se puede confirmar con los cálculos del valor esperado de las tasas de llegada y de servicio.

Autoevaluación

- Antes de resolver la autoevaluación, consulte los objetivos de aprendizaje al inicio del capítulo, las notas al margen y el glosario al final del capítulo.
- Utilice la solución al final del libro para corregir sus respuestas.
- Estudie de nuevo las páginas que corresponden a cualquier pregunta cuya respuesta sea incorrecta o al material con el que se sienta inseguro.

1. La simulación es una técnica que suele reservarse para estudiar únicamente los problemas más sencillos y directos.
   a) Verdadero
   b) Falso
2. Un modelo de simulación está diseñado para llegar a una sola respuesta numérica específica para un problema dado.
   a) Verdadero
   b) Falso
3. La simulación por lo general requiere estar familiarizado con estadística para evaluar los resultados.
   a) Verdadero
   b) Falso
4. El proceso de verificación implica asegurar que:
   a) el modelo representa adecuadamente el sistema real.
   b) el modelo es internamente congruente y lógico.
   c) se usan los números aleatorios correctos.
   d) se simulen suficientes corridas de prueba.
5. El proceso de validación implica asegurar que
   a) el modelo representa adecuadamente el sistema real.
   b) el modelo es internamente congruente y lógico.
   c) se usan los números aleatorios correctos.
   d) se simulen suficientes corridas de prueba.
6. ¿Cuál de las siguientes es una *ventaja* de la simulación?
   a) Permite comprimir el tiempo.
   b) Siempre es relativamente sencillo y poco costoso.
   c) Los resultados suelen ser transferibles a otros problemas.
   d) Siempre encuentra la solución óptima de un problema.
7. ¿Cuál de las siguientes es una *desventaja* de la simulación?
   a) Es poco costoso incluso para los problemas más complejos.
   b) Siempre genera la solución óptima de un problema.
   c) Los resultados suelen ser transferibles a otros problemas.
   d) Los gerentes deben generar todas las condiciones y restricciones para las soluciones que desean examinar.
8. Un meteorólogo simulaba el número de días que llovería en un mes. El intervalo de números aleatorios de 01 a 30 se utiliza para indicar que ocurrió lluvia en un día en particular, mientras el intervalo de 31 a 00 indica que la lluvia no ocurrió en ese día específico. ¿Cuál es la probabilidad de que llueva?
   a) 0.30
   b) 0.31
   c) 1.00
   d) 0.70
9. Debe pensarse en la simulación como una técnica para:
   a) dar respuestas numéricas concretas.
   b) incrementar la comprensión de un problema.
   c) dar soluciones rápidas a problemas más o menos sencillos.
   d) dar soluciones óptimas a problemas complejos.
10. Al simular un experimento Monte Carlo, la demanda promedio simulada en una corrida larga debería aproximarse a:
    a) la demanda real.
    b) la demanda esperada.
    c) la demanda muestral.
    d) la demanda diaria.
11. La idea detrás de una simulación es:
    a) imitar una situación real.
    b) estudiar las propiedades y características de operación de una situación real.
    c) sacar conclusiones y tomar decisiones de acciones basadas en los resultados de la simulación.
    d) todas las anteriores.
12. Utilizar la simulación para un problema de líneas de espera sería adecuado si
    a) la tasa de llegadas sigue una distribución de Poisson.
    b) la tasa de servicio es constante.
    c) se supone que la política de la cola es primero en llegar, primero en salir.
    d) existe 10% de posibilidad de que una llegada se vaya antes de recibir el servicio.
13. Se desarrolló una distribución de probabilidad y la probabilidad de que ocurran 2 llegadas en la siguiente hora es de 0.20. Debe asignarse un intervalo de números aleatorios a esto. ¿Cuál de los siguientes *no* sería un intervalo adecuado?
    a) 01 a 20
    b) 21 a 40
    c) 00 a 20
    d) 00 a 19
    e) todos los anteriores serían adecuados
14. En una simulación Monte Carlo, una variable que querríamos simular es:
    a) el tiempo de entrega para que lleguen las órdenes de inventario.
    b) los tiempos entre descomposturas de máquinas.
    c) los tiempos entre llegadas a una estación de servicio.
    d) el número diario de empleados ausentes en el trabajo.
    e) todas las anteriores.
15. Utilice los siguientes números aleatorios para simular *respuestas de sí y no* a 10 preguntas, comenzando en el primer *renglón* y definiendo
    a) los números de dos dígitos de 00 a 49 que representan *sí* y de 50 a 99 que representan *no*.
    b) los números pares de dos dígitos que representan *sí* y los impares que representan *no*.
    Números aleatorios: 52 06 50 88 53 30 10 47 99 37 66 91 35 32 00 84 57 00

Preguntas y problemas para análisis

Preguntas para análisis

14-1 ¿Cuáles son las ventajas y las limitaciones de los modelos de simulación?

14-2 ¿Por qué un gerente podría verse forzado a utilizar simulación en vez de un modelo analítico al manejar un problema de
  a) política de ordenar para inventarios?
  b) barcos que llegan a un muelle de descarga en un puerto?
  c) las ventanillas de servicio en un banco?
  d) la economía del país?

14-3 ¿Qué tipos de problemas administrativos es más fácil resolver con técnicas de análisis cuantitativo que no sean simulación?

14-4 ¿Cuáles son los pasos más importantes en el proceso de simulación?

14-5 ¿Qué es una simulación Monte Carlo? ¿Qué principios fundamentan su aplicación y qué pasos se siguen?

14-6 Mencione tres formas en las cuales se pueden generar números aleatorios para utilizarlos en una simulación.

14-7 Analice los conceptos de verificación y validación en simulación.

14-8 Dé dos ejemplos de variables aleatorias que sean continuas y ejemplos de variables aleatorias que sean discretas.

14-9 En la simulación de una política de ordenar los taladros en Simkin Hardware, ¿cambiarían los resultados (tabla 14.8) significativamente, si se simulara un periodo más largo? ¿Por qué la simulación de 10 días es válida o inválida?

14-10 ¿Por qué es necesaria una computadora al llevar a cabo simulaciones reales?

14-11 ¿Qué es el juego operativo? ¿Qué es simulación de sistemas? Dé ejemplos de cómo se aplica cada una.

14-12 ¿Cree que la aplicación de simulación aumentará fuertemente en los próximos 10 años? ¿Por qué?

14-13 Mencione por lo menos tres herramientas de software de simulación que estén disponibles.

Problemas*

Los problemas siguientes incluyen simulaciones que deben hacerse a mano. Ahora usted deberá estar consciente de que para obtener resultados precisos y significativos, las simulaciones tienen que abarcar periodos largos. Esto suele manejarse en computadora. Si puede programar algunos de los problemas usando una hoja de cálculo o QM para Windows, sugerimos que intente hacerlo. Si no, las simulaciones al menos pueden ser útiles para entender el proceso de simulación.

14-14 Clark Porperty Management es responsable del mantenimiento, la renta y la operación diaria de un complejo de apartamentos grande en el lado este de Nueva

Orleans. George Clark está preocupado en particular por las proyecciones de costos para remplazar los compresores de aire acondicionado (AA). Desea simular el número de fallas anuales de los compresores durante los siguientes 20 años. Con los datos de un edificio de apartamentos similar que administra en un suburbio de Nueva Orleans, Clark establece una tabla de frecuencias relativas de las fallas durante un año, como se muestra en la siguiente tabla:

NÚMERO DE FALLAS DE COMPRESORES DE AA	PROBABILIDAD (FRECUENCIA RELATIVA)
0	0.06
1	0.13
2	0.25
3	0.28
4	0.20
5	0.07
6	0.01

Él decide simular un periodo de 20 años eligiendo un número aleatorio de dos dígitos de la tercera columna de la tabla 14.4, comenzando con el número aleatorio 50.

Realice la simulación para Clark. ¿Es común tener tres o más años consecutivos de operación con dos o menos fallas anuales de los compresores?

14-15 El número de automóviles que llegaron por hora al autolavado Lundberg durante las últimas 200 horas de operación fue el siguiente:

NÚMERO DE AUTOS QUE LLEGAN	FRECUENCIA
3 o menos	0
4	20
5	30
6	50
7	60
8	40
9 o más	0
	Total 200

a) Establezca las distribuciones de probabilidad y de probabilidad acumulada para la variable llegada de autos.
b) Establezca los intervalos de números aleatorios para la variable.

*Nota: ⚲ significa que el problema se resuelve con QM para Windows, ✖ indica que el problema se resuelve con Excel y ⚲ quiere decir que el problema se resuelve con QM para Windows y/o con Excel.

c) Simule 15 horas de llegadas de autos y calcule el número promedio de llegadas por hora. Seleccione los números aleatorios necesarios en la primera columna de la tabla 14.4, comenzando con los dígitos 52.

• 14-16 Calcule el número esperado de autos que llegan en el problema 14-15 usando la fórmula del valor esperado. Compárelo con los resultados obtenidos en la simulación.

• 14-17 Remítase a los datos del problema resuelto 14-1, que trata de los calentadores de Higgins. Ahora Higgins ha recolectado 100 semanas de datos y encuentra la siguiente distribución para las ventas:

VENTAS DE CALENTADORES DE AGUA POR SEMANA	NÚMERO DE SEMANAS EN QUE SE VENDIÓ ESTE NÚMERO
3	2
4	9
5	10
6	15
7	25
8	12
9	12
10	10
11	5

a) Simule de nuevo el número de faltantes que ocurren en un periodo de 20 semanas (suponga que Higgins mantiene su inventario constante de 8 calentadores).

b) Realice esta simulación de 20 semanas dos veces más y compare sus respuestas con las del inciso *a*). ¿Cambian significativamente? ¿Por qué?

c) ¿Cuál es el número esperado de ventas por semana?

• 14-18 Un incremento en el tamaño de las brigadas de descarga de barcazas en el Puerto de Nueva Orleans (véase la sección 14.5) da como resultado una nueva distribución de probabilidad para las tasas de descarga diarias. En particular, la tabla 14.10 puede revisarse como sigue:

TASAS DIARIA DE DESCARGA	PROBABILIDAD
1	0.03
2	0.12
3	0.40
4	0.28
5	0.12
6	0.05

a) Vuelva a simular 15 días de descargas de barcazas y calcule el número promedio de barcazas retrasadas, el número promedio de llegadas nocturnas y el número promedio diario de barcazas descargadas.

Obtenga números aleatorios del último renglón de la tabla 14.4 para generar las llegadas diarias y del penúltimo renglón para generar las descargas diarias.

b) ¿Cuál es la comparación entre estos resultados simulados con los del capítulo?

14-19 En la Eastern State University se vendieron todos los juegos de fútbol en casa en los últimos ocho años. Los ingresos de la venta de boletos son importantes, pero la venta de alimentos, bebidas y artículos alusivos ha contribuido mucho a la rentabilidad general del programa de fútbol. Un *souvenir* en especial es el programa de fútbol para cada juego. El número de programas vendidos en cada juego se describe por la siguiente distribución de probabilidad:

NÚMERO DE PROGRAMAS VENDIDOS (CIENTOS)	PROBABILIDAD
23	0.15
24	0.22
25	0.24
26	0.21
27	0.18

Históricamente, la universidad nunca ha vendido menos de 2,300 programas o más de 2,700 en un juego. Cuesta $0.80 producir y vender cada programa, y se vende en $2.00. Cualquier programa que no se vende se dona al centro de reciclado y no genera ingresos.

a) Simule las ventas de programas en 10 juegos de futbol. Utilice la última columna de la tabla de números aleatorios (tabla 14.4) y comience en la parte superior de la columna.

b) Si la universidad decide imprimir 2,500 programas para cada juego, ¿cuál sería la ganancia promedio para los 10 juegos simulados en el inciso *a*)?

c) Si la universidad decide imprimir 2,600 programas para cada juego, ¿cuál sería la ganancia promedio para los 10 juegos simulados en el inciso *a*)?

14-20 Véase el problema 14-19. Suponga que la venta de programas de futbol descrita por la distribución de probabilidad en ese problema tan solo se aplica para los días en que el clima es bueno. Cuando el clima es malo el día del juego, únicamente va la mitad de los asistentes. Cuando ello sucede, las ventas de programas disminuyen y las ventas totales están dadas en la siguiente tabla:

NÚMERO DE PROGRAMAS VENDIDOS (CIENTOS)	PROBABILIDAD
12	0.25
13	0.24
14	0.19
15	0.17
16	0.15

Los programas deben imprimirse dos días antes del día del juego. La universidad intenta establecer una política para determinar el número de programas a imprimir con base en el pronóstico del clima.

a) Si el pronóstico es de 20% de probabilidades de mal clima, simule el clima para 10 juegos con ese pronóstico. Utilice la columna 4 de la tabla 14.4.

b) Simule la demanda de programas en los 10 juegos en los que el clima es malo. Use la columna 5 de la tabla de números aleatorios (tabla 14.4) e inicie con el primer número de la columna.

c) Comenzando con 20% de posibilidades de mal clima y 80% de buen clima, desarrolle un diagrama de flujo que se use para preparar una simulación de la demanda de programas de fútbol para 10 juegos.

d) Suponga que hay 20% de posibilidades de mal clima y la universidad decidió imprimir 2,500 programas. Simule la ganancia total que se lograría para 10 juegos.

14-21 Dumoor Appliance Center vende marcas importantes de electrodomésticos y les da servicio. Las ventas pasadas para un modelo de refrigerador específico dieron como resultado la siguiente distribución de probabilidad para la demanda:

DEMANDA POR SEMANA	0	1	2	3	4
Probabilidad	0.20	0.40	0.20	0.15	0.05

El tiempo de entrega en semanas se describe mediante la siguiente distribución:

TIEMPO DE ENTREGA (SEMANAS)	1	2	3
Probabilidad	0.15	0.35	0.50

Con base en consideraciones de costo y de espacio de almacenaje, la compañía decidió ordenar 10 de ellos cada vez que coloca una orden. El costo de ordenar es $1 por semana para cada unidad que queda en inventario al final de la semana. El costo de faltantes se estableció en $40 por faltante. La compañía decidió colocar una orden siempre que haya solo dos refrigeradores al final de la semana. Simule 10 semanas de operación para Dumoor Appliance, suponiendo que por ahora hay 5 unidades en inventario. Determine cuál sería el costo de faltantes por semana y el costo por mantener inventario por semana para este problema.

14-22 Repita la simulación del problema 14-21 suponiendo que el punto de reorden es de 4 unidades en vez de 2. Compare los costos para estas dos situaciones.

14-23 La Ferretería de Simkin simuló una política de ordenar para inventario para los taladros eléctricos Ace, con una cantidad a ordenar de 10 taladros y un punto de reorden igual a 5. El primer intento para desarrollar una estrategia de ordenar efectiva en costos se ilustró en la tabla 14.8. La breve simulación dio como resultado un costo

de inventario diario total de $4.72. Simkin desea comparar esta estrategia con una donde ordene 12 taladros con un punto de reorden de 6. Realice una simulación de 10 días para él y analice las implicaciones de costos.

14-24 Dibuje un diagrama de flujo para representar la lógica y los pasos para simular las llegadas de barcazas y las descargas en el Puerto de Nueva Orleans (véase la sección 14.4). Como recordatorio de diagramas de flujo, consulte la figura 14.3.

14-25 Sephanie Robbins es la analista administrativa en la compañía Three Hills asignada para simular los costos de mantenimiento. En la sección 14.6 describimos la simulación de 15 fallas de generadores y el tiempo requerido para repararlos cuando se tiene un técnico por turno. El costo total de mantenimiento simulado del sistema actual es de $4,320.

Robbins ahora quiere examinar la efectividad en costos relativa de agregar un trabajador más por turno. El nuevo técnico ganaría $30 por hora, la misma tasa que el primero. El costo por hora de descompostura todavía es de $75. Robbins hace una suposición vital cuando comienza: los tiempos de reparación con dos trabajadores serán exactamente la mitad de los tiempos requeridos con una sola persona por turno. La tabla 14.13 se modifica como sigue:

TIEMPO DE REPARACIÓN REQUERIDO (HORAS)	PROBABILIDAD
0.5	0.28
1	0.52
1.5	0.20
	1.00

a) Simule este cambio propuesto al sistema de mantenimiento para un periodo de 15 descomposturas de generadores. Seleccione los números aleatorios requeridos para el tiempo entre descomposturas del penúltimo renglón de la tabla 14.4 (comenzando con los dígitos 69). Elija números aleatorios para los tiempos de reparación de los generadores del último renglón de la tabla (comenzando con los dígitos 37).

b) ¿Debería Three Hills agregar un segundo técnico cada turno?

14-26 La División de Brennan Aircraft de TLN Enterprises opera un gran número de máquinas de plotter computarizados. En su mayoría, las máquinas de plotter se usan para crear dibujos lineales complejos de las dimensiones de fuselajes y superficies de sustentación de las alas.

Los plotter computarizados consisten en un sistema de minicomputadora conectado a una mesa plana de 4 por 5 pies, con una serie de plumas con tinta suspendidas arriba de ella. Cuando una hoja de papel o de plástico transparente se coloca bien sobre la mesa, la computadora dirige una serie de movimientos horizontales y verticales de las plumas hasta que se dibuja la figura deseada.

Las máquinas de plotters son altamente confiables, con la excepción de las cuatro plumas de tinta sofisticadas que están integradas. Las plumas se obstruyen todo el tiempo y se atascan en su posición más alta o más baja. Cuando ello ocurre, el plotter no se puede usar.

Actualmente, Brennan Aircraft remplaza cada pluma conforme falla. Sin embargo, el gerente de servicio propone remplazar las cuatro plumas cada vez que falle una, lo cual debería disminuir la frecuencia de las fallas del plotter. Ahora toma una hora remplazar una pluma. Las cuatro plumas se podrían remplazar en dos horas. El costo total de un plotter que no se puede usar es de $50 por hora. Cada pluma cuesta $8.

Si tan solo se cambia una pluma cada vez que haya una obstrucción o un atascamiento, se piensa que los siguientes datos de descompostura son válidos:

HORAS ENTRE FALLAS DE PLOTTER SI SE CAMBIA UNA PLUMA DURANTE LA REPARACIÓN	PROBABILIDAD
10	0.05
20	0.15
30	0.15
40	0.20
50	0.20
60	0.15
70	0.10

Según las estimaciones del gerente de servicio, si se cambian las cuatro plumas cada vez que una falla, la distribución de probabilidad entre fallas es la siguiente:

HORAS ENTRE FALLAS DE PLOTTER SI SE CAMBIAN LAS CUATRO PLUMAS DURANTE LA REPARACIÓN	PROBABILIDAD
100	0.15
110	0.25
120	0.35
130	0.20
140	0.00

a) Simule el problema de Brennan Aircraft y determine la mejor política. ¿Debería la empresa remplazar una pluma o las cuatro en un plotter cada vez que ocurra una falla?

b) Desarrolle un segundo enfoque para resolver este problema, esta vez sin simulación. Compare los resultados. ¿Cómo se afecta la decisión de la política de Brennan usando simulación?

14-27 El doctor Mark Greenberg es dentista en Topeka, Kansas. Greenberg trata siempre de programar sus citas de manera que los pacientes no tengan que esperar más allá del momento de su cita. Su programación para el 20 de octubre se muestra en la siguiente tabla:

CITA PROGRAMADA Y HORA		TIEMPO ESPERADO NECESARIO
Adams	9:30 A.M.	15
Brown	9:45 A.M.	20
Crawford	10:15 A.M.	15
Dannon	10:30 A.M.	10
Erving	10:45 A.M.	30
Fink	11:15 A.M.	15
Graham	11:30 A.M.	20
Hinkel	11:45 A.M.	15

Por desgracia, no todos los pacientes llegan a tiempo y los tiempos esperados para examinar a los pacientes son solamente eso, *esperados*. Algunos exámenes toman más tiempo de lo esperado y otros menos.

La experiencia de Greenberg dicta lo siguiente:

a) 20% de los pacientes llegan 20 minutos antes.
b) 10% de los pacientes llega 10 minutos antes.
c) 40% de los pacientes llega puntual.
d) 25% de los pacientes llega 10 minutos tarde.
e) 5% de los pacientes llega 20 minutos tarde.

Estima además que

a) 15% de las veces termina en un tiempo 20% menor que el esperado.
b) 50% de las veces termina en el tiempo esperado.
c) 25% de las veces termina en un tiempo 20% mayor que el esperado.
d) 10% de las veces termina en un tiempo 40% mayor que el esperado.

El doctor Greenberg tiene que irse a las 12:15 P.M. el 20 de octubre para tomar un vuelo a una convención de odontología en Nueva York. Suponiendo que está listo para comenzar el día a las 9:30 A.M. y que los pacientes se atienden en el orden de sus citas (incluso si uno llega después que alguien que llegó temprano), ¿tendrá tiempo de llegar a su vuelo? Comente esta simulación.

14-28 La corporación Pelnor es el fabricante más grande del país de lavadoras industriales de ropa. Un ingrediente básico en el proceso de producción son hojas de acero inoxidable de 8 por 10 pies. El acero se usa en el interior de los tambores de lavado y en la cubierta exterior.

El acero se compra cada semana con base en un contrato con Smith-Layton Foundry quien, debido a la limitada disponibilidad y el tamaño del lote, puede enviar ya sea 8,000, o bien, 11,000 pies cuadrados de acero inoxidable cada semana. Cuando se coloca la orden semanal de Pelnor, existen 45% de posibilidades de que lleguen 8,000 pies cuadrados y 55% de posibilidades de que recibir la orden más grande.

Pelnor usa el acero inoxidable de manera estocástica (no constante). Las probabilidades de la demanda cada semana son:

ACERO REQUERIDO POR SEMANA (PIES CUADRADOS)	PROBABILIDAD
6,000	0.05
7,000	0.15
8,000	0.20
9,000	0.30
10,000	0.20
11,000	0.10

Pelnor tiene capacidad para almacenar hasta 25,000 pies cuadrados de acero en cualquier momento. Debido al contrato *tiene que* colocar una orden cada semana sin importar el inventario que tenga.

a) Simule las llegadas de las órdenes de acero inoxidable y su uso durante 20 semanas (comience la primera semana con un inventario inicial de 0 pies cuadrados.) Si un inventario de fin de semana llega a ser negativo, suponga que se permiten órdenes atrasadas y cumpla la demanda con la siguiente orden de acero que llegue.

b) ¿Debería Pelnor agregar más área de almacenamiento? Si es así, ¿cuánto? Si no, comente acerca del sistema.

✗⋮ 14-29 El Hospital General de Milwaukee tiene una sala de urgencias que está dividida en seis departamentos: **1.** la estación inicial de examen para tratar problemas menores o hacer diagnósticos, **2.** un departamento de rayos X, **3.** un quirófano, **4.** una sala de enyesado, **5.** un cuarto de observación para recuperación y observación general antes del diagnóstico final o el alta, y **6.** un departamento de procesamiento de altas, donde un empleado verifica las salidas y arregla los pagos o las formas del seguro.

Las probabilidades de que un paciente vaya de un departamento a otro se presentan en la tabla correspondiente.

a) Simule la prueba seguida de 10 pacientes de las sala de urgencias. Proceda con un paciente a la vez desde su entrada a la estación de examen inicial hasta que sale por el departamento de altas. Debería tener en cuenta que un paciente puede entrar al mismo departamento más de una vez.

b) Utilizando sus datos de la simulación, ¿cuáles son las posibilidades de un paciente entre dos veces al departamento de rayos X?

✗⋮ 14-30 La administración del banco First Syracuse está preocupada por la pérdida de clientes en su sucursal principal. Una solución propuesta es agregar una o más ventanillas de servicio en el auto, con la finalidad de que los clientes en sus vehículos obtengan un servicio rápido sin tener que estacionarse. Chris Calson, el presidente del banco, piensa que el banco tan solo debería arriesgar el costo de instalar una ventanilla para autos. Su personal le informa que el costo (amortizado en un periodo de 20 años) de construir una ventanilla es $12,000 por año. También cuesta $16,000 anuales en salarios y prestaciones para el personal de cada nueva ventanilla para autos.

La directora de análisis administrativos, Beth Shader, cree que los siguientes dos factores impulsarán la construcción inmediata de dos ventanillas. De acuerdo con un artículo reciente en la revista *Banking Research*, los clientes que esperan en largas colas el servicio en el auto cuestan a los bancos un promedio de $1 por minuto en la pérdida de buena voluntad. Además, agregar una segunda ventanilla costará $16,000 adicionales de personal, pero la construcción amortizada se puede reducir

Tabla para el problema 14-29

DE	A	PROBABILIDAD
Estación de examen inicial en sala de urgencias	Departamento de rayos X	0.45
	Quirófano	0.15
	Cuarto de observación	0.10
	Empleado de procesamiento de altas	0.30
Departamento de rayos X	Quirófano	0.10
	Sala de enyesado	0.25
	Cuarto de observación	0.35
	Empleado de procesamiento de altas	0.30
Quirófano	Sala de enyesado	0.25
	Cuarto de observación	0.70
	Empleado de procesamiento de altas	0.05
Sala de enyesado	Cuarto de observación	0.55
	Departamento de rayos X	0.05
	Empleado de procesamiento de altas	0.40
Cuarto de observación	Quirófano	0.15
	Departamento de rayos X	0.15
	Empleado de procesamiento de altas	0.70

a un total de $20,000 anuales, si se instalan dos ventanillas para auto al mismo tiempo en vez de una. Para completar su análisis, Shader reúne datos de las tasas de llegadas y de servicio en las ventanillas para autos en un banco de la competencia. Los datos se muestran como análisis de observaciones 1 y 2 en las siguientes tablas.

a) Simule un periodo de 1 hora, de 1 a 2 P.M., para una sola ventanilla para auto.
b) Simule un periodo de 1 hora, de 1 a 2 P.M., para un sistema de dos ventanillas.
c) Realice un análisis de costos de dos opciones. Suponga que el banco abre 7 horas diarias 200 días al año.

ANÁLISIS DE OBSERVACIÓN 1: TIEMPO ENTRE LLEGADAS PARA 1,000 OBSERVACIONES	
TIEMPO ENTRE LLEGADAS (MINUTOS)	NÚMERO DE OCURRENCIAS
1	200
2	250
3	300
4	150
5	100

ANÁLISIS DE OBSERVACIÓN 2: TIEMPO DE SERVICIO A CLIENTES PARA 1,000 CLIENTES	
TIEMPO DE SERVICIO (MINUTOS)	NÚMERO DE OCURRENCIAS
1	100
2	150
3	350
4	150
5	150
6	100

Problemas de tarea en Internet

Visite nuestra página de Internet en **www.pearsonenespañol.com/render** para problemas adicionales de tarea, problemas 14-31 a 14-37.

Estudio de caso

Alabama Airlines

Alabama Airlines abrió sus puertas en junio de 1995 como un servicio de transportes cercanos con su oficina principal y único hangar en Birmingham. Un producto de la desregulación de líneas aéreas, Alabama Air se unió al creciente número de líneas de recorridos cortos, punto a punto, incluyendo Lone Star, Comair, Atlantic Southeast, Skywest y Bussiness Express.

Alabama Air fue fundada y administrada por dos antiguos pilotos, David Douglas (que había estado con la extinta Eastern Airlines) y Sava Ozatalay (antes con Pan Am). Adquirieron una flota de 12 aviones de propulsión usados, así como las salas del aeropuerto que dejó Delta Air Lines en 1994 cuando redujo su tamaño.

Con un negocio que crece con rapidez, Douglas dirigió su atención al sistema de reservaciones gratuito de Alabama Air. Entre la medianoche y las 6:00 A.M., tenían tan solo un agente de reservaciones por teléfono. El tiempo entre llamadas en este periodo se distribuye como se muestra en la tabla 14.15. Douglas observó con cuidado, tomó tiempos al agente y estimó que el tiempo para procesar las consultas de los pasajeros se distribuye como se indica en la tabla 14.16.

Todos los clientes de Alabama Air se quedan en espera y son atendidos en el orden de las llamadas, a menos que el agente de reservaciones esté disponible para el servicio inmediato. Douglas

TABLA 14.15   Distribución de llamadas entrantes

TIEMPO ENTRE LLAMADAS (MINUTOS)	PROBABILIDAD
1	0.11
2	0.21
3	0.22
4	0.20
5	0.16
6	0.10

TABLA 14.16 Distribución del tiempo de servicio

TIEMPO PARA PROCESAR CONSULTAS DE CLIENTES (MINUTOS)	PROBABILIDAD
1	0.20
2	0.19
3	0.18
4	0.17
5	0.13
6	0.10
7	0.03

TABLA 14.17 Distribución de llamadas entrantes

TIEMPO ENTRE LLAMADAS (MINUTOS)	PROBABILIDAD
1	0.22
2	0.25
3	0.19
4	0.15
5	0.12
6	0.07

está decidiendo si un segundo agente debería estar de guardia para manejar la demanda de los clientes. Para mantener la satisfacción de los clientes, Alabama Air no quiere a un cliente en espera más de 3 o 4 minutos, y también desea mantener una "alta" utilización del operador.

Más aún, la línea está planeando una nueva campaña publicitaria en televisión. Como resultado, espera obtener un incremento en las consultas gratuitas por teléfono. Con base en una campaña similar en el pasado, se espera que la distribución de las llamadas entrantes entre medianoche y las 6 A.M. sea la mostrada en la tabla 14.17. (Se aplicaría la misma distribución del tiempo de servicio).

Preguntas para análisis

1. ¿Qué le aconsejaría a Alabama Air que haga con el sistema actual de reservaciones con base en la distribución de llamadas original? Cree un modelo de simulación para investigar el escenario. Describa el modelo con cuidado y justifique la duración de la simulación, las suposiciones y las medidas de desempeño.
2. ¿Cuáles son sus recomendaciones respecto a la utilización del operador y la satisfacción de los clientes, si la línea aérea procede con una campaña de publicidad?

Fuente: Profesor Zbigniew H. Przasnyski, Loyola Marymount University.

Estudio de caso

Corporación de Desarrollo Estatal

La Corporación de Desarrollo Estatal construyó un complejo de apartamentos muy grande en Gainesville, Florida. Como parte de la estrategia de marketing orientada a los estudiantes que se ha desarrollado, se establece que si se experimenta cualquier problema con la plomería o el aire acondicionado, una persona de mantenimiento comenzará a trabajar en el problema dentro de la siguiente hora. Si un inquilino tiene que esperar más de una hora para que llegue el técnico de reparaciones, se hará una deducción de $10 en la renta del mes por cada hora adicional de espera. Una contestadora telefónica toma las llamadas y registra la hora en que se hizo, si la persona de mantenimiento está ocupada. La experiencia en otros complejos ha demostrado que durante la semana cuando la mayoría de los estudiantes están en la escuela, tiene poca dificultad en cumplir la garantía de una hora. Sin embargo, se observó que los fines de semana son problemáticos en particular durante los mese de verano.

Un estudio del número de llamadas a la oficina en fin de semana por problemas de plomería o aire acondicionado tiene a siguiente distribución:

TIEMPO ENTRE LLAMADAS (MINUTOS)	PROBABILIDAD
30	0.15
60	0.30
90	0.30
120	0.25

El tiempo requerido para terminar un servicio varía de acuerdo con la dificultad del problema. Las partes necesarias para la mayoría de las reparaciones se guardan en el almacén del complejo. No obstante, para ciertos tipos de problemas inusuales es necesario ir la tienda local especializada. Si la parte está disponible en el complejo, el técnico termina un trabajo antes de verificar la siguiente queja. Si la parte no está disponible y se recibieron otras llamadas, el técnico irá a los otros apartamentos antes de ir a la tienda. Toma aproximadamente una hora manejar a la tienda, recoger la parte y regresar al complejo de apartamentos. Los registros anteriores indican que aproximadamente 10% de todas las llamadas implican un viaje a la tienda.

El tiempo requerido para resolver un problema si la parte está disponible en el complejo varía según la siguiente distribución:

TIEMPO DE REPARACIÓN (MINUTOS)	PROBABILIDAD
30	0.45
60	0.30
90	0.20
120	0.05

Toma alrededor de 30 minutos diagnosticar problemas difíciles para los que no hay partes en el complejo. Una vez obtenida la parte en la tienda, toma cerca de una hora instalarla. Si se registran nuevos clientes mientras el técnico de mantenimiento sale a la tienda, las nuevas llamadas esperarán hasta que la nueva parte esté instalada.

El costo por salario y prestaciones para el técnico es de $20 por hora. La administración desea determinar si durante los fines de semana deberían trabajar dos personas de mantenimiento en vez de una. Se puede suponer que cada persona trabaja a la misma tasa.

Preguntas para análisis

1. Utilice simulación como apoyo para analizar este problema, establezca las suposiciones que haga acerca de esta situación para dar más claridad al problema.
2. En un día de fin de semana típico, ¿cuántos inquilinos habrían tenido que esperar más de una hora y cuánto dinero tendrá que acreditarles la corporación?

Estudios de caso en Internet

Visite nuestra página en **www.pearsonenespañol.com/render**, donde encontrará estudios de caso adicionales:

1. **Abjar Transport Company:** El caso trata acerca de una compañía de camiones de carga en Arabia Saudita.

2. **Biales Waste Diposal:** Se utiliza simulación para ayudar a una compañía alemana a evaluar la rentabilidad de un cliente en Italia.

3. **Buffalo Alkali and Plastics:** Incluye la tarea se determinar una buena política de mantenimiento para una planta de sosa comercial.

Bibliografía

Banks, Jerry, John S. Carson, Barry L. Nelson y David M. Nicol. *Discrete-Event System Simulation*, 4a ed. Upper Saddle River, NJ: Prentice Hall, 2005.

Evans, J. R. y D. L. Olson. *Introduction to Simulation and Risk Analysis*, 2a. ed. Upper Saddle River, NJ: Prentice Hall, 2002.

Fishman, G. S. y V. G. Kulkarni. "Improving Monte Carlo Efficiency by Increasing Variance", *Management Science* 38, 10 (octubre de 1992): 1432-1444.

Fu, Michael C. "Optimization for Simulation: Theory vs. Practice", *INFORMS Journal on Computing* 14, 3 (verano, 2002): 192-215.

Gass, Saul I. y Arjang A. Assad. "Model World: Tales from the Time Line–The Definition of OR and the Origins of Monte Carlo Simulation", *Interfaces* 35, 5 (septiembre-octubre, 2005): 429-435.

Gavirneni, Srinagesh, Douglas J. Morrice, Peter Mullarkey. "Simulation Helps Maxager Shorten Its Sales Cycle", *Interfaces* 34, 2 (marzo-abril, 2004): 87-96.

Hartvigsen, David. *SimQuick: Process Simulation with Excel,* 2a. ed. Upper Saddle River, NJ: Prentice Hall, 2004.

Lee, Dong-Eun. "Probability of Project Completion Using Stochastic Project Scheduling Simulation", *Journal of Construction Engineering & Management* 131, 3 (2005): 310-318.

Melãio, N. y M. Pidd. "Use of Business Process Simulation: A Survey of Practitioners", *Journal of the Operational Research Society* 54, 1 (2003): 2-10.

Pegden, C. D., R. E. Shannon y R. P. Sadowski. *Introduction to Simulation Using SIMAN.* Nueva York: McGraw-Hili, 1995.

Sabuncuoglu, Ihsan y Ahmet Hatip. "The Turkish Army Uses Simulation to Model and Optimize Its Fuel-Supply System", *Interfaces* 35, 6 (noviembre-diciembre de 2005): 474-482.

Smith, Jeffrey S. "Survey on the Use of Simulation for Manufacturing System Design and Operation", *Journal of Manufacturing Systems* 22, 2 (2003): 157-171.

Terzi, Sergio y Sergio Cavalieri. "Simulation in the Supply Chain Context: A Survey", *Computers in Industry* 53, 1 (2004): 3-16.

Winston, Wayne L. *Simulation Modeling Using @Risk.* Pacific Grove, CA: Duxbury, 2001.

Zhang. H., C. M. Tam y Jonathan J. Shi. "Simulation-Based Methodology for Project Scheduling", *Construction Management & Economics* 20, 8 (2002): 667-668.

CAPÍTULO 15

Análisis de Markov

15.1   Introducción

El **análisis de Markov** es una técnica que maneja las probabilidades de ocurrencias futuras mediante el análisis de las probabilidad conocidas en el presente.[1] La técnica tiene diversas aplicaciones en los negocios, incluyendo análisis de la participación en el mercado, predicción de deudas incobrables, predicción de la matrícula universitaria y determinación de si una máquina se descompondrá en el futuro.

La matriz de probabilidad de transición muestra la probabilidad de un cambio.

El análisis de Markov hace la suposición de que el sistema comienza en un estado o una condición inicial. Por ejemplo, dos fabricantes competidores pueden tener respectivamente 40% y 60% de las ventas del mercado. Tal vez en dos meses las participaciones del mercado de las dos empresas cambiarían a 45% y 55% del mercado, respectivamente. Predecir los estados futuros implica conocer las posibilidades o probabilidades de cambio del sistema de un estado a otro. Para un problema en particular, tales probabilidades se pueden recolectar y colocar en una matriz o tabla. Esta **matriz de probabilidades de transición** muestra la probabilidad de que el sistema cambie de un periodo al siguiente. Este es el proceso de Markov que nos permite predecir los estados o las condiciones futuras.

Al igual que muchas otras técnicas cuantitativas, el análisis de Markov se puede estudiar con cualquier nivel de profundidad y complejidad. Por fortuna, los requisitos matemáticos más importantes son tan solo saber cómo realizar operaciones y manipulaciones básicas con matrices, y resolver conjuntos de ecuaciones con varias incógnitas. Si usted no está familiarizado con esas técnicas, podría consultar el módulo 5 (en el sitio de Internet que acompaña a este libro) que cubre matrices y otras herramientas matemáticas útiles, antes de comenzar con este capítulo.

Hay cuatro suposiciones en el análisis de Markov.

Como el nivel de este curso no permite un estudio detallado de las matemáticas en las que se basa el análisis de Markov, enfocamos nuestra presentación a los procesos de Markov que cumplen con cuatro suposiciones:

1. Existe un número limitado o finito de estados posibles.
2. La probabilidad de cambiar de estados permanece igual con el paso del tiempo.
3. Podemos predecir cualquier estado futuro a partir de los estados anteriores y de la matriz de probabilidades de transición.
4. El tamaño y la composición del sistema (es decir, el número total de fabricantes y clientes) no cambia durante el análisis.

15.2   Estados y probabilidades de los estados

Los estados sirven para identificar todas las condiciones posibles de un proceso o sistema. Por ejemplo, una máquina puede estar en uno de dos estados en cualquier momento: funcionar correctamente o no funcionar correctamente. Podemos llamar a la operación adecuada de la máquina el primer estado, y llamar al funcionamiento incorrecto el segundo estado. Sin duda, es posible identificar los estados específicos para muchos procesos o sistemas. Si hay solamente tres tiendas de abarrotes en un pueblo pequeño, un residente puede ser cliente de cualquiera de las tres tiendas en cierto momento. Por lo tanto, hay tres estados correspondientes a las tres tiendas. Si los estudiantes puede tomar una de tres especialidades en el área de administración (digamos, ciencias de la administración, sistemas de información gerencial o administración general), cada una de las tres se considera un estado.

Dos suposiciones adicionales del análisis de Markov son que los estados son colectivamente exhaustivos y mutuamente excluyentes.

En un análisis de Markov también suponemos que los estados son tanto *colectivamente exhaustivos* como *mutuamente excluyentes*. Colectivamente exhaustivos significa que podemos numerar todos los estados posibles de un sistema o proceso. Nuestro estudio del análisis de Markov supone que hay un número finito de estados para cualquier sistema. Mutuamente excluyentes significa que un sistema puede estar tan solo en un estado en cualquier momento. Un estudiante puede estar únicamente en una de las tres áreas de especialidad en administración, y *no* en dos o más áreas al mismo tiempo. También significa que una persona únicamente puede ser cliente de *una* de las tres tiendas de abarrotes en un punto en el tiempo.

---

[1]El fundador del concepto fue A. A. Markov, cuyos estudios, en 1905, sobre la secuencia de experimentos conectados en una cadena se utilizaron para describir el principio del movimiento browniano.

Después de identificar los estados, el siguiente paso consiste en determinar la probabilidad de que el sistema esté en dicho estado, cuya información se coloca entonces en un **vector de probabilidades de estado**.

$$\pi(i) = \text{vector de probabilidades de estado para el periodo } i \qquad (15\text{-}1)$$
$$= (\pi_1, \pi_2, \pi_3, \ldots, \pi_n)$$

donde

$$n = \text{número de estados}$$
$$\pi_1, \pi_2, \ldots \pi_n = \text{probabilidad de estar en el estado 1, estado 2,..., estado } n$$

En algunos casos donde solo manejamos un artículo, como una máquina, es posible saber con total certidumbre en qué estado se encuentra el artículo. Por ejemplo, si investigamos tan solo una máquina, sabríamos que en este momento funciona correctamente. Entonces, el vector de estado se representa como:

$$\pi(1) = (1, 0)$$

donde

$$\pi(1) = \text{vector de estado para la máquina en el periodo 1}$$
$$\pi_1 = 1 = \text{probabilidad de estar en el primer estado}$$
$$\pi_2 = 0 = \text{probabilidad de estar en el segundo estado}$$

Esto muestra que la probabilidad de que la máquina funcione correctamente, estado 1, es 1; y que la probabilidad de que la máquina funcione de manera incorrecta, estado 2, es 0 para el primer periodo. Sin embargo, en la mayoría de los casos, tenemos que estudiar más de un artículo.

Vector de probabilidades de estado para el ejemplo de las tres tiendas de abarrotes

Veamos el vector de estados para los clientes en el pequeño pueblo con tres tiendas de abarrotes. Puede haber un total de 100,000 personas que compran en las tres tiendas durante un mes dado. Unas 40,000 personas compran en American Food Store, que se llamará estado 1. Por otro lado, 30,000 pueden compraren Food Mart, que se llamará estado 2; y 30,000 pueden comprar en Atlas Foods, que será el estado 3. La probabilidad de que una persona compre en una de las tres tiendas es la siguiente:

Estado 1: American Food Store	40,000/100,000 = 0.40 = 40%
Estado 2: Food Mart	30,000/100,000 = 0.30 = 30%
Estado 3: Atlas Foods	30,000/100,000 = 0.30 = 30%

Estas probabilidades se colocan en el vector de probabilidades de estado como:

$$\pi(1) = (0.4, 0.3, 0.3)$$

donde

$$\pi(1) = \text{vector de probabilidades de estado para tres tiendas en el periodo 1}$$
$$\pi_1 = 0.4 = \text{probabilidad de que una persona compre en American Food, estado 1}$$
$$\pi_2 = 0.3 = \text{probabilidad de que una persona compre en Food Mart, estado 2}$$
$$\pi_3 = 0.3 = \text{probabilidad de que una persona compre en Atlas Foods, estado 3}$$

El vector de probabilidades de estado representa la participación en el mercado.

También debería observarse que las probabilidades en el vector de estado para las tres tiendas de abarrotes representan la **participación en el mercado** para las mismas en el primer periodo. Así, en el periodo 1 Amercan Food tiene 40% el mercado; Food Mart, 30%; y Atlas Foods, 30%. Cuando se trata de participación en el mercado, estos se pueden utilizar en vez de los valores de probabilidad.

La gerencia de las tres tiendas debería estar interesada en la manera en que cambian sus participaciones de mercado con el paso del tiempo. Los clientes no siempre compran en una tienda, sino que quizá vayan a una tienda diferente para su siguiente compra. En este ejemplo, se realizó un estudio para determinar la lealtad de los clientes. Se determinó que 80% de los clientes que compran en American Food un mes regresarán a esa tienda el siguiente. Del otro 20% de sus clientes, 10% cambia a Food Mart y 10% a Atlas Foods en su siguiente compra. Para los clientes que compran este mes

FIGURA 15.1

Diagrama de árbol para el ejemplo de las tres tiendas

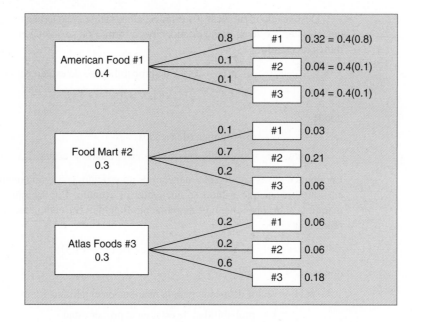

en Food Mart, 70% regresan, 10% cambia a American Food y 20% a Atlas Foods. De los clientes que compran este mes en Atlas Foods, 60% regresan, pero 20% cambiará a American Food y 20% a Food Mart.

La figura 15.1 presenta un diagrama de árbol que ilustra la situación. Observe que de la participación de mercado de 40% para American Food este mes, 32% (0.40 × 0.80 = 0.32) regresa, 4% compra en Food Mart y 4% compra en Atlas Foods. Para encontrar la participación de mercado de American el siguiente mes, sumamos este 32% de clientes que regresan al 3% de quienes vienen de Food Mart y al 6% de quienes vienen de Atlas Foods. Entonces, American Food tendrá 41% del mercado el próximo mes.

Aunque el diagrama de árbol y los cálculos que se acaban de ilustrar quizá sean útiles para encontrar las probabilidades de estado para el siguiente mes y el otro mes que sigue, pronto se volvería muy grande. En vez de usar un diagrama de árbol, es más sencillo usar una matriz de probabilidades de transición, la cual se utiliza con las probabilidades de estado actuales para predecir las condiciones futuras.

15.3 Matriz de probabilidades de transición

La matriz de probabilidades de transición nos permite ir de un estado a actual a un estado futuro.

El concepto que nos permite ir de un estado actual, como las participaciones en el mercado, a un estado futuro es la *matriz de probabilidades de transición*. Se trata de una matriz de probabilidades condicionales de estar en un estado futuro dado que estamos en el estado actual. La siguiente definición es útil:

Sea P_{ij} = probabilidad condicional de estar en el estado j en el futuro, dado que el estado actual es i

Por ejemplo, P_{12} es la probabilidad de estar en el estado 2 en el futuro, dado que el evento estaba en el estado 1 en el periodo anterior.

Definimos P = matriz de probabilidades de transición

$$P = \begin{bmatrix} P_{11} & P_{12} & P_{13} & \cdots & P_{1n} \\ P_{21} & P_{22} & P_{23} & \cdots & P_{2n} \\ \vdots & & & & \vdots \\ P_{m1} & \cdots & & & P_{mn} \end{bmatrix} \tag{15-2}$$

Los valores P_{ij} individuales casi siempre se determinan en forma empírica. Por ejemplo, si observamos al paso del tiempo que 10% de las personas que actualmente compran en la tienda 1 (o estado 1) comprarán en la tienda 2 (estado 2) el siguiente periodo, entonces, sabemos que $P_{12} = 0.1$ o 10%.

Probabilidades de transición para las tres tiendas de abarrotes

Usamos los datos históricos de las tres tiendas para determinar qué porcentaje de clientes cambiaría cada mes. Ponemos estas probabilidades de transición en la siguiente matriz:

$$P = \begin{bmatrix} 0.8 & 0.1 & 0.1 \\ 0.1 & 0.7 & 0.2 \\ 0.2 & 0.2 & 0.6 \end{bmatrix}$$

Recuerde que American Foods representa el estado 1, Food Mart es el estado 2 y Atlas Foods es el estado 3. El significado de sus probabilidades se expresa en términos de los diferentes estados, como sigue:

Renglón 1

$0.8 = P_{11}$ = probabilidad de estar en el estado 1 después de estar en el estado 1 el periodo anterior

$0.1 = P_{12}$ = probabilidad de estar en el estado 2 después de estar en el estado 1 el periodo anterior

$0.1 = P_{13}$ = probabilidad de estar en el estado 3 después de estar en el estado 1 el periodo anterior

Renglón 2

$0.1 = P_{21}$ = probabilidad de estar en el estado 1 después de estar en el estado 2 el periodo anterior

$0.7 = P_{22}$ = probabilidad de estar en el estado 2 después de estar en el estado 2 el periodo anterior

$0.2 = P_{23}$ = probabilidad de estar en el estado 3 después de estar en el estado 2 el periodo anterior

Renglón 3

$0.2 = P_{31}$ = probabilidad de estar en el estado 1 después de estar en el estado 3 el periodo anterior

$0.2 = P_{32}$ = probabilidad de estar en el estado 2 después de estar en el estado 3 el periodo anterior

$0.6 = P_{33}$ = probabilidad de estar en el estado 3 después de estar en el estado 3 el periodo anterior

Los valores de probabilidad para cualquier renglón deben sumar 1.

Observe que las tres probabilidades en el renglón superior suman 1. Las probabilidades para cualquier renglón en una matriz de probabilidades de transición también suman 1.

Después de determinar las probabilidades de estado y la matriz de probabilidades de transición, es posible predecir las probabilidades de estado futuras.

15.4 Predicción de la participación futura en el mercado

Uno de los propósitos del análisis de Markov es predecir el futuro. Dado el vector de probabilidades de estado y la matriz de probabilidades de transición, no es muy difícil determinar las probabilidades de estado en una fecha futura. Con ese tipo de análisis, podemos comparar la probabilidad de que un individuo compre en una de las tiendas en el futuro. Como tal probabilidad es equivalente a la participación en el mercado, es posible determinar participación futura en el mercado para American Food, Food Mart y Atlas Foods. Cuando el periodo actual es 0, calcular las probabilidades de estado para el siguiente periodo (periodo 1) se hace como sigue:

Cálculo de participaciones futuras en el mercado.

$$\pi(1) = \pi(0)P \tag{15-3}$$

Más aún, si estamos en cualquier periodo n, calculamos las probabilidades de estado para el periodo $n + 1$ como:

$$\pi(n + 1) = \pi(n)P \tag{15-4}$$

La ecuación 15-3 sirve para contestar la pregunta de las participaciones de mercado del siguiente periodo para las tiendas. Los cálculos son:

$$\pi(1) = \pi(0)P$$

$$= (0.4, 0.3, 0.3) \begin{bmatrix} 0.8 & 0.1 & 0.1 \\ 0.1 & 0.7 & 0.2 \\ 0.2 & 0.2 & 0.6 \end{bmatrix}$$

$$= [(0.4)(0.8) + (0.3)(0.1) + (0.3)(0.2), (0.4)(0.1) \\ + (0.3)(0.7) + (0.3)(0.2), (0.4)(0.1) + (0.3)(0.2) + (0.3)(0.6)]$$

$$= (0.41, 0.31, 0.28)$$

Como se observa, la participación de mercado para American Food y Food Mart aumenta, en tanto que la de Atlas Food disminuye. ¿Continuará esta tendencia en el siguiente periodo y en el que le sigue? De la ecuación 15-4, derivamos un modelo que nos dirá cuáles serán las probabilidades en cualquier periodo futuro. Considere dos periodos a partir de ahora:

$$\pi(2) = \pi(1)P$$

Como sabemos que

$$\pi(1) = \pi(0)P$$

Tenemos

$$\pi(2) = [\pi(1)]P = [\pi(0)P]P = \pi(0)PP = \pi(0)P^2$$

En general,

$$\pi(n) = \pi(0)P^n \qquad (15\text{-}5)$$

Entonces, las probabilidades de estado n periodos en el futuro se obtienen de las probabilidades de estado actuales y la matriz de probabilidades de transición.

En el ejemplo de las tres tiendas, vimos que American Food y Food Mart incrementaron su participación en el mercado en el siguiente periodo, mientras que para Atlas Food disminuyó. ¿Algún día Atlas perderá todo su mercado? ¿O todas las tiendas llegarán a una condición estable? Aunque la ecuación 15-5 ofrece cierta ayuda para determinarlo, es mejor estudiarlo en términos de condiciones de equilibrio o de estado estable. Para introducir el concepto de equilibrio, veamos una segunda aplicación del análisis de Markov: las descomposturas de máquinas.

15.5   Análisis de Markov en operación de maquinaria

Paul Tolsky, dueño de Tolsky Works, registró durante varios años la operación de sus fresadoras. En los dos últimos años, 80% de las veces la fresadora funcionaba correctamente en el mes actual, si había funcionado correctamente el mes anterior. Esto también significa que tan solo 20% del tiempo el funcionamiento de la máquina era incorrecto para cualquier mes, cuando estaba funcionando correctamente el mes anterior. Además, se observó que el 90% de las veces la máquina estaba mal ajustada en cualquier mes dado, si estaba mal ajustada el mes anterior. Solamente el 10% del tiempo operó bien en un mes en que el mes anterior *no* operaba correctamente. En otras palabras, esta máquina *puede* corregirse cuando no ha funcionado bien en el pasado y esto ocurre 10% de las veces. Estos valores ahora se utilizan para construir la matriz de probabilidades de transición. De nuevo, el estado 1 es una situación donde la máquina funciona correctamente; y el estado 2, donde la máquina no lo hace. La matriz de transición para esta máquina es

$$P = \begin{bmatrix} 0.8 & 0.2 \\ 0.1 & 0.9 \end{bmatrix}$$

donde

$P_{11} = 0.8 =$ probabilidad de que la máquina funcione *correctamente* este mes, dado que funcionaba *correctamente* el mes pasado

$P_{12} = 0.2 =$ probabilidad de que la máquina *no* funcione correctamente este mes, dado que funcionaba *correctamente* el mes pasado

$P_{21} = 0.1 =$ probabilidad de que la máquina funcione *correctamente* este mes, dado que *no* funcionaba correctamente el mes pasado

$P_{22} = 0.9 =$ probabilidad de que la máquina *no* funcione correctamente este mes, dado que *no* funcionaba correctamente el mes pasado

Las probabilidades en el renglón deben sumar 1 porque los eventos son mutuamente excluyentes y colectivamente exhaustivos.

Observe esta matriz para la máquina. Las dos probabilidades del renglón superior son las probabilidades de funcionamiento correcto y funcionamiento incorrecto, dado que la máquina funcionaba correctamente el periodo anterior. Como son mutuamente excluyentes y colectivamente exhaustivas, el renglón de probabilidades de nuevo suma 1.

¿Cuál es la probabilidad de que la máquina de Tolsky funcione correctamente dentro de un mes? ¿Cuál es la probabilidad de que la máquina funcione correctamente dentro de dos meses? Para responder las preguntas, de nuevo aplicamos la ecuación 15-3:

$$\pi(1) = \pi(0)P$$
$$= (1,0)\begin{bmatrix} 0.8 & 0.2 \\ 0.1 & 0.9 \end{bmatrix}$$
$$= [(1)(0.8) + (0)(0.1), (1)(0.2) + (0)(0.9)]$$
$$= (0.8, 0.2)$$

Por consiguiente, la probabilidad de que la máquina funcione correctamente dentro de un mes, dado que ahora funciona correctamente, es de 0.80. La probabilidad de que *no* funcione correctamente en un mes es de 0.20. Ahora utilizamos estos resultados para determinar la probabilidad de que la máquina funcione correctamente dentro de dos meses. El análisis es exactamente el mismo:

$$\pi(2) = \pi(1)P$$
$$= (0.8, 0.2)\begin{bmatrix} 0.8 & 0.2 \\ 0.1 & 0.9 \end{bmatrix}$$
$$= [(0.8)(0.8) + (0.2)(0.1), (0.8)(0.2) + (0.2)(0.9)]$$
$$= (0.66, 0.34)$$

lo cual significa que dentro de dos meses hay una probabilidad de 0.66 de que la máquina todavía funcione correctamente. La probabilidad de que la máquina *no* funcione correctamente es de 0.34. Desde luego, podríamos continuar este análisis cuantas veces queramos, calculando las probabilidades de estado para los meses futuros.

15.6   Condiciones de equilibrio

Al considerar el ejemplo de la máquina de Tolsky, es fácil pensar que con el paso del tiempo todas las participaciones de mercado o las probabilidades de estado serán 0 o 1. En general no ocurre así. Es normal encontrar el *porcentaje de equilibrio* de los valores o las probabilidades de mercado. Las probabilidades se llaman **probabilidades de estado estable** o **probabilidades de equilibrio**.

Una manera de calcular el estado estable del mercado es utilizar el análisis de Markov para un número grande de periodos. Es posible ver si los valores futuros se acercan a un valor estable. Por ejemplo, es posible repetir el análisis de Markov para la máquina de Tolsky durante 15 periodos. No es difícil hacerlo a mano. Los resultados del cálculo se muestran en la tabla 15.1.

La máquina comienza con un funcionamiento correcto (en el estado 1) en el primer periodo. En el periodo 5, hay una probabilidad de tan solo 0.4934 de que la máquina todavía funcione correctamente y, para el periodo 10, esta probabilidad es solamente de 0.360235. En el periodo 15, la probabilidad de que la máquina todavía tenga un funcionamiento correcto es cercana a 0.34. La probabilidad de que la máquina todavía funcione bien en un periodo futuro disminuye, pero lo hace a una tasa determinada. ¿Qué se esperaría a la larga? Si hacemos los cálculos para 100 periodos, ¿qué pasaría? ¿Habrá un equilibrio en este caso? Si la respuesta es sí, ¿cuál sería? Viendo la tabla 15.1, parece que habrá un equilibrio en 0.333333, o bien, 1/3. Pero, ¿cómo estaríamos seguros?

Las condiciones de estado estable existen si las probabilidades de estado no cambian después de un número grande de periodos.

Por definición, una **condición de equilibrio** existe si las probabilidades de estado o las participaciones de mercado no cambian después de muchos periodos. Entonces, el equilibrio, en este caso las probabilidades de estado para un periodo futuro, debe ser igual que las probabilidades de estado para el periodo actual. Este hecho es la clave para obtener las probabilidades de estado estable, cuya relación se expresa como:

De la ecuación 15-4 siempre es cierto que

$$\pi(\text{siguiente periodo}) = \pi(\text{este periodo})P$$

o bien,

$$\pi(n + 1) = \pi(n)P$$

TABLA 15.1

Probabilidades de estado para el ejemplo de la máquina para 15 periodos

PERIODO	ESTADO 1	ESTADO 2
1	1.000000	0.000000
2	0.800000	0.200000
3	0.660000	0.340000
4	0.562000	0.438000
5	0.493400	0.506600
6	0.445380	0.554620
7	0.411766	0.588234
8	0.388236	0.611763
9	0.371765	0.628234
10	0.360235	0.639754
11	0.352165	0.647834
12	0.346515	0.653484
13	0.342560	0.657439
14	0.339792	0.660207
15	0.337854	0.662145

En el equilibrio, vemos que

$$\pi(n + 1) = \pi(n)$$

Por lo tanto, en el equilibrio,

$$\pi(n + 1) = \pi(n)P = \pi(n)$$

De manera que

$$\pi(n) = \pi(n)P$$

o, eliminando el término en n,

$$\pi(n) = \pi P \tag{15-6}$$

En el equilibrio, las probabilidades de estado para el siguiente periodo son iguales a las probabilidades de estado para este periodo.

La ecuación 15-6 establece que, en el equilibrio, las probabilidades de estado para el *siguiente* periodo son las mismas que las probabilidades de estado para el periodo *actual*. Para la máquina de Tolsky, esto se expresa como sigue:

$$\pi = \pi P$$

$$(\pi_1, \pi_2) = (\pi_1, \pi_2)\begin{bmatrix} 0.8 & 0.2 \\ 0.1 & 0.9 \end{bmatrix}$$

Aplicando la multiplicación de matrices,

$$(\pi_1, \pi_2) = [(\pi_1)(0.8) + (\pi_2)(0.1), (\pi_1)(0.2) + (\pi_2)(0.9)]$$

El *primer término* del lado izquierdo, π_1, es igual al *primer término* del lado derecho, $(\pi_1)(0.8) + (\pi_2)(0.1)$. Además, el *segundo término* del lado izquierdo, π_2, es igual al segundo término del lado derecho, $(\pi_1)(0.2) + (\pi_2)(0.9)$. Esto da lo siguiente:

$$\pi_1 = 0.8\pi_1 + 0.1\pi_2 \tag{a}$$

$$\pi_2 = 0.2\pi_1 + 0.9\pi_2 \tag{b}$$

También sabemos que las probabilidades de estado, π_1 y π_2 en este caso, deben sumar 1. (Si se observa la tabla 15.1, se nota que π_1 y π_2 suman 1 para los 15 periodos.) Expresamos esto como sigue:

$$\pi_1 + \pi_2 + \cdots + \pi_n = 1 \tag{c}$$

Para la máquina de Tolsky, tenemos

$$\pi_1 + \pi_2 = 1 \tag{d}$$

Eliminamos una ecuación al despejar las condiciones de equilibrio.

Ahora tenemos tres ecuaciones (**a**, **b** y **c**) para la máquina. Sabemos que debe cumplirse la ecuación **c**. Entonces, eliminamos la ecuación **a** o la **b**, y resolvemos las dos ecuaciones que quedan para obtener π_1 y π_2. Es necesario eliminar una de las ecuaciones, de manera que tengamos dos incógnitas y dos ecuaciones. Si estuviéramos buscando las condiciones de equilibrio que incluyeran tres estados, tendríamos cuatro ecuaciones. De nuevo, será necesario eliminar una de las ecuaciones para terminar con tres ecuaciones y tres incógnitas. En general, cuando se encuentran las condiciones de equilibrio, siempre será necesario eliminar una ecuación, con la finalidad de que el número total de ecuaciones sea el mismo que el número total de las variables que queremos obtener. El motivo por el cual podemos eliminar una de las ecuaciones es que están matemáticamente interrelacionadas. En otras palabras, una de las ecuaciones es redundante al especificar las relaciones entre las diferentes ecuaciones de equilibrio.

Eliminemos de manera arbitraria la ecuación **a**. Así, resolveremos las siguientes dos ecuaciones:

$$\pi_2 = 0.2\pi_1 + 0.9\pi_2$$
$$\pi_1 + \pi_2 = 1$$

Reordenando la primera ecuación,

$$0.1\pi_2 = 0.2\pi_1$$

o bien,

$$\pi_2 = 2\pi_1$$

Al sustituir esto en la ecuación **d**, obtenemos

$$\pi_1 + \pi_2 = 1$$

o bien,

$$\pi_1 + 2\pi_1 = 1$$

o bien,

$$3\pi_1 = 1$$
$$\pi_1 = 1/3 = 0.33333333$$

Entonces,

$$\pi_2 = 2/3 = 0.66666667$$

Compare estos resultados con la tabla 15.1. Como se observa, la **probabilidad del estado estable** para el estado 1 es 0.33333333, y la probabilidad del estado de equilibrio para el estado 2 es 0.66666667, que son los valores que se esperan al ver los resultados de la tabla. El análisis indica que tan solo es necesario conocer la matriz de transición para determinar las participaciones en el mercado en equilibrio. Los valores iniciales para las probabilidades de estado o la participación en el mercado no influyen en las probabilidades del estado en equilibrio. El análisis para determinar las probabilidades del estado en equilibrio o las participaciones en el mercado es el mismo cuando hay más de tres estados. Si hay tres estados (como en el ejemplo de las tiendas de abarrotes), tenemos que resolver tres ecuaciones para encontrar los tres estados de equilibrio; si hay cuatro estados, tenemos que resolver cuatro ecuaciones simultáneas para los cuatro valores de las incógnitas de equilibrio, y así sucesivamente.

Los valores iniciales de las probabilidades de estado no influyen en las condiciones de equilibrio.

Tal vez usted desee probar por sí mismo que los estados de equilibrio que acabamos de calcular sean, de hecho, los estados de equilibrio. Esto se hace multiplicando los estados de equilibrio por la matriz de transición original. Los resultados serán los mismos estados de equilibrio. Realizar este análisis también es una excelente manera de verificar sus respuestas a los problemas del final del capítulo o en las preguntas de examen.

MODELADO EN EL MUNDO REAL

Una aerolínea emplea análisis de Markov para reducir costos de marketing

Definición del problema

Desarrollo de un modelo

Recolección de datos

Pruebas de la solución

Análisis de los resultados

Implementación de resultados

Definición del problema

Finnair, una importante línea aérea europea, experimentaba una muy baja lealtad de sus clientes. Las cifras de la compañía para clientes que repiten eran mucho menores que los promedios en la industria.

Desarrollo de un modelo

Los analistas de IBM enfrentaron el problema usando análisis de Markov para modelar el comportamiento del cliente. Se identificaron tres estados del sistema y cada cliente se clasificó como 1. viajero ocasional (VO), 2. comprador repetitivo (CR) o 3. cliente leal (CL).

Recolección de datos

Los datos se recabaron con cada cliente para elaborar las probabilidades de transición. Tales probabilidades indicaron la posibilidad de que un cliente se moviera de un estado a otro. Las más importantes fueron las probabilidades de ir de VO a CR y de CR a CL.

Pruebas de la solución

Los analistas construyeron una herramienta llamada Customer Equity Loyalty Management (CLEM), que rastreó las respuestas por tipo de cliente (VO, CR y CL) y de acuerdo con los esfuerzos de marketing asociados.

Análisis de los resultados

Los resultados fueron asombrosos. Al encausar los esfuerzos de marketing al tipo de cliente, Finnair pudo reducir 20% sus costos totales de marketing, al tiempo que aumentó la respuesta de sus clientes más de 10%.

Implementación de resultados

Finnair utiliza CLEM como parte integral de su programa de viajero frecuente.

Fuente: Basada en A. Labbi y C. Berrospi. "Optimizing Marketing Planning and Budgeting Using Markov Decision Processes: An Airline Case Study", IBM Journal of Research and Development, *Interfaces* 51, 3 (2007): 421-431.

15.7   Estados absorbentes y matriz fundamental: Cuentas por cobrar

Si se encuentra en un estado absorbente, no puede ir a otro estado en el futuro.

En los ejemplos estudiados hasta ahora, suponemos que es posible que el proceso o sistema vaya de un estado a cualquier otro, entre cualesquiera dos periodos. Sin embargo, en algunos casos no se puede ir a otro estado en el futuro. En otras palabras, cuando se encuentra en un estado dado, este lo "absorbe", y permanecerá en ese estado. Cualquier estado que tiene tal propiedad se llama **estado absorbente**; un ejemplo es la aplicación de las cuentas por cobrar.

Un sistema de cuentas por cobrar generalmente coloca las deudas o las cuentas por cobrar de sus clientes en una de varias categorías o estados, dependiendo de lo atrasada que esté la cuenta sin pagar más antigua. Desde luego, las categorías o los estados exactos dependen de la política establecida por cada compañía. Cuatro estados o categorías típicos para una aplicación de cuentas por cobrar son los siguientes:

Estado 1 (π_1): pagadas, todas las cuentas

Estado 2 (π_2): deuda incobrable, atrasada por más de tres meses

Estado 3 (π_3): atrasada menos de un mes

Estado 4 (π_4): atrasada entre uno y tres meses

En un periodo dado, en este caso un mes, un cliente puede estar en uno de estos cuatro estados.[*] Para el ejemplo se supondrá que si la cuenta sin pagar más antigua es de más de tres meses, automáticamente se coloca en la categoría de deuda incobrable. Por lo tanto, un cliente puede pagar todo (estado 1), tener su deuda más antigua atrasada menos de un mes (estado 3), tener su deuda más antigua atrasada entre uno y tres meses (estado 4), o bien, tener una deuda atrasada más de tres meses, que es una deuda incobrable (estado 2).

Igual que en otros procesos de Markov, establecemos una matriz de probabilidades de transición para los cuatro estados. La matriz reflejará la proclividad de los clientes a moverse entre las cuatro categorías de cuentas por cobrar de un mes al siguiente. La probabilidad de estar en la categoría pagada para cualquier cuenta en un mes futuro, dado que el cliente está en la categoría de pagada por una compra este mes, es de 100% o 1. Es imposible que un cliente que pagó totalmente un producto este mes deba dinero de esta cuenta en un mes futuro. Otro estado absorbente es el de deuda incobrable. Si una cuenta no se paga en tres meses, suponemos que la compañía la cancela y no trata de cobrarla en el futuro. Así, una vez que una persona está en la categoría de deuda incobrable, esa persona permanecerá ahí para siempre. Para cualquier estado absorbente, la probabilidad de que un cliente esté en ese estado en el futuro es de 1, en tanto que la probabilidad de que un cliente esté en otro estado es de 0.

Si una persona está en un estado absorbente ahora, la probabilidad de estar en un estado absorbente en el futuro es de 100%.

Estos valores se colocan en la matriz de probabilidades de transición. No obstante, antes de elaborar esa matriz, necesitamos conocer las probabilidades para los otros dos estados: deuda de menos de un mes y deuda de uno a tres meses de antigüedad. Para un individuo en la categoría de menos de un mes, existe una probabilidad de 0.60 de estar en la categoría de pagada, una probabilidad de 0 de estar en la categoría de deuda incobrable, una probabilidad de 0.20 de permanecer en la categoría de menos de un mes, y una probabilidad de 0.20 de estar en la categoría de entre uno y tres meses en el siguiente periodo. Note que la probabilidad de estar en la categoría de deuda incobrable el siguiente mes es de 0, porque en tan solo un mes es imposible ir del estado 3, menos de un mes, al estado 2, más de tres meses. Para una persona en la categoría entre uno y tres meses, hay una probabilidad de 0.40 de estar en la categoría de pagada, una probabilidad de 0.10 de estar en la de deuda incobrable, una probabilidad de 0.30 de estar en la categoría de menos de un mes, y una probabilidad de 0.20 de permanecer en la categoría de entre uno y tres meses el siguiente mes.

¿Cómo obtenemos la probabilidad de 0.30 de estar en la categoría entre uno y tres meses durante un mes y estar en la categoría de menos de un mes el siguiente? Como tales categorías se determinan por la cuenta sin pagar más antigua, es posible pagar una cuenta que tiene entre uno y tres meses atrasada, y todavía tener otra cuenta que tiene un mes o menos. En otras palabras, cualquier cliente puede tener más de una cuenta atrasada en un momento dado. Con esta información, es posible elaborar la matriz de las probabilidades de transición del problema.

	SIGUIENTE MES			
ESTE MES	PAGADA	DEUDA INCOBRABLE	<1 MES	1 A 3 MESES
Pagada	1	0	0	0
Deuda incobrable	0	1	0	0
Menos de 1 mes	0.6	0	0.2	0.2
1 a 3 meses	0.4	0.1	0.3	0.2

---

[*]También debería tener en mente que los cuatro estados se pueden colocar en el orden que elija. Por ejemplo, parecería más natural ordenar este problema con los estados:

1. Pagada
2. Atrasada menos de un mes
3. Atrasada entre uno y tres meses
4. Atrasada más de tres meses; deuda incobrable

Esto es perfectamente legítimo y la única razón para no usar este orden es facilitar algunas manipulaciones de matrices que verá en seguida.

Entonces,

$$P = \begin{bmatrix} 1 & 0 & 0 & 0 \\ 0 & 1 & 0 & 0 \\ 0.6 & 0 & 0.2 & 0.2 \\ 0.4 & 0.1 & 0.3 & 0.2 \end{bmatrix}$$

Si conocemos la fracción de personas en cada una de las cuatro categorías o estados para un periodo determinado, es posible determinar la fracción de personas en estos cuatro estados o categorías, para cualquier periodo futuro. Estas fracciones se colocan en un vector de probabilidades de estado y se multiplican por la matriz de probabilidades de transición. Este procedimiento se describió en la sección 15.5.

A la larga, todos estarán en las categorías de pagada o deuda incobrable.

Las condiciones de equilibrio son aún más interesantes. Desde luego, a la larga, todos estarán en la categoría de pagada o deuda incobrable, lo cual se debe a que las categorías son estados absorbentes. ¿Pero cuántas personas, o cuánto dinero, estarán en cada categoría? Si encontramos la cantidad total de dinero que quedará como pagada o deuda incobrable, ayudamos a la compañía a manejar sus deudas incobrables y sus flujos de efectivo. Un análisis así requiere lo que se conoce como **matriz fundamental**.

Para obtener la matriz fundamental, es necesario hacer una *partición* de la matriz de probabilidades de transición, *P*, como:

$$P = \begin{bmatrix} 1 & 0 & 0 & 0 \\ 0 & 1 & 0 & 0 \\ 0.6 & 0 & 0.2 & 0.2 \\ 0.4 & 0.1 & 0.3 & 0.2 \end{bmatrix} \qquad (15\text{-}7)$$

$$I = \begin{bmatrix} 1 & 0 \\ 0 & 1 \end{bmatrix} \qquad 0 = \begin{bmatrix} 0 & 0 \\ 0 & 0 \end{bmatrix}$$

$$A = \begin{bmatrix} 0.6 & 0 \\ 0.4 & 0.1 \end{bmatrix} \qquad B = \begin{bmatrix} 0.2 & 0.2 \\ 0.3 & 0.2 \end{bmatrix}$$

donde

I = matriz identidad (tiene unos en la diagonal y ceros en otra parte)

0 = matriz con tan solo ceros.

La matriz fundamental se calcula como:

$$F = (I - B)^{-1} \qquad (15\text{-}8)$$

F es la matriz fundamental.

En la ecuación 15-8, $(I - B)$ significa que restamos la matriz *B* de la matriz *I*. El superíndice –1 significa que tomamos la inversa del resultado de $(I - B)$. Veamos cómo se calcula la matriz fundamental para la aplicación de cuentas por cobrar:

$$F = (I - B)^{-1}$$

o bien,

$$F = \left(\begin{bmatrix} 1 & 0 \\ 0 & 1 \end{bmatrix} - \begin{bmatrix} 0.2 & 0.2 \\ 0.3 & 0.2 \end{bmatrix} \right)^{-1}$$

Al restar *B* de *I*,

$$F = \begin{bmatrix} 0.8 & -0.2 \\ -0.3 & 0.8 \end{bmatrix}^{-1}$$

Tomar el inverso de una matriz grande incluye varios pasos, como se describe en el módulo 5 del sitio Web de este libro. El apéndice 15.2 demuestra cómo encontrar la inversa con Excel. Sin embargo, para una matriz con dos renglones y dos columnas, los cálculos son relativamente sencillos, como se indica aquí:

La matriz inversa de $\begin{bmatrix} a & b \\ c & d \end{bmatrix}$ es

$$\begin{bmatrix} a & b \\ c & d \end{bmatrix}^{-1} = \begin{bmatrix} \dfrac{d}{r} & \dfrac{-b}{r} \\ \dfrac{-c}{r} & \dfrac{a}{r} \end{bmatrix} \tag{15-9}$$

donde

$$r = ad - bc$$

Para encontrar la matriz F en el ejemplo de cuentas por cobrar, primero calculamos

$$r = ad - bc = (0.8)(0.8) - (-0.2)(-0.3) = 0.64 - 0.06 = 0.58$$

Con esto tenemos

$$F = \begin{bmatrix} 0.8 & -0.2 \\ -0.3 & 0.8 \end{bmatrix}^{-1} = \begin{bmatrix} \dfrac{0.8}{0.58} & \dfrac{-(-0.2)}{0.58} \\ \dfrac{-(-0.3)}{0.58} & \dfrac{0.8}{0.58} \end{bmatrix} = \begin{bmatrix} 1.38 & 0.34 \\ 0.52 & 1.38 \end{bmatrix}$$

Ahora estamos en posición de usar la matriz fundamental para calcular la cantidad de dinero en deuda incobrable que esperaríamos a la larga. Primero necesitamos multiplicar la matriz fundamental, F, por la matriz A. Esto se logra como sigue:

$$FA = \begin{bmatrix} 1.38 & 0.34 \\ 0.52 & 1.38 \end{bmatrix} \times \begin{bmatrix} 0.6 & 0 \\ 0.4 & 0.1 \end{bmatrix}$$

es decir,

$$FA = \begin{bmatrix} 0.97 & 0.03 \\ 0.86 & 0.14 \end{bmatrix}$$

La matriz FA indica que la probabilidad de que una cuenta termine en un estado absorbente.

La nueva matriz *FA* tiene un significado importante. Indica la probabilidad de que una cantidad que está en uno de los estados no absorbentes termine en uno de ellos. El renglón superior de esta matriz indica las probabilidades de que una cantidad en la categoría de menos de un mes termine en la categoría de pagada o deuda incobrable. La probabilidad de que esta cantidad de menos de un mes termine pagada es de 0.97, en tanto que la probabilidad de que una cantidad de menos de un mes termine como deuda incobrable es de 0.03. El segundo renglón tiene una interpretación similar para el otro estado no absorbente: la categoría de entre uno y tres meses. Por lo tanto, 0.86 es la probabilidad de que una cantidad atrasada entre uno y tres meses termine pagada, y 0.14 es la probabilidad de que una cantidad atrasada entre uno y tres meses nunca se pague y se convierta en deuda incobrable.

La matriz M representa el dinero en los estados absorbentes: pagada o deuda incobrable.

Esta matriz se utiliza de varias maneras. Si conocemos las cantidades en las categorías de menos de un mes y de entre uno y tres meses, determinamos la cantidad de dinero que se pagará y la cantidad que se convertirá en deuda incobrable. Sea la matriz M la cantidad de dinero que está en cada estado no absorbente de la siguiente manera:

$$M = (M_1, M_2, M_3, \dots, M_n)$$

donde

n = número de estados no absorbentes

M_1 = cantidad en el primer estado o categoría

M_2 = cantidad en el segundo estado o categoría

M_n = cantidad en el n-ésimo estado o categoría

Suponga que hay \$2,000 en la categoría de menos de un mes, y \$5,000 en la de uno a tres meses. Entonces, M se representaría de la siguiente manera:

$$M = (2,000, 5,000)$$

EN ACCIÓN · Aplicación de análisis de Markov en el deporte de curling

El análisis de Markov ha tenido una aplicación muy amplia en el ámbito de los deportes, incluyendo béisbol, jai alai y ahora el relativamente desconocido pero creciente deporte de curling. En esencia, el curling se parece al juego del tejo (*shuffle board*) sobre hielo. El juego se practica en interiores sobre superficies de hielo de 14 pies de ancho por 146 pies de largo. En cada lado hay una "casa" o diana, que consiste en cuatro círculos concéntrico donde los equipos intentan posicionar su "roca" circular pulida de granito de 45 libras.

La ventaja estratégica se conoce como "tener el martillo" (similar a batear al cerrar la entrada de un juego en béisbol). La única diferencia al inicio de cada juego es qué equipo gana el lanzamiento y comienza con el martillo. Así, un estado de Markov inicial será [0,0] o [0,1]. La posibilidad de alcanzar los diferentes estados al final del juego se determina por las matrices de proba-

bilidades de transición (que se obtuvieron durante 13 años de datos estadísticos registrado en el Campeonato Varonil Canadiense de Curling). Los investigadores desarrollaron un modelo de Markov para determinar el valor esperado de ganar el lanzamiento de la moneda en curling. También estudiaron las estrategias que son mejores durante el partido.

Notoriamente, el curling fue el foco de atención de un escenario durante la serie de TV de la NBC, *ER* (*Sala de Emergencias*). Mientras la cámara recorría el pasillo del hospital, el personal de *ER* corría jugando curling. La primera aparición *real* de curling fue en las Olimpiadas de Invierno de 2002 en Salt Lake City, Utah. Ahora pueden seguir de cerca este evento en competencias futuras ¡para observar el valor de ganar el lanzamiento de la moneda!

Fuente: Basada en K. J. Kostak y K. A. Willoughby. "OR/MS 'Rocks' the House". OR/MS *Today* (diciembre de 1999): 36-39.

Las cantidades de dinero que terminarán como pagada y como deuda incobrable se calculan multiplicando la matriz *M* por la matriz *FA* que se calcularon antes. Los cálculos son:

$$\text{Cantidad pagada y cantidad de deuda incobrable} = MFA$$

$$= (2{,}000, 5{,}000) \begin{bmatrix} 0.97 & 0.03 \\ 0.86 & 0.14 \end{bmatrix}$$

$$= (6{,}240, 760)$$

Entonces, del total de $7,000 ($2,000 en la categoría de menos de un mes y $5,000 en la de uno a tres meses), $6,240 se pagarán al final y $760 terminarán como deuda incobrable.

Resumen

El análisis de Markov suele ser muy útil para predecir estados futuros. Las condiciones de equilibrio se determinan para indicar cómo se verá el futuro, si las cosas continúan como en el pasado. En este capítulo, se presentó la existencia de estados absorbentes y se determinaron las condiciones de equilibrio cuando uno o más de ellos estaban presentes.

Sin embargo, es importante recordar que las condiciones futuras encontradas con el análisis de Markov se basan en la suposición de que no cambian las probabilidades de transición. Al usar el análisis de Markov para predecir participaciones en el mercado, como en el ejemplo de las tres tiendas de abarrotes, debería notarse que las compañías intentan incrementar su mercado de manera constante. Esto se ilustró en la sección *Modelado en el mundo real* acerca de Finnair, que aplicó análisis de Markov para ayudar a medir su éxito en retener a clientes. Cuando una compañía logra cambiar las probabilidades de transición, otras compañías responden y tratan de mover las probabilidades en una dirección más fa-

vorable para ellas. Algunas veces, nuevas compañías entran al mercado y esto también cambia la dinámica (y las probabilidades).

En el ejemplo de cuentas por cobrar de estados absorbentes, los ingresos futuros se predijeron con base en las probabilidades existentes. Sin embargo, las cosas pueden cambiar debido tanto a factores controlables como a factores que no se pueden controlar. La crisis financiera en Estados Unidos en 2007-2009 es un buen ejemplo. Algunos bancos y otras instituciones de crédito habían otorgado préstamos que eran menos seguros que los que hacían en el pasado. Muchas hipotecas, que eran una fuente confiable de ingresos para el banco cuando los precios de las casas subían con rapidez, se convirtieron en problemáticas cuando esos precios comenzaron a bajar. La economía en su conjunto estaba en declive y los individuos que quedaban desempleados tenían problemas para pagar sus créditos. Así, las condiciones futuras (y los ingresos) que se esperan si las probabilidades no cambian nunca ocurrieron. Es importante recordar las suposiciones que hacen todos los modelos.

Glosario

Análisis de Markov   Tipo de análisis que permite predecir el futuro mediante las probabilidades de estado y la matriz de probabilidades de transición.

Condición de equilibrio   Situación que existe cuando las probabilidades de estado para un periodo futuro son las mismas que las probabilidades de estado de un periodo anterior.

Estado absorbente   Estado al que si se llega, no se puede dejar. La probabilidad de ir de un estado absorbente a cualquier otro estado es de 0.

Matriz de probabilidades de transición   Matriz que contiene todas las probabilidades de transición para cierto proceso o sistema.

Matriz fundamental   Matriz que es la inversa de la matriz I – la matriz B. Se necesita para calcular las condiciones de equilibrio, cuando están presentes estados absorbentes.

Participación en el mercado   Fracción de la población que compra en una tienda o mercado en particular. Cuando se expresan como fracción, las participaciones de mercado se utilizan en vez de las probabilidades de estado.

Probabilidad de estado estable   Probabilidad de estado cuando se alcanzan las condiciones de equilibrio. También se llama probabilidad de equilibrio.

Probabilidad de transición   Probabilidad condicional de estar en un estado futuro dado un estado actual o existente.

Probabilidades de estado   Probabilidad de que ocurra un evento en un punto en el tiempo. Los ejemplos incluyen la probabilidad de que una persona compre en cierta tienda durante un mes dado.

Vector de probabilidades de estado   Colección o vector de todas las probabilidades de estado para un sistema o proceso dado. El vector de probabilidades de estado puede ser el estado inicial o un estado futuro.

Ecuaciones clave

(15-1) $\pi(i) = (\pi_1, \pi_2, \pi_3, \ldots, \pi_n)$

Vector de probabilidades de estado para el periodo i.

(15-2) $$\begin{bmatrix} P_{11} & P_{12} & P_{13} & \cdots & P_{1n} \\ P_{21} & P_{22} & P_{23} & \cdots & P_{2n} \\ \vdots & & & & \vdots \\ P_{m1} & \cdots & & & P_{mn} \end{bmatrix}$$

Matriz de probabilidades de transición, es decir, las probabilidades de ir de un estado a otro.

(15-3) $\pi(1) = \pi(0)P$

Fórmula para calcular las probabilidades del estado 1, dados los datos del estado 0.

(15-4) $\pi(n + 1) = \pi(n)P$

Fórmula para calcular las probabilidades de estado para el periodo $n + 1$ si estamos en el periodo n.

(15-5) $\pi(n) = \pi(0)P^n$

Fórmula para calcular las probabilidades de estado para el periodo n si estamos en el periodo 0.

(15-6) $\pi = \pi P$

Ecuación del estado de equilibrio usada para derivar las probabilidades de equilibrio.

(15-7) $P = \left[\begin{array}{c|c} I & O \\ \hline A & B \end{array} \right]$

Partición de la matriz de transición para el análisis de estados absorbentes.

(15-8) $F = (I - B)^{-1}$

Matriz fundamental que sirve para calcular las probabilidades de terminar en un estado absorbente.

(15-9) $\begin{bmatrix} a & b \\ c & d \end{bmatrix}^{-1} = \begin{bmatrix} \dfrac{d}{r} & \dfrac{-b}{r} \\ \dfrac{-c}{r} & \dfrac{a}{r} \end{bmatrix}$ donde $r = ad - bc$

Inversa de la matriz con 2 renglones y 2 columnas.

Problemas resueltos

Problema resuelto 15-1

George Walls, presidente de Bradley School, está preocupado por la matrícula decreciente. Bradley School es una escuela técnica que se especializa en capacitar a programadores y operadores de computadoras. Con el paso de los años, ha habido mucha competencia entre Bradley School, International Technology y Career Academy. Las tres compiten por brindar educación en las áreas de programación, operación de computadora y habilidades secretariales básicas.

Para entender mejor cuál de estas escuelas está surgiendo como líder, George decidió realizar una encuesta, en la cual observó el número de estudiantes que se cambiaban de una escuela a otra durante sus carreras académicas. En promedio, Bradley School puede retener al 65% de los estudiantes inscritos originalmente. De los estudiantes inscritos originales, 20% se cambian a Career Academy y 15% a International Technology.

Career Academy tiene la tasa de retención más alta: 90% de sus estudiantes permanecen en Career Academy el programa académico completo. George estima que cerca de la mitad de los estudiantes que dejan Career Academy se van a Bradley School, y la otra mitad a International Technology. Esta puede retener al 80% de sus estudiantes después de que se inscriben. De los estudiantes inscritos originales, 10% se cambian a Career Academy y el otro 10% se unen a Bradley School.

Actualmente, Bradley School tiene 40% del mercado. Career Academy, una escuela mucho más nueva, tiene 35% del mercado. El porcentaje restante, 25%, consiste en estudiantes de International Technology. George desea determinar la participación en el mercado de Bradley para el siguiente año. ¿Cuáles son las participaciones de mercado en equilibrio para Bradley School, International Technology y Career Academy?

Solución

Los datos de este problema se resumen como sigue:

Participación inicial del estado 1 = 0.40, Bradley School

Participación inicial del estado 2 = 0.35, Career Academy

Participación inicial del estado 3 = 0.25, International Technology

Los valores de la matriz de transición son

| | A | | |
DE	1 BRADLEY	2 CAREER	3 INTERNATIONAL
1 BRADLEY	0.65	0.20	0.15
2 CAREER	0.05	0.90	0.05
3 INTERNATIONAL	0.10	0.10	0.80

Para que George determine el mercado para Bradley School en el siguiente año, debe multiplicar las participaciones en el mercado actuales por la matriz de probabilidades de transición. La estructura general de estos cálculos es:

$$(0.40 \; 0.35 \; 0.25) \begin{bmatrix} 0.65 & 0.20 & 0.15 \\ 0.05 & 0.90 & 0.05 \\ 0.10 & 0.10 & 0.80 \end{bmatrix}$$

Entonces, las participaciones en el mercado para Bradley School, International Technology y Career Academy se calculan multiplicando las participaciones actuales por la matriz de probabilidades de transición como se indica. El resultado es una nueva matriz (vector) con tres números, donde cada uno representa la participación en el mercado para cada una de las escuelas. Los cálculos detallados son los siguientes:

Participación en el mercado para Bradley School = $(0.40)(0.65) + (0.35)(0.05) + (0.25)(0.10)$
$$= 0.303$$

Participación en el mercado para Career Academy = $(0.40)(0.20) + (0.35)(0.90) + (0.25)(0.10)$
$$= 0.420$$

Participación en el mercado para International Technology = $(0.40)(0.15) + (0.35)(0.05) + (0.25)(0.80)$
$$= 0.278$$

Ahora, George desea calcular las participaciones de mercado en equilibrio para las tres escuelas. En condiciones de equilibrio, la participación en el mercado futuro es igual a las participaciones en el mercado existentes o actuales, multiplicadas por la matriz de probabilidades de transición. Si la variable X representa las diferentes participaciones en el mercado para las tres escuelas, es posible desarrollar una relación general que nos permita calcular las participaciones en el mercado de estado estable o de equilibrio.

Sean

$$X_1 = \text{participación en el mercado para Bradley School}$$
$$X_2 = \text{participación en el mercado para Career Academy}$$
$$X_3 = \text{participación en el mercado para International Technology}$$

En equilibrio,

$$(X_1, X_2, X_3) = (X_1, X_2, X_3) \begin{bmatrix} 0.65 & 0.20 & 0.15 \\ 0.05 & 0.90 & 0.05 \\ 0.10 & 0.10 & 0.80 \end{bmatrix}$$

El siguiente paso es efectuar las multiplicaciones adecuadas en el lado derecho de la ecuación. Hacerlo nos permite obtener tres ecuaciones con tres valores X desconocidos. Además, sabemos que la suma de las participaciones en el mercado para un periodo dado debe ser 1. Entonces, generamos cuatro ecuaciones que se resumen como sigue:

$$X_1 = 0.65X_1 + 0.05X_2 + 0.10X_3$$
$$X_2 = 0.20X_1 + 0.90X_2 + 0.10X_3$$
$$X_3 = 0.15X_1 + 0.05X_2 + 0.80X_3$$
$$X_1 + X_2 + X_3 = 1$$

Puesto que tenemos cuatro ecuaciones y tan solo tres incógnitas, eliminamos una de las primeras tres ecuaciones para tener tres ecuaciones con tres incógnitas. Estas ecuaciones se resuelven usando procedimientos algebraicos estándar para obtener los valores de las participaciones en el mercado en equilibrio para las tres escuelas. Los resultados de estos cálculos se muestran en la siguiente tabla:

ESCUELA	PARTICIPACIÓN EN EL MERCADO
X_1 (Bradley)	0.158
X_2 (Career)	0.579
X_3 (International)	0.263

Problema resuelto 15-2

Central State University administra exámenes de competencias en computación cada año. Los exámenes permiten a los estudiantes "exentar" de la clase introducción a la computación que imparte la universidad. Los resultados de los exámenes se pueden clasificar en uno de los siguientes cuatro estados:

Estado 1: aprobar todos los exámenes de computación y exentar el curso

Estado 2: no aprobar todos los exámenes de computación en el tercer intento y tener que tomar el curso

Estado 3: reprobar los exámenes de computación en el primer intento

Estado 4: reprobar los exámenes de computación en el segundo intento

El coordinador de los exámenes del curso observó la siguiente matriz de probabilidades de transición:

$$\begin{bmatrix} 1 & 0 & 0 & 0 \\ 0 & 1 & 0 & 0 \\ 0.8 & 0 & 0.1 & 0.1 \\ 0.2 & 0.2 & 0.4 & 0.2 \end{bmatrix}$$

Actualmente, hay 200 estudiantes que no aprobaron todos los exámenes en el primer intento. Además, hay 50 estudiantes que no aprobaron en el segundo intento. A largo plazo, ¿cuántos estudiantes estarán exentos del curso por aprobar los exámenes? ¿Cuántos de los 250 estudiantes requerirán tomar el curso de computación?

Solución

Los valores de la matriz de transición se resumen como sigue:

DE	A 1	2	3	4
1	1	0	0	0
2	0	1	0	0
3	0.8	0	0.1	0.1
4	0.2	0.2	0.4	0.2

El primer paso para determinar cuántos estudiantes requerirán tomar el curso y cuántos están exentos consiste en hacer una partición de la matriz de transición en cuatro matrices: I, 0, A y B:

$$I = \begin{bmatrix} 1 & 0 \\ 0 & 1 \end{bmatrix}$$

$$0 = \begin{bmatrix} 0 & 0 \\ 0 & 0 \end{bmatrix}$$

$$A = \begin{bmatrix} 0.8 & 0 \\ 0.2 & 0.2 \end{bmatrix}$$

$$B = \begin{bmatrix} 0.1 & 0.1 \\ 0.4 & 0.2 \end{bmatrix}$$

El siguiente paso es calcular la matriz fundamental, que se representa por la letra F. Esta matriz se determina restando la matriz B de la matriz I y tomando la inversa del resultado:

$$F = (I - B)^{-1} = \begin{bmatrix} 0.9 & -0.1 \\ -0.4 & 0.8 \end{bmatrix}^{-1}$$

Primero, encontramos

$$r = ad - bc = (0.9)(0.8) - (-0.4)(-0.1) = 0.72 - 0.04 = 0.68$$

$$F = \begin{bmatrix} 0.9 & -0.1 \\ -0.4 & 0.8 \end{bmatrix}^{-1} = \begin{bmatrix} \dfrac{0.8}{0.68} & \dfrac{-(-0.1)}{0.68} \\ \dfrac{-(-0.4)}{0.68} & \dfrac{0.9}{0.68} \end{bmatrix} = \begin{bmatrix} 1.176 & 0.147 \\ 0.588 & 1.324 \end{bmatrix}$$

Ahora multiplicamos la matriz F por la matriz A. Este paso se necesita para determinar cuántos estudiantes quedan exentos del curso y cuántos lo requieren. Multiplicar la matriz F por la matriz A es bastante directo:

$$FA = \begin{bmatrix} 1.176 & 0.147 \\ 0.588 & 1.324 \end{bmatrix} \begin{bmatrix} 0.8 & 0 \\ 0.2 & 0.2 \end{bmatrix}$$

$$= \begin{bmatrix} 0.971 & 0.029 \\ 0.735 & 0.265 \end{bmatrix}$$

El último paso es multiplicar los resultados de la matriz FA por la matriz M, como sigue:

$$MFA = (200 \quad 50) \begin{bmatrix} 0.971 & 0.029 \\ 0.735 & 0.265 \end{bmatrix}$$

$$= (231 \quad 19)$$

Como se observa, la matriz MFA contiene dos números. El número de estudiantes que quedarán exentos del curso es de 231. El número de estudiantes que tendrán que tomar el curso es de 19.

Autoevaluación

- Antes de resolver la autoevaluación, consulte los objetivos de aprendizaje al inicio del capítulo, las notas al margen y el glosario al final del capítulo.
- Utilice la solución al final del libro para corregir sus respuestas.
- Vuelva a estudiar las páginas que corresponden a cualquier pregunta cuya respuesta sea incorrecta o al material con el que se sienta inseguro.

1. Si los estados de un sistema o proceso son tales que el sistema tan solo puede estar en un estado a la vez, entonces los estados
   a) son colectivamente exhaustivos.
   b) son mutuamente excluyentes.
   c) son absorbentes.
   d) desaparecen.

2. El producto de un vector de probabilidades de estado y la matriz de probabilidades de transición dan
   a) otro vector de probabilidades de estado.
   b) un desorden sin significado.
   c) la inversa de la matriz de estado en equilibrio.
   d) todas las anteriores.
   e) ninguna de las anteriores.

3. A largo plazo, las probabilidades de estado serán 0 y 1
   a) en ningún caso.
   b) en todos los casos.
   c) en algunos casos.

4. Para encontrar las condiciones de equilibrio,
   a) debe conocerse el primer vector de probabilidades de estado.
   b) la matriz de probabilidades de transición no es necesaria
   c) los términos generales en el vector de probabilidades de estado se usan en dos ocasiones.
   d) la matriz de probabilidades de transición debe ser cuadrada antes de invertirla.
   e) ninguna de las anteriores.

5. ¿Cuál de las siguientes no es una de las suposiciones del análisis de Markov?
   a) Hay un número limitado de estados posibles.
   b) Hay un número limitado de periodos futuros posibles.
   c) Un estado futuro se puede predecir a partir del estado anterior y de la matriz de probabilidades de transición.
   d) El tamaño y la composición del sistema no cambia durante el análisis.
   e) Todas las anteriores son suposiciones del análisis de Markov.

6. En el análisis de Markov, las probabilidades de estado deben
   a) sumar 1.
   b) ser menores que 0.
   c) ser menores que 0.01.
   d) ser mayores que 1.
   e) ser mayores que 0.01.

7. Si las probabilidades de estado no cambian de un periodo al siguiente, entonces,
   a) el sistema está en equilibrio.
   b) cada probabilidad de estado debe ser igual a 0.
   c) cada probabilidad de estado debe ser igual a 1.
   d) el sistema está en su estado fundamental.

8. En la matriz de probabilidades de transición,
   a) la suma de las probabilidades en cada renglón debe ser igual a 1.
   b) la suma de las probabilidades en cada columna debe ser igual a 1.
   c) debe haber al menos un 0 en cada renglón.
   d) debe haber al menos un 0 en cada columna.

9. Es necesario usar la matriz fundamental
   a) para encontrar las condiciones de equilibrio, cuando no haya estados absorbentes.
   b) para encontrar las condiciones de equilibrio, cuando haya uno o más estados absorbentes.
   c) para encontrar la matriz de probabilidades de transición.
   d) para encontrar la inversa de la matriz.

10. En el análisis de Markov, la _____ nos permite ir de un estado actual a un estado futuro.

11. En el análisis de Markov, suponemos que las probabilidades de estado son _____ y _____

12. La _____ es la probabilidad de que el sistema esté en un estado en particular.

Preguntas y problemas para análisis

Preguntas para análisis

15-1 Liste las suposiciones que se hacen en el análisis de Markov.

15-2 ¿Cuál es el vector de probabilidades de estado y la matriz de probabilidades de transición, y cómo pueden determinarse?

15-3 Describa cómo podemos usar el análisis de Markov para realizar predicciones.

15-4 ¿Qué es una condición de equilibrio? ¿Cómo sabemos que tenemos una condición de equilibrio y cómo podemos calcular las condiciones de equilibrio, dadas en la matriz de probabilidades de transición?

15-5 ¿Qué es un estado absorbente? Dé varios ejemplos de estados absorbentes.

15-6 ¿Cuál es la matriz fundamental y cómo se usa en la determinación de las condiciones de equilibrio?

Problemas*

- 15-7 Encuentre la inversa de cada una de las siguientes matrices:

  a) $\begin{bmatrix} 0.9 & -0.1 \\ -0.2 & 0.7 \end{bmatrix}$

  b) $\begin{bmatrix} 0.8 & -0.1 \\ -0.3 & 0.9 \end{bmatrix}$

  c) $\begin{bmatrix} 0.7 & -0.2 \\ -0.2 & 0.9 \end{bmatrix}$

  d) $\begin{bmatrix} 0.8 & -0.2 \\ -0.1 & 0.7 \end{bmatrix}$

- 15-8 Ray Cahnman es el orgulloso propietario de una automóvil deportivo 1955. En un día dado, Ray no sabe si su auto va a arrancar. Arranca el 90% de las veces si arrancó la mañana anterior, y el 70% de las veces no arranca si no arrancó la mañana anterior.
  a) Construya la matriz de probabilidades de transición.
  b) ¿Cuál es la probabilidad de que arranque mañana si arrancó hoy?
  c) ¿Cuál es la probabilidad de arranque mañana si *no* arrancó hoy?

- 15-9 Alan Resnik, un amigo de Ray Cahnman, apuesta $5 a que el auto de Ray no arrancará dentro de cinco días (véase el problema 15-8).
  a) ¿Cuál es la probabilidad de que no arrancará dentro de cinco días, si arrancó hoy?
  b) ¿Cuál es la probabilidad de que no arrancará dentro de cinco días, si no arrancó hoy?
  c) ¿Cuál es la probabilidad de que arranque a la larga, si la matriz de probabilidades de transición no cambia?

- 15-10 En un mes dado, Dress-Rite pierde 10% de sus clientes que cambian a Fashion, Inc. y 20% de su mercado cambia a Luxury Living; pero Fashion, Inc., pierde 5% de su mercado que cambia a Dress-Rite y 10% que cambia a Luxury Living cada mes; luego, Luxury Living pierde 5% de su mercado que cambia a Fashion, Inc., y 5% de su mercado que cambia a Dress-Rite. En este momento, cada una de las tiendas de ropa tiene una participación igual en el mercado. ¿Cuáles cree que serán las participaciones en el mercado el próximo mes? ¿Cuáles serán dentro de tres meses?

- 15-11 Dibuje un diagrama para ilustrar lo que serán las participaciones en el mercado el mes próximo para el problema 15-10.

- 15-12 La compañía Goodeating Dog Chow elabora diferentes marcas de alimento para perros. Uno de sus mejores productos es la bolsa de 50 libras de Goodeating Dog Chow. George Hamilton, presidente de Goodeating, utiliza una máquina muy antigua para empacar automáticamente las 50 libras de Goodeating Chow en una bolsa. Por desgracia, como la máquina es antigua, en ocasiones llena las bolsas con más o con menos producto. Cuando el llenado es *correcto* y coloca 50 libras de comida en

cada bolsa, existe una probabilidad de 10% de que la máquina ponga solo 49 libras en cada bolsa el siguiente día, y una probabilidad de 0.20 de que coloque 51 libras en cada bolsa el siguiente día. Si la máquina está colocando 49 libras en cada bolsa, hay una probabilidad de 0.30 de que mañana ponga 50 libras y una probabilidad de 0.20 de que ponga 51 libras en cada bolsa. Además, si la máquina está colocando 51 libras en cada bolsa hoy, existe una probabilidad de 0.40 de que coloque 50 libras en cada bolsa mañana y una probabilidad de 0.10 de que coloque 49 libras mañana.
  a) Si la máquina está cargando 50 libras en cada bolsa hoy, ¿cuál es la probabilidad de que coloque 50 libras en cada bolsa mañana?
  b) Resuelva el inciso a) cuando la máquina está colocando solo 49 libras en cada bolsa hoy.
  c) Resuelva el inciso a) cuando la máquina está colocando 51 libras hoy.

- 15-13 Resuelva el problema 15-12 (Goodeating Dog Chow) para cinco periodos.

- 15-14 La universidad de South Wisconsin ha tenido una inscripción estable los últimos cinco años. La escuela tiene su propia librería, University Bookstore, pero también hay tres librerías privadas en la ciudad: Bill's Book Store, College Bookstore y Battle's Book Store. La universidad está preocupada por el gran número de estudiantes que están comprando en una de las librerías privadas. Como resultado, el presidente de South Wisconsin, Andy Lange, decidió dar a un estudiante tres horas de crédito universitario para que estudie el problema. Se obtuvo la siguiente matriz de probabilidades de transición:

	UNIVERSITY	BILL'S	COLLEGE	BATTLE'S
UNIVERSITY	0.6	0.2	0.1	0.1
BILL'S	0	0.7	0.2	0.1
COLLEGE	0.1	0.1	0.8	0
BATTLE'S	0.05	0.05	0.1	0.8

En la actualidad, cada una de las cuatro librerías tiene una participación igual en el mercado. ¿Cuáles serán las participaciones en el mercado para el siguiente periodo?

- 15-15 Andy Lange, presidente de la universidad de South Wisconsin, está preocupado por la baja en las ventas de la librería. (Consulte los detalles en el problema 15-14). Los estudiantes le indican que los precios simplemente son muy altos. Sin embargo, Andy ha decidido no bajarlos. Si se tienen las mismas condiciones, ¿qué participaciones en el mercado a largo plazo esperaría Andy para las cuatro librerías?

---

*Nota: ☺ significa que el problema se resuelve con QM para Windows, ✗ indica que el problema se resuelve con Excel QM y ☺ quiere decir que el problema se resuelve con QM o con Excel QM.

15-16 Hervis Rent-A-Car tienes tres sucursales de renta de automóviles en el área principal de Houston: las sucursales Northside, West End y Suburban. Los clientes pueden rentar un auto en cualquiera de estos lugares y entregarlo en cualquier otro sin cargo adicional. Sin embargo, esto crearía un problema para Hervis, si demasiados autos se entregan en la popular sucursal Northside. Para fines de planeación, Hervis desea predecir dónde estarán los autos al final. Los datos históricos indican que 80% de los automóviles rentados en Northside regresan ahí y el resto quedarán distribuidos por igual entre las otras dos sucursales. Para West End, cerca del 70% de los autos rentados regresan ahí, y 20% se entrega en Northside y el resto en Suburban. De los autos rentados en Suburban, 60% regresan ahí, 25% se entregan en Northside y el otro 15% se dejan en West End. Si en la actualidad tienen 100 autos que se rentan en Northside, 80 en West End y 60 en Suburban, ¿cuántos de ellos se entregarán en cada una de las sucursales?

15-17 Un estudio de las cuentas por cobrar en la tienda por departamentos A&W indica que las cuentas están al corriente, atrasadas un mes, atrasadas dos meses, canceladas como deuda incobrable o liquidadas por completo. De las que están al corriente, 80% se pagan ese mes y el resto se quedan como atrasadas un mes. De las cuentas atrasadas un mes, 90% se pagan y el resto se convierte en atrasadas dos meses. Las que están atrasadas dos meses quedarán pagadas (85%) o se clasificarán como deuda incobrable. Si las ventas al mes promedian $150,000, determine cuánto dinero espera recibir la compañía de esta cantidad. ¿Cuánto se volverá deuda incobrable?

15-18 La industria de teléfonos celulares es muy competitiva. Dos compañías en el área de Lubbock, Horizon y Local Cellular, están compitiendo constantemente en un intento por controlar el mercado. Cada compañía tiene un acuerdo de servicio de un año. Al final de cada año, algunos clientes renuevan, en tanto que otros cambian a la otra compañía. Los clientes de Horizon tienden a ser leales y 80% renuevan, mientras que 20% se cambian. Cerca de 70% de los clientes de Local Cellular renuevan con ellos y alrededor de 30% cambia a Horizon. Si Horizon tiene 100,000 clientes este año y Local Cellular 80,000, ¿cuántos se espera que tenga cada compañía el próximo año?

15-19 La industria de las computadoras personales avanza con rapidez y la tecnología proporciona una motivación para que los clientes actualicen sus computadoras cada pocos años. La lealtad a la marca es muy importante y las compañías tratan de hacer cosas para conservar a sus clientes contentos. Sin embargo, algunos clientes cambian a otra compañía. Tres marcas en particular, Doorway, Bell y Kumpaq, tienen las mayores participaciones de mercado. De las personas que tienen computadoras Doorway 80% comprarán otra Doorway en la siguiente actualización, en tanto que el resto cambiarán a una de las otras compañías por partes iguales. Entre los dueños de una computadora Bell, 90% comprarán

Bell de nuevo, mientras que 5% comprarán Doorway y 5% Kumpaq. Cerca del 70% de los dueños de una Kumpaq elegirán la misma marca la siguiente vez, 20% comprará Doorway, y el resto, Bell. Si cada marca hoy tiene 200,000 clientes, que planean comprar una nueva computadora el próximo año, ¿cuántas computadoras de cada tipo se comprarán?

15-20 En la sección 15.7, estudiamos un problema de cuentas por cobrar. ¿Cómo cambiarían la categoría de pagada y la categoría de deuda incobrable con la siguiente matriz de probabilidades de transición?

$$P = \begin{bmatrix} 1 & 0 & 0 & 0 \\ 0 & 1 & 0 & 0 \\ 0.7 & 0 & 0.2 & 0.1 \\ 0.4 & 0.2 & 0.2 & 0.2 \end{bmatrix}$$

15-21 El profesor Green da cursos de programación de computadoras de dos meses durante el verano. Los estudiantes presentan varios exámenes para aprobar el curso y cada estudiante tiene tres oportunidades de tomar los exámenes. Los siguientes estados describen las situaciones posibles que pueden ocurrir:

1. *Estado 1:* pasar todos los exámenes y aprobar el curso
2. *Estado 2:* no pasar todos los exámenes en el tercer intento y reprobar el curso.
3. *Estado 3:* reprobar un examen en el primer intento
4. *Estado 4:* reprobar un examen en el segundo intento

Después de observar varios grupos, el profesor Green obtuvo la siguiente matriz de probabilidades de transición:

$$P = \begin{bmatrix} 1 & 0 & 0 & 0 \\ 0 & 1 & 0 & 0 \\ 0.6 & 0 & 0.1 & 0.3 \\ 0.3 & 0.3 & 0.2 & 0.2 \end{bmatrix}$$

Actualmente hay 50 estudiantes que no aprobaron todos los exámenes en el primer intento y 30 estudiantes que no aprobaron todos los exámenes en el segundo intento. ¿Cuántos estudiantes de estos dos grupos pasarán el curso y cuántos lo reprobarán?

15-22 Hicourt Industries es una empresa de impresión en un pueblo mediano en el área central de Florida. Sus únicos competidores son Printing House y Gandy Printers. El mes pasado, Hicourt Industries tenía aproximadamente 30% del mercado de impresión en el área. Printing House tenía 50% y Gandy Printers, 20% del mercado. La asociación de impresores, que es una asociación local, recientemente había determinado cómo podían estas tres imprentas, así como las imprentas más pequeñas no integradas al mercado comercial, retener a su base de clientes. Hicourt era el más exitoso en conservar a sus clientes: 80% de sus clientes en cualquier mes seguían siendo clientes el siguiente mes. Printing House, por otro lado, tan solo tenía 70% de tasa de retención. Gandy Printers estaba en la peor condición: únicamente 60% de sus clientes de un mes permanecían con la empresa. En un mes, la participación en el mercado cambiaba significativamente. Eso era muy emocionante para George Hucourt, presidente de Hicourt Industries. Este mes Hicourt Industries pudo obtener una participación en el mercado de 38%. Printing House, por otro lado, perdió mercado. Este mes tenía solamente 42% del mercado. Gandy Printers siguió igual: mantuvo su 20% del mercado. Con tan solo ver las participaciones en el mercado, George concluyó que podía llevarse 8% mensual de Printing House; estimó que en unos cuantos meses, podría básicamente sacar del negocio a Printing House. Su deseo era captar 80% del mercado total, lo cual representaba su 30% original más el 50% con el que Printing House había iniciado. ¿Podrá George alcanzar su meta? ¿Cuáles cree usted que serán las participaciones en el mercado a largo plazo, para las tres imprentas? ¿Podrá Hicourt Industries eliminar del mercado a Printing House?

15-23 John Jones de Bayside Laundry ha proporcionado servicio de limpieza y lavado de blancos a condominios de tiempo compartido en la costa del Golfo durante más de diez años. En la actualidad, John da servicio a 26 condominios. Los dos competidores más importantes de John son Cleanco, que hoy da servicio a 15 condominios; y Beach Services, que realiza los servicios de limpieza y lavado de blancos en 11 condominios.

Hace poco, John se puso en contacto con Bay Bank acerca de un préstamo para expandir sus operaciones. Para justificar el préstamo, John tiene registros detallados de sus clientes y los clientes que ha recibido de sus dos principales competidores. Durante el año pasado, pudo mantener 18 de sus 26 clientes originales. Durante el mismo periodo, pudo obtener 1 nuevo cliente de Cleanco y dos nuevos clientes de Beach Services. Por desgracia, en el mismo año John perdió 6 de sus clientes originales que se fueron con Cleanco, y 2 de sus clientes originales que se fueron con Beach Services. John también sabe que Cleanco ha conservado 80% de sus clientes actuales. También sabe que Beach Services mantendrá al menos 50% de sus clientes. Para que John obtenga el préstamo de Bay Bank, necesita mostrar al ejecutivo de crédito que mantendrá una participación en el mercado adecuada. Los ejecutivos de Bay Bank están preocupados por las tendencias recientes de las participaciones en el mercado y decidieron no otorgar a John el préstamo, a menos que logre mantener al menos 35% del mercado a largo plazo. ¿Qué tipos de participación en el mercado en equilibrio esperaría John? Si usted fuera un ejecutivo de Bay Bank, ¿daría un préstamo a John?

15-24 Establezca un vector de probabilidades de estado y una matriz de probabilidades de transición dada la siguiente información:

Hoy, la tienda 1 tiene 40% del mercado; la tienda 2 tiene 60% del mercado.

En cada periodo, los clientes de la tienda 1 tienen 80% de probabilidad de regresar, y 20% de cambiar a la tienda 2.

En cada periodo, los clientes de la tienda 2 tienen 90% de posibilidades de regresar, y 10% de cambiar a la tienda 1.

15-25 Encuentre $\pi(2)$ para el problema 15-24.

15-26 Encuentre las condiciones de equilibrio para el problema 15-24. Explique el significado.

15-27 Como resultado de una encuesta reciente a estudiantes en la universidad de South Wisconsin, se determinó que la librería de la universidad tiene 40% del mercado. (Véase el problema 15-14). Las otras tres librerías, Bill's, College y Battle's, cada una se dividía el resto del mercado inicial. Dado que las probabilidades de estado son las mismas, ¿cuál es la participación en el mercado para el siguiente periodo dadas las participaciones iniciales? ¿Qué influencia tienen las participaciones iniciales sobre cada tienda el siguiente periodo? ¿Cuál es el impacto sobre las participaciones en el mercado en estado estable?

15-28 Sandy Sprunger es copropietaria de una de los talleres más grandes de cambio de aceite rápido en una ciudad mediana del medio oeste. En la actualidad, la empresa tiene el 60% del mercado. Hay un total de 10 talleres de lubricación rápida en el área. Después de realizar una investigación de mercado básica, Sandy logró captar las probabilidades iniciales o las participaciones en el mercado, junto con la matriz de transición, que representan las probabilidades de que un cliente cambie de un taller de lubricación a otro. Los valores se muestran en la tabla correspondiente de la siguiente página.

Las probabilidades iniciales o participaciones en el mercado para las tiendas 1 a 10 son 0.6, 0.1, 0.1, 0.1, 0.05, 0.01, 0.01, 0.01, 0.01 y 0.01.

a) Con estos datos, determine la participación en el mercado para el siguiente periodo para cada uno de los 10 talleres.

b) ¿Cuáles son las participaciones en el mercado en equilibrio?

c) Sandy cree que las estimaciones originales para las participaciones en el mercado estaban equivocadas. Piensa que la tienda 1 tiene 40% del mercado y la tienda 2 tiene 30%. Todos los demás valores son iguales. Si esto es cierto, ¿cuál es el impacto sobre las participaciones en el mercado para el siguiente periodo y las participaciones en el mercado en equilibrio?

d) Una consultora de marketing piensa que el taller 1 tiene un enorme atractivo. Cree que este taller retendrá el 99% de su mercado actual, y que 1% puede cambiar al taller **2.** Si la consultora está en lo cierto, ¿tendrá el taller 1 el 90% el mercado a largo plazo?

15-29 Durante un salida reciente a su restaurante favorito, Sandy (dueña del taller 1) se reunió con Chris Talley (dueño del taller 7) (véase el problema 15-28). Después de disfrutar su almuerzo, Sandy y Chris tuvieron una

Datos para el problema 15-28

DE	A									
	1	2	3	4	5	6	7	8	9	10
1	0.60	0.10	0.10	0.10	0.05	0.01	0.01	0.01	0.01	0.01
2	0.01	0.80	0.01	0.01	0.01	0.10	0.01	0.01	0.01	0.03
3	0.01	0.01	0.70	0.01	0.01	0.10	0.01	0.05	0.05	0.05
4	0.01	0.01	0.01	0.90	0.01	0.01	0.01	0.01	0.01	0.02
5	0.01	0.01	0.01	0.10	0.80	0.01	0.03	0.01	0.01	0.01
6	0.01	0.01	0.01	0.01	0.01	0.91	0.01	0.01	0.01	0.01
7	0.01	0.01	0.01	0.01	0.01	0.10	0.70	0.01	0.10	0.04
8	0.01	0.01	0.01	0.01	0.01	0.10	0.03	0.80	0.01	0.01
9	0.01	0.01	0.01	0.01	0.01	0.10	0.01	0.10	0.70	0.04
10	0.01	0.01	0.01	0.01	0.01	0.10	0.10	0.05	0.00	0.70

acalorada discusión sobre las porciones del mercado para las operaciones de cambio de aceite rápido en su ciudad. Su conversación fue la siguiente:

Sandy: Mi operación es tan superior que después de que alguien cambia su aceite en uno de mis talleres, nunca irían a otro taller. Pensándolo bien, tal vez 1 persona de cada 100 probará otro taller después de ir a uno mío. En un mes, tendré el 99% del mercado y tú tendrás el 1%.

Chris: Estás completamente equivocada. En un mes, yo tendré el 99% del mercado y tú solamente tendrás 1%. De hecho, te invitaré a comer al restaurante que elijas si tienes razón. Si yo tengo razón, tú me invitarás uno de esos filetes enormes en David's Steak House. ¿Hacemos el trato?

Sandy: ¡Sí! Prepara tu chequera o tu tarjeta de crédito. Tú tendrás el privilegio de pagar por dos comidas muy costosas en restaurante de mariscos Anthony's.

a) Suponga que Sandy está en lo correcto acerca de los clientes que van una vez a uno de sus talleres

de cambio de aceite rápido. ¿Ganará la apuesta con Chris?

b) Suponga que Chris tiene la razón sobre los clientes que van una vez a uno de sus talleres, ¿ganará él la apuesta?

c) Describa qué pasaría si ambos, Chris y Sandy, tienen razón en cuanto a los clientes que visitan sus talleres.

15-30 El primer taller de cambio de aceite rápido en el problema 15-28 retiene 73% de su participación en el mercado, lo cual representa una probabilidad de 0.73 en el primer renglón y primera columna de la matriz de probabilidades de transición. Los otros valores de probabilidad en el primer renglón se distribuyen por igual en todos los demás talleres (a saber, 3% para cada uno). ¿Qué impacto tiene esto sobre las participaciones en el mercado de estado estable para los talleres de cambio de aceite rápido?

Problemas de tarea en Internet

Visite nuestra página de Internet en **www.pearsonenespañol.com/render** para problemas de tarea adicionales, los problemas 15-31 a 15-34.

Estudio de caso

Rentall Trucks

Jim Fox, un ejecutivo de Rentall Trucks, no podía creerlo. Había contratado a uno de los mejores despachos legales del condado, Folley, Smith and Christensen. Su cuota por elaborar contratos era más de $50,000. Folley, Smith and Christensen había hecho una omisión importante de los contratos y esa falla era muy posible que le costara millones de dólares a Rentall Trucks. Por enésima vez, Jim reconstruyó la situación y ponderó lo inevitable.

Rentall Trucks había sido fundada por Robert (Bob) Renton hacía más de 10 años, y se especializaba en la renta de camiones a negocios y a personas. La organización prosperó y Bob incrementó su valor neto en millones de dólares. Bob era una leyenda en el negocio de la renta y lo conocían en todas partes del mundo por sus agudas habilidades empresariales.

Hace tan solo un año y medio, algunos ejecutivos de Rentall y algunos inversionistas externos ofrecieron comprar a Bob su Rentall Trucks. Bob estaba cerca de retirarse y la oferta era increíble. Sus hijos y sus nietos podrían vivir con un alto estándar gracias los ingresos de la venta. Folley, Smith and Christensen desarrollaron los contratos para los ejecutivos de Rentall y los otros inversionistas, y la venta se realizó.

Siendo un perfeccionista, fue tan solo cuestión de tiempo para que Bob llegara a las oficinas de Rentall y dijera a todos los errores que estaban cometiendo y cómo resolver algunos de ellos. Pete Rosen, presidente de Rentall, se enfadó muchísimo por las constantes interferencias de Bob y en una breve junta de 10 minutos Pete dijo a Bob que no volviera de las oficinas. En este momento en que Bob decidió releer los contratos, y fue entonces cuando Bob y su abogado descubrieron que no había una cláusula en los contratos que prohibiera a Bob competir directamente con Rentall.

La breve junta de 10 minutos con Pete Rosen fue el comienzo de Rentran. En menos de seis meses, Bob Renton había atraído a algunos ejecutivos clave de Rentall y se los había llevado a su nuevo negocio, Rentran, que competiría directamente con Rentall Trucks en todos los aspectos. Después de unos meses de operación, Bob estimaba que Rentran tenía cerca del 5% del mercado nacional total en la renta de camiones. Rentall poseía cerca del 80% del mercado y otra compañía, National Rentals, tenía el 15% restante.

Jim Fox de Rentall estaba en absoluto shock. En unos cuantos meses, Rentran había captado 5% del mercado total. A este paso, Rentran podía dominar completamente el mercado en unos cuantos años. Pete Rosen incluso se preguntó si Rentall podría mantener 50% del mercado a largo plazo. Como resultado de tales preocupaciones, Pete contrató a una empresa de investigación de mercados para que analizara una muestra aleatoria de los clientes de renta de camiones. La muestra consistió en 1,000 clientes existentes o potenciales. La empresa de investigación de mercados tuvo mucho cuidado y se aseguró de que la muestra representara las condiciones reales del mercado. La muestra tomada en agosto consistió en 800 clientes de Rentall, 60 clientes de Rentran y el resto de clientes de National. Después, se analizó la misma muestra el siguiente mes en cuanto a la proclividad de los clientes a cambiar de compañía. De los clientes originales de Rentall, 200 cambiaron a Rentran y 80 cambiaron a National. Rentran pudo retener 51 de sus clientes originales; 3 clientes cambiaron a Rentall, y 6 a National. Por último, 14 clientes cambiaron de National a Rentall y 35 de National a Rentran.

La reunión del consejo de directores sería dentro de tan solo dos semanas, y habría algunas preguntas difíciles para explicar lo que ocurría y qué se podía hacer acerca de Rentran. En opinión de Jim Fox, nada se podía hacer acerca de la costosa omisión hecha por Folley, Smith and Christensen. La única solución era tomar acciones correctivas inmediatas que desviaran la habilidad de Rentran para llevarse a los clientes de Rentall.

Después de un análisis detallado de Rentran, Rentall y el negocio de renta de camiones en general, Jim concluyó que se necesitaban cambios inmediatos en tres áreas: política de renta, publicidad y línea de producto. En cuanto a la política de renta, eran necesarios varios cambios para que la renta de camiones fuera más sencilla y rápida. Rentall podía implantar muchas de las técnicas que usaban Hertz y otras agencias de renta de autos. Además, se requerían cambios en la línea de productos. Los camiones más pequeños de Rentall debían ser más cómodos y de manejo más fácil. Deberían incluir transmisión automática, asientos confortables, aire acondicionado, sistema estéreo de radio y CD, y regulador de velocidad (autocrucero). Aunque costosos y de mantenimiento difícil, tales características podían marcar una diferencia significativa en las participaciones de mercado. Finalmente Jim sabía que la publicidad tradicional era necesaria. La publicidad tenía que ser inmediata y dinámica. Los anuncios en televisión y periódicos tenían que aumentarse, y se requería una buena compañía de publicidad. Si estos nuevos cambios se implantaran ahora, habría una buena oportunidad de que Rentall pudiera conservar cerca de su 80% del mercado. Para confirmar las percepciones de Jim, se contrató a la misma empresa de investigación de mercados para analizar el efecto de dichos cambios, usando la misma muestra de 1,000 clientes.

La empresa de investigación de mercados, Meyers Marketing Research, Inc., realizó una prueba piloto con la muestra de 1,000 clientes. Los resultados del análisis revelaron que Rentall perdería tan solo 100 de sus clientes originales que se irían a Rentran y 20 a National, si se implementaran las nuevas políticas. Asimismo, Rentall atraería clientes tanto de Rentran como de National. Se estimaba que Rentall podría obtener 9 clientes de Rentran y 28 clientes de National.

Preguntas para análisis

1. ¿Cuáles serán las participaciones en el mercado dentro de un mes, si se implementan estos cambios? ¿Y si no se hacen cambios?
2. ¿Cuáles serán las participaciones en el mercado dentro de tres meses con los cambios?
3. Si las condiciones de mercado permanecen igual, ¿qué participación en el mercado tendría Rentall a largo plazo? ¿Cuál es la comparación con la participación en ele mercado que resultaría sin los cambios?

Estudios de caso en Internet

Visite nuestra página en **www.pearsonenespañol.com/render**, donde encontrará estudios de caso adicionales:

1. **Compañía St. Pierre Salt:** Este caso incluye la selección de centrifugas que se utilizan para separar la sal recristalizada de la solución de salmuera.
2. **University of Texas–Australia:** Implica a alumnos de doctorado en diferentes fases de su programa de estudios.

Bibliografía

Aviv, Yossi y Amit Pazgal. "A Partially Observed Markov Decision Process for Dynamic Pricing", *Management Science* 51, 9 (septiembre de 2005): 1400-416.

Çelikyurt, U. y S. Özekici. "Multiperiod Portfolio Optimization Models inStochastic Markets Using the Mean-Variance Approach" *European Journal of Operational Research* 179, 1 (2007): 186-202.

Deslauriers, Alexandre, *et al.* "Markov Chain Models of a Telephone Call Center with Call Blending", *Computers & Operations Research* 34, 6 (2007): 1616-1645.

Freedman, D. *Markov Chains.* San Francisco: Holden-Day, Inc., 1971.

Juneja, Sandeep y Perwez Shahabuddin. "Fast Simulation of Markov Chains with Small Transition Probabilities", *Management Science* 47, 4 (abril de 2001): 547-562.

Lim, Gino J. y Sumeet S. Desai. "Markov Decision Process Approach for Multiple Objective Hazardous Material Transportation Route Selection Problem", *International Journal of Operational Research* 7, 4 (2010): 506-529.

Matalytski, M.A. y A.V. Pankov. "Research of Markov Queuing Network with Central System and Incomes", *Computer Science* 4, 7 (2004): 23-32.

Park, Yonil y John L. Spouge. "Searching for Multiple Words in a Markov Sequence", *INFORMS Journal on Computing* 16, 4 (otoño de 2004): 341-347.

Renault, Jérôme. "The Value of Markov Chain Games with Lack of Information on One Side", *Mathematics of Operations Research* 31, 3 (agosto de 2006): 490-512.

Tsao, H.-Y, P.-C. Lin, L. Pitt y C. Campbell. "The Impact of Loyalty and Promotion Effects on Retention Rate", *Journal of the Operational Research Society* (2009) 60, 5: 646-651.

Zhu, Quanxin y Xianping Guo, "Markov Decision Processes with Variance Minimization: A New Condition and Approach", *Stochastic Analysis & Applications* 25, 3 (2007): 577-592.

Apéndice 15.1   Análisis de Markov con QM para Windows

El análisis de Markov se aplica a una variedad de problemas prácticos, que incluyen participación en el mercado, condiciones de equilibrio y seguimiento de pacientes en un sistema médico. El ejemplo de las tiendas de abarrotes se usó para demostrar cómo el análisis de Markov sirve para determinar las condiciones futuras en las participaciones en el mercado. Los programas 15.1A y 15.1B revelan cómo se utiliza QM para Windows para calcular las participaciones en el mercado y las condiciones en equilibrio. Observe que también se muestran las condiciones iniciales y las participaciones en el mercado (probabilidades) al final.

PROGRAMA 15.1A

Ventana de entrada de QM para Windows para el ejemplo de participación en el mercado.

Esta es una matriz de probabilidades de transición.

Seleccione el número de transiciones que desea calcular.

Ingrese las probabilidades de estado iniciales.

Market Share	Initial	State 1	State 2	State 3
State 1	.4	.8	.1	.1
State 2	.3	.1	.7	.2
State 3	.3	.2	.2	.6

PROGRAMA 15.1B

Salida de QM para Windows para el ejemplo de participación en el mercado

Instruction: There are more results available in additional windows. These may be opened by using the WIND

Estas son las participaciones en el mercado en los tres periodos siguientes.

Esta es la probabilidad de estado estable.

Market Share 3 step transition matrix	State 1	State 2	State 3
State 1	.585	.218	.197
State 2	.26	.451	.289
State 3	.352	.31	.338
Ending probability (given initial)	.4176	.3155	.2669
Steady State probability	.4211	.3158	.2632

Un análisis de estado absorbente también se presenta en este capítulo con el ejemplo del pago de cuentas. Los programas 15.2A y 15.2B indican cómo se usa QM para Windows al calcular la cantidad pagada y la cantidad de deuda incobrable, utilizando estados absorbentes.

PROGRAMA 15.2A

Ventana de entrada de QM para Windows para el ejemplo de estados absorbentes

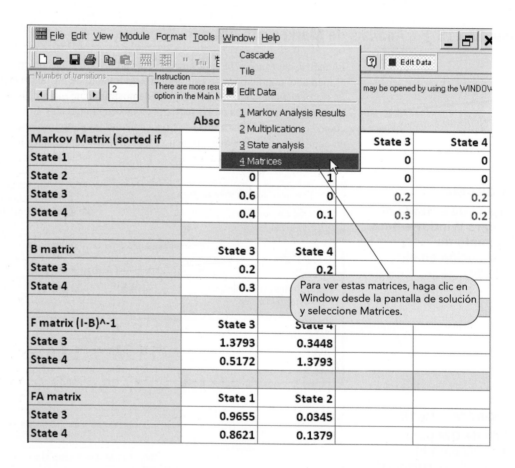

> Ingrese aquí las probabilidades de transición. Las probabilidades iniciales se ingresan aquí si se conocen. Haga clic en Solve para encontrar la solución.

Absorbing States					
	Initial	State 1	State 2	State 3	State 4
State 1	0	1	0	0	0
State 2	0	0	1	0	0
State 3	0	.6	0	.2	.2
State 4	0	.4	.1	.3	.2

PROGRAMA 15.2B

Solución de QM para Windows para el ejemplo de estados absorbentes

File Edit View Module Format Tools Window Help

Window menu:
Cascade
Tile
■ Edit Data
1 Markov Analysis Results
2 Multiplications
3 State analysis
4 Matrices

Number of transitions: 2

Markov Matrix (sorted if			State 3	State 4
State 1			0	0
State 2	0	1	0	0
State 3	0.6	0	0.2	0.2
State 4	0.4	0.1	0.3	0.2

B matrix	State 3	State 4
State 3	0.2	0.2
State 4	0.3	

> Para ver estas matrices, haga clic en Window desde la pantalla de solución y seleccione Matrices.

F matrix (I-B)^-1	State 3	State 4
State 3	1.3793	0.3448
State 4	0.5172	1.3793

FA matrix	State 1	State 2
State 3	0.9655	0.0345
State 4	0.8621	0.1379

Apéndice 15.2   Análisis de Markov con Excel

Realizar las operaciones con matrices del análisis de Markov es muy sencillo con Excel, aunque el proceso de ingreso de datos es diferente en casi todas las operaciones de Excel. Las dos funciones que se son de más ayuda con matrices son MMULT para la multiplicación de matrices y MINVERSE para encontrar la inversa de la matriz. Sin embargo, se usan procedimientos especiales cuando las matrices se ingresan en la hoja de cálculo. La suma y resta de matrices también es sencilla en Excel con los procedimientos especiales.

Uso de Excel para predecir participación futura en el mercado

Uso de Excel para predecir participación futura en el mercado Al aplicar análisis de Markov para predecir participaciones futuras en el mercado y estados futuros, se multiplican las matrices. En Excel para multiplicar matrices se usa MMULT como sigue:

1. Resaltar todas las celdas que vayan a contener la matriz resultante.
2. Escribir =MMULT(*matrix1, matrix2*), donde *matrix1* y *matrix2* son los rangos de celdas para las dos matrices que se multiplican.
3. En vez de tan solo presionar Enter, sostenga presionadas las teclas Ctrl y Shift y, luego, presione Enter.

Presionar Ctrl+Shift+Enter se usa para indicar que se realiza una operación de matrices, de manera que todas las celdas de la matriz cambian de acuerdo con ello.

El programa 15.3A ilustra las fórmulas para el ejemplo de las tres tiendas de abarrotes de la sección 15.2. Ingresamos el periodo en la columna A solamente como referencia, pues calcularemos las probabilidades de estado hasta el periodo 6. Las probabilidades de estado (celdas B6 a D6) y la matriz de probabilidades de transición (celdas E6 a G8) se ingresan como se muestra. Después usamos multiplicación de matrices para encontrar las probabilidades de estado para el siguiente periodo. Marcamos las celdas B7, C7 y D7 (aquí estará la matriz resultante) y escriba =MMULT(B6:D6,E6:G8), como se muestra en el programa. Luego, presione Ctrl+Shift+Enter (todas a la vez), y esta fórmula se coloca en cada una de las tres celdas marcadas. Una vez hecho esto, Excel coloca { } alrededor de esta fórmula en el cuadro de la parte superior de la ventana. Después, copiamos las celdas B7, C7 y D7 a los renglones 8 a 12, como se muestra. El programa 15.3B contiene los resultados y las probabilidades de estado para los siguientes seis periodos.

PROGRAMA 15.3A

Ingreso de datos y fórmulas de Excel para el ejemplo de las tres tiendas de abarrotes

	B7		= {=MMULT(B6:D6,$E$6:$G$8)}					
	A	B	C	D	E	F	G	H
1	Three							
2								
3			Ingrese las probabilidades de estado en B6, C6 y D6.		Esta es la matriz de probabilidades de transición.			
4		American Food Store			Atlas Foods			
5	Time	#1	#2	#3	Matri			
6	0	0.4	0.3	0.3	0.8	0.1	0.1	
7	1	=MMULT(B6:D6,$E$6:$G$8)	=MMULT(B6:D6,$E$6:$G$8)	=MMULT(B6:D6,$E$6:$G$8)	0.1	0.7	0.2	
8	2	=MMULT(B7:D7,$E$6:$G$8)	=MMULT(B7:D7,$E$6:$G$8)	=MMULT(B7:D7,$E$6:$G$8)	0.2	0.2	0.6	
9	3	=MMULT(B8:D8,$E$6:$G$8)	=MMULT(B8:D8,$E$6:$G$8)	=MMULT(B8:D8,$E$6:$G$8)				
10	4	=MMULT(B9:D9,$E$6:$G$8)	=MMULT(B9:D9,$E$6:$G$8)	=MMULT(B9:D9,$E$6:$G$8)				
11	5	=MMULT(B10:D10,$E$6:$G$8)	=MMULT(B10:D10,$E$6:$G$8)	=MMULT(B10:D10,$E$6:$G$8)				
12	6	=MMULT(B11:D11,$E$6:$G$8)	=MMULT(B11:D11,$E$6:$G$8)	=MMULT(B11:D11,$E$6:$G$8)				
13								

Las probabilidades de estado futuras están en los renglones 7 a 12.

PROGRAMA 15.3B

Resultado de Excel para el ejemplo de las tres tiendas de abarrotes

	B7		= {=MMULT(B6:D6,$E$6:$G$8)}								
	A	B	C	D	E	F	G	H	I	J	K
1	Three Grocery Example										
2											
3			State Probilities								
4		Food Store	Food Mart	Atlas Foods							
5	Time	#1	#2	#3	Matrix of Transition Probabilities						
6	0	0.4	0.3	0.3	0.8	0.1	0.1				
7	1	0.4100	0.3100	0.2800	0.1	0.7	0.2				
8	2	0.4150	0.3140	0.2710	0.2	0.2	0.6				
9	3	0.4176	0.3155	0.2669							
10	4	0.4190	0.3160	0.2650							
11	5	0.4198	0.3161	0.2641							
12	6	0.4203	0.3161	0.2637							
13											

Uso de Excel para encontrar la matriz fundamental y los estados absorbentes

Excel se utiliza para encontrar la matriz fundamental que sirve para predecir las condiciones futuras, cuando existen estados absorbentes. La función MINVERSE se usó en el ejemplo de cuentas por cobrar de la sección 15.7 de este capítulo. El programa 15.4A muestra las fórmulas y el programa 15.4B proporciona los resultados. Recuerde que todo el rango de la matriz (D12 a E13) se marca antes de ingresar la función MINVERSE. También recuerde oprimir Ctrl+Shift+Enter todo al mismo tiempo.

La suma y resta de matrices se maneja de una forma similar a los métodos descritos. En el programa 15.4A, se calculó la matriz $I - B$ con un método de matrices. Primero resaltamos las celdas D9 a E10 (donde estarán los resultados). Luego, escribimos la fórmula que se ve en estas celdas y oprimimos Ctrl+Shift+Enter (todo a la vez); esto hace que la fórmula quede en cada una de estas celdas. Excel calcula así los valores adecuados, como se indica en el programa 15.4B.

PROGRAMA 15.4A
Entrada y fórmulas de Excel para el ejemplo de cuentas por cobrar

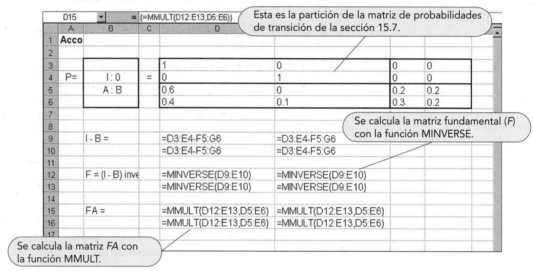

PROGRAMA 15.4B
Resultado de Excel para el ejemplo de cuentas por cobrar

CAPÍTULO 16

Control estadístico de la calidad

16.1 Introducción

Para casi todos los productos o servicios, existe más de una organización que trata de lograr una venta. El precio puede ser un asunto importante en el resultado de lograr o perder la venta, pero otro factor es la *calidad*. De hecho, con frecuencia la calidad es el aspecto más importante, y la mala calidad puede ser muy costosa tanto para la empresa que produce como para el cliente.

En consecuencia, las organizaciones emplean tácticas de administración de la calidad. La administración de la calidad, o como es más común llamarla, el *control de calidad* (CC) es fundamental en toda la organización. Una de las funciones más importantes de los gerentes es asegurar que su empresa pueda entregar un producto de calidad en el lugar correcto, en el momento correcto y al precio correcto. La calidad no tan solo concierne a los productos manufacturados, sino que también es importante en los servicios, desde los servicios bancarios hasta el cuidado hospitalario y la educación.

El control estadístico de procesos utiliza herramientas estadísticas y de probabilidad para ayudar a controlar los procesos, y producir bienes y servicios consistentes.

Comenzamos este capítulo con un intento por definir qué es en realidad la calidad. Después estudiaremos la metodología estadística más importante para la administración de la calidad: *control estadístico de procesos* (CEP), que es la aplicación de las herramientas estadísticas que vimos en el capítulo 2 para el control de los procesos que dan como resultado bienes o servicios.

16.2 Definición de calidad y TQM

La calidad de un producto o servicio es el grado en que ese producto o servicio cumple con las especificaciones.

Hay quienes creen que un producto de alta calidad es más fuerte, durará más, es más pesado y, en general, es más durable que los demás productos. En algunos casos, esta es una buena definición de un producto de calidad, aunque no siempre es así. Un buen interruptor eléctrico, por ejemplo, *no* es aquel que dure más en los periodos de corriente o voltaje altos. Entonces, la **calidad** *de un producto* o *servicio* es el grado en el que ese producto o servicio cumple con las especificaciones. Cada vez con mayor frecuencia, las definiciones de *calidad* incluyen un énfasis adicional en cumplir las necesidades del cliente. Como se observa en la tabla 16.1, la primera y segunda definiciones son similares a la nuestra.

La administración de calidad total abarca a toda la organización.

La **administración de calidad total** (**TQM,** por *total quality management*) se refiere a la importancia dada a la calidad que abarca a toda la organización, desde el proveedor hasta el cliente. La TQM resalta un compromiso de la gerencia de guiar a toda la compañía hacia la excelencia en todos los aspectos del producto o servicio que sean importantes para el cliente. Cumplir con las expectativas del cliente requiere hacer hincapié en la TQM, si la empresa busca competir como líder en los mercados mundiales.

Resaltar la calidad significa que la compañía buscará mejoras continuas en todos los aspectos de la entrega de los bienes o los servicios.

TABLA 16.1
Varias definiciones de calidad

"**Calidad es el grado en el cual un producto específico se ajusta a un diseño o especificación**".

H. L. Gilmore. "Product Conformance Cost", *Quality Progress* (junio de 1974): 16.

"**Calidad es la totalidad de las características de un bien o servicio que se apoya en su capacidad para satisfacer las necesidades establecidas o implicadas**".

Ross Johnson y William O. Winchell. *Production and Quality.* Milwaukee, WI: American Society of Quality Control, 1989, p. 2.

"**Calidad es la adecuación para el uso**".

J. M. Juran, ed. *Quality Control Handbook,* 3a. ed. Nueva York: McGraw-Hill, 1974, p. 2.

"**La calidad está definida por el consumidor; el cliente quiere productos y servicios que, durante sus vidas útiles, cumplan con sus necesidades y expectativas a un costo que represente valor**".

Definición de Ford según la presentó William W. Scherkenbach. *Deming's Road to Continual Improvement.* Knoxville, TN: SPC Press, 1991, p. 161.

"**Aunque la calidad no se pueda definir, usted sabe lo que es**".

R. M. Pirsig. *Zen and the Art of Motorcycle Maintenance.* Nueva York: Bantam Books, 1974, p. 213.

HISTORIA   Cómo ha evolucionado el control de la calidad

Aprincipios del siglo XIX un solo artesano habilidoso comenzaba y terminaba un producto completo. Con la Revolución Industrial y el sistema de fábricas, se volvió común que cada trabajador hiciera tan solo una parte pequeña del producto final. Así, la responsabilidad por la calidad del producto final tendió a cambiar hacia los supervisores y el orgullo por el trabajo artesanal declinó.

Conforme las organizaciones crecieron en el siglo XX, la inspección se volvió más técnica y organizada. Los inspectores con frecuencia estaban agrupados; su trabajo era asegurar que los lotes malos no se enviaran a los clientes. En la década de 1920, se desarrollaron herramientas importantes de control estadístico de la calidad. W. Shewhart introdujo las gráficas de control en 1924; mientras que en 1930, H. F. Dodge y H. G. Romig diseñaron las tablas de muestreo de aceptación. Además, en ese tiempo se reconoció el importante papel del CC en todas las áreas de desempeño de la compañía.

Durante la Segunda Guerra Mundial y después de ella, la importancia de la calidad creció, con frecuencia con el estímulo del gobierno de Estados Unidos. Las empresas reconocieron que era necesario más que solo la inspección para obtener un producto de calidad. La calidad debía integrarse a los procesos de producción.

Después de la Segunda Guerra Mundial, el estadounidense W. Edwards Deming viajó a Japón para enseñar los conceptos de control estadístico de la calidad a un sector de manufactura nipona devastado. Un segundo pionero, J. M. Juran, siguió a Deming a Japón, resaltando el apoyo e involucramiento de la alta gerencia en la batalla por la calidad. En 1961 A. V. Feigenbaum escribió su libro clásico *Total Quality Control*, que envió un mensaje fundamental: ¡Hágalo bien la primera vez! En 1979 Phillip Crosby publicó *Quality Is Free*, resaltando la necesidad de que la gerencia y los empleados se comprometieran con la batalla contra la calidad deficiente. En 1988 el gobierno de Estados Unidos presentó su primer premio por los logros en calidad, los cuales se conocen como Malcolm Baldrige National Qualty Awards.

Un método de administración de la calidad llamado Seis Sigma se desarrolló en la industria electrónica. La meta de Seis Sigma es la mejora continua en el desempeño para reducir y eliminar los defectos. Técnicamente, para lograr la calidad Seis Sigma, debería haber menos de 3.4 defectos por millón de oportunidades. Este enfoque para la calidad ha recibido el crédito de lograr ahorros significativos en costos para varias compañías. General Electric estimó ahorros de $12 mil millones en un periodo de 5 años; otras empresas han reportado ahorros de cientos de millones de dólares.

En la actualidad, las compañías luchan por obtener el certificado ISO 9000, ya que es un estándar de calidad internacional reconocido en todo el mundo. ISO 9000 fue desarrollado por la International Organization for Standardization (ISO), el desarrollador y editor de estándares internacionales más grande del mundo.

16.3   Control estadístico de procesos

El control estadístico de procesos ayuda a establecer estándares. También puede supervisar, medir y corregir problemas de calidad.

El *control estadístico de procesos* incluye establecer estándares, normas de supervisión, toma de mediciones, así como efectuar acciones correctivas, mientras se produce un bien o servicio. Se examinan muestras de la salida del proceso; si están dentro de los límites aceptables, se permite que el proceso continúe. Si caen fuera de ciertos intervalos especificados, el proceso se detiene y, por lo general, se localiza y elimina la causa asignable.

Una gráfica de control es una manera gráfica de presentar datos en el tiempo.

Las gráficas de control muestran los límites superior e inferior para el proceso que se quiere controlar. Una **gráfica de control** es una presentación gráfica de los datos en el tiempo, y se elabora de manera que los datos nuevos puedan compararse rápidamente con el desempeño anterior. Los límites superior e inferior en una gráfica de control pueden estar en unidades de temperatura, presión, peso, longitud, etcétera. Tomamos muestras de la salida de los procesos y graficamos los promedios de tales muestras en una gráfica que contiene los límites.

La figura 16.1 revela en la gráfica la información útil que se puede representarse en una gráfica de control. Cuando los promedios de las muestras caen dentro de los límites de control superior e inferior y no hay patrón discernible alguno, se dice que el proceso está bajo control; de otra manera, el proceso está fuera de control o fuera de ajuste.

Variabilidad en el proceso

Todos los procesos están sujetos a cierto grado de variabilidad. Walter Shewhart de Bell Laboratories, cuando estudiaba datos de procesos en la década de 1920, hizo la distinción entre causas comunes y causas especiales de la variación. La clave es mantener las variaciones bajo control. Entonces, ahora veremos cómo elaborar gráficas de control que ayuden a los gerentes y a los trabajadores a desarrollar un proceso capaz de producir dentro de los límites establecidos.

ELABORACIÓN DE GRÁFICAS DE CONTROL Cuando se elaboran gráficas de control, se utilizan promedios de muestras pequeñas (con frecuencia de cinco elementos o partes), en vez de los datos sobre las partes individuales. Las piezas individuales tienden a ser muy erráticas para visualizar las tendencias con rapidez. La finalidad de las gráficas de control es ayudar a distinguir entre la **variación natural** y las *variaciones debidas a causas asignables*.

FIGURA 16.1

Patrones que deben buscarse en las gráficas de control

(**Fuente:** Bertrand L. Hansen, *Quality Control: Theory and Applications,* © 1963, renovado en 1991, p. 65. Reimpreso con autorización de Prentice Hall, Upper Saddle River, NJ).

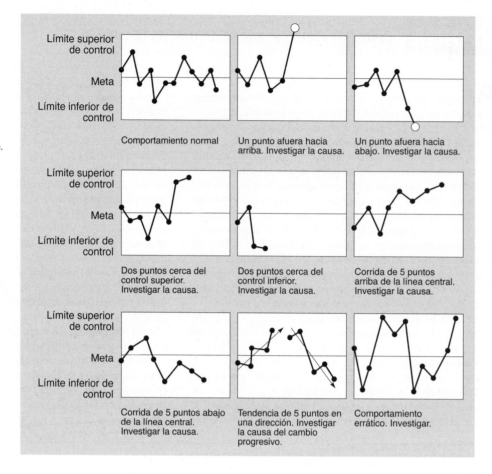

Bank of America utiliza estadística para combatir la corrupción

 EN ACCIÓN

Los bancos y las instituciones financieras similares tienen razones para ayudar a la autoridad a combatir las irregularidades fiscales. Tan solo el fraude con tarjetas de débito cuesta a la industria bancaria más de $2,750 millones anuales. En su lucha contra el fraude, los analistas de Bank of America usan análisis estadístico de *valores atípicos* para ayudar a detectar actividades fiscales sospechosas. En particular, en su análisis Bank of America busca lavado de dinero y fraude en operaciones bancarias menores. La compañía rastrea características como dónde, cuándo y cómo hay mucho dinero en cada transacción para cada cliente. Luego, realiza análisis estadísticos para saber si la actividad cae dentro de los límites de actividad regular para ese cliente en particular. Para usted como cliente, eso significa nada más que el banco sabe cuánto dinero suele retirar de un cajero automático y qué cajeros usa normalmente.

Los analistas bancarios buscan *valores atípicos* que son eventos inusuales que tienen una probabilidad muy pequeña de ocurrir. Por ejemplo, si suele usar un cajero automático específico y, luego, usa uno diferente, la transacción en un lugar inusual encenderá una pequeña señal, pero en general procederá sin interferencia. Sin embargo, si trata de cambiar un cheque grande de un tercero en un lugar fuera del estado, varias señales se encenderán, ya que se trata de un comportamiento inusual para usted. La persona que lo atiende podría solicitarle varias formas de identificación y además pedir la aprobación del gerente de la sucursal antes de completar la transacción.

Fuente: Basada en A. Sudjianto, S. Nair, M. Yuan, A. Zhang, D. Ker y F. Cela-Díaz. "Statistical Methods for Fighting Financial Crimes", *Technometrics,* 52, 1 (2010): 5-19.

Las variaciones naturales son fuentes de variación en un proceso que está estadísticamente bajo control.

VARIACIONES NATURALES Las variaciones naturales afectan a casi todos los procesos de producción y deben esperarse. Estas variaciones son aleatorias e incontrolables. Las *variaciones naturales* son las muchas fuentes de variación dentro de un proceso que está estadísticamente bajo control. Se comporta como un sistema constante de causas aleatorias. Aunque los valores medidos individuales son todos diferentes, como grupo forman un patrón que se puede describir como una distribución. Cuando las distribuciones son *normales*, se caracterizan por dos parámetros:

1. Media, μ (la medida de tendencia central, en este caso, el valor promedio)
2. Desviación estándar, σ (variación, la cantidad por la que los valores pequeños difieren de los grandes)

Siempre que la distribución (precisión de la salida) permanezca dentro de los límites especificados, se dice que el proceso está "bajo control" y se toleran variaciones modestas.

Las variaciones asignables en un proceso se rastrean hasta un problema específico.

VARIACIONES ASIGNABLES Cuando un proceso no está bajo control, debemos detectar y eliminar causas especiales (*asignables*) de la *variación*. Estas variaciones no son aleatorias y pueden controlarse cuando se determina la causa de la variación. Los factores como el desgaste de una máquina, un equipo mal ajustado, la fatiga o falta de capacitación en los trabajadores, o los nuevos lotes de materia prima, son todas fuentes potenciales de **variaciones asignables**. Gráficas de control como las ilustradas en la figura 16.1 ayudan al gerente a señalar dónde podría estar un problema.

La habilidad de un proceso para operar dentro del control estadístico está determinada por la variación total que viene de causas naturales: la variación mínima que se puede lograr después de eliminar las causas asignables. El objetivo de un sistema de control de procesos es, entonces, *proporcionar una señal estadística cuando se presenten las causas asignables de variación*. La señal puede acelerar la acción adecuada para eliminar las causas asignables.

16.4 Gráficas de control para variables

Las gráficas $\bar{x}$ miden la tendencia central de un proceso.

Las gráficas R miden el intervalo entre los elementos más grande (o más pesado) y más pequeño (o más ligero) en una muestra aleatoria.

Las gráficas de control para la media, $\bar{x}$ y el rango, R, se usan para vigilar procesos que se miden en unidades continuas. Los ejemplos serían peso, atura y volumen. La **gráfica $\bar{x}$** (gráfica x-barra) nos indica si han ocurrido cambios en la tendencia central de un proceso. Esto se puede deber a factores como desgaste de herramientas, un incremento gradual en la temperatura, un método diferente utilizado en el segundo turno o materiales nuevos más fuertes. Los valores de la **gráfica R** indican que ocurrió una ganancia o una pérdida en la uniformidad. Dicho cambio puede deberse a cojinetes desgastados, una pieza mal ajustada en una herramienta, un flujo errático de lubricantes a una máquina o al descuido por parte del operario de una máquina. Los dos tipos de gráficas van de la mano cuando se vigilan las variables.

Teorema del límite central

El teorema del límite central indica que la distribución de las medias muestrales tendrá aproximadamente una distribución normal.

El fundamento estadístico para las gráficas $\bar{x}$ es el **teorema del límite central**. En términos generales, este teorema establece que sin importar la distribución de la población de todas las partes o los servicios, la distribución de las $\bar{x}$ (cada una de ellas es una media de una muestra extraída de la población) tenderá a seguir una curva normal, cuando el tamaño de la muestra sea grande. Por fortuna, aun cuando n sea bastante pequeña (digamos, 4 o 5), la distribución de los promedios todavía seguirá aproximadamente una curva normal. El teorema también establece que **1.** la media de la distribución de las $\bar{x}$ (denotada por $\mu_{\bar{x}}$) es igual a la media de toda la población (denotada por μ), y **2.** la desviación estándar de la distribución muestral, $\sigma_{\bar{x}}$, será la desviación de la población, σ_x, dividida entre la raíz cuadrada del tamaño de la muestra, n. En otras palabras,

$$\mu_{\bar{x}} = \mu \quad \text{y} \quad \sigma_{\bar{x}} = \frac{\sigma_x}{\sqrt{n}}$$

Aunque habría ocasiones en que conozcamos $\mu_{\bar{x}}$ (y μ), con frecuencia debemos estimarlas con el promedio de todas las medias muestrales (que se escribe $\bar{\bar{x}}$).

La figura 16.2 muestra tres distribuciones de población posibles, cada una con su propia media, μ, y desviación estándar, σ_x. Si una serie de muestras aleatorias ($\bar{x}_1, \bar{x}_2, \bar{x}_3, \bar{x}_4$, etcétera) cada una de tamaño n se extrae de cualquiera de estas, la distribución resultante de las $\bar{x}_i$ aparecerá en la parte inferior de la gráfica de la figura. Como se trata de una distribución normal (según vimos en el capítulo 2), podemos establecer que:

1. 99.7% de las veces, los promedios muestrales caen dentro de $\pm 3\sigma_{\bar{x}}$ de la media de la población, si el proceso tiene solo variaciones aleatorias.
2. 95.5% de las veces, los promedios muestrales caen dentro de $\pm 2\sigma_{\bar{x}}$ de la media de la población, si el proceso tiene solo variaciones aleatorias.

Si un punto en la gráfica de control cae fuera de los límites de control $\pm 3\sigma_{\bar{x}}$, estamos 99.7% seguros de que el proceso ha cambiado. Esta es la teoría detrás de las gráficas de control.

FIGURA 16.2
Distribuciones muestrales y de población

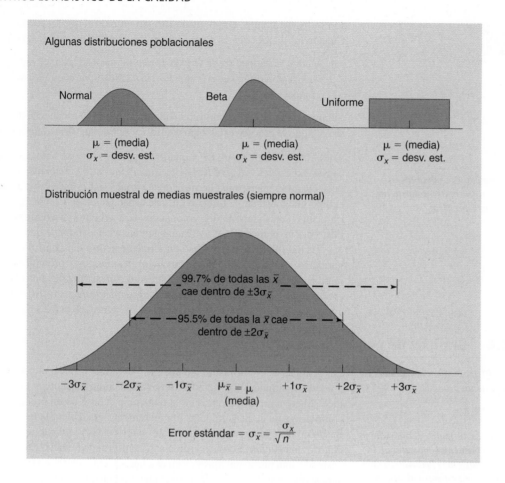

Algunas distribuciones poblacionales

Normal
Beta
Uniforme

μ = (media)
σ_x = desv. est.

μ = (media)
σ_x = desv. est.

μ = (media)
σ_x = desv. est.

Distribución muestral de medias muestrales (siempre normal)

99.7% de todas las $\bar{x}$ cae dentro de $\pm 3\sigma_{\bar{x}}$

95.5% de todas la $\bar{x}$ cae dentro de $\pm 2\sigma_{\bar{x}}$

$-3\sigma_{\bar{x}}$ $-2\sigma_{\bar{x}}$ $-1\sigma_{\bar{x}}$ $\mu_{\bar{x}} = \mu$ (media) $+1\sigma_{\bar{x}}$ $+2\sigma_{\bar{x}}$ $+3\sigma_{\bar{x}}$

Error estándar = $\sigma_{\bar{x}} = \dfrac{\sigma_x}{\sqrt{n}}$

Establecimiento de límites en las gráficas $\bar{x}$

Si conocemos las desviación estándar a partir de datos históricos de la población del proceso, $\sigma_{\bar{x}}$, podemos establecer los límites de control superior e inferior con las fórmulas:

$$\text{Límite de control superior (LCS)} = \bar{\bar{x}} + z\sigma_{\bar{x}} \qquad (16\text{-}1)$$

$$\text{Límite de control inferior (LCI)} = \bar{\bar{x}} - z\sigma_{\bar{x}} \qquad (16\text{-}2)$$

donde

$\bar{\bar{x}}$ = media de las medias muestrales

z = número de desviaciones estándar normales (2 para 95.5% de confianza, 3 para 99.7%)

$\sigma_{\bar{x}}$ = desviación estándar de la distribución muestral de medias muestrales = $\dfrac{\sigma_x}{\sqrt{n}}$

EJEMPLO DE LLENADO DE CAJAS Digamos que un lote grande de producción de cajas de hojuelas de maíz se muestrea cada hora. Para establecer límites de control que incluyan 99.7% de las medias de las muestras, se seleccionan y pesan 36 cajas al azar. Se estima en 2 onzas la desviación estándar de la población total de cajas, mediante el análisis de registros anteriores. La media promedio de todas las muestras tomadas es de 16 onzas. Por lo tanto, tenemos $\bar{\bar{x}}$ = 16 onzas, $\sigma_{\bar{x}}$ = 2 onzas, n = 36 y z = 3. Los límites de control son:

$$\text{LCS}_{\bar{x}} = \bar{\bar{x}} + z\sigma_{\bar{x}} = 16 + 3\left(\frac{2}{\sqrt{36}}\right) = 16 + 1 = 17 \text{ onzas}$$

$$\text{LCI}_{\bar{x}} = \bar{\bar{x}} - z\sigma_{\bar{x}} = 16 - 3\left(\frac{2}{\sqrt{36}}\right) = 16 - 1 = 15 \text{ onzas}$$

MODELADO EN EL MUNDO REAL

Control estadístico de procesos en AVX-Kyocera

Definición del problema

↓

Desarrollo de un modelo

↓

Recolección de datos

↓

Desarrollo de una solución

↓

Pruebas de la solución

↓

Análisis de los resultados

↓

Implementación de resultados

Definición del problema

AVX-Kyocera es un fabricante japonés de chips electrónicos localizado en Raleigh, Carolina del Norte y necesita mejorar la calidad de sus productos y servicios para lograr la satisfacción total del cliente.

Desarrollo de un modelo

Se eligieron modelos de control estadístico de procesos, como las gráficas $\bar{x}$ y R, como las herramientas adecuadas.

Recolección de datos

Los empleados reciben la responsabilidad de recabar sus propios datos. Por ejemplo, el operario de una máquina de colado mide el grueso de muestras periódicas que toma de su proceso.

Desarrollo de una solución

Los empleados grafican los datos observados para generar gráficas de CEP que muestran las tendencias, comparan los resultados con los límites del proceso y las especificaciones del cliente final.

Pruebas de la solución

Se evalúan las muestras de cada máquina para asegurar que los procesos sean, sin duda, capaces de lograr los resultados deseados. Los inspectores de control de la calidad se transfieren a manufactura, ya que todo el personal de la planta debe capacitarse en la metodología estadística.

Análisis de los resultados

Cada operario individual analiza los resultados del CEP para saber si hay tendencias en sus procesos. Las tendencias de calidad se publican en tableros en el edificio, y muestran no sólo gráficas de CEP sino también procedimientos, aprobaciones documentadas de cambios en el proceso y los nombres de todos los operarios certificados. Los equipos de trabajo están a cargo del análisis de los grupos de máquinas.

Implementación de resultados

La empresa implementó una política de cero defectos con muy baja tolerancia para las variables y casi cero defectos para partes por millón para los atributos.

Fuente: Basado en Basile A. Denisson. "War with Defects and Peace with Quality", *Quality Progress* (septiembre de 1993): 97-101.

Si no se dispone de las desviaciones estándar del proceso o si es difícil calcularlas, lo que es común que ocurra, las siguientes ecuaciones son útiles. En la práctica, el cálculo de los límites de control se basa en el *rango* promedio más que en las desviaciones estándar. Se emplean las ecuaciones

Los límites de las gráficas de control se pueden encontrar usando el intervalo en vez de las desviaciones estándar.

$$\text{LCS}_{\bar{x}} = \bar{\bar{x}} + A_2\bar{R} \tag{16-3}$$

$$\text{LCI}_{\bar{x}} = \bar{\bar{x}} - A_2\bar{R} \tag{16-4}$$

donde

$\bar{R} =$ promedio de las muestras

$A_2 =$ valor encontrado en la tabla 16.2 (que supone que $z = 3$)

$\bar{\bar{x}} =$ media de las medias muestrales

USO DE EXCEL QM PARA EL EJEMPLO DE LLENADO DE CAJAS   Los límites superior e inferior para este ejemplo se determinan con Excel QM, como se muestra en el programa 16.1. Del menú de Excel QM, seleccione *Quality Control* y especifique la opción de *X-Bar* y *R Charts*. Ingrese el número de muestras (1) y seleccione *Standard Deviation* en la ventana de inicio. Cuando se inicie la hoja de cálculo, ingrese el tamaño de la muestra (36), la desviación estándar (2) y la media de la muestra (16). Los límites superior e inferior se despliegan de inmediato.

TABLA 16.2
Factores para calcular los límites de la gráfica de control

TAMAÑO DE MUESTRA, n	FACTOR MEDIO, A_2	RANGO SUPERIOR, D_4	RANGO INFERIOR, D_3
2	1.880	3.268	0
3	1.023	2.574	0
4	0.729	2.282	0
5	0.577	2.114	0
6	0.483	2.004	0
7	0.419	1.924	0.076
8	0.373	1.864	0.136
9	0.337	1.816	0.184
10	0.308	1.777	0.223
12	0.266	1.716	0.284
14	0.235	1.671	0.329
16	0.212	1.636	0.364
18	0.194	1.608	0.392
20	0.180	1.586	0.414
25	0.153	1.541	0.459

Fuente: Reimpreso con autorización de la American Society for Testing and Materials, copyright 1951. Tomado de Special Technical Publication 15-C, "Quality Control of Materials", pp. 63 y 72.

PROGRAMA 16.1
Solución de Excel QM para el ejemplo del llenado de cajas

EJEMPLO DE SUPER COLA Las botellas de gaseosa Súper Cola se etiquetan con "peso neto de 16 onzas". Se ha encontrado un promedio general del proceso de 16.01 onzas, tomando varios lotes de muestras, donde cada muestra contiene cinco botellas. El rango promedio del proceso es de 0.25 onzas. Queremos determinar los límites de control superior e inferior para los promedios de este proceso.

Buscando en la tabla 16.2 un tamaño de muestra de 5 en la columna del factor de media A_2, encontramos el número 0.577. Así, los límites superior e inferior de la gráfica de control son:

$$LCS_{\bar{x}} = \bar{\bar{x}} + A_2\bar{R}$$
$$= 16.01 + (0.577)(0.25)$$
$$= 16.01 + 0.144$$
$$= 16.154$$
$$LCI_{\bar{x}} = \bar{\bar{x}} - A_2\bar{R}$$
$$= 16.01 - 0.144$$
$$= 15.866$$

El límite de control superior es 16.154, y el límite de control inferior es 15.866.

USO DE EXCEL QM PARA EL EJEMPLO DE SÚPER COLA   Los límites superior e inferior para este ejemplo se determinan con Excel QM, como se indica en el programa 16.2. Del menú de Excel QM, seleccione *Quality Control* y especifique la opción de *X-Bar* y *R Charts*. Ingrese el número de muestras (1) y elija *Range* en la ventana de inicio. El tamaño de la muestra (5) se puede ingresar en esta ventana de inicio o en la hoja de cálculo. Cuando se inicia la hoja de cálculo, ingrese el rango (0.25) y la media de la muestra (16.01). Los límites superior e inferior aparecen de inmediato.

Determinación de límites en la gráfica R

Acabamos de determinar los límites de control superior e inferior para el *promedio* del proceso. Además de preocuparse por el promedio del proceso, los gerentes se interesan en la *dispersión* o *variabilidad*. Aun cuando el promedio del proceso esté bajo control, su variabilidad puede no estarlo. Por ejemplo, quizás algo se aflojó en una pieza del equipo. Como resultado, el promedio de las muestras puede seguir igual, pero la variación dentro de las muestras podría ser demasiado grande. Por tal razón, es muy común buscar una gráfica de control para los rangos, con la finalidad de supervisar la variabilidad del proceso. La teoría detrás de las gráficas de control para los rangos es la misma que para el promedio del proceso. Los límites se establecen de manera que contengan ± 3 desviaciones estándar de la distribución del rango promedio $\bar{R}$. Con unas cuantas suposiciones para simplificar, podemos establecer los límites de control superior o inferior para los rangos:

La dispersión o variabilidad también es importante. La tendencia central puede estar bajo control, pero los rangos quizás estén fuera de control.

$$LCS_R = D_4\bar{R} \tag{16-5}$$
$$LCI_R = D_3\bar{R} \tag{16-6}$$

donde

$$LCS_R = \text{límite superior de la gráfica de control para el rango}$$
$$LCI_R = \text{límite inferior de la gráfica de control para el rango}$$
$$D_4 \text{ y } D_3 = \text{valores de la tabla 16.2}$$

PROGRAMA 16.2

Solución de Excel QM para el ejemplo de Súper Cola

▲	A	B	C	D	E	F	G
1	**Super Cola Example**						
2							
3	**Quality Control**		**x bar chart**				
4					Ingrese la media y el rango de cada una		
5	Number of samples	1					
6	Sample size	5					
7							
8	Data				**Results**		
9		Mean	Range			Xbar	Range
10	Sample 1	16.01	0.25		x-bar value	16.01	
11	Average	16.01	0.25				
12					R bar		0.25
13							
14					Upper control limit	16.1543	0.52875
15					Center line	16.01	0.25
16					Lower control limit	15.8658	0

EJEMPLO DE RANGO Como ejemplo, considere un proceso donde el *rango* promedio sea de 53 libras. Si el tamaño de la muestra es de 5, queremos determinar los límites de control superior e inferior en la gráfica.

Buscamos en la tabla16-2 un muestra de tamaño 5, y encontramos que $D_4 = 2.114$ y $D_3 = 0$. Los límites de los rangos de la gráfica de control son:

$$\text{LCS}_R = D_4\overline{R}$$
$$= (2.114)(53 \text{ libras})$$
$$= 112.042 \text{ libras}$$
$$\text{LCI}_R = D_3\overline{R}$$
$$= (0)(53 \text{ libras})$$
$$= 0$$

A continuación se presenta un resumen de los pasos para crear y utilizar las gráficas de control para la media y el rango.

Cinco pasos para utilizar las gráficas $\overline{x}$ y R

1. Recabar 20 a 25 muestras de $n = 4$ o $n = 5$, cada una de un proceso estable, y calcular la media y el rango de cada una.
2. Calcular las medias generales ($\overline{\overline{x}}$ y $\overline{R}$), establecer límites de control adecuados, usualmente al nivel de 99.7% y calcular los límites de control superior e inferior preliminares. Si el proceso no es estable en este momento, utilizar la media deseada, μ, en vez de $\overline{\overline{x}}$ para calcular los límites.
3. Graficar las medias y los rangos de las muestras en sus respectivas gráficas de control, y determinar si caen fuera de los límites aceptables.
4. Investigar los puntos y los patrones que indiquen que el proceso está fuera de control. Intentar asignar causas de las variaciones y, después, reanudar el proceso.
5. Recolectar muestras adicionales y, si es necesario, revalidar los límites de control con los nuevos datos.

16.5 Gráficas de control para atributos

El muestreo de atributos difiere del muestreo de variables.

Las gráficas de control para $\overline{x}$ y R no se aplican cuando se muestrean *atributos*, los cuales suelen clasificarse como defectuosos o no defectuosos. Medir artículos defectuosos implica contarlos (como, número de las bombillas eléctricas malas en un lote dado, o número de las letras o datos para registros que se ingresaron con errores). Hay dos tipos de gráficas de control de atributos: **1.** las que miden el porcentaje de defectos en una muestra, llamadas *graficas p;* y **2.** las que cuentan el número de defectos, llamadas *gráficas c.*

Gráficas *p*

Los límites de las gráficas p se basan en la distribución binomial y son fáciles de calcular.

Las **gráficas *p*** son el medio principal para controlar atributos. Aunque los atributos de ser buenos o malos siguen una distribución binomial, se puede usar la distribución normal para calcular los límites de las gráficas *p* cuando el tamaño de la muestra es grande. El procedimiento se parece al enfoque de las gráficas $\overline{x}$, el cual también está basado en el teorema del límite central.

Las fórmulas para los límites de control superior e inferior de las gráficas *p* son:

$$\text{LCS}_p = \overline{p} + z\sigma_p \tag{16-7}$$
$$\text{LCI}_p = \overline{p} - z\sigma_p \tag{16-8}$$

donde

$\overline{p}$ = proporción media o fracción de defectuosos en una muestra

z = número de desviaciones estándar ($z = 2$ para límites de 95.5%; $z = 3$ para límites de 99.7%)

σ_p = desviación estándar de la distribución muestral

σ_p se estima por $\hat{\sigma}_p$, que es:

$$\hat{\sigma}_p = \sqrt{\frac{\overline{p}(1 - \overline{p})}{n}} \tag{16-9}$$

donde *n* es el tamaño de cada muestra.

EN ACCIÓN — Costoso experimento de Unisys Corp. en los servicios de cuidado de la salud

En enero de 1996, las cosas se veían bien para la expansión de Unisys Corp., hacia un negocio de servicios de cuidado de la salud computarizado. Acababan de ganarle a Blue Cross/Blue Shield un contrato de $86 millones para brindar servicios seguros de salud para los empleados del estado de Florida. Su trabajo era manejar el procesamiento de las 215,000 reclamaciones de los empleados, una área de crecimiento que parecía sencilla y lucrativa para una compañía de computación experimentada como Unisys.

Pero un año más tarde, el contrato no tan solo estaba roto, sino que además Unisys tenía una multa de más de $500,000 por no cumplir con los estándares de calidad. Había dos de las medidas de calidad, ambas de atributos (es decir, "defectuoso" o "no defectuoso") en las cuales la empresa estaba fuera de control:

1. **Porcentaje de reclamaciones procesadas con errores.** Una auditoría de más de tres meses, de Cooper y Lybrand, encontró que Unisys cometía errores en 8.5% de las recla-

maciones procesadas. El estándar de la industria es de 3.5% "defectos".

2. **Porcentaje de reclamaciones procesadas dentro de los 30 días.** Para este atributo medido, un "defecto" es un tiempo de procesamiento más largo que lo establecido en el contrato. En una muestra de un mes, 13% de las reclamaciones excedían el límite de 30 días, porcentaje mucho mayor que el 5% que permitía el estado de Florida.

El contrato de Florida fue un dolor de cabeza para Unisys, que subestimó la intensidad del trabajo en las reclamaciones de salud. El director ejecutivo James Unruh desistió de sus ambiciones en el sector del cuidado de la salud. Mientras tanto, Ron Poppel del estado de Florida dice: "En realidad necesitamos a alguien que esté en el negocio de seguros".

Fuentes: *Business Week* (16 de junio de 1997): 6 y (15 de julio de 1996): 32; e *Information Week* (16 de junio de 1997): 144.

EJEMPLO DE GRÁFICA *p* PARA ARCO Con un paquete de software popular para bases de datos, los capturistas de ARCO ingresan diariamente miles de registros de seguros. Las muestras del trabajo de 20 capturistas se indican en la siguiente tabla. Cien registros ingresados por cada uno se examinaron con cuidado para determinar si contenían errores; se calculó la fracción de defectos en cada muestra.

NÚMERO DE MUESTRA	NÚMERO DE ERRORES	FRACCIÓN DE DEFECTOS	NÚMERO DE MUESTRA	NÚMERO DE ERRORES	FRACCIÓN DE DEFECTOS
1	6	0.06	11	6	0.06
2	5	0.05	12	1	0.01
3	0	0.00	13	8	0.08
4	1	0.01	14	7	0.07
5	4	0.04	15	5	0.05
6	2	0.02	16	4	0.04
7	5	0.05	17	11	0.11
8	3	0.03	18	3	0.03
9	3	0.03	19	0	0.00
10	2	0.02	20	4	0.04
				$\overline{80}$	

Deseamos establecer límites de control que incluyan 99.7% de las variaciones aleatorias en el proceso de captura, cuando está bajo control. Así, $z = 3$.

$$\overline{p} = \frac{\text{Número total de errores}}{\text{Número total de registros examinados}} = \frac{80}{(100)(20)} = 0.04$$

$$\hat{\sigma}_p = \sqrt{\frac{(0.04)(1 - 0.04)}{100}} = 0.02$$

(Nota: 100 *es el tamaño de cada muestra = n)*

$$\text{LCS}_p = \overline{p} + z\hat{\sigma}_p = 0.04 + 3(0.02) = 0.10$$

$$\text{LCI}_p = \overline{p} - z\hat{\sigma}_p = 0.04 - 3(0.02) = 0$$

(ya que no podemos tener porcentajes negativos de defectos)

FIGURA 16.3

Gráfica *p* para la captura de datos en ARCO

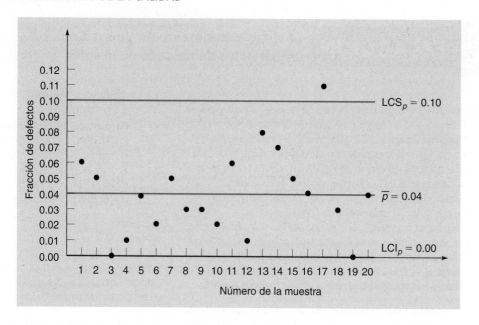

Cuando graficamos los límites de control y la fracción de defectos en la muestra, encontramos que tan solo un capturista (número 17) está fuera de control. La empresa tal vez deba examinar el trabajo de esa persona más de cerca, para indagar si existe un problema serio (véase la figura 16.3).

USO DE EXCEL QM PARA GRÁFICAS *p* Se puede utilizar Excel QM para desarrollar los límites para una gráfica *p*, determinar qué muestras exceden los límites y elaborar la gráfica. El programa 16.3 ilustra la salida para el ejemplo de ARCO con la gráfica. Para usar Excel QM, en la pestaña de Add-Ins elija Excel QM. En el menú desplegable, elija *Quality Control* y especifique la opción *p Charts*. Ingrese el número de muestras (20), ingrese el título si lo desea y seleccione *Graph* si desea ver la gráfica *p*. Cuando inicia la hoja de cálculo, ingrese el tamaño de cada muestra (100) y el número de defectos en cada una de las 20 muestras. Una muestra (la número 17) se identifica como una muestra que excede los límites.

PROGRAMA 16.3

Solución de Excel QM para el ejemplo de la gráfica *p* de ARCO

	A	B	C	D	E	F	G
1	ARCO						
2							
3	Quality Control			p chart			
4							
5	Number of samples	20					
6	Sample size	100					
7							
8	Data					Results	
9		# Defects		% Defects		Total Sample Size	2000
10	Sample 1	6		0.06		Total Defects	80
11	Sample 2	5		0.05		Percentage defects	0.04
12	Sample 3	0		0		Std dev of p-bar	0.019596
13	Sample 4	1		0.01		z value	3
14	Sample 5	4		0.04			
15	Sample 6	2		0.02		Upper Control Limit	0.098788
16	Sample 7	5		0.05		Center Line	0.04
17	Sample 8	3		0.03		Lower Control Limit	0
18	Sample 9	3		0.03			
19	Sample 10	2		0.02			
20	Sample 11	6		0.06			
21	Sample 12	1		0.01			
22	Sample 13	8		0.08			
23	Sample 14	7		0.07			
24	Sample 15	5		0.05			
25	Sample 16	4		0.04			
26	Sample 17	11		0.11	Above UCL		
27	Sample 18	3		0.03			
28	Sample 19	0		0			
29	Sample 20	4		0.04			

Ingrese el tamaño de la muestra y, luego, establezca el número defectos en cada una.

Gráficas c

Las gráficas c cuentan el número de defectos, mientras que las gráficas p rastrean el porcentaje de defectos.

En el ejemplo de ARCO presentado, contamos el número de registros defectuosos en la base de datos. Un registro defectuoso es aquel que no es exactamente correcto. Sin embargo, un registro malo puede contener más de un defecto. Usamos las **gráficas c** para controlar el *número* de defectos por unidad de salida (o por registro seguros, en este caso).

Las gráficas de control para defectos ayudan a vigilar procesos en los cuales puede ocurrir un número grande de errores potenciales, pero el número real de que ocurran es relativamente pequeño. Los defectos pueden ser palabras con erratas en un periódico, manchas en una mesa o pepinillos faltantes en una hamburguesa de comida rápida.

La distribución de probabilidad de Poisson, cuya variancia es igual a su media, es la base de las gráficas *c*. Como $\bar{c}$ es el número medio de defectos por unidad, la desviación estándar es igual a $\sqrt{\bar{c}}$. Para calcular límites de control de 99.7% para *c*, aplicamos la fórmula:

$$\bar{c} \pm 3\sqrt{\bar{c}} \tag{16-10}$$

Veamos un ejemplo.

EJEMPLO DE GRÁFICA C PARA LA COMPAÑÍA DE TAXIS RED TOP Red Top Cab recibe varias quejas al día acerca del comportamiento de sus conductores. En un periodo de 9 días (donde días es la unidad de medida), el dueño recibe el siguiente número de llamadas de pasajeros enfadados: 3, 0, 8, 9, 6, 7, 4, 9, 8, con un total de 54 quejas.

Para calcular los límites de control de 99.7%, tomamos:

$$\bar{c} = \frac{54}{9} = 6 \text{ quejas por día}$$

Entonces,

$$\text{LCS}_c = \bar{c} + 3\sqrt{\bar{c}} = 6 + 3\sqrt{6} = 6 + 3(2.45) = 13.35$$
$$\text{LCI}_c = \bar{c} - 3\sqrt{\bar{c}} = 6 - 3\sqrt{6} = 6 - 3(2.45) = 0 \longleftarrow$$

(porque no puede haber un límite de control negativo)

Después de que el dueño elaboró una gráfica de control que resume estos datos, la publicó en grande en los vestidores de los conductores, el número de llamadas recibidas bajó a un promedio de 3 por día. ¿Puede explicar por qué ocurrió esto?

USO DE EXCEL QM PARA LAS GRÁFICAS c Excel QM sirve para desarrollar los límites de una gráfica *c*, así como para determinar qué muestras exceden los límites y desarrollar la gráfica. El programa 16.4 ilustra la salida para el ejemplo de la compañía Red Top, con la gráfica. Para usar Excel QM, de la pestaña Add-Ins elija *Excel QM*. Del menú desplegable seleccione *Quality Control* y especifique la opción *c Charts*. Ingrese el número de muestras (9 días, en este ejemplo), ingrese el título si lo desea, y elija *Graph* si desea ver la gráfica *c*. Cuando se inicie la hoja de cálculo, ingrese el número de quejas (es decir, defectos) en cada una de las 9 muestras.

PROGRAMA 16.4

Solución de Excel QM para el ejemplo de gráfica *c* para la compañía Red Top

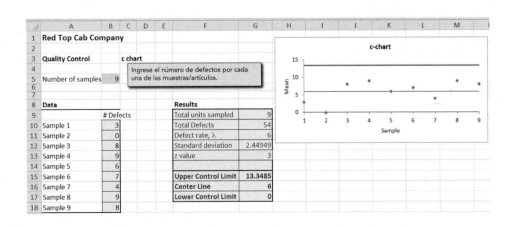

Resumen

Para el gerente de una empresa que ofrece bienes o servicio, la calidad es el grado en el que el producto cumple con las especificaciones. El control de la calidad se ha convertido en una de las percepciones más importantes de un negocio.

La expresión "la calidad no se puede inspeccionar al interior del producto" es un tema central de la organización actual. Cada vez más compañías de clase mundial siguen las ideas de la administración de la calidad total (TQM), que hace hincapié en toda la organización, desde el proveedor hasta el cliente.

Los aspectos estadísticos del control de la calidad datan de la década de 1920, pero son de especial interés en los mercados globales de este nuevo siglo. Las herramientas de control estadístico de procesos descritas en este capítulo incluyen las gráficas $\bar{x}$ y las gráficas R para el muestreo de variables, y las gráficas p y c para el muestreo de atributos.

Glosario

Administración de la calidad total (TQM)   Importancia dada a la calidad que abarca a toda la organización.

Calidad   Grado en que un producto o servicio cumple con sus especificaciones establecidas.

Gráfica de control   Presentación gráfica de los datos del proceso contra el tiempo.

Gráfica p   Gráfica de control de la calidad que usa para controlar atributos.

Gráfica R   Gráfica de control de procesos que rastrea el "rango" dentro de una muestra; indica que hubo una ganancia o pérdida de uniformidad en un proceso de producción.

Gráfica $\bar{x}$ Gráfica de control de la calidad para variables que envía una señal cuando ocurren cambios en la tendencia central de un proceso de producción.

Gráficas c   Gráfica de control de la calidad que se usa para controlar el número de defectos por unidad de salida.

Teorema del límite central   Fundamento teórico de las gráficas $\bar{x}$. Establece que, sin importar la distribución de la población de todas las partes o servicios, la distribución de las $\bar{x}$ tenderá a seguir una curva normal, conforme crece la muestra.

Variación asignable   Variación en el proceso de producción que se puede rastrear para especificar las causas.

Variaciones naturales   Variabilidades que afectan a casi todos los procesos de producción hasta cierto grado y que son esperadas; también se conocen como causas comunes.

Ecuaciones clave

(16-1)   Límite de control superior (LCS) $= \bar{\bar{x}} + z\sigma_{\bar{x}}$
Límite superior para una gráfica $\bar{x}$ usando desviaciones estándar.

(16-2)   Límite de control inferior (LCI) $= \bar{\bar{x}} - z\sigma_{\bar{x}}$
Límite de control inferior para una gráfica $\bar{x}$ usando desviaciones estándar.

(16-3) $\text{LCS}_{\bar{x}} = \bar{\bar{x}} + A_2\bar{R}$
Límite de control superior para una gráfica $\bar{x}$ usando valores y rangos tabulados.

(16-4) $\text{LCI}_{\bar{x}} = \bar{\bar{x}} - A_2\bar{R}$
Límite de control inferior para una gráfica $\bar{x}$ usando valores y rangos tabulados

(16-5) $\text{LCS}_R = D_4\bar{R}$
Límite de control superior para una gráfica de rangos.

(16-6) $\text{LCI}_R = D_3\bar{R}$
Límite de control inferior para una gráfica de rangos.

(16-7) $\text{LCS}_p = \bar{p} + z\sigma_p$
Límite de control superior para una gráfica p.

(16-8) $\text{LCI}_p = \bar{p} - z\sigma_p$
Límite de control inferior para una gráfica p.

(16-9) $\hat{\sigma}_p = \sqrt{\dfrac{\bar{p}(1 - \bar{p})}{n}}$
Desviación estándar de la distribución muestral.

(16-10) $\bar{c} \pm 3\sqrt{c}$
Límites superior e inferior para una gráfica c.

Problemas resueltos

Problema resuelto 16-1

El fabricante de piezas de precisión para taladradoras produce ejes circulares para uso en la construcción de las taladradoras. El diámetro promedio de un eje es de 0.56 pulgadas. Las muestras para inspección contienen seis ejes cada una. El rango promedio de estas muestras es de 0.006 pulgadas. Determine los límites superior e inferior de la gráfica.

Solución

El factor medio A_2 de la tabla 16.2, donde el tamaño de la muestra es 6, de es 0.483. Con este factor, se obtienen los límites de control superior e inferior:

$$\mathrm{LCS}_{\bar{x}} = 0.56 + (0.483)(0.006)$$
$$= 0.56 + 0.0029 = 0.5629$$
$$\mathrm{LCI}_{\bar{x}} = 0.56 - 0.0029$$
$$= 0.5571$$

Problema resuelto 16-2

Nocaf Drinks, Inc., un productor de café descafeinado, envasa Nocaf. Cada botella debería tener un peso neto de 4 onzas. La máquina que llena las botellas con café es nueva y el gerente de operaciones desea asegurase de que esté bien ajustada. El gerente de operaciones toma muestras de $n = 8$ botellas, y registra el promedio y el rango en onzas para cada muestra. Los datos para varias muestras se dan en la siguiente tabla. Note que cada muestra consiste en 8 botellas.

MUESTRA	RANGO DE LA MUESTRA	PROMEDIO DE LA MUESTRA	MUESTRA	RANGO DE LA MUESTRA	PROMEDIO DE LA MUESTRA
A	0.41	4.00	E	0.56	4.17
B	0.55	4.16	F	0.62	3.93
C	0.44	3.99	G	0.54	3.98
D	0.48	4.00	H	0.44	4.01

¿Está la máquina bien ajustada y bajo control?

Solución

Primero encontramos que $\bar{\bar{x}} = 4.03$ y $\bar{R} = 0.51$. Entonces, en la tabla 16.2,

$$\mathrm{LCS}_{\bar{x}} = \bar{\bar{x}} + A_2\bar{R} = 4.03 + (0.373)(0.51) = 4.22$$
$$\mathrm{LCI}_{\bar{x}} = \bar{\bar{x}} - A_2\bar{R} = 4.03 - (0.373)(0.51) = 3.84$$
$$\mathrm{LCS}_R = D_4\bar{R} = (1.864)(0.51) = 0.95$$
$$\mathrm{LCI}_R = D_3\bar{R} = (0.136)(0.51) = 0.07$$

Parece que el promedio y el rango del proceso están bajo control.

Problema resuelto 16-3

Crabill Electronics, Inc., elabora resistores y entre los últimos 100 inspeccionados, el porcentaje de defectuosos fue de 0.05. Determine los límites superior e inferior para este proceso con 99.7% de confianza.

Solución

$$\text{LCS}_p = \overline{p} + 3\sqrt{\frac{\overline{p}(1 - \overline{p})}{n}} = 0.05 + 3\sqrt{\frac{(0.05)(1 - 0.05)}{100}}$$

$$= 0.05 + 3(0.0218) = 0.1154$$

$$\text{LCI}_p = \overline{p} - 3\sqrt{\frac{\overline{p}(1 - \overline{p})}{n}} = 0.05 - 3(0.0218)$$

$$= 0.05 - 0.0654 = 0 \text{ (ya que el porcentaje de defectuosos no puede ser negativo)}$$

Autoevaluación

- Antes de resolver la autoevaluación, consulte los objetivos de aprendizaje al inicio del capítulo, las notas al margen y el glosario al final del capítulo.
- Utilice la solución al final del libro para corregir sus respuestas.
- Estudie de nuevo las páginas que corresponden a cualquier pregunta cuya respuesta sea incorrecta o al material con el que se sienta inseguro.

1. El grado en que el producto o servicio cumple con las especificaciones es una definición de:
   a) sigma.
   b) calidad.
   c) rango.
   d) variabilidad del proceso.

2. Una gráfica de control para supervisar procesos donde los valores se miden en unidades continuas como peso o volumen se llama gráfica de control para:
   a) atributos.
   b) mediciones.
   c) variables.
   d) calidad.

3. El tipo de gráfica utilizada para controlar el número de defectos por unidad de salida es la
   a) gráfica $\overline{x}$.
   b) gráfica R.
   c) gráfica p.
   d) gráfica c.

4. Las gráficas de control para atributos son las
   a) gráficas p.
   b) gráficas m.
   c) gráficas R.
   d) gráficas $\overline{x}$.

5. La distribución de Poisson se usa con frecuencia en las
   a) gráficas R.
   b) gráficas p.
   c) gráficas c.
   d) gráficas x.

6. Un tipo de variabilidad que indica que un proceso está fuera de control se llama
   a) variación natural.
   b) variación asignable.
   c) variación aleatoria.
   d) variación promedio.

7. Una compañía está implementando un nuevo programa de control de la calidad. Los artículos se muestrean y se clasifican como defectuosos o no defectuosos. El tipo de gráfica de control que debería utilizarse es una
   a) gráfica R.
   b) gráfica de control para variables.
   c) gráfica de control para atributos.
   d) gráfica de límites de control.

8. Después de desarrollar gráficas de control (para medias), se toman muestras y se calcula el promedio de cada una. El proceso se considera fuera de control si
   a) una de las medias muestrales está arriba del límite de control superior.
   b) una de las medias muestrales está abajo del límite de control inferior.
   c) cinco medias muestrales consecutivas presentan una tendencia constante (sea creciente o decreciente).
   d) todas las anteriores son ciertas.

9. Se supone que una máquina llena latas de refresco de 12 onzas. Parece que aunque la cantidad promedio en las latas es cercana a 12 onzas (con base en las medias de las muestras), existe una gran variabilidad en cada lata individual. El tipo de gráfica que mejor detecta este problema sería una
   a) gráfica p.
   b) gráfica R.
   c) gráfica c.
   d) gráfica de atributos.

10. Si un proceso tiene tan solo ciertas variaciones aleatorias (está bajo control), entonces, 95.5% de las veces los promedios muestrales caerán dentro de
    a) 1 desviación estándar de la media de la población.
    b) 2 desviaciones estándar de la media de la población.
    c) 3 desviaciones estándar de la media de la población.
    d) 4 desviaciones estándar de la media de la población.

Preguntas y problemas para análisis

Preguntas para análisis

16-1 ¿Por qué es tan importante el teorema del límite central en el control de la calidad?

16-2 ¿Por qué es usual utilizar las gráficas $\bar{x}$ y R juntas?

16-3 Explique la diferencia entre las gráficas de control para variables y las gráficas de control para atributos.

16-4 Explique la diferencia entre las gráficas c y las gráficas p.

16-5 Cuando se usa una gráfica de control, ¿cuáles son algunos patrones que indican que el proceso está fuera de control?

16-6 ¿Qué podría causar que un proceso esté fuera de control?

16-7 Explique por qué podría estar fuera de control aun cuando todas las muestras caen dentro de los límites de control superior e inferior.

Problemas*

16-8 Shader Storage Technologies produce unidades de refrigeración para productores de alimentos y tiendas establecidas. El promedio general de temperatura que estas unidades mantienen es de 46 °F. El rango promedio es de 2 °F. Se toman muestras de 6 para vigilar el proceso. Determine los límites de control superior e inferior de la gráfica para los promedios y rangos de estas unidades de refrigeración.

16-9 Cuando está en la posición estándar, Autopitch puede lanzar bolas duras hacia el bateador a una velocidad promedio de 60 mph. Los dispositivos Autopitch se hacen para equipos de ligas mayores y de ligas menores para ayudarlos a mejorar sus promedios de bateo. Los ejecutivos de Autopitch toman muestras de 10 dispositivos Autopitch a la vez para vigilar que mantengan la más alta calidad. El rango promedio es 3 mph. Utilice las técnicas de control para determinar los límites de la gráfica de control para promedios y rangos de Autopitch.

16-10 Zipper Products, Inc. elabora cereal de granola, barras de granola y otros alimentos naturales. Su cereal de granola natural se muestrea para asegurar el peso adecuado. Cada muestra contiene 8 cajas de cereal. El promedio general de las muestras es de 17 onzas. El rango es tan solo de 0.5 onzas. Determine los límites de control de la gráfica de promedios para las cajas de cereal.

16-11 Unas cajas pequeñas de cereal NutraFlakes se etiquetan "peso neto 10 onzas". Cada hora, se pesan muestras aleatorias de tamaño $n = 4$ cajas para verificar el control del proceso. Cinco horas de observaciones dieron los siguientes datos:

| | PESO | | | |
TIEMPO	CAJA 1	CAJA 2	CAJA 3	CAJA 4
9 A.M.	9.8	10.4	9.9	10.3
10 A.M.	10.1	10.2	9.9	9.8
11 A.M.	9.9	10.5	10.3	10.1
12 P.M.	9.7	9.8	10.3	10.2
1 P.M.	9.7	10.1	9.9	9.9

Utilice estos datos para construir los límites para las gráficas $\bar{x}$ y R. ¿El proceso está bajo control? ¿Qué otros pasos debería seguir el departamento de CC en este punto?

16-12 El muestreo de cuatro piezas de precisión para corte de alambre (que se emplea en el ensamble de computadoras) cada hora durante las últimas 24 horas produjo los siguientes resultados:

HORA	$\bar{x}$	R	HORA	$\bar{x}$	R
1	3.25″	0.71″	13	3.11″	0.85″
2	3.10	1.18	14	2.83	1.31
3	3.22	1.43	15	3.12	1.06
4	3.39	1.26	16	2.84	0.50
5	3.07	1.17	17	2.86	1.43
6	2.86	0.32	18	2.74	1.29
7	3.05	0.53	19	3.41	1.61
8	2.65	1.13	20	2.89	1.09
9	3.02	0.71	21	2.65	1.08
10	2.85	1.33	22	3.28	0.46
11	2.83	1.17	23	2.94	1.58
12	2.97	0.40	24	2.64	0.97

Desarrolle los límites de control adecuados y determine si existe una causa de preocupación en el proceso de corte.

16-13 Debido a la calidad deficiente de varios productos semiconductores que se usan en su proceso de manufactura, Microlaboratories ha decidido desarrollar un programa de CC. Como las piezas del semiconductor que obtienen del proveedor son buenas o defectuosas, Milton Fisher debe desarrollar gráficas de control para atributos. El número total de los semiconductores en

---

cada muestra es de 200. Más aún, Milton quiere determinar el límite superior de la gráfica de control y el límite inferior de la misma, para diversos valores de la fracción de defectuoso (*p*) en la muestra tomada. Para tener más flexibilidad, decide desarrollar una tabla que numera los valores de *p*, LCS y LCI. Los valores de *p* deberían estar entre 0.01 y 0.10, con incrementos de 0.01 cada vez. ¿Cuáles son los LCS y LCI con 99.7% de confianza?

16-14 Durante los dos últimos meses, Suzan Shader ha estado preocupada por la máquina número 5 en la planta oeste. Para estar segura de que su operación es correcta, se toman muestras y se calculan el promedio y el rango para cada muestra. Cada una consiste en 12 artículos producidos en la máquina. Recientemente, se tomaron 12 muestras y se calcularon, para cada una, su rango y su promedio, los cuales fueron de 1.1 y 46 para la primera muestra, 1.31 y 45 para la segunda, 0.91 y 46 para la tercera, y 1.1 y 47 para la cuarta. Después de la cuarta muestra, los promedios muestrales aumentaron. Para la muestra 5, el rango fue de 1.21 y el promedio fue de 48, para la muestra 6 fueron 0.82 y 47, para la muestra 7 fueron de 0.86 y 50, y para la muestra 8 fueron 1.11 y 49. Después de la octava, el promedio muestral continuó aumentando sin bajar de 50. Para la muestra 9 el rango y el promedio fueron de 1.12 y 51, para la muestra 10 fueron 0.99 y 52, para la muestra 11 fueron 0.86 y 50; y para la 12 se obtuvieron 1.2 y 52.

Aunque el jefe de Suzan no estaba muy preocupado por el proceso, Suzan sí lo estaba. Durante la instalación, el proveedor estableció un valor de 47 para el promedio del proceso con un rango promedio de 1.0. Suzan sentía que algo estaba definitivamente mal con la máquina 5. ¿Está de acuerdo con ella?

16-15 Kitty Products abastece al creciente mercado de productos para gatos con una línea completa que va desde juguetes y contenedores de desechos hasta polvo contra pulgas. Uno de sus productos más nuevos, un tubo de pasta que evita nudos en el pelo de los felinos con pelo largo, se produce en una máquina automática que debe llenar cada tubo con 63.5 gramos de pasta.

Para mantener el proceso de llenado bajo control se retiran cuatro tubos de la línea de ensamble cada 4 horas. Después de varios días, los datos obtenidos se presentan en la siguiente tabla. Establezca los límites de control para este proceso y grafique los datos de las muestras para las gráficas $\bar{x}$ y *R*.

16-16 Colonel Electric es una compañía grande que produce bombillas eléctricas y otros productos eléctricos. Se supone que una bombilla en particular debe tener una vida promedio de alrededor de 1,000 horas antes de fundirse. Periódicamente, la compañía prueba 5 de ellos y mide el tiempo promedio antes de que se fundan. La siguiente tabla da resultados de esas 10 muestras.

MUESTRA NÚM.	$\bar{x}$	R	MUESTRA NÚM.	$\bar{x}$	R	MUESTRA NÚM.	$\bar{x}$	R
1	63.5	2.0	10	63.5	1.3	18	63.6	1.8
2	63.6	1.0	11	63.3	1.8	19	63.8	1.3
3	63.7	1.7	12	63.2	1.0	20	63.5	1.6
4	63.9	0.9	13	63.6	1.8	21	63.9	1.0
5	63.4	1.2	14	63.3	1.5	22	63.2	1.8
6	63.0	1.6	15	63.4	1.7	23	63.3	1.7
7	63.2	1.8	16	63.4	1.4	24	64.0	2.0
8	63.3	1.3	17	63.5	1.1	25	63.4	1.5
9	63.7	1.6						

MUESTRA	1	2	3	4	5	6	7	8	9	10
Media	979	1087	1080	934	1072	1007	952	986	1063	958
Rango	50	94	57	65	135	134	101	98	145	84

a) ¿Cuál es el promedio general de estas medias? ¿Cuál es el rango promedio?

b) ¿Cuáles son los límites de control superior e inferior para una gráfica de control con 99.7% para la media?

c) ¿Parece que este proceso está bajo control? Explique su respuesta.

16-17 Para el problema 16-16, desarrolle los límites de control superior e inferior para el rango. ¿Indican estas muestras que el proceso está bajo control?

16-18 Kate Drew ha pintado adornos de Navidad de madera durante varios años. Hace poco contrató a algunos amigos para ayudarle a aumentar el volumen de su negocio. Al verificar la calidad del trabajo, observa que se ven algunas pequeñas manchas ocasionales. Una muestra de 20 piezas dio los siguientes números de manchas en cada pieza: 0, 2, 1, 0, 0, 3, 2, 0, 4, 1, 2, 0, 0, 1, 2, 1, 0, 0, 0, 1. Desarrolle los límites de control superior e inferior para el número manchas en cada pieza.

16-19 Una nueva presidenta en Big State University ha convertido la satisfacción del estudiante en el proceso de inscripciones en una sus mayores prioridades. Los estudiantes deben ver a un consejero, registrarse a las clases, obtener un permiso de estacionamiento, pagar colegiatura y cuotas, y comprar libros de texto y otros artículos. Durante un periodo de inscripción, se muestreó a 10 estudiantes cada hora y se les preguntó acerca de la satisfacción con cada una de las áreas. Se muestrearon 12 grupos diferentes de estudiantes y el número en cada grupo que tenía al menos una queja es: 0, 2, 1, 0, 0, 1, 3, 0, 1, 2, 2, 0.

Desarrolle los límites de control inferior y superior (99.7%) para la proporción de estudiantes que tuvieron quejas.

Problemas de tarea en Internet

Visite nuestra página de Internet en **www.pearsonenespañol.com/render** para problemas adicionales de tarea, los problemas 16-20 a 16-23.

Estudio de caso en Internet

Visite nuestra página en **www.pearsonenespañol.com/render**, donde encontrará un estudio de caso adicional: Compañía Bayfield Mud. Este caso incluye bolsas de agentes para el tratamiento de lodos que se usan en las perforaciones petroleras y de gas natural.

Bibliografía

Crosby, P. B. *Quality Is Free*. NuevaYork: McGraw-Hill, 1979.

Deming, W. E. *Out of the Crisis.*Cambridge, MA: MIT Center for Advanced Engineering Study, 1986.

Foster, S. Thomas. *Managing Quality,* 2a. ed. Upper Saddle River, NJ: Prentice Hall, 2004.

Foster, S. Thomas. *Managing Quality: Integrating the Supply Chain,* 3a. ed. Upper Saddle River, NJ: Prentice Hall, 2007.

Goetsch, David y Stanley Davis. *Quality Management,* 5a. ed. Upper Saddle River, NJ: Prentice Hall, 2006.

Juran, Joseph M. y A. Blanton Godfrey. *Juran's Quality Handbook,* 5a. ed. Nueva York: McGraw-Hill, 1999.

Naveh, Eitan y Miriam Erez."Innovation and Attention to Detail in the Quality Improvement Paradigm", *Management Science* 50, 11 (noviembre de 2004): 1576-1586.

Ravichandran, T. "Swiftness and Intensity of Administrative Innovation Adoption: An Empirical Study of TQM in Information Systems", *Decision Sciences* 31, 3 (verano de 2000): 691-724.

Smith, Gerald. *Statistical Process Control and Quality Improvement,* 5a. ed. Upper Saddle River, NJ: Prentice Hall, 2004.

Summers, Donna. *Quality,* 4a. ed. Upper Saddle River, NJ: Prentice Hall, 2006.

Tarí, Juan José, José Francisco Molina y Juan Luis Castejón. "The Relationship between Quality Management Practices and Their Effects on Quality Outcomes", *European Journal of Operational Research* 183, 2 (diciembre de 2007): 483-501.

Wilson, Danyl D. y David A. Collier. "An Empirical Investigation of the Malcolm Baldrige National Quality Award Casual Model", *Decision Sciences* 31, 2 (primavera de 2000): 361-390.

Witte, Robert D. "Quality Control Defined", *Contract Management* 47, 5 (mayo de 2007): 51-53.

Zhu, Kaijie, Rachel Q. Zhang y Fugee Tsung. "Pushing Quality Improvement Along Supply Chains", *Management Science* 53, 3 (marzo de 2007): 421-436.

Apéndice 16.1   Uso de QM para Windows para CEP

El módulo de control de calidad de QM para Windows puede calcular casi todas las gráficas de control y los límites introducidos en este capítulo. Una vez que se selecciona el módulo, elegimos *New* e indicamos el tipo de gráfica (gráfica *p*, gráfica de *x barra* o gráfica *c*). El programa 16.5A despliega las diferentes opciones posibles en QM para Windows. Cuando se elige la gráfica *p* para el ejemplo de ARCO, la ventana de inicio se abre, como se muestra en el programa 16.5B. Ingresamos el título y número de muestras (20 en este ejemplo) y, luego, hacemos clic en *OK*. Se abre una ventana de datos e ingresamos los valores de las 20 muestras (número de errores o defectos en la muestra) y especificamos el tamaño de la muestra (100). Seleccionamos *Solve* y se abre la ventana de salida, como se ilustra en el programa 16.5C. Se despliegan los datos entrada originales y el tamaño de la muestra, ya que son los resultados. Aunque este programa está establecido para usar límites con 3 desviaciones estándar (sigma), es posible usar otros valores. QM para Windows calcula la proporción promedio $(\bar{p})$, la desviación estándar y los límites de control superior e inferior. Desde esta pantalla, seleccionamos *Window* y elegimos *Control Chart* para ver realmente la gráfica y buscar patrones que puedan indicar que el proceso está fuera de control.

PROGRAMA 16.5A

Uso de gráficas *p* del módulo de control de calidad en QM para Windows

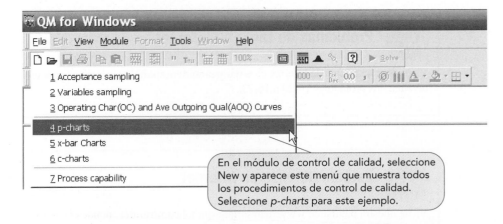

PROGRAMA 16.5B

Ventana de inicio de QM para Windows para las gráficas *p* con ARCO Insurance

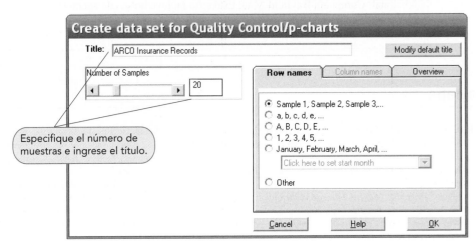

PROGRAMA 16.5C

Solución de QM para Windows para el ejemplo de los registros de ARCO Insurance

Method
3 sigma (99.73%)

Sample Size
100

Quality Control Results

Sample	Number of Defects	Fraction Defective		3 sigma (99.73%)
Sample 1	6	0.06	Total Defects	80
	5	0.05	Total units sampled	2000
	0	0	Defect rate (pbar)	0.04
	1	0.01	Std dev of proportions	0.0196
	4	0.04		
	2	0.02	UCL (Upper control	0.0988
Sample 7	5	0.05	CL (Center line)	0.04
Sample 8	3	0.03	LCL (Lower Control	0
Sample 9	3	0.03		
Sample 10	2	0.02		
Sample 11	6	0.06		
Sample 12	1	0.01		
Sample 13	8	0.08		
Sample 14	7	0.07		
Sample 15	5	0.05		
Sample 16	4	0.04		
Sample 17	11	0.11		
Sample 18	3	0.03		
Sample 19	0	0		
Sample 20	4	0.04		

Cuando se ingresan los datos, ponga el número de defectos en esta columna y especifique el tamaño de cada una de las 20 muestras. Luego, haga clic en Solve y aparecerá esta pantalla final.

Apéndices

Apéndice A: Áreas bajo la curva normal estándar

1.55 desviaciones estándar

Área es .93943

0   1.55
Media   Z

Ejemplo: Para encontrar el área bajo la curva normal, debe saber a cuántas desviaciones estándar está ese punto a la derecha de la media. Luego, el área bajo la curva se puede leer directamente de la tabla normal. Por ejemplo, el área total bajo la curva normal para un punto que está 1.55 desviaciones estándar a la derecha de la media es .93943.

	00	.01	.02	.03	.04	.05	.06	.07	.08	.09
0.0	.50000	.50399	.50798	.51197	.51595	.51994	.52392	.52790	.53188	.53586
0.1	.53983	.54380	.54776	.55172	.55567	.55962	.56356	.56749	.57142	.57535
0.2	.57926	.58317	.58706	.59095	.59483	.59871	.60257	.60642	.61026	.61409
0.3	.61791	.62172	.62552	.62930	.63307	.63683	.64058	.64431	.64803	.65173
0.4	.65542	.65910	.66276	.66640	.67003	.67364	.67724	.68082	.68439	.68793
0.5	.69146	.69497	.69847	.70194	.70540	.70884	.71226	.71566	.71904	.72240
0.6	.72575	.72907	.73237	.73536	.73891	.74215	.74537	.74857	.75175	.75490
0.7	.75804	.76115	.76424	.76730	.77035	.77337	.77637	.77935	.78230	.78524
0.8	.78814	.79103	.79389	.79673	.79955	.80234	.80511	.80785	.81057	.81327
0.9	.81594	.81859	.82121	.82381	.82639	.82894	.83147	.83398	.83646	.83891
1.0	.84134	.84375	.84614	.84849	.85083	.85314	.85543	.85769	.85993	.86214
1.1	.86433	.86650	.86864	.87076	.87286	.87493	.87698	.87900	.88100	.88298
1.2	.88493	.88686	.88877	.89065	.89251	.89435	.89617	.89796	.89973	.90147
1.3	.90320	.90490	.90658	.90824	.90988	.91149	.91309	.91466	.91621	.91774
1.4	.91924	.92073	.92220	.92364	.92507	.92647	.92785	.92922	.93056	.93189
1.5	.93319	.93448	.93574	.93699	.93822	.93943	.94062	.94179	.94295	.94408
1.6	.94520	.94630	.94738	.94845	.94950	.95053	.95154	.95254	.95352	.95449
1.7	.95543	.95637	.95728	.95818	.95907	.95994	.96080	.96164	.96246	.96327
1.8	.96407	.96485	.96562	.96638	.96712	.96784	.96856	.96926	.96995	.97062
1.9	.97128	.97193	.97257	.97320	.97381	.97441	.97500	.97558	.97615	.97670
2.0	.97725	.97784	.97831	.97882	.97932	.97982	.98030	.98077	.98124	.98169
2.1	.98214	.98257	.98300	.98341	.98382	.98422	.98461	.98500	.98537	.98574
2.2	.98610	.98645	.98679	.98713	.98745	.98778	.98809	.98840	.98870	.98899
2.3	.98928	.98956	.98983	.99010	.99036	.99061	.99086	.99111	.99134	.99158
2.4	.99180	.99202	.99224	.99245	.99266	.99286	.99305	.99324	.99343	.99361
2.5	.99379	.99396	.99413	.99430	.99446	.99461	.99477	.99492	.99506	.99520
2.6	.99534	.99547	.99560	.99573	.99585	.99598	.99609	.99621	.99632	.99643
2.7	.99653	.99664	.99674	.99683	.99693	.99702	.99711	.99720	.99728	.99736
2.8	.99744	.99752	.99760	.99767	.99774	.99781	.99788	.99795	.99801	.99807
2.9	.99813	.99819	.99825	.99831	.99836	.99841	.99846	.99851	.99856	.99861
3.0	.99865	.99869	.99874	.99878	.99882	.99886	.99889	.99893	.99896	.99900
3.1	.99903	.99906	.99910	.99913	.99916	.99918	.99921	.99924	.99926	.99929
3.2	.99931	.99934	.99936	.99938	.99940	.99942	.99944	.99946	.99948	.99950

	00	.01	.02	.03	.04	.05	.06	.07	.08	.09
3.3	.99952	.99953	.99955	.99957	.99958	.99960	.99961	.99962	.99964	.99965
3.4	.99966	.99968	.99969	.99970	.99971	.99972	.99973	.99974	.99975	.99976
3.5	.99977	.99978	.99978	.99979	.99980	.99981	.99981	.99982	.99983	.99983
3.6	.99984	.99985	.99985	.99986	.99986	.99987	.99987	.99998	.99988	.99989
3.7	.99989	.99990	.99990	.99990	.99991	.99991	.99992	.99992	.99992	.99992
3.8	.99993	.99993	.99993	.99994	.99994	.99994	.99994	.99995	.99995	.99995
3.9	.99995	.99995	.99996	.99996	.99996	.99996	.99996	.99996	.99997	.99997

Apéndice B: Probabilidades binomiales

Probabilidad de exactamente r éxitos en n ensayos

							P					
n	r	0.05	0.10	0.15	0.20	0.25	0.30	0.35	0.40	0.45	0.50
1	0	0.9500	0.9000	0.8500	0.8000	0.7500	0.7000	0.6500	0.6000	0.5500	0.5000
	1	0.0500	0.1000	0.1500	0.2000	0.2500	0.3000	0.3500	0.4000	0.4500	0.5000
2	0	0.9025	0.8100	0.7225	0.6400	0.5625	0.4900	0.4225	0.3600	0.3025	0.2500
	1	0.0950	0.1800	0.2550	0.3200	0.3750	0.4200	0.4550	0.4800	0.4950	0.5000
	2	0.0025	0.0100	0.0225	0.0400	0.0625	0.0900	0.1225	0.1600	0.2025	0.2500
3	0	0.8574	0.7290	0.6141	0.5120	0.4219	0.3430	0.2746	0.2160	0.1664	0.1250
	1	0.1354	0.2430	0.3251	0.3840	0.4219	0.4410	0.4436	0.4320	0.4084	0.3750
	2	0.0071	0.0270	0.0574	0.0960	0.1406	0.1890	0.2389	0.2880	0.3341	0.3750
	3	0.0001	0.0010	0.0034	0.0080	0.0156	0.0270	0.0429	0.0640	0.0911	0.1250
4	0	0.8145	0.6561	0.5220	0.4096	0.3164	0.2401	0.1785	0.1296	0.0915	0.0625
	1	0.1715	0.2916	0.3685	0.4096	0.4219	0.4116	0.3845	0.3456	0.2995	0.2500
	2	0.0135	0.0486	0.0975	0.1536	0.2109	0.2646	0.3105	0.3456	0.3675	0.3750
	3	0.0005	0.0036	0.0115	0.0256	0.0469	0.0756	0.1115	0.1536	0.2005	0.2500
	4	0.0000	0.0001	0.0005	0.0016	0.0039	0.0081	0.0150	0.0256	0.0410	0.0625
5	0	0.7738	0.5905	0.4437	0.3277	0.2373	0.1681	0.1160	0.0778	0.0503	0.0313
	1	0.2036	0.3281	0.3915	0.4096	0.3955	0.3602	0.3124	0.2592	0.2059	0.1563
	2	0.0214	0.0729	0.1382	0.2048	0.2637	0.3087	0.3364	0.3456	0.3369	0.3125
	3	0.0011	0.0081	0.0244	0.0512	0.0879	0.1323	0.1811	0.2304	0.2757	0.3125
	4	0.0000	0.0005	0.0022	0.0064	0.0146	0.0284	0.0488	0.0768	0.1128	0.1563
	5	0.0000	0.0000	0.0001	0.0003	0.0010	0.0024	0.0053	0.0102	0.0185	0.0313
6	0	0.7351	0.5314	0.3771	0.2621	0.1780	0.1176	0.0754	0.0467	0.0277	0.0156
	1	0.2321	0.3543	0.3993	0.3932	0.3560	0.3025	0.2437	0.1866	0.1359	0.0938
	2	0.0305	0.0984	0.1762	0.2458	0.2966	0.3241	0.3280	0.3110	0.2780	0.2344
	3	0.0021	0.0146	0.0415	0.0819	0.1318	0.1852	0.2355	0.2765	0.3032	0.3125
	4	0.0001	0.0012	0.0055	0.0154	0.0330	0.0595	0.0951	0.1382	0.1861	0.2344
	5	0.0000	0.0001	0.0004	0.0015	0.0044	0.0102	0.0205	0.0369	0.0609	0.0938
	6	0.0000	0.0000	0.0000	0.0001	0.0002	0.0007	0.0018	0.0041	0.0083	0.0156
7	0	0.6983	0.4783	0.3206	0.2097	0.1335	0.0824	0.0490	0.0280	0.0152	0.0078
	1	0.2573	0.3720	0.3960	0.3670	0.3115	0.2471	0.1848	0.1306	0.0872	0.0547
	2	0.0406	0.1240	0.2097	0.2753	0.3115	0.3177	0.2985	0.2613	0.2140	0.1641
	3	0.0036	0.0230	0.0617	0.1147	0.1730	0.2269	0.2679	0.2903	0.2918	0.2734
	4	0.0002	0.0026	0.0109	0.0287	0.0577	0.0972	0.1442	0.1935	0.2388	0.2734
	5	0.0000	0.0002	0.0012	0.0043	0.0115	0.0250	0.0466	0.0774	0.1172	0.1641
	6	0.0000	0.0000	0.0001	0.0004	0.0013	0.0036	0.0084	0.0172	0.0320	0.0547
	7	0.0000	0.0000	0.0000	0.0000	0.0001	0.0002	0.0006	0.0016	0.0037	0.0078
8	0	0.6634	0.4305	0.2725	0.1678	0.1001	0.0576	0.0319	0.0168	0.0084	0.0039
	1	0.2793	0.3826	0.3847	0.3355	0.2670	0.1977	0.1373	0.0896	0.0548	0.0313
	2	0.0515	0.1488	0.2376	0.2936	0.3115	0.2965	0.2587	0.2090	0.1569	0.1094

							P				
n	r	0.05	0.10	0.15	0.20	0.25	0.30	0.35	0.40	0.45	0.50
	3	0.0054	0.0331	0.0839	0.1468	0.2076	0.2541	0.2786	0.2787	0.2568	0.2188
	4	0.0004	0.0046	0.0185	0.0459	0.0865	0.1361	0.1875	0.2322	0.2627	0.2734
	5	0.0000	0.0004	0.0026	0.0092	0.0231	0.0467	0.0808	0.1239	0.1719	0.2188
	6	0.0000	0.0000	0.0002	0.0011	0.0038	0.0100	0.0217	0.0413	0.0703	0.1094
	7	0.0000	0.0000	0.0000	0.0001	0.0004	0.0012	0.0033	0.0079	0.0164	0.0313
	8	0.0000	0.0000	0.0000	0.0000	0.0000	0.0001	0.0002	0.0007	0.0017	0.0039
9	0	0.6302	0.3874	0.2316	0.1342	0.0751	0.0404	0.0207	0.0101	0.0046	0.0020
	1	0.2985	0.3874	0.3679	0.3020	0.2253	0.1556	0.1004	0.0605	0.0339	0.0176
	2	0.0629	0.1722	0.2597	0.3020	0.3003	0.2668	0.2162	0.1612	0.1110	0.0703
	3	0.0077	0.0446	0.1069	0.1762	0.2336	0.2668	0.2716	0.2508	0.2119	0.1641
	4	0.0006	0.0074	0.0283	0.0661	0.1168	0.1715	0.2194	0.2508	0.2600	0.2461
	5	0.0000	0.0008	0.0050	0.0165	0.0389	0.0735	0.1181	0.1672	0.2128	0.2461
	6	0.0000	0.0001	0.0006	0.0028	0.0087	0.0210	0.0424	0.0743	0.1160	0.1641
	7	0.0000	0.0000	0.0000	0.0003	0.0012	0.0039	0.0098	0.0212	0.0407	0.0703
	8	0.0000	0.0000	0.0000	0.0000	0.0001	0.0004	0.0013	0.0035	0.0083	0.0176
	9	0.0000	0.0000	0.0000	0.0000	0.0000	0.0000	0.0001	0.0003	0.0008	0.0020
10	0	0.5987	0.3487	0.1969	0.1074	0.0563	0.0282	0.0135	0.0060	0.0025	0.0010
	1	0.3151	0.3874	0.3474	0.2684	0.1877	0.1211	0.0725	0.0403	0.0207	0.0098
	2	0.0746	0.1937	0.2759	0.3020	0.2816	0.2335	0.1757	0.1209	0.0763	0.0439
	3	0.0105	0.0574	0.1298	0.2013	0.2503	0.2668	0.2522	0.2150	0.1665	0.1172
	4	0.0010	0.0112	0.0401	0.0881	0.1460	0.2001	0.2377	0.2508	0.2384	0.2051
	5	0.0001	0.0015	0.0085	0.0264	0.0584	0.1029	0.1536	0.2007	0.2340	0.2461
	6	0.0000	0.0001	0.0012	0.0055	0.0162	0.0368	0.0689	0.1115	0.1596	0.2051
	7	0.0000	0.0000	0.0001	0.0008	0.0031	0.0090	0.0212	0.0425	0.0746	0.1172
	8	0.0000	0.0000	0.0000	0.0001	0.0004	0.0014	0.0043	0.0106	0.0229	0.0439
	9	0.0000	0.0000	0.0000	0.0000	0.0000	0.0001	0.0005	0.0016	0.0042	0.0098
	10	0.0000	0.0000	0.0000	0.0000	0.0000	0.0000	0.0000	0.0001	0.0003	0.0010
15	0	0.4633	0.2059	0.0874	0.0352	0.0134	0.0047	0.0016	0.0005	0.0001	0.0000
	1	0.3658	0.3432	0.2312	0.1319	0.0668	0.0305	0.0126	0.0047	0.0016	0.0005
	2	0.1348	0.2669	0.2856	0.2309	0.1559	0.0916	0.0476	0.0219	0.0090	0.0032
	3	0.0307	0.1285	0.2184	0.2501	0.2252	0.1700	0.1110	0.0634	0.0318	0.0139
	4	0.0049	0.0428	0.1156	0.1876	0.2252	0.2186	0.1792	0.1268	0.0780	0.0417
	5	0.0006	0.0105	0.0449	0.1032	0.1651	0.2061	0.2123	0.1859	0.1404	0.0916
	6	0.0000	0.0019	0.0132	0.0430	0.0917	0.1472	0.1906	0.2066	0.1914	0.1527
	7	0.0000	0.0003	0.0030	0.0138	0.0393	0.0811	0.1319	0.1771	0.2013	0.1964
	8	0.0000	0.0000	0.0005	0.0035	0.0131	0.0348	0.0710	0.1181	0.1647	0.1964
	9	0.0000	0.0000	0.0001	0.0007	0.0034	0.0116	0.0298	0.0612	0.1048	0.1527
	10	0.0000	0.0000	0.0000	0.0001	0.0007	0.0030	0.0096	0.0245	0.0515	0.0916
	11	0.0000	0.0000	0.0000	0.0000	0.0001	0.0006	0.0024	0.0074	0.0191	0.0417
	12	0.0000	0.0000	0.0000	0.0000	0.0000	0.0001	0.0004	0.0016	0.0052	0.0139
	13	0.0000	0.0000	0.0000	0.0000	0.0000	0.0000	0.0001	0.0003	0.0010	0.0032
	14	0.0000	0.0000	0.0000	0.0000	0.0000	0.0000	0.0000	0.0000	0.0001	0.0005
	15	0.0000	0.0000	0.0000	0.0000	0.0000	0.0000	0.0000	0.0000	0.0000	0.0000

						P					
n	r	0.05	0.10	0.15	0.20	0.25	0.30	0.35	0.40	0.45	0.50
20	0	0.3585	0.1216	0.0388	0.0115	0.0032	0.0008	0.0002	0.0000	0.0000	0.0000
	1	0.3774	0.2702	0.1368	0.0576	0.0211	0.0068	0.0020	0.0005	0.0001	0.0000
	2	0.1887	0.2852	0.2293	0.1369	0.0669	0.0278	0.0100	0.0031	0.0008	0.0002
	3	0.0596	0.1901	0.2428	0.2054	0.1339	0.0716	0.0323	0.0123	0.0040	0.0011
	4	0.0133	0.0898	0.1821	0.2182	0.1897	0.1304	0.0738	0.0350	0.0139	0.0046
	5	0.0022	0.0319	0.1028	0.1746	0.2023	0.1789	0.1272	0.0746	0.0365	0.0148
	6	0.0003	0.0089	0.0454	0.1091	0.1686	0.1916	0.1712	0.1244	0.0746	0.0370
	7	0.0000	0.0020	0.0160	0.0545	0.1124	0.1643	0.1844	0.1659	0.1221	0.0739
	8	0.0000	0.0004	0.0046	0.0222	0.0609	0.1144	0.1614	0.1797	0.1623	0.1201
	9	0.0000	0.0001	0.0011	0.0074	0.0271	0.0654	0.1158	0.1597	0.1771	0.1602
	10	0.0000	0.0000	0.0002	0.0020	0.0099	0.0308	0.0686	0.1171	0.1593	0.1762
	11	0.0000	0.0000	0.0000	0.0005	0.0030	0.0120	0.0336	0.0710	0.1185	0.1602
	12	0.0000	0.0000	0.0000	0.0001	0.0008	0.0039	0.0136	0.0355	0.0727	0.1201
	13	0.0000	0.0000	0.0000	0.0000	0.0002	0.0010	0.0045	0.0146	0.0366	0.0739
	14	0.0000	0.0000	0.0000	0.0000	0.0000	0.0002	0.0012	0.0049	0.0150	0.0370
	15	0.0000	0.0000	0.0000	0.0000	0.0000	0.0000	0.0003	0.0013	0.0049	0.0148
	16	0.0000	0.0000	0.0000	0.0000	0.0000	0.0000	0.0000	0.0003	0.0013	0.0046
	17	0.0000	0.0000	0.0000	0.0000	0.0000	0.0000	0.0000	0.0000	0.0002	0.0011
	18	0.0000	0.0000	0.0000	0.0000	0.0000	0.0000	0.0000	0.0000	0.0000	0.0002
	19	0.0000	0.0000	0.0000	0.0000	0.0000	0.0000	0.0000	0.0000	0.0000	0.0000
	20	0.0000	0.0000	0.0000	0.0000	0.0000	0.0000	0.0000	0.0000	0.0000	0.0000

						P				
n	r	0.55	0.60	0.65	0.70	0.75	0.80	0.85	0.90	0.95
1	0	0.4500	0.4000	0.3500	0.3000	0.2500	0.2000	0.1500	0.1000	0.0500
	1	0.5500	0.6000	0.6500	0.7000	0.7500	0.8000	0.8500	0.9000	0.9500
2	0	0.2025	0.1600	0.1225	0.0900	0.0625	0.0400	0.0225	0.0100	0.0025
	1	0.4950	0.4800	0.4550	0.4200	0.3750	0.3200	0.2550	0.1800	0.0950
	2	0.3025	0.3600	0.4225	0.4900	0.5625	0.6400	0.7225	0.8100	0.9025
3	0	0.0911	0.0640	0.0429	0.0270	0.0156	0.0080	0.0034	0.0010	0.0001
	1	0.3341	0.2880	0.2389	0.1890	0.1406	0.0960	0.0574	0.0270	0.0071
	2	0.4084	0.4320	0.4436	0.4410	0.4219	0.3840	0.3251	0.2430	0.1354
	3	0.1664	0.2160	0.2746	0.3430	0.4219	0.5120	0.6141	0.7290	0.8574
4	0	0.0410	0.0256	0.0150	0.0081	0.0039	0.0016	0.0005	0.0001	0.0000
	1	0.2005	0.1536	0.1115	0.0756	0.0469	0.0256	0.0115	0.0036	0.0005
	2	0.3675	0.3456	0.3105	0.2646	0.2109	0.1536	0.0975	0.0486	0.0135
	3	0.2995	0.3456	0.3845	0.4116	0.4219	0.4096	0.3685	0.2916	0.1715
	4	0.0915	0.1296	0.1785	0.2401	0.3164	0.4096	0.5220	0.6561	0.8145
5	0	0.0185	0.0102	0.0053	0.0024	0.0010	0.0003	0.0001	0.0000	0.0000
	1	0.1128	0.0768	0.0488	0.0283	0.0146	0.0064	0.0022	0.0004	0.0000
	2	0.2757	0.2304	0.1811	0.1323	0.0879	0.0512	0.0244	0.0081	0.0011
	3	0.3369	0.3456	0.3364	0.3087	0.2637	0.2048	0.1382	0.0729	0.0214
	4	0.2059	0.2592	0.3124	0.3602	0.3955	0.4096	0.3915	0.3280	0.2036
	5	0.0503	0.0778	0.1160	0.1681	0.2373	0.3277	0.4437	0.5905	0.7738

						P				
n	r	0.55	0.60	0.65	0.70	0.75	0.80	0.85	0.90	0.95
6	0	0.0083	0.0041	0.0018	0.0007	0.0002	0.0001	0.0000	0.0000	0.0000
	1	0.0609	0.0369	0.0205	0.0102	0.0044	0.0015	0.0004	0.0001	0.0000
	2	0.1861	0.1382	0.0951	0.0595	0.0330	0.0154	0.0055	0.0012	0.0001
	3	0.3032	0.2765	0.2355	0.1852	0.1318	0.0819	0.0415	0.0146	0.0021
	4	0.2780	0.3110	0.3280	0.3241	0.2966	0.2458	0.1762	0.0984	0.0305
	5	0.1359	0.1866	0.2437	0.3025	0.3560	0.3932	0.3993	0.3543	0.2321
	6	0.0277	0.0467	0.0754	0.1176	0.1780	0.2621	0.3771	0.5314	0.7351
7	0	0.0037	0.0016	0.0006	0.0002	0.0001	0.0000	0.0000	0.0000	0.0000
	1	0.0320	0.0172	0.0084	0.0036	0.0013	0.0004	0.0001	0.0000	0.0000
	2	0.1172	0.0774	0.0466	0.0250	0.0115	0.0043	0.0012	0.0002	0.0000
	3	0.2388	0.1935	0.1442	0.0972	0.0577	0.0287	0.0109	0.0026	0.0002
	4	0.2918	0.2903	0.2679	0.2269	0.1730	0.1147	0.0617	0.0230	0.0036
	5	0.2140	0.2613	0.2985	0.3177	0.3115	0.2753	0.2097	0.1240	0.0406
	6	0.0872	0.1306	0.1848	0.2471	0.3115	0.3670	0.3960	0.3720	0.2573
	7	0.0152	0.0280	0.0490	0.0824	0.1335	0.2097	0.3206	0.4783	0.6983
8	0	0.0017	0.0007	0.0002	0.0001	0.0000	0.0000	0.0000	0.0000	0.0000
	1	0.0164	0.0079	0.0033	0.0012	0.0004	0.0001	0.0000	0.0000	0.0000
	2	0.0703	0.0413	0.0217	0.0100	0.0038	0.0011	0.0002	0.0000	0.0000
	3	0.1719	0.1239	0.0808	0.0467	0.0231	0.0092	0.0026	0.0004	0.0000
	4	0.2627	0.2322	0.1875	0.1361	0.0865	0.0459	0.0185	0.0046	0.0004
	5	0.2568	0.2787	0.2786	0.2541	0.2076	0.1468	0.0839	0.0331	0.0054
	6	0.1569	0.2090	0.2587	0.2965	0.3115	0.2936	0.2376	0.1488	0.0515
	7	0.0548	0.0896	0.1373	0.1977	0.2670	0.3355	0.3847	0.3826	0.2793
	8	0.0084	0.0168	0.0319	0.0576	0.1001	0.1678	0.2725	0.4305	0.6634
9	0	0.0008	0.0003	0.0001	0.0000	0.0000	0.0000	0.0000	0.0000	0.0000
	1	0.0083	0.0035	0.0013	0.0004	0.0001	0.0000	0.0000	0.0000	0.0000
	2	0.0407	0.0212	0.0098	0.0039	0.0012	0.0003	0.0000	0.0000	0.0000
	3	0.1160	0.0743	0.0424	0.0210	0.0087	0.0028	0.0006	0.0001	0.0000
	4	0.2128	0.1672	0.1181	0.0735	0.0389	0.0165	0.0050	0.0008	0.0000
	5	0.2600	0.2508	0.2194	0.1715	0.1168	0.0661	0.0283	0.0074	0.0006
	6	0.2119	0.2508	0.2716	0.2668	0.2336	0.1762	0.1069	0.0446	0.0077
	7	0.1110	0.1612	0.2162	0.2668	0.3003	0.3020	0.2597	0.1722	0.0629
	8	0.0339	0.0605	0.1004	0.1556	0.2253	0.3020	0.3679	0.3874	0.2985
	9	0.0046	0.0101	0.0207	0.0404	0.0751	0.1342	0.2316	0.3874	0.6302
10	0	0.0003	0.0001	0.0000	0.0000	0.0000	0.0000	0.0000	0.0000	0.0000
	1	0.0042	0.0016	0.0005	0.0001	0.0000	0.0000	0.0000	0.0000	0.0000
	2	0.0229	0.0106	0.0043	0.0014	0.0004	0.0001	0.0000	0.0000	0.0000
	3	0.0746	0.0425	0.0212	0.0090	0.0031	0.0008	0.0001	0.0000	0.0000
	4	0.1596	0.1115	0.0689	0.0368	0.0162	0.0055	0.0012	0.0001	0.0000
	5	0.2340	0.2007	0.1536	0.1029	0.0584	0.0264	0.0085	0.0015	0.0001
	6	0.2384	0.2508	0.2377	0.2001	0.1460	0.0881	0.0401	0.0112	0.0010
	7	0.1665	0.2150	0.2522	0.2668	0.2503	0.2013	0.1298	0.0574	0.0105
	8	0.0763	0.1209	0.1757	0.2335	0.2816	0.3020	0.2759	0.1937	0.0746
	9	0.0207	0.0403	0.0725	0.1211	0.1877	0.2684	0.3474	0.3874	0.3151
	10	0.0025	0.0060	0.0135	0.0282	0.0563	0.1074	0.1969	0.3487	0.5987

						P				
n	r	0.55	0.60	0.65	0.70	0.75	0.80	0.85	0.90	0.95
15	0	0.0000	0.0000	0.0000	0.0000	0.0000	0.0000	0.0000	0.0000	0.0000
	1	0.0001	0.0000	0.0000	0.0000	0.0000	0.0000	0.0000	0.0000	0.0000
	2	0.0010	0.0003	0.0001	0.0000	0.0000	0.0000	0.0000	0.0000	0.0000
	3	0.0052	0.0016	0.0004	0.0001	0.0000	0.0000	0.0000	0.0000	0.0000
	4	0.0191	0.0074	0.0024	0.0006	0.0001	0.0000	0.0000	0.0000	0.0000
	5	0.0515	0.0245	0.0096	0.0030	0.0007	0.0001	0.0000	0.0000	0.0000
	6	0.1048	0.0612	0.0298	0.0116	0.0034	0.0007	0.0001	0.0000	0.0000
	7	0.1647	0.1181	0.0710	0.0348	0.0131	0.0035	0.0005	0.0000	0.0000
	8	0.2013	0.1771	0.1319	0.0811	0.0393	0.0138	0.0030	0.0003	0.0000
	9	0.1914	0.2066	0.1906	0.1472	0.0917	0.0430	0.0132	0.0019	0.0000
	10	0.1404	0.1859	0.2123	0.2061	0.1651	0.1032	0.0449	0.0105	0.0006
	11	0.0780	0.1268	0.1792	0.2186	0.2252	0.1876	0.1156	0.0428	0.0049
	12	0.0318	0.0634	0.1110	0.1700	0.2252	0.2501	0.2184	0.1285	0.0307
	13	0.0090	0.0219	0.0476	0.0916	0.1559	0.2309	0.2856	0.2669	0.1348
	14	0.0016	0.0047	0.0126	0.0305	0.0668	0.1319	0.2312	0.3432	0.3658
	15	0.0001	0.0005	0.0016	0.0047	0.0134	0.0352	0.0874	0.2059	0.4633
20	0	0.0000	0.0000	0.0000	0.0000	0.0000	0.0000	0.0000	0.0000	0.0000
	1	0.0000	0.0000	0.0000	0.0000	0.0000	0.0000	0.0000	0.0000	0.0000
	2	0.0000	0.0000	0.0000	0.0000	0.0000	0.0000	0.0000	0.0000	0.0000
	3	0.0002	0.0000	0.0000	0.0000	0.0000	0.0000	0.0000	0.0000	0.0000
	4	0.0013	0.0003	0.0000	0.0000	0.0000	0.0000	0.0000	0.0000	0.0000
	5	0.0049	0.0013	0.0003	0.0000	0.0000	0.0000	0.0000	0.0000	0.0000
	6	0.0150	0.0049	0.0012	0.0002	0.0000	0.0000	0.0000	0.0000	0.0000
	7	0.0366	0.0146	0.0045	0.0010	0.0002	0.0000	0.0000	0.0000	0.0000
	8	0.0727	0.0355	0.0136	0.0039	0.0008	0.0001	0.0000	0.0000	0.0000
	9	0.1185	0.0710	0.0336	0.0120	0.0030	0.0005	0.0000	0.0000	0.0000
	10	0.1593	0.1171	0.0686	0.0308	0.0099	0.0020	0.0002	0.0000	0.0000
	11	0.1771	0.1597	0.1158	0.0654	0.0271	0.0074	0.0011	0.0001	0.0000
	12	0.1623	0.1797	0.1614	0.1144	0.0609	0.0222	0.0046	0.0004	0.0000
	13	0.1221	0.1659	0.1844	0.1643	0.1124	0.0545	0.0160	0.0020	0.0000
	14	0.0746	0.1244	0.1712	0.1916	0.1686	0.1091	0.0454	0.0089	0.0003
	15	0.0365	0.0746	0.1272	0.1789	0.2023	0.1746	0.1028	0.0319	0.0022
	16	0.0139	0.0350	0.0738	0.1304	0.1897	0.2182	0.1821	0.0898	0.0133
	17	0.0040	0.0123	0.0323	0.0716	0.1339	0.2054	0.2428	0.1901	0.0596
	18	0.0008	0.0031	0.0100	0.0278	0.0669	0.1369	0.2293	0.2852	0.1887
	19	0.0001	0.0005	0.0020	0.0068	0.0211	0.0576	0.1368	0.2702	0.3774
	20	0.0000	0.0000	0.0002	0.0008	0.0032	0.0115	0.0388	0.1216	0.3585

Apéndice C: Valores de $e^{-\lambda}$ para utilizar en la distribución de Poisson

λ	$e^{-\lambda}$	λ	$e^{-\lambda}$
0.0	1.0000	3.1	0.0450
0.1	0.9048	3.2	0.0408
0.2	0.8187	3.3	0.0369
0.3	0.7408	3.4	0.0334
0.4	0.6703	3.5	0.0302
0.5	0.6065	3.6	0.0273
0.6	0.5488	3.7	0.0247
0.7	0.4966	3.8	0.0224
0.8	0.4493	3.9	0.0202
0.9	0.4066	4.0	0.0183
1.0	0.3679	4.1	0.0166
1.1	0.3329	4.2	0.0150
1.2	0.3012	4.3	0.0136
1.3	0.2725	4.4	0.0123
1.4	0.2466	4.5	0.0111
1.5	0.2231	4.6	0.0101
1.6	0.2019	4.7	0.0091
1.7	0.1827	4.8	0.0082
1.8	0.1653	4.9	0.0074
1.9	0.1496	5.0	0.0067
2.0	0.1353	5.1	0.0061
2.1	0.1225	5.2	0.0055
2.2	0.1108	5.3	0.0050
2.3	0.1003	5.4	0.0045
2.4	0.0907	5.5	0.0041
2.5	0.0821	5.6	0.0037
2.6	0.0743	5.7	0.0033
2.7	0.0672	5.8	0.0030
2.8	0.0608	5.9	0.0027
2.9	0.0550	6.0	0.0025
3.0	0.0498		

Apéndice D: Valores de la distribución *F*

Tabla de la distribución F para la probabilidad del 5% superior ($\alpha = 0.05$).

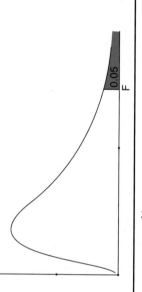

gl2 \ gl1	1	2	3	4	5	6	7	8	9	10	12	15	20	24	30	120	∞
1	161.4	199.5	215.7	224.6	230.2	234.0	236.8	238.9	240.5	241.9	243.9	245.9	248.0	249.0	250.1	253.3	254.3
2	18.51	19.00	19.16	19.25	19.30	19.33	19.35	19.37	19.38	19.40	19.41	19.43	19.45	19.45	19.46	19.49	19.50
3	10.13	9.55	9.28	9.12	9.01	8.94	8.89	8.85	8.81	8.79	8.74	8.70	8.66	8.64	8.62	8.55	8.53
4	7.71	6.94	6.59	6.39	6.26	6.16	6.09	6.04	6.00	5.96	5.91	5.86	5.80	5.77	5.75	5.66	5.63
5	6.61	5.79	5.41	5.19	5.05	4.95	4.88	4.82	4.77	4.74	4.68	4.62	4.56	4.53	4.50	4.40	4.36
6	5.99	5.14	4.76	4.53	4.39	4.28	4.21	4.15	4.10	4.06	4.00	3.94	3.87	3.84	3.81	3.70	3.67
7	5.59	4.74	4.35	4.12	3.97	3.87	3.79	3.73	3.68	3.64	3.57	3.51	3.44	3.41	3.38	3.27	3.23
8	5.32	4.46	4.07	3.84	3.69	3.58	3.50	3.44	3.39	3.35	3.28	3.22	3.15	3.12	3.08	2.97	2.93
9	5.12	4.26	3.86	3.63	3.48	3.37	3.29	3.23	3.18	3.14	3.07	3.01	2.94	2.90	2.86	2.75	2.71
10	4.96	4.10	3.71	3.48	3.33	3.22	3.14	3.07	3.02	2.98	2.91	2.85	2.77	2.74	2.70	2.58	2.54
11	4.84	3.98	3.59	3.36	3.20	3.09	3.01	2.95	2.90	2.85	2.79	2.72	2.65	2.61	2.57	2.45	2.40
12	4.75	3.89	3.49	3.26	3.11	3.00	2.91	2.85	2.80	2.75	2.69	2.62	2.54	2.51	2.47	2.34	2.30
13	4.67	3.81	3.41	3.18	3.03	2.92	2.83	2.77	2.71	2.67	2.60	2.53	2.46	2.42	2.38	2.25	2.21
14	4.60	3.74	3.34	3.11	2.96	2.85	2.76	2.70	2.65	2.60	2.53	2.46	2.39	2.35	2.31	2.18	2.13
15	4.54	3.68	3.29	3.06	2.90	2.79	2.71	2.64	2.59	2.54	2.48	2.40	2.33	2.29	2.25	2.11	2.07
16	4.49	3.63	3.24	3.01	2.85	2.74	2.66	2.59	2.54	2.49	2.42	2.35	2.28	2.24	2.19	2.06	2.01
17	4.45	3.59	3.20	2.96	2.81	2.70	2.61	2.55	2.49	2.45	2.38	2.31	2.23	2.19	2.15	2.01	1.96
18	4.41	3.55	3.16	2.93	2.77	2.66	2.58	2.51	2.46	2.41	2.34	2.27	2.19	2.15	2.11	1.97	1.92
19	4.38	3.52	3.13	2.90	2.74	2.63	2.54	2.48	2.42	2.38	2.31	2.23	2.16	2.11	2.07	1.93	1.88
20	4.35	3.49	3.10	2.87	2.71	2.60	2.51	2.45	2.39	2.35	2.28	2.20	2.12	2.08	2.04	1.90	1.84
24	4.26	3.40	3.01	2.78	2.62	2.51	2.42	2.36	2.30	2.25	2.18	2.11	2.03	1.98	1.94	1.79	1.73
30	4.17	3.32	2.92	2.69	2.53	2.42	2.33	2.27	2.21	2.16	2.09	2.01	1.93	1.89	1.84	1.68	1.62
40	4.08	3.23	2.84	2.61	2.45	2.34	2.25	2.18	2.12	2.08	2.00	1.92	1.84	1.79	1.74	1.58	1.51
60	4.00	3.15	2.76	2.53	2.37	2.25	2.17	2.10	2.04	1.99	1.92	1.84	1.75	1.70	1.65	1.47	1.39
120	3.92	3.07	2.68	2.45	2.29	2.18	2.09	2.02	1.96	1.91	1.83	1.75	1.66	1.61	1.55	1.35	1.25
∞	3.84	3.00	2.60	2.37	2.21	2.10	2.01	1.94	1.88	1.83	1.75	1.67	1.57	1.52	1.46	1.22	1.00

Tabla de la distribución F para la probabilidad del 1% superior ($\alpha = 0.01$).

gl2	gl1 1	2	3	4	5	6	7	8	9	10	12	15	20	24	30	120	∞
1	4052	5000	5403	5625	5764	5859	5928	5982	6022.5	6056	6106	6157	6209	6235	6261	6339	6366
2	98.50	99.00	99.17	99.25	99.30	99.33	99.36	99.37	99.39	99.40	99.42	99.43	99.45	99.46	99.47	99.49	99.50
3	34.12	30.82	29.46	28.71	28.24	27.91	27.67	27.49	27.35	27.23	27.05	26.87	26.69	26.60	26.50	26.22	26.13
4	21.20	18.00	16.69	15.98	15.52	15.21	14.98	14.80	14.66	14.55	14.37	14.20	14.02	13.93	13.84	13.56	13.46
5	16.26	13.27	12.06	11.39	10.97	10.67	10.46	10.29	10.16	10.05	9.89	9.72	9.55	9.47	9.38	9.11	9.02
6	13.75	10.92	9.78	9.15	8.75	8.47	8.26	8.10	7.98	7.87	7.72	7.56	7.40	7.31	7.23	6.97	6.88
7	12.25	9.55	8.45	7.85	7.46	7.19	6.99	6.84	6.72	6.62	6.47	6.31	6.16	6.07	5.99	5.74	5.65
8	11.26	8.65	7.59	7.01	6.63	6.37	6.18	6.03	5.91	5.81	5.67	5.52	5.36	5.28	5.20	4.95	4.86
9	10.56	8.02	6.99	6.42	6.06	5.80	5.61	5.47	5.35	5.26	5.11	4.96	4.81	4.73	4.65	4.40	4.31
10	10.04	7.56	6.55	5.99	5.64	5.39	5.20	5.06	4.94	4.85	4.71	4.56	4.41	4.33	4.25	4.00	3.91
11	9.65	7.21	6.22	5.67	5.32	5.07	4.89	4.74	4.63	4.54	4.40	4.25	4.10	4.02	3.94	3.69	3.60
12	9.33	6.93	5.95	5.41	5.06	4.82	4.64	4.50	4.39	4.30	4.16	4.01	3.86	3.78	3.70	3.45	3.36
13	9.07	6.70	5.74	5.21	4.86	4.62	4.44	4.30	4.19	4.10	3.96	3.82	3.66	3.59	3.51	3.25	3.17
14	8.86	6.51	5.56	5.04	4.69	4.46	4.28	4.14	4.03	3.94	3.80	3.66	3.51	3.43	3.35	3.09	3.00
15	8.68	6.36	5.42	4.89	4.56	4.32	4.14	4.00	3.89	3.80	3.67	3.52	3.37	3.29	3.21	2.96	2.87
16	8.53	6.23	5.29	4.77	4.44	4.20	4.03	3.89	3.78	3.69	3.55	3.41	3.26	3.18	3.10	2.84	2.75
17	8.40	6.11	5.18	4.67	4.34	4.10	3.93	3.79	3.68	3.59	3.46	3.31	3.16	3.08	3.00	2.75	2.65
18	8.29	6.01	5.09	4.58	4.25	4.01	3.84	3.71	3.60	3.51	3.37	3.23	3.08	3.00	2.92	2.66	2.57
19	8.18	5.93	5.01	4.50	4.17	3.94	3.77	3.63	3.52	3.43	3.30	3.15	3.00	2.92	2.84	2.58	2.49
20	8.10	5.85	4.94	4.43	4.10	3.87	3.70	3.56	3.46	3.37	3.23	3.09	2.94	2.86	2.78	2.52	2.42
24	7.82	5.61	4.72	4.22	3.90	3.67	3.50	3.36	3.26	3.17	3.03	2.89	2.74	2.66	2.58	2.31	2.21
30	7.56	5.39	4.51	4.02	3.70	3.47	3.30	3.17	3.07	2.98	2.84	2.70	2.55	2.47	2.39	2.11	2.01
40	7.31	5.18	4.31	3.83	3.51	3.29	3.12	2.99	2.89	2.80	2.66	2.52	2.37	2.29	2.20	1.92	1.80
60	7.08	4.98	4.13	3.65	3.34	3.12	2.95	2.82	2.72	2.63	2.50	2.35	2.20	2.12	2.03	1.73	1.60
120	6.85	4.79	3.95	3.48	3.17	2.96	2.79	2.66	2.56	2.47	2.34	2.19	2.03	1.95	1.86	1.53	1.38
∞	6.63	4.61	3.78	3.32	3.02	2.80	2.64	2.51	2.41	2.32	2.18	2.04	1.88	1.79	1.70	1.32	1.00

Apéndice E: Uso de POM-QM para Windows

Bienvenido a POM-QM para Windows. Este y Excel QM (véase el apéndice F) constituyen el paquete de software más amigable para el usuario, disponible en el campo del análisis cuantitativo/métodos cuantitativos (AC/MC). Este software también se puede utilizar para el campo de producción/administración de operaciones (POM). Es posible desplegar todos los módulos, solo los de QM o sólo los de POM. Debido a que este libro estudia los métodos cuantitativos, únicamente se muestran los módulos de QM en el texto y se hace referencia a este software como QM para Windows, que es un paquete diseñado para ayudar al lector a aprender y comprender mejor este campo. El software sirve para resolver problemas o para verificar las respuestas que se hayan obtenido a mano. Encontrará que es excepcionalmente amigable debido a las siguientes características:

- Cualquier persona familiarizada con una hoja de cálculo estándar o con un procesador de textos en Windows podrá usar QM para Windows con facilidad. Todos los módulos tienen cuadros de ayuda con acceso en cualquier momento.

- Las pantallas de cada módulo son congruentes, de manera que al acostumbrarse a manejarlas en un módulo, será muy sencillo trabajar con otros módulos.

- El editor de datos tipo hoja de cálculo permite la edición en pantalla completa.

- Los archivos se abren y se guardan a la manera usual de Windows y, además, el nombre se asigna por módulo para facilitar su búsqueda.

- Es fácil cambiar de un método de solución a otro para comparar métodos y respuestas.

- Es sencillo desplegar e imprimir las gráficas.

Instalación de POM-QM para Windows

Visite la página de Internet que acompaña al libro para descargar e instalar el software POM-QM para Windows. Se incluyen las instrucciones de cómo descargar, instalar y registrar el software.

Una vez instalado y registrado, se habrá agregado un grupo de programas a su administrador de programas. El grupo se llama POM-QM para Windows 3. También se coloca un icono en el escritorio. Para usar el programa de QM para Windows, haga doble clic en el icono o utilice Inicio, POM-QM para Windows 3, POM-QM para Windows.

La ventana que se despliega es la ventana básica para el software y contiene los diferentes componentes que forman parte de la mayoría de las ventanas. Esta ventana se muestra en el capítulo 1 como programa 1.1. La parte superior de la pantalla es la barra de títulos estándar de Windows. Abajo de la barra está la barra de menú estándar de Windows. Debería ser fácil usar esta barra de menú. Los detalles de las ocho opciones File (Archivo), Edit (Editar), View (Ver), Module (Módulo), Format (Formato), Tools (Herramientas), Window (Ventana) y Help (Ayuda) se explican en este apéndice. Al inicio del programa las únicas opciones activas del menú son File (para abrir un archivo guardado o salir del programa), Module (para elegir un módulo) y Help. Las otras opciones se activarán cuando se elija el módulo o se inicia un problema.

Abajo del menú hay dos barras de herramientas: una estándar y una de formato. Las barras de herramientas contienen atajos estándar para varios comandos del menú. Si mueve el ratón sobre los botones cerca de dos segundos, se despliega una explicación del botón en la ventana.

La siguiente barra contiene una instrucción. Siempre hay una instrucción ahí que intenta ayudarlo a entender qué hacer o qué ingresar. En este momento, la instrucción indica que se elija un módulo o se abra un archivo. Cuando se ingresan los datos en la tabla, esta instrucción explica qué tipo de datos (entero, reales, positivos, etcétera) deben ingresarse.

En el programa 1.1 del capítulo 1, se muestra la lista de módulos después de elegir Module. Seleccionamos mostrar tan solo los módulos de QM. Hay 16 módulos en esta categoría.

Solución de problema
Existen varias maneras de resolver un problema. La más fácil es hacer clic en el botón Solve en la barra de herramientas estándar. De otro modo, se puede usar la función F9 en el teclado. Por último, si se oprime la tecla Intro después de ingresar el último dato, el problema se resuelve. Una vez resuelto el problema, para regresar a editar los datos, haga clic en el botón Edit, que ha reemplazado el de Solve en la barra de herramientas estándar, o bien, oprima F9.

Creación de un problema nuevo

En este punto, la primera opción que se elige es File, seguida de Open o New para cargar un conjunto de datos guardado o crear un nuevo conjunto de datos. Esta es una opción que se elegirá con frecuencia. En algunos módulos, cuando se selecciona New, habrá un menú de submódulos. Si es así, debe elegirse uno de ellos antes de ingresar el problema.

La línea superior de la ventana de creación contiene un cuadro de diálogo donde se ingresa el título del problema. Para muchos módulos es necesario ingresar el número de renglones (filas) del problema. Los renglones tendrán nombres diferentes dependiendo de los módulos. Por ejemplo, en programación lineal los renglones son restricciones; mientras que en pronósticos, son periodos pasados. El número de renglones se puede elegir con la barra desplegable o el cuadro de diálogo.

POM-QM para Windows tiene la capacidad de manejar varias opciones diferentes para los nombres predeterminados de renglones y columnas. Seleccione uno del radio de botones para indicar qué estilo de nombre predeterminado debería usarse. En la mayoría de los módulos, los nombres de renglones no se usan en los cálculos, pero debe tener cuidado porque en algunos (el más notorio es Project Management) los nombres pueden relacionarse con las precedencias.

Muchos módulos requieren que se ingrese el número de columnas. Esto se hace de la misma manera que el número de renglones. Todos los nombres de renglones y columnas se pueden cambiar en la tabla de datos.

Algunos módulos tendrán un cuadro de opciones adicional, como elegir minimizar o maximizar, o seleccionar si las distancias son simétricas. Elija una de estas opciones. En muchos casos, esta opción se cambia en la ventana de datos.

Cuando esté satisfecho con sus opciones, haga clic en **OK** o presione la tecla **Enter**. En este punto, se despliega una ventana de datos en blanco. Las ventanas difieren de un módulo a otro.

Ingreso y edición de datos

Después de crear un nuevo conjunto de datos o de cargar un conjunto existente, los datos se pueden editar. Cada elemento (entrada) está en una posición de renglón y columna. Se navega por la hoja de cálculo usando las teclas de movimiento del cursor, las cuales funcionan de manera normal con la excepción de la tecla **Enter**.

La barra de instrucciones en la ventana contiene una breve instrucción que describe qué debe hacer. En esencia hay tres tipos de celdas en la tabla de datos. Un tipo es la celda normal de datos donde se ingresa un nombre o un número. Un segundo tipo es una celda que no se puede cambiar. Un tercero es una celda que contiene opciones desplegables. Por ejemplo, los signos en una restricción de programación lineal se eligen de este tipo de cuadro. Para ver todas las opciones, haga clic en el cuadro con la flecha.

Existe un aspecto más de la ventana de datos que se tiene que considerar. Algunos módulos necesitan datos adicionales a los que están en la tabla. En muchos de estos casos, los datos se encuentran en una combinación de texto/desplegable que aparece en la parte superior de la tabla.

Despliegue de la solución

En este punto, se oprime el botón **Solve** para comenzar el proceso de solución. Se abrirá una nueva ventana.

Una observación importante es que se dispone de más información de la solución. Esto se puede ver por los iconos dados en la parte inferior. Haga clic en ellos para ver la información. De modo alternativo, observe que la opción Window en el menú principal ahora está activada. Siempre se activa en el momento de la solución. Aun cuando los iconos están cubiertos por una ventana, la opción Window siempre le permite ver las otras ventanas de solución.

Ahora que hemos examinado cómo crear y resolver un problema, explicaremos todas las opciones del Menú que están disponibles.

File

File contiene las opciones usuales que encontramos en Windows:

New   Como se demostró, esto se elige para comenzar un nuevo problema/archivo.

Open   Esto se usa para abrir/cargar un archivo guardado. La selección de archivos es de tipo diálogo común en Windows estándar. Observe que la extensión para los archivos en el sistema QM para Windows está dada por las tres primeras letras del nombre del módulo. Por ejemplo, todos los archivos de programación lineal tienen la extensión *.lin. Cuando va al diálogo para abrir, el valor predeterminado es para que el programa busque los archivos en el módulo. Esto se puede cambiar abajo donde dice "Files of Type".

Los nombres que son legales son los nombres estándar. No importa si son mayúsculas, minúsculas o mixtas. En todos los ejemplos, QM para Windows agrega la extensión de tres letras al final. Por ejemplo, un problema de programación lineal se guardará como *problema de programación lineal.lin* (suponiendo que de hecho sea un problema de programación lineal).

Save   Remplaza el archivo sin preguntar si quiere sobrescribir la versión anterior. Si trata de guardar y no ha dado nombre al archivo, le solicitará el nombre.

Save as   Esto le pedirá el nombre de un archivo antes de guardarlo. Esta opción es muy similar a la opción de cargar un archivo de datos. Cuando la elige, se despliega el cuadro de diálogo Save as para archivos.

Enter (Intro)
Esta tecla se mueve de una celda a otra de izquierda a derecha, de arriba abajo, omitiendo la primera columna (que normalmente contiene nombres). Por lo tanto, cando se ingresa una tabla de datos, si comienza arriba a la izquierda y trabaja hasta abajo a la derecha, renglón por renglón, esta tecla resulta muy útil.

Formato numérico
El programa maneja el formato de manera automática. Por ejemplo, en la mayoría de los casos, el número 1000 automáticamente se formatea como 1,000. No teclee la coma. ¡El programa no lo aceptará!

Eliminación de archivos
No es posible eliminar un archivo usando QM para Windows. Utilice el explorador de Windows para hacerlo.

Save as Excel File   Esto guarda el archivo como uno de Excel con los datos y las fórmulas adecuadas para las soluciones; está disponible solo para algunos módulos.

Save as HTML   Guarda las tablas en formato HTML que se puede colocar de inmediato en Internet.

Print   Despliega una ventana de impresión con cuatro pestañas. La información de la pestaña permite elegir cuál de las tablas de salida debería imprimirse. La pestaña de Page Header lo deja controlar la información desplegada hasta arriba. La pestaña de Layout controla el estilo de la página. La información se puede imprimir como solo texto de ASCII o como tabla (malla) que se parece a la tabla en la pantalla. Intente ambos tipos de impresión y vea cuál prefiere usted o su profesor. La pestaña Print permite cambiar ciertas características de impresión.

Exit the Program   La última opción en el menú de File es Exit, que cerrará el programa si está en la ventana de datos, o saldrá de la ventana de solución y regresará a la ventana de datos si está en la de solución. Esto también se logra presionando el botón de comando Exit en la pantalla de solución.

Edit

Los comandos de Edit tienen tres propósitos. El primero de los cuatro comandos se usa para insertar o eliminar renglones (filas) o columnas. El siguiente comando se utiliza para copiar un elemento de una celda a todas las celdas abajo de ella en la columna. Esto no siempre es útil, pero cuando lo es ahorra mucho trabajo. Los últimos dos comandos sirven para copiar la tabla de datos a otros programas de Windows.

View

View tiene varias opciones que permiten personalizar la apariencia de la ventana. La barra de herramientas se puede desplegar o no. La barra de Instruction se despliega en su posición predeterminada arriba o abajo de los datos, como una ventana flotante o no desplegarse. La barra de estado se puede desplegar o no.

También se permite cambiar los colores a monocromático (blanco y negro) o de este estado a los colores originales.

Module

La opción se muestra en al capítulo 1 como el programa 1.1. La selección del módulo contiene una lista de los programas disponibles con este libro.

Format

También tiene varias opciones para la presentación. Se determinan los colores de toda la ventana, al igual que el tipo y el tamaño de fuente para la tabla. Los ceros pueden aparecer como blancos, si así se desea. Se puede cambiar el título del problema que aparece en la tabla de datos y se crea en la ventana de creación. La tabla se comprime o se expande. Es decir, el ancho de las columnas puede ser menor o mayor. El ingreso de datos puede verificarse o no.

Tools

La opción del menú de herramientas es una área disponible para anotar problemas. Si desea escribir una nota propia, selecciona "annotation" la nota se guardará con el archivo.

La opción Tools proporciona una calculadora para la distribución normal.

Se dispone de una calculadora para cálculos sencillos, incluyendo raíz cuadrada. También hay una calculadora de la distribución normal que sirve para encontrar intervalos de confianza y cuestiones similares.

Window

La opción del menú Window se activa únicamente en la ventana de solución. En esta opción se dispone de información de salida adicional. El tipo de salida depende del módulo que se utilice.

Help

El menú de esta opción brinda información del software en general, así como de los módulos individuales. La primera vez que corra POM-QM para Windows, debería elegir Help y Program Update para asegurarse de que su software tiene las últimas actualizaciones.

La ayuda también contiene un manual con más detalles acerca del programa, un vínculo a una actualización del programa y un vínculo a soporte por correo electrónico. Si envía un correo, asegúrese de incluir el nombre del programa (POM-QM for Windows), la versión del programa (en Help, About), el módulo donde ocurre el problema y una explicación detallada de este, y adjunte el archivo de datos para el que ocurrió el problema.

Apéndice F: Uso de Excel QM y complementos de Excel

Excel QM

Excel QM se diseñó para ayudar al estudiante a aprender y entender mejor tanto el análisis cuantitativo como Excel. Aun cuando el software contiene muchos módulos y submódulos, las ventanas para cada módulo son congruentes y sencillas de usar. Los módulos se ilustran en el programa 1.2A.

Excel QM es un complemento de Excel, de modo que debe contar con Excel en su computadora personal. Para instalar Excel QM, vaya al sitio de Internet que acompaña al libro, donde encontrará las instrucciones y la descarga gratis. Se colocará un icono de Excel QM en su escritorio.

Para correr Excel QM, simplemente haga doble clic en el icono y Excel se abre con el complemento disponible. En la pestaña Add-In, seleccione Excel QM, y se desplegarán los métodos disponibles. Al mover el cursor al que desea usar, pueden aparecer a la derecha las opciones disponibles para ese método. Elija la opción adecuada para el problema que desea trabajar. Se abre una ventana para que ingrese la información del problema, como el número de variables o el número de observaciones. Al hacer clic en OK, aparece una hoja de cálculo. Incluye las instrucciones en una caja de texto justo abajo del título que haya dado al problema. Estas instrucciones en general indican lo que debe introducir en la hoja de trabajo y, para ciertos métodos, qué otros pasos son necesarios para obtener la solución final. Para muchos módulos, no son necesarios más pasos. Para otros, como programación lineal, Excel QM da las entradas y realiza las selecciones necesarias para usar Solver.

Excel QM sirve para dos fines en el proceso de aprendizaje. Primero, puede simplemente ayudarlo a resolver los problemas de tarea. Al ingresar los datos adecuados, el programa proporciona las soluciones numéricas. QM para Windows funciona con el mismo principio; pero Excel QM permite un segundo enfoque, es decir, observar qué *fórmulas* se usan para desarrollar las soluciones y modificarlas para manejar una gama más amplia de problemas. Este enfoque "abierto" le permite observar, comprender e incluso cambiar las fórmulas de los cálculos de Excel, transmitiendo todo el poder de Excel como herramienta de análisis cuantitativo.

Soporte técnico para Excel QM

Si tiene problemas técnicos con POM-QM para Windows o con Excel QM que no pueda responder su profesor, envíe un correo electrónico a la dirección que encuentra en el sitio Web www.prenhall.com/weiss. Si envía un correo asegúrese de incluir el nombre del programa (POM-QM for Windows o Excel QM), la versión del programa (en Help, About en POM-QM para Windows; en QM, About para Excel QM), el módulo donde ocurrió el problema, una explicación detallada del mismo, así como de adjuntar al archivo de datos con el que tuvo el problema (si es adecuado).

Activación de complementos en Excel 2007 y Excel 2010

Dos complementos importantes son Solver y Analysis ToolPak. Ambos forman parte de Excel pero deben activarse o cargarse antes de usarse por primera vez. Para cargar estos complementos, realice los tres pasos siguientes (el paso 1a es sólo para Excel 2010 y el paso 1b para Excel 2007):

1a. Para Excel 2010, haga clic en la pestaña File y luego en Add-Ins.
1b. Para Excel 2007, haga clic en el botón de Microsoft Office, luego en Excel Options y en Add-Ins.
2. En el cuadro de Manage, seleccione Add-Ins y haga clic en Go.
3. Active el cuadro junto a Analysis ToolPak y Solver y, luego, haga clic en Ok.

La pestaña Data ahora despliega Solver y Data Analysis cada vez que se inicia Excel. Las instrucciones para utilizar Data Analysis para regresión se incluyen en el capítulo 4. Las instrucciones para usar Solver para programación lineal se ofrecen en el capítulo 7.

Apéndice G: Soluciones a problemas seleccionados

Capítulo 1

1-14 *a)* ingreso total = $300; costo variable total = $160

b) PE = 50; ingreso total = $750

1-16 PE = 4.28

1-18 $5.80

1-20 PE = 96; ingreso total = $4,800

Capítulo 2

2-14 0.30

2-16 (a) 0.10 *b)* 0.04 *c)* 0.25 *d)* 0.40

2-18 *a)* 0.20 *b)* 0.09 *c)* 0.31 *d)* dependiente

2-20 *a)* 0.3 *b)* 0.3 *c)* 0.8 *d)* 0.49 (e) 0.24 (f) 0.27

2-22 0.719

2-24 *a)* 0.08 *b)* 0.84 *c)* 0.44 *d)* 0.92

2-26 *a)* 0.995 *b)* 0.885 *c)* suponga que los eventos son independientes

2-28 0.78

2-30 2.85

2-32 *a)* 0.1172 *b)* 0.0439 *c)* 0.0098 *d)* 0.0010 *e)* 0.1719

2-34 0.328, 0.590

2-36 0.776

2-38 *a)* 0.0548 *b)* 0.6554 *c)* 0.6554 *d)* 0.2119

2-40 1829.27

2-42 *a)* 0.5 *b)* 0.27425 *c)* 48.2

2-44 0.7365

2-46 0.162

Capítulo 3

3-18 Criterio maximin; Texan

3-20 *a)* Mercado de valores *b)* $21,500

3-22 *b)* CD

3-24 *b)* Mediana

3-26 8 cajas

3-28 *b)* Muy grande *c)* Pequeña *c)* Muy grande *d)* Muy grande *f)* Muy grande

3-30 Arrepentimiento minimax: opción 2; Mini POE: opción 2

3-32 −$0.526

3-34 Construir la clínica (VME = 30,000)

3-38 No reunir información; construir con cuatro departamentos

3-40 0.533; 0.109

3-42 *c)* Realizar encuestas. Si el estudio es favorable, producir la rasuradora; si no lo es, no producirla

3-44 *a)* 0.923, 0.077, 0.25, 0.75 *b)* 0.949, 0.051, 0.341, 0.659

3-46 No usar el estudio. Adverso al riesgo.

3-48 *a)* Broad *b)* Expressway *c)* Adversa al riesgo

Capítulo 4

4-10 *b)* SCT = 29.5 SCE = 12 SCR = 17.5 $\hat{Y} = 1 + 1.0X$ *c)* $\hat{Y} = 7$

4-12 *a)* $\hat{Y} = 1 + 1X$

4-16 *a)* $83,502 *b)* El modelo predice el precio promedio de una casa de este tamaño. *c)* Edad, número de habitaciones, tamaño del lote *d)* 0.3969

4-18 Para $X = 1200$, $\hat{Y} = 2.35$ para $X = 2400$, $\hat{Y} = 3.67$

4-22 El modelo con solo la *edad* es mejor porque tiene la r^2(0.78) más alta.

4-24 $\hat{Y} = 82,185.6 + 25.94X_1 - 2151.74X_2 - 1711.54X_3$; X_1 = pies cuadrados, X_2 = habitaciones, X_3 = edad *a)* $\hat{Y} = 82,185.6 + 25.94(2000) - 2151.74(3) - 1711.54(10) = 110,495$ (redondeado)

4-26 El mejor modelo es $\hat{Y} = 1.518 + 0.669X$; $\hat{Y}$ = gastos (millones), X = admisiones (en cientos). $r^2 = 0.974$. La r^2 ajustada disminuye cuando el número de camas aumenta, de modo que deben usarse las admisiones.

4-28 $\hat{Y} = 57.686 - 0.166X_1 - 0.005X_2$; $\hat{Y}$ = mpg, X_1 = caballos de potencia, X_2 = peso. Este es mejor: ambas r^2 y r^2 ajustada son mayores.

Capítulo 5

5-14 DMA = 6.48 para promedio móvil de 3 meses; DMA = 7.78 para promedio móvil de 4 meses

5-16 $Y = 2.22 + 1.05X$

5-18 Pronóstico para el año 12 es 11.789; DMA = 2.437

5-20 Pronósticos para el año 6 son 565.6 y 581.4

5-22 Pronóstico para el año 6 es 555

5-24 DMA = 5.6 para la línea de tendencia; DMA = 74.56 para suavizado exponencial; DMA = 67 para promedios móviles

5-26 *b)* DMA = 2.60; SCEP = 5.11 en la semana 10

5-28 DMA = 14.48

5-30 DMA = 3.34

5-34 $F_{11} = 6.26$; DMA = 0.58 para $\alpha = 0.8$ es la más baja.

5-36 270, 390, 189, 351

Capítulo 6

6-18 *a)* 20,000 *b)* 50 *c)* 50

6-20 $45 más. PRO = 4,000

6-22 8 millones

6-24 28,284; 34,641; 40,000

6-26 *a)* 10 *b)* 324.92 *c)* 6.5 días; 65 unidades *d)* máximo = 259.94 promedio = 129.97 *e)* 7.694 corridas; *f)* $192.35; $37,384.71 *g)* 5

6-28 *a)* $Z = 2.05$ *b)* 3.075 *c)* 23.075 *d)* $4.61

6-30 Sumar 160 pies. $1,920

6-32 2,697

6-34 Tomar el descuento. Costo = $49,912.50

6-36 $4.50; $6.00; $7.50

6-44 Artículo 4 EOQ = 45

6-46 Ordenar 200 unidades

Capítulo 7

7-14 40 aires acondicionados, 60 ventiladores, ganancia = $1,900

7-16 175 anuncios en radio, 10 comerciales en TV

7-18 40 de licenciatura, 20 de posgrado, $160,000

7-20 $20,000 petroquímica; $30,000 servicios; rendimiento = $4,200; riesgo = 6

7-22 $X = 18.75$, $Y = 18.75$, ganancia = $150

7-24 (1358.7, 1820.6), $3,179.30

7-26 *a)* utilidad = $2,375 *b)* 25 barriles de poda, 62.5 barriles proceso normal *c)* 25 acres de poda, 125 acres de proceso normal

7-28 *a)* Sí *b)* No cambia

7-34 *a*) 25 unidades producto 1, 0 unidades producto 2
b) se usan 25 unidades de recurso 1, holgura = 20; se usan 75 unidades recurso 2, holgura = 12; se usan 50 unidades recurso 3, holgura = 0; restricción 3 es limitante y las otras no. *c*) 0, 0, y 25 *d*) Recurso 3. Hasta $25 (precio dual) *e*) Ganancia total disminuye en 5 (valor de costo reducido).

7-36 24 cocos, 12 pieles; utilidad = 5,040 rupias

7-42 Use 7.5 lb de C-30, 15 lb de C-92, 0 lb de D-21, y 27.5 lb de E-11; costo = $3.35 por lb

Capítulo 8

8-2 *b*) $50,000 en bonos de LA, $175,000 en Palmer Drugs, $25,000 en Happy Days

8-4 1.33 libras de avena por caballo, 0 libras de grano, 3.33 libras de mineral

8-6 6.875 comerciales en TV; 10 anuncios en radio; 9 carteles espectaculares; 10 en periódicos

8-8 30 rentas de 5 meses comenzando en marzo, 100 rentas de 5 meses comenzando en abril, 170 rentas de 5 meses comenzando en mayo, 160 rentas de 5 meses comenzando en junio y 10 rentas de 5 meses comenzando en julio.

8-10 Enviar 400 estudiantes del sector A a la escuela B, 300 de A a la escuela E, 500 de B a la escuela B, 100 de C a la escuela C, 800 de D a la escuela C y 400 de E a la escuela E.

8-12 *b*) 0.499 lb de res, 0.173 lb de pollo, 0.105 lb de espinaca y 0.762 lb de papas. Costo total = $1.75.

8-14 13.7 aprendices comienzan en agosto y 72.2 comienzan en octubre.

Capítulo 9

9-12 Des Moines a Albuquerque 200, Des Moines a Boston 50, Des Moines a Cleveland 50, Evansville a Boston 150, Ft. Lauderdale a Cleveland 250. Costo = $3,200.

9-16 25 unidades de Pineville a 3; 30 unidades de Oak Ridge a 2; 10 unidades de Oakville a 3; 30 unidades de Mapletown a 1. Costo = $230. Soluciones óptimas múltiples.

9-18 Costo total = $3,100.

9-22 Desbalanceado, $5,310

9-24 Costo total = $635.

9-32 Costo del sistema de New Orleans = $20,000; el de Houston es de $19,500, de modo que debería elegirse Houston.

9-34 Fontainebleau, $1,530,000; Dublin, $1,535,000

9-36 Costo de San Louis del Este = 60,900; Costo de San Louis = 62,250

9-38 Tiempo total = 750 minutos

9-40 Distancia total = 6,040

9-42 Puntuación total = 86

9-44 Sin cambio; costo = $45

9-46 *a*) $2,591,200 *b*) $2,640,500 *c*) $2,610,100 y $2,572,100

Capítulo 10

10-10 *a*) 2 anuncios en hora pico por semana, 4.25 en hora regular (no pico) por semana, audiencia = 38,075 *b*) 2 anuncios en hora pico por semana, 4 en hora no pico por semana, audiencia = 36,800 *c*) 4 anuncios en hora pico por semana, 1 en hora no pico por semana, audiencia = 37,900

10-12 3 afiches grandes y 4 pequeños

10-16 Construir en Mt. Auburn, Mt. Adams, Norwood, Covington y Eden Park.

10-18 *a*) $X_1 \geq X_2$ *b*) $X_1 + X_2 + X_3 = 2$

10-20 *b*) 0 en TV, 0.73 en radio, 0 espectaculares y 88.86 en periódicos

10-24 $X_1 = 15$, $X_2 = 20$

10-28 18.3 XJ6 y 10.8 XJ8; ingreso = 70,420.

10-30 0.333 en almacén 1 y 0.667 almacén 2; variancia = 0.102; rendimiento = 0.09

Capítulo 11

11-10 200 en la ruta 1-2-5-7-8, 200 en la ruta 1-3-6-8 y 100 en la ruta 1-4-8. Total = 500.

11-12 La distancia mínima es 47 (4,700 pies).

11-14 Distancia total es 177. Conectar 1-2, 2-3, 3-4, 3-5, 5-6.

11-16 La distancia total es 430. Ruta 1-3-5-7-10-13.

11-18 La longitud del árbol de expansión mínima es 23.

11-20 El flujo máximo es 17.

11-24 El flujo máximo es de 2,000 galones.

11-26 La ruta más corta tiene 76, la ruta es 1-2-6-9-13-16.

11-30 *a*) 1,200 millas *b*) 1,000 millas.

11-32 Distancia total = 40.

11-34 Número máximo = 190.

11-36 *a*) La distancia más corta es 49. *b*) La distancia más corta es 55. *c*) La distancia más corta es 64.

Capítulo 12

12-18 *a*) 0.50 *b*) 0.50 *c*) 0.97725 *d*) 0.02275 (e) 43.84

12-20 *a*) 0.0228 *b*) 0.3085 *c*) 0.8413 *d*) 0.9772

12-24 14

12-28 *b*) Ruta crítica A-C toma 20 semanas; ruta B-D toma 18 semanas *c*) 0.222 para A-C; 5 para B-D *d*) 1.00 *e*) 0.963 *f*) ruta B-D tiene más variabilidad y tiene probabilidad más alta de exceder las 22 semanas.

12-34 Tiempo de terminación del proyecto es de 38.3 semanas.

12-36 Tiempo de terminación es de 25.7.

Capítulo 13

13-10 Los costos totales para 1, 2, 3 y 4 empleados son $564, $428, $392 y $406, respectivamente.

13-12 *a*) 4.167 autos *b*) 0.4167 horas *c*) 0.5 horas *d*) 0.8333 *e*) 0.1667

13-14 *a*) 0.512, 0.410, 0.328 *b*) 0.2 *c*) 0.8 minutos *d*) 3.2 *e*) 4 *f*) 0.429, 0.038 minutos, 0.15, 0.95

13-16 *a*) 0.2687 horas *b*) 3.2 *c*) Sí. Ahorros = $142.50 por hora.

13-18 *a*) 0.0397 horas *b*) 0.9524 *c*) 0.006 horas *d*) 0.1524 *e*) 0.4286 *f*) 0.4 *g*) 0.137

13-20 Con una persona, $L = 3$, $W = 1$ hora, $L_q = 2.25$ y $Wq = 0.75$ horas. Con dos personas, $L = 0.6$, $W = 0.2$ horas, $Lq = 2.225$ y $Wq = 0.075$ horas.

13-22 No

13-24 *a*) 0.1333 horas *b*) 1.333 *c*) 0.2 horas *d*) 2 *e*) 0.333

13-26 *a*) 80 clientes por día *b*) 10.66 horas, $266.50 *c*) 0.664, $16.60 *d*) 2 cajeros, $208.60

13-30 *a*) 0.576 *b*) 1.24 *c*) 0.344 *d*) 0.217 horas *e*) 0.467 horas

Capítulo 14

14-14 No

14-16 Valor esperado 6.35 (con la fórmula). El número promedio es 7 en el problema 14-15.

14-18 *b*) Número promedio retrasado = 0.40. Número promedio de llegadas = 2.07.

14-26 *a*) Costo /hora suele ser más costoso si se reemplaza una pluma a la vez.   *b*) Costo/hora esperado con la política de 1 pluma = $1.38 (o $58/descompostura); costo/hora esperado con la política de 4 plumas = $1.12 (o bien, $132/descompostura).

Capítulo 15

15-8 *b*) 90%   *c*) 30%

15-10 Mes siguiente, 4/15, 5/15, 6/15. Tres meses, 0.1952, 0.3252, 0.4796

15-12 *a*) 70%   *b*) 30%   *c*) 40%

15-14 25% para Battles; 18.75% para University; 26.25% para Bill's; 30% para College

15-16 111 en Northside, 75 en West End y 54 en Suburban

15-18 Horizon tendrá 104,000 clientes y Local tendrá 76,000

15-20 Nueva MFA = (5,645.16, 1,354.84)

15-22 50% Hicourt, 30% Printing House y 20% Gandy

15-26 La tienda 1 tendrá un tercio de los clientes y la tienda 2 tendrá dos tercios

Capítulo 16

16-8 45.034 a 46.966 para $\bar{x}$
0 a 4.008 para R

16-10 16.814 a 17.187 para $\bar{x}$.
0.068 a 0.932 para R

16-12 2.236 a 3.728 para $\bar{x}$
0 a 2.336 para R
Bajo control

16-16 *a*) 1011.8 para $\bar{x}$ y 96.3 para R *b*) 956.23 a 1067.37
c) El proceso está fuera de control

16-18 LCI = 0, LCS = 4

En el sitio Web (en inglés)

Module 1

M1-4 SUN – 0.80

M1-6 Lambda = 3.0445, Value of CI = 0.0223, RI = 0.58, CR = 0.0384

M1-8 Car 1, 0.4045

M1-10 University B has highest weighted average = 0.4995

Module 2

M2-6 1–2–6–7, with a total distance of 10 miles.

M2-8 Shortest route is 1–2–6–7, with a total distance of 14 miles.

M2-10 Shortest route is 1–2–5–8–9. Distance = 19 miles.

M2-12 4 units of item 1, 1 unit of item 2, and no units of items 3 and 4.

M2-14 Ship 6 units of item 1, 1 unit of item 2, and 1 unit of item 3.

M2-16 The shortest route is 1–3–6–11–15–17–19–20.

Module 3

M3-6 *a*) OL = $8(20,000 − X) for $X \le 20,000$; OL = 0 otherwise   *b*) $0.5716   *c*) $0.5716   *d*) 99.99% (e) Print the book

M3-8 *a*) BEP = 1,500   *b*) Expected profit = $8,000

M3-10 *a*)OL = $10(30 − X) for $X \le 30$; OL = 0 otherwise
b) EOL = $59.34   *c*) EVPI = $59.34

M3-12 *a*) Use new process. New EMV = $283,000.
b) Increase selling price. New EMV = $296,000.

M3-14 BEP = 4,955

M3-16 EVPI = $249.96

M3-18 EVPI = $51.24

Module 4

M4-8 Strategy for $X:X_2$; strategy for $Y:Y_1$; value of the game = 6

M4-10 $X_1 = {}^{35}/_{57}$; $X_2 = {}^{22}/_{57}$; $Y_1 = {}^{32}/_{57}$; $Y_2 = {}^{25}/_{57}$; value of game = 66.70

M4-12 *b*) $Q = 41/72$, $1 − Q = 31/72$; $P = 55/72$.
$1 − P = 17/72$

M4-14 Value of game = 9.33

M4-16 Saddle point exists. Shoe Town should invest $15,000 in advertising and Fancy Foot should invest $20,000 in advertising.

M4-18 Eliminate dominated strategy X_2. Then Y_3 is dominated and may be eliminated. The value of the game is 6.

M4-20 Always play strategy A_{14}. $3 million.

Module 5

M5-8 $X = {}^{-3}/_2$, $Y = {}^1/_2$; $Z = {}^7/_2$

M5-16 $\begin{pmatrix} {}^{-48}/_{60} & {}^6/_{60} & {}^{32}/_{60} \\ {}^6/_{60} & {}^{-12}/_{60} & {}^6/_{60} \\ {}^{12}/_{60} & {}^6/_{60} & {}^{-8}/_{60} \end{pmatrix}$

M5-18 $0X_1 + 4X_2 + 3X_3 = 28$; $1X_1 + 2X_2 + 2X_3 = 16$

Module 6

M6-6 *a*) $Y'' = 12X − 6$ *b*) $Y'' = 80X^3 + 12X$
c) $Y'' = 6/X^4$ *d*) $Y'' = 500/X^6$

M6-8 *a*) $Y'' = 30X^4 − 1$ *b*) $Y'' = 60X^2 + 24$
c) $Y'' = 24/X^5$ *d*) $Y'' = 250/X^6$

M6-10 $X = 5$ is point of inflection.

M6-12 $Q = 2,400$, $TR = 1,440,000$

M6-14 $P = 5.48$

Module 7

M7-18 *b*) $14X_1 + 4X_2 \le 3,360$; $10X_1 + 12X_2 \le 9,600$
d) $S_1 = 3,360$, $S_2 = 9,600$ (e) X_2 (f) S_2
(g) 800 units of X_2 (h) 1,200,000

M7-20 $X_1 = 2$, $X_2 = 6$, $S_1 = 0$, $S_2 = 0$, $P = \$36$

M7-22 $X_1 = 14$, $X_2 = 33$, $C = \$221$

M7-24 Unbounded

M7-26 Degeneracy; $X_1 = 27$, $X_2 = 5$, $X_3 = 0$, $P = \$177$

M7-28 *a*) Min. $C = 9X_1 + 15X_2$
$X_1 + 2X_2 \ge 30$
$X_1 + 4X_2 \ge 40$
b) $X_1 = 0$, $X_2 = 20$, $C = \$300$

M7-30 8 coffee tables, 2 bookcases, profit = 96

M7-34 *a*) 7.5 to infinity   *b*) Negative infinity to $40
c) $20 *d*) $0

M7-36 *a*) 18 Model 102, 4 Model H23
b) S_1 = slack time for soldering
S_2 = slack time for inspection   *c*) Yes—shadow price is $4   *d*) No—shadow price is less than $1.75.

M7-38 *a*) Negative infinity to $6 for phosphate;
$5 to infinity for potassium
b) Basis won't change; but X_1, X_2, and S_2 will change.

M7-40 max $P = 50U_1 + 4U_2$
$12U_1 + 1U_2 \le 120$
$20U_1 + 3U_2 \le 250$

Apéndice H: **Soluciones a las autoevaluaciones**

Capítulo 1

1. c
2. d
3. b
4. b
5. c
6. c
7. d
8. c
9. d
10. a
11. a
12. análisis cuantitativo
13. definición del problema
14. modelo esquemático
15. algoritmo

Capítulo 2

1. c
2. b
3. a
4. d
5. b
6. c
7. a
8. c
9. b
10. d
11. b
12. a
13. a
14. b
15. a

Capítulo 3

1. b
2. c
3. c
4. a
5. c
6. b
7. a
8. c
9. a
10. d
11. b
12. c
13. c
14. a
15. c
16. b

Capítulo 4

1. b
2. c
3. d
4. b
5. b
6. c
7. b
8. c
9. a
10. b
11. b
12. c

Capítulo 5

1. b
2. a
3. d
4. c
5. b
6. b
7. d
8. b
9. d
10. b
11. a
12. d
13. b
14. c
15. b

Capítulo 6

1. e
2. e
3. c
4. c
5. a
6. b
7. d
8. c
9. b
10. a
11. a
12. d
13. d
14. d

Capítulo 7

1. b
2. a
3. b
4. c
5. a
6. b
7. c
8. c
9. b
10. c
11. a
12. a

13. a
14. a

Capítulo 8

1. a
2. b
3. d
4. d
5. c
6. e
7. d
8. c

Capítulo 9

1. b
2. d
3. b
4. b
5. b
6. a
7. b
8. b
9. b
10. a
11. b
12. a

Capítulo 10

1. a
2. b
3. a
4. a
5. a
6. b
7. b
8. b
9. d
10. b
11. e

Capítulo 11

1. c
2. e
3. b
4. c
5. b
6. a
7. d
8. a
9. b
10. b
11. a
12. d
13. ruta más corta
14. flujo máximo
15. árbol de expansión mínima

Capítulo 12

1. e
2. c
3. a
4. d
5. b
6. c
7. b
8. a
9. b
10. b
11. a
12. a
13. Ruta crítica (o crítica)
14. técnica de evaluación y revisión del programa
15. modelo de programación lineal
16. optimista, más probable, pesimista
17. holgura
18. supervisión y control

Capítulo 13

1. a
2. a
3. b
4. e
5. c
6. b
7. c
8. d
9. b
10. d
11. c
12. primero en llegar, primero en atenderse
13. tienen una distribución exponencial negativa
14. simulación

Capítulo 14

1. b
2. b
3. a
4. b
5. a
6. a
7. d
8. a
9. b
10. b
11. d
12. d
13. c
14. e
15. *a*) no, sí, no, no, no, sí, sí, sí, no, sí

b) sí, sí, sí, sí, no, sí, sí, no, no, no

Capítulo 15

1. b
2. a
3. c
4. c
5. b
6. a
7. a
8. a
9. b
10. matriz de probabilidades de transición
11. colectivamente exhaustivos, mutuamente excluyentes
12. vector de probabilidades de estado

Capítulo 16

1. b
2. c
3. d
4. a
5. c
6. b
7. c
8. d
9. b
10. b

Módulo 1

1. a
2. d
3. b
4. b
5. c
6. b
7. b
8. b

Módulo 2

1. c
2. b
3. e
4. c
5. b
6. a
7. c
8. e
9. a
10. a
11. c
12. c
13. b
14. b

Módulo 3

1. c
2. d
3. b
4. a
5. b
6. b
7. c

Módulo 4

1. b
2. a
3. c
4. b
5. b
6. b
7. a

Módulo 5

1. c
2. a
3. b
4. c
5. b
6. a
7. e
8. d

Módulo 6

1. a
2. d
3. a
4. b
5. c
6. d
7. d

Módulo 7

1. a
2. d
3. d
4. a
5. a
6. d
7. a
8. d
9. b
10. a
11. a
12. b
13. c
14. c
15. d
16. a
17. b

Índice analítico